ISBN 978-1-334-60659-5
PIBN 10672871

English
Français
Deutsche
Italiano
Español
Português

www.forgottenbooks.com

Mythology Photography **Fiction**
Fishing Christianity **Art** Cooking
Essays Buddhism Freemasonry
Medicine **Biology** Music **Ancient**
Egypt Evolution Carpentry Physics
Dance Geology **Mathematics** Fitness
Shakespeare **Folklore** Yoga Marketing
Confidence Immortality Biographies
Poetry **Psychology** Witchcraft
Electronics Chemistry History **Law**
Accounting **Philosophy** Anthropology
Alchemy Drama Quantum Mechanics
Atheism Sexual Health **Ancient History**
Entrepreneurship Languages Sport
Paleontology Needlework Islam
Metaphysics Investment Archaeology
Parenting Statistics Criminology
Motivational

ZEITSCHRIFT

FÜR DIE GESAMTE

STAATSWISSENSCHAFT

In Verbindung mit

berbürgermeister **F. ADICKES** in Frankfurt a./M., Präsident **A. BUCHENBER-
ER** in Karlsruhe, Prof. Dr **K. BÜCHER** in Leipzig, Prof. Dr **G. COHN** in
öttingen, Prof. Dr **K. V. FRICKER** in Leipzig, Landger.Rat Dr **L. GAUPP** in
übingen, Oberbürgermeister Dr **v. HACK** in Stuttgart, Geh.Reg.Rat Prof. Dr **G.
ANSSEN** in Göttingen, Prof. Dr **L. v. JOLLY** in Tübingen, Prof. Dr **F. v.
IARTITZ** in Tübingen, Kaiserl. Unterstaatssekretär z. D. Dr **G. v. MAYR** in
trassburg, Prof. Dr **Fr. J. NEUMANN** in Tübingen, Geh.Rat Prof. Dr **W.
OSCHER** in Leipzig, Dr **G. RUHLAND** in Zürich, Geh. Ob.Reg.Rat Dr **K.
CHENKEL** in Karlsruhe, Prof. Dr **G. v. SCHÖNBERG** in Tübingen, Dr **A.
OIGT** in Karlsruhe, Geh. Reg.Rat Prof. Dr **A. WAGNER** in Berlin, Freiherr von
VEICHS** bei d. Generaldir. d. k. k. Staatsbahnen in Wien, Ober.-Reg.Rat.
Dr **Fr. WÖRISHOFFER** in Karlsruhe

HERAUSGEGEBEN

VON

Dr A. SCHÄFFLE
K. K. MINISTER A. D.

Fünfzigster Jahrgang

TÜBINGEN 1894
VERLAG DER H. LAUPP'SCHEN BUCHHANDLUNG

DRUCK VON H. LAUPP JR IN TÜBINGEN.

INHALT DES FÜNFZIGSTEN BANDES.

Jahrgang 1894.

I. Abhandlungen.

II. Miszellen.

III. Litteratur.

Anhang.

I. ABHANDLUNGEN.

ZUR PATHOLOGIE DER ARMUT.

VON

WILHELM ROSCHER.

1.

Zum Begriffe Armut gehört, dass man, und zwar längere Zeit hindurch, der unentgeltlichen Hülfe Anderer bedarf, die sich nicht speziell dazu verpflichtet halten. Also die Hülfe der Eltern z. B. gegenüber ihren kleinen Kindern ist keine Armenpflege. Wären alle Menschen wahre Christen, so würde es keine Armen und keine Armenpflege geben: ein Ideal, von dem übrigens sogar die erste Gemeinde zu Jerusalem fern geblieben. Der deutsche Sprachgebrauch, wonach Armut ein höherer Grad von Dürftigkeit ist, scheint doch viel unlogischer, als der französische und englische, wo *indigent* etwas Schlimmeres bedeutet, als *pauvre* und *poor*. [1]) Ein noch höherer Grad wird durch *misère* bezeichnet. In England unterscheidet Booth die drei Stufen: *poverty*, *want* und *distress*. [2])

---

1) Die Meinung von *J. Grimm,* dass arm = pauper und arm = brachium dasselbe Wort seien, arm derjenige, dem unter die Arme gegriffen werden muss (Deutsches Wörterbuch I, S. 553 ff., 557 ff., III, S. 701), ist doch sehr unwahrscheinlich. Die Wurzel arm mag mit ἔρημος (einsam, hülflos) zusammenhängen; pauper mit paucus, peu, und parere, also = wenig schaffend; das griechische πόνηρος mit πόνος = Mühseligkeit; πτωχός mit πτώσσω = sich furchtsam, unterwürfig bezeigen; das sanskritische daridra mit διδράσκειν = fliehen, davonlaufen.

2) Statist. Journal 1888, p. 294. *Guy* unterscheidet poverty und destitution: jene decent, retiring, modest, respectable, far removed from luxury, but no stranger to humble household comforts, cleanliness and thrift; shrinking from dependence, not

Der Begriff Armut ist ein grossenteils relativer. In jeder Gesellschaft wird diejenige Lebenshaltung als notwendig betrachtet, welche die unterste Schicht der noch selbstständigen Arbeiter führt. Wer z. B. eine Kleidung hat, die ihn zwar gegen Frost schützt, aber sein Erscheinen auf der Strasse, in der Kirche etc. unmöglich macht, ist in unseren Verhältnissen arm. Bei Jäger-völkern würde er noch nicht arm sein. [1] Für ein Kind ist bei uns der Unterricht ebenso sehr Bedürfnis, wie die Nahrung etc., für ein taubstummes Kind ein ganz besonderer Unterricht. (*Gé-rando* I, p. 49. 53.) Manche scheinbare Zunahme der Armut beruhet einfach darauf, dass man sie jetzt menschenfreundlicher beachtet. So hat man vor Errichtung der Taubstummenanstalten gar nicht gewusst, dass es so viele Taubstumme giebt. Mit dem Steigen der Kultur, also auch der Bedürfnisse, [2] wird Mancher, der sich früher kümmerlich erhalten konnte, Gegenstand des Mit-leides und Beistandes. (*Gerando* I, p. 455 ff.) Die steuerkräftig-sten Provinzen Frankreichs haben zugleich die meisten Armen; hier ist auch der soziale Kontrast der Armut am peinlichsten. (I, p. 142. 146.) Die Ungleichheit des Vermögens wirkt als heilsamer Sporn unter dem dreifachen Schutz der Gesetze, der Einsicht und Sittlichkeit: sonst aber leicht sehr verderblich. (I, p. 155 ff.) Eine weite Verbreitung der Zustände von Sklaverei, Leibeigenschaft, Zunftwesen assekuriert zwar gegen Armut, aber auf Kosten der Unabhängigkeit, der sittlichen Würde und auch eines guten Teils von materiellem Wohlsein im Ganzen. Die Teilnahme an der Verbesserung der freien Arbeiter steht moralisch viel höher, als die Sorge für das Wohl der Sklaven etc. welche letz-tere dem Eigennutze viel näher verwandt ist. Was die Schatten-seiten der Emanzipation betrifft, so ist die Möglichkeit des Uebels die unvermeidliche Bedingung der Freiheit. (I, p. 165 ff.) Dass die jetzige scheinbare Vergrösserung der Armut oft von der grösse-ren Empfindlichkeit der höhern Kultur herrührt, und zwar Em-pfindlichkeit auf beiden Seiten, beweiset *Gerando* (IV, p. 552) mit einer Erinnerung an die 40000 Bettler zu Paris, die unter Ludwig XIV. in einem Jahre acht Aufstände machten.

---

through pride, but from a deep abiding sense of the duty and dignity of honest labour, and yet gratefully accepting such occasional aid, as its precarious condition may render necessary. (Statist. Journal 1874, p. 428). Das Wort Pauperismus, in England aufgekommen, scheint *Ad. Smith* noch unbekannt zu sein.

1) *Gérando,* De la bienfaisance publique I, p. 18 ff.

2) *Roscher,* System der Volkswirtschaft. Bd. I, § 213 ff.

Unter den Vorboten der Armut hebt *Gerando* besonders hervor, dass Jemand sein notwendiges Mobiliar verkauft: er thut das beinahe immer tief unter dem wahren Werte, und muss sich nachmals .den Ersatz viel teuerer anschaffen. Am allerschlimmsten natürlich, wenn der Verkauf die Arbeitswerkzeuge betrifft.

`Ursachen der Armut.

2.

Wenn *Cherbuliez* als die Hauptursache der Armut die imprévoyance bezeichnet [1]), so ist das ganz richtig, aber wegen zu grosser Allgemeinheit des Ausdruckes wenig belehrend. *Stanley Jevons* klagt, das Sprichwort: where God sends mouths, he sends food, werde noch von sehr Vielen für wahr gehalten. Dies sei der Hauptgrund, warum trotz der neueren Steuermilderungen, Auswanderungsleichtigkeit, Gewerbezunahme etc. die Armut doch nicht abgenommen habe [2]). Also Uebervölkerung, die vornehmlich durch leichtsinniges Almosengeben verstärkt werde. Diese Erklärung trifft schon mehr einen Hauptpunkt, doch ebenfalls in ziemlich unfruchtbarer Allgemeinheit, da die Volksvermehrung ebenso wohl bergauf wie bergunter führen kann.

Wir teilen die sämtlichen Armutsursachen in zwei grosse Kategorien: zu geringe Produktion, zu grosse Konsumtion.

Die zu geringe Produktion kann daher rühren, dass der Arme nicht arbeiten kann, oder nicht arbeiten will, oder keine Gelegenheit zu arbeiten findet [3]).

A. Physische Arbeitsunfähigkeit. Sie treffen wir bei verwaisten Kindern, altersschwachen Greisen, bei Kranken, namentlich auch Geisteskranken, und Kränklichen [4]). Wenn *E.*

---

1) *Guillaumin*, Dictionnaire de l'Economie politique, Art. Bienfaisance publique.

2) Statist. Journal 1870, p. 311 : Nothing, so surely as indiscriminate charity, tends to create and perpetuale a class living in hopeless poverty. Die Städte mit den zahlreichsten Wohlthätern und Wohlthätigkeitsanstalten haben die meisten Armen, weil der schlecht Erzogene dann am wenigsten der Zukunft gedenkt.

3) *Fallati* (Jahrbüchei der Gegenwart, Nr. 4) unterschied natürlich Arme, willkürlich und gesellschaftlich Arme.

4) *Rau,* Lehrbuch II, §. 342, erwähnt noch eine besondere Klasse von »Halbarmen«, die zwar arbeiten können, aber nicht genug zur Befriedigung ihres Bedarfes. Die durch schlechte Arbeit Verarmten sind für die Reichen wohl ein Gegenstand des Mitleids, für die besseren Arbeiter jedoch eine sehr schwere Last. (Stat. Journ. 1888, p. 299.) Diese werden oft mehr beeinträchtigt durch Herabziehung von Unten, als durch Herabdrückung von Oben (p. 333.)

Thomas das G r e i s e n a l t e r ein maladie sans remède et cause principale de la misère nennt, so ist die erste Hälfte dieses Satzes ganz wahr, die zweite doch wenigstens eine Regel. In den 77 Städten, welche *Böhmert* beobachtet hat, waren von den zu dauernder Unterstützung berechtigten Männern, 39,94 Prozent der Altersklasse zwischen 60 und 75 Jahren angehörig [1]). Solche Verarmungsursachen haben wohl zu jeder Zeit gewirkt, und da sie von menschlicher Willkür nur wenig vermehrt oder vermindert werden können, fast immer in verhältnismässig gleicher Ausdehnung. — Wenn die Zahl der G e i s t e s k r a n k e n neuerdings mehr gewachsen ist, als die Bevölkerungszahl im Allgemeinen, so mag das zum Teil aus der wachsenden Komplizierung und Ruhelosigkeit des ganzen Lebens erklärt werden, (auch eine Schattenseite der grossen Arbeitsgliederung auf jeder hohen Kulturstufe: mein System der Volkswirtschaft, Bd. I, §. 63!); zum Teil beruhet es aber auch auf der sorgfältigern Beachtung. Die preuss. Provinzial-Irrenhäuser haben ihre Bettenzahl in 9 Jahren von 10 000 auf 15 000 steigern müssen. Während die Bevölkerung um 10 Proz. wuchs, nahm die Zahl der Geisteskranken um 20 Proz. zu [2]). In England gab es arme Irren 1852: 21 158, 1869: 45 143, 1879: 60 165, 1884: 70 470; Irre überhaupt 1889: 84 340 [3]). — Die T a u b s t u m m h e i t als Armutsursache ist auf den höheren Kulturstufen gewiss in einiger Abnahme begriffen. Da sie grossenteils auf Vernachlässigung in früher Kindheit beruhet, so tritt sie in niedrig kultivierten Gegenden besonders häufig auf. In Preussen hatte auf je 100 000 Einwohner die Provinz Ostpreussen 605 Taubstumme, Westpreussen sogar 111,22, Posen 68,6, Pommern 60,6. Sachsen dagegen nur 17,3. Dazu kommt noch, dass seit der Mitte des 18. Jahrhunderts mehr und mehr an Erziehung der Taubstummen gedacht wird

---

1) Wenn neuerdings in Leipzig die durch Verwaisung und hohes Alter Bedürftiggewordenen verhältnismässig zunehmen, die durch unzweifelhaft eigene Schuld Verarmten abnehmen, so ist das ein sittlich günstiges Symptom, während freilich die grosse Zahl der von ihrem natürlichen Ernährer verlassenen Kinder eine sehr schlimme Bedeutung hat (*Lehr,* Aus der Praxis der früheren Haftpflichtgesetzgebung, 1888, S. 11).

2) Schriften des Vereins für Armenpflege, IX, S. 51.

3) *Aschrott,* Das englische Armenwesen in seiner historischen Entwickelung und seiner heutigen Gestalt (in *Schmoller*'s staats- und sozialwissenschaftlichen Forschungen, 1886), S. 358. Statist. Journ. 1890, p. 203. Wenn hier, abgesehen von der Hauptstadt, die meisten Irren in den ländlichen Bezirken leben, so kommt dies wohl daher, dass man so viele Kranken aufs Land schickt (p. 216). Die Vermehrung im Allgemeinen wird von Manchen durch die grössere Genauigkeit der Beobachtung erklärt, sowie daher, dass jetzt die bessere Pflege das Leben verlängert (p. 246 ff.).

(Heinecke, de l' Epée!): was ihre spätere wirtschaftliche Selbstständigkeit begründet.

In einer wichtigen Beziehung sind übrigens gerade hochkultivierte Gegenden der Verarmung durch zu geringe Produktion
in besonderem Grade ausgesetzt. Es gehört zu den gewöhnlich-
sten Schattenseiten der spätern Kultur, dass sich der Familien-
sinn abschwächt, man also namentlich die etwas ferneren Verwandten als Fremde betrachtet, die im Verarmungsfalle nur auf
das Publikum rechnen dürfen. So entsteht insbesondere auf den
höheren Kulturstufen, wo die Bevölkerung dichter, das Eingehen
der Ehe schwieriger geworden ist, eine zahlreiche Klasse künst-
licher Waisen, die zwar Vater und Mutter haben, jedoch häufig
genug wenigstens vom Vater verlassen worden sind. Die Zahl
der u n e h e l i c h e n K i n d e r wird allerdings nicht unmittelbar als
ein Massstab der Volkssittlichkeit gelten dürfen. Gleichwohl ist
ihre Häufigkeit immer als ein Zeichen zu betrachten, dass die
rechtmässige Begründung eines Hausstandes wirtschaftlich oder
polizeilich erschwert, und die sittliche Kraft des Volkes nicht im
Stande ist, der hierin liegenden Versuchung zu widerstehen. In
letzterer Hinsicht kann diese Erscheinung nicht nur als Symptom, sondern auch als Ursache gelten, da Bastarde gewöhnlich
schlecht erzogen werden. Unverhältnismässig viele Vagabunden,
Huren, Verbrecher gehen aus ihnen hervor, so dass eine zahlreiche »parthenische« Bevölkerung für jeden Staat eine grosse
Gefahr ist. (Bd. I, §. 249.)

Wie sehr Zerrüttung des Familienlebens die Armut befördert,
zeigt die Thatsache, dass in Leipzig 1849 über die Hälfte aller
geschiedenen und getrennt lebenden Ehefrauen der Armenpflege
bedurfte: nämlich 83 von 162 überhaupt; während die Zahl der
Armen nebst Familie sich zur Gesammtzahl der Bevölkerung wie
1 zu 13 verhielt. Also unter den Armen über 6 mal so viele
Scheidungen [1]! Uebrigens zeigt sich die Relativität des Begriffes
Uebervölkerung (Bd. I, §. 249) namentlich darin, dass z. B. in
England so viele dichtbewohnte Industriegegenden wenig uneheliche Geburten haben, viele dünnbevölkerte Ackerbaulandschaften
hingegen viel. Solche Zerrüttung des Familienlebens kann sogar
einen erblichen Charakter annehmen: die furchtbarste Karikatur

---

[1] In einer Menge deutscher Städte sind unter 100 armen Weibern 9 geschie-
dene, getrennt lebende oder verlassene Ehefrauen und 61,63 Witwen (*Bohmert*
I, S. 110.)

des Erbprinzipes! Von den 1200 Sträflingen zu Ludwigsburg
waren 310 unehelich geboren; 126 hatten keine elterliche Erziehung genossen, da sie in fremder Pflege aufgewachsen waren; 352
stammten von schlechten, zum Teil schon bestraften Eltern ab;
1018 waren gänzlich vermögenslos [1]).

3.

B. Arbeitsscheu. Diese Ursache der zu geringen Produktion ist besonders auf den mittleren Kulturstufen bedeutsam.

Wo der reichere Teil der Bevölkerung mehr Vermögen besitzt, als er braucht, während unter den Aermeren eine grosse
Zahl die Unthätigkeit und »Freiheit« des Bettellebens allen
Genüssen des Fleissigen, aber auch Gebundenen vorzieht, da ist
die Armenpflege dem Charakter des mittelalterlichen Luxus entsprechend, der sich ja vorzugsweise in einer breiten Verzehrung
einheimischer Bodenprodukte und in der Haltung einer zahlreichen,
wenig beschäftigten Dienerschaft äussert, (Bd. I, §. 225.) So besonders in warmen Ländern, wo die Bedürfnisse des Obdachs,
der Feuerung und Kleidung viel weniger dringlich sind. Noch zu
Anfang unseres Jahrhunderts gab es in Neapel an 40 000 (?) Lazz-
zaroni, die oft auf der Strasse schliefen und ihren armseligen
Unterhalt nur im Notfalle durch Arbeit verdienten [2]). In einem
solchen Bettlerleben, das mit Abenteuersinn, Gutmütigkeit, ja
einer Art von Ritterlichkeit gepaart sein kann, liegt auf gewissen
Kulturstufen etwas romantisch Anziehendes, Spanische Dichter
des 16. und 17. Jahrhunderts geben reizende Schilderungen des
Bettlertums, wie es am schönsten durch Murillo's Bettelbilder
verherrlicht wird. In der That war der spanische mendigo, der
mit Degen, Mantel und Guitarre ging, und in seiner Haltung an
den Edelmann erinnerte, der schönste Typus dieses Wesens [3]).

---

1) *E. Sichart*, Ueber die Rückfälligkeit der Verbrecher und die Mittel zu deren
Bekämpfung (1881). In Waadt gab es 1841 unter den armen Familien 36, unter den
armen Individuen 34 Proz. erbliche Fälle (Enquête sur le paupérisme dans le canton
de Vaud, 1841, I, p. 37). Von einer nordamerikanischen Landstreicher- und Ver-
brecherfamilie, deren eine Stammmutter 1825 starb (s. *Herse* in den Schriften des
Vereins f. Armenpflege, XVI, S. 16). Die beiden Schwestern hatten zusammen 834
Nachkommen, wovon 709 genau konstatiert waren, darunter 106 Unehelichgeborene,
164 Prostituierte, 17 Inhaber von Bordellen, 142 Bettler, 64 Armenhausbewohner, 76
Verbrecher. Zusammen waren sie 116 Jahre eingekerkert und 734 Jahre aus Armen-
mitteln unterstützt gewesen.

2) Aehnlich die Guachinangos oder Leperos in Mexiko.

3) Die spanische Gesetzgebung des 18. Jahrhunderts hat gegen arbeitsfähige

In sehr vielen Gegenden findet man während des spätern Mittelalters Menschen, die noch etwas Land hatten und arbeiten wollten, hart gedrückt von Gutsherren, Pfaffen etc. und in steter Gefahr, gänzlich ausgeraubt zu werden. Wer sich aber von allem Besitz und dessen Pflichten losgemacht hatte, nur von Bild zu Bild, Kloster zu Kloster pilgerte, und seine Tage damit hinbrachte, die Zahl der Zuschauer bei dem Schaugepränge kirchlicher Feste zu vermehren, der war auf einmal frei und sicher. Die goldene Zeit der Bettler und des fahrenden Gesindels [1])! Gleichzeitig mit Sebastian Brant's Narrenschiff und fast ebenso verbreitet ist der Liber vagatorum, worin das damalige Bettelwesen geschildert wird [2]). Nach dem dreissigjährigen Kriege lesen wir eine glänzende Schilderung vom »Glücke der Bettler« in J. B. Schupp's Kunstreich zu werden. (Werke I, S. 688 ff.): wie sie allenthalben salvum conductum haben, niemals verhungern, (die Nichtbettler verhungern oft!), viel besser daran sind, als die Bauern. Aehnlich in der Almosenbüchse. (II, S. 368 ff.) — In Oesterreich spielten unter Kaiser Leopold I. die Bettler eine solche Rolle, dass man beim Herannahen der türkischen Belagerung ihrer 7000 aus Wien fortschaffen musste. Dazu kamen die zahlreichen »Audienzbrüder,« herabgekommene Leute von guter Familie, die bei den wöchentlich zwei Audienzen des Kaisers mit je 12 bis 100 Dukaten beschenkt wurden [3]). Im deutschen Reiche war das Betteln der Handwerksburschen so allgemein, dass. noch ziemlich gegen Schluss des 18. Jahrhunderts Wandergesellen, die Geld in der Tasche hatten, doch »fechten« mussten, um nicht von ihren Kameraden verachtet und verfolgt zu werden [4]). Noch *R. Mohl*

Bettler strenge Massregeln versucht, namentlich sie zum Kriegsdienste zwingen wollen. (*Gérando* IV, p. 543.) In der Wirklichkeit aber fanden sich bei der Volkszählung von 1756 in Kastilien allein über 60 000 Bettler. (*Colmeiro*, Historia de la economia politica in España, II.)

1) *Bülau*, Staat und Industrie, S. 240. Also etwas Aehnliches mit geistlicher Farbe, wie es jetzt mit weltlicher Farbe ein grosser Teil unserer Sozialisten anstrebt.

2) *Seb. Frank* beklagt es bitter, wie die Bettler ihre eigene rotwälsche Grammatik, eine Menge eigener Sprüchwörter haben. Ihre Kinder könne man schwerlich zu etwas anderem erziehen. *Frank* berichtet, dass Bettler die angebotene Heilung ihrer Krankheiten verschmähen; dass einer jedes ihm geborene Kind an Fuss oder Hand verstümmelt, um es dadurch »bass zu versehen, zu einem Herrn zu machen«. (I, p. 38ᵇ.)

3) Leopolds d. Grossen wunderwürdiges Leben etc. l, S. III. *Mailath*, Oesterr. Geschichte IV, S. 383.

4) *Basedow*, Anschläge zu Armenanstalten wider die Unordnung der Betteley, 1772, S. 40.

spricht von schwäbischen Bettlern, welche sich eigene Knechte
und Mägde hielten, denen sie Lohn gaben, und die für sie betteln
mussten [1]). Zu derselben Zeit war es in der Mark Brandenburg nichts
Seltenes, dass ein Dorfschulmeister jährlich über 12 Thaler an Bettel-
pfennigen ausgeben musste, ausser Brot und Kartoffeln; ein Pfarrer gegen 40 Thaler. Eine schreckliche Kehrseite hiervon war
die Krüppelfuhr, wonach ein kranker Bettler, der nicht fortkonnte,
von dem an der Reihe befindlichen Bauern aufs nächste Dorf gefahren wurde, und so immer weiter, bis er todt war [2]).

In Schottland, wo es gegen Schluss des 17. Jahrh. an 200000
Vagabunden gegeben haben soll, welche das Land im höchsten
Grade unsicher machten [3]), wird noch in viel späteren Armenge-
setzen das Betteln von Studenten bloss dann mit Strafe bedrohet,
wenn es ohne Licenzschein ihrer Lehrer geschieht [4]). Zu den
schönsten Schilderungen des älteren Bettelwesens gehört die in
W. Scott's Antiquary gegebene, welche im letzten Viertel des 18.
Jahrhunderts spielt. (Besonders Ch. 36.) [5]).

---

1) Präventivjustiz, S. 242.

2) *v. Rochow*, Versuch über Armenanstalten und Abschaffung aller Bettelei. 1789,
S. 7. 9 ff. Auch *J. G. Hoffmann* erinnert sich noch der Zeit, »wo selten ein Tag
vergieng, an dem nicht mehr als ein Bettler an die Thür des Wohnzimmers jeder
Familie klopfte, die nur eben nicht selbst in grosser Dürftigkeit zu leben schien«. (Befugnis zum Gewerbebetriebe, 1841, S. 269.)

3) *Fletcher* of Saltoun Works (1737) p. 144. Der Verf. rät, sie zu Leibeigenen
zu machen.

4) *Macfarlan*, Inquiries concerning the poor (1782) II, Ch. I.

5) Eine sehr merkwürdige Bettelprovinz finden wir in R u s s l a n d : nahe bei
Moskau 2 Dörfer mit 4348 »Seelen«, die Ende Novembers, nachdem sie ihre Acker-
produkte verkauft haben, sich in Gruppen (Artels) von 10—20 Bettlern mit 5—10
Fuhrwerken auf die Reise begeben, vornehmlich dahin, wo gute Ernten gewesen sind.
Die Greise berufen sich alle auf Alter und Hilflosigkeit, die Frauen auf kleine Kinder,
die Männer auf Feuerschaden. Sie verteilen sich in Gruppen von je 2—3 auf die
verschiedenen Dörfer, und kommen alle 8—14 Tage zusammen, um das Empfangene zu
verkaufen. So lange sie in einem Dorfe sind, lassen sie ihr Pferd mit einem Genossen
draussen. Sie verletzen sich Hände oder Füsse, kleiden sich in angebrannte Pelze, ziehen
kein Hemd an etc. Begegnet ihnen auf der Landstrasse eine Equipage, so legen sie in ihren
Wagen einen Greis und betteln für die Bestattung seiner angeblichen Leiche. Die
von Armen erkauften Findelkinder verstümmeln sie wohl, um dafür zu betteln. Im
März kehren sie heim, vormals oft mit 100—200 Rubeln bar, jetzt wohl nur mit 40.
Ihre Pferde werden bei dieser Reise durch das viele Brotfutter besser, als vorher, und
ihre häuslichen Wirtschaften sind meistens gut im Stande (*Schmoller's* Jahrbuch 1886,
S. 758 ff.) dgl. *Thun*, Landwirtschaft und Gewerbe in Mittelrussland seit Aufhebung
der Leibeigenschaft, S. 204 ff. Von der furchtbaren Proletariernot bei den Matten-
webern von Moskau, als Gegenstück hiervon, s. *Schmoller's* Jahrbuch, 1891, S. 308.

Wie es mehrfach in Asien vorkommt, dass ein gesunkenes Volk unter anderen Völkern, die es besiegt haben, als eine Art von ·Kaste fortlebt, (Banianen, Parsen, Armenier, Juden!), so können die Z i g e u n e r als eine Bettelnation gelten. So vagabundisch, dass sie kein Wort für »wohnen« haben! Zweckloses Umherziehen nennt man in Ungarn »Zigeunern«. Zum Kundschaften sind sie äusserst geschickt, was schon Wallenstein benutzt hat. Immer klagen und jammern sie, schon bei der leichtesten Arbeit, während sie gegen Wind und Wetter ungemein abgehärtet sind. »Das Zigeunerross reiten«, ist in Ungarn ein Ausdruck für lügen. Ihren proletarischen Sinn bezeugt es, dass ihrer Sprache das Futurum fehlt [1]).

4.

Uebrigens tritt dieses Betteltum in seiner besten Zeit n i c h t b l o s s k o n s u m i e r e n d auf. In der griechischen Ritterzeit ist der Bettler zugleich eine Art von Lustigmacher, Vorläufer des spätern Parasiten (Odyssee XVIII, I. ff.), dient wohl auch als Bote. (XVIII, 7.) Hesiod stellt Bettler und Sänger zusammen (Tage und Werke, 36.) In England führt 4. Henry IV, c. 27 die ministrels et autres vacabondes auf, und noch 17. George II. nennt die Vagabundenakte unter den rogues and vagabonds, die gepeitscht und 6 Monate lang eingesperrt werden sollen, auch die Ministreis, mit Ausnahme derjenigen, die von Lord Dutton in Chesshire privilegiert seien. Es ist noch gar nicht lange her, dass in der Bretagne die allgemeine Gastfreiheit sich besonders auf Bettler wandte. Der Bettler war der allgemeine Neuigkeitsträger, oft auch Bote bei Liebeswerbungen, Briefen etc. Fortpflanzer der Volkslieder, wandernder Barde und Novellist [2]). In Polen waren die Bettler, Grossväter und Grossmütter genannt, für das Volk sympathetische Aerzte, Hebammen, Sänger, Wahrsager, Zauberer, Freiwerber etc. Vor ihrer Rache fürchtete sich Jedermann. Wie sie einerseits mit der Kirche in Verbindung standen, als Pilgrime, Sänger, Kollekteurs, so auch wieder mit Räubern als Kundschafter, Hehler, Trödler. Ein grosser Teil des Hexen-

---

1) *Schwicker*, Die Zigeuner, 1884, S. 135 ff., 139 ff., 158. Schon früher *Grellmann*, Historischer Versuch über die Zigeuner (1787). Auch in den indogermanischen Sprachen scheint das Futurum verhältnismässig spät aufgekommen zu sein. Das Denken an die Zukunft bildet ja einen Hauptunterschied des Mannes vom Kinde, des Bürgers vom Bummler!

2) *Emile Souvestre* im Ausland, 1843, Nr. 221.

wesens, Wehrwolfglaubens etc. ist auf Rechnung ihrer Tradition, mehr noch ihrer absichtlichen Betrügerei zu setzen. Im 15. und 16. Jahrhundert wurden förmliche Gastmähler für sie gegeben, woran Adel und Klerus teilnahmen. — Also freilich mit sehr üblen Seiten: wie ja auch in Spanien die volkstümliche Duldsamkeit gegen Bettler mit einer entsprechend milden Beurteilung der Räuber verbunden war. Beides mittelalterlich! Die Kunst zu betteln ist nahe verwandt mit der zu stehlen, (Rumford), mehr noch mit der Kunst zu lügen.

Und doch hat jede m i t t e l a l t e r l i c h e R e l i g i o n eine schlimme Neigung, den Bettel zu begünstigen: eine Ausartung des richtigen Gedankens, den schon *Homer* ausspricht, dass alle Fremdlinge und Arme Gott angehören [1]). In Ostindien gehört es zu den Hauptleistungen des Buddhismus, das Bettelmonopol der Braminen aufgehoben zu haben, so dass auch die anderen Kasten, selbst die Weiber, zur Würde von Bettlern gelangen konnten. Bei den Moslemen heisst Mekka das Paradies der Bettler; sie fordern oft mit den Worten: »Pilgrim denk an deine Pflicht«[2]). In der Türkei war es gegen Schluss des 16. Jahrhunderts gewöhnlich, dass Kranke den Gefangenen (selbst Rajahs!) Almosen schickten, um ihre Fürbitte zu erlangen: weil das Gebet Unglücklicher für besonders wirksam galt[3]). Wer im Orient einen Bettler so regelmässig beschenkt, dass derselbe darauf rechnet, kann gerichtlich zur Fortsetzung angehalten werden, indem man das Gebet des Armen für den Wohlthäter als ein kontraktliches Aequivalent betrachtet[4]). Unter den Christen soll z. B. der heilige Alexius, Sohn eines reichen Römers, all sein Gut den Armen geschenkt haben, um dann als Bettler umherzuziehen, ja die letzten 17 Jahre unerkannt als Bettler vor seines Vaters Hause zu liegen[5]). Wo es angesehene Bettelorden giebt, da kann das Betteln nicht als schimpflich gelten. Nach der Ansicht der Franziskaner sollen die Ordensglieder, welche ein Gewerbe erlernt haben, dasselbe fortsetzen; wenn aber dessen Ertrag unzureichend ist, auch die

---

1) Odyssee VI, 207 ff., XIV, 57, XVII, 475. Vgl. noch Sophokles K. Oedipus, 1506. Viel reifer ist die Auffassung des Aristoteles: τετρημένος ἐστὶ πίθος ἡ τοιαύτη βοήθεια τοῖς ἀπόροις (Polit. VI, 3, 4); was an das Sprüchwort erinnert: dem Bettler gieb, füll Wasser in ein Sieb.

2) *K. Ritter,* Erdkunde XIII, S. 106.

3) *H. U. Krafft's* Reisen, S. 281.

4) *Klemm,* Kulturgeschichte, VII, S. 261. Aehnlich in Persien: *Brugsch* I, S. 248.

5) *Pfeiffer,* Deutsche Mystiker I, S. 160 ff.

geistliche Arbeit keinen Lohn gewährt, sich des Bettelns nicht schämen. Dies sei insoferne sogar verdienstlich, als dem Geber dadurch ewiges Heil erwächst. Doch soll niemals über das Notwendige hinaus, auch keine regelmässig wiederkehrenden Almosen erbeten werden [1]). Ezzelin kleidete einstmals die Bettler einer Gegend. Als man nun aus Gesundheitsgründen ihre alten Lumpen trotz ihres Weigerns verbrannte, fand man in der Asche so viel Gold und Silber, dass Ezzelin damit seine Auslagen mehr als ersetzt bekam [2]). Die 72 000 Diebe, die unter Heinrich VIII. von England gehenkt sein sollen, stehen sicherlich in Zusammenhang mit der grossen Klöstereinziehung. Noch gegen Schluss des 18. Jahrhunderts rechnete man in Deutschlands geistlichen Territorien auf je 1000 Einwohner 50 Geistliche und 260 Bettler. In Köln soll es 12 000 Bettler gegeben haben. Die bayerischen Bettler pflegten als Gegengabe für 1 Kreuzer Almosen zwei Paternoster zu beten [3]). Noch um 1867 soll das Stift Kremsmünster 35 008 durchziehende Arme beköstigt haben [4]). Im päpstlichen Rom hat diese Art von Wohlthätigkeit bis tief ins 19. Jahrhundert herab fortgedauert. Noch *Bodenstedt,* Erinnerungen aus meinem Leben (1890) II. S. 172, schildert die römischen Bettler, die 1848 scharenweise auf der spanischen Treppe lagen und das Almosen wie einen schuldigen Tribut forderten. Fast alle Arbeiten, die eine grössere Zahl von Werkleuten erheischten, wurden damals durch Mittelspersonen wucherisch ausgebeutet, auch nicht von Stadtrömern ausgeführt, weil diese hierfür zu stolz waren. Von Trunksucht war das niedere Volk ziemlich frei, aber sehr spielsüchtig [5]).

Neuere katholische Gelehrte heben oft hervor, wie die Klöster, Bettelmönche etc. zur geduldigen Ertragung der Armut sehr

---

1) s. *Raumer,* Geschichte der Hohenstaufen III, S. 190. Nachmals haben viele Klöster förmliche Bettelprovinzen gehabt, wie z. B. die Augustiner von Embeck und Herford sich vertragsmässig im J. 1316 gegen einander abgrenzten (Urkunde in Bilderbeck, Sammlung ungedruckter Urkunden I, 5, S. 35).

2) Verri Storia degli Ezzelini II, p. 141.

3) *Perthes,* Deutschland unter der französischen Herrschaft, S. 116. 438.

4) Neue freie Presse 17. Jan. 1868. Vor der Reformation schenkte das Kloster Hirsau jährlich 400 Malter rauher Früchte an die Bettler, deren täglich etwa 200 an das Klosterthor kamen (*Cless,* Kulturgeschichte von Württemberg, 1807, II, S. 443).

5) Statist. Journal, 1860, p. 236 ff. Von den päpstlichen Arbeiten, um die Altertümer auszugraben, heisst es hier, sie könnten nur ironisch Arbeiten genannt werden. Bei meinem ersten Aufenthalte in Rom habe ich oft gehört, wenn ein Liberaler angebettelt wurde, dass er dem Bettler antwortete: geh zu Pius IX.!

stärkten, durch das Beispiel des Zuredners selbst, der sie freiwillig auf sich genommen; ebenso die Nonnenklöster zur Vermeidung leichtsinnigen Ueberschätzens der Ehe. »Unsere Schauspiele,
Romane etc. schliessen gewöhnlich mit der Hochzeit: was da-
hinter liegt, kümmert sie wenig.« Einer der bedeutendsten »katholischen« Nationalökonomen, *Perin,* spricht geradezu von einem
bienfait de la pauvreté: gegenüber den wahren Zwecken des Lebens nehmen die Armen eine höhere Stellung ein, als die Reichen.
Da *Perin's* oberster Grundsatz das renoncement ist, muss Jedermann, der nicht wirklich arm ist, freiwillig arm werden. Die
Bettler haben förmlich eine Mission, den Stolz der Menschen zu
demütigen, die Armut im Geiste zu predigen etc.; wie St. Fran-
ziskus gesagt hat: imitatores Christi estote in paupertate. Dominus
enim Christus pauper natus est, pauper vixit, paupertatem docuit
et cum paupertate decessit [1]).

5.

Während im Ganzen das Bettelwesen auf den niederen und
mittleren Kulturstufen die grösste Bedeutung hat, finden wir doch
heute noch gerade in s e h r g r o s s e n S t ä d t e n, wo die persönliche Uebersicht am schwersten ist, viele Reste der Bettelei [2]).
Mir selbst gestand im Februar 1866 ein Hochstapler, angeblich
Sohn eines Arztes, zu Berlin erkrankt und als Architekt nach
München reisend, dass er zu Leipzig, wo er völlig unbekannt war,
in einem Vormittage fast 5 Thlr. erbettelt hatte. In London berechnete *Colquhoun* 1806, trotz aller gesetzlichen Armenpflege
7500 Bettler: nämlich 1000 arbeitslose Fremde, die Beschäftigung
suchten, ohne empfohlen zu sein; 1500 Bänkelsänger, Zigeuner
etc.; 3000 Strassenbettler, je einen für zwei Strassen; dazu noch
2000 Säuferinnen, »grubbers« und verlassene Kinder, welche sich
vom Lumpensammeln ernähren. In ganz England wurde 1868
die Zahl der vagrants von den Polizeibehörden auf 36179 ge-

1) *Périn,* De la richesse dans les sociétés chrétiennes, II Voll., 1869. Dazu meine
Abhandlung: Ein neuer Versuch, die Volkswirtschaftslehre zu katholisieren (Ansichten
der Volkswirtschaft, 3. Aufl. 1878, Bd. I, S. 51 ff). Einen wesentlich anderen Charakter hatte es, wenn der schweizerische Reformator *Bullinger* von seinem wohlha-
benden Vater eine Zeit lang zum Betteln angehalten wurde, um zu lernen, quae esset
mendicantium calamitas, ut porro illis per omnem vitam magis essem propitius (*Krass*
Heinrich Bulbinger, 1870, S. 9).

2) Schon Homer weiss, dass Bettler in der Stadt besser durchkommen, als auf
dem Lande (Odyssee XVII, 1).

schätzt [1]). Oft werden Bettler verhaftet, die bis 4, ja 8—10 £ St. baares Geld bei sich führen. Ein 1838 gestorbener Bettler, Th. Hume, soll ein Vermögen von 1 700 000 £ hinterlassen haben [2]) [3]). In Paris feierten die Bettler vor der Revolution vierteljährlich grosse Feste, wo das Couvert 6 Livres kostete [4]). Von pariser Bettlern, die täglich 9—12 Franks ernteten, dreimal so viel wie ein Tagelöhner, hat 1838 *Gérando* gesprochen (I, p. 477); ganz ähnlich neuerdings F. Passy [5]). Andere Angaben steigen sehr viel höher [6]), und zwar gab es 1888 nach polizeilicher Untersuchung 4500 bis 5000 Bettler in Paris [7]).

---

1) Von den Armenbehörden, welche freilich nur die von ihnen Unterstützung Begehrenden gezählt hatten, auf 6129 (Statist. Journ. 1871, p. 171 ff.).

2) Quarterly Rev. LXIV, p. 353, *Gérando* I, p. 10.

3) Die englischen Bettler haben förmliche Hieroglyphen, die sie an die Thür der von ihnen besuchten Häuser schreiben, um ihre Kameraden zu warnen etc. (Ausland 1849, No. 44).

4) *Peuchet,* Mémoires tirés des archives de la police, 1838.

5) Académie des sciences morales et politiques, Févr, 1891, p. 219. 222. Ein Geistlicher zu Versailles giebt einer »sehr unglücklichen« Frau 20 Fr., und will sie am Abend noch in ihrer zufällig recht angegebenen Wohnung besuchen. Hier findet er eine lustige Gesellschaft, die einen Truthahn verzehrt, welchem sie den Namen des Geistlichen, bon Girard, gegeben hat.

6) Nach *Berry's* Untersuchungen (Anfang 1891) hat eine Bettlerin an einem unfreundlichen Tage an einer nicht vorzugsweise belebten Strassenkreuzung von Paris in einer Stunde 25 Almosen empfangen; das wären, selbst wenn jeweilig nur 1 Sou gegeben worden, 1¼ Fr. Ein guter Bettelplatz vor einer Kirche ist wohl nach des bisherigen Inhabers Tode vom »Syndikat« um 280 Fr. versteigert; die Einnahme beträgt aber auch an Wochentagen selten unter 15 Fr., an Sonntagen bis 50 Fr. In einer Kneipe wird ein Säuglingsmarkt gehalten, um kleine Kinder als Schaustücke pro Tag zu 1½ bis 15 Fr. an Bettlerinnen zu vermieten. Brotmarken werden wohl von Berufsbettlern an arme Frauen, die unmittelbar kein Essen erlangen können, zum halben Preise verkauft. Dass ein kluger und thätiger Bettler ganz wohl 20 – 25 Fr. pro Tag ernten konne, zeigt *Paulian,* der mit polizeilicher Erlaubnis selbst als Bettler, Taubstummer etc. seine Studien gemacht hat (Journ. des Econ. 1891, III, p. 448).

7) Die meisten mendiants à domicile oder à poste fixe (Journ. des E. 1888, II, p. 420). Sehr charakteristisch, wie sich infolge eines geschärften Verbotes der Bettelei auf offener Strasse 1889 ein »Syndikat« der Bettler bildete, welches den Wohlthätern vorschlug, die vielen, für beide Teile unbequemen Bettelpfennige durch ein jährliches Abonnement abzulösen. Wer bisher im Durchschnitt täglich 10 Cent. gab, solle jährlich 36,5 Fr. zahlen gegen eine im Dezember ausgestellte Quittung. Die Bettler, unter Vorsitz der sehr aristokratischen »Notabeln der Blinden«, sprechen von ihrer »Kundschaft«, der es angenehm sein müsse, nicht mehr auf der Strasse stehen zu bleiben, Kleingeld herauszunehmen etc., die also den Bettlern um so mehr für die vorgeschlagene Neuerung Dank wissen werde, als ja sonst die bevorstehende Weltausstellung den Bettlern sehr einträglich sein wurde (Leipz. Tageblatt 5/IV. 1889).

Diese grossstädtischen Bettler teilen sehr viele Eigentümlichkeiten mit den untersten Kulturstufen: Widerstreben gegen jede regelmässige und fortgesetzte Beschäftigung, Mangel jeder Sorge für die Zukunft, grosse Neigung sich durch Trunk etc. zu betäuben, grosse Entbehrungsfähigkeit, Unempfindlichkeit für körperliche Schmerzen, Spielsucht, Unkeuschheit, Verachtung des Eigentums [1]. Aber auch sonst haben die neueren Transporterleichterungen die Wanderbettelei befördert; so dass man z. B. in Deutschland wohl von 200000 Vagabunden spricht, die jährlich etwa 73 Mill. Mk. kosten. [2] In Frankreich kennt *Leroy-Beaulieu* eine normandische Domäne an einer frequenten Heerstrasse, wo täglich 40—60 Bettler je einen Sou bekommen [3]. Selbst in England klagt Guy, dass noch jetzt, ebenso wie zu Defoe's Zeit, es eine Anzahl von tramps und vagrants giebt. Sie behaupten, arbeitswillig zu sein, aber keine Arbeit zu finden; und bringen auf diese Art, von Haus zu Haus, von Dorf zu Dorf, von Stadt zu Stadt, leider auch von Arbeitshaus zu Arbeitshaus und von einem Gefängnis zum andern ziehend, einen ganz falschen Eindruck von Uebervölkerung hervor; gerade so wie eine kleine Zahl von als Soldaten verkleideten Schauspielern, die um die Bühne eines Theaters ziehen, die Illusion eines Heeres bewirkt [4]. — Eine höchst merkwürdige internationale Bettelei wird von italienischen Kindern gegen England verübt. An ihrer Spitze stehen gewöhnlich zwei padroni, meist aus Unteritalien, von welchen der Eine sie nach England begleitet. Die Kinder müssen täglich wohl 4 Schill. oder mehr erbetteln, wofür ihre Eltern etwa 10 £ jährlich erhalten. Die Behandlung der Kinder, welche meist der englischen Sprache ganz unkundig sind, ist hart, und zu vielen Sünden verführend, da sie

---

1) Sehr wichtig zwei Bücher: *Mayhew*, London labour and the London poor: a cyclopaedia of the condition and earnings of those that will work, those that cannot work and those that will not work; (IV. Voll. 1861. 62). *Lecour*, Manuel d'assistance: la charité à Paris (1876).

2) *Schmoller*, Jahrbuch 1883, S. 525. In Schleswig-Holstein wurden 1878 wegen Bettelns und Vagabundierens 2437 Menschen bestraft, wovon 81 Proz. von auswärts kamen, und von diesen wieder 68 Proz. erst seit 3 Monaten in der Provinz lebten. Aehnlich in Sachsen und Mecklenburg (Conrad's Jahrbücher 1882, II, S. 36). Von den in Baden 1882—85 wegen Bettelns und Landstreichens Bestraften (die meisten im Januar = 17,4 Proz., die wenigsten im September = 4,2 Proz.) waren nur 36,4 Proz. Badenser (Preuss. statist. Zeitschr. 1887, S. VII).

3) Journ. des Economistes 1889, IV, p. 270.

4) Statist. Journal 1874, p. 425.

oft mit Vagabunden und Huren zusammen wohnen müssen [1]).

Selbst die beste Armenpflege wird nicht allen Bettel verhindern, weil sie doch immer nur das Notwendigste geben darf, mithin die Armen selbst in der Regel einen Zuschuss wünschen werden. Uebrigens giebt namentlich es drei Formen des Bettelns: am unschädlichsten die blosse Erregung des Mitleids; schlimmer schon die Lüge; am allerschlimmsten die Bedrohung von Person oder Habe, wie sie gar oft von Vagabunden gegen einzelne Bauernhöfe verübt wird.

6.

C. Soziale Arbeitsunfähigkeit. Die sogenannte Nahrungslosigkeit, wo der Arme gern arbeiten will, auch physisch recht wohl arbeiten könnte, aber keine »Arbeit erhalten« kann [2]), findet sich in hohem Grade fast nur in dichtbevölkerten, hochkultivierten Gegenden. Sie beruhet immer auf einem Angebote von Arbeit, welches die Nachfrage überschreitet, was den Lohn um so stärker drücken wird, als ja der gemeine Arbeiter sein Angebot selten vermindern kann. Er muss in der Regel arbeiten, um zu leben!

Diese ganze Frage hängt aufs Engste zusammen mit der Lehre von den Absatzkrisen, d. h. also von der Krankheit der Volkswirtschaft, die in einem peinlichen Zurückbleiben der Konsumtion hinter der Produktion besteht. Denn die harmonische Entwickelung von Produktion und Konsumtion, von Angebot und Nachfrage ist eine der wesentlichsten Bedingungen zum Gedeihen jeder Volkswirtschaft. So wahr es ist, dass Produkte nur mit Produkten bezahlt werden können, so gewiss trägt doch nicht jede Produktion in sich selbst schon die Garantie des gehörigen Absatzes, sondern nur die allseitig entwickelte, in Harmonie mit der ganzen Volkswirtschaft fortschreitende Produktion. Je stärker die Arbeitsteilung entwickelt ist, um so schwieriger, das Angebot jedes Produktes mit der künftigen Nachfrage immer im Gleichgewichte zu halten. Darum finden wir auf den höheren Stufen der volkswirtschaftlichen Kultur die Absatzkrisen aller Art nicht bloss am häufigsten, sondern auch am gefährlichsten. Diese Krankheiten sind eine Schattenseite der höhern Kultur selbst, eine schwervermeidliche Folge ihres rastlosen Wetteifers und Neuerungsgeistes. Namentlich müssen die Wegräumung aller inneren und äusseren

---

1) *Schmoller*'s Jahrbuch 1881, S. 371 ff.
2) Keine lohnende Arbeitsgelegenheit!

Verkehrsschranken, sowie die Ausbildung eines eigentlichen Weltmarktes, in der Uebergangszeit, bis sich die Menschen völlig an
diese freieren Spielräume gewöhnt haben, als ein Beförderungs-
mittel der Absatzkrisen gelten. — Zu den gefährlichsten Seiten
derselben gehört ihre Tendenz, der Unterschied zwischen Reichtum und Armut, sowie die Abhängigkeit der letztern noch schrof-
fer zu machen. War die Krise durch unmässige Gewerbeproduk-
tion entstanden, so leiden zwar auch die grossen Fabrikanten
einen zeitweiligen Verlust, der aber für sie wenigstens dadurch
bald ausgeglichen wird, dass der bleibende Ruin vieler kleineren
Nebenbuhler sie von einer lästigen Konkurrenz befreiet. Und der
Lohn der Arbeiter steigt in der Flutzeit vor der Krise gewöhnlich später, als der Preis anderer Waren, da man in diesen spe-
kuliert, also nicht bloss die jetzige, sondern auch die gehoffte ·
künftige Nachfrage einwirkt. Andererseits fällt er beim Eintreten
der Ebbe mit zuerst, weil hier kein Aufspeichern in Erwartung
besserer Zeiten möglich ist. (Band III, §§. 169 ff. 174.)

Die Nahrungslosigkeit kann nun temporär und lokal sein, auf
einzelne Gewerbzweige beschränkt, wenn nämlich der in einem
Orte, Bezirke, Gewerbe vorhandene Ueberschuss des Arbeitsange-
botes über die Nachfrage sich nicht sofort durch Abfluss in andere Oerter etc. verteilen kann. Oder sie kann generell und dauernd sein, im Falle der U e b e r v ö l k e r u n g.

Zu partieller Nahrungslosigkeit neigen am meisten die Gewerbe,
deren Absatz am veränderlichsten ist, ohne das sie doch leicht
gegen ein anderes vertauscht werden können; ferner diejenigen, zu
denen wegen der leichten Erlernbarkeit der stärkste Zudrang
stattzufinden pflegt. Bei hoher Arbeitsteilung und den so leicht
damit verbundenen Krisen wächst die Gefahr. Natürlich kommt
hierbei sehr vieles an auf die wirtschaftliche Biegsamkeit der Einzelnen, welche national sehr verschieden zu sein pflegt. Wenn
der Holsteiner z. B. seine Stellung im Ackerbau verliert, so giebt
er sich, auch der sonst Ehrliche und Fleissige, wegen seiner Einseitigkeit und Schwerfälligkeit leicht hoffnungslos verloren, während
der gewandtere Erzgebirger zuvor noch eine Menge anderer Aus-
kunftswege versucht [1]).

Die Krankheit der allgemeinen Uebervölkerung ist heilbar
da, wo die Gesetzgebung zeither nicht gleichen Schritt gehalten
hat mit der wachsenden Volkszahl, wo also z. B. der Grundbe-

---

[1]) Nach mündlichen Mitteilungen von *Weinlig.*

besitz noch zu wenig verteilt, der Gewerbfleiss durch Zunft- und Bannrechte gefesselt ist. Eine Wegräumung solcher Schranken erlaubt es der vorhandenen Volkszahl, eine Zeitlang behaglicher zu leben, zumal wenn gleichzeitig die zum Unterhalte der Arbeit verfügbaren Kapitalien, sowie die Arbeitsgeschicklichkeit wachsen. Diese günstigen Verhältnisse können lange dauern, wenn sich die lohnarbeitende Bevölkerung eine höhere Lebenshaltung angewöhnt hat, und demgemäss bei der Eingehung von Ehen behutsamer verfährt. Sonst wird der Zustand der Uebervölkerung bald wiederkehren, und könnte dann nur durch Auswanderung oder durch eine von Hunger und Elend bewirkte Volksverminderung gehoben werden. Ob der Erdkreis im Ganzen je übervölkert werden kann, ist eine sehr fern liegende Frage. Wo jedoch in kleineren Kreisen wegen allzu grosser Stumpfheit oder Schwäche der Menschen, allzu grosser Starrheit der Verhältnisse die Uebervölkerung nicht mehr als Sporn zu neuem Aufschwunge wirken kann, da gehört sie gewiss zu den schwersten und gefährlichsten Volkskrankheiten. Eine übermässige Konkurrenz der Arbeiter stürzt nicht bloss materiell durch Herabdrückung des Lohnes die grosse Mehrzahl der Nation ins Elend, sondern ist auch moralisch eine der schwersten Versuchungen: für die Reichen zu Hartherzigkeit und Menschenverachtung, für die Armen zu Neid, Unehrlichkeit, Prostitution. In jedem erstickenden Gedränge pflegt die tierische Natur des Menschen über die geistige den Sieg zu gewinnen. Gerade die einfachsten, allgemeinsten und notwendigsten Verhältnisse werden am gründlichsten vergiftet: durch die erschwerte oder unmöglich gemachte Eingehung der Ehe und die bittere Sorge für die Zukunft der Kinder. (Bd. I, §. 253.) Man hat für diese, in neuerer Zeit wieder recht bemerkten Uebel einer zu grossen Arbeiterzahl den neuen Ausdruck »P a u p e r i s m u s« (Massenarmut) eingeführt. Nur eine wahre Bildung und Vorsicht der niederen Klassen kann diesem Uebel wirklich vorbeugen; so dass sie niemals leichtsinnig heiraten, immer für Alters- und Krankheitsfälle sparen etc.: also leben wie Bürger! Damit ist die Möglichkeit, Schwierigkeit und Methode des einzigen Heilverfahrens zugleich angedeutet. Einzelne Verarmungen werden auch da noch vorkommen; sie geben den Vorsichtigen eben die Grenze an, wie weit sie mit ihren Ausgaben, Mussestunden etc. gehen dürfen. Es ist hiernach begreiflich, warum beide Arten der Nahrungslosigkeit vorzugsweise den höheren Stufen der Volkswirtschaft

angehören. Je geringer die Arbeitsteilung, um so leichter kann
jeder Arbeiter wie Unternehmer berechnen, wieviel er zu arbeiten
habe, ob er wagen dürfe, eine Familie zu gründen etc. In hochkultivierten Ländern, wo die Arbeitsteilung gross ist, hat die Hoffnung freiern Spielraum; und die Meisten, zumal wenn sie jung
und verliebt sind, hoffen was sie wünschen. Zu Ansgarius Zeit
machte eine fromme schwedische Witwe es im Testamente ihrer
Tochter zur Pflicht, das Vermögen unter die Armen zu verteilen.
Es fanden sich aber in Schweden gar keine Armen, und die
Tochter vollzog das Testament darum in den Niederlanden. [1]
Dagegen waren in den Niederlanden vor der Trennung von 1830
über 13 Proz. der Einwohner unterstützungsbedürftig. Zur Zeit
der Spinner- und Weberkrise betrug die Zahl der Armen in West-
flandern 1839: 20 Proz. der Bevölkerung, 1842: 30 Proz.; in Ostflandern 97 000 und 110 000; Lüttich 43 000 und 62 000. [2]

Man hat hiergegen wohl angeführt, dass ein so überwiegend
landwirtschaftlicher Staat, wie Dänemark, gleichwohl sehr viele
Arme hat, und dass in England die Armensteuer der landbauenden Grafschaften oft so viel höher ist, als die der fabrizierenden.
Sie betrug z. B. 1831 pro Kopf der Bevölkerung in Northampton
17,2 Schill., Essex 17,4, Oxford 17,8, Suffolk 18,8, Buckingham
19,7, Sussex 20,8; dagegen in Lancaster nur 4,5. Insgesamt damals in 18 landbauenden Grafschaften 14,8, in 6 gemischten 11,14,
in 5 eisenarbeitenden 7,99, in 6 webenden 5,8. Nördlich einer
vom Wash nach dem Bristolkanal gezogenen Linie 6 Schill. 10 d.,
südlich 13—7$^1/_4$. Noch im Jahre 1890 finden wir die höchsten
Relativzahlen in den Landwirtschaftgegenden: Norfolk 45,8 Promille
Armer, Dorset 44,8; dagegen in Lancashire nur 17,3, in London

---

1) *Rimberti, V.,* Ansgarii, c. 16. Dass es bei den heidnischen Dänen, Schweden,
Slaven keine Armen gab, hangt damit zusammen, dass, solange man die Kinder aus-
setzte, welche man sich nicht getraute ernähren zu können, Uebervölkerung und Nahrungslosigkeit nicht zu fürchten waren. Aber auch in England befahl K. Aedelstan
(† 940 n. Chr.), jeder königliche villicus solle einen Armen ernähren und bekleiden;
fände er keinen solchen in seiner villa, solle er ihn in einer andern suchen. (Kemble
Saxons in England II, p. 509.)

2) *Quetelet* in der Revue encycl., Avril 1830, Allg. Zeitung 1843, Nr. 217. In
Württemberg kam 1831—42 bei guten Ernten, Löhnen etc. ein Armer auf 51,32 Einwohner (1831) oder 46,78 (1842); dagegen 1843—54 bei teuren Lebensmitteln, niedrigen Löhnen etc. ein Armer auf 44,8 (1843), 29,52 (1847), 39,65 (1850). 26,97 (1854).
Nachher bei teurem Korn, aber hohen Löhnen wiederum besser (Tübinger Zeitschr.
1881, S. 246).

25,5. [1]) — Man darf eben nicht vergessen, dass die englischen wie dänischen Landbaudistrikte immerhin Teile eines Wirtschaftssystemes mit grosser Arbeitsgliederung sind, unzählige Bedürfnisartikel aus Fabrikgegenden beziehen und dafür mit einem starken Ueberschuss ihrer Landbauprodukte bezahlen.

7.

Die zweite Hauptgruppe der Armutsursachen lässt sich auf den Begriff z u g r o s s e K o n s u m t i o n zurückführen. An und für sich schon ist der arme oder wenigstens der Armut nahestehende Konsument in der üblen Lage, seine gleichen Bedürfnisse teurer bezahlen zu müssen, als der wohlhabende: weil er sie nur in kleinen Quantitäten kaufen kann, mithin ohne rechte Benutzung günstiger Konjunkturen, den Kaffee schon gebrannt und gemahlen wegen Mangels der Brenn- und Mahlapparate etc. [2]). Eine Genossenschaft mit Seinesgleichen könnte hier vortreffliche Dienste leisten, setzt aber Entschlüsse und Gewohnheiten voraus, die gerade in den unteren Schichten der Bevölkerung wenig verbreitet sind. Etwas Aehnliches gilt von der Benutzung des Kredites, dieses mächtigen, aber zweischneidigen Beförderungsmittels sowohl der Produktion wie der Konsumtion. (Bd. I, §. 95.) Bei wirtschaftlich ungebildeten Menschen herrscht gewöhnlich der Konsumtionskredit vor. Darum ist die scheinbar freundliche Sitte, den niederen Klassen ihren Bedarf zu kreditieren, nicht bloss für den Leichtsinn verführerisch, sondern legt dem Schuldner auch Zinsen und Assekuranzprämien auf, die sonst vermeidlich wären [3]).

Die wichtigsten Verarmungsursachen, die hierher gehören, sind kostspielige oder auch nur langwierige Krankheiten [4]), Feuer- und Wasserschäden, Zerstörungen im Kriege. Ganz besonders

---

1) *Rau,* Archiv II, S. 220 ff. Preuss. statist. Zeitschrift 1892, I/II. S. XXXVII. Vgl. Porter Progress III, p. 361 ff. Statist. Journal 1888, p. 453.

2) In den ärmeren Teilen der Stadte schlagen die Krämer auf die Waren, die ihnen lotweise abgeholt werden, bis 500 Proz. auf den sonst üblichen Preis. *Florencourt* rät deshalb, da Associationen der ärmeren Käufer sehr unwahrscheinlich, Staatshilfe sehr bedenklich sei, Kaufmagazine durch wohlthätige Privatgesellschaften zu gründen, wobei grosse christliche Personlichkeiten, wie Howard, Wilberforce, Elisabeth Fry, die Leitung übernehmen könnten (*Rau-Hanssen,* Archiv VII, S. 65. 72 ff.).

3) *Colquhoun* spricht von Pfandbeleihern, die jährlich 3000 Proz. verdienen, wenn ihnen am Tage die Bettdecke, Nachts der Rock verpfändet wird (Treatise on indigence, 1808, p. 238).

4) Die ja auch unter den Produktionshemmungen von §. 2 eine wichtige Stelle einnehmen.

2 *

aber Verschwendung, Trunk- und Spielsucht. Je mehr das Volksvermögen mobilisiert ist, um so leichter kann ein V e r s c h w e n d e r
Hab und Gut in wenig Jahren durchbringen. Gerade in den unteren Klassen giebt es sehr viele Verschwendungen, die als solche meist verkannt werden. Im Sommer haben die meisten Arbeiter mehr Verdienst und weniger notwendige Ausgaben, als im
Winter. Darum ist ein Arbeiter, der unnötiger Weise seinen ganzen Sommerlohn verzehrt, ebenso ein junger Arbeiter, der nichts
für Krankheit und Alter spart, gewiss ein Verschwender. — Was
die T r u n k s u c h t betrifft, so macht der Wein verhältnismässig
wenig Arme, das Bier schon mehr, am meisten der Branntwein.
In Deutschland nehmen Viele an, dass die Hälfte der Männer,
welche für sich selbst oder für ihre Familien der Armenpflege
bedürfen, dem Trunke ergeben sind. Deshalb würde eine Be- ·
schränkung der Branntweinschenken, wie neuerdings in Schweden
und Holland, gewiss die Armut vermindern [1]). Der im Grossen
wie im Kleinen gleich ausgezeichnete *Stüve* berichtet, dass von
733 Menschen, die zu Osnabrück am 1. Januar 1847 Armenunter-
stützung bedurften, 555 aus Gründen der Unsittlichkeit verarmt
waren, darunter infolge des Trunkes 56 Proz. der Gesamtzahl [2]). In Nordamerika berechnet *Gérando*, dass 75 Proz. der
Armutsfälle durch Trunksucht entstanden sind, Dieses Laster
koste den Sündern selbst täglich 6 Stunden, der ganzen Nation
jährlich 120 Mill. Doll., ohne die Krankheiten und Verbrechen.
Auch in Frankreich haben diejenigen Departements die meisten
Verbrecher, welche den stärksten Beitrag zur Tranksteuer liefern [3])

1) *Schmoller*'s Jahrbuch 1883, S. 1348. 1365.

2) Tageblatt der Generalversammlung der Mässigkeitsvereine, Nr. 2. In den
Jahren 1877—81 waren unter den in die Zwickauer Straf- und die Dresdener Arbeits-
anstalt Eingelieferten durch Trunk- und Genusssucht, sowie Arbeitsscheu infolge des
Trunkes, 22, 25, 22, 40 und 43,6 Proz., heruntergekommen. Säufer waren unter den
einmal Rückfälligen 62,3 Proz., unter den viermal Rückfälligen 77,6 , unter den Un-
zuchtsverbrechern 77 Proz. (*Schmoller*'s Jahrbuch 1884, S. 503).

3) *Gérando*, Bienfaisance publique I, p. 318 ff. In den Armenhäusern des
Staates Newyork waren 1853 von 14 585 Armen nur 1516 ohne alle Schuld des Trunkes;
11 171 nachweislich durch Trunk verarmt; bei 1908 war dies zweifelhaft (*Julius,*
Nordamerikas sittliche Zustände I, S. 298). In Massachusetts 1843 mindestens die
Hälfte der Armen durch Trunkfälligkeit verarmt (*Rau-Hanssen,* Archiv V, S. 353).
Man muss bei allen solchen Rechnungen sehr vorsichtig sein, und namentlich nur
da Schlüsse darauf gründen, wo man sicher weiss, dass unter denselben Worten
derselbe Sinn gemeint ist. So z. B. wenn *Booth* im ganzen Nordosten von London
14 Proz. der great poverty aus den Folgen des Trunkes erklärt, während in White-

— Die Spielsucht ist am meisten verbreitet bei halbrohen Völkern und bei solchen, die von der Hauptschattenseite hoher Kultur, dem traurigen Gegensatze der Plutokratie und des Pauperismus, bedrängt sind. Dass die Gesammtheit der Glücksspieler verliert, ist besonders wahr bei den öffentlichen Lotterien, die ja regelmässig dem Unternehmer einen bedeutenden Ueberschuss liefern; aber auch bei den Hasardspielern im kleinen Privatkreise, wo der Spielteufel seine Opfer mit ganz besonders verstrickenden Banden knechtet. Es ist sehr charakteristisch, dass z. B. im Kanton Waadt früher von 2007 Lotterieloosen 164 an Reiche abgesetzt wurden, für die eine solche Zerstreuung unbedenklich sein mochte, hingegen 934 an »Arme, Falliten und Unterztützte«. (Bd. IV, I, §. 30).

Eine Hauptursache der Armut ist eine zu grosse Kinderzahl. Nur darf man nicht vergessen, dass unverheiratete Menschen oft leichter, als Familienhäupter, ein schlechtes und dann auch verarmendes Leben führen. Zu Paris berechneten Kenner, dass bei Handwerkern mit 1000 Frk. Jahreseinkommen, wenn sie zwei Kinder haben, die Einkünfte und Ausgaben im Gleichgewichte stehen können, bei drei Kindern schon nicht mehr. In vielen deutschen Städten sind von den Altersgruppen am hülfsbedürftigsten die zwischen 35 und 40 Jahren und die zwischen 40 und 45: jene 10,24 Proz. aller Unterstützten, diese 10,25 Proz.; weil in diesem Lebensalter die Familienväter am stärksten von einer grossen Kinderzahl gedrückt zu werden pflegen [1]). Der Zusammenhang zwischen Vielkinderei und Bettelarmut war schon *Montesquieu* sehr klar. Les gens qui n'ont absolument rien, comme les mendiants, ont beaucoup d'enfants. Il n'en coûte rien au père pour donner son art à ses enfants, qui même sont en naissant des instruments de cet art. Ces gens dans un pays riche et superstitieux se multiplient, parcequ'ils n'ont pas les charges la société, mais sont eux-mêmes les charges de la société. (Esprit des loix XXIII, 11.)

---

chapel nur 1 Proz. der Armen und 4 Proz. der Sehrarmen durch den Trunk verfallen sind, so lässt sich dieser bedeutsame Unterschied daraus erklären, dass im letztgenannten Orte die wenig zur Trunkfalligkeit neigenden Juden eine so grosse Quote der ärmeren Bevölkerung bilden (Statist. Journ. 1888, p. 295 ff.). Man darf aber nicht ohne Weiteres die Angaben verschiedener Statistiker über denselben Leisten schlagen, welche vielleicht mit den Worten »grosse Armut«, »schweres Laster der Trunkfälligkeit« einen sehr verschiedenen Sinn verbinden.

1) *Vée*, Du paupérisme dans la ville de Paris. Revue des deux mondes, Nov. 1852. *Böhmert* I, S. 110.

Manche der von uns betrachteten Verarmungskonsumtionen haben auf den verschiedenen Entwickelungsstufen der Volkswirtschaft ziemlich gleichviel zu bedeuten. Nur gegen Feuer- und Wasserschaden pflegt die hohe Kultur sowohl die Verhütungs-, wie die Wiederherstellungsanstalten zu verbessern, während auf den mittleren Stufen eine grosse Kinderzahl weniger drückend ist.

8.

An einer S t a t i s t i k d e r A r m u t, woraus sich die Wirksamkeit der obigen Ursachen vollkommen beurteilen liesse, fehlt es leider noch sehr. In früheren Geschichtsperioden ist natürlich an gar nichts Vollständiges der Art zu denken. Unter den erwachsenén Armen Hamburgs unterschied v. Voght († 1839) 25 Proz. schuldlos Verarmte; 56 Proz. »über die weder bestimmter Tadel, noch bestimmtes Lob auszusprechen ist«; 18 Proz. von übler Aufführung, darunter 8 Proz. gänzlich versunken sind [1]). Im Canton Waadt waren 1827 von 21464 Armen 7301 arbeitsfähig; 6960 mussten wegen Alters, Kränklichkeit, als Witwen, Waisen oder uneheliche Kinder unterstützt werden. Die übrigen waren arm wegen Trunksucht, zu vieler Kinder etc. [2]). Nach der waadtländischen Enquête von 1841 waren unter 6159 bekannten Fällen 40 Proz. durch Alter, Krankheit, Unglück zu erklären, 38,5 durch Leichtsinn, Trägheit, Trunksucht, 15 durch Verlassen der Eltern oder Kinder, $6\frac{1}{3}$ Proz. durch eine zu grosse Kinderzahl. Vergleichen wir nach Villeneuve und Keverberg die Departements du Nord, de la Gironde und Ostflandern, alles drei hochkultivierte Landschaften, so betrug hier von der Gesamtzahl der Armen die der Greise 3,5 bis 5,5 Proz., die der Schwächlichen 9,5 bis 11 Proz., die Zahl der durch Unglücksfälle Verarmten 5,5 bis 7,5 Proz., die der Eltern zu vieler Kinder 30 bis 51 Proz., die der Arbeitslosen 21 bis 27 Proz. [3]) [4]). Im Königreich Sachsen waren nach der En-

---

1) Gesammeltes aus der Geschichte der Hamburger Armenanstalt, 1838, S. 142.

2) *Berger*, Du paupérisme dans le canton Vaud, 1836.

3) *de Villeneuve-Bargemont*, Économie politique chrétienne (1834) II, p. 52. *Keverberg*, Essai sur l'indigence de la Flandre orientale (1819).

4) Zu Berlin waren 1866 von 7152 Armen 1327 durch hohes Alter verarmt, 1009 durch Krankheit, 235 durch Gebrechen, 51 durch Geisteskrankheit, 528 durch Arbeitsunfähigkeit; bei 2399 Witwen und in 1603 anderen Fällen war keine Ursache angegeben. Von der Gesamtzahl waren 23,43 Proz. Männer, 76,57 Proz. Weiber. Unter jenen Beamte und Lehrer 0,18 Proz., [Gelehrte, Künstler und Literaten 0,11,

quête von 1880 durch Unfall verarmt 2,64 Proz., durch Altersschwäche 17,7, dauernde Krankheit 15,91, körperliche oder geistige Gebrechen 10,23, Tod des Ernährers 5,11, grosse Kinderzahl
19,96, Arbeitslosigkeit oder zu geringen Lohn 18,52, Faulheit,
Trunksucht, Vergehen etc, 9,94 Proz. — Im deutschen Reiche
wurden nach der Aufnahme von 1885: 3,40 Proz. der Bevölkerung durch die öffentliche Armenpflege unterstützt, (1,89 Proz.
Selbstunterstützte, 1,51 Angehörige derselben); und die Kosten
beliefen sich auf 1,97 Mk. pro Kopf der Bevölkerung. In den
verschiedenen Teilen des Reiches waren aber die Ursachen der
Hülfsbedürftigkeit in sehr verschiedenen Graden wirksam. So
waren 30,3 Proz. der Unterstützten durch Krankheit oder Verletzung arm geworden, (am meisten zu Bremen 44,3, Berlin 42,7,
in Mecklenburg-Strelitz 42,1, Lippe 41,0; am wenigsten in Altenburg 16,5, Waldeck 18,3, aber auch in Bayern nur 23,4). Durch
Tod des Ernährers 18,1 Proz. (maximum in Anhalt und Altenburg
30,7, Westfalen 30,5; minimum in Bremen 3,1, Lübeck 5,2, Kgr.
Sachsen 5,3, Hamburg 9,5, auch in Berlin nur 14,1). Durch körperliche oder geistige Gebrechen 12,4 Proz. (maximum in Waldeck 17,9, Weimar 16,9, Altenburg 16,3, Hannover 15,7, Pommern 15,6, Westpreussen 15,3, Ostpreussen 14,6; minimum in Bremen 4,8, Lübeck 5,6, Hamburg 6,2, Elsass-Lothringen 8,3, Kgr.
Sachsen 8,4, Berlin 8,8). Durch Altersschwäche 14,8 Proz. (maximum in Waldeck 24,4, Ostpreussen 24,0, Mecklenburg-Schwerin
22,7, Posen 20,0; minimum in Bremen 2,2, Hamburg und Lübeck
7,7, Altenburg 8,8). Durch grosse Kinderzahl 7,2 Proz. (maximum in Baden 12,1 Kgr. Sachsen 15,4 Hohenzollern 13,5; minimum in Westfalen 3,5, Lippe 2,2, Waldeck 2,1). Durch Arbeitslosigkeit 6. Proz. (maximum in Lübeck 26,4, Hamburg 26,3, Elsass-Lothringen 13,0, Berlin nur 5,9; minimum in Ostpreussen und
Mecklenburg-Strelitz 1,1, Braunschweig 1,2, Waldeck 1,3, Lippe
1,6). Durch Arbeitsscheu 1,4 Proz. (maximum in Württemberg
4,3, Lippe-Schaumburg 4,1, Bayern 3,7; minimum in Berlin 0,1,
Hamburg 0,2, Rheinpreussen 0,4, Lübeck und Westfalen 0,5, Bremen und Braunschweig 0,6) [1]).

Handeltreibende 0,37, Gewerbtreibende 13,27, Arbeiter, Taglöhner, Dienstboten 9,50
Proz. Unter diesen Unverehelichte und Dienstboten 11,50, Ehefrauen 0,61, getrennte
oder verlassene Ehefrauen 3,61, Witwen 60,85 Prozent *(Emminghaus,* Armenwesen,
1870, S. 75 ff.).
    1) Wenn freilich die Trunksucht nur 2 Proz. der Verarmungen bewirkt haben

Die 21 grössten S t ä d t e des deutschen Reiches (mit je über 100000 Einwohner) hatten 1885, was die Ursachen der Verarmung betrifft, 44,71 Proz. der eigenen Verletzung, Verletzung des Ernährers oder Krankheit zuzuschreiben, (maximum Frankfurt a. M. 67,10, minimum Chemnitz 28,47 und Hamburg 36,8); 10,41 Proz. dem Tode des Ernährers, (maximum Nürnberg 37,59, Altona 19,27, Barmen 18,28; minimum Bremen 2,56, Frankfurt 3,06, Leipzig 3,4); 18,45 Proz. körperlichen oder geistigen Gebrechen, sowie der Altersschwäche, (maximum München 30,61, Danzig 27,62; minimum Bremen 5,89 und Nürnberg 7,96); 6,5 Proz. der grossen Kinderzahl, (maximum Leipzig 18,59, Chemnitz 14,58, Dresden 12,75; minimum Barmen 0,58, Elberfeld 2,64, München 2,84); 10,05 Proz. der Arbeitslosigkeit, (maximum Hamburg 26,73, Magdeburg 12,82, Breslau 12,69, Elberfeld 12,50; minimum Königsberg 0,13, Barmen 1,44, Chemnitz 2,42) [1]).

Bei hochkultivierten Völkern pflegen die Städte, namentlich die Grossstädte, wegen ihrer besonders leichten Arbeitsgliederung, der am raschesten wachsende Teil des Volkes zu sein, und zwar sowohl an Menschenzahl, wie an Reichtum, Bildung und Macht. Sind doch z. B. in Deutschland die neuhochdeutsche Büchersprache, die Poesieblüte des 18., die Wissenschaftsblüte des 19. Jahrhunderts, lauter mächtige Nationalbänder und Hauptunterlagen für die Wiederherstellung des deutschen Reiches, vorzugsweise vom städtischen Bürgertume ausgegangen. Was speziell die Hauptstädte betrifft, so wuchs in Hollands blühendster Zeit die Gesamtbevölkerung der Provinz von 1515 bis 1632 um 200 Proz., die von Amsterdam allein um 700. In Frankreich war 1821 der 42. Einwohner ein Pariser. 1841 der 37., 1851 der 34., 1866 der 21., 1876 der 18,6, 1891 der 15,6. Aehnlich in London, Berlin, überhaupt den meisten Städten vom ersten Range. Leider auch mit den Kehrseiten dieser Fortschritte; [2]) wie denn gerade in unserer

---

soll (am meisten in Bremen = 7,2 und Hannover = 5,2, am wenigsten in Berlin = 0,4), so wird die Genauigkeit in Feststellung dieses Punktes doch sehr verdächtigt. Ueberhaupt ist bei den obigen Vergleichungen nicht zu vergessen, dass die verschiedenen statistischen Behörden mit demselben Worte oft sehr verschiedene Dinge bezeichnen.

1) Conrad's Jahrbücher der Nationalökonomie und Statistik. 1888, I, S. 563 ff. II, S. 597 ff.

2) Berlin scheint diese Kehrseiten verhältnismässig spät ausgebildet zu haben. Wenigstens schildert *Nicolai* (1786) es so sicher, dass man oft in Jahren von keinem Strassenraub höre, und fast niemals bleibe der Thäter unentdeckt. Von Diebesbanden höre man selten, von Mord auf den Strassen niemals, von gewaltsamen Ein-

Zeit die immer wachsende Beweglichkeit einer freizügigen Bevölkerung der Grossstädte die nötigsten Voraussetzungen wahrer städtischer Selbstständigkeit aufgelöst hat. Die Sache ist zweischneidig! Jene protestantische Richtung, die allem entwickelten Städteleben natürlich ist, kann wahrhaft religiöse Menschen dem höchsten Quell- und Zielpunkte aller Religion am unmittelbarsten nahe führen; bei schwachen Gemüts- und eiteln Verstandesmenschen wird sie leicht ein Abweg zu gleichgültiger oder feindlicher Irreligiosität. Aehnlich wie die Demokratisierung des Staates bei edlen Seelen die Heilighaltung von Recht und Gesetz fördert, bei unedlen zu Pöbelherrschaft und Anarchie verleitet. (Bd. III, §. 4 ff.)

So finden wir namentlich fast überall, dass in den Städten, wiederum besonders in den Grossstädten, nicht bloss die Steuerlast für politische Zwecke, sondern auch die Armenlast am grössten zu sein pflegt. In Preussen mussten 1849: 10,8 Proz. der Städter und 2,6 Proz. der Landbewohner unterstützt werden; speziell in den 60 grössten Städten 18,12 Proz,. in den 238 mittleren 7,38, in den 672 kleinen 4,91 Proz. Nach Münsterberg kam ein öffentlich Armer in der Rheinprovinz auf 11,84 Einwohner; dagegen im Regierungsbezirke Marienwerder auf 147,72, Köslin auf 159,7, Bromberg auf 329,61. Für 1883/4 kostete die städtische Armenpflege pro Kopf der Bevölkerung durchschnittlich 3,79 Mk., auf dem Lande nur 0,82; während die Gesamtausgabe der Gemeinden pro Kopf 28,8 und 6,4 Mk. betrug. In den einzelnen Provinzen erforderte die amtliche Armenpflege pro Kopf der städtischen und ländlichen Bevölkerung in Ostpreussen 2,21 und 0,59 Mk., in Westpreussen 3,11 und 0,64, in Brandenburg (ohne Berlin) 2,16 und 0,49, in Pommern 3,04 und 0,55, in Posen 1,62 und 0,30, in Schlesien 2,91 und 0,35, in Sachsen 2,48 und 0,36, in Schleswig-Holstein 4,70 und 2,32, in Hannover 3,99 und 1,13, in Westfalen 3,41 und 1,08, in Hessen-Nassau 4,37 und 0,62, in der Rheinprovinz 4,85 und 1,45 Mk. In Berlin allein 5,56 Mk. Elsass-Lothringen hatte pro Kopf der städtischen Bevölkerung 4, 16 Mk. ordentlichen Armenaufwandes, pro Kopf der ländlichen 0,48; Bayern 2,13 und 1,01. Wie sehr in der Regel mit der Grösse einer Stadt die Armenlast verhältnismäsig wächst, zeigt die Berechnung, welche Schumann aus 229, nicht tendenziös gewählten deutschen Städten zusammengestellt hat. Danach mussten die

brüchen und anderen beträchtlichen Diebstählen vergleichungsweise mit anderen Grossstädten nicht viel (Beschreibung von Berlin und Potsdam I, S. 402).

Städte mit über 100000 Einwohnern 6,91 Proz. der Bevölkerung
unterstützen, mit durchschnittlich 4,41 Mk. pro Kopf der Einwohnerschaft; die von 50—100000: 6,31 Proz. mit 3,21 Mk. Kosten;
die von 20—50000: 5,53 Proz. mit 2,83 Mk. Kosten; die von
10—20000 = 4,93 Proz. mit 2,63 M. Kosten; die von 5—10000
= 4,97 Proz. mit 2,21 M. Kosten; die von 2—5000 = 4,32 Proz.
mit 1,82 M. Kosten; die unter 2000 = 2,52 Proz. mit 1,62 M.
Kosten [1]). Von den 77 *Böhmert*'schen Städten kommen auf 100
Einwohner in den Städten, die höchstens 20000 Einwohner zählten,
4,75 Unterstützte; in den Städten von 20—50000 Einwohnern
= 5,02; in den Städten von 50—100000 Einwohnern = 6,39;
in denen von über 100000 Einwohnern = 6,51. Berlin hatte
schon in der offenen Armenpflege über 6 Proz. Man darf übrigens nicht vergessen, dass in den heutigen Grossstädten ein sehr
bedeutender Teil der Armen von auswärts eingewandert zu sein
pflegt. Von den Pariser Armen waren 1883 nur 227 Promille
im Seinedepartement geboren, 706 im übrigen Frankreich, 67 im
Auslande; während die Bevölkerung im Ganzen 360,565 und 75
Promille aus diesen drei Kategorien hatte [2]). In Leipzig waren
von 100 überhaupt unterstützten Männern bloss 18,22 geborene Leipziger, von den dauernd unterstützten einige dreissig
Prozent [3]).

Wenn auf dem p l a t t e n L a n d e meist viel weniger Arme
vorkommen, und darum auch weniger Armensteuern nötig sind,
als in Städten, so hängt das zum Teil damit zusammen, dass in
den letzteren viel weniger persönliche Beziehungen der Wohlthäter
zu den Armen üblich sind. Auf dem Lande ist die Naturalver-
pflegung der Armen, oft auch die Arbeitsbeschäftigung derselben
viel leichter. Die Kontrole hat hier viel weniger Schwierigkeit.
Der Arme geniert sich hier mehr, da er den Pflegern viel mehr
persönlich bekannt ist. Von 100 sächsischen Armen gehören dem
Alter zwischen 14 und 40 Jahren auf dem Lande nur 28,6, in
den Städten 40,2 an. Unter den Armutsursachen war in Sachsen
bei gleicher Bevölkerungszahl nur die Zahl der Unfälle in den

---

1) Conrad's Jahrbücher, 1888, II, S. 627.
2) Preussische statistische Zeitschrift, 1886, S. XXX.
3) Von den Eingewanderten sehr viele unmittelbar nach Erwerbung des Unter-
stützungswohnsitzes der Armenpflege verfallen. Von den sächsischen »Landarmen«
waren 1885 ein Viertel geborene Preussen, obschon die Preussen nur ¹/₁₅ der sächsischen Bevölkerung ausmachten *(Lehr* a. a. O., S. 19 ff., 22. 25. 30).

Städten geringer (0,7); alle sonstigen Ursachen häufiger, z. B. die Arbeitslosigkeit = 3,9, langes Kranksein = 3,0, Tod des Ernährers = 2,0, grosse Kinderzahl = 1,7, Altersschwäche = 1,8 *(Böhmert)*. — Andererseits haben die Landgemeinden gegenüber den Aerzten und Arzeneien viel grössere Schwierigkeiten zu bekämpfen. Hospitäler sind in isolierten Landgemeinden fast unmöglich. Auch in Bezug auf Waisen etc. verfahren sie oft viel zu langsam. Die Erziehung verwahrloster Kinder scheint fast nur in grösseren Verbänden recht möglich. Auch die Zuhilfenahme des Kredites für grössere Zwecke hat auf dem Lande besondere Schwierigkeit. Gegenüber Vaganten sind die Landgemeinden oft viel zu schwach, aus Furcht vor ihrer Rache [1] [2].

9. Fortschritt und Pauperismus.

Dass mit dem Steigen der wirtschaftlichen Kultur die Lage der untersten Klasse im Ganzen besser wird, absolut besser, ist geschichtlich unzweifelhaft. Wenn wir jetzt von Armenwohnungen hören, die so undicht gebaut sind, dass man des Windes halber die Wände mit Tüchern bedecken, die Lichter in Laternen stellen müsste, so würden wir empört sein. Zu Alfreds d. Gr. Zeit waren selbst die königlichen Paläste so unvollkommen. Der Primas von England, Thomas Becket, trieb den Luxus, seine Zimmer täglich im Winter mit reinem Heu oder Stroh bedecken zu lassen, im Sommer mit grünen Zweigen, damit die Gäste, die bei Tische keinen Platz fanden, ihre Kleider nicht durch Sitzen auf dem schmutzigen Boden verdürben [3]. Wenn jetzt in England $\frac{1}{10}$ der Bevölkerung von der

---

1) *v. Reitzenstein* in Conrad's Jahrbüchern, 1886, I, S. 115 ff.

2) Im K. Sachsen gab es noch 1880 649 ganz kleine Gemeinden mit zusammen 105 600 Einwohnern, die ganz ohne öffentliche Armen waren. Auf etwas Aehnliches deutet es, wenn in Württemberg (1878) 204 Gemeinden gar keine Kommunalsteuer hatten, in Preussen (1880/81) 640 Landgemeinden und 14 kleine Städte gleichfalls ohne Kommunalsteuer waren, und 15 Städte nur mit einer Hundesteuer. Merkwürdig ist der Fall von Putzig, wo die jährlichen Armenkosten 3 M. pro Kopf der Bevölkerung und 23 Proz. der städtischen Gesamtausgabe waren. Trotzdem wurden hier, wegen des grossen Immobiliarvermögens der Stadt, ausser einer geringen Hundesteuer gar keine Gemeindeabgaben erhoben (Conrad's Jahrbücher 1886, I, S. 433). Bayern hatte (1881) 805 Gemeinden ohne Gemeindesteuer und 1402, worin die Gemeindesteuern nur 1 bis 20 Proz. der Staatssteuern betrugen (Sächs. statist. Zeitschrift 1882, S. 43 ff., *Münsterberg*, Deutsche Armengesetzgebung, S. 235 ff.).

3) *Turner*, History of the Anglosaxons VII, Ch. 6. *Fitz Stephen*, p. 15.

Armenpflege unterstützt werden muss, so ist das ein sehr schlimmes Jahr; zur Zeit Gregory Kings und Davenants war das oft für $^1/_5$ notwendig. Auch *Macaulay* meint, dass die Armenlast unter Karl II. sicher nicht leichter gewesen, als zu seiner Zeit (1848): 700 000 £ jährlich, d. h. beinahe halb so viel, wie die Staatseinnahme. Sie wuchs rasch auf 8—900 000 £, d. h. $^1/_6$ ihres Betrages zu seiner Zeit, während die Volkszahl damals $^1/_3$, die Minimalhöhe des Arbeitslohnes $^1/_2$ so gross war [1]). Von der Verarmung Frankreichs, wie die Kehrseite des Glanzes von Ludwig XIV. begonnen hatte (1697), sagt *Vauban*, dass beinahe ein Zehntel des Volkes bettelt, fünf Zehntel können kein Almosen geben, weil sie selbst dem Elende ganz nahe stehen, drei Zehntel sind fort malaisées, embarassées de dettes et de procès; das letzte Zehntel umfasst nur etwa 100 000 Familien, wovon keine 10 000 fort à leur aise [2]). Um 1760 sollen wenigstens drei Viertel der Bewohner Frankreichs nur etwa ein Pfund Fleisch monatlich verzehrt haben [3]). Um 1789 waren zu Paris von 510 000 Menschen 116 000 eingeschriebene Arme; in dem gleich schlechten Erntejahre 1846 von einer Million nur 66 000. Vor der Revolution starb von 4 Menschen, die ins Spital kamen, einer, jetzt von 10 [4]). Die population indigente von Paris verhielt sich zur Gesamtbevölkerung 1802 = 10 : 49, 1811 = 10 : 50,5, 1817 = 10 : 87,2, 1829 = 10 : 130,2; 1832 war das Verhältnis auf 111,6 gesunken, 1835 wieder auf 123,2 gestiegen, 1841 auf 133, 1844 auf 137,8, 1847 auf 139,9. Das Revolutionsjahr 1848 hatte im Juli die Verschlechterung von 10 : auf 42,0 zur Folge. Nachher lange Zeit wieder eine fortwährende Verbesserung: 1850 = 163,8, 1853 = 161,3, 1856 = 165,9, 1861 = 184,7, 1866 = 171,22 [5]). — Dass sich die Lage der niederen Klassen verbessert hat, erhellt auch aus der verminderten Tödtlichkeit der Epidemien. Zu London schwankte die jährliche Mortalität zwischen 1740 und 50 um ein Drittel, seit 1800 höchstens um ein Fünftel in einem Jahrzehnt. Wie würde in früheren Jahrhunderten die Cholera gewütet haben! Dass in Ostindien so viel mehr daran

---

1) *Macaulay*, History of England, Ch. 3, p. 414 (Tauchnitz).

2) *Vauban*, Dixme royale, p. 34 ff. Daire.

3) *Andrien de Zulestein*, Mémoire sur la Lorraine, 1760. Man denkt dabei unwillkürlich an Heinrichs IV. bekanntes Ideal, dass jeder Bauer Sonntags ein Huhn im Topf haben möchte. Dagegen betrug in Sachsen z. B. 1875 der Konsum von Rind- und Schweinefleisch beinahe 60 Pfd. jährlich pro Kopf.

4) *H. Say*, Journal des Economistes XIII, p. 372.

5) Journal des Economistes, Nov. 1862, p. 193. *Block* bei *Emminghaus*, S. 631.

starben, rührt wohl gewiss her von der schlechten Wohnung und Nahrung, der geringen Reinlichkeit etc. Denn, weil auch bei uns eine so gewaltige Quote der Befallenen umkam, ist es sehr unwahrscheinlich, dass die Krankheit an sich weniger heftig geworden [1]). Vergleicht man die Wohnung, Kost und Kleidung unserer heutigen deutschen Soldaten mit der Zeit Friedrich M., so ist leicht zu erkennen, welche Fortschritte der niedrigste Standard of life gemacht hat [2]).

Aber freilich, wenn die Bedeutung, die Ansprüche und Bedürfnisse der niederen Klassen mehr gewachsen wären, als die Befriedigungsmittel, so würde das G e f ü h l d e r Z u f r i e d e n - h e i t u n d L e b e n s f r e u d e a b g e n o m m e n haben. Schon *Sismondi* betont den Unterschied zwischen einem verhungernden Jagdwilden und einem notleidenden Kulturproletarier. Geht der erstere aus Mangel an Wildpret zu Grunde, so kann er nur die Natur anklagen, in ähnlicher Weise wie jemand, der durch Alter und Krankheit verfällt; der letztere, umgeben von Reichtum und Luxus anderer Menschen, klagt die Gesellschaft an [3]). Inmitten der furchtbaren Not des dreissigjährigen Krieges sind die Klagen der Zeitgenossen doch im Grunde mässig. Heutzutage würden die Meisten schon bei einem absolut viel geringern Drucke »aus der Haut fahren« wollen, die Aermeren z. B. an Umsturz des Staates, der Gesellschaft etc. denken. Jede Zeit grossen volkswirtschaftlichen Aufschwunges pflegt den Pauperismus zu steigern, weil die ohnehin wirtschaftlich Schwächeren dann relativ am meisten, am auffälligsten hinter den Stärkeren zurückbleiben, doch aber die gesteigerten Bedürfnisse der neuern Zeit empfinden. So hat schon im Karolingerreiche, wo das höher entwickelte Neustrien auch Austrasien durch seine engere Verschmelzung mit ihm ausserordentlich förderte, die Bildung mächtiger Grundherrschaften, die ja an sich ein grosser Fortschritt der Arbeitsgliederung war, in Austrasien die niederen Klassen relativ sehr herabgedrückt. Nach den Weissenburger Traditionen nimmt die Zahl der Leibeigenen, welche dort erwähnt werden, auffällig zu. In den 80 ältesten Fuldaer Traditionen (bis zum Jahr 785) haben die 11 Fälle mit mehr als je 12 Leibeigenen zusammen 268; in den 80 späteren Tra-

---

1) *Bernouilli*, Populationistik, S. 363 ff.

2) *J. G. Hoffmann*, Befugnisse zum Gewerbebetriebe (1841), S. 271.

3) *Sismondi*, Nouveaux Principes II, p. 313 ff.

ditionen (786—800) die 21 Fälle derselben Art zusammen 1051
Leibeigene. Jene also im Durchschnitt 25, diese 50! [1]).

Zum Begriffe des Pauperismus gehört namentlich auch das
Bewusstsein des massenhaften Zusammenhanges. Dieses fehlt
z. B. den fahrenden Scherenschleifern, Kesselflickern etc., die sonst
in einer weit schlimmeren Lage sind, als die meisten Fabrikprole-
tarier. Dagegen finden wir hin und wieder schon am Ende des
Mittelalters Ansätze von Pauperismus: so in den Armagnaken,
den brotlosen Landsknechten etc. In der katzenelbogenschen
Polizeiordnung von 1616 wird verfügt, wenn die Landstreicher in
Masse kämen und Gefahr droheten, sollte man die Sturmglocke
ziehen und den Landsturm aufbieten. Am frühesten zeigt sich
pauperistischer Klassenhass gegenüber den Juden [2]).

Leider giebt es gerade auf den höheren Kulturstufen im Ackerbau, wie im Gewerbfleiss und Handel, eine Menge von Richtungen,
die bei ungehinderter Wirksamkeit den Mittelstand immer schmaler,
die Kluft zwischen wenigen Ueberreichen und vielen hoffnungslos
Armen immer breiter machen. Alsdann wäre d e r P a u p e r i s -
m u s e i n e H a u p t s c h a t t e n s e i t e d e r h o h e n K u l t u r.
Es fehlt im heutigen Europa nicht an warnenden Vorzeichen
dafür. In einem verhältnismässig einfachen und gesunden Lande,
wie Oldenburg, ist die Armut um so mehr entwickelt, je grösser
das mittlere Einkommen der steuerfähigen Bevölkerung. Im Durchschnitt von 35 Jahren kommen hier auf je 100 Einwohner 3,92
Arme: und zwar in dem wenig entwickelten Münsterlande nur
2,54, auf der schon höher entwickelten Geest 3,77, in der reichen
Marsch 5,35. Die Armensteuer pro Kopf betrug im Durchschnitte
von 1861—90 in der Marsch 2,75 M., in der Geest 1,74, im Münsterlande nur 0,74 [3]). In England hält ein Kenner wie *Hasbach*
zur gründlichen Heilung des Pauperismus u. A. eine teilweise Rückkehr in viel ältere Zeiten für nötig: Rückforderung der Staats-
domänen, gelegten Bauergüter und Gemeinweiden gegen Entschädigung der jetzigen Inhaber, und zugleich Fortbildung der Lohntaxen.

---

1) *v. Jnama-Sternegg*, Deutsche Wirtschaftsgeschichte I, S. 243. 237. Vgl.
Ratzinger, ʻGeschichte der kirchlichen Armenpflege, S. 186 ff.

2) *Riehl*, Bürgerliche Gesellschaft, S. 358. 370 ff. 374.

3) *Kollmann*, Oldenburg (1893), S. 503. 513. Schon vor 1881 betrug die Armensteuer in 34 Gemeinden über 100 Proz. der staatlichen Personalsteuer, in 5 über
150, in einer sogar 245 Prozent (*Kollmann* im 18. Heft der Statistischen Nachrichten, 1881).

Die parlamentarische Regierung sei zu wahrhaft sozialen Reformen unfähig [1]). Sollten für einen grossen Teil von Europa langwierige kriegerische Verwickelungen bevorstehen, so würden (ähnlich wie im alten Rom!), langwierige Feldzüge bei der allgemeinen Wehrpflicht am härtesten drücken auf den besitzlosen, aber hochgebildeten Mittelstand, sowie auf den gelernten Arbeiter, der seine Stelle, seine Kundschaft, häufig sogar seine persönliche Fähigkeit verlieren würde. Während die Geldprotzen, also die am raschesten sich bereichernde Klasse, und die Proletarier fortwährend roher würden, müssten die Klassen immer ärmer werden, in welchen vorzugsweise die Bildung lebt [2]).

Wenn es nun auch oft vorgekommen ist, dass hochkultivierte Völker ihren Mittelstand, also die Hauptunterlage ihrer Blüte, verloren haben, so darf man doch, zur Beruhigung des menschlichen Freiheitssinnes, diese Entwickelung nicht für eine unwiderrufliche halten. Das Leben des Einzelnen m u s s ja, wenn es seinen Höhepunkt erreicht hat, altern und verfallen. Für ganze Völker hingegen, wo fortwährend die absterbenden Generationen durch neue, jugendfrische ersetzt werden, ist dies nicht unbedingt notwendig. Das einzige wirkliche Vorbeugungs- und Heilmittel, welches den Mittelstand erhalten kann, ist die allgemein verbreitete wahre Bildung, bei Hohen wie bei· Niederen: die wahre Bildung, also nicht bloss der Einsicht, sondern zugleich, was noch viel wichtiger, aber auch schwieriger ist, des Charakters. Die reichen Mammonsknechte sind ebenso schlimm, wie die armen Kommunisten, und vielleicht noch weniger zu entschuldigen [3]).

Die oft vernommene Behauptung übrigens, dass die Armut eine Hauptursache von V e r b r e c h e n sei, ist nicht stichhaltig. In Frankreich z. B. liefert das weibliche Geschlecht mindestens 60 Proz. der Armen, aber kaum 25 Proz. der Verbrecher. Die meisten Verbrechen werden zwischen dem 25. und 30. Lebensjahre begangen, wo die Armut doch am leichtesten zu vermeiden ist. Die meisten Verbrechen gegen Personen fallen in die warme

1) *Hasbach*, Das englische Arbeiterversicherungswesen, 1881 (in *Schmoller's* Staats- und sozialwissenschaftlichen Forschungen, Band V), S. 49, 444.

2) *Schmoller* in Hildebrand's Jahrbüchern, 1874, II, S. 310. 329.

3) Was der Staat zur Erhaltung des Mittelstandes thun kann, ist in den ersten vier Bänden des vorliegenden Werkes sorgsam erörtert worden; zusammenfassend neuerdings in meiner »Politik: geschichtliche Naturlehre der Monarchie, Aristokratie und Demokratie« (2. Aufl. 1893), S. 567 ff.

Jahreszeit [1]). Dagegen hat schon *Garve* sehr gut erörtert, warum die am meisten verbreiteten sittlichen Fehler der Armen die Undankbarkeit, die Lügenhaftigkeit und der Neid, auch unter einander, sind [2]) [3]).

---

1) *Gérando*, Bienfaisance publique I, p. 321 ff.

2) *Garve* zu Macfarlan, S. 98 ff.

3) Der vorstehende Aufsatz wurde ursprünglich zu dem Zwecke verfasst, für das System der Armenpflege und Armenpolitik als Einleitung zu dienen, womit der Verfasser, so Gott will, im nächsten Sommer sein System der Volkswirtschaft zu beschliessen denkt. Auf Wunsch der verehrten Redaktion erscheint er vorläufig schon hier.

DIE MARX'sche DIALEKTIK UND IHR EINFLUSS AUF DIE TAKTIK DER SOZIALDEMOKRATIE.

VON

OBERSTEUERRAT RÜMELIN [1]).

Die nachstehende Studie bezweckt eine Kritik der Marx'schen Dialektik und ihres Einflusses auf die sozialistische Bewegung in Deutschland zu geben.

Dieser Versuch, hat bis jetzt noch keinen Vorgang in der staatswissenschaftlichen Litteratur Deutschlands gefunden.

Wenn ich in meiner Darstellung die Taktik der Sozialdemokratie einer Kritik unterstelle, so wird die Partei selbst mir doch das Zeugnis nicht versagen, dass ich als ehrlicher Gegner gegen sie kämpfe. Der Leser aber, dem diese oder jene Gedanken-Entwickelung in zu gedrängter Kürze gegeben erscheint, möge dies dem Verfasser zu Gute halten, dem zu litterarischen Arbeiten der vorliegenden Art nur seine Musestunden zur Verfügung standen.

I.

In einer Rezension von Wolfgang Menzel's Werk über die deutsche Litteratur sagt Heinrich Heine bezüglich des bekannten Urteils, das Menzel über Göthe fällt: »Es ist doch immer Göthe, der König und ein Rezensent, der an einen solchen Dichterkönig sein Messer legt, sollte doch eben so viel Kourtoisie besitzen, wie jener englische Scharfrichter, welcher Karl I. köpfte und ehe er dieses kritische Amt vollzog, vor dem Königl. Delinquenten niederkniete und seine Verzeihung erbat.«

1) Der H. Verfasser, welcher inzwischen zum Stadtvorstand von Stuttgart durch Wahl der Bürgerschaft berufen worden ist, hat die nachfolgende Abhandlung noch als K. w. Staatsbeamter verfasst und eingesandt.   Die Redaktion.

Zeitschrift für die ges Staatswissensch. 1894 I.

Ich gestehe es gerne ein, dass es auch in meinem Leben
eine Periode gegeben hat, wo mich ein ähnliches Gefühl ergriffen
hätte, wenn ich vor die Aufgabe gestellt worden wäre, kritisch
an *C. Marx* heranzutreten. Und auch heute, da ich längst zu
der Ueberzeugung durchgedrungen bin, dass der Marx'schen
Theorie kein positiver sozialer Reformgedanke entspringen kann,
verkenne ich durchaus nicht, dass der Theoretiker selbst sich von
jener ödesten Periode des nachtreterisch wissenschaftlichen Epi-
gonentums, das seinen einzigen Beruf darin findet, die Theorien
eines *Adam Smith* und *Ricardo* zu vulgarisieren, in glänzender
Weise abhebt, und dass die abstrakte auf der Personifikation allgemeiner Kategorien aufgebaute Theorie des ökonomischen Lebens
mit *Marx* erst ihren Gipfelpunkt erreicht hat.

Wohl hat es schon *A. Smith* voll erkannt, woraus der sogenannte Mehrwert des Kapitalisten in unserer gesellschaftlichen
Ordnung entspringt. In Wealth of Nations Bd. I Kap. VI. sagt
er: Sobald in den Händen Einzelner Kapital (stock) sich angehäuft hat, werden einige darunter es selbstverständlich dazu anwenden, um fleissige Leute an die Arbeit zu setzen und diesen
Rohstoffe und Lebensmittel zu liefern, um durch den Verkauf
der Produkte ihrer Arbeit oder durch d a s , was ihre Arbeit
dem Wert jener Rohstoffe hinzugefügt hat, einen Profit zu machen.
. . . . Der Wert, den die Arbeiter den Rohstoffen zusetzen, löst
sich hier in zwei Teile auf, wovon der eine i h r e n L o h n z a h l t ,
der andere d e n P r o f i t d e s B e s c h ä f t i g e r s auf den ganzen
von ihm vorgeschossenen Betrag von Rohstoffen und Arbeits-
löhnen.« —

Noch weitergehend wie *Smith* hat *Ricardo* aus der Bestimmung
des Warenwerts durch die in den Waren realisierte Arbeitsmenge
die Verteilung des den Rohstoffen durch die Arbeit zugesetzten
Wertquantums unter Arbeiter und Kapitalisten und die Spaltung
in Arbeitslohn und Profit abgeleitet und nachgewiesen, dass der
Wert der Waren derselbe bleibt, wie auch das Verhältnis dieser
beiden Teile wechsle.

Aber diese Denker selbst sowohl als die sozialistischen Uto-
pisten, welche sie auszubeuten suchten, hatten — wie *Friedrich
Engels* in seiner Polemik gegen *Rodbertus*[1]) an einem Beispiele
aus der Geschichte der Chemie näher darlegt, — da eine L ö s u n g
gesehen, wo *Marx* erst eine P r o b l e m sah.

---

1) cfr. Vorwort zu Bd. II des Kapitals von *K. Marx.*

Für *Marx* handelte es sich hierbei weder, wie bei *Smith* und
Ricardo, um die blosse Konstatierung einer ökonomischen Thatsache noch, wie bei den Sozialisten, darum, dass diese Thatsache
sich mit Gerechtigkeit und Moral in Widerspruch setzte, sondern
um eine Thatsache, die nach seiner Ansicht das Verständnis der
kapitalistischen Produktion erst z u e r s c h l i e s s e n u n d d i e
g a n z e O e k o n o m i e u m z u w ä l z e n b e r u f e n w a r.

Deshalb untersuchte *Marx* an der Hand der ökonomischen
Thatsachen und davon ausgehend, dass der Reichtum der Gesellschaft, in welcher die kapitalistische Produktionsweise herrscht,
nichts als eine ungeheure Warensammlung [1]) sei, zuerst die Ele-
mentarform dieser Sammlung die W a r e. Auf Grund der Analyse der Ware gelangt er hierauf zu der w e r t b i l d e n d e n
K r a f t — d e r A r b e i t. Dann sucht er festzustellen, w e l c h e
Arbeit und w a r u m und w i e sie Wert bilde und gelangt zu dem
Schlusse, dass Wert überhaupt nichts sei, als festgeronnene gesellschaftlich notwendige Arbeit gemessen nach Zeit.   Hierauf
untersucht er das Verhältnis von Ware und Geld und findet, dass
infolge der diesen beiden Faktoren innewohnenden Werteigen-
schaft der Warenaustausch notwendigerweise den Gegensatz von
Ware und Geld erzeuge, der in der herrschenden gesellschaftlichen Ordnung eine so verhängnisvolle Rolle spielt.

Dann zeigt er, wie die Verwandlung von Geld in Kapital
sich durch den Kauf und Verkauf der A r b e i t s k r a f t oder des
A r b e i t s v e r m ö g e n s vollzieht, in welch letzteren er den Inbegriff der physischen und geistigen Thätigkeiten sieht, die der
Mensch in Bewegung setzt, so oft er Gebrauchswerte irgend
welcher Art produziert.

Das Kapital selbst scheidet er in konstantes und variables.
Unter dem konstanten begreift er denjenigen Teil, der sich in
Produktionsmittel d. h. in Rohmaterial, Hülfsstoffe und Arbeits-
material umsetzt und seine Wertgrösse im Produktionsprozess
nicht verändert, während der in Arbeitskraft umgesetzte Teil des
Kapitals oder das variable Kapital dies fortwährend thue, indem
es sein eigenes Aequivalent und einen Ueberschuss darüber den
M e h r w e r t reproduziere.   Auf Grund dieser Unterscheidung
des Kapitals ergiebt sich dann für ihn der Prozess der Mehrwert-
bildung, den er bis in das Einzelste klarlegt.   Dann zeigt er,

---

[1]) *K. Marx,* Zur Kritik der Polit. Oekonomie. Berlin, 1859, S. 4, und das Kapital,
Bd. I, S. 9 u. ff. Hamburg, 1872.

welche Rolle die beiden Formen des Mehrwerts: der a b s o l u t e
Mehrwert, welcher durch Verlängerung des Arbeitstags produziert wird und der r e l a t i v e , der aus der Verkürzung der gesellschaftlich notwendigen Arbeitszeit entspringt, in der geschichtlichen Entwicklung der kapitalistischen Produktion gespielt.

Auf Grundlage seines Mehrwertsbegriffs entwickelt er hierauf
seine rationelle Theorie des Arbeitslohns, welche darin gipfelt,
dass der Z e i t l o h n nichts als die verwandelte Form des Wertes oder Preises der A r b e i t s k r a f t , der S t ü c k l o h n aber
nichts als eine verwandelte Form des Z e i t l o h n s ist.

Im 7. und letzten Abschnitt des ersten Bands seines Haupt-
werks des Kapitals giebt hierauf *Marx* noch die Geschichte der
kapitalistischen Akkumulation und eine Darstellung ihrer geschichtlichen Tendenz, auf welche wir später näher zu sprechen kommen.

Der im Jahre 1885 erschienene 2. Band des Werks behandelt den Zirkulationsprozess des Kapitals und sind die Untersuchungen und die Ergebnisse desselben, wie in dem Vorwort
selbst schon hervorgehoben wird, nur »Vordersätze« zum Inhalt
des schon vor 7 Jahren angekündigten, aber bis heute im Buch-
handel noch nicht erschienenen 3. Bands, der die Schlussergebnisse
der Marx'schen Darstellung des gesellschaftlichen Reproduktions-
prozesses entwickeln soll. Ueber Band 2 verbietet sich deshalb
heute noch jedes abschliessende Urteil von selbst.

Dagegen bildet die gedankliche Riesenarbeit, welche in Band I
des Kapitals niedergelegt ist, und deren Inhalt vorstehend kurz
skizziert wurde, ein abgeschlossenes dialektisches Ganzes, das
mit seinem Ausgangspunkt und der Art der eingeschlagenen
Forschung, sowie mit der Methode der Verarbeitung desselben, der eigenartigen Marx'schen dialektischen Methode — steht
oder fällt.

II.

Marx selbst hat in seinem Nachwort zu Band I des Kapitals
eine kritische Darlegung der von ihm eingehaltenen Methode,
welche in der Mai-Nummer pro 1872 Seite 427/36 des Peters-
burger europäischen Boten erschienen ist als durchaus zutreffend
bezeichnet; welche folgendermassen lautet:

»Für *Marx* ist nur eins wichtig: das Gesetz der Phänomene
zu finden, mit deren Untersuchung er sich beschäftigt. Und ihm
ist nicht nur das Gesetz wichtig, das sie beherrscht, soweit sie

eine fertige Form habe und in einem Zusammenhang stehe,
wie er in einer gegebenen Zeitperiode beobachtet wird. Für ihn
ist noch vor allem wichtig, das. Gesetz ihrer Veränderung, ihrer
Entwicklung, d. h. der Uebergang aus einer Form in die andere,
aus einer Ordnung des Zusammenhangs in eine andere. Sobald
er einmal dieses Gesetz entdeckt hat, untersucht er im Detail
die Folgen, worin es sich im gesellschaftlichen Leben kundgibt.
Demzufolge bemüht sich *Marx* nur um eins: durch genaue
wissenschaftliche Untersuchung die Notwendigkeit bestimmter
Ordnungen der gesellschaftlichen Verhältnisse nachzuweisen und
soviel als möglich untadelhaft die Thatsachen zu konstatieren, die
ihm zu Ausgangs- und Stützungspunkten dienen. Hierzu ist vollständig hinreichend, wenn er mit der Notwendigkeit der gegenwärtigen Ordnung zugleich die Notwendigkeit einer andren Ordnung nachweist, worin die erste unvermeidlich übergehen muss,
ganz gleichgültig, ob die Menschen das glauben oder nicht glauben, ob sie sich dessen bewusst oder nicht bewusst sind. *Marx*
betrachtet die gesellschaftliche Bewegung als einen naturgeschicht-
lichen Prozess, den Gesetze lenken, die nicht nur von dem Willen, dem Bewusstsein und der Absicht der Menschen unabhängig
sind, sondern vielmehr umgekehrt deren Wollen, Bewusstsein und
Absichten bestimmen ... Wenn das bewusste Element in der
Kulturgeschichte eine so untergeordnete Rolle spielt, dann versteht es sich von selbst, dass die Kritik, deren Gegenstand die
Kultur selbst ist, weniger als irgend etwas andres, irgend eine
Form oder irgend ein Resultat des Bewusstseins zur Grundlage
haben kann. Das heisst, nicht die Idee, sondern nur die äussere
Erscheinung kann ihr als Ausgangspunkt dienen. Die Kritik
wird sich beschränken auf die Vergleichung und Konfrontierung
einer Thatsache, nicht mit der Idee, sondern mit der andren
Thatsache. Für sie ist es nur wichtig, dass beide Thatsachen
möglichst genau untersucht werden und wirklich die eine gegenuber der andren verschiedne Entwicklungsmomente bilden, vor
allem aber wichtig, dass nicht minder genau die Serie der Ordnungen erforscht wird, die Aufeinanderfolge und Verbindung,
worin die Entwicklungsstufen erscheinen. Aber, wird man sagen,
die allgemeinen Gesetze des ökonomischen Lebens sind ein und
dieselben, ganz gleichgültig, ob man sie auf Gegenwart oder Vergangenheit anwendet. Gerade das läugnet *Marx*. Nach ihm
existieren solche abstrakte Gesetze nicht ... Nach seiner Meinung

besitzt im Gegenteil jede historische Periode ihre eignen Gesetze . . . Sobald das Leben eine gegebene Entwicklungsperiode
überlebt hat, aus einem gegebnen Stadium in ein andres über-
tritt, beginnt es auch durch andre Gesetze gelenkt zu werden.
Mit einem Wort das ökonomische Leben bietet uns eine der
Entwicklungsgeschichte auf andren Gebieten der Biologie analoge
Erscheinung . . . Die alten Oekonomen verkannten die Natur ökonomischer Gesetze als sie dieselben mit den Gesetzen der Physik
und Chemie verglichen . . . Eine tiefere Analyse der Erscheinungen
bewies, dass soziale Organismen sich von einander ebenso gründlich unterscheiden als Pflanzen- und Thierorganismen . . . Ja, eine
und dieselbe Erscheinung unterliegt ganz und gar verschiedenen
Gesetzen infolge des verschiedenen Gesamtbaus jener Organismen,
der Abweichung ihrer einzelnen Organe, des Unterschieds der
Bedingungen worin sie funktionieren u. s. w. *Marx* läugnet z.
B., dass das Bevölkerungsgesetz dasselbe ist zu allen Zeiten und
an allen Orten. Er versichert im Gegenteil, dass jede Entwicklungsstufe ihr eigenes Bevölkerungsgesetz hat . . . Mit der verschiedenen Entwicklung der Produktivkraft ändern sich die Verhältnisse und die sie regelnden Gesetze. Indem sich *Marx* das
Ziel stellt, von diesem Gesichtspunkt aus die kapitalistische
Wirtschaftsordnung zu erforschen und zu erklären, formuliert er
nur streng wissenschaftlich das Ziel, welches jede genaue Untersuchung des ökonomischen Lebens haben muss . . . Der wissenschaftliche Wert solcher Forschung liegt in der Aufklärung der
besonderen Gesetze, welche Entstehung, Existenz, Entwicklung,
Tod eines gegebenen gesellschaftlichen Organismus und seinen
Ersatz durch einen anderen, höheren regeln. Und diesen Wert
hat in der That das Buch von *Marx.*«

Wenn, wie dieser Kritiker und *Marx* selbst annimmt [1]), die
gesellschaftliche Bewegung wirklich nichts ist, als ein naturgeschicht-
licher Prozess, den Gesetze lenken, die nicht nur von dem Willen und dem Bewustsein der Menschen unabhängig sind, sondern
vielmehr deren Willen und Handeln bestimmen, so ist es einem
sozialen Forscher allerdings leicht gemacht, die Thatsachen, welche
er im Detail erforscht, mit einander zu vergleichen und die sich
hieraus ergebenden Entwicklungsformen zu analysieren. Es wird
ausschliesslich nur von seiner Abstraktionskraft und Dialektik abhängen, ob es ihm mehr oder weniger gelingt, zur Erkenntnis

---

1) cfr. Kapital, Bd. I, S. 6/7.

der Notwendigkeit der bestehenden Ordnung durchzudringen und mit derselben auch die Notwendigkeit einer anderen Ordnung nachzuweisen, worin die erstere unvermeidlich übergehen muss.

Nur schade, dass diese Welt der Herrschaft des Unbewussten, wie wir sofort näher darlegen werden, nicht die wirkliche sondern eine fingierte ist. Aber um in einer solch fingierten Welt sich zurecht zu finden und das Resultat der Forschung in wohlgeordneten Kategorien streng dialektisch zur Darstellung zu bringen, so dass es schliesslich sogar den Schein erwecken kann, dass sich das Leben des Stoffes ideell in der Darstellung wiederspiegelt, dazu bot sich *Marx* ein illustrer Führer in der Person seines grossen Lehrers — *Hegel.*

III.

Als *Marx* seinen ersten Band schrieb, stand das geistige Leben in Deutschland nicht mehr so unter dem Banne des Hegelianismus, wie in den 30er und 40er Jahren. Der Zweifel benagte schon den grossartigen, das gesamte Weltall umfassenden Gedankenbau des Hegel'schen Panlogismus. Aber der erhebende Gedanke, dass alles was ist, vernünftig, dass Sein und Wissen identisch, dass die ideale Welt nichts anderes als die reale, und dass nichts starr und fest, sondern alles in stetem Flusse und Werden begriffen sei, hatte befreiend gewirkt und das alte Vorurteil zerstört, dass die Philosophie nur eine Beschäftigung mit müssigen Abstraktionen sei.

Das Hegelsche System, das der reinste Monismus des Gedankens ist und das nichts kennt, als Geist, als die Idee in den verschiedenen Stufen und Momenten ihrer Selbstentfaltung und das sogar in den starren und todten Gestaltungen der Natur nichts sieht, als eine besondere Art von Gedankenformen, die der Geist aus der Bewegung seines innersten Wesens hervorgehen lässt, hatte man fallen gelassen oder in sein direktes Gegenteil verkehrt.

Dagegen erprobte sich die dialektische Methode, mit der Hegel dem menschlichen Denken einen festen Gang von innerer Notwendigkeit geben wollte, als ein ungemein brauchbares Mittel auf allen Gebieten menschlichen Forschens.

Erwies sich ja doch die Wahrheit nach dieser Denkmethode schon durch die Darlegung ihrer selbst. Dem Begriffe kommt seine eigene immanente Bewegung zu, der sich der Denkende nur zu erschliessen braucht, indem er seine eigenen willkürlichen Ein-

fälle zurückhält. Dann entfaltet sich diese Bewegung ganz von
selbst in den bekannten drei Stufen. Die erste bildet die unmittelbare Auffassung eines Gegenstands, wie er sich aus der
Wahrnehmung durch Aneinanderreihen der verschiedensten Eigenschaften oder Merkmale ergiebt. Diese Stufe gehörte noch ausschliesslich der Verstandessphäre an. Dann aber bemächtigt sich
auf der zweiten Stufe die Vernunft des Stoffs, indem sie ihn dialektisch verarbeitend in den vom Verstand gefundenen Eigenschaften und Merkmale innere Widersprüche entdeckt und hervorhebt und damit den Begriff selbst in sein direktes Gegenteil
verkehrt. Dabei bleibt aber die Methode nicht stehen, sondern
auf der dritten Stufe schreitet sie dann zu dem neuen Begriff,
welcher die höhere Einheit oder die Vermittlung jener Gegensätze
bildet. An diesen Endpunkt knüpft sich dann von selbst der
Ausgangspunkt für dieselbe dreistufige Denkbewegung wieder
an und unaufhörlich wiederholt sich der Gang, dass ein Moment gesetzt wird, diesem ein Zweites entgegentritt und es auf-
hebt und dass aus diesem Konflikt ein Drittes bereichert und
vertieft hervorgeht.

Mit dieser Denkmethode glaubte der richtige Hegelianer dem
Weltgange seine innere Melodie abgelauscht zu haben, denn auch
in der realen Welt in der mechanischen und organisch gebundenen sowohl wie in der sozialen Welt sah er, dass Extreme in
einander übergehen und dass aus »der Negation der Negation«
immer wieder ein neues Drittes hervorgeht. Die Merkmale des
Seins aber auf das Denken zu übertragen, trug er nicht das geringste Bedenken, denn Sein und Denken waren ja — Eins.

Um nun aber die Hegel'sche Methode auf die Erforschung
der Marx'schen Welt der Herrschaft des U n b e w u s s t e n anwenden zu können, galt es in erster Linie — d e n G e i s t a u s
i h r h i n a u s z u t r e i b e n und dies erreichte *Marx* in gründ-
lichster Weise dadurch, dass er die Hegel'sche Dialektik einfach
auf den Kopf stellte. *Marx* selbst sagt im Nachwort zum I. Band
seines Kapitals [1]):

»Meine dialektische Methode ist der Grundlage nach von der
Hegel'schen nicht nur verschieden, sondern ihr direktes Gegenteil.
Für *Hegel* ist der Denkprozess, den er sogar unter dem Namen
Idee in ein selbständiges Subjekt verwandelt, der Demiurg des
Wirklichen, das nur seine äussere Erscheinung bildet. Bei mir

---

1) cfr. S. 821/22.

ist umgekehrt das Ideelle nichts anderes als das im Menschen-
kopf umgesetzte und übersetzte Materielle. Die mystifizierende
Seite der Hegel'schen Dialektik habe ich vor beinah 30 Jahren,
zu einer Zeit kritisiert, wo sie noch Tagesmode war. Aber grade
als ich den ersten Band des »Kapital« ausarbeitete, gefiel sich
das verdriessliche, anmassliche und mittelmässige Epigonentum,
welches jetzt im gebildeten Deutschland das grosse Wort führt,
darin, *Hegel* zu behandeln, wie der brave Moses Mendelssohn zu
Lessing's Zeit den Spinoza behandelt hat, nämlich als »toten
Hund«. Ich bekannte mich daher offen als Schüler jenes grossen
Denkers, und kokettierte sogar hier und da im Kapitel über die
Werttheorie mit der ihm eigentümlichen Ausdrucksweise. Die
Mystifikation, welche die Dialektik in *Hegel's* Händen untergeht,
verhindert in keiner Weise, dass er ihre allgemeinen Bewegungs-
formen zuerst in umfassender und bewusster Weise dargestellt
hat. Sie steht bei ihm auf dem Kopf. Man muss sie umstülpen,
um den rationellen Kern in der mystischen Hülle zu entdecken.
In ihrer mystischen Form ward die Dialektik deutsche Mode, weil
sie das Bestehende zu verklären schien. In ihrer rationellen Gestalt ist sie dem Bürgertum und seinen doktrinären Wortführern
ein Aergernis und ein Greuel, weil sie in dem positiven Verständnis
des Bestehenden zugleich auch das Verständnis seiner Negation,
seines notwendigen Untergangs einschliesst, jede gewordene Form
im Flusse der Bewegung, also auch nach ihrer vergänglichen
Seite auffasst, sich durch nichts imponieren lässt, ihrem Wesen
nach kritisch und revolutionär ist.«

Dass die Dialektik *Hegel's* von seinen Schülern, die er in
allen Lagern hatte, unter anderem auch dazu benützt wurde, um
das Bestehende zu verklären, ist zweifellos richtig. Es gab Theo-
logen, welche damit ihre Dogmatik streng nach den symbolischen
Büchern konstruierten, Juristen und Staatswissenschaftler, welche
durch die Ausbeutung des Hegel'schen Begriffes der Staatsper-
sönlichkeit die reaktionärsten Tendenzen in das politische Leben
einschmuggelten. Andere aber hatten die fragliche Methode längst
vor *Marx* zu einer scharfen Angriffswaffe gegen das Christentum
und jede Religion benutzt und die destruktivsten politischen Anschauungen sich damit zurechtgelegt.

Die Methode selbst jedoch einfach auf den Kopf zu stellen
und davon auszugehen, dass nicht die Idee, sondern das Materielle
oder besser gesagt, das unbewusste Element, wie es in den

Thatsachen zum Ausdruck kommt, der Demiurg des Wirklichen
sei, das blieb — *Marx* vorbehalten.

IV.

Indem *Marx* das unbewusste Element im ökonomischen Leben,
das er in die sog. gesellschaftliche Notwendigkeit übersetzt, zum
Leiter der Bewegung macht, sieht er sich gleichzeitig auch genötigt, Gesellschaft und Mensch in Widerspruch zu setzen und
den Menschen selbst zum sozialen Geschöpf herabzudrücken,
dessen Wollen, Bewusstsein und Absichten von Gesetzen geleitet
wird, die von ihm durchaus unabhängig sind.

Nun tritt uns aber schon an der Schwelle des wirklichen
sozialen Lebens als e i n z i g e s   a k t i v e s   E l e m e n t, der
Mensch entgegen, der sich die Gesetze seiner Entwicklung teils
durch sich selbst, teils durch höhere aus ihm gebildete, selbstthätige soziale Organe giebt. Mit der nur seiner Natur innewohnenden und erst mit ihm in die Erfahrungswelt eintretenden Vorstellungen, Gefühlen und Bestrebungen macht er sich gleich bei
seinem Eintritt in das gesellschaftliche Leben zum lebendigen
Grunde für den Aufbau eines grossen sozialen Ganzen. Wohl
bezieht er zuerst alles ausser ihm Liegende in erster Linie auf
sich selbst und verwendet es zu seiner eigenen Befriedigung.
»Dass er sich aber hiebei nicht«, wie *Fricker* in seiner geistvollen
Abhandlung über das Problem des Völkerrechts [1]) sagt, »vom
momentanen und einseitigen Triebe bestimmen lasse, sondern
von demjenigen der aus dem Gefühle der inneren und zeitlichen
Einheit entspringt, fordert seine eigene Befriedigung. Und gerade
dieser Trieb ist sein spezifisch menschlicher Trieb, den er nicht
mit der Tierwelt teilt. Diese wirkliche und wahrhaftige Befriedigung des Menschen, die aus dem Gefühle der Förderung des
individuellen Gesamtzweckes entspringt, schliesst damit die Förderung aller anderen individuellen Zwecke und den Zweck des
Ganzen, das den Einzelnen umgiebt und durchdringt, wie die
Luft, die er atmet, als einen eigenen Bestandteil ein. Wäre der
Zug zum Ganzen dem Menschen nicht eingepflanzt, als sein eigenes
Wesen, wäre die Förderung des Ganzen nicht identisch mit dem,
was die eigene höchste Befriedigung des Menschen verlangt, so
wäre auch k e i n e   M a c h t   d e n k b a r,   w e l c h e   E i n z e l n e s
z u   e i n e m   G a n z e n   z u s a m m e n h i e l t e.   I m m e r   m u s s t e

---

[1]) cfr. Zeitschrift für die ges. Staatswissenschaft v. 1872.

d e r M e n s c h d e n n u r v o n a u s s e n k o m m e n d e n A n -
t r i e b a l s f r e m d e s , u n e r t r ä g l i c h e s J o c h e m p f i n -
d e n . Je mehr er sich selbst auf die Höhe seines Totalzwecks
erhebt, um so mehr kommt er durch das eigene Wollen dem
äussern Antrieb zuvor. Geht doch der Trieb zum Ganzen bis
zur Aufopferung des eigenen Lebens — undenkbar als aufgelegte
Pflicht, nur erklärlich als Inhalt eigener individueller Befriedigung!«

Die Gesellschaft und den sozialen Einzelmenschen somit in
Widerspruch zu setzen und den Letzteren von aussen kommenden Gesetzen zu unterwerfen, ist deshalb eine gänzlich unhaltbare
Prämisse, die einem scharfen Denker wie *Marx* schon deshalb
nicht hätte unterlaufen sollen, weil die Begriffe Gesellschaft, gesellschaftlich notwendig und dergleichen mehr, mit welchen er
gedanklich operiert, einfach zu unfassbaren metaphysischen Begriffen verschwimmen, sobald die Gesellschaft nicht . als ein aus
selbstthätigen lebendigen Organisationen sich aufbauendes Ganzes gedacht wird.

Der ausschlaggebende Grund dafür, dass *Marx* sich genötigt
sieht, diesen Gegensatz aufzustellen und festzuhalten, ist jedoch
darin zu suchen, dass er nur von diesem Standpunkte aus die
widerspruchsvolle Bewegung der kapitalistischen Gesellschaft in
seinem Sinne, die er aus dem privaten Besitz der Produktivmittel
ableitet, nachzuweisen vermag. Nun entspringt aber die soziale
Frage, wenn man sich nicht wie *Marx* auf den engen Standpunkt
der wirtschaftlichen Thatsachen, sondern auf einen höheren sozialen Standpunkt stellt, keineswegs aus der Frage des Besitzes
der äusseren Produktivmittel, sondern aus der Thatsache, dass in
der heutigen gesellschaftlichen Ordnung eine grosse Anzahl sozialer Funktionen Organen obliegen, welche zu deren Ausübung
nicht beeigenschaftet sind und sich ihrer in keiner Weise gewachsen zeigen. Vor allem üben Einzelpersonen Funktionen aus,
die nicht in ihrem sondern in dem Zweck- und Funktionsbereiche
höherer sozialer Organe liegen. Es gilt daher bei Lösung der
sozialen Frage in erster Linie vorhandene Organe umzubilden
und neue zu schaffen, erst dann kann es sich um ihre Ausstattung mit den zu ihrer Thätigkeit nötigen äusseren Produktivmit-
teln handeln.

Die soziale Frage ist, wie wir schon an anderer Stelle dar-
legten, vor allem, eine Organisationsfrage und zwar eine Organisationsfrage der Menschheit im eminentesten Sinne des Worts.

Eine Organisationsfrage kann aber selbstredend für einen Denker nicht in Betracht kommen, dem das aktive persönliche Element nichts ist als eine willenlose Masse von Geschöpfen, die von aussen kommenden Gesetzen zu gehorchen hat. Infolge dessen sehen wir auch, dass *Marx* bei der Darlegung der widerspruchsvollen Bewegung der kapitalistischen Ordnung einfach auf der z w e i t e n S t u f e s e i n e r d i a l e k t i s c h e n M e t h o d e s t e h e n b l e i b t und sich ausser Stand sieht, zu dem Begriffe einer neuen höheren Gesellschaftsordnung durchzudringen.

V.

Nachdem *Marx* in dem Kap, 7. des I Bands des Kapitals, das von der geschichtlichen Tendenz der kapitalistischen Akkumulation handelt, dargelegt hat, wie das selbstverarbeitete auf Verwachsung des isolierten unabhängigen Arbeitsindividuums mit seinen Arbeitsbedingungen beruhende Privateigentum, durch das kapitalistische Privateigentum, welches auf Ausbeutung fremder aber formell freier Arbeit beruht, verdrängt wird, fährt er fort: »Sobald dieser Umwandlungsprozess nach Tiefe und Umfang die alte Gesellschaft hinreichend zersetzt hat, sobald die Arbeiter in Proletarier, ihre Arbeitsbedingungen in Kapital verwandelt sind, sobald die kapitalistische Produktionsweise auf eigenen Füssen steht, gewinnt die weitere Vergesellschaftung der Arbeit und weitere Verwandlung der Erde und anderer Produktionsmittel in gesellschaftlich ausgebeutete, also gemeinschaftliche Produktionsmittel, daher die weitere Expropriation der Privateigentümer, eine neue Form . . Was jetzt zu expropriieren, ist nicht länger der selbstwirtschaftende Arbeiter sondern der viele Arbeiter exploitierende Kapitalist. Diese Expropriation vollzieht sich durch das Spiel der immanenten Gesetze der kapitalistischen Produktion selbst, durch die Konzentration der Kapitalien. Je ein Kapitalist schlägt viele tot. Hand in Hand mit dieser Konzentration oder der Expropriation vieler Kapitalisten durch Wenige entwickelt sich die kooperative Form des Arbeitsprozesses auf stets wachsender Stufenleiter, die bewusste technologische Anwendung der Wissenschaft, die planmässig gemeinsame Ausbeutung der Erde, die Verwandlung der Arbeitsmittel in nur gemeinsam verwendbare Arbeitsmittel, und die Oekonomisierung aller Produktionsmittel durch ihren Gebrauch als gemeinsame Produktionsmittel kombinierter, gesellschaftlicher Arbeit. Mit der beständig ab-

nehmenden Zahl der Kapitalmagnaten, welche alle Vorteile dieses
Umwandlungsprozesses usurpieren und monopolisieren, wächst
die Masse des Elends, des Drucks, der Knechtung, der Degra-
dation, der Ausbeutung, aber auch die Empörung der stets an-
schwellenden und durch den Mechanismus des kapitalistischen
Produktionsprozesses selbst geschulten, vereinten und organisierten Arbeitsklasse. Das Kapitalmonopol wird zur Fessel der Produktionsweise, die mit und unter ihm aufgeblüht ist. Die Konzentration der Produktionsmittel und die Vergesellschaftung der
Arbeit erreichen einen Punkt, wie sie unverträglich werden mit
ihrer kapitalistischen Hülle. Sie wird gesprengt. Die Stunde
des kapitalistischen Privateigentums schlägt. Die Expropriateurs
werden expropriiert. — Die kapitalistische Produktions- und An-
eignungsweise, daher das kapitalistische Privateigentum, ist die
erste Negation des individuellen, auf eigene Arbeit gegründeten
Privateigentums. Die Negation der kapitalistischen Produktion
wird durch sie selbst, mit der Notwendigkeit eines Naturprozes-
ses produziert. Es ist Negation der Negation. Diese stellt das
individuelle Eigentum wieder her, aber auf Grundlage der Errungenschaft der kapitalistischen Aera, der Kooperation freier
Arbeiter und ihrem Gemeineigentum an der Erde und den durch
die Arbeit selbst produzierten Produktionsmitteln.«

Dieser dunkle Satz von der Wiederherstellung des i n d i -
v i d u e l l e n Eigentums auf Grundlage der Errungenschaft der
kapitalistischen Aera, der Kooperation freier Arbeiter und ihrem
G e m e i n e i g e n t u m an der Erde und den durch die Arbeit
selbst produzierten Produktionsmitteln enthält den einzigen Ausblick von *Marx* auf die Herstellung einer neuen gesellschaftlichen Ordnung. Wir sind somit zu dem Schlusse berechtigt,
dass *Marx* selbst darauf verzichtet, aus der Negation der Negation, die sich ihm aus seiner Darlegung der geschichtlichen Tendenz der kapitalistischen Akkumulation ergiebt zur höheren Einheit des neuen Begriffes fortzuschreiten. Dieser Verzicht aber
findet seine Begründung darin, dass d i e a u f d e n K o p f g e -
s t e l l t e H e g e l ' s c h e D i a l e k t i k d e m s o z i a l e n L e b e n
g e g e n ü b e r i h r e n D i e n s t v e r s a g t u n d v e r s a g e n
m u s s , s o b a l d d i e S c h a f f u n g e i n e r n e u e n O r d -
n u n g i n F r a g e k o m m t .

Wohl vermag es ein sozialer Denker noch scheinbar fertig
zu bringen, auf dem Wege der reinen Negation das freiwirtschaf-

tende Individuum aus dem in mittelalterliche Zunftfesseln gebundenen Handwerker und dem unfreien mit Zehnten und Frohnen
belasteten Grundeigentümer gedanklich herauszugestalten. Handelt es sich ja doch hiebei rein äusserlich betrachtet, auch im
Leben nur um eine Lösung von Fesseln, um eine Negation im
lebendigen Sinne des Wortes, welche die französische Revolution
vollzog. Aber auch solchen sozialen Umwälzungen gegenüber
verlangt eine Darstellung, welche das innere Leben des Stoffes
wiederspiegeln soll, nicht nur eine Vergleichung der Thatsachen
untereinander, sondern ein Fortschreiten bis zur Erkenntnis der
Beziehungen der Thatsachen zu der sie leitenden I d e e. Ist ja
doch jede Thatsache nur d i e ä u s s e r e E r s c h e i n u n g der
Idee, bei der eine esoterische wissenschaftliche Forschung, welche
das innere Band der Entwicklungsformen aufzuspüren sich zur
Aufgabe setzt, niemals stehen bleiben darf.

Ausserdem geht auch in dem sozialen Leben selbst jedem
Uebergang von einer gesellschaftlichen Ordnung zur andern die
U m s e t z u n g d e r e r k a n n t e n s o z i a l e n T h a t s a c h e n
i n d i e l e b e n d i g e I d e e notwendig voraus, da nur die letztere neue Gestaltungen in das Leben zu rufen vermag. Auch
vor der Revolution von 1789 mussten sich die sozialökonomischen
Thatsachen, welche sie notwendig erscheinen liessen, in dem
französischen Volke erst zu den Ideen verdichtet haben, welche
die Revolution selbst hervorriefen.

Eine soziale Forschung, welche sich nicht den berechtigten
Vorwurf der Einseitigkeit zuziehen will, muss deshalb stets d i e
T h a t s a c h e u n d d i e I d e e in den Bereich ihrer Betrachtung ziehen und zwar die Thatsache deshalb, weil die richtige
Erkenntnis jeder lebendigen Idee, die Erforschung der Thatsachen,
welchen sie entspringt, zur selbstverständlichen Voraussetzung hat,
die Idee aber, weil sie es ausschliesslich ist, die zu neuen Entwicklungen und Gestaltungen treibt.

Noch deutlicher tritt diese Forderung bei einer sozialen Forschung
zu Tage, der die Aufgabe erwächst, den Uebergang einer gegebenen
gesellschaftlichen Ordnung in eine neue zur Darstellung zu bringen,
w e l c h e s i c h d a s a k t i v e u n d s i e l e i t e n d e E l e m e n t
e r s t s e l b s t z u s c h a f f e n h a t. Wir haben schon oben
gesehen, dass die Lösung der sozialen Frage unserer Tage in der
Umbildung vorhandener und in der Schaffung neuer sozialer Organe zu finden sei, welche an Stelle der Einzelpersonen zu treten

haben. Für den Marx'schen rein wirtschaftlichen Standpunkt beschränkt sich diese Frage darauf, an wen sollen die den wirtschaftlichen Unternehmungen entzogenen Produktivmittel in einer
neuen Ordnung der Dinge übergehen? Aber auch auf diese Frage
vermag *Marx* auf Grund seiner Theorie der reinen Thatsachen
keine Antwort zu finden, denn das bewusste oder aktive Element
existiert als solches für ihn gar nicht und selbst die beste Dialektik vermag ihm infolge dessen nichts zu bezeichnen, was an
die Stelle der negierten Privat-Unternehmungen zu treten hätte.
Deshalb bleibt *Marx* bei der kritischen Behandlung seines Stoffes stehen, indem er sich darauf beschränkt, an der Hand der
dialektischen Erforschung der Thatsachen die widerspruchsvolle
Bewegung der kapitalistischen Gesellschaftsordnung darzulegen.

Es würde uns zu weit führen, wenn wir dieser Darstellung
im einzelnen folgen und die, aus der einseitigen auf die ausschliessliche Erkenntnis der ökonomischen Thatsachen gegründeten Forschung und aus der eingehaltenen Dialektik sich ergebenden Mängel an den verschiedenen von *Marx* aufgestellten Theorien nachweisen wollten.

Für unsere Zwecke genügt es festgestellt zu haben, dass der
Ausgangspunkt der Marx'schen Deduktion und die von ihm ein-
gehaltene dialektische Methode sich mit dem sozialen Leben
selbst in Widerspruch setzt und dass sich infolge dessen an das
Resultat seiner Forschung k e i n e   w e i t e r e   s o z i a l e   E n t -
w i c k l u n g ,   k e i n   s o z i a l e r   R e f o r m g e d a n k e   a n z u -
k n ü p f e n   v e r m a g !

VI.

Und doch hat die Marx'sche Kritik des Kapitals in Deutschland eine Partei geschaffen, welcher an Eifer für ihre Sache und
bergeversetzendem Glauben an die Untruglichkeit der Lehren ihres
Meisters keine unter den herrschenden sozialen und politischen
Parteien auch nur entfernt gleichzukommen vermag.

Wenn wir dem Grund für diese immerhin auffallende Erscheinung nachforschen, so müssen wir uns vor Allem klar werden, dass das Bedürfnis nach einer Darlegung der widerspruchsvollen Bewegung unserer herrschenden Gesellschaftsordnung zweifellos vorhanden war — als *Marx* auftrat. Das Elend des arbeitenden Volkes lag wenigstens in dem klassischen Lande des Kapitalismus in England bereits auf dem »Paradebette«. Dafür hat-

ten die für die Untersuchung der ökonomischen Verhältnisse dort
eingesetzten periodischen Kommissionen, die Berichte der nur
dem Parlamente gegenüber verantwortlichen, ganz unabhängig
gestellten englischen Fabrikinspektoren, der ärztlichen Berichterstatter über Public Health (Oeffentliche Gesundheit), der Unter-
suchungskommissäre über die Ausbeutung der Weiber- und Kinderarbeit, über Wohnungs- und Nahrungszustände u. A. m. ausreichend gesorgt.

Es galt nur einen Forscher zu finden, der sich dieses massen-
haft angehäuften Stoffes im Detail bemächtigte, seine Entwicklungsformen analysierte und ihn theoretisch so verarbeitete, dass
sich aus der Darstellung die wirkliche Bewegung des ökonomischen Lebens zu ergeben schien. Und ein solcher Forscher
fand sich in *C. Marx.*

Dass *Marx*, wie wir gesehen haben, sich bei seiner Darstellung auf die Analyse der Thatsachen beschränkte und der Idee
den Laufpass gab, machte sich dem nüchternen Gefühle des
deutschen Arbeiters viel weniger fuhlbar. Der Franzose mag des
Ideenreichtums eines *Fourier, Saint-Simon, Proudhon* bedürfen
um für eine geistige Bewegung gewonnen zu werden. Für den
deutschen Arbeiter war das T h a t s ä c h l i c h e gerade dasjenige,
was er brauchte, was ihm seine ökonomische Lage erst zum
Bewusstsein bringen und mit dem er unendlich besser agitieren
konnte, als mit jeder Idee.

Eine Schwierigkeit ergab sich nur aus dem eigentümlichen
Stil und der Darstellung von *Marx*. Kein Leser von *Marx* Kapital wird leugnen, dass sich darin Stellen von grosser Sprach-
gewalt und schlichtem monumentalem Ausdruck finden. Die oben
in Abschnitt V zitierte Darlegung der geschichtlichen Tendenz
der kapitalistischen Akkumulation dürfte dies wohl am besten
beweisen. Sobald aber das monotone Einerlei des dreitaktigen
Stechschritts der dialektischen Methode beginnt, wird der Leser
das freudige Gefühl vermissen, mit dem er einer klaren beflügel-
ten und überwältigenden Gedankenentwicklung zu folgen pflegt.

Dazu tritt auch häufig die Schwerverständlichkeit der Ausführungen. *Marx* selbst scheint dies gefühlt zu haben. Wenigstens entschuldigt er sich in der Vorrede zur ersten Auflage des
Bandes I des Kapitals wegen der Schwerverständlichkeit des
Abschnitts über die Wertform.

Jedenfalls war eine Uebersetzung der allgemein theoretischen

Sätze über den historischen Charakter des Kapitals, über den Zusammenhang zwischen Produktionsverhältnissen und Produktionsweise, über den Mehrwert u. A. m. in die Sprache, welche Hinz und Kunz sprechen, dringend geboten, wenn die Theorien zu agitatorischen Zwecken benutzt werden wollten.

Und diesen Uebersetzer und geistvollen Interpreten fand *Marx* in — *Ferdinand Lasalle.* Selten hat eine neue Lehre eine solch hervorragenden Propagandisten und Pamphletisten gefunden, wie die trockene Lehre von *Marx* in *Lassalle.*

Lassalle war ein Mensch von hervorragender Geistesgabe, ausgestattet mit dem scharf zersetzenden dialektischen Verstand der jüdischen Nation und wie er selbst von sich sagt, bewaffnet mit der ganzen Bildung seines Jahrhunderts. Seine Philosophie Heracleitos des Dunkeln, sein ökonomischer Julian und zahlreiche andere Schriften, Reden und Pamphlete bekunden diese Eigenschaften auf das Glänzendste, *Heinrich Heine*, der ihn als jungen Mann im Jahre 1846 in Paris kennen lernte, sagt von ihm in einem Briefe an *Varnhagen* treffend: »Mit der gründlichsten Gelehrsamkeit, mit dem weitesten Wissen mit dem grössten Scharfsinn, der mir je vorgekommen, mit der reichsten Begabnis der Darstellung verbindet er eine Energie des Willens und eine Habilité im Handeln, die mich in Erstaunen setzen und wenn seine Sympathie für mich nicht erlöscht, so erwarte ich von ihm den thätigsten Vorschub. Jedenfalls war diese Vereinigung von Wissen und Können, von Talent und Charakter für mich eine freudige Erscheinung und Sie bei Ihrer Vielseitigkeit im Anerkennen werden gewiss ihr volle Gerechtigkeit widerfahren lassen. Herr *Lassalle* ist nun einmal so ein ausgeprägter Sohn der neuen Zeit, die nichts von jener Entsagung und Bescheidenheit wissen will, womit wir uns mehr oder minder heuchlerisch in unserer Zeit hindurch gelungert und hindurch gefaselt«.

Dass ein Mann wie *Lassalle* die Lehre von *Marx* nicht streng in dem Geiste des Meisters dem Volke vortrug, sondern sie in Verbindung zu bringen suchte, mit den lebendigen Ideen des Jahrhunderts, dass er Alles, was er schrieb, mit seinem Herzblute schrieb und dem Bürgertume seiner Zeit nicht nur seine ökonomische und sittliche, sondern auch seine geistige Physiognomie enthüllte, indem er dem »Pöbel in Seidenhüten« zeigte, wie die

Grossen und Guten der deutschen Nation, ihre Denker und Dichter den Kranichen gleich über ihren Häuptern dahin geflogen
seien, dass er aber trotz alledem das Bürgertum nicht gleich
Marx als hoffnungslose reaktionäre Masse hinter sich liess, sondern seine Mahnrufe in gleicher Weise an den Arbeiter wie an
den Bürger richtete, eroberten ihm die Geister und Herzen im Flug.
»Schon höre ich in der Ferne den dumpfen Massenschritt der
Arbeiterbataillone — so schliesst das klassische Nachwort seines
»»ökonomischen Julians«« — Rettet — rettet Euch aus den
Banden eines Produktionszustandes, der Euch zur Ware ent-
menscht hat — rettet — rettet den deutschen Geist vom geistigen Untergange — rettet — rettet zugleich die Nation vor Zer-
stücklung! Schon zuckt in den Höhen der Blitz des direkten
und allgemeinen Wahlrechts! Auf diesem oder jenem Weg, bald
fährt er zischend hernieder! Seitdem dieses Wort ausgesprochen
wurde, ist es zur Notwendigkeit geworden! Bewaffnet dann mit
diesem Blitz, rettet Euch, rettet Deutschland! Und Ihr die Ihr
gleich mir, Bourgeois von Geburt, aus unseren Denkern und
Dichtern die Milch der Freiheit gesogen habt, um Euch zu erheben über die Existenzbedingungen einer Klasse, welche dem
Volke das Elend, dem deutschen Geiste den Verfall, der Nation
die Zerstückelung und Ohnmacht gebracht hat — herbei und
stimmet ein mit mir »jacta est alea« Hier Euer Banner und d a s
Eure Ehre!«

Das war die Sprache eines Propheten, wie man lange keine
gehört und *Marx* wurde es bange bei den Erfolgen seines Schülers. Er beschuldigte *Lasalle* die theoretischen Sätze seiner
ökonomischen Arbeiten bis auf die von ihm geschaffene Terminologie hinab ohne Quellenangabe aus seinen Schriften entlehnt
zu haben (cfr. *Marx*, Kapital; Bd. I S. 4). Uns sind Plagiate in
den wissenschaftlichen Schriften *Lasalle*'s niemals vor Augen gekommen, in Partei-Pamphleten aber hat die öffentliche Meinung
Zitate ohne Quellenangabe stets als erlaubt angesehen, ausserdem
war *Lasalle* ein selbständiger Denker, dem es durchaus ferne
lag, an *Marx* oder irgend einem Anderen wissentlich ein Plagiat
zu begehen.

Auch darf nicht unberücksichtigt bleiben, dass eine Vergleichung der geistigen Bedeutung von *Marx* und *Lasalle* keineswegs zu Ungunsten des Letzteren ausfällt. Scharfsinniger, ge-
lehrter und gewandter in der Handhabung der Dialektik mag

Marx gewesen sein, obwohl auch diese Eigenschaften *Lassalle* in hervorragender Weise auszeichnen. Nichtsdestoweniger ist *Lassalle* die höher und origineller angelegte Natur. Es fehlt *Marx* jene letzte Vertiefung des Geistes und Gemütes, die volle Mitempfindung des menschlichen Wesens und Geschickes die den Führer einer geistigen Genossenschaft kennzeichnet.

Und das Gefühl dieser Mitempfindung alles menschlichen Wesens und Geschicks, das auf den Leser und Hörer von *Lassalle* übersprang, war es auch, was der *Marx'*schen Kritik des Kapitals in weitesten Kreisen erst das Verständnis erschloss und was den Grund legte zu jener Partei, die uns heute als festgeschlossene und leider ausschliesslich von *Marx'*schen Prinzipien geleitete sozialdemokratische Partei entgegentritt.

Dass die Bewegung dieser Partei sich in andere Bahnen gelenkt hätte, wenn *Lasalle* nicht so frühe seiner Thätigkeit durch den Tod entrückt worden wäre, bezweifelt heutzutage niemand mehr. Diejenigen aber täuschen sich, welche glauben, dass *Lassalle* das Werk seines Lebens irgend welcher Liebedienerei der herrschenden Gewalten oder einem bureaukratischen Staatssozialismus zum Opfer gebracht hätte. Der Unbrauchbarkeit des ausserhalb des sozialökonomischen Lebens stehenden bureaukratischen Staates zur Lösung sozialer Probleme war sich *Lassalle*, trotz seines verunglückten Gedankens der Produktionsassoziation mit Staatshilfe voll bewusst. Wohl hätte er sich nicht gescheut, die massgebenden Faktoren des Staatslebens zur Anbahnung einer fortschreitenden sozialen Entwicklung zu benutzen, aber niemals hätte er selbst die Leitung der Bewegung aus der Hand gegeben. Noch weniger hätte *Lassalle* sich dazu hergegeben, den Wau-Wau der herrschenden gesellschaftlichen Ordnung zu spielen und die ganze Bewegung der Geister in dem mechanischen Abwarten der Entwicklung der äusseren Thatsachen versanden zu lassen!

VII.

Wenn wir, wie wir oben näher dargelegt, den Menschen als denjenigen anzusehen haben, welcher die Gesetze seiner Entwicklung sich selbst zu geben berufen ist, und sie nicht wie *Marx* annimmt, als eherne Notwendigkeit aufgedrängt erhält, so erwächst einer Partei, welche die Herstellung einer neuen gesellschaftlichen Ordnung auf die Fahne schreibt, in erster Linie die

Aufgabe, an der Anbahnung der von ihr gewollten und angestrebten Entwicklung selbst mitzuarbeiten und nicht grollend und
zuwartend zur Seite zu stehen.

Wie verhält sich nun demgegenüber die sozialdemokratische
Partei seit *Lassalle*'s Tod?

Sie hat die Massen mit dem kritischen Geiste ihres Herrn
und Meisters erfüllt, seine Theorien in gangbare Scheidemünze
umgeprägt und in den weitesten Kreisen in Umlauf gesetzt.
Von der ausschliesslichen Rücksicht auf die Propaganda geleitet,
hat sie die grosse soziale Frage zu einer Arbeiterfrage im engsten Sinn des Wortes herabgedrückt und den Arbeiter in Gegensatz gesetzt zu der reaktionären Masse, welche für sie schon mit
dem Kleinbürger und Bauern beginnt. Sie hat dementsprechend
auch vor Allem unter dem industriellen Proletariat der Städte
fortgesetzt steigende Erfolge bei den Reichs- Landtags- und Ge-
meindewahlen erzielt und da und dort auch schon den landwirtschaftlichen Arbeiter und kleinen Beamten in ihre Kreise gezogen. Ihre genialen Theoretiker sind gestorben. Der einzige
alte *Engels* widmet sich noch ausschliesslich der Herausgabe des
litterarischen Nachlasses von *C. Marx.*

An ihre Stelle aber sind gewandte und begabte Agitatoren
wie Bebel, Liebknecht, Singer u. A. m. getreten, welche die
Leitung der Partei in ausschliesslich Marx'schem Geiste weiter-
führen.

In einer weitverzweigten Presse in Programmen und Reden
wird fortgesetzt die widerspruchsvolle Bewegung der kapitalistischen Gesellschaft an den äusseren Thatsachen des ökonomischen
Lebens darzulegen versucht und der notwendige Untergang der
bestehenden gesellschaftlichen Ordnung einer gläubigen Menge in
mehr oder weniger naher Zukunft in Aussicht gestellt.

Auch das auf dem letzten Erfurter Kongress einstimmig angenommene Programm enthält ausser den in gleicher Weise von
der bürgerlichen Demokratie gestellten und auf dem Boden der
herrschenden gesellschaftlichen Ordnung sich bewegenden Forderungen lediglich nichts als eine Uebersetzung dessen, was in
Ziff. 7 des 24. Kap. des Kapitals von *Marx* (cf. Bd. I S. 791—
793) über die geschichtliche Tendenz der kapitalistischen Akkumulation gesagt ist, in ein populäres Deutsch.

»Die ökonomische Entwicklung der bürgerlichen Gesellschaft
führt mit N a t u r n o t w e n d i g k e i t« so steht in dem Erfurter

Programme zu lesen, »zum Untergang des Kleinbetriebs, dessen
Grundlage das Privateigentum des Arbeiters an seinen Produktionsmitteln bildet. Sie trennt den Arbeiter von seinen Produktionsmitteln und verwandelt ihn in einen besitzlosen Proletarier,
indes die Produktionsmittel das Monopol einer verhältnismässig
kleinen Zahl von Kapitalisten werden. Hand in Hand mit dieser
Monopolisierung der Produktionsmittel geht die Verdrängung der
zersplitterten Kleinbetriebe durch kolossale Grossbetriebe, geht
die Entwicklung des Werkzeugs zur Maschine« u. s. w. u. s. w.
Es ist das alte Lied des Propheten, das wieder und immer wieder gesungen wird, wenn auch mit etwas anderen Worten! Nun
ist es ja ausser allem Zweifel bequem, sich auf das Faulbett der
Entwicklung der äusseren Thatsachen zurückzuziehen und von
ihm aus dem Volke zuzurufen: »Macht nur so weiter, expropriiert
Euch fröhlich drauf los ihr Kapitalisten! Wir die längst expro-
priierten Volksmassen, wir Arbeiter können warten, bis unsere
Stunde schlägt.«

Aber schon die thatsächlichen Verhältnisse selbst könnten
die Sozialdemokratie belehren, dass die gesellschaftliche Ordnung
der Dinge, die sich denkt, nirgends mehr existiert. In keinem
Staate der Welt sehen wir heutzutage das wirtschaftliche Leben
dem a u s s c h l i e s s l i c h e n Spiele der Privatinteressen mehr
überlassen. Ueberall beginnt es sich zu regen! Teils noch rein
negativ auf dem Wege der Arbeiterschutzgesetzgebung, der Un-
fall-, Invaliditäts- und Altersversicherung, der Gesetzgebung gegen
die Fälschung der Nahrungs- und Genussmittel u. A. m., teils
indem die Gemeinden, die Provinzen und der Staat selbst in
positiv schaffender Weise in das sozialökonomische Leben eingreifen und mit grösseren sozialen Interessen verbundene Vor-
kehrungen und Unternehmungen selbst in die Hand nehmen.
Auch zeigt sich überall in unseren öffentlich rechtlichen Organen
das Bestreben, die Faktoren des wirtschaftlichen Lebens immer
mehr gesellschaftsbewusst zu erfassen und dem metaphysischen
Raten auf die Konjunktur, der Spekulation der wirtschaftlichen
Einzelunternehmungen so weit möglich zu entziehen. Die soziale
Statistik mit ihrer immer weiter gehenden Verzweigung, die ein-
gehenderen Enqueten für die Gesetzgebung, die Zoll- und Handelsverträge u. a. m. liefern hiezu ein immer reicheres und vielseiti-
geres Material. Wo bleibt da das Land, in welchem die anarchische
und mechanische Expropriation der Privatunternehmungen noch

ungehindert ihr Spiel treibt und mit eherner Naturnotwendigkeit
zu Zuständen führt, wie sie in dem sozialdemokratischen Programm
geschildert werden?

Aber selbst wenn heutzutage wirklich das *laisser faire* und
laisser aller noch das beherrschende Grundprinzip unseres öffentlichen Lebens wäre, würde es einer Partei, welche die Herstellung
einer neuen gesellschaftlichen Ordnung erstrebt, nicht besser an-
stehen, in der Bekämpfung dieses Prinzips im Vordertreffen zu
stehen, als das »*laisser faire* und *laisser aller*« s e l b s t z u
i h r e m P r i n z i p z u e r k l ä r e n ? Und was anderes thut die
deutsche Sozialdemokratie, wenn sie die negative Kritik der bestehenden gesellschaftlichen Ordnung und das Abwarten des allgemeinen »Kladderadatsches«, der sich aus der Entwicklung der
ökonomischen Thatsachen »mit Naturnotwendigkeit« ergeben
soll, zum Parteiprogramm erhebt?

VIII.

Laisser faire und *laisser aller* heisst thatsächlich auch der Grundsatz der Vertreter der deutschen Sozialdemokratie in den Parlamenten, denn ihre Thätigkeit beschränkt sich lediglich darauf, die von
der Regierung in Gesetzesform eingebrachten Vorschläge zum
Schutze der Arbeiter noch wirksamer zu gestalten, die Aufhebung
der oder jener die notwendigsten Lebens- oder Genussmittel be-
lastenden Steuer in Antrag zu bringen oder die oder jene Etats-
exigenz der Regierung abzulehnen. Dagegen wissen sie den lebendigen Fragen der öffentlich rechtlichen Organisation, der
Stellung der deutschen Einzelstaaten zum Reich, der Selbstverwaltung von Provinzen, Gemeinden und Korporationen u. a. m.
nicht das geringste Interesse abzugewinnen. Einem zum Einheitsstaat auswachsenden zentralisierten Reich gegenüber lässt sich
ja das rote Schreckgespenst der sozialen Revolution auch viel
wirksamer ausspielen und die Erfahrung hat gelehrt, dass so
mancher »Genosse«, der auf das Rathaus gewählt wurde, bei der
Beschäftigung mit den lokalen Interessenfragen sich zum bedenklichsten »Bourgeois« entwickelt hat. Und doch sind die Fragen
der öffentlich rechtlichen Organisation gerade diejenigen, welche
bei keiner politischen oder sozialen Partei ein lebendigeres Interesse erwecken sollten, als bei einer sozialistischen. Bilden ja
doch die öffentlich rechtlichen Organe, d. h. die Korporationen —
Reich, Staat, Provinz, Gemeinde und die Berufskorporationen —

das e i n z i g e a k t i v e s o z i a l e E l e m e n t, an welches die
heutzutage zum Schaden des Ganzen von den Einzelpersonen ausgeübten sozialen Funktionen übergehen können. Sie den Bedürfnissen des sozialen Lebens anzupassen, sie an der Erfüllung
der sozialen Berufe nach dem aus ihrer Stellung zum Ganzen resultierenden Funktions- und Zweckbereich teilnehmen zu lassen
und soweit nötig neue Organe in das Leben zu rufen, erwächst
als erste Aufgabe nicht nur der öffentlich rechtlichen Organisation,
sondern auch der sozialen Reform.

An der sozialen Reform selbst aber lebendig mitzuarbeiten
ist Pflicht und Ruhm jeder sozialen Partei. Die sozialdemokratische Partei entzieht sich dieser Pflicht, weil sie unentwegt auf
dem Standpunkt der Marx'schen Negation verharrend, in dem
modernen Staat, welche Form er auch immer haben möge, nichts
sieht als einen K l a s s e n s t a a t, der wert ist, dass er zu Grunde
geht. Nun kann sich zwar ein ausserhalb des sozialökonomischen
Lebens stehender und als für sich seiendes Ganzes über diesem
sich aufbauender bureaukratischer Staat in den Dienst der herrschenden Klassen begeben und thut dies auch, wie die Erfahrung
lehrt, niemals aber ein in selbstverwaltender Organisation aus dem
sozialen Leben selbst hervorwachsendes und alle Berufskreise desselben in sich aufnehmendes Staatswesen.

Dass aber eine solche Selbstverwaltungsorganisation in dem
modernen Staate wenigstens in den Keimen der Entwicklung bereits vorhanden ist und sich allüberall zu entfalten strebt, wird
keinem schärfer beobachtenden Auge entgehen. In unseren vorliegenden Ausführungen kann es sich nur darum handeln, die
Punkte zu bezeichnen, an denen einer sozialpolitischen Partei
die Pflicht erwächst, fördernd und gestaltend in diese Entwicklung einzugreifen.

IX.

Ein bureaukratisch zentralisierter Staat, heisse er nun Monarchie, Verfassungsstaat oder Republik, der sich seiner sämtlichen Aufgaben gewachsen fühlte, kann heutzutage kaum mehr
gedacht werden. Man werfe nur einen Blick in die periodischen
staatlichen Verwaltungsprogramme — die Etats und vergleiche die
Zahl der Posten, deren Realisierung die positive staatliche Verwaltungsthätigkeit in Anspruch nimmt mit den entsprechenden
Ziffern der Etats der 30er oder 40er Jahre und man wird ver-

stehen, warum der moderne Staat sich genötigt sieht, zur Erfüllung seiner Aufgaben selbstverwaltende Kräfte heranzuziehen.
Dass er hiebei in erster Linie auf die territorialen Organe abhebt, welche er schon vorfindet, auf seine Gemeinden, Kreise
und Provinzen ist selbstredend, da dieselben grossenteils schon
autonome Korporationen oder selbständige Territorialherrschaften
waren, ehe sie zu Verwaltungsdistrikten des zentralisierten Staats
herabsanken. Um sie in selbstthätige Verwaltungskörper zu verwandeln, überträgt der bureaukratische Staat ihnen zuerst nur
wenige Hoheitsrechte zu selbständiger Ausübung in ihrem Funk-
tionsbereich und wahrt sich noch selbst das weitgehendste Beaufsichtigungsrecht. Erst allmählich und gezwungen durch den
Andrang der ihm selbst erwachsenden sozialen Aufgaben, erweitert
er den Kreis ihrer Thätigkeit und beginnt die Verwaltungskörper
selbst in sich einzugliedern und ihr Interesse lebendig mit seinem
Interesse zu verbinden. Hiebei wird ihm aber die Wahrnehmung
nicht erspart, dass er ein innerlich fremdes Element in sich aufzunehmen im Begriffe steht, das ihn selbst zu zersetzen droht.
Ein bureaukratischer Staat, der sich aus Selbstverwaltungskörpern
zusammensetzt, geht selbstverständlich als solcher seiner Vernichtung entgegen. Infolge dessen hält er erschrocken in seiner
Thätigkeit inne und unterbricht seine Organisation.

Und so sehen wir allüberall in unseren Staaten, wie sich die
Gemeinden noch zu Kreisen oder Amtskorporationen kollektiv
zusammenfassen, wie damit aber die Selbstverwaltungsorganisation
nach oben hin sich abschliesst bezw. in irgend welche bureaukratische Spitze — Landrat oder Oberamtmann — ausläuft. Daneben greift dann in grösseren Staaten noch eine autonome —
keine selbstverwaltende und in den Staat selbst übergehende —
Provinzialverwaltung mit Provinziallandtag Platz, der einige harm-
lose Verwaltungszweige — Strassen- und Wasserbau, Irrenhäuser
und Wohlthätigkeitsanstalten etc. — ganz überantwortet sind.

In diesem Stadium befindet sich gegenwärtig beinahe noch
in allen modernen Staaten die Entwicklung der territorialen
Selbstverwaltung.

Hier fördernd und mitschaffend einzugreifen und nicht zu
ruhen und zu rasten, bis der lebendige Aufbau einer selbstverwaltenden Organisation von unten bis oben unter Festhaltung
des kollektiven Organisationsprinzips durchgeführt ist, erwächst

als eine der ersten Aufgaben einer sozialpolitischen Partei, denn
nur in Organen

> Wo eines sich zum andern webt,
> Eins in dem andern wirkt und lebt

kann das soziale Leben selbst zum organischen Ausdruck gelangen.

Die Selbstverwaltung der Korporationen muss eben deshalb
an gewählte Vertreter der Gemeinden, diejenige der Provinzen
an Vertreter der Kreise, die staatliche Gesamtverwaltung aber
allmählich an Vertreter der Provinzen übergehen.

Ein so konsequent durchgeführter und aus dem gesellschaftlichen Leben selbst herauswachsender territorialer Selbstverwal-
tungsorganismus wird sich ausser allem Zweifel als ein würdigerer
Träger der staatlichen Gesamtthätigkeit erweisen, als der bureaukratische Staat, der sich erst von Fall zu Fall, von einem Gesetz-
gebungs- bezw. Verwaltungsakt zum anderen mit den konkreten
Verhältnissen des staatlichen Lebens in Verbindung setzen muss.

Eine so ausgestaltete Selbstverwaltung aber — und damit
gelangen wir zu dem zweiten Punkte an dem eine ihrer Aufgaben
sich bewusste sozialpolitische Partei fördernd einzugreifen hätte,
— muss Hand in Hand mit ihrer Organisation ihre Thätigkeit
auf sämtliche Zweige der staatlichen Verwaltung ausdehnen und muss sich zu diesem Zwecke gleich dem
bureaukratischen Staate beruflich scheiden. Aus Vertretern
der einzelnen Berufe sich zusammensetzende und in den territorialen Verwaltungsorganismus von Stufe zu Stufe sich eingliedern-
den Berufskorporationen müssen diejenigen Funktionen übernehmen,
welche heute dem in einzelne Fächer geschiedenen Beamtentum
obliegen. Diese aus dem territorialen Selbstverwaltungsorganis-
mus herauswachsenden Berufskoporationen werden zu integrieren-
den Teilen desselben und haben deshalb in der äusseren Gestaltung mit den vereinzelt bereits bestehenden und öffentlich
rechtlichen Zwecke dienenden Berufskorperationen nichts gemein.

Ihre Verwendbarkeit zu sozialen Zwecken jeder Art kann aber
keinem Zweifel unterliegen, da sie aus dem sozialökonomischen
Leben selbst hervorgehen und mit demselben in fortgesetzter
lebendiger Verbindung stehen. Ihre Zwecke und Funktionsbereiche werden durch den Stufengang der territorialen Selbstverwaltung, in die sie sich eingliedern, bestimmt und begrenzt. An
die Stelle des rein mechanischen Zwangs, wie er durch Gesetz

und Verordnung und den äusseren Mechanismus des bureaukratischen Staates ausgeübt wird, tritt ganz von selbst allmählich
der organische Zwang, der sich aus der Stellung der einzelnen
Organe zum staatlichen Ganzen von selbst ergiebt.

Doch wir sind weit entfernt, ein Bild der sozialen Organisation der Zukunft hier entwerfen zu wollen. Für uns genügt
es, auf den Ausgangspunkt und das Ziel einer E n t w i c k l u n g
hingewiesen zu haben, welche die Herausgestaltung eines aktiven
sozialen Elements zur Folge hat, das die Lösung der sozialen
Aufgaben, deren sich heutzutage das Einzelindividuum nicht mehr
gewachsen zeigt, zu übernehmen in der Lage ist. Die Keime
dieser Entwicklung, welche im staatlichen Leben, wie wir gesehen
haben, bereits vorhanden sind, zu pflegen und zur Entfaltung zu
bringen, ist die Aufgabe aller staatlichen Faktoren — der Regierung sowohl wie der Parlamente.

X.

In erster Linie aber sollte sich dieser Aufgabe eine Partei
nicht entziehen, welche der herrschenden gesellschaftlichen Ordnung gegenüber das k o l l e k t i v e Prinzip zur Geltung zu bringen bestrebt ist. Handelt es sich ja doch bei der von uns vorgezeichneten Umbildung des bureaukratischen Staats in einen
selbstverwaltenden ebenfalls nur um die Wahrung und konsequente
Durchführung des k o l l e k t i v e n O r g a n i s a t i o n s p r i n -
z i p e s und ist ja doch für die Herstellung einer kollektiven
gesellschaftlichen Ordnung die Existenz einer kollektiven Organisation die erste und selbstverständliche Voraussetzung.

Doch abgesehen davon, dass schon das Parteiprinzip die
sozialdemokratische Partei auf eine aktive Beteiligung an den
positiven Aufgaben des sozialpolitischen Lebens hinweist, ist es
auch die Anteilnahme an dem parlamentarischen Leben, welche
dringend diese Forderung stellt. Der Blitz des allgemeinen Wahlrechts ist in die Hand des arbeitenden Volkes gegeben. »Bewaffnet mit diesem Blitz, rettet Euch, rettet Deutschland«! mahnte
einst *Lassalle*. Heisst das Deutschland retten, wenn man das rote
Tuch der sozialen Revolution einer feigen Bourgeoisie tagtäglich
vor die Augen hält, und im Uebrigen die Entwicklung der Thatsachen schalten und walten lässt? Welch befruchtende Wirksamkeit
hatte nicht gerade *Lassalle* von dem Eintritt seiner lebensfrischen
jungen Partei in unsere Parlamente erwartet, wo auf der einen

Seite eine kleinliche Opposition, auf der anderen aber ein alles und jedes positiven Gedankens barer Opportunismus zur Herrschaft gelangt ist. Wie viel weiter wäre die Partei im Kampfe gegen das Sozialistengesetz gekommen, wenn sie frisch und fröhlich an die soziale R e f o r m herangetreten wäre, statt dem herrschenden Staate Veranlassung zu geben, von seinen äusseren Machtmitteln gegen sie Gebrauch zu machen. Heute aber sieht die deutsche Sozialdemokratie trotz der steigenden Zahl ihrer Anhänger auf eine des positiven Sozialreform-Erfolges völlig bare 25jährige parlamentarische Thätigkeit zurück — Dank den *Marx'*-schen Prinzipien, unter deren ehernem Banne sie unentwegt verblieben ist.

Ob aus der neuestens zu Tag tretenden *von Vollmar'*schen Sezession sich ein positiver Gedanke der sozialen Reform und eine Reorganisation der Partei herausschälen wird, bleibt abzuwarten.

Wir bezweifeln es, da der Terrorismus der u n t e r d e m D r u c k e e i n e s m e c h a n i s c h e n E n t w i c k l u n g s g e-d a n k e n s stehenden Partei erfahrungsgemäss bis jetzt noch jeden selbständigen Gedanken im Keime erstickt hat.

UNTERSUCHUNG ÜBER DIE GRUNDLAGEN DES TARIFWESENS DER SEESCHIFFAHRT.

VON

FRHR. v. WEICHS.

I.

Es ist eine bemerkenswerte und interessante Thatsache, dass eine wirtschaftliche Thätigkeit von solcher Wichtigkeit und so grossartigen Dimensionen wie das Transportwesen zur See bisher noch niemals Gegenstand eingehender wissenschaftlicher Untersuchungen war. Ein Rheder der um Erklärung dieses Umstandes ersucht wurde, gab die aus den Erfahrungen seines eigenen Lebens geschöpfte Antwort: »Offenbar weil wir die Wissenschaft auf diesem Gebiete bisher nicht gebraucht haben«. Es liegt ein Körnchen Wahrheit in dieser Antwort, wenn sie auch weit entfernt davon ist, das Wahre zu treffen. Besondere Umstände, auf die in der Folge zurückgekommen werden wird, lassen es nämlich erklärlich erscheinen, dass speziell bei der Schiffahrt der Standpunkt der »alten Praktiker« noch heute nahezu allein massgebend ist. Und von diesem Standpunkte gesehen ist bekanntlich jede Theorie »grau« und wird als meist schnurstracks in Widerspruch mit den thatsächlichen Erscheinungen und Forderungen stehend angesehen. Hört man doch auch auf anderen Gebieten oft genug die stehende Phrase jener Veteranen: ja, in der Theorie ist das recht schön und stimmt nach allen Richtungen — aber in der Praxis sieht die Sache ganz anders aus«. — An der Schaffung dieses unnatürlichen Gegensatzes zwischen Theorie und Praxis sind weder die Theoretiker noch die Praktiker allein schuldtragend, sondern beide wahrscheinlich zu gleichen Teilen. Die ersteren deshalb, weil in unserem Zeitalter aus verschiedenen Ursachen das Halbwissen mehr denn je zur Blüte gelangt ist; gerade diesem Kreise aber entstammen vornehmlich jene Amateure und Dilettanten, die so fruchtbar an »neuen Ideen« und so schnell bereit sind, Ergebnisse ihres Nachdenkens und flüchtiger, oft nur vereinzelter Beobachtungen als »Gesetze« und Wahrheiten hinzustellen. Infolge mangelnder Sachkenntnis und Vertrautheit mit den obwaltenden Verhältnissen begehen sie aber nur zu häufig Trugschlüsse und Irrtümer, die dann natürlich den Thatsachen widersprechen und die Theoretiker und den »grünen Tisch« in so argen Misskredit brachten. Diese Sorte ist es, welche die Praktiker gewissermassen kopfscheu gemacht hat und die letzteren in erhöhtem und oft genug auch übertriebenem Masse, sowie mit jener Selbstgefälligkeit an ihrer abweisenden Stellung festhalten lässt, welche regelmässig angeblich persönliche Erfahrungen zu begleiten pflegt, insbesondere wenn dieselben durch Ueberlieferungen gestützt werden.

Es soll hier nun weder für die synthetische noch für die analytische Methode der Forschung eine Lanze gebrochen werden in dem Sinne, als ob eine derselben der anderen grundsätzlich vorzuziehen wäre. Nach der ersteren wird von im voraus aufgestellten Prinzipien ausgegangen und aus diesen werden die Folgerungen entwickelt; nach der letzteren Methode hingegen sucht man die Prinzipien erst aus den Thatsachen abzuleiten. Wie immer sonst auch die Namen sein mögen, welche nach den äusseren Hilfsmitteln der Forschung und deren Bestrebungen die verschiedenen Formen dieser Methoden bezeichnen, und wie immer auch die Anwendung der einen oder der anderen derselben für verschiedene Wissenszweige sich besonders geeignet erweisen mag, so ist doch nicht zu übersehen, dass allen diesen Methoden etwas Gemeinsames zu Grunde liegt, nämlich den Gegenstand der Forschung zu unserer Erkenntnis zu bringen. Dieser Gemeinsamkeit des Zweckes steht dann auch eine gewisse Gemeinschaftlichkeit der Methoden selbst hinsichtlich ihrer Anwendung gegenüber. Sie bedingen und ergänzen einander geradezu.

Allerdings wird bei den verschiedenen Wissenschaften auch diese Gemeinschaftlichkeit mehr oder weniger zur Geltung kommen. In keinem Wissensgebiete tritt sie jedoch mehr hervor als in den Fächern der Staatswissenschaften. Hier ist es das Licht

der Deduktion, das die Thatsachen der Induktion, die auf diesem
Gebiete die Thatsachen unseres täglichen Lebens, unserer Wirtschaft sind, zu durchdringen und den ursächlichen Zusammenhang zwischen denselben klarzulegen hat; hier sind es eben diese
zahlreichen und mannigfaltigen Thatsachen, von welchen die
Schlusssätze der Deduktion auszugehen haben. Das Beweisver-
fahren herab zu den Thatsachen und hinauf zu den Prinzipien
muss übereinstimmende Resultate ergeben, — erst dann kann
von Resultaten der Forschung überhaupt gesprochen werden.

Es wurde für notwendig gehalten, dies vorauszusenden als
ein Mahnwort an die Praktiker auf dem Gebiete, das den Gegenstand dieser Abhandlung bildet, es nicht bei den überkommenen
Sätzen und Regeln und zahlreichen Vorurteilen bewenden zu
lassen, nicht die Thatsachen und Erscheinungen, wie sie gewissermassen obenauf schwimmen und sich ziffermässig ausdrücken
lassen, einfach zu sammeln und zu registrieren, sich nicht lediglich
auf ihren wenn auch noch so erprobten geschäftlichen Spürsinn
zu stützen, sondern ihr reiches Fachwissen, ihre Erfahrungen in
den Dienst der Wissenschaft, der Forschung zu stellen, die auf
dem Gebiete des Tarifwesens der Seeschiffahrt ein nahezu braches
Feld vorfindet, das noch einer Pflugschar harrt und deren Arbeit gewiss mit reichem Segen lohnen würde. — Für den Theoretiker soll das Vorhergesagte ein Mahnwort sein, gerade auf
diesem Gebiete nur mit grösster Vorsicht deduktive Schlüsse zu
ziehen, weil hier die Thatsachen und Erscheinungen sich nicht
leicht mit einem Blicke, in einem Bilde zusammenfassen lassen,
an dem die Richtigkeit der Folgerungen erprobt werden könnte.
Auch sind die Hilfsmittel für eine durch Thatsachen unterstützte
wissenschaftliche Untersuchung und Durchforschung des Gegenstandes nur spärlich. Die Ziffern, welche die Handelsstatistiken
der einzelnen Staaten liefern, sind für diesen Zweck selten und
nur zum Teile verwertbar; den Ziffern der Statistiken und Jahresberichte der Schiffahrtsgesellschaften selbst haftet dagegen meistens in noch weit höherem Masse, als dies bei den Eisenbahnen
der Fall ist, der Charakter des planlos Gesammelten an, weil
hier noch weniger als bei den Eisenbahnen das Bestreben Eingang fand, den gegebenen Stoff nach theoretisch als richtig erkannten Regeln und Grundsätzen zu gliedern und zu verarbeiten.
Nun hat es sich aber im Verkehrswesen schon vielfach erwiesen,
zu welchen Trugschlüssen man gelangt, wenn man mit den gro-

ben Durchschnitten rechnet, wie sie eben von den gebräuchlichen Statistiken gegeben werden.

Es kann daher auch die vorliegende Arbeit keineswegs die Aufgabe haben ein Tarifsystem fertig zu Tage zu fördern, noch weniger eine positive Kritik an bestehenden Systemen zu üben, sondern es darf dieselbe nur als ein Versuch angesehen werden, allgemeine Gesichtspunkte für die Grundlagen des Tarifwesens der Seeschiffahrt zu gewinnen und festzuhalten. Und zwar sowohl von dem Gesichtswinkel, dass der Schiffahrt als einer Erwerbsunternehmung das Streben nach der höchsten erreichbaren Verzinsung der in ihr investierten Kapitalien innewohnen muss, als auch im Hinblicke auf ihren öffentlichen Charakter als Verkehrsmittel und auf die Aufgaben, die ihr als einem Gliede des staatlichen Wirtschaftsorganismus zukommen. Diese beiden Gesichtspunkte liegen den folgenden Erörterungen stets zu Grunde, derart, dass gewissermassen an jeder Stelle die Fragen erhoben wurden, wie dem Erwerbsprinzipe und wie dem öffentlichen und staatswirtschaftlichen Charakter der Seeschiffahrt Rechnung zu tragen sei, und welche Erfordernisse sich aus beiden ergeben. —

Hierbei konnte nicht vermieden werden, eine gewisse und zweifelsohne auch berechtigte Anlehnung an die Erkenntnisse zu nehmen, welche die Wissenschaft als Grundlagen für das Tarifwesen der Verkehrsmittel zu Lande bereits gewonnen hat. Denn bestehen auch mancherlei wesentliche Verschiedenheiten zwischen den letzteren und den Verkehrsmitteln zur See, so ist es doch andererseits unmöglich, den einheitlichen Grundcharakter beider, die Transportvermittlung, zu übersehen, welche denn auch die Einheitlichkeit gewisser Prinzipien bei beiden mit Sicherheit vorhersagen lässt.

Der wesentliche Unterschied zwischen beiden Verkehrsmittelgattungen ist nun folgender: Die Eisenbahnen besitzen zufolge des Umstandes, dass bei den bestehenden Anlagen aus technischen Gründen eine Konkurrenz auf d e m s e l b e n Schienenwege nicht oder nur in seltenen Ausnahmsfällen möglich ist, den Charakter des M o n o p o l s; bei der Seeschiffahrt bildet hingegen eine vollkommen unbeschränkte, durch die Freiheit des benutzten Weges, des Meeres, bedingte K o n k u r r e n z das Charakteristische. Der oberste und erste Satz des internationalen Seerechtes lautet: »Das Meer ist frei«. Damit ist eine allgemein anerkannte und gewährleistete und, wie dies durch die Natur der

Sache bedingt ist, auch ewig unveränderliche rechtliche Grundlage gegeben. Demzufolge kann auch das Prinzip der Konkurrenz nicht als ein zufällig entstandenes oder, wie dies bei den Eisenbahnen zu beobachten ist, vornehmlich eine Entwicklungsepoche
bezeichnendes angesehen werden, sondern stellt sich als ein aus
dem Wesen der Seeschiffahrt hervorgehendes Prinzip dar. Wenn
die Konkurrenz zwischen verschiedenen Schienenwegen sich als
Ausnahme und nur als auf einzelne Relationen sich beziehend,
sowie häufig als bloss vorübergehend, also räumlich und zeitlich
beschränkt erweist und zufolge dieser Eigenart kein Bedürfnis
bestand, dieselbe in grösserem Umfange hinsichtlich Ursache und
Wirkung zu durchforschen und über die Erkenntnis ihrer Eigenart hinaus zum Gegenstande wissenschaftlicher Untersuchung zu
machen zu dem Zwecke, die innerst- und unterstliegenden Regeln
und bewegenden Momente an das Licht zu ziehen, — so zeigt
es sich bei der Seeschiffahrt gerade als eine der ersten Forderungen zu untersuchen, ob aus dem scheinbaren Chaos der
Konkurrenz sich nicht doch gewisse Gesetzmässigkeiten heraus-
krystallisieren oder wenigstens allgemeine Grundsätze und Gesichtspunkte gewinnen lassen, welche ermöglichen, die Preisbildung auf eine festere Unterlage zu stellen. Dieser Aufgabe in
vollem Masse gerecht zu werden, vermöchte man wohl nur, wenn
sich der gesamte Weltverkehr in grossen, längere Zeiträume
umfassenden Reihen von Augenblicksbildern festhalten liesse und
die letzteren zu der Entwicklungsgeschichte des Weltverkehrs
und seiner Mittel sowie zu den Ursachen und Bedingungen dieser
Entwicklung in Beziehung gebracht werden könnten. Die grossen
Schwierigkeiten, ja vielleicht die Unmöglichkeit, hierfür das geeignete Material zu erlangen, zwingen denn dazu, sich mit den
zunächst erreichbaren Thatsachen zu begnügen und zu versuchen,
diese zu Schlussfolgerungen zu verwerten. Denn dass ein Chaos
überhaupt nur dort, bezw. nur für jenes Auge bestehen kann, das
die bewegenden Kräfte nicht kennt oder erkennt, bedarf hier
wohl keiner Erwähnung. Auch die vielfältigen durch tausender-
lei Einflüsse und scheinbare Zufälligkeiten erzeugten Erscheinungen des Wettbewerbes in der Seeschiffahrt müssen sich auf
wenige einfache und elementare Sätze zurückleiten lassen können.

Gehen wir zurück auf die Anfänge der Preisbildung bei der
Seeschiffahrt, so fällt dieselbe in die Zeit (das Altertum ganz
ausser Betracht gelassen), da unternehmende Handelsherren oder

Vereinigungen solcher ihre eigenen Schiffe mit eigenen Waren beluden, um die letzteren an fremden Küsten mit Vorteil zu verkaufen oder gegen andere Waren auszutauschen. Wenn hierbei die Transportkosten zweifellos mit auf die Erstellung des Preises einwirkten, so geschah dies sozusagen nur stillschweigend und wurden sie keinesfalls ziffermässig bewertet; sie fanden durch den weiten Spielraum zwischen den Werten der geführten Waren hier und dort so sichere und vielfache Deckung, dass von einem »Transportpreise« in jener guten alten Zeit wohl kaum die Rede war. Zu diesem Begriffe gelangte man erst, als die Transportvermittlung zur See ein selbständiges Gewerbe geworden war; aber auch dann lag durch lange Zeit, von der Küstenschiffahrt abgesehen, die Angelegenheit in wenigen festen Händen und der Weltverkehr gewissermassen noch in den Windeln. Von den damals gebräuchlichen Grundsätzen bei Bildung der Transportpreise auf ein heute anzuwendendes System derselben zu schliessen, wäre ungefähr das nämliche, wie wenn man aus dem bestandenen Postkutschentarife die Grundlagen für die heutigen Eisenbahntarife schöpfen wollte. Wie aber nichts hienieden plötzlich entsteht und fertig hervorgeht und auch die ersten Eisenbahntarife, wie sich nachweisen lässt, auf eine vergleichende Kalkulation mit den Postkutschensätzen und Transportpreisen der Frachtfuhrleute zurückzuführen sind, so sind auch jene Anfänge in der Preisbildung der Seeschiffahrt in ihren Spuren bis spät hinein in die modernen Epochen des Dampfes zu verfolgen. Wie am Lande der Dampfwagen, so brachte das Dampfschiff zur See eine vollkommene Umwälzung der Verhältnisse hervor, was sich nur so recht erfassen lässt, wenn man die von Jahr zu Jahr in lebhafter Progression sich steigernden Mengen, die der Weltverkehr bewegt, betrachtet und dem letzteren jenen vor 50 und 100 Jahren gegenüberstellt. So interessant die Verfolgung der historischen Entwicklung des Weltverkehrs und seiner Mittel zur See auch sein mag, sie bildet einen Gegenstand für sich und ist für vorliegende Untersuchung nur soweit erforderlich gewesen, um darlegen zu können, dass erst mit der Dampfschiffahrt die »Preisfrage« in ihrer weitreichenden Wirkung und hohen Bedeutung für die Wirtschaft der Völker wie für jene der Schiffahrtsunternehmungen selbst in den Vordergrund trat. Dazu haben verschiedene Umstände geholfen. Die Technik des Schiffahrtswesens fand bei den Segelschiffen eine nahe Grenze, indem die Grösse

des Schiffskörpers und dessen auf grössere Geschwindigkeit abzielende Bauart nur auf Rechnung der Manövrierfähigkeit fortschreiten konnte. Bei den Dampfschiffen lässt sich aber selbst
heute noch nicht sagen, wo diese Grenze gesteckt sei; Schiff-
und Maschinenbau machen fast alljährlich neue und bedeutsame
Fortschritte. Immer grössere Kolosse bewegen sich mit immer
zunehmender Schnelligkeit auf den Meeren und geben Zeugnis
von dem Wachstum und der Entwicklung der diese Fortschritte
erzeugenden Wirtschaft der Menschheit.

Insbesondere das Maschinenwesen scheint noch einer grossen
Zukunft entgegen zu gehen. Dass auf die beschleunigte Gang-
art dieses Fortschreitens die Konkurrenz bedeutsamen Einfluss
nimmt, ist gar nicht zu übersehen; denn in ungleich höherem
Masse als bei irgend welchen andern Betrieben hängt bei der
Seeschiffahrt der Erfolg eines Unternehmens von dessen technischer Leistungsfähigkeit ab. Und zwar einerseits in der Richtung, dass die Oekonomie des Betriebes erhöht, die Zahl der
möglichen Nutzleistungen zu den notwendigen Lastleistungen in
ein zunehmend besseres Verhältnis gesetzt werde, damit durch
eine Minderung der auf die Einheit entfallenden Betriebskosten
ein Vorsprung gegenüber Mitbewerbern erreicht werde. In diesem
Sinne wirkt vornehmlich die Vergrösserung des Ladegehaltes der
Schiffe; denn die Kosten des Betriebes grosser Schiffe gegenüber jenen kleiner Schiffe nehmen bei rationeller und auf mer-
kantile Zwecke gerichteter Bauart nicht in demselben Masse zu
wie der Rauminhalt. Es entfällt daher auf die Einheit des Laderaumes bei grösseren Schiffen im allgemeinen eine kleinere Quote
der Betriebskosten als unter sonst gleichen Umständen auf eine
Einheit des Laderaumes kleiner Schiffe. Da diese höhere Oekonomie des Betriebes aber erst in Erscheinung tritt, bezw. in der
Praxis erst dann Ausdruck findet, wenn sich die Einheitskosten
auf den beladenen Schiffsraum beziehen, d. h. wenn die Voraussetzung zutrifft, dass der grössere Schiffsraum wenigstens proportional zu dem in Vergleich gezogenen kleineren ausgenützt wird,
so hängt die Wahl der Grösse eines Schiffes einerseits von der
kommerziellen Bedeutung einer Linie ab und von dem .voraus-
sichtlich und erfahrungsgemäss zu bedienenden Verkehre, andrerseits aber auch häufig von dem Charakter der vornehmlich zu
transportierenden Güter. So wird es z. B. im allgemeinen be-
triebsökonomisch geboten sein, die Küstenschiffahrt mit kleineren

Fahrzeugen zu betreiben, welche hiebei räumlich früher ausgenützt werden. In anderer Richtung drängt die Konkurrenz mit
Rücksicht auf die steigenden Ansprüche und Wünsche, welche
hinsichtlich eines beschleunigten Nachrichtenverkehrs und der
Passagierbeförderung erhoben werden, die grösstmögliche Raschheit der Schiffe zu erzielen. Hier lässt die Konkurrenz die betriebsökonomischen Forderungen scheinbar teilweise zurücktreten, indem
die grössere Geschwindigkeit höhere Anlagekosten und im allgemeinen auch vermehrte absolute Betriebsauslagen bedingt. Allerdings
ist man gleichzeitig auch bestrebt, Schiffe zu konstruieren, welche
möglichst ö k o n o m i s c h e hohe Geschwindigkeiten besitzen. Für
jedes Schiff wird nämlich, je nach seiner Bauart, seinen Dimensionen und seiner Maschine und bei jedem Schiffe wieder je nach
den verschiedenen Ladungen, bezw. nach den durch die letzteren
herbeigeführten Tauchungen, eine gewisse Geschwindigkeit die be-
triebsökonomisch vorteilhafteste sein. Dieselbe lässt sich für jedes
Schiff und zwar für jede Tauchung desselben ermitteln. Es bildet
nun natürlich neben dem Streben nach absolut hohen Geschwindigkeiten die wichtigste technische Aufgabe, diese ökonomischen
Geschwindigkeiten im allgemeinen zu steigern, d. h. Schiffe und
Maschinen zu konstruieren, welche gegenüber den jeweilig bestehenden bei gleichen auf die Einheit des Ladegehaltes entfallenden Kosten des Betriebes grössere Geschwindigkeiten besitzen
oder bei gleichen Geschwindigkeiten eine Verringerung jener Ein-
heits-Betriebsauslagen herbeiführen.

Die Bedeutung, welche das technische Moment bei der Seeschiffahrt besitzt, macht denn dasselbe auch zur wichtigsten Waffe
im Wettbewerbe. Um in diesem überhaupt bestehen, d. h. mit
Erfolg bestehen zu können, und um nicht hinsichtlich der Preisbildung jedwede Autonomie aus der Hand geben zu müssen, hat
als oberster Grundsatz für jedes Schiffahrtsunternehmen zu gelten,
dass die bezüglich der bedienten Verkehre grösste technische
Leistungsfähigkeit erzielt werde, und zwar von dem doppelten Gesichtspunkte der Betriebsökonomie und der Anforderungen des
Verkehrs. Die Raschheit und Periodizität der Beförderung, die
Pünktlichkeit und Sicherheit in der Ablieferung sind zwei Momente,
auf denen in unserer Zeit die Führung von Handelsgeschäften
wesentlich beruht. Vermehrte Schnelligkeit bedeutet vermehrten
Umsatz, und vermehrter Umsatz bedeutet vermehrten Verdienst.

Mit Rücksicht auf die Oekonomie in der A n l a g e eines Schiff-

5 *

fahrtsunternehmens scheint es für dasselbe auf den ersten Blick vorteilhaft und daher begreiflich und naheliegend, den Bau und die Ausrüstung von Schiffen in eigener Regie auszuführen, um derart schon an Erfordernissen für Verzinsung und Amortisation des aufgewendeten Kapitals zu sparen und dadurch eine Nieder-haltung der Preise und einen sicheren Vorsprung gegen Mitbe-werber zu erzielen, welche sich nicht in der gleichen Lage befinden. Thatsächlich haben infolge dieser Ueberlegung auch viele der grösseren Schiffahrtsgesellschaften den Bau ihrer Schiffe in die eigene Hand genommen. Dazu trat dann häufig der bei staatlich subventionierten Unternehmungen hie und da auch konzessions-mässig bedingte Zwang der gänzlichen oder teilweisen Beschaffung des Bau-, Ausrüstungs- und Betriebsmateriales im Inlande, um derart gleichzeitig heimischen Industriezweigen Arbeit und Ver-dienst zuzuwenden. Die Erfahrung hat aber gelehrt, dass dieses Prinzip nicht als allgemein zutreffend angesehen werden darf, sondern sich nur unter ganz besonderen Voraussetzungen bewährt. Dort, wo man es generell aufstellte und mit bedeutenden Opfern auch verwirklichte, ohne dass jedoch jene Voraussetzungen ge-geben waren, übersah man eben gänzlich, dass die Konkurrenz der weitaus wichtigste Faktor im Erwerbsleben der Seeschiffahrt ist und dass in dieser Konkurrenz die technische Leistungsfähigkeit vor allem andern entscheidend und ausschlaggebend ist, ja sich geradezu als eine der ersten Bedingungen für die Existenz und den Erfolg eines Unternehmens darstellt.

Nun ist es eine allbekannte Thatsache, dass insbesondere auf jenen technischen Gebieten, welche rasche Fortschritte zu verzeichnen haben, die besten Leistungen zweifelsohne diejenigen aufzuweisen haben werden, welche nicht nur langjährige Erfah-rungen und damit besondere Eignungen sich erworben haben, und denen die besten Arbeitskräfte und Materialien zur Verfügung stehen, sondern welche auch durch die Konkurrenz zu immer höheren Leistungen angespornt werden. So nimmt z. B. schon seit langer Zeit und heute noch immer ziemlich unbestritten England den ersten Rang hinsichtlich des Dampfschiffbaues ein. Die enormen Verhältnisse des englischen Handels bedingen die Grösse der englischen Handelsflotte, deren Ergänzung und Erweiterung zahl-reiche Werften beständig beschäftigen; nimmt man hiezu noch die Exaktheit und Reellität, durch welche sich englische Arbeit über-haupt auszeichnet, sowie die Vortrefflichkeit des im allgemeinen zur Verwendung gelangenden Materiales und zieht endlich die Konkurrenz der englischen Schiffbauwerften untereinander in Betracht, so ergiebt sich schon notwendig als logische Schlussfolgerung, was die vorerwähnte Thatsache bestätigt. Und wird auch der Schiffbau Frankreichs, Deutschlands und Amerikas dem englischen als ebenbürtig bezeichnet, was sich mit den obwaltenden ähnlichen Verhältnissen des Schiffbaues in diesen Staaten immerhin begründen lässt, so kann dies naturgemäss in keinem Falle vom Dampfschiffbaue jener Staaten gesagt werden, deren überseeischer Handel minder entwickelt ist und welchen nur eine kleine Handelsflotte zur Verfügung steht. In solchen Staaten werden daher Werften nur selten genügend beschäftigt werden können. Abgesehen nun davon, dass hier die bedeutenden in diesen Anlagen festgelegten Kapitalien nicht vollständig ausgenützt werden, können auch nur spärliche Erfahrungen im Schiffbaue gesammelt, Fortschritte und Verbesserungen nur selten angebracht und verwertet werden, ungeübtere Kräfte stehen zur Verfügung und nachdem meist auch eine Konkurrenz nicht zu befürchten steht, leidet nahezu immer die Qualität des Materiales und der Arbeit. Und gelingt es schliesslich doch noch eine Ersparnis an den Schiffbaukosten herauszurechnen, so gelingt dies bei den Kosten des Betriebes der betreffenden Schiffe schon sicher nicht mehr und eine Erscheinung tritt hier zu Tage, die auch bei den Eisenbahnen, sowie bei jeder Art von Kapitalsanlagen, zu beobachten ist, dass nämlich im allgemeinen höhere Anlagekosten relativ (auf die Einheit bezogen) kleinere Betriebskosten und geringere Anlagekosten relativ grössere Betriebsauslagen zur Folge haben. Und nicht nur, dass die billigeren Schiffe solcher kleiner Werften sich gewöhnlich weniger widerstandsfähig erweisen, kostspielige häufige Reparaturen erfordern, sich rascher abnützen und dadurch die gemachten Ersparnisse wieder wett machen, auch hinsichtlich ihrer Leistungsfähigkeit erreichen sie meist nicht das Niveau, auf dem sich die Fahrzeuge der im Schiffbau vorgeschritteneren Nationen befinden, und lassen daher auch einen Erfolg im Konkurrenzkampfe mit jenen Staaten als fraglich, auf die Dauer aber geradezu als aussichtslos erscheinen. Denn der Abstand von jenem Niveau wird immer weiter und das vorhandene, schon als neu veraltete Material an Schiffen bildet einen Ballast, dessen man sich nicht so leicht mehr entäussern kann und der, da auch eine Erneuerung und Ergänzung des Flotten-

standes infolge der geringeren Anforderungen des bedienten
Verkehrs nur sehr langsam stattfindet, wenn nicht den unaufhalt-
samen Niedergang der Unternehmung besiegelt, so doch deren
Aufschwung zum besseren bedeutend erschwert.

Soviel lässt sich generell aufstellen: Will eine Seeschiffahrtsunternehmung mit Hoffnung und Aussicht auf Erfolg in den internationalen Konkurrenzkampf eintreten, so ist es u n e r l ä s s l i c h,
dass sie sich vor allem technisch leistungsfähig mache und für
diesen Wettbewerb Fahrzeuge beschaffe, die hinsichtlich der Oekonomie ihres Betriebes und ihrer absoluten Leistungen in jeder
Beziehung auf der Höhe der Zeit stehen. Ist die Unternehmung
anerkanntermassen und sicher in der Lage, solche Fahrzeuge
selbst zu bauen, oder werden andere inländische Werften den
erhobenen Forderungen mit voller Gewissheit gerecht, — um so
besser, dann bleibe man natürlich im Lande. Im andern Falle
aber darf es keine Motive geben, welche eine Schiffahrtsunternehmung verhindern können, ihre Fahrzeuge dort bauen zu lassen,
wo sie dieselben am besten erhält.

Insbesondere was den Einwurf, bezw. die Anforderung betrifft, dass durch den Schiffbau die heimische Industrie gefördert
werden müsse und daher inländisches Material zur Verwendung
gelangen solle, darf demgegenüber nicht übersehen und muss
entgegnet werden, dass die Schiffahrtsunternehmungen ja doch
auch einheimische Erwerbsunternehmungen sind und es schon
deshalb durchaus unstatthaft scheint, dieselben zu Handlungen zu
verhalten, welche ihren Interessen zuwiderlaufen, nur um einige
Vorteile für andere Unternehmungen zu erlangen. Des weiteren
muss aber auch darauf hingewiesen werden, dass wie allen Verkehrsanstalten, so auch der Seeschiffahrt bedeutende öffentliche
Funktionen zukommen und dass mit dem Gedeihen und der Entwicklung heimischer Schiffahrtsgesellschaften, als der berufensten
Vermittler des überseeischen Handels eines Staates, Interessen
von viel grösserer und allgemeinerer Bedeutung gefördert werden,
als die Existenz oder Rentabilität von einigen Fabriken oder
Montanwerken haben kann.

Ist man zur Erkenntnis der für die vorgehabten Zwecke nicht
genügenden Entwicklung und Leistungsfähigkeit heimatlichen Schiff-
und Maschinenbaues durchgedrungen, so wird es sich in den meisten
Fällen auch als vorteilhaft erweisen, etwaige mit dem Schiffahrtsunternehmen in Verbindung stehende, bezw. für gleiche Rechnung

betriebene grosse Werften, Arsenale etc. abzustossen oder dieselben event. auf Reparaturwerkstätten zu beschränken. Der inländischen Industrie mag dann der Bau von Schiffen überwiesen
werden, die dem Lokalverkehre dienen oder überhaupt dort verwendet werden können, wo eine Konkurrenz nicht oder in geringem Masse zu befürchten ist. An diesen Aufgaben kann die
inländische Industrie sich dann heranbilden und entwickeln. Nach
dem Masse dieser Entwicklung wird sich ihr dann die inländische
Seeschiffahrt mit Aufträgen zuwenden können.

Neben dem technischen Faktor treten in erster Reihe k o m-
m e r z i e l l e und h a n d e l s p o l i t i s c h e Gesichtspunkte als
massgebend für die Leitung eines Schiffahrtsunternehmens und
gewissermassen als Voraussetzung zur Gewinnung fester Unterlagen
für die Preisbildung hervor.

Eine auf der Höhe ihrer Aufgaben stehende Leitung eines
grossen Schiffahrtsunternehmens muss ein gutes Stück des Weltverkehrs zu überblicken in der Lage sein und stets auf dem Laufenden gehaltene Kenntnisse von den Wirtschaftsverhältnissen sowohl des eigenen in Betracht kommenden Hinterlandes als auch
jener Länder besitzen, die für die Hinterländer als Bezugs- und
Absatzgebiete von Bedeutung sind oder Bedeutung erlangen
können. Indem die Seeschiffahrt die Hauptvermittlerin des Welthandels ist, so ergeben sich von selbst ihre Abhängigkeit vom
Weltmarkte und ihre Beziehungen zur Weltwirtschaft. Sie tritt
dadurch aus dem Rahmen nationaler Wirtschaft heraus, der die
Eisenbahnen und die Binnenschiffahrt im allgemeinen umschliesst,
und stellt sich als das vornehmste Bindeglied dar zwischen den
Wirtschaften der Völker und Länder des Erdballs im Ganzen der
Weltwirtschaft. Daraus lassen sich sowohl die konkreten Aufgaben loslösen, die eine Seeschiffahrtsunternehmung mit Beziehung
auf die Wirtschaft des Staates, dem sie angehört, zu erfüllen hat,
als auch jene Gesichtspunkte erkennen, welche für die Schiff-
fahrt als eine Erwerbsunternehmung massgebend sein müssen, und
welche beide, Aufgaben wie Gesichtspunkte, als allgemeine Unterlagen für die Tarifbildung zu dienen haben.

Was die Aufgaben anbelangt, die der Seeschiffahrt in Beziehung zu der vaterländischen Wirtschaft zufallen, so lassen sich
dieselben dahin zusammenfassen, dass sie ihrerseits nach Kräften
alles vorzukehren und mitzuwirken habe, um einerseits der heimischen Produktion Absatzgebiete zu eröffnen, zu erhalten und zu

erweitern, sowie andererseits derselben den billigen und möglichst
direkten Bezug von Rohstoffen zu ermöglichen, endlich den Erfordernissen des heimischen Konsums durch Einrichtung möglichst
direkter Beziehungen zu den ausländischen Produzenten entgegen-
und nachzukommen [1]). So sehr auch der internationale Charakter
der Seeschiffahrt offen zu Tage liegt, so darf über demselben doch
nicht übersehen werden, dass die Seeschiffahrt eines Staates in
dessen Wirtschaftsorganismus nur ein Glied bildet, das ganz bestimmte Funktionen zu erfüllen hat und auch in organischer Verbindung mit den andern Wirtschaftszweigen steht. Naturgemäss
ist diese Verbindung am engsten mit den übrigen Verkehrsmitteln,
insbesondere den Eisenbahnen, und wird in einer gegenseitigen Ergänzung derselben, in einem Zusammenfassen gemeinschaftlicher
Ziele und in einem Zusammenarbeiten nach diesen Zielen ihren
Ausdruck finden müssen. Die Geschichte lehrt uns an zahlreichen
Beispielen vom Altertum bis in die Gegenwart, welche ausserordentliche Wirkung ein lebhafter Seeverkehr auf den wirtschaftlichen Aufschwung und die kulturelle Entwickelung eines Staates
auszuüben im Stande ist. In dieser Hinsicht kommt dem Seeverkehre sogar eine noch höhere Bedeutung zu als dem Land-
verkehre. Der letztere vermittelt vornehmlich den Austausch von
Gütern zwischen Staaten, deren Wirtschaften im allgemeinen auf
der gleichen oder einer ähnlichen Intensitätsstufe angelangt sind,
von Gütern, die denselben Zonen entstammen, und es sind daher
quantitative und qualitative Schwankungen, wie sie vornehmlich durch
die verschiedenen Ernteverhältnisse, durch klimatische Einflüsse,
Seuchen, elementare und politische Ereignisse u. dgl. m. in der
Produktion hervorgerufen werden, infolge der relativen Beschränkt-

---

1) Hier sei darauf hingewiesen, wie sich der geographische Sitz und der Umfang
des Welthandels, seine Bedingungen und Mittel in unserer Zeit verschoben haben.
Der dereinst blühende Handel des Mittelmeeres ist, selbst nach Eröffnung des Suez-
kanales, an den man so grosse Hoffnungen knüpfte, verhältnismässig unbedeutend
geblieben. Immer mehr tritt das wirtschaftliche Uebergewicht des nordwestlichen
Europas hervor und verschiebt sich in dieser Richtung der Schwerpunkt des Welthandels. So hat z. B. England den Handel mit roher Baumwolle und Thee fast gänzlich
an sich gerissen, der Kaffeehandel konzentriert sich in holländischen, belgischen und
norddeutschen Häfen, der Handel mit Tabak in Bremen u. dgl. m. Es lässt sich
daraus auch erklären, dass die Preise solcher Produkte des Weltmarktes unter Umständen ein Vielfaches jener Preise bilden, die dem Produzenten gezahlt werden;
denn sie haben die Mehrfracht für die Beförderung auf längeren Routen, die Gebühren
für Assekuranz, Umladen und Rückfracht, Bank- und Kommissionsgebühren, Lager-
und Platzspesen, Einkaufs- und Reiseunkosten, Zinsverlust u. dgl. m. zu decken.

heit des Marktes und des geringeren Verkehrswertes eines Gross-
teiles der beförderten Güter meist viel heftiger in ihrer nachteiligen Rückwirkung auf den allgemeinen Wohlstand und von empfindlichen Schäden für die nationale Produktion begleitet. Erst
der Seeverkehr oder doch in erster Linie dieser vermag einerseits
stabilere Verhältnisse herbeizuführen, andrerseits leitet er Ströme
neuer Kräfte, neuer Stoffe ins Land, indem er das Absatzgebiet
erweitert, den Güteraustausch zwischen Wirtschaften vermittelt,
zwischen denen grössere Spannungen bestehen, die Lücken der
heimischen Produktion ergänzt und neue Zweige derselben ins
Leben ruft. Der Seeverkehr ist es, der den für die Wirtschaft
moderner Staatswesen unerlässlichen Regulator »Weltmarkt« bedient, diesen erst geschaffen, ermöglicht hat. Man denke sich
nur einen einzelnen europäischen Staat oder das ganze heutige
Europa von allem Seeverkehre abgeschnitten und man wird dann
nicht unschwer den Zusammenbruch alles Bestehenden, grenzen-
loses Elend, allgemeine Verarmung daraus ableiten können.

Diese hohe Bedeutung des Seeverkehrs für das Gemeinwohl,
die wichtige Stellung, die derselbe im Organismus einer staatlichen Wirtschaft einnimmt, erweist sich u. a. auch durch die
Unterstützungen und die Förderung, welche alle Staaten ihren
Seeschiffahrtsunternehmungen angedeihen lassen. Hierher gehören
zunächst gewisse Garantien, die in verschiedenen Formen gewährt, und Subventionen, die pauschaliter oder in Abhängigkeit
von bestimmten Leistungen zugestanden zu werden pflegen, um
die Kontinuität besonders wertvoller Verkehre zu sichern und
der eigenen Schiffahrt den Wettbewerb mit Unternehmungen anderer Nationen zu ermöglichen. Das reiche praktische England,
das aus seinem Jahrhunderte alten Handel und Seeverkehr Erfahrungen geschöpft und sich belehrt hat, zahlt grosse Subventionen an
mehrere Dampfergesellschaften. Die grössten Opfer zur Erhaltung
direkter Linien bringt jedoch Frankreich, das jährlich 26 Millionen
Franks an verschiedene Gesellschaften zahlt. Wenn das Gedeihen
eines Schiffahrtsunternehmens zweifellos auch von der Intensität
und dem Umfange der Wirtschaft eines Staates sowie des Handelsgeistes seiner Bevölkerung abhängt, so wird doch ebensogewiss
auch reciprok das Fortschreiten und die Entwicklung der Wirtschaft eines Staates sowie die Heranbildung des Handelsgeistes
seiner Bevölkerung durch eine blühende Seeschiffahrt gefördert.
Zweifellos ist es aber auch, dass diesen Aufgaben nur ein natio-

nales Unternehmen wird vollkommen gerecht werden können, und
nur ein solches wird sich den Bedürfnissen der heimischen Produktion
und Konsumtion anpassen und den Eisenbahnen und der Binnenschiffahrt des Hinterlandes organisch angliedern lassen. Selbst
noch so günstige Verträge mit fremden Schiffahrtsgesellschaften
werden niemals die Funktionen auch nur minder leistungsfähiger
nationaler Unternehmungen zu ersetzen vermögen, ganz abgesehen davon, dass die letzteren in Kriegszeiten ihre Funktionen nicht
oder nur teilweise einstellen und sogar selbst als Mittel zur Landesverteidigung herangezogen werden. Allenthalben sieht man denn
auch eine Nationalisierung der Schiffahrtgesellschaften sich immer
deutlicher ausprägen und zunehmend grösseren Umfang gewinnen.
Die Bedeutung, welche demnach eine nationale Seeschiffahrt in
staatswirtschaftlicher Hinsicht besitzt, lässt nicht nur überhaupt
die direkte Unterstützung derselben von staatswegen in Form von
Subventionen vollauf gerechtfertigt scheinen, es lässt sich sogar
sagen, dass sich für die Höhe dieser Subventionen nach oben
nicht leicht eine Grenze festsetzen lässt; denn der Bestand nationaler Schiffahrtsunternehmungen bildet eine so unerlässliche Notwendigkeit, dass dieser Bestand unter Umständen selbst mit dem
Opfer gänzlichen Verzichtes auf ein Zinserträgnis erkauft und gesichert werden müsste. –

Diese Erkenntnis hat denn auch den Gedanken vielfach nahegelegt und zur Erörterung gebracht, die Schiffahrt zur See analog
den Verkehrsmitteln zu Lande zu verstaatlichen und auch den
Betrieb durch den Staat führen zu lassen. Der Verwirklichung
dieses Gedankens stehen jedoch in dem Konkurrenzcharakter der
Seeschiffahrt und im Hinblicke auf sich aufwerfende völkerrecht-
liche und seerechtliche Fragen kaum überwindbare Hindernisse
entgegen. Abgesehen hievon, weist eben der Konkurrenzcharakter
der Seeschiffahrt den Betrieb derselben der Privatwirtschaft zu,
und es wird die letztere wenigstens in kommerzieller Beziehung eher
und besser ihren Aufgaben gerecht werden können als staatliche
Unternehmungen dies vermöchten. Zwar kann dem von den
prinzipiellen Gegnern der Verstaatlichung des Verkehrswesens gewöhnlich gemachten Einwurfe, dass die staatliche Verwaltung
schwerfälliger und kostspieliger arbeite sowie auch in betriebstechnischer Beziehung minder leistungs- und fortschrittsfähig sei,
im allgemeinen nicht beigepflichtet werden. Bei den Eisenbahnen
wenigstens haben sich derartige Vorhersagungen in keiner Weise

bestätigt. Immerhin aber können bei der Seeschiffahrt solchen
Einwürfen noch keine Thatsachen als Gegenbeweise gegenübergestellt werden und man kann auch nicht umhin zuzugestehen,
dass diese Einwürfe hier vielleicht doch mit mehr Berechtigung
erhoben werden würden. Diese Frage ist übrigens thatsächlich
gegenstandslos, indem sie aus den früher angeführten Gründen
ernstlich wohl kaum irgendwo in Erwägung gezogen wurde. Es
soll daher hier auch nicht weiter darauf eingegangen, sondern
nur darauf hingewiesen werden, dass staatliche Unternehmen infolge ihrer unvermeidlichen grösseren Abhängigkeit von Regierung, Parlament, sonstigen Korporationen etc., sowie von den
Bestrebungen und Interessen der heimatländischen Produktion nie
jene für den Konkurrenzkampf unerlässliche Freiheit der Bewegung
erlangen könnten, welche Privatunternehmen hinsichtlich der Beschaffung der Betriebsmittel und des Betriebsmateriales eingeräumt
bleiben muss. Dies allein schon müsste auf die Oekonomie des
Betriebes und auf die technische Vervollkommnung hindernd einwirken. Ausserdem lässt sich eine staatliche kommerzielle Vertretung im Auslande, ein staatliches Agentenwesen mit seiner
werbenden Thätigkeit und seinen Beziehungen zur Geschäftswelt
anderer Länder, welche häufig eine Konkurrenz gegen die Produktion und die Schiffahrtsunternehmungen jener Länder bedingt,
wohl nur schwer denken. Damit soll nun freilich nicht gesagt
sein, dass auch eine staatliche Ingerenz auf die Schiffahrtsunternehmen unstatthaft oder deren Entwicklung hinderlich sei. Im
Gegenteile; diese Ingerenz muss angerufen und mit Rücksicht
auf die Stellung der Seeschiffahrt in der Staatswirtschaft und auf
die öffentlichen Interessen sowie im Hinblicke auf die materielle
Unterstützung und Förderung, welche eine Kontrolle und Oberaufsicht seitens der Staatsverwaltung erheischen, geradezu gefordert werden.

Neben der unmittelbaren Unterstützung durch Subventionen,
die wir in den meisten Staaten und oft in ganz bedeutendem Umfange durchgeführt sehen, ist die t e c h n i s c h e A n g l i c -
d e r u n g der Seeschiffahrt an das Wirtschaftsganze des Hinterlandes als die wichtigste und den Kern der Sache erst berührende
Form der Förderung hervorzuheben. Es ist damit die Herstellung von Zufahrtslinien aus dem Binnenlande nach den Seehäfen
verstanden, den grossen Ausfallthoren für die nationale Produktion und den Einbruchstellen für die eingetauschten Güter fremder

Zonen. Wenn nun natürlich auch der Bau solcher Eisenbahnen
sowie die Schiffbarmachung von Flüssen nicht ausgesprochen zu
dem Zwecke erfolgt, um die Interessen der Seeschiffahrt zu fördern, sondern vielmehr, um allgemeinen wirtschaftlichen Bedürfnissen nachzukommen so ist doch bei der Abhängigkeit der
Seeschiffahrt von der Wirtschaft des Binnenlandes ein im Dienste
der letzteren stehende Einrichtung indirekt immer auch im Interesse
der Seeschiffahrt gelegen. Ganz besonders muss dies natürlich
von Strömen und Eisenbahnen gelten, die nach der Küste führen,
also ihre natürliche Ergänzung in der Seeschiffahrt finden. Die
gegenseitige Abhängigkeit dieser Verkehrsmittel ist so gross, dass
sie sich geradezu bedingen. Man wird keine Eisenbahnen nach
einer Küste oder zu Küstenpunkten bauen und keine grossen Summen auf die Schiffbarmachung von Flüssen aufwenden, wenn an
jenen Küsten keine Schiffahrt besteht. Man wird sich mit einer
oder mit wenigen Zufahrtslinien begnügen, wenn die bestehenden
Schiffahrtsunternehmungen weniger leistungsfähig sind. In diesem
Falle tritt dann bereits die Konkurrenz anderer Seehäfen und
fremder Schiffahrtslinien und zu diesen führender, kürzerer Eisen-
bahnrouten in Aktion und die binnenländische Produktion sowie
der Handel werden sich, den Spuren ihres Vorteils folgend, in
andere Richtungen leiten lassen. Umgekehrt wird niemals eine
Schiffahrtslinie ihren Ausgangspunkt von einer Küste nehmen
können, zu der keine Eisenbahnen oder schiffbaren Flüsse aus
dem Hinterlande führen. Es wird sich dagegen eine Schiffahrt
entwickeln müssen, wenn ihr Ausgangspunkt zugleich der Endpunkt eines Eisenbahnnetzes ist, das sich einerseits strahlenförmig
nach rückwärts verbreitet und gleich Saugadern alle Ueberschüsse
der Produktion aufnimmt und seewärts führt, das aber auch andrerseits die kürzesten Verbindungen von den Hauptproduktionsge-
bieten und inländischen Handelszentren nach der Seeküste und
damit die billigsten und raschesten Routen enthält, welche eine
Ablenkung nach anderen Seehäfen zu unterbinden im Stande sind.
Dasselbe was hier mit Rücksicht auf den Verkehr nach der
Küste gesagt wurde, hat natürlich vollinhaltlich auch auf den Verkehr von der Küste in das Hinterland Anwendung zu finden.
Der Warenhandel zieht sich erfahrungsgemäss immer nach jenen
Plätzen, welche Verkehrswege nach allen Seiten und Verkehrsmittel in reicher Fülle bieten. Dies ist eine Wahrheit, welche
die Geschichte des Verkehrs und Handels seit grauer Vorzeit auf

jedem Blatte bestätigt und meist auch ausreicht, um den Verfall ehemaliger Handelsemporien sowie das Aufblühen anderer zu erklären. Als eine weitere Unterstützung, welche der Seeschiff-fahrt zu ihrer Entwicklung notwendig ist und welche meist nur, von staatswegen oder durch andere bedeutende Gemeinwesen erfolgen kann, sind endlich Hafenanlagen zu bezeichnen, welche einerseits den Schiffen sicheren Schutz gegen Unbilden des Wetters bieten, andrerseits die Mittel für eine rasche Be- und Entladung gewähren. In Ergänzung solcher Hafenanlagen bildet dann die Errichtung von Lagerhäusern eine Voraussetzung dafür, dass ein Seehafen überhaupt ein Handelsemporium werden könne. Diese Lagerhäuser stellen sich als die Zentral- und Brennpunkte des Handels dar, in welchen die Verkehrsmittel des Landes und der See einmünden, aus welchen Produktion und Konsum wie aus einem Borne schöpfen, und in welchen sich der Warenaustausch des Weltmarktes in grösserem Massstabe thatsächlich vollzieht. — Soll die Bedeutung dieser Lagerhäuser für den Handel im all-gemeinen, für die Seeschiffahrt im besonderen zur vollen Geltung gelangen, so müssen die für die Benützung derselben giltigen Vor-schriften auf die breiteste und liberalste Unterlage gestellt werden. Die Lagerhäuser werden ihre Aufgaben der Vereinigung, des Ausgleiches und der Vermittlung niemals erfüllen können, wenn sie für sich als Erwerbsunternehmen angesehen und nach Grund-sätzen für letztere betrieben und verwaltet werden.

Die Beziehungen zwischen der Seeschiffahrt und staatlicher Wirtschaft erfuhren im vorstehenden nur in der Richtung eine Erörterung, dass gesucht wurde, die Bedeutung der Seeschiffahrt für die Wirtschaft eines Staates sowie die hervorragende Stellung der ersteren im Organismus der letzteren zur Erkenntnis zu bringen und hieraus die Bedingungen abzuleiten, welche erfüllt zu werden haben, um den Bestand einer Schiffahrtsunternehmung zu ermög-lichen und die Voraussetzungen für deren Entfaltung zu schaffen. Damit ist allerdings nur die eine Seite der Frage berührt, welche das ganze, notwendigerweise auf Gegenseitigkeit beruhende Ver-hältnis umfasst. Es ist aber dadurch der Nachweis erbracht, dass die positiven Aufgaben, welche auf der andern Seite für die See-schiffahrt erwachsen und die an der Spitze dieses Abschnittes zusammengefasst wurden, sozusagen aus dem Wesen der See-schiffahrt hervorgehen und daher auch als allgemeine Unterlagen für das Tarifwesen angesehen werden müssen. Diese Erkenntnis muss stets vor Augen einer Schiffahrtsunternehmung stehen. Dieselbe muss sich der Abhängigkeit ihrer Existenz und ihres Gedeihens von der vaterländischen Wirtschaft, ihrer Wurzeln in diesem Boden jederzeit bewusst bleiben. Ein Unternehmen, das diesen Gesichtspunkt nicht teilt oder davon abgeht, sinkt zu einem gewöhnlichen Fuhrmannsgeschäft herab. Ein solches kann unter besonders günstigen Umständen lukrativ sein, aber in allen Fällen ist ein grösseres Risiko damit verbunden, und immer wird dasselbe mit allen Mitteln ausgerüstet sein müssen, um in einen scharfen Konkurrenzkampf eintreten zu können. In welcher Weise die obgenannten Beziehungen und die positiven Aufgaben der See-schiffahrt bei der Preisbildung in Rücksicht gezogen zu werden haben, wird in der Folge besprochen werden.

An diese Ergebnisse aus dem staatswirtschaftlichen Gesichtspunkte werden sich im allgemeinen auch die leitenden Prinzipien anlehnen müssen, welche in kommerzieller Beziehung vom Standpunkte der Erwerbsunternehmung massgebend zu sein haben. Es wurde hervorgehoben, dass die vaterländische Wirtschaft die breite und vornehmste Basis für eine Unternehmung bilden müsse, ohne welche die letztere gewissermassen in der Luft hängt; jede andere Unterlage wird immer höchst wankend und unsicher bleiben. Die kommerzielle Leitung eines Schiffahrtunternehmens wird jedoch diesen Satz noch erweitern müssen und die Wirtschaft des ganzen i r g e n d w i e   i n   F r a g e   k o m m e n d e n   H i n t e r l a n d e s o h n e   R ü c k s i c h t   a u f   p o l i t i s c h e   G r e n z e n   a l s   V e r-k e h r s g e b i e t ins Auge zu fassen und in den Kreis ihrer Aktion einzubeziehen haben. Dabei handelt es sich natürlich nicht darum, mit den Händen im Schosse einfach abzuwarten, bis aus diesem Gebiete Güter zum Transporte einlangen. Hier ist vielmehr ein Hauptfeld für die Thätigkeit einer Schiffahrtsunternehmung gegeben. Diese Thätigkeit wird in mehrfacher Weise auszuüben sein.

Vor allem sind die wirtschaftlichen Verhältnisse des gesamten Verkehrsgebietes in grossen Zügen in Evidenz zu halten, indem über die wichtigsten Artikel des Exportes und Importes, hinsichtlich der im ganzen oder periodisch vorhandenen, bezw. erforderlichen Mengen sowie auch deren Qualitäten, endlich über die Bewegungen in Produktion und Konsum fortlaufend Buch zu führen ist. Um dies durchzuführen, ist es erforderlich, dass neben direkten Verbindungen mit grossen Produktionsunternehmungen auch mit Aemtern und Korporationen, welchen die Wahrung all-

gemeiner wirtschaftlicher Interessen in erster Linie obliegt und
welche in der Lage sind, den Schiffahrtsunternehmungen die erforderlichen Mitteilungen zu machen und verlässliche statistische
Daten zu liefern, ständige Fühlung und regelmässige geschäftliche
Beziehungen unterhalten werden; so insbesondere mit der höchsten
amtlichen Zentralstelle für Handel und Verkehr, mit Handels-
und Gewerbekammern, Warenbörsen, Exportvereinen, Berufsgenossenschaften, landwirtschaftlichen Vereinigungen und Korporationen, Konsularämtern u. a. m. Diese i n f o r m a t i v e T h ä-
t i g k e i t wird eine für die geschäftlichen Kalkulationen von
Schiffahrtsunternehmen kaum entbehrliche Orientierung darüber
ermöglichen, was sie denn eigentlich zu erwarten und zu hoffen
habe, in welcher Weise und mit welchen Mitteln hier und dort
fördernd einzuwirken wäre, ob und in welcher Richtung Ablenkungen
von Verkehren stattfinden, ob und von wo neue Zuflüsse erfolgen
u. s. f. Diese informative Thätigkeit ist um so wichtiger, als der
Weltmarkt immer unübersichtlicher wird und ebenso wie bei der
Industrie auch bei den Transportunternehmungen nur zu leicht
eine Ueberproduktion eintritt, die häufig auch zu Krisen führt,
wenn nicht wenigstens ein allgemeiner Ausblick und eine Uebersicht hinsichtlich der wichtigsten und das Unternehmen zunächst
betreffenden wirtschaftlichen Bewegungen offen gehalten wird.

Man wird vielleicht einwenden, dies sei denn doch zu weit
gegriffen und erfordere einen zu umfangreichen Apparat, derlei
sei nie geübt worden und sei vielmehr Sache des Grosshandels
und der Grossindustrie u. dgl. m. Dem ist entgegenzuhalten,
dass hier wohl nicht bald zu weit, leicht aber zu kurz gegriffen
wird und dass, wenn in einer derartigen informativen Thätigkeit
sich ein Gewinn für die Seeschiffart erkennen lässt, worüber ein
Zweifel wohl kaum bestehen kann, dieselbe auch ausgeübt werden
muss. Die Seeschiffart muss sich erheben aus ihrer doppelt
isolierten Stellung. Ihre Thätigkeit darf nicht erst im Hafen beginnen, sie muss mitten ins Land hineingreifen; sie muss aufhören, bloss »Transportanstalt« zu sein und bestrebt sein, alle
Fäden, die zu ihr führen, festzuhalten und enge zu knüpfen, wozu
sie auch deshalb berufen erscheint, weil ja der Gütertransport
eine Phase in der Produktion der Güter darstellt und daher in
unleugbarem unmittelbarem Zusammenhange steht einerseits mit
den vorhergehenden und nachfolgenden Phasen der Produktion,
andrerseits mit dem Konsum, d. i. dem Verbrauche der Güter.

Die informative Thätigkeit hätte jedoch für sich allein immerhin nur einen theoretischen, d. h. statistisch-wissenschaftlichen Wert. Ihre praktische Bedeutung erhält sie erst, wenn an sie anschliessend und auf sie gestützt die w e r b e n d e Thätigkeit tritt. Die Notwendigkeit einer solchen hat sich schon bei den Eisenbahnen gezeigt, bei welchen der Konkurrenzfaktor doch eine untergeordnetere Rolle spielt. Bei der Seeschiffahrt dagegen ist eine solche u. zw. ausgebreitete, organisierte und intensive Thätigkeit ein unerlässliches Erfordernis, das sich unmittelbar aus dem hier im Vordergrunde stehenden Konkurrenzkampfe ergibt. Dass zur Ausübung der werbenden Thätigkeit die informative Thätigkeit vorangehen muss, die letztere daher die erstere bedingt und eine Voraussetzung für die kommerzielle Aktion einer Schiffahrtsunternehmung bildet, tritt nun klar hervor.

Als wichtigstes Mittel in dieser werbenden Thätigkeit sind die A g e n t i e n anzusehen, die in einem wohlorganisierten und abgestuften Systeme das ganze Verkehrsgebiet einer Schiffahrtsunternehmung gleich einem Netze zu umspannen haben. Selbstredend fällt den Agentien auch ein Teil der informativen Thätigkeit zu, die von der Zentralleitung eventuell ergänzt zu werden hat und, wie vorerwähnt, in jedem Falle eine Voraussetzung für jede weitere Aktion bildet. Ob die Agentien mit Angestellten der Unternehmung zu besetzen oder ob dieselben Geschäftsleuten zu übertragen seien, ob das System der Provisionierung Platz zu greifen habe u. dgl. m., dies lässt sich generell nicht bestimmen, richtet sich nach der Bedeutung eines Pöstens und hängt von lokalen Umständen sowie von den Verhältnissen eines Unternehmens ab. In gewissem Zusammenhange mit dem Agentienwesen steht ein anderer Teil der werbenden Thätigkeit: das R e k l a m e w e s e n. Selbstredend sind hierunter nicht marktschreierische Anpreisungen zu verstehen, sondern eine decente, konsequente und fortgesetzte, ausgiebige und verständliche Bekanntmachung der wissenswertesten und vorteilhaftesten Momente, die seitens einer Schiffahrtsunternehmung geboten werden, als Fahrpläne, direkte und kürzeste Verbindungen, Tarifauszüge, Fahrpreistabellen u. dgl. m. Diese Reklame ist im Wege der Presse, durch Ankündigungen, Zirkulare u. s. w. auszuüben. Mancher fühlt sich infolge der Ausschreitungen und Auswüchse, welche auf diesem Gebiete häufig vorzukommen pflegen, gegen dasselbe voreingenommen. Es lässt sich aber heute dieses Mittel einer-

seits im Konkurrenzkampfe kaum mehr entbehren, andrerseits ist
die ihm innewohnende werbende Kraft nicht zu verkennen und
wir sehen denn z. B. auch die Eisenbahnen eine oft mit bedeutenden Opfern verknüpfte Reklame für ihre Linien machen, selbst
dort, wo eine Konkurrenz gar nicht besteht.

Natürlich werden Umfang und Art der werbenden Thätigkeit
wie auch die in Frage kommenden Gebiete, in denen dieselbe
auszuüben ist, für Personen- und Güterverkehr häufig verschieden sein.

An die informative und werbende reiht sich die t r a n s -
p o r t v e r m i t t e l n d e T h ä t i g k e i t, in welcher die Interessengemeinschaft der verschiedenen Verkehrsmittel eines Landes, der
Eisenbahnen, Binnenschiffahrt und Seeschiffahrt gewissermassen
das leitende Motiv zu bilden hat, auf Grund dessen Verkehrs-
teilungen, Tarifverbände, direkte Verbindungen etc. ins Leben zu
rufen sind und auch in allen anderen Fragen gemeinsames Vorgehen zu vereinbaren ist. Wird diese Interessengemeinschaft von
allen Teilen stets im Auge behalten und tritt ein »sich in die
Handarbeiten« ein, so erfolgt dann eine thatsächliche Zusammen-
gliederung dieser der Natur der Sache nach zusammengehörigen
Wirtschaftsfaktoren, deren organische Vereinigung wohl nur in
Ausnahmsfällen möglich ist. Aus diesem Ineinandergreifen und
Sichergänzen werden sich ebensowohl Vorteile für die Beteiligten als für die nationale Wirtschaft ergeben. Diese Interessengemeinschaft ist aber heute noch viel zu wenig gewürdigt und
ihr Wert nicht genügend erkannt; sie erstreckt sich besten Falles
auf die Erstellung direkter Tarife und Fahrordnungen, darüber
hinaus geschieht jedoch selten etwas. Und doch wäre es so
naheliegend und selbstverständlich, dass Eisenbahnen, Binnenschiffahrt und Seeschiffahrt eines Landes gerade auch auf den
Gebieten der informativen und werbenden Thätigkeit zusammen-
gehen und hier wie in der ganzen Tarifgestaltung eine in grossen
Zügen gemeinsam entworfene Politik Hand in Hand verfolgen.

In analoger Weise wie hinsichtlich der vaterländischen Wirtschaft hat eine Seeschiffahrtsunternehmung hinsichtlich der für den
überseeischen Handel jeweilig in Frage kommenden auswärtigen
Gebiete eine kommerzielle Aktion zu entfalten. Wie sich dies aus
den andersartigen Verhältnissen versteht, wird hierbei die informative
und verkehrsvermittelnde Thätigkeit einigermassen gegenüber der
werbenden Thätigkeit zurücktreten. Das Gebiet für die informa-

tive Thätigkeit wird sich, wiewohl räumlich bedeutend erweitert, dennoch insofern verengen, als zur Erlangung der erforderlichen Daten nicht jene Quellen, Hilfskräfte und Mittel zur Verfügung stehen wie in der Heimat. Die informative Thätigkeit hat übrigens hier auch wesentlich andere und nicht soweit reichende Aufgaben zu erfüllen, indem sie nicht eigentlich die wirtschaftlichen Erfordernisse des Auslandes im allgemeinen, sondern vielmehr nur dessen Produktion und Konsumfähigkeit mit Beziehung auf die heimatliche Wirtschaft zum Gegenstande hat; die informative Thätigkeit im Auslande kann demnach immer nur eine Ergänzung jener analogen hinsichtlich des inländischen Verkehrsgebietes ausgeübten bilden. Sie wird sich, da offizielle Daten auswärtiger Behörden und Korporationen meist nicht oder doch nicht genügend und rechtzeitig zu erlangen sein dürften, neben den Berichten der Agenten vornehmlich auf Konsularberichte stützen müssen, deren regelmässige und häufige Publikation erstrebt zu werden hat. Hier ist eine Stelle, an der es wieder Sache des Staates wäre, unterstützend und fördernd einzusetzen, derart dass Konsularämter und die Seeschiffahrt in enge und direkte Beziehungen gebracht werden, die heute in kommerzieller Hinsicht, nämlich den Informationsdienst betreffend, wohl vielfach noch nicht ausgebildet sind. Diese die ausländischen Wirtschaften betreffende informative Thätigkeit wird aber auch darauf gerichtet sein müssen, nicht nur hinsichtlich der für den Export und Import auf dem Seewege hauptsächlich in Frage kommenden Gebiete die zur Orientierung erforderlichen Daten zu liefern, sondern auch ein, wenigstens in grossen Zügen klares Bild der Weltmarktlage für die wichtigsten auf dem Seewege beförderten Güter zu geben, wodurch die jeweiligen Chancen und Konjunkturen sich berechnen lassen werden und eine zeitgemässe Zurückhaltung oder bessere Ausnützung erzielt werden kann. Dabei bildet natürlich die Kenntnis der Handelspolitik der einzelnen Staaten und deren handelspolitische Beziehungen untereinander eine Voraussetzung.

Die wichtigste Rolle in der kommerziellen Aktion im Auslande fällt der werbenden Thätigkeit zu und zwar aus dem Grunde, weil hier die Schiffahrt in Konkurrenz mit anderen Bewerbern tritt, und selbst die technische Gleichwertigkeit oder Ueberlegenheit gegenüber den letzteren vorausgesetzt, häufig genug politische und nationale Momente sowie auch nicht genügende Vertrautheit mit den Verhältnissen fremdländischer Wirtschaften sich als Hindernisse in den Weg legen, die sich nur durch eine mit Umsicht und Energie betriebene werbende Thätigkeit teilweise werden beseitigen lassen. Dass an derselben die Reklame wieder grossen Anteil zu nehmen hat, ergibt sich schon aus dem gleichartigen Vorgehen der Mitbewerber, das ein Zurückbleiben nicht zulässt. · Das meiste wird jedoch hier von der Geschicklichkeit, Thatkraft, Geschäftskenntnis und Vertrauenswürdigkeit der Agenten abhängen, welche, um ihren Aufgaben gerecht werden zu können, einerseits in enge Beziehungen zu den Konsularämtern gebracht werden müssen, andererseits auch nahe Verbindungen mit den Kreisen des Grosshandels, der Industrie, und des Verkehrswesens unterhalten müssen. Die Bedeutung, welche diesen nur schwer kontrollierbaren und verantwortungsvollen Posten zukommt, lässt sich schon aus den geradezu fürstlichen Bezügen entnehmen, mit denen dieselben häufig dotiert sind [1]). Den Agenten fällt auch die Aufgabe der Verkehrsvermittlung zu, wenn die letzteren auch nicht ganz in dem Sinne aufzufassen ist und sich durchführen lässt wie im Inlande. Gleichwie der Hauptverkehrslinie einer Eisenbahn, welche die wichtigsten Zentren verbindet, von den Seitenlinien immer neue Zuflüsse zugeführt werden, die einen intensiveren Betrieb und höhere Rentabilität der Hauptlinie sichern, so ist es Aufgabe der ausländischen kommerziellen Vertretungen einer Schiffahrtsunternehmung, diese seitlichen Zuflüsse aufzusuchen, zu erhalten und auszubeuten; es wird hierbei eventuell auch der Betrieb von Zweig- und Zufuhrslinien, die Erstellung von Verbandtarifen und der Abschluss von Verträgen mit Fremden-Verkehrsanstalten und insbesondere anschliessenden Schiffahrtslinien ins Auge zu fassen sein, womit dann auch die Frage der Errichtung von Lagerhäusern wieder in Verbindung steht.

Die Befugnisse, die den Agenten eingeräumt sind, werden um so umfassender sein müssen, je grösser die bestehende Konkurrenz in einem Verkehre ist und je weniger ein Unternehmen sich in der Lage befindet, tarifbildend aufzutreten. Damit ist zugleich ausgesprochen, dass sich solche Unternehmen in dem Masse ihrer technischen, betriebsökonomischen und kommerziellen Inferiorität in die Hände, d. h. der Willkür ihrer Vertreter und

---

1) Dies bezieht sich insbesondere auf die Vertretungen grosser englischer Dampfergesellschaften.

Angestellten übergeben. Viele üble Erfahrungen in dieser Richtung fordern dazu auf, der hochwichtigen Frage des Agentenwesens, der Form und des Ausmasses ihrer Entlohnung, ihrer Kontrolle und Organisation die vollste Aufmerksamkeit zu schenken.

Hiermit ist die für das Verständnis der Sache sowie für die Schlussfolgerungen im eigentlichen Gegenstande dieser Abhand-. ung und dessen weitere Untersuchung notwendige Erörterung der Vorfragen im allgemeinen erschöpft. Wohl lässt sich sagen, es handle sich, kurz gesagt, im wesentlichen doch nur darum, nach welchen Grundsätzen das Tarifwesen der Seeschiffahrt eingerichtet zu werden habe, um die grösstmögliche Rentabilität eines Unternehmens zu sichern, und es hätte demzufolge dieses Bestreben zum Ausgangspunkte der Untersuchung genommen werden sollen. — Aber wenn versucht worden wäre, diesen Weg einzuschlagen, so hätte man doch auf die Erörterung der Vorfragen zurückkommen müssen. Denn abgesehen davon, dass eine Sache nur dann richtig beurteilt werden kann, wenn sie in ihrem organischen Zusammenhange mit anderen Gliedern desselben Ganzen und in stetem Hinblick auf dieses Ganze angesehen wird, so ist auch die Frage nach der höchsten Rentabilität nicht allein eine Frage der Tariftechnik, am allerwenigsten aber bei einer wirtschaftlichen Thätigkeit, in welcher der Wettbewerb einen so intensiven und ausschlaggebenden, häufig auch ausschliesslichen Einfluss auf die Preisbestimmung ausübt. Man wäre da sofort bei Beginn an der Frage stehen geblieben, welcher Art dann das Wesen dieser Konkurrenz sei, und ob sich aus derselben, als dem wichtigsten preisbestimmenden Faktor, nicht gewisse allgemeine Regeln und Grundsätze ableiten lassen, auf denen dann ein auf höchste Rentabilität abzielendes Tarifsystem gestützt und konstruiert werden könnte. Dies ist es aber eben, was die vorstehenden Untersuchungen bezweckten. Jedes andere Verfahren hätte den Boden der Wirklichkeit verlassen und hätte selbst das am klügsten ausgedachte Tarifsystem in die Luft gehängt und für die Praxis unverwendbar oder doch unverständlich gemacht, wenn dessen Beziehung zu den thatsächlichen Erscheinungen ignoriert und es unterlassen worden wäre, die Schlusssätze eben auf diese Erscheinungen zurückzuführen.

Wenn die für die Seeschiffahrt massgebenden Verhältnisse, Faktoren und allgemeinen Voraussetzungen auch nur in den äussersten Umrissen gezeichnet werden konnten, so lässt sich doch schon aus diesen erkennen, welchen Schwierigkeiten und Hindernissen es unterliegen musste, auf dem Gebiete des Tarifwesens zu bestimmten Grundsätzen zu gelangen, da doch in allen jenen Fällen, wo es sich um minderleistungsfähige Unternehmen handelte, — und in dem grossen, allgemeinen Wettkampfe waren diese immer in der Mehrzahl und die Sieger in der Minderzahl, — es im vorhinein unmöglich wurde oder überflüssig schien, der Frage näher zu treten, weil hier einfach das Diktat der überlegenen Mitbewerber galt. Denn die Sache lag auch scheinbar so einfach: »Annehmen oder Leerfahrt riskieren«, dass eine weitere Untersuchung der Frage den Praktikern zwecklos dünken musste. Es schien sich doch nur darum zu handeln, unter für das eigene Unternehmen möglichst günstigen Bedingungen anderen zuvorzukommen. Die Mittel hierzu nahm man häufig, wo man sie fand, und wie sie bei der Hand lagen, ohne zu versuchen, doch wenigstens ein System in die Sache zu bringen. Und was die Preisbildung in jenen Verkehren betrifft, in denen von Konkurrenz nicht oder weniger die Rede war, so suchte man sich hier gewissermassen zu entschädigen und glaubte durch möglichste Hochhaltung der Tarife am meisten herausschlagen zu können. Häufig hat allerdings der Geschäftssinn auch auf die richtige Spur gedrängt, oder man wurde auf dieselbe durch den eigenen Vorteil geradezu hingestossen, wie die Tarifierung nach dem Werte, der Preisfall bei grösseren Entfernungen und Transportmengen und dergleichen mehr beweisen, die in vielen Fällen zur Anwendung kommen, ohne dass jedoch hierfür bestimmte Grundsätze aufgestellt und befolgt worden wären.

ÜBER DIE GRENZE ZWISCHEN RELATIVEM UND ABSOLUTEM WALDBODEN.

VON

Dr. CARL v. FISCHBACH
F. HOHENZOLLERN'SCHER OBERFORSTRAT.

Schon frühzeitig wurde im praktischen Leben der Unterschied zwischen absolutem und relativem Waldboden erkannt und berücksichtigt, lange bevor die Begriffe genau festgestellt und diese Bezeichnungen bekannt waren. Schon in dem Capitulare de villis von Karl d. Gr. findet sich die Vorschrift in § 36 *Ut silvae vel forestes nostrae bene sint custoditae, et ubi locus fuerit ad stirpandum, stirpare faciant, et campos de silva increscere non permittant. Et ubi silvae debent esse, non eas permittant nimis capulare atque damnare.* Hier schliessen die Worte *debent esse* offenbar auch solche Wälder mit ein, welche zu anderen Zwecken als zur Holzzucht und (der damaligen Kulturstufe entsprechend) zur Jagd nicht benutzt werden konnten, also die auf absolutem Waldboden stockenden.

Im Zeitalter der Forstordnungen lässt sich die Entstehung dieser Unterscheidung bald erkennen. Die württembergische Forstordnung Herzog Ulrichs von 1540 [1]) erwähnt zwar noch nichts

---

1) Aus der Floss- und Holzordnung am Schwarzwald ob und unter Dornstetten ist indes doch zu ersehen, dass schon im Jahr 1536 der Gegensatz zwischen Gebirgs- und Niederungswirtschaft richtig erkannt wurde. Der auch sonst noch bemerkenswerte Satz lautet wörtlich: Zum Sibenden, sind etlich, so Ire Höff u. akerbuwe gentzlich verlassen, sich aigen Vihs nit bewerben, sondern lehens- u. bestandswyse dasselbig mit nachtail von den fremden erhalten, u. doch dabei den wälden ganz ungelegen gesessen, u. sich also dem holtzgewerb oder floitzen umb des unordentlichen schlams und fillens (Schlemmerei und Vollerei) willen, dadurch wyb und Kind etwa dahaimen Mangel haben, anhengig machen, u. striken also den Ihenigen, so in den wälden gesessen u. Ir narung allein Im holtz und Vieh zug (Zucht) steet, damit

hierüber; allein schon die nach 12 Jahren von Herzog Christof erlassene enthält folgenden Satz: »So begiebt sich auch offt, (wie augenscheinlich am tag ist), dass solliche gütter eine kleine Zeit gebawen u. genossen u. darnach, so der Grund ermagert u. ermörgelt (statt ausgemergelt) oder sonst krieg sterbend oder theurung (!) einfallen wiest gelegt u. gelassen werden und also fürther weder frucht und Holtz tragen oder geben.« Die Waldausrodung soll deshalb nur gestattet werden, wenn sie geschieht »mit guter Erfahrung u. lauterem Bericht mit unserer Räte Wissen und Willen.«

Auch in der Forstlitteratur wird schon frühzeitig auf das Vorhandensein von Boden, der sich dauernd zum Ackerbau eignet und auf anderen, der nur durch Holzzucht nutzbar gemacht werden kann, hingewiesen. Am frühesten wohl 1764 von *Stahl,* im 5. Bde. seines Forstmagazins, wo es S. 55 wörtlich heisst: Das Roden ist auch »um so schädlicher, als die Erfahrung bezeuget, dass dergleichen Plätze oft nur eine kleine Zeit, dieweil sie noch frisch und tragbar sind, oder nach der Bauern Sprache die Wilde regieret, gebauet werden, hiernach aber, wenn sie mager worden und ausgesogen sind, unerbauet und wüste liegen bleiben; so dass sie fürterhin weder Frucht noch Holz tragen.« — In seinem Forstlexikon von 1780 setzt derselbe Autor ausdrücklich nachfolgende Warnung hinzu »man muss eigentlich nur solche Waldungen ausroden, die zu fruchtbaren Feldern und anderen Endzwecken genutzt werden können«.

G. L. Hartig kommt in seiner Holzzucht 1791 auf diesen Unterschied nicht zu sprechen, doch führt er in der ersten Auflage seines »Lehrbuches für Förster« (1808) an, dass Thon und Sand ohne Beimischung anderer Erde völlig untauglich seien zur Holzzucht. Auch in den übrigen Forstschriftstellern aus den letzten Jahrzehnten des vorigen Jahrhunderts, soweit sie mir zu

---

berürte lr narung ab.« Dabei muss zur Erläuterung angefügt werden, dass die Gegend um Dornstetten zu den höchstgelegenen des württembergischen Schwarzwaldes gehört und heute noch die Feldgraswirtschaft dort vorherrscht. (Aehnliche Vorschriften enthalten noch viele andere Forstordnungen aus diesem und den folgenden Jahrhunderten. Die unter Friedrich d. Gr. im Jahre 1756 erlassene schlesische Forstordnung geht sodann aber noch einen wesentlichen Schritt weiter und schreibt vor, das die »unbrauchbaren« Böden, sterile Berge, Lachen und Brüche, die auf andere Art besser und höher nicht zu nutzen sind, mit denjenigen Arten von Holz, so sich auf jeden Boden schicket, aufzuforsten seien. Sodann empfiehlt sie den Austausch besseren Rodelandes gegen schlechte Aecker und Hutungsböden, welche dafür zu Wald anzulegen wären.

gänglich wurden, fand sich keine eingehendere Unterscheidung der Bodenarten nach ihrer Verwendbarkeit zum Wald- oder Ackerbau.

Der in neue Bahnen einlenkende Begründer der wissenschaftlichen Bodenkunde, *A. Thär*, hat sich ebensowenig darauf eingelassen. Er behandelt eigentlich nur die beim landwirtschaftlichen Betriebe in Betracht kommenden Böden bis herab zum sechs-, neun- und zwölfjährigen Roggenlande, das er übrigens als unfruchtbar bezeichnet (§ 75). Aber nicht einmal beim Flugsande, dem er nur einen negativen Wert zuerkennt, wird die Möglichkeit einer forstlichen Benützung berührt.

Obgleich der sonst so scharf unterscheidende *Heinr. Cotta* in seiner Anweisung zur Forsteinrichtung und Abschätzung, sowie in seiner Waldwertrechnung 1817 und 1820 allen Anlass gehabt hätte, auch den gedachten Unterschied des Bodens hervorzuheben und zu besprechen, so findet sich doch weder in diesen Schriften noch in der vorhergegangenen über Waldbau irgend welche Andeutung hierüber.

Der erste, welcher die Unterscheidung zwischen a b s o l u-t e m und r e l a t i v e m W a l d b o d e n und diese Namen dafür in die Wissenschaft einführte, war *J. Chr. Hundeshagen*. In seiner 1821 erstmals erschienenen Encyklopädie der Forstwissenschaft findet sich nach § 767 folgende Anmerkung: Jeden für den Feldbau untauglichen Boden kann man hienach u n b e d i n g t e n W a l d b o d e n im engeren Sinne nennen; im weiteren Sinne gehört aber auch jedes für die Gesundheitserhaltung der Länder notwendige Waldstück hierzu. Dagegen lässt sich jede zur Feldkultur fähige und für gewisse Zeiten und Verhältnisse zu unseren Bedürfnissen noch notwendige Waldfläche durch b e d i n g t e n W a l d b o d e n bezeichnen.«

Diese beiden neuen Begriffe wurden alsbald von den Forstschriftstellern und Nationalökonomen festgehalten und stehen seither in allgemeinem Gebrauche. Der Name des Schöpfers derselben, dem die Systematik der Forstwissenschaft ihre gegenwärtige Grundlage verdankt, ist aber mit Unrecht in den Hintergrund gedrängt worden. Es geschah dies wohl unabsichtlich auf folgende Weise: In der ein Jahr später erschienenen Schrift von *W. Pfeil* Grundsätze der Forstwirtschaft in Bezug auf die Nationalökonomie werden obige neuen Kunstwörter sofort, jedoch ohne deren Urheber zu nennen, mehrfach angewendet

und gingen dann von da aus in die Schriften der Nationalökonomen über. Dies ist insbesondere au3 *K. H. Rau's* Grundsätze
der Volkswirtschaftslehre (2. Aufl. 1833) ersichtlich, wo in einer
Anmerkung zu § 386 *Pfeil* ausdrücklich als der Vater dieser Benennungen bezeichnet und sich hiewegen auf dessen obige Schrift
bezogen wird. *Rau* benützte zwar *Hundeshagen's* Werk gleichfalls, jedoch wie aus Anmerkung 1 zu § 383 hervorgeht, dessen
2. Ausgabe von 1831, wodurch der vorgekommene Irrtum bezüglich der Priorität erklärt wird.

Nach der neueren volkswirtschaftlichen Litteratur scheint es
nun, dass dieser Unterscheidung zwischen absolutem und relivem
Waldboden keine so grosse Bedeutung mehr beigelegt werden
will. Der Altmeister *Roscher* erwähnt denselben eigentlich nur
noch nebenbei (Bd. 2, S. 700, Aufl. II). In dem unter Mitwirkung der hervorragendsten Autoritäten zu stande gekommenen
Werke *von Schönberg's* konnte ich in der 2. und 3. Auflage gar
nichts Näheres über diese Begriffe mehr finden und doch können
und dürfen sie nicht so ohne weiteres aufgegeben werden, weil
die grosse Verschiedenheit zwischen dem land- und forstwirt-
schaftlichen Betriebe ihre Beibehaltung nötig macht. Schon durch
die Bezeichnung selbst wird hierauf hingewiesen. Zu diesem Zwecke
sollen in Nachfolgendem die bezüglichen Verhältnisse näher besprochen werden.

Zunächst wäre allerdings noch die Vorfrage zu erörtern, ob
der gesamte volkswirtschaftlich zu beachtende Boden unter diese
beide Begriffe einbezogen werden könne. Bei Beantwortung dieser
Frage ist zunächst zu beachten, dass in manchen Ländern ein
grosser Teil von Grund und Boden für die Privatwirtschaft g a r
k e i n e B e d e u t u n g hat und doch von dem volkswirtschaftlichen Standpunkt aus nicht unbeachtet gelassen werden darf. In
der Schweiz sind 28 Proz. der Gesamtfläche unproduktiv [1]); in
den Kantonen Wallis, Uri und Graubundten steigt dieses Verhältnis auf 50 Proz. Hiervon liegt nun ein gewisser Teil unterhalb
der Gletscher- und Schneelinien, wo zunächst eine Region des
a b s o l u t e n G r a s b o d e n s folgt, in welcher kein Baumwuchs
möglich ist und überhaupt nur aus solchen Flächen eine Rente
bezogen werden kann, die nicht gar zu steinig und felsig sind.

---

1) Um auch aus entgegengesetzten Verhältnissen ein Beispiel anzuführen, sei hier
erwähnt, dass die Provinz Hannover bei einer Gesamtfläche von 3 850 000 ha 1 600 000
ha unkultiviertes Land besitzt.

In der nun nach abwärts folgenden nächsten Region gedeihen zwar verschiedene Holzarten, sind jedoch an vielen Stellen durch Misswirtschaft und Unverstand verdrängt worden, wodurch der Boden ertraglos und fast ganz unfruchtbar wurde. In diesem Gebiet sucht man neuerdings durch mühsame Arbeiten soweit immer möglich den ehemals vorhanden gewesenen Wald oder eine künstliche Berasung wieder herzustellen, oder aber auch darüber hinausgehend nur zum Schutz des Bodens und zur Abwehr von Lawinen und Wassergefahr Holzarten wie Krummholzkiefer, Alpenerle u. s. w. anzuziehen, von welchen ein Geldertrag niemals zu erwarten ist. Dies geschieht dann lediglich im Interesse der allgemeinen Landeskultur, und es muss die aus solchen Anlagen sich ergebende negative Bodenrente denjenigen anderen Grundstücken zur Last geschrieben werden, welchen die erwähnten Verbesserungen zum Nutzen dienen. Da aber die direkten Wirkungen hiervon nur ausnahmsweise mit voller Bestimmtheit und in genauen Zahlen nachgewiesen werden können, so muss eben für solche Zwecke der allgemeine Landesmeliorationsfond eintreten. Wenn die einzelnen Beteiligten dazu herangezogen werden wollen, so hat dies von Anfang an seine grossen Schwierigkeiten und darin liegt auch der Hauptgrund, warum das für die preussische Monarchie unterm 6. Juli 1875 erlassene sogenannte Waldschutzgesetz seither eigentlich keinen Erfolg zu verzeichnen hat. In Frankreich, der Schweiz und in Oesterreich greift die Staatsgewalt durch Expropriation und durch Bewilligung reichlicher Geldmittel thatkräftig ein und es sind damit bereits sehr grosse Flächen kahler Berge wiederum der Kultur gewonnen worden.

Im eigentlichen Hochgebirge kann man überhaupt von den so wichtigen Schutzwaldungen eine Bodenrente niemals erwarten, man muss sich mit einer, dazu noch sehr mässigen Verzinsung des Holzvorratskapitales begnügen, weil der langsamere Wuchs weit höhere Umtriebszeiten und damit auch grössere Holzvorräte verlangt ohne deshalb auch höhere, sondern meist sogar niedrigere Massenerträge zu liefern, welche zudem noch grössere Bringungskosten verursachen.

Im allgemeinen wird sich die unterste Grenze, von welcher ab der Boden für den Privatunternehmer wirtschaft- lich benutzbar wird, also einen wirklichen und stetigen Reinertrag liefert, sehr schwer bestimmen lassen, es wird dies nur von

Fall zu Fall möglich sein, weil allzu viele Umstände darauf einwirken, wovon wieder manche ganz von der Oertlichkeit abhängen, und andere durch menschliche Thätigkeit verändert und ausgeglichen werden können, falls die dazu erforderlichen Vorauslagen sich nicht zu hoch stellen. Dies hängt dann wiederum ab
von der Art und Weise wie das Grundstück später nutzbar gemacht werden kann. Lässt sich auf demselben ein Wein wie der
Rüdesheimer ziehen, so darf man selbst vor der teuersten Ter-
rassenkultur nicht zurückschrecken, während die entgegengesetzte
winterlich gelegene Bergseite vielleicht nur eine magere Schafweide giebt und deshalb die Aufwendung von Kosten für Urbar-
machung oder Verbesserung nicht lohnt.

Die Rentabilität der verschiedenen landwirtschaftlichen Betriebs-
zweige, wechselt bekanntlich sehr stark nach Zeit und Ort: es
ist aber auch in manchen Fällen nicht allzu schwierig von einem
weniger lohnenden zu einem besser rentierenden Wirtschaftssystem überzugehen, wenn es sich bloss darum handelt der steigenden Nachfrage nach diesem oder jenem Gewächs Rechnung
zu tragen. Doch treten auch hier schon erhebliche Schwierigkeiten ein, falls die neuzuwählende Pflanze mehr Arbeit verlangt
und die dazu nötigen Kräfte fehlen; oder umgekehrt, wenn das
neue System weniger Arbeitsgelegenheit bietet und die entbehrlich
werdenden Kräfte in der eigenen Wirtschaft keine passende Verwendung mehr finden können, ein Fall der namentlich vorkommen kann beim Uebergang von vorherrschenden Getreidebau zur
reinen Fleisch- Milch- und Viehproduktion. Beim Grossbetrieb,
welcher auf fremde Arbeitskräfte angewiesen ist, wird eine solche
Einschränkung für den Unternehmer meist nur von Vorteil sein ;
nicht aber beim Kleinbetrieb, welcher durch die eigenen, zur
Familie des Besitzers gehörigen Leute besorgt wird.

Alle solche innerhalb des landwirtschaftlichen Gebietes liegenden Betriebsänderungen haben aber noch lange nicht die grosse
Tragweite wie eine Umwandlung von Wald in Feld oder umgekehrt; denn ein solches Vorgehen lässt sich nicht so schnell
wieder ungeschehen machen und deshalb sollen auch in Nachfolgendem die Verhältnisse, welche bei solchen Unternehmungen
als massgebend mitwirken, näher in Betracht gezogen werden.
Es könnte freilich zunächst eingewendet werden, dass die von
allerwärtsher erschallenden Klagen über die schlechten Ergebnisse des landwirtschaftlichen Betriebes und die unleugbare That-

sache, dass in diesem Gewerbe die Rente von Jahr zu Jahr mehr
zurückgeht, und eine Besserung wenigstens in absehbarer Zeit
nicht wohl zu erwarten ist, dass unter solchen Umständen also
an eine Erweiterung des der Landwirtschaft zu widmenden Areals
gar nicht mehr zu denken und damit die ganze Frage erledigt sei. Wenn man aber in Betracht zieht, dass stetsfort aus
den besseren und günstiger gelegenen Böden ein grösserer und
sicherer Ertragsüberschuss zu erzielen ist, als unter entgegengesetzten Verhältnissen, so hat die Besprechung dieser Verhältnisse
doch auch jetzt noch ihre volle Berechtigung.

Von den verschiedenen dabei in Betracht kommenden Möglichkeiten scheint der Austausch zwischen Wald und
Feld die einfachste und leichteste Operation zu sein und es ist
dies auch dann der Fall, wenn der Wald in geeigneter Lage zum
Wirtschaftshofe erheblich besseren Boden hat, wie der Acker.
Dieser Vorschlag zum Austausch, der jetzt wieder aufgegriffen
wurde und wesentlich erweitert werden wollte, findet sich schon
in der schlesischen F.O. v. 1756 und auch im Jahrgang 1847
dieser Zeitschrift von Professor *Dr. Karl Göritz* in Tübingen.

Wenn bei einer solchen Vertauschung die Fläche mit besserem Boden in dem Verhältnis zu ihrer grösseren Ertragsfähigkeit
kleiner genommen wird, als das zum Wald zu schlagende, minder-
erträgliche Ackerland, so bleibt der Landwirtschaftsbetrieb in
seinem bisherigen Gleichgewicht; denn es tritt nicht einmal ein
grösserer Bedarf an Stall- und Scheunenraum ein. Sobald aber
durch einen solchen Austausch neue Gebäude
notwendig werden, ändert sich die Sachlage ganz wesentlich, weil dann die Rodefläche nebenbei auch noch die hierfür
aufzuwendenden Bau-Kapitalien zu verzinsen hat. Dieselbe muss
also notwendigerweise nicht blos um sehr viel besser und ertrags-
fähiger, sondern auch entsprechend gross sein, weil sie sonst
dieser wirtschaftlichen Vorbedingung nicht zu genügen vermag.

Darin liegt der Hauptgrund, welcher einen ins grosse geplanten Austausch von gutem Waldboden gegen neu aufzuforstendes geringes Ackerland nahezu ganz unmöglich macht; abgesehen davon
dass der Forstbetrieb zu verschiedenen Zwecken doch auch noch
bessere Böden notwendig hat. Es sei hierwegen nur an die
Erziehung von Eichenstarkholz erinnert, wovon allerdings ein
grosser Teil an steileren, dem Ackerbau unzugänglichen Gehän-
gen des Hügellandes und der Mittelgebirge gewonnen werden

kann, sobald man den zur Erhaltung der Eiche besonders geeigneten Mittelwaldbetrieb wieder mehr zur Geltung kommen lässt.
Für die vorherrschend dem Gebirge angehörigen Fichten und
Weisstannen braucht man keine Besorgnis zu haben, sie finden
genug Oertlichkeiten, mit guten Standortsverhältnissen, wo das
nötige Starkholz erzogen werden, ein landwirtschaftlicher Betrieb
aber gar nicht platzgreifen kann. Anders verhält es sich mit der
Kiefer, dem Baum der Tiefebene; denn obgleich sie noch auf sehr
armem, für Landwirtschaft nicht mehr geeigneten Boden fortkommt,
so verlangt sie doch für die Starkholzzucht einen erheblich besseren Boden, auf dem sich auch noch Ackerbau mit Nutzen treiben
lässt. Es wäre also kaum zulässig alle diese besseren, mit Kiefern bestandenen Böden zur Ausrodung zu bestimmen; denn man
würde dadurch die Nutzholzwirtschaft bei dieser Holzart fast ganz
unmöglich machen, und dieselbe zu der immer weniger erträglich
werdenden Brennholzwirtschaft herabdrücken.

Die Erhaltung einer genügend grossen Fläche von solchen
relativen Waldböden beim Forstbetrieb ist deshalb um so notwendiger, weil eine wenn auch nur vorübergehend gedachte zeitweilige Benutzung zu landwirtschaftlichen Zwecken gar zu leicht
dahin führt den Holzvorrat eines solchen Waldes seiner bisherigen
Bestimmung zu entfremden und dadurch auf mehrere Menschenalter hinaus die Deckung des Bedarfes an Starkholz in Frage zu
stellen, bis nämlich der hierfür nötige Holzvorrat wiederum heran-
gewachsen wäre.

Es blieben aber immer auch nach Abzug jener relativen, für
die Forstwirtschaft unentbehrlichen besseren Waldböden noch
Flächen genug übrig, die nach ihrer physischen Beschaffenheit
zum Betriebe der Landwirtschaft geeignet wären; sie sind namentlich unter den Buchenbeständen zu suchen, welche kein zu starkes
Gehänge haben. Hier kann die Forstwirtschaft um so leichter
Zugeständnisse machen, als die fortwährend steigende Gewinnung
von fossilen Kohlen die Buchenwirtschaft in ihrer Rentabilität
immer mehr zurückbringt, und nun auch noch durch die Ausnutzung der Wasserkräfte zur Gewinnung von Elektrizität nach und
nach ein weiterer Teil der geförderten Steinkohle beim Maschinen-
betriebe entbehrlich und dem Brennstoffmarkt zugeführt wird, wodurch die Konkurrenz noch lästiger sich gestalten muss.

Die Frage, ob es demgemäss wirtschaftlich geboten sei, die
Buchenwirtschaft nach und nach zu verlassen, kann nur bejaht

werden mit dem Zusatz je eher, je besser. Dies geht aber wie
bei den meisten forstlichen Betriebsoperationen nicht so schnell;
denn man muss den jüngeren Beständen immerhin noch so viele
Zeit lassen bis sie wenigstens annähernd hiebsreif werden. Dann
steht man vor der weiteren Entscheidung, ob die Waldwirtschaft
auch an den Oertlichkeiten beizubehalten wäre, wo die Boden-
etc. Verhältnisse den landwirtschaftlichen Betrieb mit Nutzen noch
zulassen. Mit Rücksicht auf die Unzulänglichkeit der heimischen
Holzproduktion, welche durch die steigende Einfuhr von Nutzholz
unzweifelhaft erwiesen ist, wird man wohl annehmen dürfen, dass
eigentlich nur wenige unserer jetzigen Buchenwaldungen zum Ackerbau verfügbar sein werden. Doch liegt die Entscheidung hierüber
nicht im Bereiche dieser Arbeit.

Nehmen wir aber an, dass wirklich ein grösserer Teil des in
Deutschland vorhandenen 2 043 131 ha grossen Buchenwaldes
zum landwirtschaftlichen Betriebe und zum Austausch gegen geringes Ackerland geeignet sei, so scheint zwar der Vorschlag, damit
ernstlich vorzugehen, sehr einfach; die wirkliche Ausführung
desselben bringt jedoch so viele Schwierigkeiten mit sich, dass
dadurch in der grössten Zahl von Einzelfällen die gehofften Vorteile wieder verloren gehen würden, sobald es sich dabei um
grössere Flächen handelt.

Das hauptsächliche Hinderniss liegt darin, dass für solche
neu zu gründende Wirtschaften ein grosses Kapital zur Erstellung
von Oekonomie- und Wohngebäuden aufzuwenden ist; denn da,
wo solche bei einem derartigen Tausche entbehrlich werden, in
Gegenden mit ärmerem Boden, da findet sich nur ausnahmsweise
noch Buchenwald und keinenfalls in grösserem Umfange. Man
ist also genötigt für die weit davon gelegenen urbar zu machenden Flächen von Grund aus alles neu zu bauen; Gebäude, Wege,
Wasserleitungen u. s. w. Das dazu erforderliche Kapital muss
aus dem Ertrage des Rodelandes verzinst werden und nimmt hiefür einen sehr erheblichen Teil der zu erwartenden Ernten vorweg in Anspruch. Dazu kommen dann auch noch die Kosten
für laufende Bauunterhaltung, Versicherung gegen Feuersgefahr,
Abschreibungen zu gunsten der späteren Wiedererneuerung und
in den meisten Fällen auch noch Gebäudesteuern.

Ferner kommt bei einem solchen Tauschgeschäft auch
noch zu Lasten des Neubruchlandes dasjenige Gebäudekapital,
welches bisher zur Bewirtschaftung der als Gegenleistung aufzu-

forstenden ärmeren Böden nötig war (abzüglich des geringen Abbruchwertes) und nun infolge dieses Austausches keine Verwendung mehr findet, da im forstlichen Betrieb weit weniger und meist auch noch ganz anders eingerichtete Gebäulichkeiten notwendig sind.

Wenn sodann das für die Landwirtschaft noch weiter erforderliche Betriebskapital der gesammte Viehstand, die Geräte, Maschinen, Futter- und Strohvorräte, das Saatgut u. s. w. zwar beweglich und transportabel ist, so verursacht doch die Verbringung solch grösserer Mengen in weite Entfernungen noch ziemlich erhebliche Ausgaben. Oder es entstehen Verluste, wenn man dort alles verkaufen lässt, um es hier in anderer ähnlicher Ware wieder neu anzuschaffen.

Endlich sind auch noch die Rodungskosten selbst zu erwähnen, die Arbeitslöhne für Ausgraben der Baumwurzeln und Stöcke, (wovon allerdings der Wert des gewonnenen Holzes wieder abgeht) für Ordnung der Wasserableitung, Ausgleichung geringerer Unebenheiten der Oberfläche und in den meisten Fällen wohl auch noch eine oder zwei entgehenden Ernten von denjenigen Teilen der Rodefläche, welche grössere Schwierigkeiten machen, oder wegen Mangel an Arbeitskräften zurückgestellt werden müssen. — Einen vorübergehenden Ausfall an den Ernteerträgen in der Zeit, wo der Zustand des Bodens den Anforderungen der landwirtschaftlichen Gewächse noch nicht vollständig entspricht, wollen wir nicht in Rechnung nehmen, weil vorausgesetzt wird, dass nur Flächen mit besseren oder vorzüglichen Böden zu solchen Unternehmungen ausgewählt werden.

Unter die Rodungskosten fallen dann bei grösseren Unternehmungen der Art eigentlich auch noch die Verluste am Holzerlöse von Beständen, welche eingeschlagen werden müssen, bevor sie ihre richtige Hiebesreife erlangt haben; denn es ist nicht denkbar, dass die zur Begründung eines hinreichend grossen Hofgutes benötigte Fläche, welche ja auch noch entsprechend arrondiert sein muss, durchweg mit haubaren Beständen bestokt sein könnte; ein solcher Fall gehört jedenfalls zu den seltensten Ausnahmen. In der Regel werden neben den hiebsreifen Beständen auch noch jüngere mit geringwertigerem Material zur Nutzung kommen müssen, wenn man die Umwandlung von Wald in Feld, wie es die Natur des Unternehmens bedingt, in entsprechend kurzer Zeit durchführen will.

Diese lange Reihe von Vorauslagen und Verlusten lässt auch
ohne Beigabe von Zahlen annähernd erkennen, dass der geplante
Austausch zwischen gutem Wald- und geringem Ackerboden besonders vorsichtige Erwägungen und Berechnungen erheischt, bevor man sich zu einem solchen Unternehmen entschliesst. Es
wird zwar von mancher Seite darauf hingewiesen, dass aus den
auf der Rodefläche vorhandenen Waldbeständen ein weit grösseres
Kapital flüssig gemacht werden könne, als zur Erbauung des
neuen Wirtschaftshofes notwendig wäre. Sobald man aber auf
dieses Holzvorratskapital zu solchem Zweck Anspruch erhebt, verlässt man die Grundlage des T a u s c h geschäftes; denn dann
handelt es sich nur noch um eine Waldrodung, eine V e r m i n -
d e r u n g d e r z u r H o l z z u c h t b e s t i m m t e n F l ä c h e,
während im Gegensatz hierzu mindestens die Erhaltung des Wal-
des in bisherigem Umfang oder doch in bisheriger Produktions-
kraft anzustreben ist. Deshalb muss bei dem empfohlenen Tauschgeschäft der auf der Rodefläche stehende lebende Holzvorrat auf
die neu anzuschonende Fläche übertragen werden, was allerdings
fast nur bei der Staatsforstverwaltung möglich ist. — Es geschieht
dies ganz einfach dadurch, dass die auf jener Fläche zum Einschlag kommende Holzmasse in einem anderen Forstbezirk ein-
gespart wird, indem man hier um so viel weniger schlägt. Auf
diese Weise bleibt dann das zuwachsgebende, lebende Holzkapital in gleicher Masse und Ertragsfähigkeit erhalten, so dass aus
demselben der Zuwachs von dem als Gegenwert eingetauschten
und neu aufgeforsteten Holzbestande alsbald und lange bevor er
hiebsreif ist, bezogen werden kann. — Dadurch gerade gestaltet
sich dann der T a u s c h zu einem volks- und privatwirtschaftlich
vorteilhaften Unternehmen; während bei den nicht in wechselseitigen Zusammenhange stehenden Rodungen und Aufforstungen
der Eine durch okkupatorisches Zugreifen unberechtigt hohen Gewinn macht; der Andere dagegen für lange Zeit hinaus zu Opfern
verpflichtet wird und auf Nutzungen verzichten muss, bis das Holz
haubar geworden.

Um jedoch das Verhältnis zwischen dem in landwirtschaftlichen Gebäuden steckenden Kapital und dem Werte des Holz-
bestandes wenigstens annährend festzustellen, seien folgende der
Wirklichkeit entnommene Beispiele angeführt: Das eine Gut umfasst 670 württembergische Morgen = 211 ha meist Buchenboden
2. Klasse. Hier wäre nach Baur's Ertragstafeln für die Buche der

Normalvorrat bei 90jährigem Umtriebe 242 Fm Derbholz und Reis pro ha. Da nun hierunter auch die jüngeren und jüngsten geringwertigeren Bestände mit vertreten sind, so darf man einen Durchschnittspreis von 5 M. pro Em nach Abzug der Aufbereitungskosten, noch als ziemlich hoch bezeichnen; hiernach wäre dann der Normalvorrat des Buchenhochwaldes auf gedachter Fläche 255 310 M. wert. — In den letzten 25 Jahren mussten nun für dieses Gut sämtliche Oekonomiegebäude neu hergestellt werden, was einen Kostenaufwand von rund 240 000 M. verursachte; hiezu gehört dann noch der Wert des Wohnhauses mit mindestens 25 000 M., so dass also in diesem Falle das Gebäudekapital durch den Erlös aus den unterstellten Buchenbeständen nicht hätte vollständig beschafft werden können. Es muss dabei ausdrücklich hervorgehoben werden, dass es sich keineswegs um zu reichlich bemessene Räume oder luxuriös ausgestattete Gebäulichkeiten handelt. Wohl hätte der Massivbau durch Fachwerk und ein Teil der Ziegeldächer durch Pappdächer ersetzt werden können; allein dadurch wären dann wieder die Feuerversicherungsprämien und die Abschreibungen zu Gunsten der Wiedererneuerung, besonders aber die laufenden Unterhaltungskosten erheblich höhere geworden. Gegenwärtig zahlt der Pächter 15 410 M. jährlich Pacht und hat ausser dem Saatinventar keine weitere Zugabe, muss aber von den laufenden Bauunterhaltungskosten dem Verpächter $^1/_3$ ersetzen. Dieser trägt die übrigen $^2/_3$, sodann noch die Grund- und Gebäudesteuer und die Versicherung der Gebäude. Durch den Pachtschilling wird also das Baukapital zu 5,8% verzinst, wovon dann noch die erwähnten Leistungen des Verpächters zu bestreiten sind, so dass für die Bodenrente nichts mehr bleibt.

Ein anderes Vorwerk auf Kiefernboden 2., meistens aber 3. Klasse, teilweise auch noch etwas geringer, musste ebenfalls mit neuen Gebäuden ausgestattet werden, welche vorherrschend in Fachwerk mit Pappdächern, also in der einfachsten Weise hergestellt wurden und für das anfänglich 470 ha grosse Pachtland bei günstigen Jahren nicht einmal vollständig ausreichten. Es zeigte sich aber bald, dass nur etwa 350 ha dauernd zur Landwirtschaft tauglich waren; denn ein Wolkenbruch verheerte die an Hängen gelegenen Aecker wodurch gleichzeitig die Mulden- und Thalgründe, die seither den besten Boden hatten, so stark versandet wurden, dass sie nicht mehr unter dem Pfluge zu halten waren.

Für die hierdurch verkleinerte Fläche reichten nun die Gebaude aus und es kann daher nur die letztere in Rechnung genommen werden. Die Herstellungskosten beliefen sich auf 100 000 M., der Pachtschilling stand anfänglich auf 6845 M., musste aber infolge des erwähnten Unglückes auf 5300 M. ermässigt werden, und deckte somit wenig mehr als die zur Verzinsung und Erneuerung des Baukapitals, zur Unterhaltung, Versicherung und Versteuerung der Gebäude notwendigen baren Ausgaben und Abschreibungen. Für die Benutzung des Grund und Bodens blieb nur ein ganz geringer Ueberschuss.'

Wäre die Fläche mit Kiefern in regelmässiger Altersabstufung bestockt gewesen, so hätten nach Weise's Ertragstafeln im Vollbestande etwa 160 Em durchschnittlich pro ha darauf stehen sollen; es darf aber für die überwiegende Mehrzahl der Fälle höchstens ein Vollkommenheitsgrad von 0,8 unterstellt werden, wodurch sich obiger Durchschnittsvorrat auf 128 Em herabmindert, derselbe entspräche dann bei einem Durchschnittspreise von 6 M. einem Kapitalwerte von 768 M., welchem der Gebäudewert von 285 M. für die kleinere und von 213 M. pro ha für die grössere Fläche gegenübersteht. — Vor etwa 80 Jahren stand auf diesem Gute wirklich ein schöner Wald, er wurde abgetrieben, und der Boden von einem in der Nähe gelegenen Hauptgute aus in ziemlich extensiver Weise landwirtschaftlich benutzt, was damals noch namentlich mit Hilfe der Schafzucht ohne erheblichen Aufwendungen für Gebäude möglich war. Fast ebenso schnell wie die schönen Waldbestände, war aber auch das dafür erlöste Geld verschwunden; es wurde in lustiger Gesellschaft verjubelt.

In einem dritten Falle, wo ebenso für ein nahezu 500 ha grosses Pachtgut der grösste Teil der Gebäude in den letzten Jahren neu hergestellt werden musste, beziffert sich das für Hochbauten erforderliche Kapital mit Einrechnung von wenigen noch vorhandenen älteren Gebäuden auf 150 000 M. 300 M. pro ha. Der Pächter zahlt jährlich 9700 M. Pacht, (in der vorigen Pachtperiode allerdings 13 025 M.) womit also zunächst das durch diese Bauten beanspruchte Kapital mit $6^1/_2$ Proz. verzinst wird, was unter Beachtung des notwenigen Aufwandes für Unterhaltung, Versicherung und Erneuerung der Gebäude nebst den daraus zu zahlenden Steuern gerade ausreichen wird um für eine Rente aus dem eigentlichen Pachtobjekt, dem Grund und Boden gar nichts mehr übrig zu lassen; obgleich derselbe wie schon aus den

Pachtschillingen ersichtlich, besser ist als der von der voraus geschilderten Domäne.

Diese Beispiele entstammen einer umsichtig geleiteten Verwaltung, in der wirtschaftliche Sparsamkeit waltet. Sie mahnen
für alle Fälle, wo mit der Waldrodung ins Grosse gearbeitet werden soll, zu ganz besonderer Vorsicht; wogegen allerdings in jenen
Fällen, wenn ein solcher Austausch zwischen gutem Wald- und
schlechtem Ackerboden im Kleinen, in nächster Nähe und ohne
Aufwendungen für Gebäude möglich ist, stets für den einzelnen
Unternehmer, wie auch für die Gesamtwirtschaft günstige Erfolge
mit aller Bestimmtheit zu erwarten sind, sobald man nur bei der
Auswahl der zu vertauschenden Böden und Kulturarten das Richtige trifft. In letzterer Hinsicht kann insbesondere die Anlage
von Wässerwiesen in Waldthälern und an sonstigen geeigneten
Orten nicht genug empfohlen werden.

Dies führt uns wiederum zu der Frage nach der Grenzlinie,
welche relativen und absoluten Waldboden scheidet und ob man sie
als festliegend oder als veränderlich und verschiebbar annehmen könne.

Zu den beiden wichtigsten Eigenschaften des relativen Waldbodens gehört nicht nur, dass er fähig ist landwirtschaftliche
Kulturgewächse zu ernähren, sondern auch dass er denselben mit
Hilfe von Arbeit und Düngung eine Entwicklung ermöglicht, welche
von ihnen noch einen die aufgewendeten Kosten übersteigenden
Ertrag erwarten lässt. Hauptsächlich diese letztere Forderung
ist es, welche Verschiebungen und zwar oft solche von grösserer
Tragweite veranlasst. Es spielt dabei nicht bloss die landwirtschaftliche Intelligenz eine Rolle, sondern ebensogut die hohe
Politik durch Schutzzölle und Handelsverträge, Frachttarife, Aus-
fuhrprämien u. s. w., worauf wir hier nicht näher eingehen können.

In ersterer Hinsicht erscheint es belehrend auf die zu Anfang
des Jahrhunderts von *A. Thär* gegebenen Definition des Roggen-
landes zurückzugehen; sie lautet: »Rokenaker, welcher in der
Dreifelderwirthschaft nur alle 3 Jahre Roken trägt, nach demselben aber keine Kraft zu einer anderen Frucht mehr hat, sondern 2 Jahre ruhen muss. Sechsjähriges, neunjähriges und zwölf-
jähriges Rokenland, welches nur alle 6, 9 oder 12 Jahre mit Roken
bestellt wird und ausserdem ruht. Hiezu gehört das entferntere
Aussenland, welches nie Dünger erhält und dessen schlechte Qualität dann mehrentheils nicht von seiner Grundbeschaffenheit,

sondern von diesem Düngermangel herrührt. Die Kraft, welche
die Natur diesem Lande durch die Grasnarbe, oder die ihm der
verstreute Weidemist der Schafe giebt, wird durch die Rokensaat
sogleich wieder aufgesogen und so der Boden in dem unfrucht-
baren Zustande erhalten.«

Solche Böden konnten damals selbst bei extensivster Landwirtschaft kaum mehr zum relativen Waldboden gezählt werden.
Etliche Jahrzehnte später änderte sich das aber sehr wesentlich
dadurch, dass die Lupine zur Fütterung und zur Gründüngung
ausgedehnte Verwendung fand. Auch kam noch hinzu, dass der
leichter transportable mineralische Dünger den um das Zentrum
des Wirtschaftshofes gegebenen Kreis des anbaufähigen Ackerlandes erweitern half. Dies galt besonders in der Zeit, wo auch
sonst noch die Verhältnisse in der Landwirtschaft sich günstiger
gestalteten durch gute Frucht- und Spirituspreise, mässige Arbeitslöhne u. s. w. — Grosse Flächen, welche früher unangebaut lagen
und zu den unbedingten Waldböden zählten, wurden nun auf
einmal unter den Pflug genommen und rückten in die höhere
Klasse des bedingten Waldbodens auf. Sie konnten aber nur
so lange darin erhalten werden, als die Lupine darauf gut gedieh
und die sonstigen Verhältnisse günstig blieben. Hernach, wo die
Verwendung der Lupine als Futterpflanze aufgegeben werden
musste, dieselbe auch sonst teilweise versagte und die weiter zu
Hilfe gezogene Seradella nicht vermochte, die entstandene Lücke
vollständig wieder auszufüllen, da ging das für kurze Zeit gewonnene Grenzgebiet fast vollständig dem Ackerbau wieder verloren.
Auch in Süddeutschland hielt man vor nicht allzu langer Zeit
trockene Kalkböden für ungeeignet zur Landwirtschaft, bis die
Esparsette allgemein angebaut und damit ein namhafter Zuschuss
zum Viehfutter gewonnen wurde. Als ich vor 30 Jahren im kgl.
württembergischen Forstbezirk Rottweil anfing, die Staatswald-
fläche durch Ankauf von Aussenfeldern zu vergrössern, da sagte
mir einmal ein Bauer, ich sei um 50 Jahre zu spät daran, man
hätte damit beginnen sollen bevor die Esparsette eingeführt wurde,
da hätte man diese Flächen um den vierten Teil des jetzigen
Preises kaufen können. Es ist aber auch jetzt noch nicht unwahrscheinlich, dass Gewächse entdeckt werden, die auf ganz
armem Boden mit Nutzen angebaut werden können. Die mit
Lathyrus silvestris in der von Gutsbesitzer W. W a g n e r zu K i r c h-
h e i m u./Teck gewonnenen Abart angestellten Versuche lassen

hoffen, dass diese neue Futterpflanze nicht bloss auf geringem Sandboden, sondern auch sonst noch unter minder günstigen Verhältnissen das Mittel biete, um den landwirtschaftlichen Betrieb auf ärmeren Böden wieder zu heben. Man darf nämlich durchaus nicht glauben, dass bereits alle Hilfsmittel, welche die Pflanzenwelt bietet, erschöpft sind; wenn auch der in alle Weiten streifende Botaniker kaum noch Neues finden dürfte, so ist es doch nicht ausgeschlossen, dass die wissenschaftlich geleitete P f l a n z e n z ü c h t u n g neue Abarten schafft, welche durch Genügsamkeit die seither als die anspruchslosesten bekannten Arten übertreffen. Welche Erfolge hat man auf diesem Gebiete bei einzelnen Getreidearten, bei der Zuckerrübe, Kartoffel u. s. w. erzielt, und Gleiches ist auch bei anderen bereits in Kultur genommenen, oder erst noch aus dem wilden Zustande herüberzunehmenden Pflanzenarten denkbar, so dass also nicht einmal mit Hilfe der chemischen und physischen Eigenschaften eine feste Grenze zwischen relativem und absolutem Waldboden gezogen werden kann.

Noch weit schwieriger gestaltet sich aber die Bestimmung jener Grenze, wenn man die w i r t s c h a f t l i c h e n Vorbedingungen für eine solche Abgrenzung in Betracht zieht. Die grosse Abhängigkeit der Landwirtschaft von den zum Betriebe notwendigen Gebäuden ist oben schon ausführlicher behandelt; sie tritt auch bei dieser Frage mehr als man glaubt entscheidend in den Vordergrund. Die allzuweite Entfernung eines Grundstückes vom Gutshofe kann entscheidende Ursache sein, dass dasselbe im landwirtschaftlichen Betriebe nicht mehr rentabel nutzbar zu machen ist, weil bei Bewirtschaftung desselben zu viele Zeit auf dem Hin- und Herwege verloren geht, während das gleiche Land in unmittelbarer Nähe des Gehöftes noch einen annehmbaren Reinertrag zu geben vermöchte. Die Errichtung von neuen Wirtschaftsgebäuden für ärmere Aussenfelder wird sich wohl schwerlich irgendwo lohnen, zunächst weil die zu erwartenden Ertragsüberschüsse an sich schon klein genug sind, die Flächenausdehnung aber selten so gross sein wird, um die Neubauten rentabel zu machen.

Früher konnte man sich zur Ausnutzung solcher entlegenen Grundstücke durch einen extensiven, hauptsächlich auf die Schafweide gestützten Betrieb helfen; allein auch dieser Ausweg ist jetzt verschlossen durch das Sinken der Wollpreise und den Rückgang der Schafzucht.

In vielen, namentlich in bäuerlichen Wirtschaften wird diese
negative Rentabilität des ärmeren Feldbodens meistens erst dann
erkannt, wenn der Besitzer dadurch empfindlich geschädigt, oder
gar ökonomisch ruiniert ist, nachdem zuvor Jahre lang die schlechten Aecker auf Kosten der besseren in der Wirtschaft belassen
worden waren und deren Ueberschuss mehr oder weniger aufgezehrt haben. Unter dem Einfluss der für die Landwirtschaft
in unserem Vaterlande ungünstiger gewordenen Verhältnisse (Ar-
beitermangel, Steigerung der Löhne, niedrige Korn- und Vieh-
preise etc.) sind weit grössere Flächen, als man glaubt, in die
Bodenklassen herabgesunken, welche auch beim sorgfältigsten
landwirtschaftlichen Betriebe keinen Reinertrag mehr gewähren. ·
    Zum Beweise dafür mögen folgende Zahlen aus dem amt-
lichen Geschäftsberichte des kgl. preuss. Ministers für Landwirtschaft, Domänen und Forsten, hier Platz finden. In den Jahren
1881—83 sind bei Wiederverpachtung von kgl. Domänen-Vor-
werken 2505 ha, in den folgenden 3 Jahren 2992 ha als zum
landwirtschaftlichen Betrieb untauglich dem kgl. Forstfiskus überwiesen worden. Diese beiden Flächengrössen zusammen ergeben
fast genau eine alte Quadratmeile. Ausserdem ist noch in jenem
Berichte die Thatsache angeführt, dass im Reg.Bez. Gumbinnen
das Vorwerk Lyk gar keinen Pachtliebhaber mehr fand und deshalb grösstenteils zur Forstkultur bestimmt werden musste, wodurch noch nebenbei das in den Gebäuden steckende Kapital nach
Abrechnung des an sich geringen Abbruchwertes verloren ging [1].
    Die kgl. Domänenvorwerke stehen nun ihrer Bodengüte und
Ertragsfähigkeit nach, jedenfalls über dem Mittelwerte der übrigen
landwirtschaftlichen Grundstücke; deshalb darf man auch mit
Sicherheit annehmen, dass bei diesen unter den ungünstigen Einwirkungen während jener Zeit noch weit grössere Flächen für
einen rentabeln landwirtschaftlichen Betrieb verloren gegangen
sind. Annähernd lässt sich das schon aus den Flächengrössen

---

[1] Auch in Süddeutschland kommen vielfach ähnliche Aufforstungen vor. In
den sogen. Reutbergen des badischen Schwarzwaldes musste der früher gut rentie-
rende Getreidebau schon seit länger aufgegeben werden. (Vgl. die genauen Zahlen-
nachweise aus den Wirtschaftsbüchern des Gutes Hechtsberg im Kinzigthale in den
Verhandlungen des badischen Forstvereins von 1877 zu Lahr S. 48 u. ff.) Sodann
hörte ich erst jüngst in Karlsruhe von einer Gemeinde, welche vor etwa 30 Jahren
einen grösseren Teil ihres Waldes ausgerodet und die Fläche als Ackerland verpachtet
hatte; wofür sich nun aber keine Pächter mehr finden, so dass nur noch die Wiederaufforstung übrig bleibt.

der verschiedenen 1861—63 für Preussen neu geschaffenen Steuerklassen des Ackerlandes erkennen. Die niedrigste derselben ist mit einem Reinertrage von 3 Sgr. pr. Mg. = 1 M. 20 Pf. pr. ha eingeschätzt. In den 4 östlichen Provinzen Preussen, Posen, Brandenburg und Pommern gehörten 1860/63 in diese Klasse 488 070 ha oder 6,0 Prozent des gesamten unterm Pfluge gehaltenen Landes. Die nächst höhere Steuerklasse mit dem zweifachen des obigen Reinertrages umfasst 406 921 ha = 5,0 Proz.; in die dritte Klasse mit 3 M. 60 Pf. pr. ha sind eingestellt 633 160 ha = 7,7 Prozent. Im ganzen waren damals also 18,7 Prozent des Ackerlandes mit einem Reinertrage von weniger als 1 M. pr. Mg., 4 M. pr. ha eingeschätzt.

Um von diesen steuerlichen Reinertragsklassen auf den wirklichen Reinertrag schliessen zu können, ist aus dem oben angeführten amtlichen Berichte des Landwirtschaftsministers noch das Verhältnis beider Werte bei den Domänenvorwerken anzugeben, dasselbe stellt sich wie 1 : 1,85, wenn die Pachtrente als Reinertrag angenommen werden dürfte. Dies ist aber insoferne nicht zulässig, weil verschiedene Leistungen des Verpächters davon abgehen (Hochbaukosten, Staatssteuer etc. Vgl. Bd. II, S. 86 u. 87 des amtlichen Berichts). Veranschlagt man diese Ausgaben der Pachtherrschaft auch noch so mässig, so wird kaum noch das 1¹/₂fache des Steueranschlages als wirtschaftlicher Reinertrag (zu Anfang der 60er Jahre) anzunehmen sein; also in der geringsten Klasse 1 M. 80 Pf., in der nächsten 3 M. 60 Pf. und in der dritten von unten (der sechsten des Steuertarifes) 5 M. 40 Pf.

Vergegenwärtigt man sich nun die beim landwirtschaftlichen Gewerbe in den letzten 30 Jahren eingetretenen Veränderungen der Produktionsfaktoren, wovon kein einziger eine Steigerung, sondern ohne Ausnahme alle zusammen eine Verminderung des Reinertrages bewirkten, so wird es keinem Zweifel unterliegen, dass wenigstens die beiden untersten Steuerklassen des Ackerlandes jetzt wirtschaftlich den Anbau nicht mehr zu lohnen vermögen. Der Ausfall am Reinertrage würde davon betragen nach dem Steueranschlage jährlich 1,56 oder nach obigen auf die Wirklichkeit übertragenen Sätzen 2,34 Millionen Mark. Noch weit höher wäre aber der Ausfall an Arbeitsverdienst anzuschlagen und wenn man hiefür auch nur das 7- bis 8fache annehmen würde, so ergäbe sich daraus allein schon für die genannten 4 Provinzen ein Gesamtverlust von 20 Millionen Mark jährlich.

Sollten aber die Verhältnisse noch ungünstiger werden, was
nicht allzu unwahrscheinlich ist, so wird auch noch die 6. Acker-
klasse in diese Verlustwirtschaft hineingezogen; auch diese Flächen
werden für den Ackerbau wertlos und zum absoluten Waldboden
herabgedrückt; dann verliert aber nicht nur der Bauer sein Eigentum, das ihn bisher nährte, sondern auch der Hypothekargläubiger
weiss mit den ihm verpfändeten Grundstücken nichts mehr anzufangen als etwa sie zur Holzzucht zu bestimmen, worüber unten
noch weiter zu sprechen ist.

Hier soll aus den statistischen Zahlen, welche die Grund-
steuereinschätzung lieferte, nur noch angeführt werden, dass z. B.
im Regierungsbezirk Gumbinnen das Ackerland 2,9 Millionen
Morgen umfasst und hievon 2 Millionen den drei letzten Ackerklassen zugeteilt sind. In den Regierungsbezirken Marienwerder,
Königsberg, Danzig, Frankfurt, Potsdam erreichten dieselben bald
etwas mehr, bald etwas weniger als die Hälfte; Magdeburg und
Bromberg haben noch $^2/_5$; Erfurt etwas mehr, Breslau etwas weniger als $^1/_3$ von diesen geringwertigen Böden.

In einzelnen kleineren Bezirken, den Kreisen, gestaltet sich
dieses Verhältnis oft noch weit ungünstiger; in Gardelegen, Schwei-
nitz steigt der Anteil dieser 3 Klassen auf $^4/_5$ der Gesamtfläche;
in Heilsberg, Karthaus, Löbau auf $^3/_4$, in Neidenburg, Goldapp,
Schlochau, Schwetz (Höhenland), Stendal, Jerichow II, Salzwedel
auf $^2/_3$. Im Schlochauer Kreise gehört $^1/_3$ der Gesamtfläche in
die achte Klasse.

Diese Zahlen sind nur beispielsweise herausgegriffen und
könnten leicht noch vermehrt werden; es wird aber schon daraus
zu erkennen sein, warum gerade in den östlichen Provinzen Preussens
die Klagen über den ökonomischen Rückgang der Landwirtschaft
immer häufiger und dringender werden. Denn es wird diesem
Erwerbszweige fast buchstäblich der Boden unter den Füssen weg-
gezogen und ein grosser Teil von den seither der besitzenden
Klasse angehörigen Bauern in die Klasse der Tagelöhner herabgedrückt, welche aber auf dem entwerteten Boden nicht einmal
mehr Arbeit finden, sondern in anderen Gegenden solche suchen
müssen. Darin ist zum Teil wenigstens die Ursache gegeben für
den Wegzug der landwirtschaftlichen Arbeiter aus den östlichen
Provinzen und für das Zuströmen derselben zu den industriellen
Beschäftigungszweigen.

Kann man das Ackerland in seinem seitherigen Umfange ertragsfähig und rentabel erhalten, so ist darin ein wesentliches Mittel gegeben, die ländliche Bevölkerung zufrieden zu stellen und deren Wanderlust entgegenzuwirken. Es handelt sich schliesslich nicht bloss um den Zuzug nach den industriellen Mittelpunkten und den Grossstädten; sondern ebensowohl auch um die Auswanderung in fremde Länder, von wo aus dann die daheim verdorbenen Bauern nach wenigen Jahren ihren Berufsgenossen in der alten Heimat die jetzt schon unleidlich gewordene Konkurrenz noch verstärken.

Es ist ein grosser, manchmal absichtlich verbreiteter Irrtum, wenn man unterstellt, dass die Massregeln zur Abwehr oder wenigstens zur Beschränkung der übermächtigen Mitbewerbung des Auslandes auf unseren Getreide- und Viehmärkten vorherrschend nur den Grossgrundbesitzern zu gut kommen. Dies ist nach den oben gelieferten Zahlen ganz unrichtig; denn das g e r i n g e r e Ackerland ist grösstenteils in den Händen von k l e i n b ä u e r - l i c h e n Besitzern und diese haben daher auch den ersten Anprall auszuhalten, ohne jedoch die hiezu nötige Widerstandskraft zu besitzen. Diese grosse Zahl von Grundeigentümern befindet sich jetzt schon in einer sehr kritischen Lage, welche mit jedem Jahre bedenklicher wird und es ist höchste Zeit, zu einer gründlichen Abhilfe zu schreiten [1]). Hiebei dürfen bis zu einem gewissen Mass auch die bestehenden S c h u t z z ö l l e f ü r l a n d w i r t - s c h a f t l i c h e E r z e u g n i s s e in erster Linie in Anwendung bleiben, selbst auf die Gefahr hin, dass sie dem in der Industrie beschäftigten Teile der Bevölkerung ihren Lebensunterhalt etwas

---

1) Der unerschöpfliche Reichtum der in Russland 95 Millionen Hektar bedeckenden »Schwarzen Erde« (Tschernosem) ist zwar allgemein bekannt; weniger aber das dem Getreidebau so günstige Verhalten derselben und des dortigen Klimas. Als ich im Jahre 1863 Südrussland und die Krimm besuchte, sagte mir ein verlässiger deutscher Landwirt, dass dort beim Weizen der ganze Erfolg der Ernte nur vom Wetter abhänge; die Bodenbearbeitung trage gar nichts dazu bei. »Wenn ich in den best vorbereiteten Acker Weizen säe und daneben in den wilden Boden der Steppe, so bringt mir letzterer, wenn die Witterung günstig ist, eher mehr wie jener auf dem Acker.« — Ganz ähnliches berichten die im Jahre 1880 vom englischen Parlament nach Nordamerika abgesandten Agrarkommissäre. Gleich auf der ersten Seite ihres ausführlichen Berichtes heisst es: Abundance in the case of wheat is dependent on season, in that of maize on cultivation. (Reports of the Assistent Commissioners. Presentet to both Houses of Parliament August 1880. C — 2678.). — Vergleiche man damit u n s e r e Ackerböden, so wird es sich leicht erklären, dass sie von dieser Konkurrenz erdrückt werden können.

verteuern; der augenblickliche Vorteil für diese Klasse darf hiebei nicht den Ausschlag geben, weil er nur dazu dienen würde, in kurzer Zeit die vom Landbau lebende Bevölkerung zunächst wenigstens in den ärmeren Gegenden ihrer wirtschaftlichen Selbständigkeit zu berauben; sie würde damit nicht nur ihre Kaufkraft verlieren, sondern auch noch genötigt sein, auf industriellen Gebieten sich Verdienst zu suchen, wodurch auch hier die Löhne gedrückt würden, so dass die durch billigeres Brot zu erwartenden Vorteile bald wieder verloren giengen.

Zum Schlusse bleibt noch die wichtige Frage wegen anderweitiger Verwendung dieser ärmeren aus dem Ackerlande ausgeschiedenen Flächen zu behandeln, welche nunmehr zum absoluten Waldboden geworden sind. Deshalb liegt es denn auch sehr nahe dieselben der Holzzucht zu widmen, zumal ja das Deutsche Reich schon längere Zeit nicht mehr in der Lage ist seinen eigenen Holzbedarf im Lande selbst zu erziehen und zumal mit Sicherheit angenommen werden darf, dass diejenigen fremden Länder, welche uns jetzt noch mit ihrem Ueberschuss versorgen, bald ihre reichen, aber unwirtschaftlich ausgebeuteten Vorräte erschöpft haben werden und uns dann nichts mehr liefern können. Da nun bekanntlich eine geraume Zeit verstreicht, bis das gepflanzte Holz hiebsreif und gebrauchsfähig wird, so muss man auch gegen einen zu erwartenden Holzmangel schon zeitig vorher die nötigen Vorbeugungsmassregeln ergreifen und dazu würde allerdings das zum landwirtschaftlichen Gewerbe untauglich gewordene Land ein willkommenes Hilfsmittel bieten, sofern es zur N u t z h o l z - zucht geeignet ist. Die Ackerböden der 8. und teilweise auch noch der 7. Klasse geben jedoch weniger Nutz- und mehr Brennholz, weshalb Privatunternehmer sich kaum zu deren Aufforstung herbeilassen können.

Auch bei den besseren Böden hat die Waldanlage nicht viel Verlockendes; denn es müssen hierbei zu Kulturzwecken erhebliche Vorauslagen gemacht werden, woneben noch die jährlichen Leistungen an Steuern, und am Ende auch noch Schutz- und Verwaltungskosten einige Jahrzehnte hindurch vorschussweise zu entrichten sind, bis einmal nach 50, 60 oder mehr Jahren der Wald hiebsreif geworden ist, und wenn man keine zu hohen Zinsen beansprucht, diese Vorauslagen voll ersetzt, falls nicht etwa ein unglücklicher Zwischenfall (Feuer, Insekten, Stürme etc.) zuvor schon einen Strich durch die Rechnung macht.

Obgleich man nun in den obgenannten östlichen Provinzen Preussens auch auf bäuerlichen Grundstücken manche, zum Teil sogar befriedigende neue Waldanlagen auf ehemaligen Aeckern sieht, so ist doch nicht daran zu denken, dass diese Umwandlungen beim Kleinbesitz erhebliche Ausdehnung erlangen werden. Die Mehrzahl dieser Flächen bleibt als Oedung unbebaut liegen und bietet dem Eigentümer nicht einmal mehr Gelegenheit seine und seiner Gespanne freie Zeit selbst noch um ermässigte Löhne zu verwerten.

Beim Grossgrundbesitz scheint die Sachlage zwar etwas günstiger zu sein; allein bei genauerer Prüfung treten auch hier einer Aufforstung des neu entstandenen unbedingten Waldbodens ebenso grosse und oft noch grössere Hindernisse entgegen, wenn nicht etwa ausnahmsweise reiche Mittel dem Eigentümer zur Verfügung stehen. Es könnten Fälle namhaft gemacht werden, wo Grossgrundbesitzer durch solche hauptsächlich im Interesse der Jagd unternommene Aufforstungen in Konkurs geraten sind, weil ihre Ratgeber übersehen hatten, dass die von den Kaufgeldern und Kulturkosten in Anspruch genommenen Kapitalien dem Unternehmer selbst einen Nutzen nicht mehr gewähren konnten; vielmehr nur als Passiva wirksam wurden und als solche das vormals ausreichende Gesamteinkommen beträchtlich vermindern mussten, weil die zuvor Jahr um Jahr flüssig gewordene Einnahme nun auf Jahrzehnte hinaus aufgehört hatte.

Es geschah dies allerdings zu einer Zeit, wo von hervorragenden Forstwirten (z. B. von *Pfeil*) gelehrt wurde, dass bei Vereinigung einer Blösse mit einem in regelmässigem Nachhaltsbetriebe stehenden Waldkörper, sobald jene mit Holzpflanzen in Bestockung gebracht sei, der auf ihr erfolgende Zuwachs im alten Bestande erhoben werden könne. — Obgleich dieser Lehrsatz ohne irgend welche Einschränkung auf ein bestimmtes Verhältnis zwischen den beiderlei Flächen ausgesprochen wurde und darum schon das Widersinnige in demselben hätte erkannt werden sollen, dauerte es doch recht lange bis diese Irrlehre in Theorie und Praxis beseitigt war. Die Unrichtigkeit derselben lässt sich am einfachsten dadurch nachweisen, wenn man unterstellt, dass zu einem nachhaltig bewirtschafteten, also auch mit dem nötigen lebenden Holzvorrat ausgestatteten Walde von 1000 ha eine ebenso grosse einjährige Kultur hinzutrete. In solchem Falle kann auch jeder Laie einsehen, dass es nicht möglich ist, unmittelbar

danach die doppelte Holzmenge in bisheriger Beschaffenheit aus
dem vereinigten grösseren Komplex zu beziehen.

Der Normalvorrat eines ideal bestockten Waldes, in welchem
jede einzelne Altersstufe vom jüngsten bis zum hiebsreifen Bestande in gleicher Flächengrösse und auch sonst in gleicher Leistungsfähigkeit vertreten ist, stellt bekanntlich eine feste Grösse
dar, sobald die Vorbedingungen dafür: Standort, Holzart, Betriebsart und Umtriebszeit bekannt sind. Mit Hilfe der Ertragstafeln lässt sich dessen Höhe pro Flächeneinheit leicht bestimmen
und es wird schon daraus klar, dass in gleichem Verhältnis, wie
die Fläche sich vergrössert, auch der Normalvorrat vermehrt werden muss, wenn der Wald das geben soll, was er nach seiner
Standortsgüte zu geben vermag.

So lange auf irgend einer Fläche, sei sie im Verbande mit
bestehendem Walde gedacht oder nicht, der zur Holzzucht benötigte Normalvorrat ganz oder teilweise mangelt, so lange hat
sie auch ihre volle Leistungsfähigkeit als Wald noch nicht erlangt.
Wenn man also die Waldfläche durch unfruchtbar gewordenes
Ackerland vergrössern muss, ist es nicht damit gethan, dass man
solches mit Holz bepflanzt, sondern die Hauptsache liegt darin,
dass man für etliche Jahrzehnte auf die jährliche Rentenbezüge
verzichtet und dadurch den benötigten Normalvorrat ansammelt.
Ein solches passives Zuwarten erfordert aber nicht blos Zeit, sondern auch Geld und manchmal sehr viel Geld.

Zur besserer Verdeutlichung wollen wir ein Beispiel mit Zahlen hier durchführen: In einem Forstbezirk von 1600 ha mit Kiefern bestockt auf durchschnittlich vierter Standortsklasse stellt sich
nach *Weise*'s Ertragstafeln der Normalvorrat für 80jährigen Um-
trieb auf $\frac{7693}{80} \times 1600 = 153\,860$ Em Derbholz uud der Normal-
ertrag auf 4680 Em Haubarkeitsmasse. Werden diesem Forste nun
weitere 320 ha einjährige Schonungen zugeteilt, so bedingt dies die
Notwendigkeit den Normalvorrat um $\frac{7693}{80} \times 320 = 30\,772$ Em
Derbholz zu erhöhen; so viel muss also infolge jener Vergrösserung der Waldfläche zum bereits vorhandenen Holzkapital noch
zugespart werden, eine Aufgabe, welche gewöhnlich auf eine
längere Reihe von Jahren verteilt wird. Die Grösse der Leistung
lässt sich am deutlichsten daran zeigen, dass man annimmt, es
müsste diese Ansammlung in kürzester Zeit erfolgen und zwar

durch Unterbrechung der regelmässigen Jahresnutzung, auf welche zu diesem Zwecke 6,58 mal verzichtet werden müsste, woneben die Kosten für Verwaltung und Schutz, Kulturen und Steuern aus anderweitigen Mitteln zu bestreiten wären. Nach so vielen Jahren könnte dann allerdings der volle Haubarkeitsertrag aus 1920 ha mit 5616 Em Derbholz bezogen werden; jedoch längere Zeit hindurch nicht in hiebsreifem 80jährigem, sondern nur in jüngerem Holze, wodurch dem Waldbesitzer noch weitere Opfer auferlegt würden. Es bedarf einer näheren Darstellung derselben wohl nicht mehr; es genügt schon obige Zahl, wonach die Vergrösserung des Waldes um den fünften Teil, nicht blos den Ausfall von beinahe 7 Jahresnutzungen, sondern während dieser Zeit auch die Notwendigkeit von erheblichen baren Zuschüssen nach sich zieht. Bei umfangreicheren Zugängen steigt diese Fehlperiode in gleichem Verhältnis, wie die neu zugeteilte Fläche.

Unter diesen Verhältnissen ist es dem Grossgrundbesitz mit Einschluss der Gemeinden nicht möglich, bei einer solch gewaltigen Aufgabe sich anders wie im kleinen zu beteiligen, zumal auch die Rentabilität überall da in Frage gestellt werden muss, wo eine ausgiebige Nutzholzerziehung wegen Armut des Bodens nicht möglich ist. Der Löwenanteil an einem nach Raum und Zeit so weit ausgedehnten Unternehmen fällt unzweifelhaft dem Staate zu. Freilich sind die hiedurch der Gegenwart erwachsenden Lasten nicht gering anzuschlagen; allein bei umsichtigem und planmässigem Vorgehen lassen sich günstige Erfolge doch mit Sicherheit erwarten, welche dann zu weiterer Fortführung des Unternehmens aufmuntern. Die Staatsforstverwaltung hat dabei jedenfalls den Vorteil vor Privatunternehmern voraus, dass sie in den meisten Fällen das nötige Verwaltungs- und Schutzpersonal in unmittelbarer Nähe hat und nicht erst besonders zu diesem Zwecke aufzustellen und zu belohnen braucht.

Weit besser für den Haushalt des einzelnen Grundeigentümers wie für den der Gesamtheit wäre es allerdings, wenn auch das geringere Ackerland wie bisher unter dem Pflug erhalten werden könnte; denn die Störungen, die eine solche Verschiebung im Erwerbsleben eines Volkes hervorbringen müssen, beschränken sich nicht auf das oben näher Ausgeführte, sie sind in der Summe ihrer Wirkungen zum voraus gar nicht zu übersehen. Es würden sich z. B. die Aufforstungen der aus den 4 östlichen Provinzen gelegenen drei geringsten Ackerklassen auf ein Gebiet erstrecken müssen, das grösser ist als Elsass-Lothringen und für die Anlage als Wald allein schon eine Vorauslage von 70—80 Millionen Mark notwendig machte.

Als Schlussergebnis kann hienach hervorgehoben werden, dass zwar einerseits die Grenze zwischen relativem und absolutem Waldboden nicht als unbedingt feststehend anzusehen ist, weder hinsichtlich der Bodenkraft und Bodenbeschaffenheit, noch viel weniger bezüglich der privat- und volkswirtschaftlichen Vorbedingungen; zumal wenn auch noch die hohe Politik mit Schutzzöllen oder Handelsverträgen fördernd oder störend einwirkt; — dass aber andererseits auch an der gegenwärtigen Verteilung zwischen Wald und Feld wirtschaftlich nützliche Aenderungen und Verschiebungen nur in ganz geringem Umfange ratsam und möglich sind.

DIE JAHRESBERICHTE DER DEUTSCHEN FABRIK-AUFSICHTS-BEAMTEN.

VON

Dr. FRIEDRICH WÖRISHOFFER.

———

Die Jahresberichte der deutschen Fabrikaufsichtsbeamten werden überall, wo man sich mit sozialen Dingen, vom politischen, vom wissenschaftlichen oder vom philanthropischen Standpunkte aus beschäftigt, mit grosser Aufmerksamkeit verfolgt. Der Grund dieser den genannten Veröffentlichungen geschenkten Aufmerksamkeit liegt weder in dem Einfluss der Berichterstatter auf die Fragen und die Gebiete ihrer Berichterstattung, noch darin, dass man von derselben wissenschaftliche Förderung in theoretischer Beziehung erwartet. Dieses Interesse hat vielmehr seinen Grund nur in der Erwartung, dass die Berichterstatter, bei denen man vermöge ihrer dienstlichen Aufgabe einen Ueberblick über die sozialen Zustände eines grösseren Gebietes voraussetzt, und die in steter Berührung mit den in Betracht kommenden Personen und Dingen leben, im Stande seien, fortlaufend ein vollständiges Bild der sozialen Zustände ihres Dienstkreises zu geben, in welchem sie die Wirkung der Gesetzgebung veranschaulichen, die eintretenden Veränderungen überhaupt darstellen und die Symptome in der Vorbereitung begriffener Veränderungen nicht übersehen. Man erwartet vollständige und objektive Berichterstattung über ein Gebiet, welches nicht nur Geist und Gemüt des denkenden Teiles fast aller Volkskreise in Anspruch nimmt, sondern dessen Kenntnis wegen der sich vollziehenden in alle öffentlichen Verhältnisse eingreifenden Entwickelung für Gelehrte und Politiker gleich wichtig ist. Die Anforderungen an diese Berichterstattung sind aus diesem Grunde daher recht grosse, aber nicht in demselben Masse deutlich formulierte. Es ist dabei auch noch kaum

je ernstlich die Frage erörtert worden, worin die Berechtigung zu
solchen Anforderungen begründet ist, und in welchem Umfange
erwartet werden darf, dass ihnen entsprochen wird. Das offenbare
Missverhältnis zwischen dem, was man in dieser Hinsicht von der
Fabrikaufsicht erwartet, und ihrer Bedeutung, sowie die dabei
zu Tage tretende verschiedene Auffassung ihrer Aufgabe ist neben
manchem anderen eines der Anzeichen einer in weiteren Kreisen
vorhandenen Unklarheit des Wollens auf dem ganzen Gebiete
überhaupt.

Die Erwartungen und Anforderungen an die öffentlichen Berichterstattungen der Fabrikaufsichtsbeamten sind in Deutschland
vielleicht gerade wegen der nach manchen Richtungen unbestimm-
ten Begrenzung ihrer Aufgabe höher als irgendwo anderwärts.
Die Fabrikinspektoren sind in Deutschland gerade so wie in allen
anderen Ländern, in denen dieses Institut eingeführt ist, lediglich
Beamte zur Ueberwachung des Vollzugs der zum Schutze der
Arbeiter erlassenen gesetzlichen Bestimmungen, sowie zur Beratung
der oberen Landesbehörden in Fragen, welche diesen Vollzug
oder die Weiterbildung der Gesetzgebung betreffen. Selbstverständlich hätte daher auch der Vollzug der gesetzlichen Vorschriften
den Mittelpunkt der ihnen aufgegebenen Berichterstattung zu bilden. Statistische Mitteilungen kommen dabei nur insoferne in
Betracht, als sie für den Hauptzweck der Berichterstattung erforderlich sind. Ausserdem sollten noch allgemeine oder einzelne
besonders interessante Mitteilungen über die wirtschaftliche und
die sittliche Lage der Arbeiterbevölkerung gemacht werden. In
der That halten sich auch die bekannt gewordenen Berichterstattungen in ausserdeutschen Ländern an diesen Rahmen. Die englischen dem Parlamente vorgelegten Berichte thun dies am aus-
gesprochensten, indem sie sich fast nur mit dem Vollzuge der
gesetzlichen Bestimmungen befassen und zwei Drittel ihres Raumes
lediglich durch Verzeichnisse der wegen Uebertretung der Ar-
beiterschutzgesetze ergangenen Bestrafungen ausfüllen. Ueber die
Lage der englischen Arbeiterbevölkerung lässt sich aus diesen
Berichten, soweit sie wenigstens dem Parlament vorgelegt und
veröffentlicht werden, sehr wenig entnehmen. In dieser Beziehung
ist es auch bemerkenswert, wie wenig die sozialpolitische Litteratur, auch wenn sie sich mit englischen Arbeiterzuständen befasst, aus diesen Veröffentlichungen über den Vollzug der gesetzlichen Vorschriften hinaus entnimmt. Die grosse Bedeutung dieser

Berichte gehört der Zeit an, in der es sich um die Beseitigung einer wahrhaft grauenhaften Ausbeutung der jugendlichen und weiblichen Arbeitskraft, wie sie bei uns auch nicht annähernd vorhanden war, aus der englischen Industrie handelte. Ihr unauslöschliches Verdienst ist das, was *Schäffle* schon früher den offiziellen Mut öffentlicher Selbsterkenntnis genannt hat. Dass übrigens die Berichte der englischen Fabrikinspektion gar nicht nötig haben über den Rahmen ihrer engeren Aufgaben hinauszugehen, ist darin begründet, dass das englische Parlament zur Aufklärung sozialpolitischer Verhältnisse Enqueten in grosser Zahl ins Leben rief und mit der grössten Unparteilichkeit und Vollständigkeit durchführte. Das ist ein wesentlicher Unterschied zwischen den englischen und unseren Zuständen auf diesem Gebiete, der auf die Art der Beurteilung der genannten Berichte von Einfluss ist. Die österreichischen und die schweizerischen Inspektionsberichte kommen zwar dem in der Oeffentlichkeit vorhandenen Bedürfnisse über soziale Zustände der Arbeiterbevölkerung authentisch unterrichtet zu werden in weiterem Umfange entgegen. Auf wichtige Seiten der sozialen Verhältnisse und der in ihnen eintretenden Veränderungen wird aber auch hier höchstens gelegentlich eingegangen. Diese beiden Gruppen von Berichten entschädigen wegen dieses Ausfalles, der zudem ein bewusster und durchaus gewollter zu sein scheint, reichlich durch die Offenheit und Ungeschminktheit der Darstellung. Von ihnen gilt ohne alle Einschränkung die vorgenannte *Schäffle*'sche Charakterisierung. Besonders gilt sie von den österreichischen Veröffentlichungen, deren günstige Beurteilung in weiten Kreisen gerade hierin gesucht werden muss. Ueber die Beschaffenheit der Arbeiterstätten und der Wohnungen in einigen Ländern der österreichischen Monarchie wurden Zustände enthüllt, wie sie zwar anderwärts deswegen nicht beschrieben werden können, weil sie glücklicherweise nicht vorhanden sind, wie sie aber auch bei ihrem Vorhandensein vielleicht nicht so offenherzig und rückhaltlos geschildert worden wären. Der letztere Eindruck scheint weit verbreitet gewesen zu sein, denn auf ihn ist es zurückzuführen, wenn die österreichischen Berichterstattungen den deutschen so oft als Muster vorgeführt wurden. Dass sie nach vielen anderen Richtungen einen solchen Vorzug nicht verdienen, davon wird später gelegentlich die Rede sein. Unbestritten muss es aber bleiben, dass sie hinsichtlich der Ungeschminktheit der Darstellung und der Zuverlässigkeit ihrer

Schilderungen allerdings ein solches Vorbild sein konnten und
gewiss vielfach auch gewesen sind. Wenn einzelne deutsche Berichterstattungen, die sich bestrebten, auch dem von den Arbeitern
eingenommenen Standpunkte gerecht zu werden, trotz der z. B.
den österreichischen Berichterstattungen gegenüber in der Färbung
und im Ausdrucke beobachteten Zurückhaltung heftigen Anfein-
dungen aus Unternehmerkreisen ausgesetzt waren, so darf dieser
Umstand als ein Symptom der hier teilweise noch herrschenden
Anschauungen nicht unerwähnt bleiben. Eine erhebliche Bedeutung kann aber solchen Vorkommnissen für die folgende Besprechung nicht eingeräumt werden.

Die deutschen Inspektionsberichte haben bis jetzt den in der
Oeffentlichkeit erhobenen Ansprüchen nicht völlig genügt, wenngleich sie bezüglich der Reichhaltigkeit der Mitteilungen weit über
den englischen Veröffentlichungen stehen, an denen man dort
nichts auszusetzen zu haben scheint, und obgleich das von ihnen
zur Darstellung gebrachte Gebiet etwa das gleiche war wie in
den österreichischen und schweizerischen Berichten. In der Reichhaltigkeit der Mitteilungen stehen sie auch hinter diesen wohl
kaum zurück. Teilweise mag der Grund dieser auffallenden Erscheinung darin liegen, dass die meist sehr zurückhaltende Form
der Darstellung mitunter die Deutung erfuhr, dass man zu sehr
hinter dem Berge hielt. Hauptsächlich aber wird ein gesteigertes
Mass von Ansprüchen die Ursache dieser Beurteilung sein. Ohne
sich recht klar darüber zu sein, begnügt man sich in Deutschland
nicht mit einer Berichterstattung in dem früher genannten durch
den Zweck der Einrichtung des ganzen Instituts vorgezeichneten
Rahmen, sondern man verlangt nichts weniger als eine fortlaufende
Enquete über alle sozialpolitisch in Betracht kommenden Seiten
des Arbeitsverhältnisses. Man stellt damit Ansprüche, die nur
von in der persönlichen Besetzung gut ausgestatteten Arbeits-
ämtern oder dergleichen erfüllt werden können, die aber über den
Rahmen des Thätigkeitsgebiets der Fabrikinspektoren weit hinaus-
gehen.

Schon das äussere Schema, welches diesen Berichterstattungen
zu Grunde liegt, begünstigt eine derartige Auffassung ihrer Aufgabe, da in den Rubriken desselben alles untergebracht werden
kann, was irgend auf das Arbeitsverhältnis und die Lage der Arbeiter Bezug hat. Darin liegt aber nur ein nebensächlicher Grund
der genannten Erscheinung. Viel wichtiger ist der Umstand, dass

die sozialen Gesichtspunkte immer mehr in alle Regelungen des
Lebens eingreifen, und dass deshalb bei allen denen, die im öffentlichen Leben nach irgend einer Seite entscheidend einzugreifen
haben, und die Weiterentwickelung der Dinge mit Interesse verfolgen, ein naturgemässes und lebhaftes Bedürfnis dafür vorhanden
ist, sich über die thatsächlichen Verhältnisse auf diesem Gebiete
zuverlässig zu unterrichten. Eine solche zuverlässige Information
ist aber durchaus nicht leicht. Aus eigener Anschauung lässt sich
diese Information in einem grösseren Umfange nicht gewinnen.
Es ist eine der Eigentümlichkeiten unserer sozialen Zustände, dass
die einzelnen Schichten der Gesellschaft sich so ferne stehen, dass
sie kein deutliches Bild ihrer gegenseitigen Lage haben. Man
sollte wenigstens annehmen, bei dem sich immer mehr ausbrei-
tenden Interesse für soziale Dinge müssten diejenigen, welche im
öffentlichen Leben stehen, sich doch ein ungefähres Bild davon
machen können, wie im einzelnen die Arbeiterklassen mit bestimmten Einkommensgrössen leben, welche Art der Existenz ihnen
überhaupt, dazu noch bei normalen Verhältnissen, ermöglicht ist.
Das ist aber keineswegs der Fall. Man zieht z. B. entweder aus
der Verschwendung unverheirateter Arbeiter, die ihren Verdienst
allein aufbrauchen können und thatsächlich oft allein aufbrauchen,
oder aus dem stattgehabten Steigen der Geldlöhne, oder aus den
offenbaren Fortschritten in der Kleidung den Schluss, dass die
Arbeiter ihr reichliches Auskommen hätten. Erst die Untersuchung
der Arbeiterbudgets nach dem Vorgange von *le Play* und anderer
haben für Viele Ueberraschungen im Gefolge gehabt, welche sicher
weniger gross gewesen wären, wenn sie nur einmal ihre Frau
ersucht hätten, auf Grund eines relativ ganz guten Arbeiterein-
kommens eine Berechnung der zulässigen Lebensweise für eine
Arbeiterfamilie von mittlerer Grösse aufzustellen. Jeder hätte
dann leicht herausfinden können, wie die Existenz auch bei dem
anderthalbfachen und doppelten des ortsüblichen Tagelohnes eine
ganz andere ist, als er sie sich nach einzelnen äusseren Anzeichen
gedacht hat. Manches erscheint dann auch unter anderem Lichte,
das bessere äussere Aussehen der Arbeiter z. B. nicht als Zeichen
reichlichen Auskommens, sondern als der Beweis des Sinnes für
Ordnung und einer erhöhten Kultur, die natürlich auch grössere
Bedürfnisse im Gefolge hat, die aber auch bei der Schwierigkeit
des Erklimmens höherer Kulturstufen für die Arbeiter grosse Achtung vor den besseren Teilen dieses Standes abnötigen wird.

8*

Wenn in derartigen Dingen, bei denen die eigene Anschauung
bei gutem Willen schon zur Bildung eines eigenen Urteils hin-
gereicht hätte, von der Möglichkeit einer solchen eigenen Anschauung so wenig Gebrauch gemacht wird, so ist auf anderen
Gebieten, in denen die Verhältnisse schwieriger und komplizierter
liegen, von derselben nichts zu erwarten. So wichtig auch die
Frage der absoluten und relativen Höhe der Lebenshaltung für
den Einzelnen ist, so steht doch sozialpolitisch in vorderster Reihe
die Frage nach der Möglichkeit des sozialen Aufsteigens der
unteren Klassen und nach den Umständen, welche in jedem Stadium der gesellschaftlichen Entwickelung ein solches im Interesse
der ganzen Gesellschaft gelegenes soziales Aufsteigen befördern
oder erschweren, und die Frage nach den thatsächlich in dieser
Beziehung gemachten Fortschritten und Rückschritten. Hier kommen alle die verwickelten Beziehungen zwischen Arbeitgebern und
Arbeitern in Betracht, besonders der Umfang, in welchem es den
Arbeitern gelingt, den von der Gesetzgebung als Grundlage des
Arbeitsverhältnisses vorausgesetzten freien Arbeitsvertrag in der
Praxis zu verwirklichen. Ein Teil der Symptome für die Fortschritte und Rückschritte auf diesem Gebiete sind die Veränderungen in der Arbeitszeit und den Löhnen. Ferner kommen in
Betracht die Umwandlungen in intellektueller und ethischer Beziehung in der Arbeiterwelt selbst, welche erst ihre wirkliche Bedeutung für die ganze Gesellschaft bestimmen und die sichere
Grundlage abgeben für eine erhöhte Anteilnahme an den Früchten
der Kulturfortschritte. Die äusseren Umstände, die hier in Betracht kommen, umfassen so ziemlich alle Gebiete des Kultur-
lebens überhaupt. Die wirklich erzielten Ergebnisse lassen sich
aber nicht so leicht erfassen und ihre Darstellung setzt eine auf-
merksame Beobachtung und eine sichere Scheidung des Wichtigen von dem Unwichtigen voraus.

Das Bedürfnis, über alle diese Dinge genügend unterrichtet
zu sein, besteht nach mannigfaltigen Anzeichen in den früher genannten weiten Kreisen. Die eigene Anschauung dieser Kreise
hat bis jetzt diesem Bedürfnisse nicht genügend Dienste geleistet,
und wo man lediglich nach oberflächlichen Wahrnehmungen
urteilte, oder konkrete Fälle generalisierte, stand die Sache noch
schlimmer. Die für die fragliche Belehrung ferner in Betracht
kommenden Vertretungen und Organe derjenigen, die diesen
Dingen am nächsten stehen, der Arbeitgeber und der Arbeiter,

sind aber wegen der Einseitigkeit ihrer Stellung keine ungetrübten
Quellen der Belehrung. Auf sie wird sich zwar in der öffentlichen
Erörterung von den Beteiligten selbst berufen. Zur Anerkennung
als klassische Zeugen haben es aber diese Vertretungen und Organe bis jetzt in der öffentlichen Meinung noch nicht gebracht,
wenngleich der einen oder der anderen Seite mitunter eine grössere
objektive Bedeutung beigelegt wird, als sie verdient. Die vornehmste Quelle der Belehrung sind unstreitig noch die Veröffentlichungen der Gelehrten und der Sozialpolitiker. Allein dieselben
leiden trotz ihrer grossen Vorzüge nach allen anderen Richtungen
an dem Mangel, dass sie auf das zerstreute, mühsam zusammen-
zusuchende und ungleichartig vorhandene thatsächliche Material
angewiesen sind, wie es in amtlichen Mitteilungen, gelegentlichen
Veröffentlichungen und eigener Wahrnehmung vorhanden ist. Sie
sind daher zu einer schwierigen Kritik dieses Materials genötigt,
und sie haben auf die Vollständigkeit und die Gleichförmigkeit
desselben keinen Einfluss. Diese Beschaffenheit des Materials
muss notwendig die auf dasselbe gegründeten Urteile beeinflussen.
Selbst wenn die an dem Material geübte Kritik eigentliche Un-
richtigkeiten des Urteils fernhält, so ist doch eine erschöpfende
Darstellung und eine gleichmässige und darum im höheren Sinne
wahre Beleuchtung der verschiedenen Seiten des Gegenstandes
oft geradezu unmöglich.

Unter diesen Verhältnissen ist es nur natürlich, dass man
seine Belehrung auf dem sozialen Gebiete bei den amtlichen Organen, die hierfür allenfalls in Betracht kommen können, sucht.
Es ist aber ebenso natürlich, dass man sie auch hier nicht in dem
gewünschten Umgange findet. Besondere staatliche Organe für.
die fortlaufende Orientierung auf diesem Gebiete bestehen überhaupt noch nicht. Nur bezüglich der sozialen Statistik ist in der
Reichskommission für Arbeiterstatistik ein bescheidener Anfang
gemacht, bezüglich dessen aber die Hoffnung einer gesunden organischen Weiterentwickelung berechtigt ist. Es ist daher nicht
zu verwundern, wenn die in Betracht kommenden Kreise sich
schliesslich an die Fabrikaufsicht mit der Forderung um fortlaufende Klarlegung der sozialen Zustände in der Industrie wenden.
Freilich thut man dies nicht in so ausgesprochener Weise, weil
man sehr wohl fühlt, dass diese Beamten nach der ganzen Organisation des Dienstes, nach ihrer Stellung und nach der Art
ihrer Thätigkeit einer solchen Forderung nicht entsprechen können.

Da aber in dem Schema für die Jahresberichte dieser Beamten
alles untergebracht werden kann, worauf sich das genannte Wis-
sensbedürfnis bezieht, so ist es nur natürlich, dass jeder, der sich
mit diesen Berichten beschäftigt, irgend etwas vermisst, was er
gerade wissen möchte, und wovon ganz gut in irgend einer Rubrik
des Schemas hätte gesprochen werden können.

Was die genannten Kreise am meisten interessiert, beschränkt
sich auf den über die jugendlichen Arbeiter, die Arbeiterinnen
und die Arbeiter im allgemeinen handelnden Abschnitt. Dieser
erfährt auch in der Oeffentlichkeit die am meisten sachverständige
Beurteilung, während die Mitteilungen der übrigen Abschnitte über
den Schutz der Arbeiter gegen Unfälle und gegen gesundheits-
schädigende Einflüsse, über den Schutz der Nachbarn genehmi-
gungspflichtiger Anlagen und sogar auch der letzte Abschnitt über
die wirtschaftlichen und sittlichen Zustände der Arbeiterbevölkerung sowohl von der öffentlichen Kritik als auch durch Direktiven der vorgesetzten Behörden nur sehr wenig beeinflusst sind
und von ersterer auch wenig beachtet werden. Die Ursache hiervon liegt bezüglich der Oeffentlichkeit darin, dass die Kritik nur
von solchen Kreisen ausgeübt wird, deren Interesse sich auf die
Kulturfortschritte der Arbeiterbevölkerung durch die Massnahmen
der Gesetzgebung und durch ihr eigenes Bemühen beschränkt.
Bezüglich der den Aufsichtsbeamten zuteil werdenden Direktiven
liegt die Ursache der Vernachlässigung der genannten Abschnitte
in der Lage der Gesetzgebung, welche Einzelvorschriften auf den
genannten Gebieten noch wenig kennt, und in dem Mangel einer
einheitlichen Leitung der deutschen Fabrikaufsicht, welche eine
einheitliche Thätigkeit der Aufsichtsbeamten nicht herausbildet.
Von beiden wird noch später die Rede sein. Auffallend könnte
es nur scheinen, dass auch der Abschnitt über die wirtschaftlichen und sittlichen Zustände der Arbeiterbevölkerung die gleiche
Vernachlässigung, oder je nach dem Gesichtswinkel der Betrachtungen die gleiche Schonung erfährt, obgleich doch gerade von
demselben in sozialpolitischer Beziehung wichtige Aufschlüsse erwartet werden können. Der Grund hiervon muss in der allerdings naheliegenden Erkenntnis gesucht werden, dass diesem Abschnitte der seiner Ueberschrift entsprechende Inhalt in gelegentlichen in keinen inneren Zusammenhang gebrachten Mitteilungen
gar nicht gegeben werden kann, sondern dass dieser Inhalt nur
in besonderen Monographien niedergelegt werden könnte. Nur

daraus ist die nachsichtige aber nicht gerade schmeichelhafte Milde erklärlich, mit der die öffentliche Kritik an den wohlgemeinten meist jedoch wenig unterrichtenden Mitteilungen dieses Abschnittes vorübergeht.

Wenn auch oben gesagt wurde, man stelle vielfach an die Berichterstattungen der Fabrikaufsichtsbeamten Anforderungen, die nur von besonderen sozialpolitischen Organisationen erfüllt werden können, denen eine weitergehende Aufgabe zugewiesen ist und die gut ausgestattet sind, so soll doch bei den weiteren Besprechungen nicht davon ausgegangen werden, dass die Thätigkeit der Fabrikaufsichtsbeamten in sozialpolitischer Hinsicht immer auf den engen Rahmen ihrer nächsten und ursprünglichen dienstlichen Aufgaben beschränkt bleiben müsse. Die Ansprüche, die gestellt werden einerseits und die namhafte Vermehrung der Zahl der Beamten in den meisten deutschen Staaten anderseits nötigt dazu, zu unterstellen, dass die Thätigkeit dieser Beamten auch über den Vollzug der gesetzlichen Bestimmungen hinaus ausgedehnt werden könne, und dass sie den im Eingange genannten Bedürfnissen und Anforderungen möglichst weit entgegen kommen sollten. Ein weiterer Grund hierfür liegt auch in der Ungewissheit der Schaffung der für die Erfüllung dieser Anforderungen wirklich geeigneten Organe und in der weiteren Erwägung, dass dieselben bei späterem Inslebentreten in verhältnismässig einfacher Form geschaffen werden können, wenn sie in den Fabrikaufsichtsbeamten schon wegen ihrer bisherigen Thätigkeit geeignete Hilfsorgane vorfinden.

Es sollen nunmehr in Kürze die einzelnen Abschnitte des vorgeschriebenen Schemas besprochen werden, nach denen die Jahresberichte zu erstatten sind.

Der erste Abschnitt »Allgemeines« hat zunächst statistische Mitteilungen über die der Aufsicht unterstehenden Anlagen nach Zahl, Ort und Betriebsverhältnissen, sowie die Zahl der in denselben beschäftigten Arbeiter nach Geschlecht und Alter zu enthalten. Die Wichtigkeit dieser Mitteilungen ist einleuchtend. Die Frage, ob dieselben nicht zweckmässiger unter dem Abschnitt »Arbeiter« im Zusammenhang mit den dort zu erörternden Verhältnissen zu geben sind, ist weniger wichtig, wenn sich auch die eingetretenen Zunahmen und Abnahmen vielleicht am zweckmässigsten gleichzeitig mit den Arbeiterschutzvorschriften besprechen liessen. Wichtig ist dagegen, dass diese Angaben aus allen Auf-

sichtsbezirken, und dass sie in gleichem Umfang und in gleicher
Art gemacht werden, was positive Anordnungen und genaue Ausführungsbestimmungen für das ganze Reich voraussetzen würde,
die beide bis jetzt noch fehlen. Die Angaben über die Lage der
Industrie in Verbindung mit den dadurch auf die Lage der Arbeiter geübten Einflüssen gehören dann zweifellos dem Schema entsprechend an diesen Ort. Selbstverständlich wird aber auf die
Lage der Industrie nur insoweit im einzelnen einzugehen sein, als
sie für die in den Berichterstattungen zu besprechenden Dinge
in Betracht kommt. Es soll ferner die Zahl und Art der besuchten
Anlagen und die Zahl der Dienstreisetage angegeben werden.
Diese Angaben, so wichtig sie den vorgesetzten Behörden gegenüber sein mögen, gehören vielleicht nicht in die Veröffentlichungen
der Berichte. Sie haben auch ohne Zweifel bei deren Besprechung eine zu grosse Rolle gespielt und haben zu irrigen und irreleitenden Ausführungen Veranlassung gegeben. Diese Zahlenan-
gaben gestatten keinen nur einigermassen sicheren Rückschluss
auf die Art und den Erfolg der Thätigkeit. Es kommt in Betracht, dass der Besuch der einzelnen Arten von Anlagen in sehr
ungleichem Masse Zeit in Anspruch nimmt, und dass diesen Besuchen je nach der Art des Eingehens auf die Verhältnisse in
verschiedenem Umfange Zeit gewidmet werden kann. Auch ist
der Bedarf an Besichtigungen für Anlagen gewisser Art, dann sehr
gering, wenn sie gleichförmig und ihre Verhältnisse aus früheren
Besuchen bekannt sind, und wenn in ihnen weder die Einhaltung
spezieller Vorschriften in Betracht kommt, noch auch geschützte
Personen beschäftigt werden. Trotz dieser eigentlich naheliegenden
Erwägungen ist die öffentliche Kritik der Inspektionsberichte lange
Zeit hauptsächlich von der Zahl der vorgenommenen Besuche
von gewerblichen Anlagen ausgegangen. Man sah hierin am Anfange den Massstab für die Wirksamkeit der neuen Institution.
Im Anschlusse hieran wurde die Forderung eines mindestens ein-
maligen Besuches jeder einer besonderen Aufsicht unterliegenden
gewerblichen Anlage gestellt. Als ob auf diese Weise dieser
Vollzug ;sicher gestellt werden könnte, und als ob diese Fabrikaufsichtsbeamten nicht noch andere Mittel der Ueberwachung
hätten. Würde solchen eindringlich erhobenen Stimmen Gehör
geschenkt worden sein, so würde dadurch ein Mechanismus entstanden sein, der die Fabrikinspektoren zu einer Art technischer
Polizeiorgane gemacht, der sie in der Schätzung der Arbeitgeber

heruntergesetzt und sie des nötigen Einflusses bei ihrer sonstigen Dienstführung beraubt hätte. Wie immer in ähnlichen Fällen, so führte auch hier ein mangelhafter Einblick und ein unbestimmtes Misstrauen zu Forderungen lediglich äusserlicher Art. Auf diesem Gebiete muss man sich darauf verlassen, dass die Befugnis, sich jederzeit selbst an Ort und Stelle zu überzeugen und das Herausfühlen eines dahingehenden Bedürfnisses bei den Beamten in Verbindung mit den sonstigen Hilfsmitteln einen genügenden Vollzug sicherstellt, wie die Erfahrung auch hinreichend gelehrt hat. Es kann daher nur als ein erfreuliches Zeichen wachsenden Verständnisses bezeichnet werden, dass dieser mechanische und von keiner besonderen Höhe der Beurteilung zeugende Massstab fortschreitend immer weniger angelegt worden ist.

Von Bedeutung ist ferner noch, dass in diesem Abschnitte Mitteilungen über die Stellung zu den Arbeitgebern und den Arbeitern zu machen sind. An dieser Stelle können und sollen wohl nur allgemein gehaltene Mitteilungen hierüber gemacht werden. Die Stellung zu den Arbeitgebern, mit denen der Verkehr, wie er in der Natur der Verhältnisse liegt, schon aus Anlass der Fabrikrevisionen am ausgedehntesten ist, ergiebt sich im einzelnen wohl am besten bei der Erörterung der Spezialfragen in den folgenden Abschnitten. Dagegen wird hier die Art des Verkehrs mit den Arbeitern, sein Umfang, sowie die Gründe eines in Deutschland leider wohl allgemeinen mangelhaften Verkehrs mit denselben zur Sprache zu kommen haben. Da dieser Verkehr fruchtbar und geordnet wohl nur mit Vertretungen der Arbeiter stattfinden kann, so werfen auch allgemeine Angaben in dieser Beziehung schon Schlaglichter auf die Organisationen der Arbeiter.

Der Verkehr mit den Arbeitern wird aber voraussichtlich in Deutschland niemals annähernd den Umfang erreichen können, den er nach den äusseren Angaben der Berichte der österreichischen Gewerbeinspektoren in dem Nachbarlande erreicht zu haben scheint, und der bei uns die Bewunderung weiterer sozialpolitischer Kreise gefunden hat. Es scheint, dass die grosse Zahl der Fälle eines solchen Verkehrs sich ganz vorwiegend auf die Entschädigung bei Krankheit und bei Unfällen, auf beanstandete Kündigungen u. dergl. bezieht. Bei uns ist das Verfahren für die Verfolgung von Ansprüchen aus den sozialpolitischen Gesetzen vollständig geordnet und es bestehen für diese Entscheidungen durch die Gesetzgebung mit den nötigen Befugnissen ausgestattete Organe.

Für die Auslegung des Arbeitsvertrages und die aus seiner Verletzung sich ergebenden Entschädigungen sind ferner die Gewerbegerichte geschaffen worden, die sich hoffentlich immer mehr ausbreiten. Das Eingreifen der Aufsichtsbeamten in den Vollzug bezüglich aller dieser Streitigkeiten und der Verfolgung von Rechten ist an sich nicht unbedenklich und kann sich nur in ganz besonderen Ausnahmefällen rechtfertigen. Eine materielle Befassung mit diesen Dingen seitens der Aufsichtsbeamten könnte bei uns ihre ordnungsgemässe Erledigung und zugleich das dienstliche Ansehen dieser Beamten selbst nur schädigen, da die zur Entscheidung dieser Ansprüche geordneten Organe eine solche, in unseren Verhältnissen unberufene, Einmischung in der Regel unbeachtet lassen würden. Es könnte sich daher wohl nur um eine Beratung der Arbeiter über den für die Verfolgung ihrer Ansprüche geeigneten Weg handeln. Eine solche Ratserteilung ist aber in Deutschland auch nur in Ausnahmefällen nötig, da sich das Funktionieren der zur Erledigung dieser Angelegenheiten berufenen Organe in den Arbeiterkreisen ziemlich eingelebt hat, und in industriereichen Gegenden die Organisationen der Arbeiter diese Belehrung in genügender Weise vornehmen. Aus dem geringeren Verkehr der deutschen Aufsichtsbeamten mit den Arbeitern in allen diesen Dingen kann daher in keiner Weise ein für die Beurteilung unserer Verhältnisse nachteiliger Schluss gezogen werden. Es kann vielmehr gerade hier aus diesem geringeren Verkehr nur geschlossen werden, dass alle diese Dinge bei uns so sicher geordnet sind, dass sie das unregelmässige und zufällige Eingreifen nicht nötig machen und nicht zulassen. Die Wirksamkeit des Verkehrs mit den Arbeitern wird sich künftig wohl nicht sowohl nach der Zahl der Fälle, als danach bemessen lassen, dass die Vertreter der Arbeiter in ganz gleicher Weise wie diejenigen der Arbeitgeber bei der Regelung sozialpolitischer Fragen auch im einzelnen Aufsichtsbezirke beigezogen werden. Mit grossen Ziffern wird man nach dieser Seite hin aber wohl niemals imponieren können. Hoffentlich macht sich auch hier die öffentliche Beurteilung von diesem äusseren Massstabe los.

Der zweite Abschnitt soll in drei Unterabteilungen über die Jugendlichen Arbeiter, die Arbeiterinnen und die Arbeiter im allgemeinen Angaben verschiedener Art enthalten. Ein näheres Eingehen auf dieselben wird um so weniger nötig sein, als gerade dieser Abschnitt in der Oeffentlichkeit am meisten Verständnis findet, und meistens der einzige ist, der wirklich beurteilt wird. Es mag nur bemerkt werden, dass hier die eigentliche Statistik der unter einer besonderen Aufsicht stehenden gewerblichen Anlagen und der in ihnen beschäftigten Arbeiter ihre richtige Stelle im Zusammenhang mit dem Vollzug der gesetzlichen Vorschriften und mit den sozialpolitisch wichtigsten Seiten des Arbeitsverhältnisses finden dürfte. Endlich dürfte an dieser Stelle eine fortlaufende Berichterstattung über die sozialpolitischen Organisationsbestrebungen der Arbeiter am Platze sein. Wenngleich dieselbe naturgemäss nur eine sehr allgemeine sein kann, so können doch gerade die Fabrikaufsichtsbeamten über den Umfang und die Art der Organisationsbestrebungen durch ihren Verkehr mit den Arbeitervertretungen und über die Einwirkung dieser Bestrebungen auf die Arbeiter charakteristische Wahrnehmungen machen. Hauptsächlich aber würde es eine auffallende Lücke sein, wenn bei der Berichterstattung über die Arbeitszeit, die Lohnformen, die Arbeitsordnungen u. dgl. gar nicht davon die Rede wäre, ob die Arbeiter bestrebt sind, von sich aus eine Einwirkung auf diese Verhältnisse zu nehmen, in welchem Umfange sie dies thun, und welche Unterschiede die örtlichen, die industriellen oder anderen Verhältnisse hier hervorbringen. Jede Berichterstattung über diese Dinge begegnet bei uns besonderen Schwierigkeiten, da gerade bei den in dieser Beziehung rührigsten Arbeitern die innerhalb der gesetzlichen Schranken ermöglichte Verfolgung ihrer gemeinsamen Interessen durch Zusammenschluss in organisierten Verbänden verbunden sind mit politischen Bestrebungen und politischen Organisationen, dass mit einem Worte diese Organisationen nicht nur sozialpolitische, sondern je nach Bedarf auch politische sind. Die Schwierigkeiten liegen darin, dass der Berichterstatter selbst nicht immer eine klare Grenze zwischen beiden Bestrebungen wird erkennen können, und darin, dass die Arbeitgeber geneigt sind, auch die sozialpolitischen Bestrebungen der Arbeiter ohne weiteres als sozialdemokratische zu bezeichnen. Jede Befassung mit den sozialpolitischen Bestrebungen der Arbeiter wird daher leicht zugleich als eine Begünstigung der rein politischen Bestrebungen derselben erscheinen. Dazu kommt noch, dass die sonstigen Organisationen der Arbeiter sich mit den eigentlichen Arbeiterfragen und Arbeiterinteressen nur wenig beschäftigen. Auch ihr konfessioneller Charakter erschwert es, dass sie als Vertreter der Arbeiter ohne Unterschied der politi-

schen oder religiösen Parteizugehörigkeit auftreten. Es muss aber
doch bemerkt werden, dass in der Behandlung der Arbeiterfragen
durch die evangelischen Arbeitervereine der konfessionelle Charakter neuerdings gegen den sozialreformatorischen sehr zurücktritt. Der thatsächliche Verkehr mit den Arbeitervertretungen
leidet daher, soweit er überhaupt vorhanden ist, durch die Verhältnisse veranlasst, an einer gewissen Mangelhaftigkeit, was diesem
Teile der Thätigkeit der Aufsichtsbeamten abträglich und sicher
auch eine der hauptsächlichsten Ursachen dafür ist, dass der Verkehr mit den Arbeitern ein so geringer bleibt.

Der dritte Abschnitt beschäftigt sich mit dem S c h u t z e
d e r A r b e i t e r s o w o h l g e g e n U n f ä l l e a l s a u c h g e g e n
g e s u n d h e i t s s c h ä d l i c h e E i n f l ü s s e.

Der Schutz der Arbeiter g e g e n U n f ä l l e ist ein Kondominats-
gebiet der staatlichen Aufsichtsbeamten und der berufsgenossen-
schaftlichen Beauftragten. Wenn dieser gemeinsame Besitz bis
jetzt kaum noch zu Streitigkeiten zwischen den beiden Beteiligten
geführt hat, so darf daraus nicht ohne weiteres geschlossen werden,
dass der Besitzgegenstand einen erheblichen Wert nicht habe,
eine Unterstellung, die namentlich auch bezüglich der Beauftragten
der Berufsgenossenschaften deswegen nicht zulässig wäre, weil für
sie der Schutz der Arbeiter gegen Unfälle fast die ausschliessliche Thätigkeit bildet. Allgemein darf aber wohl gesagt werden,
dass die Sicherung gegen Unfälle, soweit es sich hierbei um die
Thätigkeit der Fabrikaufsichtsbeamten handelt, jetzt nicht mehr
entfernt die Bedeutung hat, wie vor etwa 10 Jahren. Im Grossen
und Ganzen ist bezüglich der Herstellung von Schutzvorrichtungen
im engeren Sinne und der Durchführung von Sicherungseinrich-
tungen überhaupt das geschehen, was auf diesem Gebiete geschehen kann. Allerdings sind die einzelnen Anlagen hier in ungleichem Masse vorgeschritten, und es giebt auch in den besseren
derselben immer noch einzelnes zu vervollkommnen. Auch handelt
es sich darum, das Erreichte durch regelmässige Nachschau, wenn
auch in längeren Perioden, vor dem Verfall zu schützen. Neue Gesichtspunkte, wie sie z. B. zur Zeit der Einführung der deutschen Fabrikinspektion sich ergaben, sind dabei aber nicht mehr zu gewinnen
und die Art der möglichen und praktisch angezeigten Schutzvorrichtungen wird auch künftig, wie dies jetzt schon der Fall ist,
nur eine langsame Vermehrung erfahren. Auch ist es nicht entfernt mehr in dem früheren Umfange nötig, die Aufmerksamkeit

und die Willensrichtung der Arbeitgeber und der Arbeiter auf diese Anforderungen zu lenken. Wenn eine Statistik auf diesem Gebiete, auf dem es sich nicht nur um Thatsachen, sondern auch um Urteile handelt, ihrem innersten Wesen nach nicht unausführbar wäre, so müsste eine solche ergeben, dass die auf den Mangel an Schutzvorrichtungen zurückzuführenden Unfälle ganz beträchtlich abgenommen haben, während eine solche Abnahme bei den aus anderen Ursachen herrührenden Unfällen weniger und in gewissen Gattungen gewerblicher Unfälle gar nicht eingetreten ist. Indirekt kann dies vielleicht aber auch aus der statistisch festgestellten relativen Abnahme der schweren und schwersten Unfälle geschlossen werden, denn die Schutzvorrichtungen wenden sich gerade gegen derartige Unfälle. Immerhin ist ein solcher Rückschluss von der Wirkung auf die Ursache unsicher, wenn wie hier die Wirkung verschiedener Ursachen haben kann. Es bleibt daher nur übrig, diese Wahrscheinlichkeiten durch den bestimmten Eindruck derer zu ergänzen, die täglich mit diesen Dingen zu thun haben. Für die fernere Verminderung der Unfälle kommen daher andere Momente weit mehr in Betracht, als die weitere Vervollkommnung der Schutzvorrichtungen, deren Bedeutung damit selbstverständlich in keiner Weise geschmälert werden soll. Es handelt sich dabei um grössere Vorsicht bei den Arbeitern und um ihre Angewöhnung, die Folgen dessen, was sie thun, mehr ins Auge zu fassen, ferner um rücksichtsvollere Gesinnung gegen ihre Mitarbeiter, welche sie nur zu oft durch gleichgültiges, nur die eigene Person in Betracht ziehendes Handeln gefährden. Auf Seite der Arbeitgeber handelt es sich ebenfalls um eine rücksichtsvollere Gesinnung, namentlich darum, dass sie an die einzelnen Arbeitsstellen und Arbeitsmaschinen nur mit ihren Vorrichtungen völlig vertraute Personen stellen, dass sie dieselben möglichst lange in ihrer Thätigkeit erhalten, ferner darum, dass sie keine zu grossen Anforderungen an ihre Arbeiter stellen, besonders beim Tragen von Lasten, wodurch Jahr für Jahr eine so grosse Anzahl von Brüchen entsteht. Auch die Ueberwachung des Aufsichtspersonales nach allen diesen Richtungen spielt eine grosse Rolle, da sich bei der teilweise sehr mangelhaften Beschaffenheit desselben bei ihm kleine Mängel an Rücksichten bei der Gefährdung der Arbeiter in geometrischer Progression fühlbar machen. Die weitere Verminderung der Unfälle hängt daher bei den Arbeitern und zum Teil auch bei den Arbeitgebern von Ursachen ab, die ganz

vorzugsweise auf dem sozialen Gebiete liegen. Sie hängen zusammen mit der Hebung der Arbeiterbevölkerung auf eine höhere
Kulturstufe überhaupt und mit dem grösseren Ansehen, welches
sie damit bei den Arbeitgebern gewinnen. Diese Seite der Sache
fällt aber vollständig aus dem Thätigkeitsgebiete der Beauftragten
der Berufsgenossenschaften heraus, und da es sich hier um eine
Seite handelt, auf die eine unmittelbare Einwirkung überhaupt
nicht ausgeübt werden kann, so handelt es sich für die Beauftragten der Berufsgenossenschaften auf diesem ganzen Gebiete
immer mehr nur um die gewissenhafte Fortbildung und Ueberwachung des schon Erreichten. Die Aufgabe der staatlichen Aufsichtsbeamten wird damit mehr und mehr nur in der allgemeinen
Ueberwachung des bezüglichen Zustandes in den gewerblichen
Anlagen und ausserdem in einer ausgleichenden eigenen Thätigkeit
bestehen, die deswegen notwendig wird, weil die einzelnen Berufsgenossenschaften das Institut der Beauftragten in verschiedenem
Umfange ausgebildet haben, und weil die Beauftragten der einzelnen Berufsgenossenschaften wegen mangelnden Ueberblicks über
die Dinge, die der ganzen Industrie oder einem grösseren Teile
derselben gleichmässig angehören, zu verschiedenartig und mitunter
zu einseitig verfahren. Je mehr die staatlichen Aufsichtsbeamten
mit der Weiterbildung der Verhältnisse Anlass haben, sich mit
dem sozialpolitischen Teil ihrer Aufgabe zu beschäftigen, desto
weniger werden sie es zu bedauern haben, dass ihnen die Detailarbeit auf dem Gebiete der Unfallverhütung abgenommen wird.
Der Versuch, den Beauftragten der Berufsgenossenschaften dieses
Gebiet der Thätigkeit streitig zu machen, könnte, wenn er gemacht würde, immerhin als das Symptom geringer Thätigkeit auf
dem sozialpolitischen Gebiete gelten, natürlich aber nicht als Symptom eines hierin bei den staatlichen Aufsichtsbeamten vorhandenen
Verschuldens.

Sowohl in dem Abschnitte, der von der Sicherung gegen
Unfälle handelt, wie in dem folgenden über die g e s u n d h e i t s -
s c h ä d l i c h e n E i n f l ü s s e versagen die Jahresberichte trotz
der Fülle an interessanten Einzelheiten in einem Punkte. Es wird
nur sehr selten und dann nicht gleichmässig bestimmt ausgesprochen, was zur Bekämpfung der einzelnen Gefährdungen in
den verschiedenen Industriezweigen oder bei den verschiedenen
Arbeitsprozessen für nötig gehalten, was davon und in welchem
Umfange es durchgeführt ist, und welche Hindernisse der weiteren

Durchführung im Wege stehen, sowie ob und in wie weit Aussicht vorhanden ist, diese Hindernisse zu überwinden. Dieser Mangel ist in den österreichischen Berichten fast noch in grösserem Umfange vorhanden als in den deutschen. Eine Benützung aller dieser Berichte, um sich in irgend einer Frage darüber zu unterrichten, ob man bestimmten schädlich scheinenden Einflüssen gegenüber anderwärts ein Bedürfnis zur Abhilfe fühlt, und wie man dieses Bedürfnis befriedigt, ist fast durchweg unmöglich. Man trifft allerwärts auf allgemeine Redewendungen und man geht einer grundsätzlichen Stellungnahme und einer deutlichen Bezeichnung des Geschehenen geflissentlich aus dem Wege. Wer sich in solchen Fragen aus den Berichten das Material zur Bildung eines sicheren Urteils holen will, wird nach dieser Richtung völlig im Stiche gelassen, weil er nirgends festen Boden trifft. Es ist charakteristisch, dass dieser Mangel bei der Kritik der Berichte noch nie gerügt worden ist, während er wenigstens dann ohne Zweifel sehr häufig gefühlt werden musste, wenn man annimmt, dass die Berichte auch nach dieser Seite hin einigermassen ernsthaft benützt werden wollten. Jedenfalls geht daraus hervor, dass die Berichte in dieser Beziehung im Gegensatze zu ihrer sozialpolitischen Seite mit grosser Nachsicht beurteilt werden. Wenn diese Seite derselben auch sicher die wichtigste ist, so ist es doch nicht richtig, die Dinge dabei fast ganz zu übersehen, die in dem in Rede stehenden Abschnitte behandelt werden. Allerdings kann bei ihnen in gewissem Masse ein Eingehen auf das technische Detail nicht vermieden werden, aber trotzdem hat dieses Gebiet eine nicht zu unterschätzende sozialpolitische Bedeutung. Es handelt sich um die sanitäre Verbesserung nicht nur der Arbeitsstätten, sondern namentlich auch der Arbeitsprozesse. Wenn die Mitteilungen der einzelnen Berichte über diese Verhältnisse unterrichtender sein sollen, als sie es bisher sind, so muss aus denselben ganz bestimmt ohne alle verdunkelnden allgemeinen Redewendungen und ohne jede Wiederholung von Binsenwahrheiten bezüglich der einzelnen schädigenden Einflüsse, auf deren Beseitigung man in dem betreffenden Bezirke hinarbeitet, entnommen werden können, welcher Art die eingeführten Verbesserungen sind, in welchem Grade sie den Missstand beseitigt haben, in welcher äusseren Ausdehnung sie durchgeführt werden konnten, welche Hindernisse sich etwa der weiteren Durchführung entgegenstellen, und welche Aussicht für die Ueberwindung dieser Hinder-

nisse vorhanden ist. Eine Vermehrung des technischen Details
würde dabei durchaus nicht nötig sein, dasselbe könnte vielmehr
auf die Mitteilung wichtiger neuer Mittel und Wege beschränkt
bleiben. Es ist auch durchaus nicht geboten, dass der Stand auch
der wichtigsten Fragen in allen Berichten charakterisiert wird,
sondern es genügen für jede diese Frage unter Umständen auch
mehrjährige Perioden. Nur muss ein bestimmtes Aussprechen
nach den obengenannten Richtungen verlangt, und es muss durchaus vermieden werden, dass man nur zusammenhangloses und
daher bedeutungsloses Detail und deswegen nichts Genaues erfährt, wenn man in einem Dutzend Berichten die Mitteilungen über
eine Frage nachliest. Es sollte ausgeschlossen sein, dass man
beim Zugreifen nichts in der Hand behält, weil die moluskenartige
Masse aus derselben entschlüpft. Ob die hier zur brauchbaren
Berichterstattuug nötige Verbesserung ohne einheitliche Leitung
des ganzen Aufsichtsdienstes, etwa lediglich durch freiwillige Uebereinstimmung der einzelnen Aufsichtsbeamten erreicht werden könnte,
mag billig bezweifelt werden. Ausdrücklich muss aber darauf
hingewiesen werden, dass die österreichischen Berichte nach dieser
Seite nicht besser, sondern eher ungenügender sind. So bestimmt
sie sich über bestehende allgemeine Zustände in den gewerblichen
Anlagen mit schon nachdrücklich anerkannter Offenheit aussprechen,
so wenig bieten sie positive Anhaltspunkte zur Urteilsbildung in
den hier in Rede stehenden Fragen.

In umgekehrtem Verhältnisse zu der Verwertung, welche
diese Mitteilungen nach irgend einer Seite finden können, steht
die Zeit, welche seitens der Aufsichtsbeamten auf diesen Teil des
Dienstes verwendet wird. Während er kaum beachtet wird, nimmt
er den ganz überwiegenden Teil der gesamten dienstlichen Thätigkeit in Anspruch. Anderseits beschäftigen die sozialpolitischen
Dinge, nach denen in den Berichten hauptsächlich gefahndet wird,
die Aufsichtsbeamten zur Zeit nur gelegentlich. Hierin liegt ein
auffallendes Missverhältnis, welches einerseits dadurch verursacht
wird, dass die Gebiete, die hier in Rede stehen, zu wenig kontrolliert werden, weder durch Leitung noch durch öffentliche Kritik,
und anderseits dadurch, dass die Aufsichtsbeamten hauptsächlich
gewerbepolizeiliche Beamte sind, und dass sie vielen sozialpolitischen Aufgaben durch die ganze Organisation des Dienstes völlig
fern stehen.

Der vierte Abschnitt der Berichte soll von dem S c h u t z e

d e r N a c h b a r n g e n e h m i g u n g s p f l i c h t i g e r A n l a g e n
h a n d e l n.

Hier tritt das sozialpolitische Interesse vollständig zurück.
Es handelt sich lediglich um gewerbepolizeiliche Dinge. Die
ganze Thätigkeit der Aufsichtsbeamten hat auf diesem Gebiete
durch Herausbildung einer konstanten Praxis in den in Betracht
kommenden Gebieten ohne Zweifel eine Verbesserung der Zustände
herbeigeführt, wenn es naturgemäss auch niemals gelingen kann,
auf dem Boden solcher streitiger Interessen alle Ansprüche zu
befriedigen, denn mit der Verdichtung der Industrie sind eben
Missstände verbunden, die in vielen Fällen nicht beseitigt, sondern
die nur vermindert werden können. Die Mitteilungen dieses Abschnittes haben nur Interesse für die Behörden und höchstens für
die einzelnen Interessenten, und es ist ganz gerechtfertigt, dass
sie vom Standpunkte der sozialpolitischen Beurteilung aus ignoriert
werden. Lehrreicher könnten diese Mitteilungen aber dadurch
gemacht werden, dass man im Sinne der zu dem vorigen Abschnitte gemachten Bemerkung das Angestrebte, das Erreichte
und die dem ferneren Fortschritte etwa entgegenstehenden Hindernisse mit voller Bestimmtheit erkennbar machen würde.

Der f ü n f t e und letzte Abschnitt der Berichte, der von den
w i r t s c h a f t l i c h e n u n d s i t t l i c h e n Z u s t ä n d e n d e r
A r b e i t e r b e v ö l k e r u n g handelt, ist in sozialpolitischer Beziehung einer der wichtigsten. Aus Hindernissen, die in der Natur
der Sache liegen, können aber die Berichte dem, was nach der
Ueberschrift des Abschnittes hier erwartet wird, nicht gerecht
werden. Um hier Urteile abzugeben, oder um auch nur skizzen-
artige Darstellungen in Bezug auf irgend einen Teil dieses Gebietes machen zu können, würde ein gründliches Untersuchen
wenigstens der hauptsächlichsten auf dasselbe Einfluss habenden
Faktoren nötig sein, während die Mittel, über welche die Aufsichtsbeamten verfügen, nur in den auf den Dienstreisen gemachten
Wahrnehmungen und den bei der Untersuchung einzelner Missstände gewonnenen Einblicken bestehen. Es kann daher auf
diesem Gebiete in der Regel kein geschlossenes Bild gegeben und
es können sichere Urteile nicht ausgesprochen werden. Ueber
das Missverhältnis zwischen der hier gestellten Aufgabe und den
zu ihrer Erreichung vorhandenen Mitteln habe ich mich in der
Einleitung der Monographie »Die soziale Lage der Cigarrenarbeiter
im Grossherzogtum Baden« eingehend ausgesprochen, ich glaube

es daher an dieser Stelle bei den gemachten Andeutungen bewenden lassen zu können. Dieses Missverhältnis führt dazu, dass
in diesem Abschnitte der Berichte nur eine Anzahl durch den
Zufall veranlasster Mitteilungen gemacht werden, wobei jedes tiefere
Eindringen in den Gegenstand ausgeschlossen ist und jeder zusammenfassende und einheitliche Gesichtspunkt, unter welchem
die Mitteilungen geordnet sind, fehlt. Die allgemeinen Mitteilungen
erschöpfen sich bald, sie können der Gefahr der Wiederholung
von ohnedem Bekanntem und des Verfallens in Gemeinplätze nur
schwer entgehen. Die gründliche Behandlung einer einzelnen
Frage in einer Monographie liegt aber kaum in der Aufgabe der
Jahresberichte. Ganz vorwiegend beschäftigen sich daher die Berichte in diesem Abschnitte mit der Schilderung neu entstandener
sog. Wohlfahrtseinrichtungen, weil dieselben sich bei einiger Aufmerksamkeit am leichtesten darbieten. Aber schon hier ergeben
sich gewisse in der Methode der Sammlung der Thatsachen oder
vielmehr in dem Mangel einer solchen Methode liegende Schwierigkeiten. So ganz leicht ist auch hier eine Vollständigkeit nicht
zu erreichen, weil manche Veranstaltungen der Arbeitgeber nicht
in die Augen springende äussere Einrichtungen, sondern Vorkeh-
rungen sind, welche nach bestimmten Grundsätzen mehr fördernd,
helfend und erziehend in das Leben der einzelnen Arbeiter eingreifen. Gerade das beste, was hier geschieht, entzieht sich leicht
der äusseren Wahrnehmung, weil die Arbeitgeber damit nicht in
die Oeffentlichkeit treten. Besonders schwierig ist es aber, durch
in dieser Weise gesammelte Mitteilungen den Arbeitgebern selbst
gerecht zu werden. Die Würdigung dessen, was geschieht, liegt
auch ohne direktes Aussprechen von Urteilen schon in der Art
und dem Umfange des Eingehens auf diese Einrichtungen. Ihr
Wert ist aber nicht immer proportional ihrer Ausdehnung und
dem Umfange der auf sie verwendeten Mittel. Hauptsächlich ist
aber zu berücksichtigen, dass nur der wohlhabende und geschäftlich schon sicherstehende Arbeitgeber sich den Aufwand für Wohlfahrtseinrichtungen gestatten kann, dass es daher grosse Bedenken
hat, die Arbeitgeber einseitig von diesem Gesichtspunkte aus zu
beurteilen. Bei der Schwierigkeit einer gleichmässigen und gerechten Beurteilung dieser Einrichtungen wird man sich daher in
der Regel mit ihrer Aufzählung unter Angabe ihrer äusseren Verhältnisse und ihres Umfanges beschränken. Abgesehen von der
Lückenhaftigkeit und der Ungleichmässigkeit solcher Mitteilungen

wird der Leser der Berichte aber auch im übrigen nicht viel mit ihnen anzufangen wissen, weil ihm die Mittel zu eigener Urteilsbildung nicht geboten werden. Thatsächlich sind denn auch die oft eingehenden Mitteilungen dieser Art ziemlich unbeachtet geblieben, insoweit sie nicht zu Beanstandungen wegen einer vermuteten Stellungnahme des Berichterstatters zu diesen Veranstaltungen Anlass gaben.

Auch die seit einiger Zeit errichtete Z e n t r a l s t e l l e f ü r A r b e i t e r - W o h l f a h r t s e i n r i c h t u n g e n hat den genannten Mängeln nicht abzuhelfen vermocht. Sie ist überhaupt nicht dazu bestimmt, in dieser Beziehung auf die Thätigkeit der Fabrikaufsichtsbeamten einzuwirken und sie gleichmässig zu gestalten. Sie hat vielmehr nur den Zweck, die Bestrebungen auf diesem Gebiete zusammenzufassen, hierdurch Anregungen zu geben, sowie auf eine zweckmässige Gestaltung der Wohlfahrtseinrichtungen hinzuwirken. Eine Einrichtung aber, die sich auf dem sozialpolitischen Gebiete nur mit den Wohlfahrtseinrichtungen zu beschäftigen hat, ist schon hierdurch der Gefahr einer einseitigen Beurteilung der sozialen Vorgänge und einer Ueberschätzung des sie in Anspruch nehmenden Teiles derselben ausgesetzt. Sie hat ferner noch weniger die Mittel zu einem genügend tiefen Eindringen in diese Dinge, als sie der gewöhnliche Dienst der Aufsichtsbeamten an die Hand giebt. Es ist daher nicht zu verwundern, wenn die Thätigkeit einer solchen Einrichtung vielfach eine unkritische ist, welche den ernsthaften Sozialpolitikern ebensowenig Befriedigung gewährt, als die Aufsichtsbeamten von ihrer eigenen Thätigkeit auf diesem Gebiete befriedigt sind.

––––––––––

Die vorstehenden Auseinandersetzungen über den Rahmen, in welchen die Jahresberichte der Fabrikaufsichtsbeamten sich bewegen sollen, und dasjenige, was die öffentliche Beurteilung von ihnen erwartet, lassen die Frage berechtigt erscheinen, ob die jetzige Art der Berichterstattung noch lange beibehalten werden kann. Schon die grosse Zahl der dargebotenen Berichte scheint der Bejahung dieser Frage entgegenzustehen, besonders wenn jeder dieser Berichte eine gewisse Vollständigkeit der Darstellung zu erreichen sucht. Das wird aber der Fall sein, so lange jeder Bericht gewissermassen ein selbständiges Ganzes darzustellen hat, bei welchem aus dem Nichteingehen auf wichtigere Seiten des

Gegenstandes auf ein Uebersehen derselben beim Vollzuge des
Dienstes geschlossen werden könnte. Auch bei der jetzigen Zusammenfassung der Berichterstattung für grössere Bezirke handelt
es sich um etwa fünfzig in die Oeffentlichkeit tretende Berichte.
Würden dieselben nur für die den Beamten vorgesetzten Behörden
bestimmt sein, welche denselben immerhin manche Veranlassung
zu Massnahmen zu entnehmen vermögen, so wäre die grosse Zahl
nicht weiter störend. Allein diese Berichte sind auch schon deswegen für die Oeffentlichkeit bestimmt, weil der § 139b der Gewerbeordnung vorschreibt, dass sie oder Auszüge aus denselben dem
Bundesrate und dem Reichstage vorzulegen sind. Ausserdem erheben
die Sozialpolitiker aller Richtungen den Anspruch, dass die Berichte
eine fortlaufende Orientierung über die Wirkungen und den Vollzug
der Arbeiterschutzgesetzgebung und über die Lage der Arbeiterbevölkerung, sowie über alle hierin eintretenden Veränderungen
gewähren. Nach dieser Richtung erfüllt nun die jetzige Art der
Berichterstattung ihren Zweck nicht in genügender Weise. Schon
ihre grosse Zahl würde auch abgesehen von den sonstigen Ausstellungen ihrer Benützung hinderlich sein, da sie einen leichten
Ueberblick nicht zulässt. Aber auch die Behandlung der Dinge
selbst, ist trotz des den Beamten an die Hand gegebenen Schemas,
wie bezüglich der einzelnen Abschnitte der Berichte dargethan
wurde, eine zu verschiedenartige, als dass eine einigermassen
fruchtbare Benützung dieses schon durch seine Weitschichtigkeit
unbequemen Materials möglich wäre. Hierdurch entsteht auch
ein sicher in weiten Kreisen peinlich empfundener Gegensatz zwischen der für die Berichterstattung im deutschen Reiche aufgewendeten äusseren Arbeitsleistung und ihrem Nutzen.

Es wird nun versucht, diesen Missständen dadurch abzuhelfen, dass zur Vorlage an den Bundesrat und den Reichstag
ein besonderer A u s z u g   a u s   d e n   s ä m t l i c h e n   B e r i c h t e n
im Reichsamte des Innern hergestellt wird. Hier liegt eine neue
mit grösster Sorgfalt geleistete Arbeit vor, deren Schwierigkeit in
der Oeffentlichkeit gewöhnlich unterschätzt und welche fast durchweg ungerecht beurteilt wird, wenn auch manche der gemachten
Ausstellungen begründet sind. Sogar die Objektivität dieser Auszüge wird oft angezweifelt, was mindestens das Zeichen einer nicht
gründlichen Beurteilung dieser Veröffentlichung ist. Gerade das
Gegenteil ist richtig und die Mängel, welche dem amtlichen Auszuge anhaften, liegen trotz der grössten Sorgfalt, die auf sie ver-

wendet wird, gerade darin, dass die Bearbeiter durch die Verhältnisse, die ihnen einfach gegeben sind, wenn man so sagen
darf, zu einer zu grossen Objektivität, zu einer gleichmässigen
Berücksichtigung aller positiven Mitteilungen und aller bestimmt
ausgesprochenen Urteile der einzelnen Berichte sich für verpflichtet
halten. Hierdurch entsteht ein unvermitteltes Nebeneinanderstellen
von nur äusserlich im Zusammenhang stehenden Dingen und von
sich widersprechenden Betrachtungsweisen und Urteilen, welches
beabsichtigt sein mag, um die einzelnen Berichterstatter möglichst
unmittelbar zum Worte kommen zu lassen, welches aber den
Eindruck einer kritiklosen Behandlung hervorruft und ohne Zweifel
die Lektüre der Auszüge zu einer sehr ermüdenden Beschäftigung
macht. Diejenigen, welche diese Auszüge benützen wollen, empfinden diese zu grosse Rücksichtnahme auf die einzelnen Berichterstatter und auf den gesamten Inhalt der Berichte deswegen
störend, weil es ihnen hierdurch unmöglich gemacht wird, sich
in irgend einer Frage ein Urteil zu bilden. Die Menge des un-
vermittelt neben einander gestellten Details wirkt verwirrend und
die Mittel, diesem Detail gegenüber eine eigene Kritik eintreten
zu lassen, sind dem Leser der Auszüge nicht geboten.

Die oben genannten Missstände können durch irgend welche
Verbesserung der Leistungen unter den bestehenden Verhältnissen
nicht beseitigt werden. Was durch Gewissenhaftigkeit und sorgfältige Arbeit bei Bearbeitung der Auszüge geleistet werden kann,
ist schon geleistet. Das Hindernis der Beseitigung der Missstände
liegt hier darin, dass die Bearbeiter der Jahresberichte nicht über
dem Inhalt derselben stehen, sondern dass dieser Inhalt für sie
nach den vorhandenen Umständen zu massgebend ist. Es kommt
hier zweierlei in Betracht. Einmal müsste auf die Berichterstattung selbst hinsichtlich einer gleichmässigen Art der
Dienstführung eingewirkt werden können, wodurch auch
die Berichterstattungen den an ihre Verwertbarkeit zu stellenden
Ansprüchen besser entsprochen würden. Ausserdem müssten die Bearbeiter der Jahresberichte über den
Berichterstattern und dem von ihnen gebotenen
Material stehen, so dass sie in der Lage wären, dasselbe
in kritischer und völlig freier Weise zu benützen. Es würde dadurch mit Notwendigkeit ein eigener Bericht der Bearbeiter, welche zugleich die obersten Leiter des Fabrikauf-
sichtsdienstes wären, entstehen und für den sie die ausschliessliche

Verantwortlichkeit zu tragen hätten. Eine solche durchgreifende
Aenderung würde zwar manchen Schwierigkeiten politischer und
auch sachlicher Art begegnen und sie würde sich nicht ohne
heftigen Widerspruch vollziehen. Das allein wäre aber kein Hindernis,
wenn einmal diese Richtung der Entwickelung der Verhältnisse
von den massgebenden Kreisen und dem berufenen Teile der öffentlichen Meinung als die richtige anerkannt wäre. Gegenwärtig
sind die Ansichten über diese Seite des Gegenstandes in der
Oeffentlichkeit noch wenig geklärt. Man wird sich aber mehr als
bis jetzt geschehen ist, darüber eine deutliche Vorstellung machen
müssen, was unter den jetzigen Verhältnissen allein erreichbar
ist, und welche Wege eingeschlagen werden müssten, wenn man
anderes erreichen will. Für eine etwa später in Betracht kommende Erstattung eines wirklichen Gesamtberichtes, hinter welchem
die Einzelberichte verschwinden könnten, oder doch sehr zurücktreten müssten, giebt der Bericht des österreichischen Zentral-
gewerbeinspektors kein geeignetes Vorbild ab. Derselbe ist ein
sehr gut gemachtes, relativ kurz gefasstes Resümee. Er ist aber
keine selbständige, die Fragen des Dienstes beherrschende und
sie leitende Arbeit, was damit zusammenhängen mag, dass die
Gewerbeaufsichtsbeamten den oberen Behörden der einzelnen
Kronländer unterstehen und dass der Zentralgewerbeinspektor
ihnen gegenüber eine durchgreifend leitende Befugnis nicht zu
haben scheint. Die grosse persönliche Autorität, welche derselbe
besonders auch den Aufsichtsbeamten gegenüber geniesst, kann
diesen Mangel nicht ausgleichen. Ein solches Vorbild könnte
der Art nach nur der jährliche Bericht des englischen Chief In-
spectors of Factories abgeben, freilich ohne dass wir die Dürftigkeit seines Inhaltes uns zum Muster zu nehmen brauchten.

Nachdem die Besprechung gezeigt hat, dass unter den vorliegenden Verhältnissen die Berichterstattung über die Fabrikaufsicht in Deutschland wesentlich grösseren Ansprüchen, als sie
jetzt erfüllt werden, aus Gründen der Organisation nicht genügen
kann, ist sie an der Grenze angelangt, wo in positiver Weise auf
Vorschläge zu Aenderung der Organisation zu machen wären.
Das war aber nicht der Zweck der vorliegenden Arbeit. Es
muss daher bei den in dieser Beziehung gemachten gelegentlichen
Andeutungen um so mehr sein Bewenden haben, als die öffentliche Diskussion sich dieser Seite des Gegenstandes noch kaum
bemächtigt hat, und daher die Frage für positive Vorschläge noch

nicht genügend vorgeschritten und reif ist. Auch würde die dienstliche Stellung des Verfassers es ihm nicht passend erscheinen lassen, in dieser Frage in der Oeffentlichkeit das Wort zu ergreifen.

Der Widerspruch zwischen den Ansprüchen, welche an die Berichterstattung der Fabrikaufsichtsbeamten gemacht werden, und dem, was sie unter den gegebenen Verhältnissen zu leisten im stande ist, kann aber sehr wohl auch auf andere als die vorhin angedeutete Art ausgeglichen werden. In dem Masse, als für die Aufklärung sozialer Zustände zum Zwecke der Prüfung der etwa vorhandenen Missstände oder der Vorbereitung gesetzgeberischen Eingreifens besondere Einrichtungen geschaffen werden, werden die Berichte der Fabrikaufsichtsbeamten mehr und mehr nur Geschäftsberichte über den Vollzug ihres Dienstes im engeren Sinne zu sein brauchen, und es wird dann der an sie zur Zeit vielfach gemachte Anspruch wegfallen, eine fortlaufende sozialpolitische Enquete sein zu sollen. Bezüglich solcher die Ansprüche der letzteren Art befriedigenden Einrichtungen kann man zunächst zwar nur an die Reichskommission für Arbeiterstatistik denken. Zweifellos wird aber schon diese Einrichtung die an die Berichte der Fabrikaufsichtsbeamten gemachten Ansprüche etwas vermindern. Es ist auch nicht ausgeschlossen, dass Einrichtungen dieser Art sich mehr und mehr der Aufsichtsbeamten als Hilfsorganen bemächtigen, und dass schon hierdurch eine Einheitlichkeit ihres Dienstes wenigstens nach bestimmten Richtungen hergestellt wird.

II. MISZELLEN.

—e. *Zur Statistik der Volksabstimmungen in der Schweiz.* Eine ausführliche Tabellen-Darstellung über diesen Gegenstand, welche sich im
2. Bande des »Jahrbuchs der schweizer. Statistik« befindet, verdient
alle Beachtung des Verfassungspolitikers als sehr schätzbarer Beitrag
zur exakten Erfassung der unter verschiedenen Voraussetzungen der
Volkswirtschaft, der Konfession u. s. w. verschiedenartigen Aeusserungen
der »politischen Volksseele«. — Die eidgenössischen Volksabstimmungen
sind teils o b l i g a t o r i s c h, nämlich bezüglich der Verfassungsände-
rungen, teils sind sie bedingt durch das Verlangen der unmittelbaren
Volksgenehmigung von Gesetzen, welche die Bundesversammlung beschlossen hat, seitens mindestens 30 000 Stimmberechtigter (oder acht
Kantone. Mit a. W., es sind teils V e r f a s s u n g s -, teils R e f e r e n -
d u m s - Volksabstimmungen. Die Verfassungsabstimmungen finden nicht
nach der einfachen Stimmenmehrheit des ungeteilten Schweizervolkes,
sondern nach sog. S t a n d e s s t i m m e n statt, indem nach Art. 121
3. alinea der 1874er Verfassung das Ergebnis der Volksabstimmung in
j e d e m K a n t o n als Standesstimme des letzteren zu gelten hat. —
Seit 1848 hatte im ganzen das Schweizervolk über 39 einzelne Vorlagen
sich auszusprechen und hiezu 23 Male sich an die Urne zu begeben.
Von den 39 Vorlagen wurden 15 angenommen, 24, also die M e h r z a h l
v e r w o r f e n. — Eine besondere Tabelle giebt Aufschluss über die
durchschnittliche Zahl der leeren und ungültigen Stimmzettel seit 1884.

	Ungültige und leere Stimmen	
	durch-schnittlich	0/0 der einge-legten Stimmen
Zürich	7 168	12,2
Bern	2 907	5,5
Luzern	319	2,1
Schweiz	17 839	4,7

Danach steht der Kanton Zürich mit der weitaus grössten Verhältnis-
zahl der leeren und ungültigen Stimmen obenan; es werden da durch
den S t i m m z w a n g viele Bürger zur Urne geführt, die sich über die
betreffenden Gesetze kein Urteil gebildet haben und daher leer ein-
legen. Das Nämliche trifft, wenn schon in weniger starkem Masse,
auch bei andern Kantonen mit der Einrichtung des Stimmzwanges zu.

Die Referendumsunterschriften (gegen 19 Vorlagen)
betragen im Mittel ca. 79 000; ihre Zahl bewegt sich von 35 886 beim
Banknotengesetz (Abstimmung 9. April 1876) bis zu 108 674 beim Stimmrechtsgesetz I (Abstimmung 23. Mai 1875); die weitaus grösste Unterschriftenzahl, nämlich 180 995, kam g e g e n die Vollziehung des S c h u l
artikels der Bundesverfassung (Abstimmung 26. November 1882) zu
Stande. Der Umstand, dass die erreichte Unterschriftenzahl gewöhnlich 30 000 weit übersteigt und im Mittel sogar mehr als das 2$\frac{1}{2}$fache
derselben beträgt, beweist wohl, dass dieses Minimum ein leicht erreichbares genannt werden darf. — 6 Vorlagen, gegen welche durchschnittlich 61 022 Unterschriften aufkamen, wurden angenommen; 13 Vorlagen
mit durchschnittlich 87 568 gegen sie aufgebrachten Unterschriften wurden verworfen. Es geht hieraus hervor, dass die Gefahr der Verwerfung
eines angefochtenen Gesetzes im allgemeinen mit der Zahl der Referendumsunterschriften wächst. — Bemerkenswert ist, dass die Kantone
mit der verhältnismässig kleinsten Unterschriftenzahl gerade die a n
n e h m e n d e n Kantone sind, nämlich Zürich, Glarus, beide Basel,
Schaffhausen, Appenzell A.-Rh., Thurgau und Neuenburg.

Nach dem V e r h ä l t n i s d e r A n n e h m e n d e n u n d V e r
w e r f e n d e n bei allen 39 Vorlagen wird folgende Reihenfolge der annehmenden Kantone festgestellt:

Kantone	Annehmende Mehrheit. 0/0 der gültigen Stimmen	Kantone	Annehmende Mehrheit. 0/0 der gültigen Stimmen
1) Zürich	67,2	6) Basel-Land	59,5
2) Basel-Stadt	66,0	7) Solothurn	57,8
3) Thurgau	65,3	8) Glarus	57,5
4) Neuenburg	60,6	9) Aargau	52,5
5) Schaffhausen	60,5		

Die grössten verwerfenden Mehrheiten ergeben Uri mit 75,2 und Appenzell I.-Rh. mit 79,7 Proz. der gültigen Stimmen.

Die V e r f a s s u n g s vorlagen erfahren im allgemeinen in den
meisten Kantonen eine günstigere Beurteilung, als die Referendumsvorlagen. Bei jenen giebt es 12 annehmende Kantone mit bejahendem
Gesamtergebnis, während bei Referendumsabstimmungen nur 8 Kantone
annehmen und das Gesamtergebnis durchschnittlich ein negatives ist.
Dieses günstigere Verhältnis bei den Verfassungsabstimmungen betrifft
nicht die Kantone Baselstadt, Graubündten und Waadt, welche bei den
Referendumsvorlagen mehr »Ja« abgeben als bei den Verfassungsvorlagen, und den Kanton Appenzell A.-Rh., welcher die ersteren annimmt
und die letzteren verwirft.

—e. *Das Initiativbegehren für das Recht auf Arbeit in der Schweiz.*
»Schweizerische Blätter für Wirtschafts- und Sozialpolitik (Halbmonatsschrift, Nr. 1)«
Bern, H. Muller. 1893.

Unter der Redaktion von *Otto Mühlschleger* erscheint seit 1. Juli die überschriftlich genannte neue Halbmonatschrift. Derselben ist ein grosser Kreis namhafter Mitarbeiter gesichert, wie das Titelblatt ergiebt. Die vorliegende erste Nummer erweist sich frisch und anregend geschrieben. Der Inhalt ist ein reichhaltiger. Die »Einfuhrung« verspricht, dass die Zeitschrift »kein Parteiorgan, sondern ein Mittelpunkt sachlicher Diskussion der sozialpolitischen Bestrebungen sein« wolle. Diese sachliche Diskussion verspricht jedoch im guten Sinne demokratisch, praktisch, schweizerisch zu werden. Der erste Artikel, vom H. Herausgeber geschrieben, ist betitelt »D a s R e c h t a u f A r b e i t i n d e r S c h w e i z«. Hiebei erfährt man genauer die Vorgänge, aus welchen das I n i t i a t i v b e g e h r e n f ü r d a s R e c h t a u f A r b e i t hervorgegangen ist, für welche die erforderlichen 50 000 Stimmen zur Zeit noch gesammelt werden. Dieses von der Sozialdemokratie und den Grütlianern gestellte Begehren lautet: »Das Recht auf ausreichend lohnende Arbeit ist jedem Schweizerbürger gewährleistet. Die Gesetzgebung des Bundes hat diesem Grundsatz unter Mitwirkung der Kantone und der Gemeinden in jeder möglichen Weise praktische Geltung zu verschaffen. Insbesondere sollen Bestimmungen getroffen werden: a. zum Zwecke genügender Fürsorge für Arbeitsgelegenheit, namentlich durch eine auf möglichst viel Gewerbe und Berufe sich erstreckende Verkürzung der Arbeitszeit; b. für wirksamen und unentgeltlichen öffentlichen Arbeitsnachweis, gestützt auf die Fachorganisation der Arbeiter; c. für Schutz der Arbeiter und Angestellten gegen ungerechtfertigte Entlassung und Arbeitsentziehung; d. für sichere und ausreichende Unterstützung unverschuldet ganz oder teilweise Arbeitsloser, sei es auf dem Wege der öffentlichen Versicherung gegen die Folgen der Arbeitslosigkeit, sei es durch Unterstützung privater Versicherungsinstitute der Arbeiter aus öffentlichen Mitteln; e. für praktischen Schutz der Vereinsfreiheit, insbesondere für ungehinderte Bildung von Arbeiterverbänden, zur Wahrung der Interessen der Arbeiter gegenüber ihren Arbeitgebern und für ungehinderten Beitritt zu solchen Verbänden; f. für Begründung und Sicherung einer öffentlichen Rechtsstellung der Arbeiter gegenüber ihren Arbeitgebern und demokratische Organisation der Arbeit in den Fabriken und ähnlichen Geschäften, vorab des Staates und der Gemeinden.«

—e. *Bestreitung der Leichenbestattung und Urnenaufbewahrung im Kanton Zürich.* — Nach einem Schriftchen, welches unter dem Titel »Soziale, kommunale und staatliche Anforderungen an das Bestattungswesen« 1893 erschienen ist, verfügt das Züricher Bestattungsgesetz vom 29. Juni 1890 das Folgende: Die gesamten Kosten des Begräbnisses für Reiche und Arme werden von Staat und Gemeinde gemeinsam getragen und zwar so, dass der Staat — Kanton — zu jedem Begräbnisse für seine Rechnung einen festen Begräbniss-Beitrag von 10 Fr. und ausserdem einen gesetzlich bestimmten Beitrag zu den Friedhofsanlagen leistet, während der Rest der Kosten von der Gemeinde zu bestreiten ist. Die Leistung der Gemeinde umfasst aber — und wie gesagt, für jedes Begräbnis — die Leichenschau, die Bekanntmachung der Bestattung, die Lieferung des Sarges und die Einsargung, die Verbringung auf den Friedhof, das Oeffnen und Zudecken des Grabes, die Bezeichnung des Grabes und sogar den einfachen Schmuck der Gräber mit Pflanzen. — Nach dem Beschluss des Regierungsrates betreffend die Feuerbestattung im Krematorium auf dem Zentralfriedhofe der Stadt Zürich (13. April 1889) soll die Asche jeder verbrannten Leiche in besonderer, deutlich bezeichneter, mit einer dem Register entsprechenden Ordnungsnummer versehenen Urne während 20 Jahre, vom Tage der Bestattung an auf dem Friedhofe aufbewahrt werden. Nach Ablauf dieser Frist steht es den nächsten Angehörigen frei, die Urne in eigene Verwahrung zu nehmen. Sofern dieselben trotz Mitteilung sich nicht dafür verwenden, soll die in der Urne enthaltene Asche an geeigneter Stelle der Erde übergeben werden. Ausnahmsweise kann auf motiviertes Ersuchen der nächsten Angehörigen die Ausfolgung der Asche in verschlossener, versiegelter Urne zur Beisetzung auf einem auswärtigen Friedhofe bewilligt werden.

—e. *Die ersten drei Jahre (1889/91) Unfallversicherung im cisleithanischen Oesterreich.* — Vor dem Wiener Reichsrate liegt ein Ges.-Entw. über erhebliche Ausdehnung der Unfallversicherung (Transportgewerbe u. s. w.). Ueber diesen Entwurf hat der Gewerbeausschuss des Reichsrates einen interessanten Bericht erstattet, welcher neben reichem statistischem Material beachtenswerte Urteile enthält. In den letzteren wird weder über das Territorialprinzip (7 Landesanstalten), noch über das Kapitaldeckungsverfahren, desto mehr aber über den Bureaukratismus der Verwaltung geklagt. Bemerkenswert ist auch die entschiedene Vertretung der Unfallversicherung für Land- und Forstwirtschaft. Wir entnehmen aus dem Berichte das Folgende: Nächst der unleugbaren Ungunst der Gebarungsergebnisse war es die organisatorische Seite der Unfallversicherung, welche unwidersprochen abfalliger Beurteilung im Schosse des Ausschusses begegnete. Nicht die Solidität der Grundlagen nach der versicherungstechnischen Seite hin wurde angezweifelt, in dieser Richtung wurde vielmehr sorgfältige und gewissenhafte Pflege als vorhanden anerkannt; allein nach der administrativen Seite hin gab es über den thatsächlichen Mangel einer einheitlichen, von grossen Gesichtspunkten ausgehenden Leitung dieses neuen und darum doppelt schwierigen Verwaltungszweiges, sowie rücksichtlich der bedauerlichen Konsequenzen dieses Mangels keine Meinungsverschiedenheit. In der

That erscheinen schon durch die bisherige dreijährige Praxis Wahrnehmungen der bedenklichsten Art nahegelegt, Wahrnehmungen, die es erklären, wie es kommt, dass die Institution selbst sich nur schwer einlebt und dass die beteiligen Kreise, sowohl die das Gros der Versicherungslast tragenden Arbeitgeber, als die v e r s i c h e r t e n Arbeiter, letztere trotz der ihnen eingeräumten Teilnahme an der Verwaltung, d e r   n e u e n   I n s t i t u t i o n   ü b e r a u s   k r i t i s c h,   u m   n i c h t z u   s a g e n   d i r e k t   ü b e l w o l l e n d   g e g e n ü b e r s t e h e n.

Es geht, um die Hauptsache kurz zu kennzeichnen, durch die ganze Institution in Oesterreich ein so stark prononciert b u r e a u k r a t i s c h e r Zug, dass von autonomer Verwaltung auch nur im bescheidensten Sinne des Wortes nicht gesprochen werden kann. Die territorialen Versicherungsanstalten sind nicht, was sie sein sollen, Einzelglieder eines selbstständigen, vom Staate lediglich überwachten sozialen Gebildes mit vorwiegendem Selbstverwaltungscharakter, sondern sie sind — schon in ihrer Abgrenzung von allem Anfange her ausschliesslich das Werk der Regierung — eigentlich s t a a t l i c h e Anstalten mit vorwiegend bureaukratischem Amtscharakter; als solche werden sie, entgegen ihrer Zweckbestimmung, thatsächlich geleitet und von der Bevölkerung auch angesehen und beurteilt. Jede dieser Anstalten ressortiert von der, obendrein auch noch durch eines ihrer Mitglieder im Vorstande der Anstalt einflussreich vertretenen Landesbehörde ihres Sitzes und erst in zweiter Instanz vom Ministerium des Innern — eine Organisation, welche die Verwaltung kompliziert und verzögert, den Geschäftsgang verschleppt und Verschiedenheit der Entscheidungen umsomehr herbeiführt, als diese Landesbehörden über ein sachverständiges, fachlich geschultes Personal für diesen völlig neuen Zweig sozialer Verwaltung nur in den seltensten Fällen verfügen. Angesichts der höchst bedauerlichen Erfahrungen, welche diese eine unnötige Behelligung der Behörden, der Versicherer, wie der Versicherten, aber auch der Versicherungsanstalten herbeiführende Organisation bereits zu Tage gefördert hat, liegt es nahe genug, die Sachlage im Deutschen Reiche damit in Vergleich zu bringen, wo — völlig abgesehen davon, dass dort von Anfang die Bildung der Berufsgenossenschaften wesentlich in das Ermessen der Genossenschaftsmitglieder gestellt worden ist — die Berufsgenossenschaften direkt dem an die Spitze des ganzen neuen Verwaltungszweiges gestellten, nichts weniger als bureaukratisch organisierten, mit grosser Selbständigkeit ausgestatteten R e i c h s v e r s i c h e-r u n g s a m t e unterstellt sind, wo auf solche Weise der Erledigungszug abgekürzt ist, Verschiedenheit der Entscheidungen grundsätzlich vermieden wurde und der ganze, ungleich grössere Apparat in der erfolgreichsten und zufriedenstellendsten Weise fungiert! Die so angeregte Vergleichung zwischen hier und dort nach der Seite der Personalfrage weiter auszudehnen, soll hier nicht einmal versucht werden. Nur das

sei in dieser Richtung hier angedeutet, dass der Mangel einer kraftvollen und zielbewussten persönlichen Leitung auf dem Gebiete des
sozialen Versicherungswesens in Oesterreich mit zu den Wahrnehmungen
gehört, welche sich dem Ausschusse bei diesem Anlasse aufgedrängt
haben.

Jener bureaukratische Zug, welcher der Unfallversicherung in Oesterreich anhaftet, erstreckt sich übrigens auch auf die territorialen Versicherungsanstalten selbst. Innerhalb des engeren Rahmens der letzteren
selbst besteht sozusagen ein dreifacher Instanzenzug, der ihre freie
Entwicklung organisch behindert. Die Direktoren dieser Anstalten,
welchen thatsächlich die Geschäftsgebarung obliegt, werden von den
Vorständen der Anstalten ernannt, aber deren Bestellung wie deren
Entlassung bedarf staatlicher Genehmigung, ein Verhältnis der Abhängigkeit, welches für sie nur zu sehr mit der Versuchung verbunden ist,
sich als Organe eines staatlichen Amtes statt als Geschäftsleiter eines
Arbeiter-Versicherungsinstitutes zu geben. Ein selbständiger Wirkungskreis ist ihnen übrigens nicht eingeraumt und sie gehören, obgleich
faktisch mit der eigentlichen Geschäftsgebarung betraut, nicht einmal
zu den verantwortlichen Organen der Anstalten, denn dem Direktor
jeder Anstalt übergeordnet und eigentlich verantwortlich ist nach dem
Staat der vielköpfige, aus 18 Mitgliedern bestehende Vorstand der Anstalt, respektive als zweite Verwaltungsinstanz der sogenannte »Ver-
waltungsauschuss«, welcher als Exekutivorgan, allerdings nur formell,
die Geschäfte der Anstalt besorgt. Als besonders glücklich und gelungen kann diese nicht im Gesetze, sondern lediglich in dem amtlich
hinausgegebenen und von den Anstalten accepierten Musterstatute begründete Organisation ebensowenig bezeichnet werden, als etwa auf
Grund der gemachten Erfahrungen behauptet werden könnte, dass Ver-
schleppungen ausgeschlossen und eine rasche, koulante Geschäftsbe-
handlung auf solche Weise verbürgt sei. Thatsächlich bildet auch beispielsweise die Rückwirkung des gekennzeichneten dreifachen Instanzen-
zuges auf das Entschädigungsverfahren eine der stehenden Klagen in
den Kreisen der versicherten Arbeiter.

Auch der durch § 49 des Unfallversicherungsgesetzes »zur Unterstützung des Ministers des Innern bei der ihm nach diesem Gesetze
vorbehaltenen Wirksamkeit« geschaffenen Institution des Versiche-
rungsbeirats ist zu gedenken. Durch das Gesetz selbst schon,
noch mehr aber durch die Ausführungsverordnung vom 30. März 1888,
insbesondere aber durch die §§ 2, 3 und 6 dieser Verordnung in seinem
Wirkungskreise von vornherein zweckwidrig beschränkt, vermöge seiner
Zusammensetzung — der Leiter des versicherungstechnischen Amtes
im Ministerium des Innern wurde zugleich als Vorsitzender an die
Spitze des Beirates gestellt — von allem Anbeginn unabhängigen Charakters entkleidet, hat dieser Beirat nicht nur den Mangel einer ein-

heitlichen kraftvollen Zentralbehörde nicht zu ersetzen, sondern thatsächlich überhaupt weder mittelbar noch unmittelbar einen wahrnehmbaren Einfluss auszuüben vermocht, und eine ernste sachliche Inbe-
trachtnahme der grundsätzlichen Mängel der bestehenden Organisation
wird sich demnach auch auf diesen Punkt zu erstrecken haben.«

—e. *Zur Wirkung der Getreideausfuhrverbote bei modernen Verkehrs-*
verhältnissen. — Ueber diesen interessanten Gegenstand äussern sich,
was das russische Verbot im Hungerjahr 1891 betrifft, der österreichische und der deutsche Konsularbericht aus Odessa fast übereinstimmend. — Das österreichische Konsulat berichtet: »Als Rückwirkung der Ausnahmsmassregeln für die Situation des Odessaer Marktes
ergab sich zunächst bei Vergleich der im letzten Jahre aus Odessa exportierten Cerealien pr. 13 734,690 q mit dem Export von 1890 pr.
14 585,378 q die überraschende Erscheinung, dass die Getreideausfuhr
von Odessa trotz der Prohibition im vergangenen Jahre nur um ein
relativ unbeträchtliches Quantum, nämlich 850,688 q, abgenommen hat.
Diese Thatsache erklärt sich dadurch, dass der hiesige Markt von den
Ausfuhrverboten frühzeitig verständigt und die hiebei jeweilig gewährten
Fristen rasch ausnützend, noch immer genügende Zeit fand, um sich
des grössten Teiles seiner Vorräte auf dem gewohnten Exportwege
nach aussen zu entledigen. Thatsächlich wurde dieses Resultat aber,
wie sich bald erwies, nur mit schweren Opfern und vielfachen kommerziellen Nachteilen erreicht. Das Exportgeschäft nahm einen überhasteten
Charakter mit gewagten Spekulationen an, und vollzog sich in vielen
Fällen zu so hoch getriebenen Preisen und Frachtsätzen, dass namentlich infolge der gerade im vorigen Jahre übermächtig auftretenden
amerikanischen Konkurrenz vielfache Verluste nicht ausbleiben konnten.
Eine Verschärfung der Situation bildete es, dass mit dem Aufhören
des Getreideexportes unmittelbar vor Eintritt des Winters eine sehr
grosse Zahl (zumindest 10 000) Hafen- und Magazinsarbeiter beschäf-
tigungslos wurden und in die prekärste Lage gerieten. Nach dem Vorstehenden darf gesagt werden, dass die Ausfuhrverbote, wenigstens was speziell den Odessaer Getreidemarkt betrifft, kein befriedigendes Resultat ergeben haben, da einerseits der Zweck,
grössere Abschübe nach aussen zu vermeiden, nur in sehr unbeträcht-
lichem Masse erreicht, anderseits aber der Handel dieses Platzes in
seinem wichtigsten Zweige zweifellos geschädigt worden ist. An der
Verproviantierung Zentralrusslands mit Getreidevorräten konnte Odessa
nur in geringem Masse teilnehmen; in dieser Beziehung fiel die Haupt-
rolle Rostoff am Don zu, welches durch seine Lage und seine ständigen Geschäftsbeziehungen den natürlichen Zwischenmarkt für die
inneren Gouvernements im Getreideverkehr mit dem Kaukasus bildet,

dessen Vorräte hier eben in Betracht kamen. Rostoff beförderte bis Ende 1891 gegen 12 Millionen q zumeist kaukasischen Getreides nach dem Inneren Russlands.« — Der deutsche Konsularbericht aus Odessa für 1891 bemerkt: »Das Jahr 1891 ist für den Handel Odessas kein günstiges zu nennen, wenngleich die Handelsbilanz sich gegen das Vorjahr wenig geändert hat. Der Ueberschuss der Ausfuhr über die Einfuhr betrug hiernach im Jahre 1891 93 255 523 Rubel gegen 94 696 000 Rubel im Jahre 1890, blieb also gegen das Vorjahr um ein ganz Geringes zurück. Der Ueberschuss wäre in Anbetracht dessen, dass die Ernte des Jahres 1891 in den südlichen Gouvernements mit geringen Ausnahmen eine nicht ungünstige gewesen ist, bedeutend grösser gewesen, wenn nicht die Ausfuhr von Roggen mit dem 27./15. August, von anderen Getreidearten mit dem 2. Nov./21. Okt. und von Weizen und Weizenmehl mit dem 24./12. Nov. infolge der ergangenen Ausfuhrverbote ihr Ende erreicht hätte. Diese Ausfuhrverbote trafen den Handel Odessas in dem Hauptausfuhrartikel, Getreide, am empfindlichsten. Die lange vor dem Erlass der Ausfuhrverbote bestehenden Gerüchte über dieselben veranlassten eine Spekulation, welche grosse materielle Verluste für Odessa nach sich gezogen hat. Sowohl diejenigen Kaufleute, welche Getreide zu hohen Preisen (Winter- und Sommerweizen stiegen bis zu 1,35 Rubel pro Pud und Roggen auf 1,52 Rubel) aufgekauft und dasselbe zu hohen Frachtsätzen (die Dampferfrachten hoben sich von 18 Schill. auf 25, 30, 35 und 40 Schill.) ins Ausland gesandt hatten, als auch diejenigen, welche das Getreide aufgespeichert hatten in der Erwartung, dass die Preise im Hinblick auf den Notstand im Osten des Reiches noch höher steigen würden, sahen sich in ihren Erwartungen getäuscht und konnten nicht ohne empfindliche Verluste verkaufen. Selbst die Produzenten, die Gutsbesitzer, spekulierten und mussten schliesslich, nachdem sie annehmbare Preise abgewiesen, sich mit denjenigen Preisen begnügen, welche infolge des Nichtabflusses des Getreides ins Ausland sich sehr niedrig stellten. Die Getreidepreise wurden eben durch die Ausfuhrverbote ungewöhnlich in die Höhe getrieben und fielen danach fast beständig.«

—e. *Die Sklaverei in Kamerun.* Ueber diesen Gegenstand liegt durch das »Deutsche Kolonialblatt« ein Bericht des Kais. Deutschen Gouverneurs *Zimmerer* vor, welcher für die vergleichende Rechts- und Wirtschaftsgeschichte interessant ist. (Vergl. »D. R.Anz.« 1892, Nr. 245.) Der Bericht unterscheidet zwischen Sklaverei und Dienstherrschaft. Sklaverei kann in Kamerun nicht mehr, weder durch den Einfuhrhandel, der unterdrückt ist, noch durch Unterwerfung innerhalb Gebietes entstehen. Selbst die neugeborenen Kinder überkommener Sklaven von ehedem werden als Halbfreie behandelt. Soweit der Sklavenbesitz fortbesteht, hat derjenige Nichteingeborene, welcher Sklaven mietet, es

rechtlich nur mit dem Herrn des Sklaven zu thun. Der Sklave ist
»t h e o r e t i s c h betrachtet nichts anderes als ein Vermögensstück
seines Herrn; er sowie seine Kinder können vom Herrn beliebig veräussert werden, er und die Seinen müssen für den Herrn arbeiten, er
kann nicht vor Gericht auftreten u. s. w. In W i r k l i c h k e i t aber
ist das Verhältnis des Sklaven zum Herrn ein ganz anderes, und ein
Freier, der sein Recht gegenüber dem Sklaven bis zu den äussersten
Konsequenzen obigen Prinzips üben wollte, würde, soweit ihm nicht
durch andere Einflüsse Einhalt geboten werden sollte, wozu H. *Zimmerer*
insbesondere den Widerstand der Mitsklaven rechnet, sich jedenfalls
der grössten Missbilligung seitens seiner Stammesgenossen aussetzen.
Schon die einfache Veräusserung eines Sklaven gilt wenigstens unter
der Duallabevölkerung als gegen die gute Sitte verstossend und wird
bloss durch Unbotmässigkeit, Schuldenmachen, strafbare Handlungen
des Sklaven gerechtfertigt; ein mujáberi (Halbfreier) kann überhaupt nur
zur Strafe verkauft werden. Anders freilich, wenn der Eigentümer, von
Gläubigern gedrängt, zum Verkauf schreiten muss; dann fallen diese
zarten Rücksichten weg. Wie weit das alte starre Recht durch den
Einfluss der Regierung, sowie der Missionen bereits gemildert wurde,
beweist die Thatsache, dass nicht bloss bei den Regierungsgerichten,
sondern a u c h b e i d e n E i n g e b o r e n e n g e r i c h t e n jetzt Sklaven
als K l ä g e r gegen ihre Herren in vermögensrechtlichen und strafrechtlichen Prozessen zugelassen werden, was noch vor wenig Jahren
den Eingeborenen als Ungeheuerlichkeit erschienen wäre. Weit weniger
die Humanität, als die t h a t s ä c h l i c h e s o z i a l e M a c h t, welche
der Sklave in dem Gebiete, wohin unsere Herrschaft reicht, erlangt
hat, scheint als Ursache der verbesserten Stellung angesehen werden
zu müssen. H. *Zimmerer* bemerkt hierüber: »Der Sklave ist nur zu
dem Zwecke gekauft worden, damit er für seinen Herrn erwerbe und
arbeite, und da, theoretisch genommen, alles, was der Sklave besitzt, seinem Herrn gehört, so ist der gegenwärtig herrschende Rechtszustand
doch ein ganz anderer geworden, als er in konsequenter Entwickelung
dieses Prinzips sich hätte gestalten müssen. Dies hat seinen Grund
wohl weniger darin, dass mit der Zeit sich humane Anschauungen bei
den Freien eingebürgert haben, als vielmehr darin, dass die Sklaven
eine Art Macht geworden sind, mit welcher gerechnet werden muss.
Die Sklaven wohnen im allgemeinen nicht in den Dörfern der Freien,
sondern werden in entfernt von denselben gelegenen Sklavendörfern
angesiedelt, welche oft eine erhebliche Ausdehnung besitzen; sie liegen
meist hinter den mit Vorliebe an den Flussufern errichteten Wohn-
stätten der Freien, vielfach jedoch in langer Reihenfolge an diesen
Wasserstrassen selbst, welche sie bis zu einem gewissen Grade beherrschen. Die Sklaven mit den Weibern zusammen sind die einzigen
Ackerbauer, da der Freie diese Beschäftigung unter seiner Würde

findet. Der Sklave produziert seinen eigenen und seiner Familie Unterhalt und versorgt wohl auch seinen Herrn mit Feldfrüchten, die dieser jedoch nicht unentgeltlich erhält; er kann Eigentum aller Art, insbesondere auch Sklaven erwerben, durch welche er dann die Dienste thun lässt, die sein Herr von ihm zu verlangen berechtigt ist. Sklaven, welche jung in die Gewalt ihrer Herren kamen, werden meist auf den Handel eingerichtet und machen dabei nicht bloss Geschäfte für ihren Herrn, sondern auch für sich, indem sie z. B. mit den ihnen anvertrauten Waren unter dem ihnen vom Herrn gesetzten Preise einkaufen oder aus ihrem eigenen Vermögen einkaufen. So geschieht es, dass sowohl unter den Sklaven, als insbesondere unter den Halbfreien (mujáberis) Individuen vorkommen, welche als reich gelten und infolge der dem Vermögensbesitz innewohnenden Macht einen dementsprechenden Einfluss zu üben im stande sind. — Die A u f h e b u n g der Sklaverei im Schutzgebiete ist zur Zeit noch nicht ausführbar. Eine Verordnung, welche einfach erklären würde: die Sklaverei ist aufgehoben, würde gar keine Wirkung auf den Fortbestand der einmal gegebenen Verhältnisse äussern. Wohl aber kann die künftige Aufhebung der Sklaverei vorbereitet werden. Wenn erst bei Freien und Sklaven in weiteren Kreisen die Thatsache bekannt sein wird, dass sie beide gleichem Rechte bei der Regierung unterstehen, so wird auch bei dem Sklaven das Bewusstsein der Menschenwürde allmählich durchbrechen und in einem zunächst passiven Widerstand gegen den Herrn sich äussern. Der nächste Schritt, der zu thun ist, besteht in dem Unterbinden der Sklavenzufuhr. Die im Schutzgebiete vorkommenden Sklaven sind entweder als Kriegsgefangene oder als gelegentlich von einem feindlichen Stamme abgefangene Individuen zu Sklaven gemacht worden, und zwar in so entlegenen Gebieten, wo ein Einfluss der Regierung weder jetzt noch für die nächste Zeit sich wird äussern können. Die Stämme, die hierbei in Betracht kommen, sind, im Gegensatze zu jenen der Küstenzone, kriegerischer, mächtiger und haben eine festere Organisation. Ihnen gegenüber fehlt es der Regierung an jener Macht, Strafbestimmungen in Anwendung zu bringen, wohl aber wird es durch allmähliches Vorschieben von Stationen gelingen, einen Einfluss zu üben, der geregelte, friedlichere Zustände ermöglicht und dadurch die ewigen Fehden und die somit die ständige Quelle der Sklaverei versiegen lässt. Wo aber die Regierung Macht hat und strafen kann, bedarf es ebenfalls keiner besonderen Strafvorschriften gegen Eingeborene, weil dann die Strafbestimmungen gegen Nichteingeborene analog in Anwendung gebracht werden (cfi. § 234 ff. d. Reichs-Strafges.). Dagegen kann der blosse Besitz von Sklaven nicht unter Strafe gestellt werden. Mit den jetzt in dieser Richtung bestehenden Zuständen muss sich die Regierung des Schutzgebiets abfinden, so gut es geht. Wenn die Selbständigkeit der Sklaven in Kamerun nur noch eine kleine Steigerung erfährt, und das

ist innerhalb des von der Regierung beherrschten Gebiets unausbleiblich, so wird man auch vom Bestehen sklavereiähnlicher Verhältnisse
nicht mehr sprechen können.«

— e. *Eisenbahn und Karawane in Deutsch-Ostafrika.* Auf Anregung
Oechelhäuser's im D. Reichstag (2. März 1893) hat sich über diesen
Gegenstand Graf *Caprivi* in der folgenden, volkswirtschaftlich bemerkenswerten Weise geäussert: »Wenn wir wirklich in Deutsch-Ostafrika
zu einer Eisenbahn kommen, so würde die Eisenbahn bis Tabora
immer noch nicht hinreichen, und es würde wahrscheinlich keine Eisenbahn hinreichen, wenn sie sich nicht im Inlande in mehrere Zweig-
bahnen zerlegte, um den Karawanenverkehr unentbehrlich zu machen.
Wir werden auch mit der Eisenbahn nach Tabora so langsam vor-
schreiten, dass inzwischen noch auf Jahre der Karawanenverkehr unentbehrlich ist. Der Karawanenverkehr ist eine der schwersten Schädigungen Ost-Afrikas, eines der schwersten Hindernisse für das Fortschreiten der Kultur. Ich gehe soweit, dass ich der Meinung bin: zur
Zeit sind — wenigstens auf deutschem Boden — die Schäden, die
durch den Karawanenverkehr erwachsen, ungleich grösser als alles das,
was die Sklavenjagden an Schaden verursachen. Der Karawanenverkehr hindert jede Ausbreitung der Kultur und Gesit-
tung: er verwüstet das Land, er hindert uns, festen Fuss zu fassen;
er macht das Land, das er durchzieht, zur Wüste. Ich meine
also, die erste Rücksicht — und ich stelle dies noch vor die Rücksicht
für den Eisenbahnbau — ist, diesen Umständen ein Ende zu machen.
Es würde ja, wenn man die Eisenbahn bauen könnte, ein grosser Teil
des Karawanenhandels und der Nachteile, die er mit sich bringt, zu
Ende kommen; ein Teil würde vielleicht noch bestehen bleiben. Es
würde aber auch das Bauen einer Eisenbahn uns nicht in die Lage
setzen, unsere Schutztruppe zu verringern; denn wir würden voraussichtlich genötigt sein, diese Eisenbahn zu schützen. — Man denkt sich
das vielfach leichter, als es thatsächlich ist. Man vergegenwärtige sich
nur räumlich: der Bau einer Eisenbahn von Bagamoyo bis an den Vic-
toria ist gleichbedeutend mit dem Bau einer Eisenbahn von der Ostsee
bei Danzig nach dem Bodensee. Diese Eisenbahn überschreitet Gebirge, durchschreitet Urwälder, durchzieht grosse weite Gebiete, so weit
wie Königreiche in Deutschland, in denen manneshohes Gras wächst,
manneshohes Gras, das, wenn es heute weggebrannt, niedergetreten,
ausgerauft ist, in ein paar Monate wieder dasteht. Also, es müsste die
Eisenbahn gebaut, unterhalten und bewacht werden. Man würde zunächst vielleicht das Holz abbrennen, was gerade in die Quere kommt,
aber man müsste auch Wasser beschaffen. — Also, ich bin ganz warm
dafür und würde den Tag mit Freuden begrüssen, an dem man die
Lokomotive einer solchen Eisenbahn zum ersten Male pfeifen hörte;

möchte aber doch vor den Illusionen warnen, dass es sich um ein leichtes und einfaches Geschäft· handle. Bis dahin, bis sich das Kapital findet und bis die Vorarbeiten so weit gediehen sind, dass man sagen kann: wir werden jetzt eine Eisenbahn bauen, müssen wir nach wie vor mit Karawanen rechnen. — Die Karawanen, die bisher aus dem Inlande nach Bagamoyo kommen, sind grosse Karawanen. Die Zahl der Träger beläuft sich auf 1000, bisweilen auf 2000 Mann. Solche Karawane schlägt den Weg ein, auf dem sie auf bevölkerte Ortschaften zu stossen glaubt; denn sie lebt vom Requirieren, sie braucht Ortschaften und deren Nahrungsmittel, um die Träger und die Personen, die die Karawane begleiten, zu ernähren. Dass diese Ernährung auf dem einfachsten, sich darbietenden Wege vor sich geht, liegt in der Natur der Sache. Eine Karawane macht an einem afrikanischen kleinen Orte Halt. Die tausend Leute wollen leben aus einem Orte, der vielleicht von 100, 150 oder 200 Menschen bewohnt ist. Der Afrikaner ist ein genügsamer Mensch und erwartet, dass die Natur ihn leicht ernährt. Er sammelt keine Vorräte im Speicher; was sich also in einem solchen Dorf findet, ist meist nicht mehr, als was die Einwohner für die allernächste Zeit gebrauchen. Jetzt kommt auf einmal das Zehnfache der Bevölkerung hinein und will leben und muss leben nach seiner Ansicht. Es wird also der Ort und die ganze Strasse, die die Karawane passiert, in der vollkommensten Weise ausgesogen. Die Striche, die an sich durch den Krieg und durch Krankheiten gelitten haben, werden nun um das letzte gebracht, was sie hatten, um eine Karawane nach der andern zu unterhalten. Da mag, selbst wenn ein Europäer die Karawane leitet, befohlen werden, was man befehlen will: das ist nicht zu ändern. Der Europäer, auch wenn er eine Karawane führt, hat das Interesse mit der Karawane zur Küste zu kommen. Er drückt ein Auge zu — das ist unvermeidlich —, wenn hier und da eine Gewaltthat geschieht. Ist er ein sehr energischer Mann, so nötigt er seine Schwarzen, zu bezahlen. Dann ist aber das Rechtsgefühl der Schwarzen nicht überall so ausgebildet, wie man es schilderte. Der Neger bedient sich dann der billigsten Münze, der er habhaft werden kann. Das ist ein Pesa, der an der Küste 2$^1/_2$ Pf., im Innern aber gar nichts gilt. Diesen Pesa drückt er dem Einwohner in die Hand und nimmt ihm nun alles, was der Mann hat. Es entstehen dadurch auf der Karawanenstrasse Zustände, die jeder Beschreibung spotten. Wenn ein paar Karawanen hintereinander diese Prozedur an den Eingeborenen wiederholt haben, so verlassen die Ueberreste der Eingeborenen — denn es geht auch nicht immer ohne eine Verletzung der Personen ab — die Strasse und gehen wo anders hin. Dann hat man in Afrika den Ausdruck: die Strasse ist tot; und das gilt im vollsten Sinne des Wortes. Ist die eine Strasse tot, so wendet sich die Karawane des nächsten Jahres oder die nachkommenden Karawanen nach

10 *

einer anderen Strasse, und so wird ein Teil nach dem anderen tot gemacht. Dagegen giebt es nur Ein Mittel, aber auch dieses Mittel ist
kostspielig, ist langwierig und kann nur unter Mitwirkung des Gouvernements und seiner Truppen in Szene gesetzt werden. Das ist,
statt der grossen Karawanen kleine Karawanen zu nehmen. Wenn es
gelingen sollte, solche Karawanen von 1000 Mann in Karawanen von
200 Mann zu teilen, so ist die Möglichkeit nicht ausgeschlossen, dass
eine solche kleine Karawane ihren Unterhalt an den Etappenplätzen
findet, wenn das Gouvernement entsprechende Einrichtungen getroffen
hat. Es würde dazu erforderlich sein, eine Art Karawanserei auf den
Etappen anzulegen, diese mit Lebensmitteln und einer Garnison zu
versehen, und nun dahin zu wirken und mit Gewalt dahin zu wirken,
dass die Karawane nur an diesen Etappen übernachtet, und dass die
Führer das, was sie da entnehmen, bezahlen. In einer Welt aber, wie
Afrika, solch ein System einzuführen, ist schwer. Da nützt keine Publikation im »Reichs-Anzeiger« und den Amtsblättern, dass so verfahren
werden soll; sondern es würden die eingeborenen Karawanenfuhrer
nach wie vor an dem alten System so lange kleben, bis sie eben
durch Schaden belehrt würden, dass es in der hergebrachten Weise
nicht mehr geht. Es wird also, wenn man zu diesem System übergehen
will — und ich glaube, dass das rätlich sein wird, unbeschadet der
Hoffnung, zu einer Eisenbahn zu kommen — der Versuch zu machen
sein, an die Stelle von grossen Karawanen kleine zu
setzen. Aber immerhin werden Jahre vergehen, und das, was dazu
nötig ist, wird vielleicht auch den Reichstag noch in Anspruch nehmen,
jedenfalls die Kräfte unserer Schutztruppe und unserer Beamten in Afrika.«

Berliner Lohnverhältnisse 1891. Wie in früheren Jahren hat
auch um die Mitte des September 1891 seitens der städtischen Ge-
werbedeputation eine Ermittelung der Lohnverhältnisse in Berlin stattgefunden, deren Ergebnisse vom statistischen Amt der Stadt kürzlich
veröffentlicht worden sind. Die betreffenden Fragebogen sind von 60
Innungen, 47 Ortskrankenkassen, 8 Ortsvereinen der Hirsch-Duncker'-
schen Gewerkvereine, 23 anderen Arbeitervereinigungen und 385 Be-
triebsunternehmern beantwortet worden. Die Lohnangaben der letzteren erstrecken sich auf etwa 48 000 oder annähernd ein Fünftel der
Berliner Arbeiter, die meist (zu 81,5 Proz.) in Grossbetrieben beschäftigt
waren, also nach anderweiten Erfahrungen im allgemeinen besser gelohnt wurden, als der grössere Teil der Berliner Arbeiterschaft, welcher
in Mittel- und Kleinbetrieben thätig ist.

Bei den Löhnen sind die Z e i t - und S t ü c k l ö h n e unterschieden und für jede Art der niedrigste, mittlere und höchste Betrag
angegeben. Was zunächst das Verhältnis der Zeit- und Stücklöhne zu
einander angeht, so ist es bemerkenswert, dass von 36 584 Personen

beiderlei Geschlechts, über welche genaue Auskünfte vorliegen, 7602 neben Zeitlohn auch Stücklohn empfangen haben und 7179 nur im Akkord arbeiteten. Unter den letzteren befanden sich selbst Lehrlinge (in der Metallverarbeitung, in der Industrie der Maschinen, Werkzeuge u. s. w., in der Schriftgiesserei und angeblich auch in einer Holzbildhauerei). Der S t ü c k lohn stellt sich nach den Ermittelungen im Durchschnitt höher als der Zeitlohn, auch gehen bei den Gesellen (bezw. Gehilfen) und Arbeitern die Maximalsätze des ersteren über die des letzteren hinaus; dagegen sind die niedrigsten Akkordlöhne noch geringer als die Minimal-Zeitlöhne. Der Z e i t lohn schwankt bei den Gesellen zwischen 10 und 60 M., bei den Arbeitern zwischen 8 und 41 M. pro Woche, der Stücklohn bei den ersteren zwischen 5 und 110 M., bei den letzteren zwischen 7½ und 55 bis 60 M. 5 M. pro Woche ist der Mindestverdienst von Webergesellen, 110 M. werden im Stücklohn von einem Kunstformer und Kunstgiesser in einer Platin-, Gold- und Silberwarenfabrik, bis über 100 M. von einzelnen Rohrrichtern in einer Präzisionszieherei und von Steinmetzgesellen in einem Betriebe der Marmor- und Granitindustrie unter besonders günstigen Umständen verdient. Ueber den Wochen-Durchschnittsverdienst der Gesellen und Arbeiter im Zeit- und Stücklohn stellen wir folgende Uebersicht zusammen:

	Gesellen		Arbeiter	
	Zeitlohn	Stücklohn	Zeitlohn	Stücklohn
	M.	M.	M.	M.
Steine und Erden . . .	31,82	32,94	18,59	26,94
Metalle.	22,18	26,32	17,98	20,33
Maschinen, Werkzeuge etc.	21,00	28,01	17,44	22,76
Chemische Industrie . .	20,20	—	15,76	—
Heiz- und Leuchtstoffe .	26,83	28,35	17,78	24,10
Textilindustrie	20,08	20,47	15,67	14,43
Papier und Leder . . .	23,46	27,13	17,99	22,42
Holz- und Schnitzstoffe .	22,70	23,56	18,72	21,00
Nahrungs- u. Genussmittel	23,54	25,48	20,87	15,23
Bekleidung, Reinigung .	22,54	26,33	19,28	—
Baugewerbe	29,18	34,40	18,68	20,20
Druckereigewerbe . . .	30,83	34,31	18,43	14,00
Künstlerische Betriebe .	21—24	21—27	18,00	
Privatbetriebe überhaupt .	23,43	27,75	18,24	21,40

Für die Gesellen (und Gehilfen) schwankt hiernach der Durchschnitts-Zeitlohn per Woche zwischen 31,82 M. bei den Steinmetzen, nächstdem 30,83 M. im Druckereigewerbe (Buchdruck, Stein- und Kunstdruck, Schriftgiesserei) und 20,08 M. in der Textil-, nächstdem 20,20 M. in der chemischen Industrie. Viel geringer ist die Differenz der Durchschnittslöhne bei den Arbeitern, wo sie zwischen 20,87 M. in der Industrie der Nahrungs- und Genussmittel und 15,67 M. in der chemischen Industrie beträgt. Bei den Arbeiterinnen beläuft sich der wöchentliche Durchschnittszeitlohn in allen Privatbetrieben überhaupt auf 10,91 M. Ueber denselben erheben sich die Durchschnittslöhne in der Papier- und Lederindustrie mit 10,96 M., bei der Maschinenindustrie mit 11,07 M., bei der Bekleidung und Reinigung mit 11,35 M., bei der Industrie der Steine und Erden mit 11,44 M. und bei der Metallindustrie mit 11,97 M.; am weitesten darunter bleiben die Gruppen: Holz- und Schnitzstoffe mit 9,47 M., Heiz- und Leuchtstoffe mit 9,50 M.

Auf die grossen Unterschiede zwischen den Minimal- und Maximallöhnen bei den Gesellen (und Gehilfen) und Arbeitern ist schon aufmerksam gemacht. Bei den Arbeiterinnen schwanken die Zeitlöhne zwischen 3,50 und 27,20 M.; für eine Arbeiterin in einem Weisswaren-Konfektionsgeschäft werden sogar 75 M. Wochenlohn angeführt. Die niedrigsten und höchsten Löhne bei den jugendlichen Arbeitern betragen 1,50 und 15 M., bei den jugendlichen Arbeiterinnen 2 und 13,50 M., bei den Werkmeistern 20 und 100 M., bei den Lehrlingen 2,50 und 18 M., bei den Arbeitsburschen 6 und 18 M., bei den Directricen 24 und 40 M., bei den Vorarbeiterinnen 16 und 30 M., immer in Privatbetrieben überhaupt. Ueber die Gewährung von freier Wohnung und freier Kost neben einem niedrigeren Geldlohne wird bei den Schmieden noch in einzelnen Fällen, bei den Stell- und Rademachern, den Seilern, den Böttchern, den Bäckern, Konditoren, Schlächtern, Schneidern, Barbieren, Friseuren, Schornsteinfegern, Meiereiarbeitern, Hausdienern, Kutschern, Musikern mehr oder weniger häufig, bei Hotelkellnern und sonstigem Hotelpersonal regelmässig berichtet. Nur Kost neben Lohn beziehen einige Gesellen einer Bürsten- und Pinselfabrik, eine Directrice in einem Damenmäntel-Konfektionsgeschäft, Oberkellner, Kellner, Zapfer, Küchenchefs und Köche in Restaurants. Freie Wohnung und halbe Kost kommt bei Barbieren und Friseuren vor. (D. R.A.)

Der durchschnittliche Jahresarbeitsverdienst erwachsener land- und forstwirtschaftlicher Arbeiter in Deutschland. — Bekanntlich haben nach § 6 des Reichsgesetzes vom 5. Mai 1886 die höheren Verwaltungsbehörden nach Anhörung der Gemeindebehörden den durchschnittlichen Jahresarbeitsverdienst land- und forstwirtschaftlicher Arbeiter festzustellen, welcher der Berechnung der Unfallrente zu Grunde zu legen ist. Offenbar bieten Feststellungen dieser Art gerade für die landwirtschaftlichen Arbeiter mit ihren oft schwer abzuschätzenden Nebeneinkünften an Naturalien und Nutzungen aller Art der persönlichen Auffassung einen ziemlich weiten Spielraum, woraus sich einzelne besonders auffällige Ziffern unter den später anzugebenden ohne weiteres erklären dürften. Immerhin aber ist die kürzlich darüber gelieferte Zusammenstellung für das Deutsche Reich [1]) von Interesse. Nach dieser Quelle finden sich, wie die »Stat. Korr.« ausführt, im östlichen Deutschland (rechts von der Elbe, ohne Schleswig-Holstein) 67 preussische Landkreise, in welchen sich der amtlich ermittelte Jahresarbeitsverdienst in den Grenzen von 200 und 300 M. bewegt; davon entfallen auf Schlesien 44, auf Ostpreussen 13, auf Westpreussen 10 Kreise. Im westlichen Deutschland erreichen die niedrigste Einkommensgrenze von 300 M. nur das Herzogtum Koburg sowie die Kreise Adenau (am Hunsrück), Eckartsberga und Nordhausen. Den höchsten Jahresarbeitsverdienst finden wir im Osten, von den um Berlin liegenden Ortschaften abgesehen, im Kreise Neustadt in Westpreussen mit 550 M.; diesen erreichen fast die Grossherzogtümer Mecklenburg-Schwerin und Mecklenburg-Strelitz mit 540 M.; ihm nähern sich Westhavelland mit 500, sowie zwei weitere Kreise des Danziger Bezirks (Putzig und Preussisch Stargard) mit 465 M., während sonst in der Mehrzahl der östlichen Landkreise der jährliche Verdienst zwischen 300 und 360 M. schwankt. Die pommer'schen und brandenburgischen Kreise zwischen Elbe und Oder weisen meist günstigere Zahlen auf. Als sehr günstig muss der Verdienst für die landwirtschaftlichen Arbeiter in Schleswig-Holstein bezeichnet werden, wo er für den Kreis Eiderstedt auf 630, für Husum auf 625, für Norderdithmarschen, Kiel und grosse Teile der Kreise Rendsburg und Süderdithmarschen, Steinburg, Stormarn auf 550 bis 650 M. festgestellt ist. Die unterste Einkommensgrenze zeigt in Schleswig-Holstein ein Teil des Kreises Plön mit 440 M. Im westlichen Deutschland bewegt sich für die Mehrzahl der landwirtschaftlichen Arbeiter der Verdienst innerhalb der Grenzen 370 und 450 M.; unter dem Satz von 370 M. bleiben grosse Teile der — an den Bayerischen und Böhmerwald angrenzenden — Regierungsbezirke Oberfranken, Oberpfalz und Niederbayern, einige Kreise am Spessart, Rhöngebirge und Thüringerwalde, sowie 9 Landkreise der Regierungsbezirke Aurich und Winden. In der Nähe grosser Industrie- und Handelsbezirke erreicht der Verdienst die Höhe von 660 M., so z. B. in den Kreisen Altena, Remscheid und Hattingen; für die Landkreise Bochum, Gelsenkirchen, Hagen und Schwelm ist er auf 630 M. festgestellt, für die diesen benachbarten Kreise der Regierungsbezirke Düsseldorf und Arnsberg auf 540 bis 600 M. Im Königreich Sachsen gestaltet sich — abgesehen von der Oberlausitz — der Arbeitsverdienst ziemlich gleichartig; er schwankt innerhalb der Landkreise zwischen 450 und 540 M., in der sächsischen Oberlausitz zwischen 420 und 450 M. Verhältnismässig günstige landwirtschaftliche Löhne werden in Elsass-Lothringen, in den Regierungsbezirken Trier und Wiesbaden, in der Provinz Sachsen

---

[1]) Vgl. Götze's Taschenkalender zum Gebrauch bei Handhabung der Arbeiterversicherungsgesetze, Tl. III, Berlin 1893.

(links der Elbe), im Herzogtum Braunschweig, sowie im nördlichen Teil des Grossherzogtums Oldenburg gewährt. (D. R.A.)

—e. *Arbeitslosenversicherung der niederösterr. Buchdrucker.* — Hierüber macht das »Sozialpol. Zentr.Bl.« folgende thatsächliche Mitteilungen: Der niederösterreichische Buchdrucker- und Schriftgiesserverein sorgt in mannigfacher Weise für die ihm angehörigen Arbeitslosen. Er hat eine Stellenvermittelung eingerichtet, gewährt durch seine Gegenseitigkeitsverträge in den meisten Staaten Europas Reiseuntertützung, ferner Invalidenunterstützung und Pensionen, ausserdem aber noch besondere Arbeitslosenunterstützungen. Für dieselbe sind seit 1. Januar 1893 folgende Bestimmungen massgebend: Nach 52wöchentlicher Mitgliedschaft in den gegenseitigen österreichischen Vereinen 60 kr. pro Tag (fl. 4.20 pro Woche) durch 91 Tage; Mitglieder, welche vor Eintritt der Konditionslosigkeit im Gebiete des Niederösterreichischen Buchdrucker- und Schriftgiesservereines 52 Wochen konditioniert und ihre Wochenbeiträge leisteten, wird diese Unterstützung in jedem Kalenderjahre durch 12 Wochen auf fl. 6 pro Woche ergänzt. — Wird der Bezug der Arbeitslosenunterstützung durch Kondition, die mindestens 13 Wochen beträgt, unterbrochen, so beginnt die Unterstützung aufs neue. — Ausgesteuerte Mitglieder werden erst dann wieder bezugsberechtigt, wenn sie 26 Wochen konditioniert und die Beiträge geleistet haben. — Vom Militär zurückkehrende Mitglieder erhalten, sofern sie bezugsberechtigt waren, sofort eine Unterstützung in der Dauer von 42 Tagen. — Mitglieder ausländischer gegenseitiger Vereine müssen vor Inanspruchnahme der Unterstützung — vorausgesetzt, dass sie zu einer solchen schon in ihrem Muttervereine berechtigt wären — im Gebiete der gegenseitigen Vereine Oesterreichs (vor Inanspruchnahme der erhöhten Unterstützung im Gebiete des niederösterreichischen Vereines) aufs neue 26 Wochen gesteuert und während dieser Zeit auch konditioniert haben. — Die Abreiseunterstützung wurde mit 1. Januar 1893 aufgehoben. Ausserdem erhalten abreisende konditionslose Familienväter, sowie konditionslose Mitglieder, welche die Ernährer von Familienangehörigen (Eltern, Geschwister etc.) sind und als solche einen selbständigen Haushalt führen, sofern sie bezugsberechtigt sind, einen Uebersiedelungskostenbeitrag bis zur Höhe einer fünfwöchentlichen Unterstützung.

Als Kontrollmassregel ist folgendes vorgesehen: Beim Austritte aus der Kondition hat das Mitglied dem Kassierer das Austrittsblankett, welches die Ursache des Austrittes enthalten und vom Offizinskassierer und einer vertrauenswürdigen zweiten Person der Offizin durch deren Unterschrift beglaubigt sein muss, binnen 3 Tagen einzuhändigen.

Die unterstützungsberechtigten Konditionslosen haben sich während der Dauer der Unterstützung jede Woche, und zwar am Donnerstag von 7—8 Uhr abends bei dem zu dieser Funktion berufenen Ausschussmitgliede mit dem Arbeitsbuche zur Unterstützung vormerken zu lassen. Sollte auf diesen Tag ein Feiertag fallen, so hat die Anmeldung am Tage vorher zu geschehen.

Ausgesteuerte oder noch nicht bezugsberechtigte Konditionslose haben sich mindestens von 3 zu 3 Wochen beim Rechnungsführer zu melden, da sie sonst ihrer Mitgliedschaft verlustig werden können.

Alle konditionslosen Mitglieder haben in einem in der Vereinskanzlei aufliegenden Buche Namen, Beruf (den Fähigkeiten nach spezifiziert), sowie ihren jeweiligen Wohnungsort einzutragen, um bei Konditionsangeboten berücksichtigt werden zu können.

Bei einem durchschnittlichen Mitgliederstande von ca. 1900 Mitgliedern im Jahre 1892 wurden 247 Vereinsmitglieder in 406 Fällen von Arbeitslosigkeit unterstützt, in 154 Fällen ohne Unterbrechung, in 51 mit zweimaliger, in 24 mit dreimaliger, in 13 mit viermaliger, in 4 mit fünfmaliger und in einem Falle mit sechsmaliger Unterstützung.

Die am Orte gebliebenen 223 Konditionslosen erhielten für zusammen 9429 Unterstützungstage 9429 fl. ö. W. ausbezahlt. Von diesen Konditionslosen waren 172 Setzer, 11 Drucker, 22 Maschinenmeister und 18 Giesser.

Die Zahl der Unterstützten war am niedrigsten (24) im Januar und stieg fast ununterbrochen bis zum Juli (84), um von da an stetig bis zum Dezember (48) abzunehmen, 24 Konditionslose reisten mit, 13 ohne Abreisegeld während der Dauer der Unterstützung am Orte ab. Ausgesteuert waren 64.

Die durchschnittliche Länge der Konditionslosenunterstützung, nicht der Arbeitslosigkeit war 42 Tage. Für 2—10 Tage erhielten 31 Bezugsberechtigte Unterstützung für zusammen 204 Tage, für 11—20 Tage erhielten diese 32 für zusammen 504 Tage, für 21—30 Tage erhielten 32 für 835 Tage Unterstützung, je 31—40 Tage waren 20 bezugsberechtigte Mitglieder zusammen 722 Tage arbeitslos, je 41—50 Tage waren 10 zusammen 449 Tage, 51—60 Tage waren 15 zusammen 856 Tage, je 61—70 Tage waren 20 unterstützungsberechtigte Mitglieder zusammen 1329 Tage; und endlich 71—74 Tage waren 63 derselben 4535 Tage arbeitslos.

—e. *Reisig als Viehfutter.* Anlässlich einer Interpellation, welche im preussischen Landtag bezüglich der Futternot des Sommers 1893 stattgefunden hat, äusserte der K. pr. Herr Landw.-Minister *v. Heyden:* »Ich gebe dem H. Vorredner vollständig Recht, wenn er darauf hingewiesen hat, dass der Wald nicht bloss als Streu-, sondern auch für Futtermittel ganz Erhebliches zu leisten vermag. Die Abgabe von Laubfutter findet schon jetzt statt; aber es lässt sich meiner Ueberzeugung nach noch bis in den Winter hinein das R e i s i g, welches in grossen Massen in den Wäldern vorhanden ist, als Viehfutter verwenden, nutzbar.

sowie die Not dazu zwingt. Es wird Ihnen bekannt sein, dass in weiten
Distrikten des Landes jahraus jahrein Blätter und Zweige von Pappeln,
Ulmen, Weiden u. s. w. zu Viehfutter regelmässig benutzt werden, dass
wissenschaftliche und auch praktische Kreise sich seit Jahren mit der
Frage beschäftigen, wie das ungezählt im Walde vorhandene geringe
Reisigmaterial zu nutzbarem Viehfutter umgesetzt werden kann. Nach
den Ermittelungen des Professors *Bramann* in Eberswalde ist kein
Zweifel darüber, dass dieses Reisigfutter vollständig den Wert des mittleren Heues hat; es verträgt bloss zur Zeit keinen weiten Transport.
Auf Veranlassung der landwirtschaftlichen Verwaltung sind Versuche
mit dem Reisigfutter auf der Akademie in Poppelsdorf angestellt, welche
ganz dasselbe Resultat ergeben haben. Wer sich dafür interessiert,
findet Näheres in Band 21 der Landwirtschaftlichen Jahrbücher pro
1892. Es liegt nur eine Schwierigkeit dabei vor: die Maschinen zur
Verarbeitung des Reisigs sind etwas teuer und es ist ein Patent auf
die Herstellung des Futters genommen. Nichtsdestoweniger, glaube
ich, bezüglich der Länge der Zeit, während welcher die Viehbestände
ernährt werden müssen bis zur nächsten Ernte, dass doch dieser Angelegenheit noch eine erhöhte Aufmerksamkeit geschenkt werden kann
und muss.«

III. LITTERATUR.

Roscher, W., *Politik: Geschichtliche Naturlehre der Monarchie, Aristokratie und Demokratie.* Stuttgart, J. G. Cotta. 1892.

Ein bedeutender Teil des Buches ist unserem Leserkreis bereits bekannt, nämlich nach den Umrissen der Naturlehre der absoluten Monarchie, welche im Jahrg. 1889 dieser Zeitschrift erschienen sind. Zwei andere Abschnitte, die Umrisse zur Naturlehre des Cäsarismus und die Umrisse zur Naturlehre der Demokratie sind ebenfalls bereits abgedruckt in den Abhandlungen der K. sächsischen Gesellschaft der Wissenschaften, philologisch-historische Klasse (1888 und 1890). Auf die schon gedruckten Abschnitte beschränkt sich jedoch das vorliegende Werk nicht; diese Abschnitte sind nun weitergeführt und bereichert, mit v i e r a n d e r e n » e i n e m g r ö s s e r e n Z u s a m m e n h a n g e e i n v e r l e i b t «. In sechs Büchern werden nacheinander behandelt: 1) Monarchie im allgemeinen und Urkönigtum, 2) Aristokratie, 3) absolute Monarchie, 4) Demokratie, 5) Plutokratie und Proletariat, 6) Cäsarismus. Diese Einteilung des Stoffes und diese Reihenfolge der Darstellung gründet sich auf das S. 12 ff. mitgeteilte G r u n d e r g e b n i s d e r s t a a t s g e s c h i c h t - l i c h e n F o r s c h u n g *Roscher*'s: »Nach meinen Untersuchungen — sagt er, ist bei den Kulturvölkern des Abendlandes die R e g e l diese. Aus dem ursprünglichen Geschlechterstaate geht zunächst eine Monarchie hervor, welche zwar die Staatsgewalt beinah gänzlich und ungeteilt in Händen hat, doch aber die Freiheit des Volkes nicht empfindlich einschränkt, weil auf einer so niedrigen Kulturstufe die Staatsgewalt überhaupt noch wenig bedeuten will: ich nenne sie das p a t r i a r c h a l i s c h - v o l k s f r e i e U r k ö n i g t u m. Diese Monarchie verfällt allmählich; eine ritterlich-priesterliche A r i s t o k r a t i e nimmt ihre Stelle ein. Nach und nach bildet sich zwischen Herren und Knechten, zwischen Priestern und Laien ein gebildeter Mittelstand, der freilich noch viel zu schwach ist, um selbst die Herrschaft in Anspruch zu nehmen, aber doch als Bundesgenosse des Thrones diesem Stärke verleiht, eine neue M o n a r c h i e, die vorzugsweise sog. a b s o l u t e, aufzurichten. Weiterhin pflegt sich diese absolute Monarchie, wenn der Mittelstand zu wachsen fortfährt, mehr und mehr mit demokratischen Elementen zu versetzen, wohl gar einer völligen D e m o k r a t i e Platz zu machen. Die Demokratie artet zuletzt aus: der Mittelstand, auf dem sie beruhete, schmilzt von oben und unten her immer enger zusammen; das Volk spaltet sich in einen Gegensatz überreicher Kapitalisten und gänzlich vermögensloser Arbeiter. Den auf solche Art gebildeten Zustand nenne ich P l u t o - k r a t i e (Geldoligarchie) mit der Kehrseite des P r o l e t a r i a t s. Endlich pflegt eine neue Monarchie den ganzen Kreislauf zu beschliessen: die Militärtyrannis, die wir im Nachfolgenden mit dem Namen ihres grössten Vertreters C ä s a r i s m u s nennen. — Dass die angeführte Regel viele Ausnahmen zulässt, bedarf kaum der Erinnerung. Manches Volk erlebt nur die früheren Entwicklungsperioden, gerade so, wie mancher Einzelne schon als Knabe oder Jüngling ins Grab sinkt. So haben z. B. die meisten Slavenstämme ihre Unabhängigkeit verloren, ehe sie nur aus dem Geschlechterstaate völlig heraustreten konnten; von den politisch bedeutendsten Slaven hat sich Polen doch nie über die aristokratische, Russland über die absolut-monarchische Stufe erheben können. Manche Völker scheinen die eine oder andere der vorhin erwähnten Stufen gleichsam zu überspringen; wo sich doch aber fast immer ein starker, nur nicht zur vollen That gewordener Trieb, dieselbe herbeizuführen, bemerken lässt. Ueberhaupt können dergleichen Fälle immer als blosse Ausnahmen nachgewiesen und erklärt werden.«

Zunächst ist nun hervorzuheben, was die »Politik« *Roscher*'s n i c h t ist und nicht sein will. — Sie ist einmal keine p r a k t i s c h e Politik im heutigen Hauptsinn des Wortes, d. h. keine Erörterung der Fragen staatlicher Fortentwicklung. Nach seiner ganzen Methode, der Methode des älteren Historismus verhält sich *Roscher* ablehnend gegen derartige Erörterungen. Der Leser würde daher vergeblich suchen, wenn er bezüglich dessen, was s o z i a l p o l i t i s c h oder v e r f a s s u n g s p o l i t i s c h aus unserer Gegenwart heraus in die Zukunft hinein möglicher oder wahrscheinlicher Weise wird oder wünschenswerter Weise werden soll, eine bestimmt ausgesprochene Ansicht finden wollte. Er würde vielmehr enttäuscht sein; *Roscher* kann nach s e i n e r ganzen Denk- und Forschungsweise solches nicht bieten. Doch führt er den staatsgeschichtlichen Thatbestand bis auf die neueste Zeit fort, namentlich was Verfassungszustände betrifft. — *Roscher*'s Politik ist sodann keine » a l l g e m e i n e S t a a t s l e h r e «. Nicht einmal mit der Bestimmung des Begriffes und der Aufgaben, mit den Grundorganen und den Grundfunktionen des Staates im allgemeinen befasst er sich. — Seine »Politik« verfolgt auch nicht den S t u f e n g a n g der V e r f a s s u n g s e n t w i c k l u n g vom Geschlechter- oder Urstaat bis zum modernen Staat über die grossen anderen Hauptstufen des Feudalismus, der »Politie« (civitätischer Verfassungsbildung) und des Territorialismus hinweg und sie will nicht diesen Stufengang verfolgen. Dies alles und anderes, wofür *Roscher* wie kaum ein anderer das historische Material in Bereitschaft gehabt hätte, darf man nicht antreffen wollen.

Roscher beschränkt sich auf das, was der Titel » G e s c h i c h t l i c h e N a t u r l e h r e d e r M o n a r c h i e , A r i s t o k r a t i e u n d D e m o k r a t i e « besagt, auf die Darstellung und Charakteristik der drei Aristotelischen Staatsformen a u f G r u n d d e s r e i c h s t e n s t a a t s g e s c h i c h t l i c h e n W i s s e n s . Das Feld, auf welchem sich die »Politik« bewegt, ist dasselbe, welches *Roscher* als Göttinger Privatdozent in seinen »Lieblingskollegien« behandelt und in den berühmten Abhandlungen über die Naturlehre der Monarchie und der Aristokratie (1847, 1848 in Schmidt's hist. Ztschr.) erstmals schriftstellerisch gepflügt hat. Hat nun *Roscher* schon durch die eben erwähnten Jugendarbeiten staatswissenschaftlich (i. e. S. d. W.) so anregend gewirkt, wie kaum ein anderer (auch Referent ist damals von ihm gewaltig beeinflusst worden) — und zwar bereits kraft der Forschungsmethode des älteren Historismus, — so liegt jetzt eine Verfassungsformenlehre vor, welcher aus dem Gebiete des fruchtbaren, anspruchslosen Althistorismus keine andere politische Schrift an die Seite treten darf. Die »Politik« hat alle allbekannten Eigenschaften sämtlicher übrigen Werke des Altmeisters. Mag man denselben Gegenstand auch noch von anderen Seiten und nach anderen Methoden behandelt wünschen, und die Staatsformenlehre nicht einmal als den bedeutendsten, geschweige als den einzig bedeutenden Gegenstand einer Politik im Sinne der allgemeinen Staatslehre ansehen, — das wird man *Roscher* auch für seine »Politik« lassen müssen: er hat in seiner Weise auch hier alle glänzenden Eigenschaften seines feinen, reichen Geistes für ein wissenschaftlich lichtstrahlendes Werk, wie nur auf irgend einem anderen Gebiete seiner fruchtbaren Forscherarbeit vollauf zusammenwirken lassen. Man fühlt es ihm durch das ganze Buch hindurch ordentlich nach: Die »Politik« ist sein »Lieblingsstudium« gewesen und geblieben.

Es kann nicht davon die Rede sein, von dem Reichtum des Inhaltes einen annähernd vollständigen Begriff zu geben. *Roscher's* Werke lassen sich eigentlich nicht ausziehen. Referent beschränkt sich daher auf wenige Mitteilungen aus dem Werke, welche von allgemeinstem Interesse sind: nämlich auf die Verteidigung der A r i s t o t e l i s c h e n E i n t e i l u n g d e r S t a a t s f o r m e n, auf das U r t e i l *Roscher's* über den U m s c h l a g d e r V e r f a s s u n g E n g l a n d s in eine j e t z t s c h o n f a s t u n b e s c h r ä n k t e D e m o k r a t i e, endlich auf das Urteil *Roscher's* über die U n e c h t h e i t des jüngst entdeckten angeblich aristotelischen » S t a a t e s d e r A t h e n e r «, ein Urteil, welches der H. Verfasser an seine Auffassung des griechischen » O s t r a k i s m o s « anknüpft.

Bezüglich der Festhaltung der alten wissenschaftlichen Einteilung der S t a a t s - f o r m e n bemerkt *Roscher:* »Die Einteilung der Staaten in monarchische, aristokratische und demokratische ist bekanntlich von den Alten schon vor *Platon* und von den Neueren bis auf *Montesquieu* herunter als die erschöpfendste und wesentlichste überhaupt betrachtet worden... Von *Cicero* rührt namentlich die klassisch elegante Benennung der drei Staatsformen her: *regnum, optimatium arbitrium, popularis civitas,* sowie der drei Ausartungsformen: *dominus, factio, turba et confusio.* Im Laufe der letzten hundertundfünfzig Jahre dagegen hat die Mehrzahl der politischen Theoretiker für nötig gefunden, den alten Weg der Untersuchung zu verlassen: wenn sie freilich auch in der Angabe des neuen Weges, der statt dessen einzuschlagen wäre, nichts weniger als übereinstimmen... Die meisten originalen Einteilungsversuche der neuern Zeit sind viel zu sehr auf die subjektiven Eigentümlichkeiten und Bedürfnisse ihrer Urheber berechnet, als dass sie auf einen allgemeinern, oder gar nachhaltigern Anklang beim Publikum hoffen dürften. *Opinionum commenta delet dies, naturae iudicia confirmat!* Gleichwohl haben sich nur Wenige unter den neueren Schriftstellern um die wirkliche Fortbildung der alten Theorie der Staatsformen Mühe gegeben. Ich nenne in dieser Hinsicht vor allen *Schleiermacher* mit seiner dialektischen Begriffszergliederung, und *von Gagern* mit seiner systemlosen aber praktischen Einfachheit... Die nachfolgenden Bücher wollen thatsächlich den Beweis versuchen, dass der alte aristotelische Weg noch immer nicht veraltet ist; dass vielmehr die politischen Erscheinungen selbst unserer Tage noch immer am einfachsten unter die Begriffe aristokratisch, monarchisch, demokratisch subsumiert, und am wirksamsten von daher erläutert werden können.«

Ueber die neustzeitliche D e m o k r a t i s i e r u n g E n g l a n d s bemerkt *Roscher's* »Politik«, einen gewaltigen Stoff mit wenigen Strichen erledigend, wörtlich das Folgende: »In England war der Wahlzensus für das Unterhaus schon lange recht niedrig. Die Wähler brauchten nur ein Einkommen von 10 £ nachzuweisen, in den Städten die Zahlung eines Mietzinses von demselben Betrage, die Gewählten in den Grafschaften ein Grundeinkommen von 600 £, das ihnen mindestens schon ein Jahr lang gehörte, in den Städten und Flecken 300 £ Einkommen. Im ganzen war England während des 18. Jahrhunderts eine nach oben wie nach unten wohl abgestufte Herrschaft der Gentlemen. Gegenwärtig muss man, um aktives Wahlrecht zu haben, in den Grafschaften wie in den Städten Eigentümer oder Mieter von Immobilien mit wenigstens 10 £ Jahresertrag sein, oder eines Wohnhauses von jeglichem Ertrage, oder eines Zimmers von 10 £ jährlich. Auch solche dürfen mitwählen, die ein fremdes Wohnhaus ohne Mietzahlung innehaben (Gärtner, Kutscher etc.), wofern der Eigentümer gar kein Zimmer darin selbst benutzt. Das kommt den Forderungen der Volkscharte von 1835, dass jedem Erwachsenen das Wahlrecht zustehen solle, doch ziemlich nah. Passiv wahlfähig sind alle volljährigen und vollberechtigten Engländer, mit Ausnahme der Richter, der englischen Peers, endlich der Priester der englischen, schottischen und katholischen Kirche. Während vor den Reformen seit 1832, z. B. um 1793, 160 Personen die Mehrzahl der Unterhausmitglieder ernennen konnten, gab es bei der Wahl von 1880 gegen 3 100 000 Aktivberechtigte, nach dem Gesetze von 1885 sogar 5 711 000. D i e s o g. A r b e i t e r m ö g e n j e t z t u n g e f ä h r d r e i F ü n f t e l d e r W ä h l e r s e i n. Das heutige England kann als eine, t h a t s ä c h l i c h i m m e r n o c h g e m ä s s i g t e, j u r i s t i s c h a b e r s e h r w e n i g b e s c h r ä n k t e D e m o k r a t i e b e z e i c h n e t werden. Wie sich Harrison ausdrückt, ist seit 1832 der bis dahin herrschenden Klasse dasselbe widerfahren, was sie ihrerseits früher der Krone angethan hat: *they reign, but do not govern.* Die Reform von 1867 hat die Nichteigentümer zur Mehrzahl der Wähler gemacht. Vorher waren die Wähler solche, die Menschen unter sich hatten, gleichsam Offiziere und Unteroffiziere; jetzt besteht die Mehrzahl aus gemeinen Soldaten, von denen viele Samstags keine halbe Krone besitzen. Ein Kenner wie *Bryce* hält die Krone für etwas ganz Machtloses, nur noch Formelles [1]. Und was das Oberhaus betrifft, so ist dessen Veto gegen die Beschlüsse des Unterhauses thatsächlich nur ein suspensives. In wichtigen Fragen wird dadurch eine Auflösung des Unterhauses bewirkt, also ein Appell an die Wähler, deren schliesslicher Entscheidung sich die Lords dann fügen. Und doch findet sich weder bei *Montesquieu*, noch bei *Blackstone* ein Wort davon, dass dem Unterhause die Macht zustehe, die Minister zum Rücktritte zu nötigen. Wie gross die Veränderung ist, die während der letzten zwei Jahrzehnte in der Tiefe des britischen Volkslebens vorgegangen, erkennt man aus folgender, von *Göschen* berichteter Thatsache. Noch um 1870 galt ein Programm, angeblich von Tories und radikalen Arbeitern ausgehend, in weiten Kreisen für unsinnig, das sieben Punkte enthielt: Organisierung des Selfgovernment in Grafschaften, Städten und Dörfern mit der Befugnis, Land zu erwerben und darüber zum allgemeinen Wohl zu verfügen; Ansiedelung von Arbeiterfamilien in Wohnungen mit kleinen Gärten auf dem Lande; gewerblicher Unterricht mit Staatshilfe; Errichtung von Unterrichts- und Vergnügungsplätzen durch den Staat; öffentliche Märkte in den Städten, die gute Waren zum Engrospreise verkaufen; Erweiterung der öffentlichen Dienste nach dem Muster der Post; Arbeitstag von nur 8 Stunden. Jetzt werden die meisten dieser Punkte selbst von Radikalen wie *Chamberlain* offen anerkannt! So dass es zweifelhaft ist, ob das Lob *Macaulay's*, die englische Demokratie habe immer am meisten Aristokratisches gehabt, die englische Aristokratie am meisten Demokratisches, noch lange zutreffen wird.«

Ueber des *Aristoteles* »Staat der Athener« äussert sich *Roscher* in einer Anmerkung (S. 330) wie folgt: »Ich zitiere dies wichtige Buch unter dem jetzt geläufigen

---

[1] American Commonwealth I, p. 389. II, p. 71.

Namen, bin aber der Ansicht, dass es nicht von *Aristoteles* selbst herrühren kann. Hauptsächlich darum, weil die aristotelische Irrlehre hinsichtlich des Ostrakismos aus dem neugefundenen Buche leicht widerlegt werden kann. Hier tritt nämlich als frühester Fall von Ostrakisierung die Verbannung von Anhängern des Peisistratidenhauses auf, nach der Schlacht bei Marathon, und diese sind doch sicherlich nicht wegen ihrer Uebermacht verbannt worden!« Ueber den »Ostrakismos« selbst bemerkt *Roscher:* »Wir haben den Ostrakismos aufzufassen als ein A n a l o g o n u n s e r e r k o n s t i t u t i o n e l l e n M i n i s t e r k r i s e n. Der äussere Hergang dabei, wie er besonders von den Scholien zu Aristophanes (Ritter, 865 und Wespen 982) beschrieben wird, stimmt vollkommen zu dieser Ansicht. Von Zeit zu Zeit wird eine Volksversammlung eigens zu diesem Zwecke gehalten. Derjenige Staatsmann, gegen den sich wenigstens 6000 Stimmen erklären, muss für eine bestimmte Zeit das Land meiden. Dieser letzte Zusatz ist den neueren Staaten unbekannt; bei der Kleinheit der alten Republiken aber, wo die Staatsmänner weit unmittelbarer mit dem Volke verkehrten, wo es im ganzen Jahre Volksversammlungen gab, war er notwendig, um der jeweilig am Ruder stehenden Partei nicht ihre ganze Zeit mit Existenzkämpfen auszufüllen. Unsere Minister gewinnen schon durch die Vertagungen des Parlaments immer einige Mussezeit für die laufenden Geschäfte. Hiermit lässt sich auch das Erlöschen des ganzen Institutes auf das Einfachste erklären. Bekanntlich ist Hyperbolos Exil die letzte Anwendung des Ostrakismos. Seitdem sich nämlich das ganze Hellas in zwei grosse Lager gespalten hatte, ein reaktionäres, lakedämonisches und ein revolutionäres, athenisches, wo der Verbannte, wenn er in Feindesland ging, der herrschenden Partei seiner Heimat unendlich viel mehr schaden konnte, als unter den Augen seiner Mitbürger: seitdem waren die Vorteile des Ostrakismos illusorisch geworden. Alkibiades Flucht, also das nächste bedeutende Exil nach dem des Hyperbolos, musste dies jedermann begreiflich machen.«

S c h ä f f l e.

———

—e. **Wagner**, *Adolph*, *Grundlegung der politischen Oekonomie.* E r s t e r Teil: G r u n d l a g e n d e r V o l k s w i r t s c h a f t (in 2 Halbbänden, S. 930). Leipzig, C. F. Winter. 1892, 1893. — Welcher Fachgenosse kennt nicht die 1. und 2. Auflage dieser Schrift, welche auf die zeitgenössische Nationalökonomik so mächtig und weithin eingewirkt hat. Jetzt liegt von der 3. Auflage der erste Teil und Band unter dem Titel »Grundlagen der Volkswirtschaft« vor; der zweite Teil unter dem Titel »Volkswirtschaft und Recht, besonders Vermögensrecht oder Freiheit und Eigentum in volkswirtschaftlicher Betrachtung« wird folgen. — Die Grundlegung bildet nur die »erste Hauptabteilung« des früher *Rau*'schen Systems der politischen Oekonomie, dessen andere nach vollständigem Erscheinen besonders zu besprechende Hauptabteilungen teilweise von anderen Kräften *(Buchenberger, Bücher* und *Dietzel)* zur neuen Bearbeitung übernommen sind.

Die gegenwärtige Anzeige beschäftigt sich nur mit dem ersten Teil der ersten Hauptabteilung des Systems, mit den oben näher bezeichneten »Grundlagen der Volkswirtschaft«. Dieser Band bezeichnet sich auf dem Titelblatt als »wesentlich um-, teilweise ganz neu bearbeitete und stark erweiterte Auflage«. Diese Bezeichnung ist völlig gerechtfertigt. Alt sind nur die in ihrer Verknüpfung nur *Wagner* zukommenden Eigenschaften der Forschungstiefe, Gründlichkeit, Zuverlässigkeit, Litteraturbeherrschung, Objektivität und Systemisierungskraft, welche dem Verfasser den wohlverdienten Weltruf verschafft haben und solchen durch die neue Auflage nur noch bedeutend steigern werden. Diese Eigenschaften sind allgemein anerkannt und über alle Anerkennung erhaben; Referent braucht sich bei ihrer Bewährung im vorliegenden ersten Bande der 3. Auflage der Grundlegung nicht aufzuhalten.

Dagegen ist den Lesern dieser Zeitschrift der U m f a n g d e r U m a r b e i t u n g u n d d e r B e r e i c h e r u n g, welche die dritte Auflage schon in den »Grundlagen der Volkswirtschaft« erfährt, zur Anschauung zu bringen. Dies kann nicht kürzer und besser geschehen, als mit den eigenen Worten des H. Verfassers in der Vorrede. »Die sachlich wichtigste Veränderung in dieser Auflage und speziell in dieser ersten Hälfte des ersten Teils liegt in der in den früheren Auflagen fast ganz fehlenden »E i n l e i t u n g« (vgl. 2. Aufl. S. 1—4 und jetzige 3. S. 5—67) und vor allem in dem neuen nunmehrigen ersten Buche von der w i r t s c h a f t l i c h e n N a t u r d e s M e n s c h e n, der M o t i v a t i o n s t h e o r i e, M e t h o d o l o g i e und S y s t e m a t o l o g i e (vgl. 2. Aufl. S. 8—12 und jetzige 3. S. 70—285). Man wird hier überall den Einfluss spüren, einmal des Sozialismus, insbesondere in den Anregungen zu »ökonomisch-psychologischen« Studien und Erörterungen; sodann auch der neuerlichen methodologischen Kontroversen zwischen *K. Menger* und der deutschen j ü n g e r e n h i s t o r i s c h e n S c h u l e. In ersterer Hinsicht hielt ich eine Auseinandersetzung mit der einseitigen ökonomischen Psychologie des Sozialismus für unabweisbar, die Ergebnisse derselben aber auch für das Studium und die Entwicklung der Politischen Oekonomie im allgemeinen für grundlegend. Gerade in seiner Psychologie liegt die eigentliche Schwäche des extremen (radikalen) theoretischen wie praktischen Sozialismus. In der anderen Hinsicht, in dem Methodenstreit, verdanke ich *K. Menger* und der ganzen »österreichischen theoretischen Schule« (vgl. § 19) viel und bekenne das hier gern, ohne freilich mich durchaus auf ihre Seite zu stellen. Wie *Neumann,* dem ich hier in den theoretischen Partien, wie in der Finanzwissenschaft (vgl. 2. Teil S. 19 ff.) ebenfalls für vielerlei Anregung und Belehrung Dank schulde, suche auch ich eine gewisse vermittelnde Stellung einzunehmen, wobei ich freilich, um die beiden Hauptrufer auf den extremen Seiten im Methodenstreit zu nennen, *K. Menger* näher als *G. Schmoller* stehe. Die Auseinandersetzungen mit der j ü n g e r e n deutschen historischen Richtung waren mir lange ein Bedürfnis. Wenn sie hie und da etwas scharf ausgefallen sind, so bitte ich zu bedenken, dass es sich nicht nur um Verwahrung gegen einseitige Richtungen, welche ich meiner Ueberzeugung nach für schädlich halte, sondern zugleich auch um Verwahrung gegen die überhebende Art handelt, wie der jüngere Historismus alles behandelt, was sich nicht in seinem Fahrwasser bewegt, d. h. was nicht auch die historische Induktion allein gelten lassen und konkrete Wirtschaftsgeschichte mit Politischer Oekonomie identifizieren will: Einseitigkeiten der entgegengesetzten, aber nicht minder bedenklicher, ja im Grunde noch bedenklicherer Art, als die viel gerügten der älteren britischen deduktiven und abstrakten Richtung. (vgl. § 15, 16 und passim mehrfach). — Der prinzipielle sozialpolitische Standpunkt, den ich in den früheren Auflagen einnahm, ist im übrigen in dieser 3. Auflage in keiner Weise verändert, am wenigsten abgeschwächt worden, auch nicht in den wirtschaftlichen Organisations- und Rechtsfragen, wie schon das 1. Buch, mehr noch die zweite Hälfte dieses Bands und der zweite Teil der Grundlegung zeigen wird. Auch meine Stellung zu *Rodbertus* und *Schäffle* ist keine andere geworden, — denjenigen Autoren, welchen ich mich, bei vielfacher Abweichung in Einzelheiten und auch in Prinzipienpunkten, doch anderseits in gewissen prinzipiellen Auffassungen am nächsten fühle und von welchen ich jedenfalls glaube am meisten gelernt zu haben.«

Referent steht nicht‚an, das Urteil auszusprechen, dass die drei hauptsächlichen Leistungen der neuen Auflage als wissenschaftliche Grossthaten anzusehen und dass sie, wenn nicht das Allerbedeutendste sind, was der H. Verfasser in einer langen wissenschaftlichen Lebensarbeit geleistet hat, jedenfalls hinter den bedeutendsten unter seinen vielen und grossen Leistungen nicht zuruckstehen. Referent wenigstens bekennt, aus den drei neuen Schöpfungen, welche *Wagner* in dieser 3. Auflage vorführt: aus der ökonomischen Sozialpsychologie, aus der ökonomischen Populationistik und aus den Entscheidungen im Methodenstreit, Belehrung, Anregung, Wissensergänzung in Hülle und Fülle empfangen zu haben. Er ist überzeugt, dass vielen anderen unbefangenen Fachgenossen derselbe günstige Eindruck hinterbleiben wird. Begründen lassen sich das obige Urteil und der bezeichnete Eindruck hier allerdings nicht. Diese Begrundung ist auch für den Leserkreis dieser Zeitschrift nicht notwendig; denn die gedachten Neuschöpfungen *Wagner's* werden von diesem Leserkreis an der Quelle selbst beurteilt werden.

Immerhin wird bezüglich des bekannten M e t h o d e n s t r e i t e s hervorgehoben und angedeutet werden dürfen, wie ruhig und anspruchslos der H. Verfasser auch da bleibt, wo er den bekannten, fast unerträglichen, von schulmeisterlicher Aufgeblasenheit und Selbstüberschätzung geschwollenen Hochmut der einseitigen, aber desto unfehlbareren Methodenreiter siegreich widerlegt. Das war keine kleine Selbstzumutung. Es gab ja die ganze Zeit des Methodenstreites her Leute, welche sich bewusst blieben und längst wussten, dass auch in der Wissenschaft viele Wege nach Rom führen, zumal in jeder Sozialwissenschaft, und dass jeder dieser Wege seine verhältnismässige Berechtigung habe. Als die einseitigen Methodenreiter mit ihrem Haufen von »Schülern« und Modegläubigen um ihre Windfahnen umherwirbelten, wie es in Dante's Vorhof zur Hölle, geschieht, konnte man ruhig zusehen, was und ob etwas daran war, aber viele schwiegen trotz aller Herausforderung nach dem Rate des Höllenführers Virgil: *Ma guarda e passa!* Der Schulenstreit war eben umfassend ein Schulmeisterstreit! Hochmut ist stets Dummheit, namentlich bei sonst gescheiten Leuten, mit der Dummheit aber kämpfen Götter selbst vergebens. Darum liessen sich so manche durch keinen Hochmut aus der Fassung bringen, sie »passten auf und gingen vorüber«, für den älteren Historismus längst voll dankbarer Anerkennung, bevor der jüngere Historismus auch nur in Sicht kam. Es gab ja auch einen streitbaren Geist ersten Ranges, welcher den Widerspruch gegen den Schulhochmut besorgt und antikritisch den Stier bei den Hörnern fasste, ich meine *Karl Menger*. Wenn nun jetzt *Adolph Wagner* als Handbuchbearbeiter und als Mann des Katheders dem Neuhistorismus schliesslich doch entgegentreten muss, so wäre er nach allem, was er selbst und was die ihm geistesverwandte Richtung hatte erfahren müssen, vollauf berechtigt gewesen, auch p e r s ò n l i c h etwas scharf dreinzuschlagen. An Stellen, die durch ihre Wahrheit und Würde niederschlagend wirken und pikant genug sind, fehlt es nun freilich in dem Bande nicht, und sie allein sichern der neuen Auflage auch ohne persönliche Paprika einen erweiterten Leserkreis. Allein massvoll bleibt *Wagner* auch da, wo er den Namen des Gegners zu nennen hat und sammelt der Gesamtgegnerschaft feurige Kohlen aufs Haupt mit der so schlichten als wahren Aufforderung zur A c h t u n g der »g e i s t i g e n I n d i v i d u a l i t ä t jedes einzelnen Mannes der Wissenschaft und wissenschaftlichen Schriftstellers, wie sie nicht nur im selbstverständlich so verschiedenen Masse, sondern vor allem auch in der naturgegebenen Art seiner Anlage, Begabung, und wesentlich davon abhängig in seiner wissenschaftlichen Methode und Arbeitsweise, seiner Neigung, Richtung, seinem Studiengang, seinen Studienobjekten hervortritt und schliesslich doch seine ganze geistige Arbeit beherrscht.« In der Kunst, wo es freilich offener liege, im praktischen Leben und Wirken sei die Bedeutung dieses Faktors weniger verkannt worden. In der Wissenschaft glaube man sie ignorieren oder das Mitspielen eines solchen Faktors selbst für unerlaubt halten zu sollen. Aber er lasse sich einmal nicht eliminieren.

»Namentlich« — führt dies *Wagner* weiter aus — »bei den üblichen Schulstreitigkeiten über die »richtige Methode«, wie sie neuerdings auch in der deutschen Nationalokonomie so anmutig geführt werden, in der einer bestimmten geistigen Individualität entsprechenden litterarischen Kritik der Arbeiten anderer »Richtungen« zeigt sich die Ignorierung oder falsche Beurteilung des Mitspielens jenes Faktors in recht unerfreulichen Folgen: hochmütiges, borniertes, schulmeisterliches Absprechen über andersartige Leistungen, als die eigenen und der der geistesverwandten Freunde, Beurteilung aller litterarischen Arbeiten immer nur an dem Massstab der eigenen geistigen Individualität, die damit wie selbstverständlich zur allein berechtigten gemacht und zur alles allein entscheidenden — »päpstlichen« — Instanz erhoben wird, was denn manches Weitere, auch für die äusseren Lebensverhältnisse und persönlichen Bestrebungen nicht Unwichtige, aber wenig Erwünschte mit sich führt... Gewiss ist der »ideale« wissenschaftliche Kopf derjenige, welcher in sich die Eigenschaften des deduktiven und induktiven Kopfes gleichmässig vereinigt. Aber solche Ideale schafft die Natur auch im geistigen Leben nur in den allerseltensten, dann freilich phänomenalen Fällen. In der Regel überwiegt die eine oder andere Geistesanlage, mitunter bis zu dem Grade, dass es dem spezifisch »deduktiven« oder »induktiven Kopf« schwer fällt, für die Beweisführung des anderen Verständnis zu erlangen. Nicht selten wird mit einer solchen einseitigen Beanlagung eine besondere geistige Leistungsfähigkeit in der betreffenden Richtung verbunden sein. Aber wenn das dazu führt, der eigenen Auffassungs- und Arbeitsweise eine absolute statt einer immer nur relativen Berechtigung beizulegen und umgekehrt etwa derjenigen des Andersbeanlagten nicht einmal eine solche relative Berechtigung zuzugestehen, so liegt doch eine g r o s s e p e r s ö n l i c h e B e s c h r ä n k t h e i t vor. Dieselbe wird dadurch nicht entschuldigt, dass sie auf »ehrlicher Ueberzeugung« beruht und wird, mit dem üblichen Hochmut gegen den anderen verbunden, vollends unentschuldbar. — Gewiss hängt es mit dieser naturgegebenen Verschiedenheit der geistigen Anlage zusammen und ist insofern in gewissen Grenzen auch berechtigt, ja völlig gar nicht anders möglich, dass ein jeder nach s e i n e r Anlage sich seine Aufgaben in der Wissenschaft sucht. Auch das ist begreiflich und nicht unberechtigt, dass ein jeder Interesse und Wert der Arbeiten anderer darnach bemisst, wie weit diese eben seiner eigenen, von seiner individuellen Anlage bedingten Auffassung und Richtung entsprechen: m. a. W. er wird danach unwillkürlich mehr oder weniger sympathisch oder antipathisch zur fremden Leistung stehen. Das ist sein gutes Recht. Aber er kommt ins Unrecht, wenn er sich verleiten lässt, sein Urteil zum allgemein gültigen erheben zu wollen, es für objektiv auszugeben, während es nur ein subjektives, nicht nach seinem Willen, aber wohl nach seiner Geistesanlage ist. Der Einzelne wird z. B. auf dem Gebiete unserer Wissenschaft seiner geistigen Individualität nach eine deduktive oder eine induktive Beweisführung für überzeugender halten, für sich mit Recht, aber als allgemeine Norm für alle, auch für Andersbeanlagte, eben nicht mit Recht. Das möchte in der·Hitze des Methodenstreits auch oft vergessen worden sein. — Gefährlich für die Entwicklung der Wissenschaft, wie auch ethisch in so mancher Hinsicht bedenklich, wird es vollends, wenn nun eine einer bestimmten Geistesanlage entsprechende methodische

Richtung durch An- und Zusammenschluss verwandter »Köpfe« zu einer »S c h u l -
r i c h t u n g« oder »S c h u l e« wird, wie in Epigonenperioden in Wissenschaft und
Kunst so leicht. Dann bestärkt man sich gegenseitig — »unter sich« — nur immer
mehr in der Einseitigkeit. Die Schulrichtung führt zur — »Verschulung«, wofür die
Geschichte der Wissenschaften und der Kunste so manche bedauerliche Beispiele geliefert hat. . . — Zur Herstellung eines allseitig befriedigenden wissenschaftlichen Werks
im grossen Styl über Sozialökonomie sind geistige Eigenschaften, Fähigkeiten, Studien
und Kenntnisse erforderlich, wie sie seit *A. Smith* wenigstens noch nicht wieder in
Einer Persönlichkeit in genügendem Masse vereinigt gefunden worden sind und wie
sie heute zu vereinigen nach einer Entwicklung von vier Menschenaltern freilich auch
viel schwerer geworden ist, als zu Zeiten *A. Smith's.* Um einmal konkret zu werden:
die s p e k u l a t i v e A b s t r a k t i o n s - u n d K o n s t r u k t i o n s f ä h i g k e i t
u n d g e n i a l e I n s t i t u t i o n eines *Sch.* und *L. Stein,* eines *Rodbertus* und *Marx,*
die dialektische Fähigkeit beider letzteren und eines *Engels, Lasalle,* die deduktive
Begabung und logische Schärfe eines *Ricardo, Hermann, v. Thünen, Marx, Knies,*
Neumann, Menger, die Tiefe und vielseitige geschichtliche Auffassung und Bildung
eines *Roscher, Knies, Rodbertus, Schmoller,* die Genialität auf statistischem Gebiete
eines *Engel,* die geniale Verknüpfung des Oekonomischen und Politischen bei einem
List, die systematische Gründlichkeit, Nüchternheit und Objektivität eines *Rau,* —
alles dieses und noch manches weitere, wie ausgedehntestes und intensivstes Spezial-
studium auf allen Gebieten der Theorie und Praxis der Volkswirtschaft in Gegenwart
und Vergangenheit, wie genaueste Fühlung mit allen den von mir genannten Wissenschaften, welche für uns als Hilfswissenschaften in Betracht kommen, müsste sich vereinigen, um alle Ansprüche befriedigen zu können. Man wird sich eben deshalb
bescheiden müssen.«   .   S c h ä f f l e .

Verträge, Gezetze und Verordnungen

des Jahres 1892 [1]).

(Nachdruck untersagt)

Inhaltsübersicht.

Erster Hauptteil:

Die äusseren Beziehungen zwischen souveränen Staaten.

Zweiter Hauptteil:

Die innere Verfassung und Verwaltung der souveränen Staaten.

---

1) Wo ein Jahresdatum sich nicht angegeben findet, ist durchaus das Jahr 1892 gemeint.

ERSTER HAUPTTEIL.

Die äusseren Beziehungen zwischen souveränen Staaten.

A. Allgemeine Staatsverträge.

Weltpostvertrag vom 4. Juli 1891 (promulgiert 1892).

Internationales Uebereinkommen v. 14. Oktober 1890 über den E i s e n b a h n -
F r a c h t v e r k e h r zwischen Oesterreich-Ungarn, Belgien, dem Deutschen Reiche,
Frankreich, Italien, Luxemburg, den Niederlanden, Russland und der Schweiz, überall
promulgiert 1892.

Verschiedene Vereinbarungen zwischen den Staaten, welche der U n i o n z u m
S c h u t z e d e s g e w e r b l i c h e n E i g e n t u m s a n g e h ö r e n :

I. Zu der Uebereinkunft betreffend das Verbot f a l s c h e r H e r k u n f t s b e -
z e i c h n u n g e n auf den Waren, welche am 14. April 1891 zwischen der Schweiz,
Brasilien, Spanien, Frankreich, Grossbritannien, Guatemala, Portugal und Tunis abgeschlossen worden ist.

II. Zu der Uebereinkunft, betreffend die internationale Eintragung der F a b r i k -
und H a n d e l s m a r k e n , nebst Schlussprotokoll, welche am 14. April 1891 zwischen
der Schweiz, Belgien, Spanien, Frankreich, Guatemala, Italien, den Niederlanden,
Portugal und Tunis abgeschlossen worden ist.

III. Zu dem Protokoll betreffend den Kredit für das internationale Bureau zum
Schutze des gewerblichen Eigentums, welches am 15. April 1891 zwischen der Schweiz,
Belgien, Brasilien, Spanien, den Vereinigten Staaten von Amerika, Frankreich, Gross-
britannien, Guatemala, Italien, Norwegen, den Niederlanden, Portugal, Schweden und
Tunis festgestellt worden ist.

IV. Zu dem Protokoll betreffend die Auslegung und Anwendung der Pariser Konvention vom 20. März 1883, welches am 15. April 1891 zwischen der Schweiz, Belgien, Brasilien, Spanien, den Vereinigten Staaten von Amerika, Frankreich, Guatemala,
Italien, Norwegen, den Niederlanden, Portugal, Schweden und Tunis festgestellt worden ist.

Insbesondere:

I. U e b e r e i n k u n f t (in 6 Artikeln) betreffend das V e r b o t f a l s c h e r
H e r k u n f t s b e z e i c h n u n g e n a u f W a r e n : Art. 1. Jedes Produkt, welches

eine falsche Herkunftsbezeichnung trägt, in welcher einer der vertragschliessenden Staaten oder eine in einem ders. liegende Ortschaft direkt oder indirekt als Ursprungsland oder -Ort angegeben ist, wird anlässlich der Einfuhr in jedem der genannten Staaten mit Beschlag belegt. Wenn die Gesetzgebung eines Staates die Beschlagnahme bei der Einfuhr nicht zulässt, so tritt das Einfuhrverbot an deren Stelle. Wenn die Gesetzgebung eines Staates die Beschlagnahme im Innern des Landes nicht zulässt, so treten an deren Stelle die Rechtsmittel, welche das Gesetz dieses Staates in einem solchen Falle den Einheimischen zusichert. — Art. 3. Die gegenwärtigen Bestimmungen hindern den Verkäufer nicht, seinen Namen oder seine Adresse auf den Produkten anzubringen, welche aus einem andern als dem Verkaufslande herkommen; In diesem Falle muss jedoch die Adresse von der genauen und in deutlichen Schriftzeichen ausgedrückten Bezeichnung des Fabrikations- oder Ursprungslandes resp. Ortes begleitet sein. — Art. 4. Die Gerichte jedes Landes haben darüber zu entscheiden, welche Benennungen ihres Gattungscharakters wegen nicht unter die Bestimmungen der vorliegenden Uebereinkunft fallen. Die Ortsbezeichnungen für die Herkunft der Erzeugnisse des Weinbaues sind jedoch in dem durch diesen Artikel aufgestellten Vorbehalt nicht inbegriffen. — Art. 5. Die der Union zum Schutze des gewerblichen Eigentums angehörenden Staaten, welche an der vorliegenden Uebereinkunft nicht teilgenommen haben, können auf ihr Gesuch hin derselben beitreten, und zwar in der in Art. 16 der Konvention vom 20. März 1883 zum Schutze des gewerblichen Eigentums vorgeschriebenen Form.

II. Uebereinkunft (in 12 Artikeln) betreffend die internationale Eintragung der Fabrik- oder Handelsmarken. Art. 1. Die Bürger oder Unterthanen eines jeden der vertragschliessenden Staaten können sich in allen übrigen Staaten den Schutz ihrer im eigenen Lande hinterlegten Fabrik- oder Handelsmarken dadurch sichern, dass sie die genannten Marken durch Vermittlung der Behörden des Ursprungslandes beim internationalen Bureau in Bern hinterlegen lassen — Art. 2. Diejenigen Bürger und Unterthanen von der vorliegenden Uebereinkunft nicht beigetretenen Staaten, bei welchen die Bedingungen des Art. 3 der Konvention zutreffen, werden den Bürgern und Unterthanen der vertragschliessenden Staaten gleichgestellt. — Art. 3. Das internationale Bureau trägt die nach Massgabe des Art. 1 hinterlegten Marken sofort ein. Es teilt diese Eintragung den beteiligten Staaten mit. Die eingetragenen Marken werden in einem Supplement zum Journal des internationalen Bureaus in Form einer vom Hinterleger beigebrachten Zeichnung oder einer in französischer Sprache abgefassten Beschreibung veröffentlicht. Um den so eingetragenen Marken in den verschiedenen Staaten möglichste Verbreitung zu geben, erhält jede Verwaltungsbehörde vom internationalen Bureau unentgeltlich eine beliebige Anzahl Exemplare der obgenannten Veroffentlichung. — Art. 4. Von der in dieser Weise im internationalen Bureau vollzogenen Eintragung an geniesst die Marke in jedem der beteiligten Staaten den nämlichen Schutz, wie wenn sie direkt dort hinterlegt worden wäre. — Art. 6. Der durch die Eintragung auf dem internationalen Bureau erwirkte Schutz hat eine Gültigkeit von 20 Jahren von dieser Eintragung an; aber er kann nicht zu Gunsten einer Marke angerufen werden, welche im Ursprungslande nicht mehr gesetzlichen Schutz geniesst. — Art. 7. Die Eintragung kann stets erneuert werden. — Art. 8. Die Verwaltungsbehörde des Ursprungslandes setzt nach ihrem Ermessen eine Gebühr fest, die sie für sich vom Eigentümer der Marke, deren internationale Eintragung nachgesucht wird, bezieht. Zu dieser Taxe tritt eine internationale Gebühr von 100 Fr., deren jährlicher Ertrag vom internationalen Bureau nach Abzug der gemeinsamen durch den Vollzug dieser Uebereinkunft verursachten Kosten zu gleichen Teilen unter die Vertragsstaaten verteilt wird.

B. Verträge zwischen einzelnen Staaten.

Die H a n d e l s verträge je von zweien der folgenden Staaten: *Deutsches Reich, Oesterreich-Ungarn, Italien, Schweiz* und *Belgien* vom D e z e m b e r 1891.

ZWEITER HAUPTTEIL.

Innere Verfassung, Verwaltungsorganisation und Verwaltungsverfahren der einzelnen souveränen Staaten.

Preussen. Gesetz vom 4. Juli, betreffend die L a n d g e m e i n d e o r d n u n g für die sieben östlichen Provinzen der Monarchie vom 3. Juli 1891 in der Provinz S c h l e s w i g - H o l s t e i n.

Preussen. V.O. vom 21. Juli, wegen Abänderung der Verordnung vom 25. Mai 1887, betreffend die Einrichtung einer ä r z t l i c h e n S t a n d e s v e r t r e t u n g: »Zu den Sitzungen der Provinzial-Medizinal-Kollegien und der Wissenschaftlichen Deputation für das Medizinalwesen, in denen allgemeine Fragen oder besonders wichtige Gegenstände der öffentlichen Gesundheitspflege zur Beratung stehen, oder in denen über Anträge von Aerztekammern beschlossen wird, sind Vertreter der Aerztekammern als ausserordentliche Mitglieder mit voller Stimme zuzuziehen.«

Preussen. Gesetz v. 21. Juli, betreffend die Besetzung der Subaltern- und Unterbeamtenstellen in der Verwaltung der K o m m u n a l v e r b ä n d e mit M i l i t ä r a n w ä r t e r n.

Braunschweig. Ges. v. 18. Juni, betr. die L a n d g e m e i n d e o r d n u n g.

Braunschweig. Gesetz v. 18. Juni, betr. S t ä d t e o r d n u n g für das Herzogtum Braunschweig.

Braunschweig. Gesetz von 6. April, betr. A b ä n d e r u n g der K r e i s o r d n u n g v. 5. Juni 1871.

Bremen. Ges. v. 1. Juli, betr. die Abänderung des Gesetzes über den S e n a t: Gehalt der nichtkaufmännnischen Senatoren 12 000, der übrigen 9000 M.

Kgr. Sachsen. Zwei Gesetze vom 16. Mai, betr. Abänderung des V e r f a s s u n g s - Nachtragsgesetzes zur Verf.U. v. 4. Sept. 1831 und einer Bestimmung des L a n d t a g s - wahlgesetzes v. 3. Dez. 1868.

Oesterreich. Gesetz vom 22. Dezember 1891, betreffend die E r r i c h t u n g von A e r z t e k a m m e r n. §. 3. Die Aerztekammern sind berufen, über alle Angelegenheiten, welche die gemeinsamen Interessen des ärztlichen Standes, die Aufgaben und Ziele, sowie die Würde und das Ansehen des ärztlichen Berufes, die Entwicklung der Gesundheitspflege und sanitären Einrichtungen, insoweit die ärztliche Mitwirkung in Betracht kommt, betreffen, Beratungen zu pflegen und Beschlüsse zu lassen, mit den Aerzten des Kammerbezirkes sowie mit anderen Aerztekammern in Geschäftsverkehr zu treten, sich mit Eingaben an die Behorden ihres Vertretungsgebietes zu wenden und im Wege der vorgesetzten politischen Landesbehörde Anträge und Anliegen an die k. k. Regierung einzubringen. — § 4. Die Aerztekammern sind verpflichtet, in Fragen, welche ihren Wirkungskreis berühren, über Aufforderung der Behörden Aeusserungen und Gutachten zu erstatten — dieselben in der Regelung der sanitären Verhältnisse und insbesondere in Bezug auf die allgemeine Erreichbarkeit der ärztlichen Hilfe und die entsprechende Verteilung der Aerzte zu unterstützen. Anderseits ist denselben von den Behörden geeignetenfalls Gelegenheit zu geben, sich über in Verhandlung stehende, in den Geschäftskreis der Aerztekammern fallende Angelegenheiten gutächtlich zu äussern. Den Verhandlungen des Landessanitätsrates über prinzipielle Angelegenheiten, welche den Wirkungskreis der Aerztekammern berühren, sind von diesen gewählte Delegierte als ausserordentliche Mitglieder beizuziehen. Zu diesem Zwecke sind in dem Falle, wenn in dem betreffenden politischen Verwaltungsgebiete nur eine Aerztekammer besteht, zwei Delegierte und zwei Stellvertreter, wenn jedoch mehrere Aerztekammern bestehen, ist von jeder derselben ein Delegierter und ein Stellvertreter zu wählen und der politischen Landesbehörde unter Vorlage des Wahlprotokolles namhaft zu machen. — § 5. Jede Aerztekammer besteht aus mindestens 9 Mitgliedern, welche von den durch dieselbe vertretenen Aerzten gewählt werden. — § 12. Der Kammervorstand fungiert zugleich als Ehrenrat in Fällen von persönlichen Streitigkeiten, Beschwerden und Anklagen der in der Kammer vertretenen Aerzte unter oder gegen einander in allen, der Kompetenz der zuständigen Behörden nicht untertiegenden Angelegenheiten.

Belgien. Gesetz vom 12. Mai, betr. die Vermehrung der Mitgliederzahl der V e r t r e t u n g k ö r p e r (ziffermässig nach Provinzen u. s. w.).

Belgien. Gesetz vom 9. Mai, betr. die Vermehrung der M i t g l i e d e r z a h l der P r o v i n z i a l r ä t e (ziffermässig nach den einzelnen Provinzen).

Frankreich. Ges. v. 14. April, betr. Abänderung eines Artikels im Gesetz vom 22. Juni 1833 über die W a h l der A r r o n d i s s e m e n t s r ä t e.

Grossbritannien. Zusatzgesetz vom 20. Juni zum *I n d i a n   C o u n c i l s   A c t* von 1861.

Schweiz. Ein vom Volk genehmigter Bundesbeschluss vom 8. April 1891, betreffend R e v i s i o n   d e r   B u n d e s v e r f a s s u n g, verfügt: Der dritte Abschnitt der Bundesverfassung vom 29. Mai 1874, handelnd von der Revision der Bundesverfassung, wird abgeändert wie folgt: » D r i t t e r   A b s c h n i t t, Revision der Bundesverfassung. Art. 118. Die Bundesverfassung kann jederzeit ganz oder teilweise revidiert werden. — Art. 119. Die Totalrevision geschieht auf dem Wege der Bundesgesetzgebung. — Art. 120. Wenn eine Abteilung der Bundesversammlung die Totalrevision beschliesst und die andere nicht zustimmt, oder wenn fünfzigtausend stimmberechtigte Schweizerbürger die Totalrevision der Bundesverfassung verlangen, so muss im einen wie im andern Falle die Frage, ob eine solche stattfinden soll oder nicht, dem schweizerischen Volke zur Abstimmung vorgelegt werden. Sofern in einem dieser Fälle die Mehrheit der stimmenden Schweizerbürger über die Frage sich bejahend ausspricht, so sind beide Räte neu zu wählen, um die Totalrevision an die Hand zu nehmen. — Art. 121. Die Partialrevision kann sowohl auf dem Wege der Volksanregung (Initiative) als der Bundesgesetzgebung vorgenommen werden. Die Volksanregung umfasst das von 50000 stimmberechtigten Schweizerbürgern gestellte Begehren auf Erlass, Aufhebung· oder Abänderung bestimmter Artikel der Bundesverfassung. Wenn auf dem Wege der Volksanregung mehrere verschiedene Materien zur Revision oder zur Aufnahme in die Bundesverfassung vorgeschlagen werden, so hat jede derselben den Gegenstand eines besondern Initiativbegehrens zu bilden. Die Initiativbegehren können in der Form der allgemeinen Anregung oder des ausgearbeiteten Entwurfes gestellt werden. Wenn ein solches Begehren in Form der allgemeinen Anregung gestellt wird und die eidgenössischen Räte mit demselben einverstanden sind, so haben sie die Partialrevision im Sinne der Initianten auszuarbeiten und dieselbe dem Volke und den Ständen zur Annahme oder Verwerfung vorzulegen. Stimmen die eidgenössischen Räte dem Begehren nicht zu, so ist die Frage der Partialrevision dem Volke zur Abstimmung zu unterbreiten und, sofern die Mehrheit der stimmenden Schweizerbürger sich bejahend ausspricht, die Revision von der Bundesversammlung im Sinne des Volksbeschlusses an die Hand zu nehmen. Wird das Begehren in Form eines ausgearbeiteten Entwurfes gestellt und stimmt die Bundesversammlung demselben zu, so ist der Entwurf dem Volke und den Ständen zur Annahme oder Verwerfung vorzulegen. Im Falle der Nichtzustimmung kann die Bundesversammlung einen eigenen Entwurf ausarbeiten oder die Verwerfung des Voranschlages beantragen und ihren Entwurf oder Verwerfungsantrag gleichzeitig mit dem Initiativbegehren der Abstimmung des Volkes und der Stände unterbreiten. — Art. 122. Ueber das Verfahren bei den Volksbegehren und den Abstimmungen betreffend Revision der Bundesverfassung wird ein Bundesgesetz das Nähere bestimmen. — Art. 123. Die revidierte Bundesverfassung, bezw. der revidierte Teil derselben treten in Kraft, wenn sie von der Mehrheit der an der Abstimmung teilnehmenden Bürger und von der Mehrheit der Kantone angenommen sind. Bei Ausmittlung der Mehrheit der Kantone wird die Stimme eines Halbkantons als halbe Stimme gezählt. Das Ergebnis der Volksabstimmung in jedem Kanton gilt als Standesstimme desselben.

Schweiz. Bundesgesetz in 18 Artikeln vom 27. Januar (1892) über das V e r - f a h r e n   b e i   V o l k s b e g e h r e n   u n d   A b s t i m m u n g e n betreffend R e v i - s i o n   d e r   B u n d e s v e r f a s s u n g. Art. 1 bis 6 handeln vom Stellen der Begehren. — Art. 6. Lautet das als gültig anerkannte Volksbegehren auf T o t a l - r e v i s i o n der Bundesverfassung, so ist ohne weiteres die Frage, ob eine solche stattfinden soll, von der Bundesversammlung dem Schweizervolke zur Abstimmung vorzulegen. Spricht sich die Mehrheit der stimmenden Schweizerbürger über die Frage bejahend aus, so sind beide Räte neu zu wählen, um die Totalrevision an die Hand zu nehmen (Art. 120 der Bundesverfassung). — Art. 7. Verlangt das Revisionsbegehren Erlass, Aufhebung oder Abänderung bestimmter Artikel der Bundesverfassung und ist dasselbe in der Form der allgemeinen Anregung gestellt, so haben sich die eidgenössischen Räte spätestens binnen Jahresfrist darüber schlüssig zu machen, ob sie mit dem Begehren einverstanden sind oder nicht. Stimmen die eidgenössischen Räte demselben bei, so geben sie der Anregung in Gemässheit von Art. 121, Al. 5, der Bundesverfassung weitere Folge. Lehnen sie dasselbe ab oder kommt ein Beschluss binnen obiger Frist darüber nicht zu Stande, so ordnet der Bundesrat über das gestellte Begehren die Vornahme der allgemeinen Volksabstimmung an. Spricht sich die Mehrheit der stimmenden Schweizerbürger bejahend aus, so ist die Revision von der Bundesversammlung im Sinne des Volksbeschlusses unverzüglich an die Hand zu nehmen und sodann das Ergebnis ihrer Beratung in der gewöhnlichen Form der Abstimmung des Volkes und der Stände zu unterbreiten (Art. 121, Al. 5 der Bundesverfassung). — Art. 8. Ist das P a r t i a l revisionsbegehren in der Form eines ausgearbeiteten Entwurfes gestellt, so haben die eidgenössischen Räte spätestens binnen Jahresfrist darüber Beschluss zu fassen, ob sie dem Initiativentwurf, so wie derselbe lautet, zustimmen oder nicht. — Art. 9. Kommt ein übereinstimmender Beschluss der beiden Räte hinsichtlich ihrer Stellungnahme zu dem ausgearbeiteten Initiativentwurfe nicht zu Stande, so wird der letztere ohne weiteres der Abstimmung des Volkes und der Stände unterbreitet. Dasselbe ist der Fall, wenn die Bundesversammlung beschliesst, dem Entwurfe zuzustimmen. — Art. 10. Beschliesst die Bundesversammlung, dem Entwurfe nicht zuzustimmen, so unterbreitet sie denselben dem Volke und den Ständen zur Abstimmung. Gleichzeitig kann sie einen Verwerfungsantrag stellen oder einen von ihr selbst ausgearbeiteten, die nämliche Verfassungsmaterie beschlagenden Revisionsentwurf ebenfalls der Abstimmung des Volkes und der Stände unterbreiten. — Art. 11. Im Falle der Aufstellung eines besondern Revisionsentwurfes durch die Bundesversammlung werden den Stimmberechtigten die zwei Fragen zur Abstimmung vorgelegt: »Wollt Ihr den Revisionsentwurf der Initianten annehmen?« oder »Wollt Ihr den Revisionsentwurf der Bundesversammlung annehmen?« — Art. 12. Bei Ermittlung des Abstimmungsergebnisses fallen ausser Betracht alle leeren und ungiltigen Stimmzettel. Stimmzettel, welche nur eine der beiden Fragen mit Ja oder Nein beantworten, und Stimmzettel, welche beide Fragen verneinen, sind giltig. Stimmzettel, welche beide Fragen bejahen, sind ungiltig. — Art. 13. Als angenommen gilt derjenige Entwurf, welcher die Mehrheit der stimmenden Bürger und die Mehrheit der Stände auf sich vereinigt hat.

B) Materielles Verwaltungsrecht.

I. **Auswärtige Verwaltung** — — —.

II. **Zivilliste, Pensionswesen, Staatsangehörigkeit, Naturalisierung, Auszeichnungswesen, Statistik.**

Niederlande. Gesetz v. 12. Dez., betr. die niederländische S t a a t s a n g e h ö r i g k e i t und A n s ä s s i g k e i t.

Schweiz. Bundesgesetz vom 25. Juni 1891, betr. die z i v i l r e c h t l i c h e n V e r h ä l t n i s s e d e r N i e d e r g e l a s s e n e n u n d A u f e n t h a l t e r.

III. **Kirche, Schule, Wissenschaft, Kunst.**

Preussen. K i r c h e n g e s e t z vom 9. Juli, betr. die A u f h e b u n g d e r S t o l g e b ü h r e n f ü r T a u f e n u n d T r a u u n g e n. § 1 f. verfügt die Aufhebung. Weitere Paragraphen bestimmen: § 3. Die Stellen der Geistlichen und übrigen Kirchenbeamten sind für den Ausfall an Einnahmen, welcher ihnen durch die Aufhebung der Gebühren erwächst, von der Kirchengemeinde durch eine R e n t e zu entschädigen. Die Rente ist vierteljährlich im Voraus zahlbar. — § 6. Solchen Kirchengemeinden, in welchen zur Aufbringung der Entschädigungsrente in Ermangelung eines ausreichenden verfügbaren Ueberschusses der Kirchenkasse eine Umlage ausgeschrieben oder erhöht werden muss, wird aus dem im § 10 bezeichneten landeskirchlichen Fonds als Beihilfe ein Zuschuss gewährt. Diese Beihilfe besteht in demjenigen Teile der von einer Gemeinde aufzubringenden Entschädigungsrente, welcher bei einer Verteilung des jährlichen Entschädigungsbetrages auf die Gemeindeglieder nach Massgabe des Einkommensteuergesetzes vom 24. Juni 1891 (Gesetz-Samml. S. 175) über den Betrag von 5 Prozent des Einkommensteuersolls der einkommensteuerpflichtigen Gemeindeglieder hinausgeht. — § 9. Aus Anlass der Errichtung neuer Pfarrstellen und von Parochialteilungen können durch die zu diesen Anordnungen zuständigen Behörden auch die Entschädigungsrenten (§ 1) und Beihilfen (§ 6) verhältnismässig verteilt werden, jedoch unbeschadet der etwaigen Rechte der zur Zeit des Inslebentretens dieses Gesetzes im Amte befindlichen Geistlichen und sonstigen Kirchenbeamten. — § 10. Behufs Gewährung der in den §§ 6 und 8 vorgesehenen Beihilfen wird ein l a n d e s k i r c h l i c h e r F o n d s gebildet, in welchen die staatlicherseits f ü r d i e Z w e c k e d e r S t o l g e b ü h r e n a b l ö s u n g z u g e w ä h r e n d e R e n t e fliesst. Sofern die Staatsrente zur Deckung der aus diesem Fonds zu gewährenden Beihilfen nicht hinreicht, ist der Prozentsatz, bis zu welchem die Gemeinden die Entschädigungsrente selbst aufzubringen haben (§ 6), durch Beschluss des Konsistoriums entsprechend zu erhöhen. Etwaige Ersparnisse an der staatlicherseits zu gewährenden Rente verbleiben dem landeskirchlichen Fonds. Ueber die Verwendung dieser Ersparnisse zur Erleichterung ärmerer Gemeinden bei Aufbringung der von denselben zum Zwecke der Aufhebung von Stolgebühren zu übernehmenden Entschädigungsrente beschliesst das Konsistorium.

Preussen. Gesetz v. 28. Juli, Aufhebung der Stolgebühren betreffend. § 4. Diejenigen geistlichen Stellen, deren Jahreseinkommen ausser freier Wohnung und Stolgebühren mindestens 6000 Mark beträgt, sind von der Entschädigung ausgenommen. — § 6. Solchen Kirchengemeinden, in welchen in unmittelbarer Folge des Inkrafttretens dieses Gesetzes und in Ermangelung eines ausreichenden und verfügbaren Ueberschusses der Kirchenkasse eine Umlage ausgeschrieben oder erhöht werden muss, wird aus dem landeskirchlichen Fonds als Beihülfe ein Zuschuss gewährt. Die Beihilfe besteht in demjenigen Teil der von einer Gemeinde aufzubringenden Entschädigungsrente, welcher den Betrag von vier Prozent des Einkomensteuersolls der einkommensteuerpflichtigen Gemeindeglieder im Rechnungsjahre des Inkrafttretens dieses Gesetzes übersteigt. — § 10. Nach Verlauf von fünf Jahren nach Inkrafttreten dieses Gesetzes soll eine Revision bezüglich der Entschädigungsrente und der Beihilfe unter Berücksichtigung der inzwischen etwa eingetretenen Veränderungen und gemachten Erfahrungen erfolgen. — § 11. Behufs Gewährung der in den §§ 6 und 8 vorgesehenen Zuschüsse wird ein landeskirchlicher Fonds gebildet, in welchen die staatlicherseits für die Zwecke der Stolgebührenablösung zu gewährende Rente fliesst. Sofern die Staatsrente zur Deckung der aus diesem Fonds zu gewährenden Zuschüsse nicht hinreicht, ist der Fehlbetrag zunächst dadurch zu decken, dass die nach § 6 Absatz 2 zu gewährende Beihilfe nur denjenigen Gemeinden zu Teil wird, welche mehr als 5 Prozent des Einkommensteuersolls für die Entschädigungsrente aufzubringen haben würden. Sollte auch diese Herabminderung der Beihilfe den Fehlbetrag nicht beseitigen, so ist derselbe durch Umlage von den Kirchengemeinden der Landeskirche in Gemässheit der für die Umlage zum Pensionsfonds geltenden Bestimmungen aufzubringen. Die Höhe dieser Umlage ist durch den Evangelischen Oberkirchenrat unter Mitwirkung des Generalsynodalvorstandes zu bestimmen.

Preussen. Gesetz vom 3. Sept., betreffend die Aufhebung von Stolgebühren für Taufen, Trauungen und kirchliche Aufgebote in der evangelischen Landeskirche der älteren Provinzen der Monarchie. — Artikel 3. Dem nach § 11 des Kirchengesetzes (s. oben) zu bildenden landeskirchlichen Fonds wird vom 1. Oktober 1892 ab zur Gewährung von Beihilfen an Kirchengemeinden, welche die Entschädigungsrenten für aufgehobene Stolgebühren durch Umlage aufbringen müssen, seitens des Staats eine dauernde, vierteljährlich im Voraus zahlbare Rente im Betrage von jährlich 1 250 000 Mark überwiesen.

Preussen. Kirchengesetz vom 18. Juni, betr. Aufhebung der Stolgebühren. — § 11. Wenn die Staatsrente zur Deckung der aus dem landeskirchlichen Fonds zu gewährenden Ersatzbeträge nicht hinreicht, so ist durch Beschluss des Landeskonsistoriums zu bestimmen, bis zu welchem Prozentsatz des Einkommensteuersolls der einkommensteuerpflichtigen Gemeindeglieder die Kirchengemeinden ohne Anspruch auf Ersatz aus dem landeskirchlichen Fonds die Entschädigungsrenten (§ 5) selbst zu tragen haben. — § 12. Etwaige Ersparnisse an der staatlicherseits zu gewährenden Rente verbleiben dem landeskirchlichen Fonds. Dieselben sind zur Erleichterung ärmerer oder schwer belasteter Kirchengemeinden bei Aufbringung der von denselben zum Zwecke der Aufhebung von Stolgebühren jetzt oder in Zukunft zu übernehmenden beziehungsweise nach dem Kirchengesetz vom 16. Juni 1875 übernommenen Entschädigungsrenten zu verwenden. Ueber die Art und Weise dieser Verwendung bleibt kirchengesetzliche Regelung vorbehalten. Bis zum Erlass eines bezüglichen Kirchengesetzes ist das Landeskonsistorium ermächtigt, aus den Ersparnissen zu gleichen Zwecken einmalige Beihilfen zu bewilligen. Dasselbe hat jährlich unter Beifügung der Jahresrechnung eine Uebersicht über die Verwendung der Ersparnisse dem ständigen Ausschuss der Landessynode mitzuteilen.

Oesterreich. Verfassung der evangelischen Kirche Augsburgischen und Helvetischen Bekenntnisses in den im Reichsrate vertretenen Königreichen und Ländern, in 165 Paragraphen verkündet durch Kultministerial-V.O. v. 15. Dez. 1891.

IV. Kriegswesen — — —.

V. Justizgesetzgebung (vgl. XI).

Deutsches Reich. . Ges. v. 26. April, betr. die Gesellschaften mit beschränkter Haftung.

Preussen. Ges. v. 12. Juni, betr. die Regulierung der gutsherrlichen und bäuerlichen Verhältnisse in Neu-Vorpommern und Rügen.

Elsass-Lothringen. Gesetz v. 8. Mai, betr. das Notariat.

Oesterreich. Gesetz vom 16. März, betr. die Entschädigung für ungerechtfertigt erfolgte Verurteilung.

Oesterreich. Gesetz in 46 Artikeln, vom 16. Juli, betr. die registrierten Hilfskassen.

Belgien. Gesetz v. 30. Mai, betr. die Unterdrückung der Antastungen der Arbeitsfreiheit: Strafen von 1 Monat bis 2 Jahren und 50 bis 1000 Frks. für jede physische und moralische Vergewaltigung zum Zwecke der Steigerung oder Herabdrückung der Löhne und zur Hinderung der freien Geschäfts- und Arbeitsthätigkeit.

Frankreich. Ges. v. 31. März, betr. Abänderung der Artikel 435 und 436 des *Code pénal.*

Schweiz. Bundesgesetz vom 22. Januar, betr. die Auslieferung gegenüber dem Auslande, in 33 Artikeln. Erster Titel. Bedingungen der Auslieferung: Art. 1. Der Bundesrat kann, mit oder ausnahmsweise ohne Vorbehalt des Gegenrechts, unter den in diesem Gesetze aufgestellten Voraussetzungen jeden Fremden ausliefern, der durch die zuständigen Gerichtsbehörden des ersuchenden Staates verfolgt, in Untersuchung gezogen oder in Anklagezustand versetzt oder verurteilt ist und auf dem Gebiete der Eidgenossenschaft betroffen wird. Wenn der Bundesrat bei einem auswärtigen Staate die Auslieferung einer Person nachsucht, die strafrechtlich verfolgt, in Untersuchung gezogen oder in Anklagezustand versetzt oder durch ein zuständiges schweizerisches Gericht verurteilt ist, so kann er innerhalb der Grenzen dieses Gesetzes das Gegenrecht zusichern. Auslieferungsverträge mit fremden Staaten können innerhalb der Grenzen dieses Gesetzes abgeschlossen werden. Wenn zwischen der Schweiz und dem ersuchenden Staate ein Auslieferungsvertrag besteht, so kann der Bundesrat mit oder ohne Vorbehalt des Gegenrechts auch wegen einer im Vertrag nicht vorgesehenen strafbaren Handlung die Auslieferung bewilligen, sofern diese nach dem gegenwärtigen Gesetze statthaft ist. Ist die Schweiz der ersuchende Staat, so kann er unter den nämlichen Voraussetzungen das Gegenrecht zusichern. Der Bundesrat hat die Bundesversammlung von der Annahme oder der Erteilung solcher Gegenrechtserklärungen in Kenntnis zu setzen. — Art. 2. Kein Schweizerbürger darf an einen fremden Staat ausgeliefert werden. Wird ein in der

Schweiz befindlicher Schweizerbürger von einem auswärtigen Staate wegen einer im Staatsvertrage oder in einer Gegenrechtserklärung vorgesehenen strafbaren Handlung verfolgt, so erteilt der Bundesrat dem verfolgenden Staate auf dessen Ersuchen oder bei der Ablehnung des Auslieferungsbegehrens die Zusicherung, dass der Verfolgte in der Schweiz nach dem im Gebiete des zuständigen Gerichtes geltenden Rechte beurteilt und gegebenen Falles bestraft werden wird. Diese Zusicherung wird jedoch nur gegeben, sofern der ersuchende Staat erklärt, dass der Schweizerbürger nach Verbüssung der in der Schweiz gegen ihn verhängten Strafe auf seinem Gebiete nicht nochmals wegen desselben Verbrechens verfolgt und auch ein von seinen Gerichten gegen ihn ausgefälltes Strafurteil nicht vollzogen werden wird. Wird diese Zusicherung erteilt, so ist der Niederlassungskanton und, wenn der Verfolgte in der Schweiz keine Niederlassung hat, der Heimatkanton verpflichtet, gegen denselben vorzugehen, wie wenn die strafbare Handlung im Gebiete des Kantons begangen worden wäre. — Art. 3. Die Auslieferung kann für folgende Handlungen und Unterlassungen bewilligt werden, wenn sie sowohl nach dem Rechte des Zufluchtsortes, als nach dem des ersuchenden Staates strafbar sind und den Thatbestand eines der folgenden gemeinen Verbrechen oder Vergehen enthalten: I. Bestimmte Delikte gegen L e i b und L e b e n (1—5). II. Bestimmte Delikte gegen F r e i h e i t und gegen F a m i l i e n - r e c h t e (6—11). III. Bestimmte D. gegen die S i t t l i c h k e i t (12—18). IV. Gegen das V e r m ö g e n (19—22). V. Gegen T r e u e und G l a u b e n (23—26). — VI. G e m e i n g e f ä h r l i c h e D e l i k t e : 27) Brandstiftung, Missbrauch von Sprengstoffen, Verursachung einer Ueberschwemmung, mit Vorsatz oder aus Fahrlässigkeit: 28) vorsätzliche oder fahrlässige Zerstörung oder Beschädigung von Eisenbahnen, Dampfschiffen, Posten, von elektrischen Apparaten und Leitungen (Telegraph, Telephon) und Gefährdung ihres Betriebes; 29) vorsätzliche oder fahrlässige Handlungen, welche die Zerstörung, die Strandung oder den Untergang eines Schiffes bewirken; 30) vorsätzliche oder fahrlässige Verbreitung von Krankheiten bei Menschen und Tieren, gemeingefährliche Verunreinigung von Quellen, Brunnen und Gewässern; 31) vorsätzliche Fälschung und Verfälschung von Lebensmitteln in einer für die Gesundheit von Menschen oder Tieren gefährlichen Weise; Feilhalten und Inverkehrbringen von solchen gefälschten oder verfälschten oder von gesundheitswidrigen oder verdorbenen Lebensmitteln unter Verschweigung ihrer schädlichen Beschaffenheit. — VII. Delikte gegen die R e c h t s p f l e g e (32—34). VIII. A m t s d e l i k t e (35—37).

Art. 6. Die Auslieferung wird verweigert, wenn nach der Gesetzgebung des Zufluchtskantons oder nach der des ersuchenden Staates die Strafklage oder die Strafe verjährt ist. — Art. 7. Die Auslieferung ist stets an die Bedingung geknüpft, dass der Ausgelieferte für keine andere, vor der Stellung des Auslieferungsbegehrens begangene Handlung verfolgt oder bestraft werden darf, als für die, um deren willen die Auslieferung erfolgt ist, und für damit zusammenhängende Handlungen, es sei denn, dass der Ausgelieferte und sein allfälliger Verteidiger oder Rechtsbeistand ausdrücklich einwilligen, oder dass der Ausgelieferte während eines Monats nach seiner endgültigen Freilassung von der Moglichkeit, das Gebiet des ersuchenden Staates zu verlassen, keinen Gebrauch gemacht hat. Der Bundesrat kann auf erneutes Begehren des ersuchenden Staates gestatten, dass der Ausgelieferte wegen einer früher begangenen, im ersten Auslieferungsbegehren nicht angeführten strafbaren Handlung verfolgt oder bestraft werde. Der Bundesrat kann seinerseits auf die in Absatz 1 erwähnte Bedingung eingehen, wenn im entsprechenden Fall das Auslieferungsbegehren von der Schweiz gestellt wird. — Art. 8. Dem Staate, an den die Auslieferung stattgefunden hat, steht das Recht nicht zu, von sich aus den Ausgelieferten an einen dritten Staat weiter auszuliefern, es sei denn, dass die in Art. 7, Absatz 1, erwähnten Voraussetzungen zutreffen. — Art. 9. Die Auslieferung erfolgt nur unter der Bedingung, dass der Auszuliefernde nicht vor ein Ausnahmegericht gestellt werden darf. — Art. 10. Wegen politischer Verbrechen und Vergehen wird die Auslieferung nicht bewilligt. Die Auslieferung wird indessen bewilligt, obgleich der Thäter einen politischen Beweggrund oder Zweck vorschützt, wenn die Handlung, um deren willen die Auslieferung verlangt wird, vorwiegend den Charakter eines gemeinen Verbrechens oder Vergehens hat. Das Bundesgericht entscheidet im einzelnen Falle nach freiem Ermessen über die Natur der strafbaren Handlung auf Grund des Thatbestandes. Wenn die Auslieferung bewilligt wird, so stellt der Bundesrat die Bedingung, dass der Auszuliefernde weder wegen eines politischen Verbrechens, noch wegen seines politischen Beweggrundes oder Zweckes verfolgt oder bestraft werden dürfe. — Art. 11. Wegen Uebertretung fiskalischer Gesetze und wegen reiner Militärvergehen wird die Auslieferung nicht bewilligt. -- Art. 14. Wird die Auslieferung von mehreren Staaten wegen derselben Handlung verlangt, so ist sie vorzugsweise an den Staat zu bewilligen, auf dessen Gebiet die That, oder, wenn das Verbrechen in mehreren Staaten verübt wurde, an den Staat, in dem die Haupthandlung begangen worden ist. Wird die Auslieferung von mehreren Staaten wegen verschiedener strafbarer Handlungen begehrt, so erhält derjenige Staat den Vorzug, dessen Begehren das schwerste Verbrechen anführt. Sind die Verbrechen gleich schwer oder erscheint es zweifelhaft, welches das schwerere sei, so hat der Bundesrat in der Regel zunächst das zuerst gestellte Begehren zu berücksichtigen; er kann aber auch die geographische Lage der ersuchenden Staaten, sowie die Staatsangehörigkeit des Auszuliefernden in Betracht ziehen. Bei der Bewilligung der Auslieferung kann der Bundesrat den Vorbehalt machen, dass der Ausgelieferte nach seiner Beurteilung und Bestrafung dem oder den andern Staaten übergeben werde, die ebenfalls seine Auslieferung begehrt hatten. — Zweiter Titel. Auslieferungsverfahren (Art. 15—31). — Art. 19. In dringlichen Fällen können die kantonalen Regierungen und Gerichtsbehörden auch einem Begehren um provisorische Verhaftung Folge geben, das auf telegraphischem Wege oder durch die Post von den zuständigen ausländischen Behörden direkt an sie gerichtet wird. Sie haben in einem solchen Falle den Bundesrat unverzüglich zu benachrichtigen und ihm gegebenen Falls mitzuteilen, weshalb sie die verlangte Verhaftung vorläufig nicht vollziehen. — Art. 20. In schwereren Fällen und falls Gefahr im Verzuge ist, sind die kantonalen Polizeiorgane berechtigt, auf einen zu ihrer Kenntnis gelangten ausländischen Steckbrief hin die Verhaftung des Ausgeschriebenen vorzunehmen. Der Bundesrat ist hievon sofort zu benachrichtigen. — Art. 22. Hat der Verhaftete in seine unverzügliche Auslieferung eingewilligt und steht ihr kein gesetzliches Hindernis entgegen, oder hat er gegen die Auslieferung nur solche Einwendungen erhoben, die sich nicht auf das gegenwärtige Gesetz, auf den Staatsvertrag oder auf eine Gegenrechtserklärung stützen, so bewilligt der Bundesrat die Auslieferung und teilt diesen Beschluss dem ersuchenden Staate, sowie der Kantonsregierung mit; er beauftragt die letztere, den Beschluss zu vollziehen und ihm darüber Bericht zu erstatten. — Art. 23. Wenn dagegen der Verhaftete eine Einsprache erhebt, die sich auf das gegenwärtige Gesetz, auf den Staatsvertrag oder auf eine Gegenrechtserklärung stützt, so übersendet der Bundesrat die Akten an das Bundesgericht und giebt der beteiligten Kantonsregierung hievon Kenntnis. Das Bundesgericht kann eine

Vervollständigung der Akten anordnen. Das Bundesgericht kann das persönliche Erscheinen des Verhafteten anordnen. Die Verhandlung ist öffentlich, sofern nicht das Gericht aus wichtigen Gründen, die im Protokoll anzugeben sind, den Ausschluss der Oeffentlichkeit verfügt. Der eidgenössische Generalanwalt kann sich an der Voruntersuchung und an der Hauptverhandlung beteiligen. Der Verhaftete kann einen Rechtsbeistand zuziehen; nötigenfalls wird dieser von Amtes wegen ernannt. — Art. 24. Das Bundesgericht entscheidet, ob die Auslieferung stattzufinden hat oder nicht. — Art. 30. Der Bundesrat kann im Einverständnis aller Beteiligten gestatten, dass eine im Ausland verhängte Gefängnisstrafe in einer inländischen Verhaftsanstalt erstanden werde; er wird in einem solchen Falle die nötigen Anordnungen treffen. — Art. 31. Der Bund trägt die Kosten der von seinen Behörden angeordneten Auslieferungen an auswärtige Staaten. — Dritter Titel. D u r c h l i e f e r u n g. Art. 32. Auf das diplomatische Begehren eines auswärtigen Staates kann der Bundesrat die Durchlieferung (Transit) der von einem fremden Staate an einen andern fremden Staat ausgelieferten Personen über das Gebiet der schweizerischen Eidgenossenschaft gestatten, wenn dem Begehren eine genügende Urkunde beiliegt. Die Durchlieferung wird indessen verweigert, wenn auch eine Auslieferung nach Art. 2, 3, 10 oder 11 dieses Gesetzes verweigert werden müsste. — Vierter Titel (Artikel 33). V e r s c h i e d e n e B e s t i m m u n g e n.

VI. **Sicherheitspolizei, Sittenpolizei, Gesundheitspolizei, Veterinärwesen.**

Deutsches Reich. Gesetz vom 20. April, betr. den V e r k e h r m i t W e i n, weinhaltigen und weinähnlichen Getränken. — Hiezu die Bekanntmachung vom 29. April über die Ausführung des § 3, Nr. 4 obigen Gesetzes, worin bestimmt wird: Bei Wein, welcher nach seiner Benennung einem inländischen Weinbaugebiet entsprechen soll, darf durch den Zusatz wässeriger Zuckerlösung a. der Gesamtgehalt an Extraktstoffen nicht unter 1,5 Gramm, der nach Abzug der nicht flüchtigen Säuren verbleibende Extraktgehalt nicht unter 1,1 Gramm, der nach Abzug der freien Säuren verbleibende Extraktgehalt nicht unter 1 Gramm, b. der Gehalt an Mineralbestandteilen nicht unter 0,14 Gramm, in einer Menge von 100 Kubikcentimeter Wein herabgesetzt werden.

Belgien. Gesetz über Hypnotisierung vom 30. Mai.

VII. **Sozialpolitik, Arbeiterschutz, Personal-, namentlich Arbeiterversicherung, Armenwesen.**

Deutsches Reich.. Gesetz vom 10. April über die A b ä n d e r u n g des Gesetzes betr. die K r a n k e n v e r s i c h e r u n g der Arbeiter, vom 15. Juni 1883.

Preussen. Gesetz vom 24. Juni, betr. die Abänderung einzelner Bestimmungen des allgemeinen Berggesetzes vom 24. Juni 1865. Artikel I. Der dritte Abschnitt des dritten Titels im Allgemeinen Berggesetze vom 24. Juni 1865 erhält folgende Fassung: D r i t t e r A b s c h n i t t. V o n d e n B e r g l e u t e n u n d d e n B e t r i e b s b e a m t e n. § 80. Das Vertragsverhältnis zwischen den Bergwerksbesitzern und den Bergleuten wird nach den allgemeinen gesetzlichen Bestimmungen beurteilt, soweit nicht nachstehend etwas anderes bestimmt wird. Den Bergwerksbesitzern ist u n t e r s a g t, für den Fall der rechtswidrigen Auflösung des Arbeitsverhältnisses durch den Bergmann die Verwirkung des rückständigen Lohnes über den Betrag des durchschnittlichen Wochenlohnes hinaus auszubedingen. — § 80a. Für jedes Bergwerk und die mit demselben verbundenen unter der Aufsicht der Bergbehörden stehenden Anlagen ist innerhalb 4 Wochen nach Inkrafttreten dieses Gesetzes oder nach der Eröffnung des Betriebes eine A r b e i t s o r d n u n g von dem Bergwerksbesitzer oder dessen Stellvertreter zu erlassen. Für die einzelnen Abteilungen des Betriebes, für einzelne der vorbezeichneten Anlagen oder für die einzelnen Gruppen der Arbeiter können b e s o n d e r e A r b e i t s o r d n u n g e n erlassen werden. — § 80b normiert den Kreis der Bestimmungen, welche die A.O. enthalten muss. — § 80f. Vor dem Erlass der Arbeitsordnung oder eines Nachtrages zu derselben ist den auf dem Bergwerke, in der betreffenden Betriebsanlage oder in den betreffenden Abteilungen des Betriebes beschäftigten grossjährigen Arbeitern Gelegenheit zu geben, sich über den Inhalt der Arbeitsordnung zu äussern. Auf Bergwerken, für welche ein ständiger Arbeiterausschuss besteht, wird dieser Vorschrift durch Anhörung des Ausschusses über den Inhalt der Arbeitsordnung genügt. Als ständige Arbeiterausschüsse im Sinne der vorstehenden Bestimmung und der §§ 80c Absatz 2 und 80d Absatz 3 gelten nur: 1) die Vorstände der für die Arbeiter eines Bergwerks bestehenden Kranken-kassen oder anderer für die Arbeiter des Bergwerks bestehenden Kasseneinrichtungen, deren Mitglieder in ihrer Mehrheit von den Arbeitern aus ihrer Mitte zu wählen sind, sofern sie als ständige Arbeiterausschüsse bestellt werden; 2) die Knappschaftsältesten von Knappschaftsvereinen, welche nur die Betriebe eines Bergwerksbesitzers umfassen, sofern sie aus der Mitte der Arbeiter gewählt sind und als ständige Arbeiterausschüsse bestellt werden; 3) die bereits vor dem 1. Januar 1892 errichteten ständigen Arbeiter-ausschüsse, deren Mitglieder in ihrer Mehrzahl von den Arbeitern aus ihrer Mitte ge-wählt werden; 4) solche Vertretungen, deren Mitglieder in ihrer Mehrzahl von den volljährigen Arbeitern des Bergwerks, der betreffenden Betriebsabteilung oder der mit dem Bergwerke verbundenen Betriebsanlagen aus ihrer Mitte in unmittelbarer und geheimer Wahl gewählt werden. Die Wahl der Vertreter kann auch nach Arbeiter-klassen oder nach besonderen Abteilungen des Betriebes erfolgen. — § 80g Die Arbeitsordnung, sowie jeder Nachtrag zu derselben ist unter Mitteilung der seitens der Arbeiter geäusserten Bedenken der Bergbehörde einzureichen. — § 80k Erfolgt die Lohnberechnung auf Grund abgeschlossener Gedinge, so ist der Bergwerksbesitzer zur Beobachtung nachstehender Vorschriften verpflichtet: 1) Wird die Leistung aus Zahl und Rauminhalt der Fördergefässe ermittelt, so muss dieser am Fördergefässe selbst dauernd und deutlich ersichtlich gemacht werden, sofern nicht Fördergefässe von gleichem Rauminhalt benutzt werden und letzterer vor dem Beginn des Gebrauches bekannt gemacht wird. 2) Wird die Leistung aus dem Gewichtsinhalt der Förder-gefässe ermittelt, so muss das Leergewicht jedes einzelnen derselben vor dem Beginn des Gebrauchs und später in dem Betriebsjahre mindestens einmal von neuem fest-gestellt und am Fördergefässe selbst dauernd und deutlich ersichtlich gemacht wer-den. — Der Bergwerksbesitzer ist verpflichtet, die Einrichtungen zu treffen und die Hülfskräfte zu stellen, welche die Bergbehörde zur Ueberwachung der Ausführung vorstehender Bestimmungen erforderlich erachtet. Für Waschabgänge, Halden- und sonstige beim Absatz der Produkte gegen die Fördermenge sich ergebende Verluste dürfen dem Arbeiter Abzüge von der Arbeitsleistung oder dem Lohne n i c h t ge-macht werden. Ausnahmen hiervon bedürfen der Genehmigung der Bergbehörde. — Die §§ 82 und 83 regeln die Fälle der Entlassbarkeit und Arbeitsverlassung ohne Einhaltung der Kündigungsfristen. — § 84. Der Bergwerksbesitzer oder dessen Stell-vertreter ist verpflichtet, dem abkehrenden grossjährigen Bergmanne ein Zeugnis über die Art und Dauer seiner Beschäftigung und auf Verlangen auch ein Zeugnis über seine Führung und seine Leistungen auszustellen. Die Unterschrift dieser Zeugnisse hat die Ortspolizeibehörde kosten- und stempelfrei zu beglaubigen. Wird die Aus-stellung des Zeugnisses verweigert, so fertigt die Ortspolizeibehörde dasselbe auf Kosten des Verpflichteten aus. Werden dem abkehrenden Bergmanne in dem Zeugnisse Beschuldigungen zur Last gelegt, welche seine fernere Beschäftigung hindern würden, so kann er auf Untersuchung bei der Ortspolizeibehörde antragen, welche, wenn die Beschuldigung unbegründet befunden wird, unter dem Zeugnisse den Befund ihrer Untersuchung zu vermerken hat. Den Arbeitgebern ist untersagt, die Zeugnisse mit Merkmalen zu versehen, welche den Zweck haben, den Arbeiter in einer aus dem Wortlaut des Zeugnisses nicht ersichtlichen Weise zu kennzeichnen. — § 85. Bergwerksbesitzer oder deren Stellvertreter dürfen grossjährige Arbeiter, von denen ihnen bekannt ist, dass sie schon früher beim Bergbau beschäftigt waren, nicht eher zur Bergarbeit annehmen, bis ihnen von denselben das Zeugnis des Bergwerksbesitzers oder Stellvertreters, bei dem sie zuletzt in Arbeit gestanden, beziehungsweise das Zeugnis der Ortspolizeibehörde (§ 84) vorgelegt ist.

Hamburg. Gesetz v. 18. Mai, betr. das A r m e n w e s e n.

Hamburg. Gesetz v. 8. Juli, betr. ö f f e n t l i c h e W a i s e n p f l e g e.

Oesterreich. Gesetz vom 17. Sept., womit einige Bestimmungen der Gesetze vom 28. Juli 1889 und vom 30. Dez. 1891, betr. die Regelung der Verhältnisse der nach dem allgemeinen Berggesetze errichteten oder noch zu errichtenden B r u d e r l a d e n, abgeändert und ergänzende Bestimmungen getroffen werden.

— Gesetz vom 30. Dezbr. 1891, womit ergänzende Bestimmungen zu dem Gesetze vom 28. Juli 1889, betr. die Regelung der Verhältnisse der nach dem allgemeinen Berggesetze errichteten oder noch zu errichtenden B r u d e r l a d e n getroffen werden.

Oesterreich. Gesetz vom 9. Februar, betr. B e g ü n s t i g u n g e n f ü r N e u - b a u t e n m i t A r b e i t e r w o h n u n g e n. — § 1. Von der auf dem kaiserlichen Patente vom 23. Febr. 1820 beruhenden Hauszinssteuer, sowie von der nach § 7 des Gesetzes vom 9. Febr. 1882 von steuerfreien Gebäuden zu entrichtenden Steuer sind nach Massgabe der Bestimmung des § 2 dieses Gesetzes jene Wohngebäude befreit, welche zu dem Zwecke erbaut werden, um ausschliesslich an Arbeiter vermietet zu werden und denselben gesunde und billige Wohnungen zu bieten, und zwar wenn solche a) von Gemeinden, gemeinnützigen Vereinen und Anstalten für Arbeiter, b) von aus Arbeitern gebildeten Genossenschaften für ihre Mitglieder; c) von Arbeitgebern für ihre Arbeiter errichtet werden. Diese Steuerbefreiung tritt nur in jenen Königreichen und Ländern in Kraft, in welchen den bezeichneten Neubauten im Wege der Landesgesetzgebung auch die Befreiung von allen Landes- und Bezirkszuschlägen, sowie eine Ermässigung der Gemeindezuschläge zu den genannten Staatssteuern für die ganze Dauer der staatlichen Steuerbefreiung gewährt wird. — § 2. Die Steuerfreiheit erstreckt sich auf 24 Jahre vom Zeitpunkte der Vollendung des Gebäudes. — § 3. Gebäude, welche Wohnungen enthalten, deren Fussboden unter der Strassenoberfläche liegt, sind von dieser Steuerfreiheit ausgeschlossen. — § 4. Der bewohnbare Raum einer einzelnen Wohnung darf, wenn dieselbe nur ein einziges Gelass enthält, nicht weniger als 15 und nicht mehr als 30 m^2, bei Wohnungen, welche aus mehreren Räumen bestehen, nicht weniger als 40 und nicht mehr als 75 m^2 betragen. Von den in den §§ 3 und 4 vorgezeichneten speziellen Bedingungen können die Erbauer ganz oder teilweise entbunden werden, wenn der zweckentsprechende und gemeinnützige Charakter der Bauführungen in anderer Weise sichergestellt ist. — § 5. Der jährliche Mietzins für 1 m^2 bewohnbaren Raumes darf höchstens betragen: a) in Wien 1 fl. 75 kr. ö. W.; b) in Orten mit mehr als 10 000 Einwohnern 1 fl. 15 kr. ö. W.; c) in allen anderen Orten 80 kr. ö. W. — § 6. Die durch dieses Gesetz gewährten Begünstigungen erloschen, wenn die Bestimmungen der §§ 1, 3 oder 4 ausser acht

gelassen werden, oder wenn die betreffenden Gebäude auf andere Weise als durch
Erbgang an Personen übertragen werden, welche, wenn sie selbst den Bau unternommen hätten, keinen Anspruch auf die Begünstigung dieses Gesetzes gehabt hätten.
Im Falle der eingeforderte Mietzins die im § 5 festgesetzte Höhe überschreitet, so
hat der Vermieter bei dem erstmaligen Ueberschreiten, sowie im erstmaligen Wiederholungsfalle eine Geldstrafe zu entrichten, welche das Zehnfache des zu viel eingehobenen Zinses beträgt; tritt der Fall einer solchen Ueberschreitung jedoch zum dritten-
male ein, so erloschen die durch dieses Gesetz gewährten Begünstigungen. — § 7.
Die Begünstigungen dieses Gesetzes haben für jene Bauten Geltung, welche bis zum
Ablaufe des zehnten Jahres nach Beginn der Wirksamkeit desselben fertig gestellt sind.

Oesterreich. Gesetz vom 27. August, betr. die Bestellung eines G e w e r b e-
I n s p e k t o r s aus Anlass der Ausführung der ö f f e n t l i c h e n V e r k e h r s a n-
l a g e n i n W i e n. — Nach § 2 ist dieser Gewerbeinspektor insbesondere verpflichtet,
in dem von ihm alljährlich zu erstattenden Berichte genaue Angaben über die Lohn-,
Wohnungs- und Sanitätsverhältnisse der bei der Ausführung der öffentlichen Verkehrsanlagen in Wien beschäftigten Arbeitspersonen, sowie über die Art der Arbeitsver-
gebung und die Arbeitszeit zusammenzustellen. — § 3. Dieser Gewerbeinspektor ist
Mitglied der Kommission für die Verkehrsanlagen in Wien mit beratender Stimme.

Frankreich. Gesetz v. 2. Nov. über die Arbeit von K i n d e r n, minderjährigen
M ä d c h e n und F r a u e n in industriellen Etablissements, in 32 Artikeln. — I. Abschnitt. A l l g e m e i n e B e s t i m m u n g e n. Z u l ä s s i g e s A l t e r. A r b e i t s-
d a u e r. Art. 1. Die Arbeit von Kindern, minderjährigen Mädchen und Frauen in
Hüttenwerken, Fabriken, Bergwerken, Steinbrüchen, auf Schiffswerften, in Werkstätten
und den dazu gehörigen Anlagen, welcher Art dieselben auch seien, öffentliche oder
private, weltliche oder geistliche, selbst wenn diese Anstalten den Charakter berufsmässigen Unterrichts oder eines wohlthätigen Zweckes haben, unterliegt den in dem
gegenwärtigen Gesetze aufgestellten Verpflichtungen. Alle Bestimmungen des gegenwärtigen Gesetzes finden Anwendung auf die Ausländer, welche in den vorbezeichneten Anstalten arbeiten. Ausgenommen sind die Arbeiten, welche in Anstalten ausgeführt werden, wo nur die Familienglieder unter der Autorität, sei es des Vaters.
der Mutter oder des Vormundes beschäftigt werden. Wenn jedoch daselbst mit Hilfe
von Dampfkesseln oder mechanischen Motoren gearbeitet wird, oder, wenn die betriebene Industrie den gefährlichen oder ungesunden Gewerbsunternehmungen beige-
zählt ist, dann wird der Inspektor gleichwohl das Recht haben, die Sicherheits- und
Gesundheitsmassregeln gemäss den Artikeln 12, 13 und 14 vorzuschreiben. — Art. 2.
Kinder können von den Arbeitgebern in den im Art. 1 aufgezählten Anlagen vor
vollendetem zwölften Lebensjahr nicht beschäftigt, und dürfen daselbst auch nicht
zugelassen werden. Kein Kind im Alter von weniger als dreizehn Jahren darf in den
vorerwähnten Anstalten zugelassen werden, wenn es nicht mit einem Zeugnis
über seine physische Tauglichkeit versehen ist, welches von einem mit der Ueberwachung des kindlichen Alters (premier âge), oder einem der mit der Schulaufsicht
betrauten Aerzte, oder von jedem anderen einen öffentlichen Dienst versehenden Arzte,
der dazu vom Präfekten bestimmt wird, gebührenfrei auszustellen ist. Diese Untersuchung soll contradiktorisch sein, wenn die Eltern sie beanspruchen. Die Arbeits-
inspektoren können jederzeit eine ärztliche Untersuchung aller Kinder unter sechzehn
Jahren, die bereits in die vorgenannten Anlagen aufgenommen sind, zu dem Zwecke
verlangen, um darzuthun, ob die ihnen aufgetragene Arbeit ihre Kräfte übersteigt. In
diesem Falle sollen die Inspektoren das Recht haben, deren Entlassung aus dem Eta-

blissement infolge entsprechenden Dafürhaltens des einen der vorstehend erwähnten Aerzte, und nach contradiktorischer Untersuchung, wenn dieselbe von den Eltern beansprucht wird, zu verlangen. In dem in Art. 1 erwähnten Waisenhäusern und Wohlthätigkeitsanstalten, in welchen der Elementarunterricht erteilt wird, darf die Unterweisung in handwerksmässigen Arbeiten für Kinder unter dreizehn Jahren, mit Ausnahme der zwölfjährigen Kinder, welche das Zeugnis über den Elementarunterricht besitzen, drei Stunden täglich nicht überschreiten. — Art. 3. Kinder beiderlei Geschlechtes im Alter von weniger als sechzehn Jahren dürfen täglich nicht länger als 10 Stunden mit einer effektiven Arbeit beschäftigt werden. Jugendliche Arbeiter und Arbeiterinnen im Alter von sechzehn bis achtzehn Jahren durfen wöchentlich nicht länger als sechzig Stunden zu einer effektiven Arbeit angehalten werden, wobei die tägliche Arbeit elf Stunden nicht übersteigen darf. Mädchen im Alter von mehr als achtzehn Jahren und Frauen dürfen täglich nicht länger als elf Stunden zu einer effektiven Arbeit verwendet werden. Die vorstehend bezeichneten Arbeitsstunden müssen durch eine oder mehrere Pausen unterbrochen werden, deren Gesamtdauer nicht weniger als eine Stunde betragen darf und während welcher die Arbeit untersagt ist. — II. Abschnitt. Nachtarbeit. Wöchentliche Ruhe. Art. 4. Kinder unter achtzehn Jahren, minderjährige Mädchen und Frauen durfen in den im Art. 1 aufgezählten Anlagen zu keiner Nachtarbeit verwendet werden. Jede Arbeit zwischen neun Uhr abends und fünf Uhr morgens wird als Nachtarbeit betrachtet; doch wird die Arbeit von vier Uhr morgens bis zehn Uhr abends gestattet sein, wenn sie auf zwei Arbeiterschichten verteilt wird, deren jede nicht länger als neun Stunden arbeitet. Die Arbeit einer jeden Schicht ist durch eine mindestens eine Stunde betragende Pause zu unterbrechen. Frauen und Mädchen im Alter von mehr als achtzehn Jahren soll bei gewissen Industrien, welche eine Regierungsverordnung näher bezeichnen wird, unter den in dieser Verordnung festgestellten Durchführungsbedingungen die Befugnis zugestanden werden, zu gewissen Zeiten des Jahres und während einer sechzig Tage nicht übersteigenden Gesamtdauer die Arbeit bis 11 Uhr abends zu verlängern. In keinem Falle darf der effektive Arbeitstag uber zwölf Stunden verlängert werden. Gewissen Industrien, welche eine Regierungsverordnung näher bezeichnen wird, soll es gestattet sein, die Bestimmungen der Absätze 1 und 2 des gegenwärtigen Artikels bleibend ausser Anwendung zu lassen, ohne dass jedoch die Arbeit in irgend einem Falle sieben Stunden innerhalb vierundzwanzig Stunden überschreiten darf. Die nämliche Verordnung kann die vorangeführten Bestimmungen für gewisse Industrien zeitweilig ausser Wirksamkeit setzen. Ueberdies kann im Falle einer durch Unfalle oder durch höhere Gewalt herbeigeführten Unterbrechung der Arbeit das obige Verbot bei jedwedem industriellen Betriebe vom Inspektor für eine bestimmte Frist zeitweilig aufgehoben werden. — Art. 5. Kinder unter achtzehn Jahren und Frauen jeden Alters dürfen in den im Art. 1 aufgezählten Anlagen nicht mehr als sechs Tage wöchentlich, dann auch nicht an den gesetzlich anerkannten Feiertagen beschäftigt werden, wäre es auch nur, um die Werkstätte in Stand zu halten. — Art. 6. Gleichwohl können in den Fabriken mit ununterbrochener Feuerung die grossjährigen Frauenspersonen und die Kinder männlichen Geschlechtes alle Tage der Woche zur Nachtzeit zu den unumgänglich notwendigen Arbeiten verwendet werden, und zwar unter der Bedingung, dass sie wöchentlich wenigstens einen Ruhetag haben. — Art. 7. Die Verpflichtung zur wöchentlichen Ruhe und die auf die Arbeitsdauer bezüglichen Einschränkungen können von dem Divisionsinspektor für die im Art. 5 angeführten Arbeiter bei gewissen, durch die erwähnte Verordnung näher zu bezeich-

nenden Industrien zeitweilig aufgehoben werden. — Art. 8. Kinder beiderlei Geschlechtes im Alter von weniger als dreizehn Jahren dürfen bei dem in den Theatern
und in ständigen Vergnügungsetablissements gegebenen Vorstellungen als Schauspieler,
Figuranten etc. nicht verwendet werden. Der Minister des öffentlichen Unterrichts
und der schönen Künste in Paris und die Präfekten in den Departements können ausnahmsweise die Verwendung eines oder mehrerer Kinder in den Theatern bei der
Aufführung bestimmter Stücke gestatten. — III. Abschnitt. A r b e i t e n   u n t e r
T a g. Art. 9. Mädchen und Frauen dürfen zu den Arbeiten unter Tag in Bergwerken und Steinbrüchen nicht zugelassen werden. Verordnungen werden die besonderen Bedingungen für die Beschäftigung von jugendlichen Arbeitern männlichen Geschlechtes im Alter von dreizehn bis achtzehn Jahren bei den vorerwähnten Arbeiten
festsetzen. In den durch Verordnungen eigens bezeichneten Bergwerken können, da
diese letzteren vermöge ihrer natürlichen Beschaffenheit eine Ausserachtlassung der
Bestimmungen des 2. Absatzes des Art. 4 erheischen, die erwähnten Verordnungen
die Arbeit der jugendlichen Arbeiter von vier Uhr morgens an und bis Mitternacht
gestatten, unter der ausdrücklichen Bedingung, dass die Personen innerhalb 24 Stunden
nicht zu mehr als 8 Stunden effektiver Arbeit und nicht zu mehr als 10 Stunden
Aufenthalt in dem Bergwerke verhalten werden. — IV. Abschnitt. U e b e r w a c h-
u n g   d e r   K i n d e r a r b e i t (Art. 10 und 11). — V. Abschnitt. G e s u n d h e i t s-
p f l e g e   u n d   S i c h e r h e i t   d e r   A r b e i t e r (Art. 12 bis 16). — VI. Abschnitt.
I n s p e k t i o n. Art. 17. In Bergwerken und Steinbrüchen wird die Durchführung
des Gesetzes ausschliesslich den Ingenieuren und Oberaufsehern der Bergwerke anvertraut, welche in Betreff dieses Dienstes der Autorität des Ministers unterstehen. —
Art. 18. Die Gewerbeinspektoren werden von dem Minister für Handel und Industrie
ernannt. Dieser Dienstzweig umfasst: 1. D i v i s i o n s i n s p e k t o r e n ; 2. männliche und weibliche Inspektoren für die D e p a r t e m e n t s. Ein nach dem Gutachten des Komites für Fabriken und Gewerbe und der weiter unten eingesetzten
oberen Arbeitskommission erlassenes Dekret wird die Departements bestimmen, in
welchen es angezeigt erscheint, Departement-Inspektoren aufzustellen. Dasselbe wird
die Anzahl, den Gehalt und die Reisegebühren dieser Inspektoren festsetzen. Die
männlichen oder weiblichen Inspektoren in den Departements stehen unter der Autorität des Divisionsinspektors. Die Gewerbeinspektoren verpflichten sich eidlich, die
Fabrikationsgeheimnisse und überhaupt das Betriebsverfahren, von welchem sie bei
Ausübung ihres Dienstes Kenntnis erlangen könnten, nicht zu enthüllen. Jede Verletzung dieses Eides wird nach Art. 378 des Strafgesetzes geahndet. — Art. 19. Fürderhin dürfen zu dem Amte eines Divisions- oder Departementsinspektors nur jene
Bewerber zugelassen werden, welche den im Art. 22 vorgeschriebenen Bedingungen
und Prüfungen Genüge geleistet haben. Die Berufung auf den Posten eines Titular-
inspektors wird nach einjähriger Probezeit definitiv. — Art. 20. Die männlichen und
weiblichen Inspektoren haben Zutritt in allen im Art. 1 aufgeführten Anlagen; sie
können sich das durch Art. 10 vorgeschriebene Register, die Arbeitsbücher, die inneren
Reglements, und erforderlichenfalls das im Art. 2 erwähnte Zeugnis über die physische
Tauglichkeit vorweisen lassen. Die Uebertretungen werden durch die Protokolle der
männlichen und weiblichen Inspektoren festgestellt, und haben diese Protokolle für
so lange Beweiskraft, als nicht das Gegenteil dargethan wird. Diese Protokolle werden
in zwei Exemplaren ausgefertigt, von denen das eine an den Präfekten des Departements geleitet, das andere jedoch bei Gericht hinterlegt wird. — VII. Abschnitt.
H ö h e r e   u n d   D e p a r t e m e n t a l k o m m i s s i o n e n. Art. 22. Im Ministerium

für Handel und Industrie wird eine höhere Kommission errichtet, bestehend aus neun Mitgliedern, deren Dienstleistung eine unentgeltliche ist. Dieser Kommission gehören je zwei aus ihrer Mitte gewählte Senatoren und Abgeordnete, und fünf vom Präsidenten der Republik für einen Zeitraum von vier Jahren ernannte Mitglieder an. Dieselbe ist beauftragt: 1. Ueber die einheitliche und umsichtige Anwendung des gegenwärtigen Gesetzes zu wachen; 2. Ihr Gutachten abzugeben über die zu erlassenden Verordnungen, und im allgemeinen über die verschiedenen, die geschützten Arbeiter betreffenden Fragen; 3. endlich die Bedingungen für die Aufnahmsfähigkeit der Bewerber um die Divisions- und Departementsinspektion, sowie das Programm für die Prüfung festzustellen, welcher sich diese Bewerber zu unterziehen haben. Die auf Grund des Gesetzes vom 19. Mai 1874 ernannten und derzeit amtierenden Divisionsinspektoren werden auf die verschiedenen, in Ausführung des gegenwärtigen Gesetzes errichteten Posten von Divisions- und Departement-Inspektoren verteilt werden, ohne sich der Prüfung unterziehen zu müssen. Die Departementsinspektoren können behalten werden, ohne eine neuerliche Prüfung abzulegen. — Art. 23. Alljährlich richtet der Präsident der höheren Kommission an den Präsidenten der Republik einen Generalbericht über die Ergebnisse der Inspektion und über die auf die Durchführung des gegenwärtigen Gesetzes bezüglichen Thatsachen. Dieser Bericht muss innerhalb des Monats seiner Vorlage im »Journal Officiel« veröffentlicht werden. — Art. 24. Die Generalräte müssen eine oder mehrere Kommissionen einsetzen, mit dem Auftrage, über die Ausführung des Gesetzes und über die Verbesserungen, welche an demselben vorgenommen werden könnten, Berichte vorzulegen, welche an den Minister geleitet und der höheren Kommission mitgeteilt werden sollen. Die Divisions- und Departementsinspektoren, die Präsidenten und Vizepräsidenten des gewerblichen Schiedsgerichtes im Hauptorte oder in dem hauptsächlichen gewerblichen Mittelpunkte des Departements, und nötigenfalls der Bergwerksingenieur gehören von rechtswegen diesen Kommissionen in ihren betreffenden Bezirken an. Die laut Art. 20, 21 und 22 des Gesetzes vom 19. Mai 1874 errichteten Lokalkommissionen werden aufgehoben. — Art. 25. In jedem Departement werden S c h u t z - K o m i t e s (comités de patronage) eingesetzt, die folgende Aufgaben haben: 1. Den Schutz der Lehrlinge und der in der Industrie verwendeten Kinder; 2. Die Förderung ihres berufsmässigen Unterrichts. Der Generalrat eines jeden Departements wird die Zahl und den Wirkungskreis der Schutzkomite's bestimmen, deren Statuten im Seinedepartement von dem Minister des Innern und dem Minister für Handel und Industrie, in den übrigen Departements von den Präfekten genehmigt werden. Die Verwaltung der Schutzkomite's besorgt eine Kommission, zusammengesetzt aus sieben Mitgliedern, von denen vier durch den Generalrat und drei durch den Präfekten ernannt werden. Ihre Dienstleistung ist eine unentgeltliche. — VIII. Abschnitt. S t r a f e n (Art. 26 bis 29). — IX. Abschnitt. B e s o n d e r e B e s t i m m u n g e n.

Schweiz. Zwei Beschlüsse des Bundesrats vom 3. Juni 1891: e r s t e n s betreffend die V o l l z i e h u n g von Art. 1 des Bundesgesetzes über die A r b e i t in den F a b r i k e n. 1. Als F a b r i k e n im Sinne von Art. 1 des Bundesgesetzes betr. die Arbeit in den Fabriken, vom 23. März 1877 werden unter dem Vorbehalte, dass die in dem genannten Artikel enthaltenen allgemeinen Bedingungen zutreffen, betrachtet und dem erwähnten Gesetze unterstellt: a. Betriebe mit mehr als fünf Arbeitern, welche mechanische Motoren verwenden, oder Personen unter 18 Jahren beschäftigen, oder gewisse Gefahren für Gesundheit und Leben der Arbeiter bieten; b. Betriebe mit mehr als 10 Arbeitern, bei welchen keine der sub litt. a genannten

Bedingungen zutrifft; c. Betriebe mit weniger als 6, resp. weniger als 11 Arbeitern, welche aussergewöhnliche Gefahren für Gesundheit und Leben bieten, oder den unverkennbaren Charakter von Fabriken aufweisen. 2. Der Bundesratsbeschluss vom 25. Juni 1878 ist, soweit er die Ateliers der Uhrenindustrie betrifft, aufgehoben. — Z w e i t e n s: betr. die H i l f s a r b e i t e n in F a b r i k e n: 1) Als Hilfsarbeiten werden erklärt und dem Art. 12 des Bundesgesetzes betr. die Arbeiten in den Fabriken unterstellt folgende Verrichtungen: a. A n h e i z e n der Dampfkessel und derjenigen Oefen, welche zur Erwärmung der Arbeitsräume dienen; inbegriffen sind die Flammöfen, sofern deren Bedienung innert kürzern Zeitschranken möglich ist. b. Reinigen von Kaminen, Kesseln, Oefen, Betriebsmotoren, Transmissionen, Werkzeugmaschinengruben. c. Abstauben von Gebälken in Giessereien. d. Trocknen der Formen. 2) Sollen andere Verrichtungen, welche periodisch wiederkehren und sich nur unter gewissen Bedingungen als Hilfsarbeiten, eventuell als Notarbeiten qualifizieren, ausserhalb der regelmässigen gesetzlichen Arbeitszeit vorgenommen werden, so hat hiefür jedes der betreffenden Etablissements unter ausführlicher Begründung um eine generelle E r l a u b n i s einzukommen. Das Industrie- und Landwirtschaftsdepartement ist ermächtigt, über solche Gesuche innert dem Rahmen des Gesetzes zu entscheiden, falls jene nicht unter Artikel 11, Absatz 4 des letzteren fallen. Vorbehalten bleibt der Rekurs an den Bundesrat. 3) Der im Kreisschreiben des Bundesrates vom 14. Januar 1881 enthaltene Entscheid betr. Hilfsarbeiten in Baumwollspinnereien wird aufgehoben; die sogenannte Putzhalbstunde hat somit wegzufallen.

Schweiz. Bern. Vollz.V.O. vom 13. Febr. über S t e l l e n v e r m i t t l u n g f ü r D i e n s t b o t e n i m I n l a n d e. Die Regierungen der Kantone B e r n, F r e i b u r g, W a a d t, Wallis, N e u e n b u r g und G e n f, in der Absicht, die Schutzmassregeln, die in ihrem Konkordat vom Mai 1875 zum Schutze der im Ausland angestellten jungen Leute niedergelegt sind, auch auf die Stellenvermittlung für Dienstboten im Inland auszudehnen, haben zu diesem Zwecke Bestimmungen vereinbart über Stellenvermittlungsbureaus oder Plazierungsagenturen für Dienstboten des einen oder andern Geschlechts: Bediente, Kutscher, Bauernknechte, Kammermädchen, Kellner und Kellnerinnen oder andere gleichartige Anstellungen. (Konzession für 1 Jahr, Kautionsleistung, Registerführung, Art. 1 bis 5). — Art. 6 bestimmt: Den Stellen suchenden Personen dürfen nicht mehr als fünfzig Centimes Einschreibegebühr abgenommen werden. Für die übrigen Kosten hat jedes Stellenvermittlungsbureau einen Tarif aufzustellen, der jede einzelne Gebühr deutlich bezeichnen soll. — Art. 8. Die Stellenvermittlungsbureaus, die stellenlosen Dienstboten Logis und Kost geben wollen, bedürfen dazu einer Bewilligung des Polizeidepartements (der Polizeidirektion). Die Bewilligung wird nur erteilt, wenn die persönlichen und lokalen Verhältnisse befriedigend erscheinen. Sie kann jederzeit zurückgezogen werden.

VIII. **Schutz der Urheberrechte** — — —.

IX. **Wasserrecht** — — —.

X. **Agrargesetzgebung und innere Kolonisation.**

Preussen. Ges. v. 4. Mai, betr. die E n t s c h ä d i g u n g für an M i l z b r a n d gefallene Tiere.

Oesterreich. Gesetz vom 17. August, betr. die A b w e h r und T i l g u n g der L u n g e n s e u c h e der Rinder.

Oesterreich. Gesetz vom 28. März, womit Artikel II des Gesetzes vom 3. Oktober, betreffend die Gewährung von Begünstigungen und Unterstützungen anlässlich der durch die Reblaus (Phylloxera vastatrix) angerichteten Schädigungen, abgeändert wird. »Der Artikel II des Gesetzes vom 3. Oktober 1891 hat künftighin folgendermassen zu lauten: Artikel II. Für den Fall, als in einer Gemeinde die Reblaus in verheerender Weise aufgetreten ist und die betroffenen Grundbesitzer in eine zeitweilige Notlage geraten sind, ist der Ackerbauminister ermächtigt, zum Zwecke der Wiederherstellung der zerstörten Weingärten unverzinsliche Vorschüsse zu erteilen. Diese Vorschüsse können unmittelbar einzelnen Grundbesitzern erteilt werden, oder der Gemeinde, oder einer in Gemässheit des Gesetzes vom 9. April 1873 zur Förderung des Erwerbes oder der Wirtschaft der Grundbesitzer mit beschränkter oder unbeschränkter Haftung errichteten Genossenschaft, oder endlich einem Vereine, welcher die Förderung der Landeskultur überhaupt oder insbesondere des Weinbaues in der betreffenden Gemeinde zum statutenmässigen Zwecke hat. — Soll der Vorschuss unmittelbar dem Grundbesitzer erteilt werden, so ist hiefür in der Regel eine voraussichtlich genügende bücherliche Sicherstellung erforderlich, wobei der ortsübliche Wert des Weingartens, welchen derselbe nach seiner Wiederherstellung haben wird, zu berücksichtigen ist; ausnahmsweise kann auch ohne dieselbe ein Vorschuss dem Grundbesitzer dann gewährt werden, wenn sich dies mit Rücksicht auf seine wirtschaftlichen und persönlichen Verhältnisse als zulässig und gerechtfertigt darstellt. — Tritt die Gemeinde selbst oder eine Genossenschaft, oder ein Verein als Vorschusswerber auf, so hat der Ackerbauminister über die Frage, ob der Vorschusswerber eine Sicherstellung zu leisten habe und die etwa angebotene genüge, fallweise unter Berücksichtigung der obwaltenden Verhältnisse zu entscheiden. — In allen Fällen ist jedoch die Erteilung solcher Vorschüsse davon abhängig, dass der Vorschusswerber eine mindestens gleiche Unterstützung aus Landesmitteln erhalte. Die vom Ackerbauminister zugestandenen Vorschüsse werden bei ordentlicher Einhaltung des Arbeitsplanes zur Wiederherstellung der Weingärten, in Raten, welche diesem Plane entsprechen, ausgefolgt und sind in angemessenen, vom Ackerbauminister festzustellenden Teilbeträgen zurückzuzahlen, deren erster mit Schluss des zehnten Jahres von der Ausfolgung des ersten Vorschussteilbetrages abfällig ist.«

Grossbritannien. Gesetz vom 27. Juni zur Erleichterung der Erwerbung kleiner Grundbesitzungen *(small Holdings)*: Ermächtigung der Grafschaftsräte zum Ankauf von Land für Parzellen-Verkauf, bezw. Parzellen-Verpachtung, bezw. zur Gewährung von Vorschüssen für Kleinbesitzerwerber, in 27 Artikeln.

Grossbritannien. Novelle v. 20. Mai zu den irischen Landarbeitergesetzen zum Zweck vermehrter *Land-allotments* für die landw. Arbeiter in Irland. — Gesetz vom 28. Juni: für denselben Zweck in Schottland.

XI. Volkswirtschaft: Gewerbe, Handel, Transportwesen, Geld-, Münz-, Mass-, Gewichts- und Zeitbestimmungswesen.

Deutsches Reich. Bekanntmachung v. 5. Juli, betr. die Betriebsordnung für die Haupteisenbahnen Deutschlands.

Deutsches Reich. Gesetz v. 2. März; betreffend die Vereinsthaler österreichischer Währung.

Oesterreich. Sechs Gesetze vom 2. August, betreffend die Valutaregulierung: 1) Gesetz, womit die Kronenwährung festgestellt wird. — 2) Gesetz, wodurch das Ministerium der im Reichsrate vertretenen Königreiche und Länder zum Abschlusse eines Münz- und Währungsvertrages mit dem Ministerium der Länder der ungarischen Krone ermächtigt wird. 3) Gesetz, betreffend die Erfüllung von auf Goldgulden lautenden Verpflichtungen in Landesgoldmünzen der Kronenwährung. 4) Gesetz, betreffend einen Zusatz zu Art. 87 'der Statuten der österreichisch-ungarischen Bank. 5) Gesetz, durch welches der Finanzminister ermächtigt wird, ein Anlehen zur Beschaffung von effektivem Gold behufs der Ausprägung von Landesgoldmünzen der Kronenwährung für Rechnung des Staates aufzunehmen, und womit Bestimmungen über die Gebahrung und Kontrolle hinsichtlich dieser neugeprägten Landesgoldmünzen erlassen werden. 6) Gesetz, betr. die Konvertierung der Obligationen der fünfprozentigen steuerfreien Notenrente, der fünfprozentigen Eisenbahn-Staatsschuldverschreibungen der Vorarlberger Bahn und der $4^3/4$prozentigen Eisenbahn-Staatsschuldverschreibungen der Kronprinz Rudolf-Bahn.

Oesterreich. Gesetz vom 29. Dezember, betr. die V e r s t a a t l i c h u n g der städtischen T e l e p h o n n e t z e.

Belgien. Gesetz vom 29. April, betr. die E i n h e i t s z e i t in Belgien (nach dem Meridian von Greenwich).

Schweiz. Bundesgesetz vom 24. Juni, betr. die P a t e n t t a x e n der H a n d e l s - r e i s e n d e n.

XII. Finanzwesen.

1) R e i c h und S t a a t.

A. D i r e k t e S t e u e r n:

Preussen. Gesetz vom 19. Mai, betr. die D e k l a r a t i o n der Vorschriften § 72 Absatz 1 des E i n k o m m e n s t e u e r g e s e t z e s vom 24. Juni 1891 und § 51 Absatz 1 des G e w e r b e s t e u e r g e s e t z e s von demselben Tage.

Preussen. Gesetz vom 18. Juli, betr. die A u f h e b u n g der B e f r e i u n g (für 13 standsherrliche Familien) von ordentl. Personalsteuern g e g e n E n t s c h ä d i g u n g.

Baden. Gesetz vom 6. Mai, betr. Abänderung des E i n k o m m e n s t e u e r -, des G e w e r b e s t e u e r - und des K a p i t a l r e n t e n s t e u e r g e s e t z e s.

Braunschweig. Gesetz vom 15. Juni, betr. Abänderung des G e w e r b e s t e u e r - g e s e t z e s vom 16. Nov. 1870.

Oesterreich. Gesetz vom 23. Januar, betr. die Höhe der V e r z u g s z i n s e n von direkten S t e u e r n und unmittelbaren Gebühren für je hundert Gulden und für jeden Tag mit $1^3/10$ Kreuzer.

Niederlande. Gesetz vom 27. September, betr. E i n f ü h r u n g einer a l l g e - m e i n e n V e r m ö g e n s s t e u e r. (Die »Z. f. d. ges. St.-W.« wird auf dieses Gesetz besonders zurückkommen).

Aegypten. Khedivialdekret vom 28. Januar, betr. Aufhebung des G e w e r b e - s t e u e r g e s e t z e s vom 1. März 1891.

B. I n d i r e k t e S t e u e r n:

Baden. Gesetz vom 27. Juni, betr. die Besteueruug der K u n s t w e i n - Fabrikation: 6 Mark p. Hektoliter.

Bayern. Gesetz vom 26. Mai, betr. Abänderung einiger Bestimmungen des G e - b ü h r e n g e s e t z e s.

Braunschweig. Gesetz v. 10. Juni über Abänderung des E r b s c h a f t s s t e u e r - g e s e t z e s vom 18. April 1876.

Elsass-Lothringen. Gesetz vom 14. Nov., betr. die Erhöhung der W e i n s t e u e r für R o s i n e n w e i n.

Oesterreich. Gesetz vom 18. Sept., in 33 Paragraphen, betr. die Besteuerung des U m s a t z e s v o n E f f e k t e n. — § 1. Der Umsatz von Effekten (Wertpapieren) unterliegt nach den Bestimmungen dieses Gesetzes einer besonderen Steuer (Effekten-umsatzsteuer). Es unterliegen derselben sowohl die an der Börse, als auch die ausserhalb der Börse geschlossenen, ursprünglichen und Prolongationsgeschäfte. Hiebei macht es bei Börsengeschäften keinen Unterschied, ob dieselben per Kassa, auf einige Tage Lieferung, oder auf feste Termine geschlossen; ob sie direkt oder mittels Arrangement abgewickelt; ob sie als Kauf- oder Verkaufsgeschäfte, oder als Prämien- oder Kostgeschäfte geschlossen; und ob endlich insbesondere die Kost-geschäfte von einzelnen Personen oder Bankanstalten, für längere oder kürzere Zeit eingegangen werden. Ebenso macht es bei ausserhalb der Börse geschlossenen Ge-schäften keinen Unterschied, ob sie nach Börseusancen oder ohne Rücksicht auf dieselben geschlossen werden; ob es Kauf- und Verkaufs-, Lieferungs- oder Kostgeschäfte sind; und ob endlich die letzteren von einzelnen Personen oder Bankanstalten für längere oder kürzere Zeit eingegangen werden. Der Umsatz von inländischen Wechseln und kaufmännischen Anweisungen, dann von gemünzten und ungemünzten edlen Metallen, von Devisen und sonstigen ausländischen Zahlungsmitteln ist, unbeschadet der Be-stimmungen des G. v. 8. März 1876 steuerfrei. — § 2. Die Effektenumsatzsteuer wird in festen Sätzen für je einen einfachen Schluss (5000 fl ö. W.) bemessen. — § 3. Die Effektenumsatzsteuer beträgt für jeden einfachen Schluss 10 kr. ö. W., bei Ge-schäften über verzinsliche Staatsschuldverschreibungen im Betrage von nicht mehr als 500 fl. ö. W. Nominale, 5 kr. ö. W. Sie wird, soferne dieses Gesetz keine Aus-nahmen gestattet, mittels besonderer Stempelzeichen entrichtet. — § 4. Von Börsen-geschäften der im § 1, Absatz 1 und 2 bezeichneten Art, welche durch ein offizielles Arrangementbureau einer Börse abgewickelt werden, ist die Steuer von jedem der beiden Kontrahenten durch Verwendung von Stempelzeichen von je 5 kr. ö. W. für jeden einfachen Schluss auf der beim Arrangementbureau einzureichenden Konsigna-tion der zu arrangierenden Geschäftsumsätze (Arrangementbogen) zu entrichten. Die auf Grund der gehörig gestempelten Arrangementbögen ausgegebenen Rechnungen unterliegen gleich den ihnen angehefteten Adressen (Hände) keiner weiteren Gebühr. — § 5. Die das Arrangement besorgende Anstalt überwacht unter ihrer Haftung die genaue Entrichtung der im § 4 festgesetzten Steuer. Für die mit dieser Ueberwachung verbundenen Auslagen und die Mühewaltung kann vom Finanzministerium eine ent-sprechende Vergütung zuerkannt werden. — § 6. Die Arrangementbögen jedes vor-hergehenden, sowie des laufenden Jahres sind, mit laufenden Nummern versehen, von dem Arrangementbureau bei Strafe von 100 bis 500 fl. aufzubewahren. Der Finanz-behörde steht es jederzeit zu, in diese verwahrten Arrangementbögen im Beisein eines Organes des Bureaus Einsicht zu nehmen. Sie darf jedoch, den Fall einer befundenen Steuerhinterziehung ausgenommen, von den Unterschriften der Parteien auf den Ar-rangementbögen keine Kenntnis nehmen, und sind diese Bögen dementsprechend ein-zurichten. Für Arrangementbögen, welche mit keinem oder einem ungehörigen, oder mit einem nicht vorschriftsmässig verwendeten Stempel versehen sind, wird die unter-zeichnete Partei mit der 150fachen Erhöhung der hinterzogenen Steuer bestraft. — § 7. Von Börsengeschäften der im § 1, Absatz 1 und 2 bezeichneten Art, welche ohne Vermittlung eines offiziellen Arrangementsbureaus abgewickelt werden (direkte Geschäfte), ist die Steuer von dem Abliefernden durch Verwendung der erforderlichen Stempelzeichen auf der Rechnung (§ 8) zu entrichten. Der mit Gesetz vom 8. März 1876 festgesetzte Rechnungsstempel tritt für Rechnungen über direkte Börsengeschäfte ausser Kraft. — § 8. Bei Ablieferung der Effekten aus jedem direkten Börsengeschäfte (§ 7), jenes per Kassa nicht ausgenommen, ist der Abliefernde verpflichtet, dem

12 *

Uebernehmer zugleich mit den Effekten eine gehörig gestempelte Rechnung zu erfolgen. Hat der Abliefernde keine Rechnung oder eine mit keinem oder einem nicht gehörigen, oder mit einem nicht vorschriftmässig verwendeten Stempel versehene Rechnung ausgestellt, so wird er mit der 150fachen und im Wiederholungsfalle mit der 300fachen Erhöhung der hinterzogenen Steuer bestraft. — § 10. A u s s e r h a l b d e r B ö r s e geschlossene Vorschussgeschäfte unterliegen der Gebühr nach Tarifpost 36 des Gesetzes vom 13. Dez. 1862 und sind von der Effektenumsatzsteuer frei. Von allen ausserhalb der Börse geschlossenen Kostgeschäften der im § 1, Absatz 1 und 2 bezeichneten Art ist die Effektenumsatzsteuer entweder vom Schuldner (Kostgeber) durch Verwendung der erforderlichen Stempelzeichen auf der von ihm zu überreichenden Rechnung, oder, wo eine solche Rechnung unterbleibt, vom Gläubiger (Kostnehmer) durch Verwendung der erforderlichen Stempelzeichen auf dem den Erlag der Effekten bestätigenden Schriftstücke zu entrichten. — § 12. Von K a u f - und Verkaufs-, dann von Lieferungsgeschäften, welche a u s s e r h a l b der Börse durch Vermittlung eines Handelsmaklers geschlossen werden, ist die Effektenumsatzsteuer durch Verwendung von Stempelzeichen auf den beiderseitigen Schlusszetteln zu entrichten. Der Makler haftet bei Strafe der 150fachen Erhöhung der hinterzogenen Steuer. — § 13. Alle übrigen ausserhalb der Börse geschlossenen Kauf- und Verkaufs-, dann Lieferungsgeschäfte über die im § 1, Absatz 1 bezeichneten Effekten unterliegen der Effektenumsatzsteuer nur insofern, als hiebei ein Kaufmann, welcher gewerbsmässig den Effektenhandel betreibt, thätig ist. Die Steuer ist von jenen Kaufleuten, deren Firma im Handelsregister (Artikel 12 des H. G. B.) erscheint (protokollierte Kaufleute), mittels Verwendung der erforderlichen Stempelzeichen, und zwar zur Hälfte auf der dem anderen Kontrahenten zu überreichenden Note, zur anderen Hälfte in dem Register (§ 14) zu entrichten. Andere Kaufleute (nicht protokollierte Kaufleute) haben die volle Steuer mittels Verwendung der erforderlichen Stempelzeichen auf der dem anderen Kontrahenten zu überreichenden Note allein zu entrichten. — § 14. Jeder Kaufmann ist verpflichtet, über jedes bei ihm vorgekommene Kaufs- oder Verkaufsgeschäft der im § 13, Absatz 1 bezeichneten Art der kaufenden, bezw. verkaufenden Partei bei Abschluss des Geschäftes eine Note auszustellen, welche nebst dem Datum und dem Namen (Firma) des Ausstellers, auch noch die Art und den Nominalbetrag der umgesetzten Effekten, sowie den berechneten Kauf-, bezw. erzielten Verkaufspreis der letzteren zu enthalten hat. Die Noten des protokollierten Kaufmannes sind ausserdem mit der fortlaufenden Jahresnummer zu versehen. Ueberdies ist jeder protokollierte Kaufmann verpflichtet, ein von der Finanzbehörde beglaubigtes Register anzulegen, in welches aus dem Inhalte der an jedem Tage ausgestellten Noten spätestens am dritten Tage nach Abschluss des Geschäftes das Datum, die Art und der Nominalbetrag der bei jedem einzelnen Geschäfte umgesetzten Effekten, sowie der berechnete Kauf- bezw. erzielte Verkaufspreis der letzteren unter den gleichen fortlaufenden Jahresnummern einzutragen ist. — § 17. Jeder protokollierte Kaufmann ist verpflichtet, seine Bücher so einzurichten, dass aus deren Vergleich mit dem Register die genaue Versteuerung jedes bei dem ersteren vorgekommenen Kauf- und Verkaufs-, dann Lieferungsgeschäftes leicht und ersichtlich konstatiert werden kann. — § 18. Die Register der zwei vorangegangenen Jahre sind von jedem protokollierten Kaufmann bei Strafe von 100 bis 1000 fl. ö. W. zu verwahren. Den Finanzbehörden steht es jederzeit zu, in diese Register, sowie in das Register des laufenden Jahres, dann in die dem Kauf-, Verkaufs- und Lieferungsgeschäfte entsprechenden ersten Aufzeichnungen (Strazza, Primanota, Tagebuch) im Beisein des Kaufmannes oder eines Organes desselben Einsicht zu nehmen. — § 19. Strafen für den Kaufmann: 150faches der Defraudation und Ordnungsstrafen von 25 bis 250 fl. — § 22. Bilden ausländische Effekten den Gegenstand eines Geschäftes der im § 1, Absatz 1 und 2 bezeichneten Art, so ist die Steuer in der doppelten Höhe zu entrichten. Werden bei einem und demselben ausserhalb der Börse geschlossenen Geschäfte sowohl in- als ausländische Effekten umgesetzt, so sind bei Berechnung der Schlusshöhe die auf die letzteren entfallenden Geldbeträge in der doppelten Höhe anzusetzen. — § 26. Jeder Empfänger der in den §§ 7, 10, 12, 13 bezeichneten steuerpflichtigen Schriftstücke haftet für deren richtige Stempelung und ist mit der 50fachen Erhöhung der Steuer zu bestrafen, wofern er nicht binnen 30 Tagen nach Erhalt des gar nicht oder nicht vorschriftsmässig gestempelten Schriftstückes entweder die nachträgliche Stempelung aus eigenen Mitteln vornimmt oder die Steuerhinterziehung zur Kenntnis der Finanzbehörde bringt. — § 27. Zur Erlassung von Straferkenntnissen auf Grund eines die Uebertretung dieses Gesetzes konstatierenden Befundes ist die leitende Finanzbehörde erster Instanz (Finanzbezirksdirektion, Gebührenbemessungsamt) berufen. Gegen ein solches Erkenntnis ist, mit Ausschluss des ordentlichen Rechtsweges, der Rekurs an die Finanzlandesbehörde zulässig. Derselbe ist bei der erkennenden Behörde binnen 30 Tagen vom Tage der Zustellung des Straferkenntnisses einzubringen und hat keine aufschiebende Wirkung. Auf die nach diesem Gesetze zu verhängenden Strafen haben die Schlussalinea des § 20, dann der § 21 des Gesetzes vom 8. März 1876 (R. G. Bl. Nr. 26) Anwendung zu finden. — § 30. Die Anteile der Anzeiger und Ergreifer an auf Grund dieses Gesetzes eingehobenen Strafen werden für den Anzeiger mit $^1/_{12}$, für den Ergreifer mit $^1/_6$ der über das Mass der ordentlichen Steuer einfliessenden Steuererhöhungen festgesetzt. Wird ein hiernach zuerkannter Betrag binnen 3 Monaten nach der Anweisung nicht behoben, so ist der betreffende Anteilsanspruch als erloschen zu behandeln. Im übrigen finden auf die Anzeiger der Uebertretungen dieses Gesetzes und die Ergreifer der Gegenstände solcher Uebertretungen jene Vorschriften Anwendung, welche für die Anzeiger und Ergreifer der Gegenstände anderer Gefällsübertretungen bestehen.

Oesterreich. Gesetz vom 18. Sept., betr. die **Entrichtung der Stempelgebühren von ausländischen Aktien, Renten nnd Schuldverschreibungen:** Für jedes in Verkehr gebrachte Stück ist der Stempel nach Wertskala III. des Gebührengesetzes vom 13. Dez. 1862 zu entrichten, ausserdem weiter der Stempel nach Skala II. für Aktien und Obligationen, welche zur Börsennotierung zugelassen werden, sowie für Aktien und Obligationen ausländischer, zum Geschäftsbetrieb in Oesterreich zugelassener Gesellschaften.

Oesterreich. Ein Gesetz vom 26. Dezember hebt die ärarische **Wassermaut** vom 1. Januar 1893 an auf.

Grossbritannien. Eingangszoll auf Schaumwein. Nach § 2 des diesjährigen (1892) *Customs and Inland Revenue Act* — 55 und 56 Vict. ch. 16 — ist der Customs (Wine Duty) Act vom Jahre 1888 aufgehoben und die durch jenes Gesetz angeordnete Verschiedenheit in der Höhe des zusätzlichen Zolles auf Schaumweine beseitigt worden. Statt der bisherigen Zusatzzölle von 2 Schill. 6 Pce. und 1 Schill. für 1 Gallone, je nachdem der Marktwert des Weines mehr oder weniger als 15 Schill. für 1 Gallone betrug, wird seit dem 12. April 1892 ein gleichmässiger zusätzlicher Zoll von 2 Schill. für 1 Gallone Schaumwein erhoben.

Niederlande. Aufhebung der **Accise auf Seife** durch Gesetz vom 27. Sept.

— Erhöhung der B r a n n t w e i n a c c i s e um 3 fl. (weiteres G. vom 27. Sept.). — Ein weiteres Gesetz vom 27. September bestimmt die Accise für S a l z auf 3 fl.

Russland. Die V.O. vom 1. Dez. erhöht die A c c i s e für N a p h t a - Beleuchtungsöle für leichte Oele auf 60, für schwere auf 50 Kopeken pro Pud.

Russland. V.O. vom 9. Nov.: Erhebung der B i e r accise nach dem Rauminhalte der Maischbottiche und in der Höhe von 30 Kopeken für den Wedro von jeder Einmaischung erhoben.

    C. S c h u l d e n w e s e n — — —.

    2) G e m e i n d e f i n a n z e n.

Preussen. Gesetz v. 4. Mai, betr. die K o s t e n Königl. P o l i z e i v e r w a l t u n g e n in S t a d t gemeinden.

DRITTER HAUPTTEIL.
Kolonien und Schutzgebiete:

Deutsche Kolonien. Zwei Reichsgesetze vom 31. März über die Einnahmen und Ausgaben der S c h u t z g e b i e t e und über die Feststellung des H a u s h a l t s - E t a t s für die Schutzgebiete von Kamerun, Togo und das südwestafrikanische Schutzgebiet für das Etatsjahr 1892/93.

Deutsches Reich. Verordnung vom 6. Sept., betr. das B e r g w e s e n im s ü d w e s t a f r i k a n i s c h e n Schutzgebiet.

Zanzibar. Erklärung des Hafens von Zanzibar als F r e i h a f e n. Seitdem 1. Februar 1892 sind die Eingangszölle auf alle aus dem Auslande kommenden Waren aufgehoben. Ausgenommen sind nur: 1) Kriegswaffen und Munition. 2) Spirituosen mit Ausnahme von Bier und Wein von geringerem Alkoholgehalt als 50 Grad des hundertteiligen Alkoholometers. 3) Petroleum und alle anderen entzündbaren Oele oder gefährlichen Stoffe. — Die Zölle auf diese letzteren Artikel werden unter gewissen Lagerbedingungen zurückerstattet.

I. ABHANDLUNGEN.

DIE DIOKLETIANISCHE TAXORDNUNG VOM JAHRE 301.

VON

KARL BÜCHER.

ERSTER ARTIKEL.

Unter dem Titel » D e r M a x i m a l t a r i f d e s D i o k l e t i a n «
hat *H. Blümner* den für das Supplement zum III. Bande des *Corpus
Inscriptionum Romanarum* von *Mommsen* festgestellten Text des
Edictum de pretiis rerum venalium mit einem ausführlichen Kommentar herausgegeben [1]. Die überaus sorgfältige und gründliche
philologische Detailarbeit dieser vortrefflich ausgestatteten Publikation erschliesst eines der wichtigsten Denkmäler der späteren
römischen Kaiserzeit auch für die wirtschaftsgeschichtliche Forschung. Ja sie fordert nach dieser letzteren Richtung geradezu
eine Ergänzung, indem ihre Stärke, wie nach den früheren Arbeiten *Blümner*'s zu erwarten, auf technologischem Gebiete liegt,
während sie in wirtschaftlicher Hinsicht zu manchen Zweifeln und
Bedenken Anlass giebt [2].

Dies gilt bereits von dem für das Ganze gewählten modernen
Titel, der den nationalökonomisch gebildeten Leser zu der Meinung verleiten muss, es handle sich um einen Zolltarif. Die handelspolitischen Debatten der letzten Jahre haben den Ausdruck
Maximaltarif mit derselben Bedeutung ausgestattet, in der man

---

1) Berlin 1893, Verlag von Georg Reimer. XIII und 206 SS. 4⁰.

2) Das Gleiche gilt von dem Aufsatze *Blümner*'s in den »Preuss. Jahrbüchern«,
Bd. LXXII, S. 453 ff., in welchem der Gegenstand für ein grösseres gebildetes Publikum bearbeitet ist.

früher in Frankreich die Bezeichnung *Tarif général* gebrauchte, nämlich für einen Zolltarif, dessen Sätze nur denjenigen Staaten gegenüber in Anwendung kommen, mit welchen Handelsverträge nicht abgeschlossen worden sind. Hie und da verbindet man damit wohl auch den Nebensinn eines besonders hohen, für Kampfzwecke aufgestellten Tarifs.

Um Zölle handelt es sich aber in dem Diokletianischen Edikte nicht. Dasselbe beschäftigt sich ausschliesslich mit obrigkeitlichen Preis- und Lohntaxen, und wenn man ihm durchaus einen modernen Namen geben will, so muss man von einem P r e i s - u n d L o h n t a r i f reden oder, wie im vorigen Jahrhundert, von einer T a x o r d n u n g. Dass Taxen für den Verkäufer immer M a x i - m a l p r e i s e sind, versteht sich von selbst.

So häufig uns solche obrigkeitlichen Taxen in der neueren Geschichte der Volkswirtschaft begegnen, so selten sind sie im Altertum [1]). Aus der klassischen Zeit der Griechen und Römer liegen meines Wissens Beispiele überhaupt nicht vor. Da auch Preise für die wichtigsten Güterarten, die dem freien Verkehr entnommen sind, bei den alten Schriftstellern nicht allzu häufig vorkommen und, wo sie gefunden werden, wegen der Unsicherheit der Münzwerte sich unseren Wertvorstellungen oft nicht anpassen lassen, so war es für die Altertumswissenschaft ein Ereignis von grosser Bedeutung, als im Jahre 1709 von dem englischen Konsul in Smyrna auf dem Boden des alten Stratonikea in Karien ein umfangreiches Bruchstück einer Inschrift entdeckt wurde, welches offizielle Preisansätze aus der Zeit des Kaisers Diokletian in grosser Zahl enthielt. Ein zweites Bruchstück von geringerer Grösse kam 1807 aus Aegypten nach Frankreich; aber erst 1827 machten Veröffentlichungen diese Denkmäler der Gelehrtenwelt zugänglich, in der sie das grösste Aufsehen erregten. Im Laufe der letzten sechs Jahrzehnte sind noch zahlreiche weitere Bruchstücke an verschiedenen Orten gefunden worden, und heute vermögen wir nicht nur über 800 Preisbestimmungen sicher zu entziffern, sondern es hat sich in dem Dokument selbst auch der Schlüssel gefunden, welcher die Münzwerte, mit denen es rechnet, unserem Verständnis aufschliesst.

Zur Zeit sind 35 Fragmente von 21 verschiedenen Ausfertigungen des Diokletianischen Edikts bekannt. Von den letzteren

---

1) *(Maiores nostri) putabant ereptionem esse, non emptionem, cum venditori suo arbitratu vendere non liceret,* sagt *Cicero in Verr.* IV, 5, 10.

waren 9 in lateinischer und 12 in griechischer Sprache abgefasst. Gefunden sind dieselben an 18 verschiedenen Orten, von denen 9 auf dem griechischen Festlande, 3 auf griechischen Inseln, 5 in Kleinasien und 4 in Aegypten liegen. Der Ausdauer und dem Scharfsinne *Mommsen's*, welcher 1851 in den Berichten der Sächsischen Gesellschaft der Wissenschaften, 1873 im *Corpus Inscriptionum Latinarum*, Bd. III und 1893 im Supplement zu diesem Bande die Rekonstruktion des Textes versucht hat, verdanken wir es, dass wir uns jetzt von der Ausdehnung und Anordnung des Ganzen eine genauere Vorstellung machen können. Freilich sind manche Bruchstücke arg zerstört; von vielen Posten des Tarifs sind nur einzelne Buchstaben oder Zahlen erhalten; die Einreihung einiger Fragmente ist zweifelhaft. Immerhin sind von den etwa 1000 verschiedenen Preisangaben, welche alle Reste zusammengenommen enthalten, mehr als vier Fünftel vollkommen sicher gestellt, und man darf die Hoffnung nicht aufgeben, dass spätere Funde einmal die Wiederherstellung des Ganzen ermöglichen werden.

Die Fundstellen der erhaltenen Fragmente sind zum Teil wenig bedeutende Orte, wie das Inselchen Atalante im opuntischen Meerbusen, die lakonischen Städte Gythion und Geronthrae. In Gythion haben sich Reste sowohl der lateinischen als auch einer griechischen Ausfertigung gefunden und ebenso in dem böotischen Plataeae. Aus Lebadea liegen Bruchstücke von zwei verschiedenen griechischen Exemplaren vor. Man darf daraus schliessen, dass in Stein gehauene Kopien des kaiserlichen Ediktes an allen grösseren Orten aufgestellt worden waren. Die Inschriften sind unter diesen Umständen nicht alle mit der gleichen Sorgfalt und Genauigkeit ausgeführt. Selbst in den lateinischen Exemplaren, die von dem offiziellen Text kopiert sein müssen, finden sich alle die Fehler vertreten, welche die Nachlässigkeit und Unwissenheit der Abschreiber in alten Handschriften verschuldet haben. Für die griechische Fassung lag offenbar eine offizielle Uebersetzung nicht vor, und die gleichen Stellen sind deshalb auf verschiedenen Steinen verschieden wiedergegeben, oft gar durch verschiedene Uebersetzungs- und Flüchtigkeitsfehler verunstaltet.

Es kann nicht die Aufgabe dieser Abhandlung sein, auf die aus dem angedeuteten Zustande der Ueberlieferung sich ergebenden Schwierigkeiten einzugehen. Vielmehr soll hier nur der Versuch gemacht werden, das wertvolle Denkmal als Ganzes nach

13 *

der wirtschaftlichen Seite zu würdigen. Da jedoch von den Lesern
dieser Zeitschrift nicht viele Zeit und Lust haben dürften, die
schwierigen lateinischen und griechischen Texte selbst vorzunehmen, so werden wir in Heft III dieser Ztschr. eine Uebersetzung
der genügend erhaltenen Teile des Ediktes geben, von der wir
auch die ausserordentlich schwülstige Einleitung nicht ausschliessen
zu dürfen glaubten.

I.

Das Edikt ist in der Form eines allgemeinen Reichsgesetzes
erlassen. An der Spitze stehen die Namen der beiden Kaiser
Diokletian und Maximian, sowie ihrer beiden Mitregenten *(Caesares)*
Constantius und Galienus; in der Einleitung ist wiederholt vom
ganzen Reiche *(universus orbis)* die Rede, für dessen Wohl durch
den Erlass der Taxordnung vorgesorgt werde. Auch die Worte,
mit denen die *Fasti Idatiani* der Massregel gedenken *(his cos.
vilitatem iusserunt imperatores esse)* weisen auf ein den Gesamt-
staat betreffendes Gesetz hin.

Dennoch hat die Vermutung *Mommsen*'s, das Gesetz sei nur
in den von Diokletian unmittelbar regierten Provinzen wirklich
p u b l i z i e r t worden, manches für sich. Zunächst muss auffallen,
dass bloss in Aegypten, Kleinasien und Griechenland, welche
sämtlich zum unmittelbaren Herrschaftsgebiet des Diokletian gehörten, Exemplare des Edikts gefunden worden sind; immerhin
liesse sich daran denken, dass in den westlichen Teilen des Reiches
eine minder dauerhafte Art der Publikation gewählt worden
wäre [1]). Sodann stammt die einzige genauere Erwähnung des
Edikts in der Litteratur (in der dem Lactantius zugeschriebenen
Schrift *de mortibus persecutorum* c. 7) aus Kleinasien; allein auch
dies kann bei der Dürftigkeit der Quellen zur Geschichte Diokletians nicht besonders auffallen. Endlich werden in dem Tarife
etwas mehr orientalische Bezugsorte der taxierten Artikel genannt als occidentalische. Man wird diesen Erwägungen, gegenüber dem unzweideutigen Wortlaut des Ediktes selbst, kein sehr
grosses Gewicht beilegen dürfen. Wenn endlich *Mommsen* meint, es
habe »weder der derbe Maximian noch der staatskluge Constantius
an solchem theoretischen Schwindel Gefallen finden können«, so

---

1) Die Gesetze wurden damals bekannt gemacht *aereis tabulis vel cerussatis aut
linteis mappis: l. 1 Cod. Theod.* XI, 27.

hat er dabei sich des § 1283 T. II Titel 20 des preussischen Land-
rechts sicher nicht erinnert, der von dem gleichen Geiste einge-
geben ist wie unser Edikt.

Was bedeutete das Edikt? Die Einleitung lässt, bei aller
Unklarheit im einzelnen, keinen Zweifel darüber, dass es sich um
eine Massregel handelte, welche durch eine allgemeine Preissteigerung aller Lebensbedürfnisse hervorgerufen war, die unabhängig
von dem Ausfall der Ernten sich geltend machte. Die Schrift
de mortibus persecutorum macht den Diokletian selbst zum Urheber dieser wirtschaftlichen Bedrängnis *(idem cum variis iniqui-*
tatibus immensam faceret caritatem, legem pretiis rerum venalium
statuere conatus est), und die Erklärer des Edikts geben eine ganze
Musterkarte von Massregeln, an welche der Verfasser bei diesen
Worten gedacht habe: die Vermehrung des stehenden Heeres,
die Schaffung zahlreicher neuer Aemter und Würden, die Erhöhung
der Provinzialsteuern, endlich die kostspielige Baulust und die un-
ersättliche Habgier des Kaisers selbst. Sie fügen dem aus Eigenem
noch eine Reihe anderer Momente hinzu, von denen aber nur
eines wirklich unsere Beachtung verdient: die a l l g e m e i n e
M ü n z v e r s c h l e c h t e r u n g [1]).

Das Edikt selbst gedenkt dieses Umstandes begreiflicher Weise
nicht; aber seine Bedeutung erhellt dennoch aus ihm mit aller
nur wünschenswerten Deutlichkeit. Sämtliche Preisansätze sind
in Denaren ausgedrückt, auch die allergrössten. Diese Denare
sind aber nicht mehr die Silberdenare der früheren Zeit, im Werte
von etwa 70 Pfennig unseres Geldes, sondern eine Kupfermunze,
welche damals das einzige Zirkulationsmittel gebildet zu haben
scheint, während Gold- und Silbermünzen nur noch nach dem Gewichte gegeben und genommen wurden. Das ganze Münzwesen
befand sich also in einem Zustande tiefster Devalvation, die
Scheidemünze war zur einzigen Verkehrsmünze geworden; für
grössere Zahlungen zirkulierte sie in Beuteln *(folles)*. Der wahre
Wert dieses Diokletianischen Kupferdenars erhellt aus einem
erst vor wenigen Jahren in Elatea aufgefundenen Stück unseres
Edikts (Kap. 30, 1a bei *Mommsen*), wo das römische Pfund
(= 327,45 Gr.) Feingold mit 50000 Denaren angesetzt wird [2]).

---

1) Für das Folgende sei ein für alle Mal auf *Mommsen*, Geschichte des röm.
Münzwesens verwiesen. Eine bequemere kurze Darstellung findet man bei *Hultsch*,
Griech. u. röm. Metrologie, § 38—40.

2) Der Separatabdruck des Edikts bei *Blümner* hat leider an dieser Stelle einen

Dies ergäbe für den Denar in unserem Gelde 1,827 Pfennig.

Der Kupferdenar ist der direkte Nachkomme des alten Silberdenars. Ursprünglich war dieser aus reinem Silber, so gut man dieses herzustellen vermochte, geprägt worden. Seit Nero hatte man begonnen, dieses Silber mit 5—10 °/o Kupfer zu legieren, ohne den Nennwert des Denars zu ändern; unter Hadrian betrug die Beschickung bereits 20, unter Marcus Aurelius 25 °/o; unter Commodus stieg sie auf 30, unter Septimius Severus auf 50—60 °/o. Von da ab war kein Halten mehr; im 3. Jahrhundert sank der Silbergehalt der Münze bis auf 5 °/o; die trügerische Kunst des Weisssiedens vermochte den Münzschwindel der Regierung nicht mehr länger zu verhüllen. Der Aureus, die Hauptgoldmünze seit Caesar (ursprünglich = 25 Silberdenaren) war eine Zeit lang der Verschlechterung des Silberdenars gefolgt und dabei auf ein Viertel seines ursprünglichen Gewichtes heruntergekommen. Um die Mitte des dritten Jahrhunderts wurden Goldstücke in so unregelmässigen Gewichtsmengen geprägt, dass schon damals jede Relation zwischen den verschiedenen Bestandteilen der Zirkulation verloren gewesen sein muss und die Goldmünzen nur noch nach dem Gewicht umgesetzt werden konnten [1]). Diokletian nahm zwar die Prägung von Gold- und Silbermünzen nach einem schwereren Münzfusse wieder auf; aber es gelang ihm offenbar nicht, der Kupfergeldkrise Herr zu werden. Erst unter Konstantin erfolgte eine durchgreifende Valutaregulierung.

Unser Edikt stellt darnach einen Versuch dar, das Verhältnis, in welchem Waren gegen das entwertete Kreditgeld ausgetauscht werden sollten, durch ein Machtgebot der Regierung festzustellen. Man wollte aller Wahrscheinlichkeit nach die Scheidemünze, welche auf den Kupferwert hatte heruntersinken müssen, nachdem sie nichts mehr zu scheiden hatte, künstlich wieder emporbringen. Nur so lässt es sich erklären, weshalb in den Tarif nicht bloss die Dinge der täglichen Notdurft, sondern auch die Schöpfungen des raffiniertesten Luxus aufgenommen worden sind und weshalb uns manche Teile des kaiserlichen Ediktes anmuten wie der Katalog eines modernen Modewarenhändlers. Wollte ein kaiserlicher Machtspruch den Geldwert regulieren, so schien die natür-

---

unangenehmen Druckfehler, indem statt des Zahlzeichens für 50 000 (M mit übergesetztem E) dasjenige für 10 000 (M) gedruckt ist.

1) Dasselbe gilt gewiss auch von den alten Silbermünzen. Vgl. *Rodbertus* in Hildebrands Jhrb. VIII, S. 408 ff. Anm. 54.

liche Logik zu fordern, dass die Tarifierung sich auf jeden Ver-
kehrsakt erstrecke, bei dem Geld gegen Ware umgesetzt wurde,
auch den seltensten.

Aus diesem Grunde darf die Massregel des Diokletian auch
nicht verglichen werden, wie es von den Erklärern geschieht, mit
dem Versuche, den J u l i a n im Jahre 362 machte, um den Ge-
treidepreis in Antiochia zu regulieren und bei welchem er selbst
das Steuergetreide Aegyptens zu dem festgesetzten niederen
Taxpreise auf den Markt brachte [1]). Aehnliche Massregeln waren
schon früher von T i b e r i u s , C o m m o d u s und A l e x a n d e r
S e v e r u s ergriffen worden [2]). Sie verfolgten den Zweck, die
städtische Menge, soweit sie nicht schon durch die Largitionen
erhalten wurde [3]), für den Imperator zu gewinnen und beschränkten sich immer auf die notwendigsten Lebensmittel. Noch Aurelian hatte die Brot-, Oel- und Fleischspenden an das Volk vermehrt und dabei den witzigen Ausspruch gethan, es gäbe nichts
Lustigeres als das römische Volk, wenn es satt sei [4]).

Solche Gedanken lagen dem D i o k l e t i a n gewiss fern.
Rom war noch Hauptstadt, aber nicht mehr Residenz; Mailand,
Trier, Sirmium, Nikomedia waren nicht in dem früheren Sinne
die Sitze der Hofhaltungen. Sie lagen am günstigsten zur Verteidigung der Reichsgrenzen, auf welche damals alles ankam. Um
ihretwillen hatte Diokletian das stehende Heer auf das Drei- bis
Vierfache seiner früheren Stärke vermehrt, hatte er an Stelle der
weit zerstreuten Garnisonstruppen in den Provinzen Feldarmeen
aufgestellt. Und die Rückwirkung der Geldkrisis auf das Wohl-
befinden und die Zufriedenheit dieser T r u p p e n war nach dem
offenen Eingeständnis in der Einleitung des Ediktes die nächste
Veranlassung zur Ergreifung einer dem römischen Verkehrsrecht
so fremdartigen Massregel. Der Soldat sollte wieder mit seinem
Solde etwas ausrichten können. Er sollte, wohin er auch nach
den Forderungen des Dienstes verschlagen würde, den fremden
Verkäufer vor den öffentlich aufgestellten Tarif führen können,

---

1) Vgl. *Ammian. Marc.* XXII, 14, 1 und dazu die Erklärer.
2) Tac. *Ann.* II, 86. *Lamprid. Commodus* c. 14. *Alex. Severus* c. 22. In der
republikanischen Zeit war die *Cura annonae* Sache der Aedilen: *Mommsen*, Röm.
Staatsrecht II, 472 f.
3) Vgl. meine Entstehung der Volkswirtschaft S. 287.
4) *Neque enim populo Romano saturo quicquam potest esse laetius. Vopisc. Aurel.*
c. 47 f. Vgl. auch c. 35.

um sich gegen seine Ueberforderung zu schützen. Und zwar der
Soldat im weitesten Sinne des Wortes, auch der Offizier, auch
der Militärbeamte, der zu dieser Zeit von dem Zivilbeamten in
den Provinzen noch nicht recht zu scheiden ist, auch die Weiber
und Kinder im Tross der Truppen und im Gefolge der Befehls-
haber: sie alle sollten der Wohlthaten der neuen Verkehrsordnung
teilhaftig werden.

Aus diesem Grunde sehen wir im Tarife selbst auf die Bedürfnisse des Heeres besondere Rücksicht genommen. Gleich
im Eingange wird der Preis der verschiedenen Getreidearten nicht
nach dem gewöhnlichen bürgerlichen Masse bestimmt, sondern
nach dem »Lagerscheffel«, und wenn wir auch über diesen *castrensis
modius* wenig mehr wissen, als dass er das doppelte Quantum
des italienischen Scheffels fasste [1]), so dürfen wir doch vermuten,
dass er das im Verpflegungswesen der Truppen gebräuchliche
Trockenmass war [2]). Wir sehen den Schleiferlohn für Schwert,
Helm und Säbelscheide, die Preise für Soldatenschuhe und Stiefel,
für Militärsättel, für verschiedene Arten von Soldatengürteln, für
Lanzenschäfte und Pfähle, für Zelt- und Pferdedecken, für die
mannigfachsten Arten von Militärmänteln, ja sogar für Militär-
hemden besonders festgesetzt. Dass daneben auch Taxen für
zahlreiche Luxuswaren auftreten, könnte darauf zurückgeführt werden, dass der orientalische Prunk, mit welchem Diokletian seinen
Hofhalt umgeben hatte, auch den höheren Chargen des Heeres
und den in den Provinzen reisenden Beamten nicht fremd geblieben war. Aber es finden sich doch zu viele Posten, welche
dem ruhigen Leben des sesshaften Bürgers entnommen zu sein
scheinen, als dass wir die Bedeutung des Ediktes auf den ausgesprochenen nächsten Zweck begrenzen dürften.

Ich meine darum, da sozialpolitische Rücksichten auf die
konsumierende Bevölkerung sicher nicht in Frage kamen, und
da der moralisierende Schwulst [3]) im ersten Teile der Einleitung

---

1) *Mommsen*, Berichte üb. die Verh. d. sächs. Ges. d. Wiss. philol.-histor. Klasse
III (1851), S. 58 f.

2) Vgl. *Vopisc. Aurel.* 9, 6: *panes militares castrenses.* Möglich ist freilich auch,
dass es der beim kaiserlichen Hofrentamt gebräuchliche Scheffel ist. Vgl. *Hirschfeld*, Unters. zur röm. Verwaltungsgesch. S. 196 ff.

3) Interessant ist, dass auch *Aurelius Victor* an der einzigen Stelle, wo er auf
das *Edictum de pretiis* Bezug zu nehmen scheint, diesen Standpunkt einnimmt. Er
sagt (*de Caes.* 39, 45): *Simul annona urbis et stipendiariorum salus anxie solliciteque*

doch nur dazu gut gewesen sein kann, die wahren Gedanken des
Gesetzgebers zu verbergen, dass es sich im wesentlichen um eine
münzpolitische Massregel handelt mit dem Nebenzwecke, die Lage
der Truppen zu verbessern. Die ganze Taxordnung wäre dann
mehr eine Tarifierung des Geldes in Waren, als eine Tarifierung
der Waren in Geld. Denn in einem nach aussen vollkommen abgeschlossenen Verkehrsgebiete mit stark entwerteter Valuta ist
in der That das unmittelbare Gebrauchsgut das einzig Feste, das
Geld aber das Schwankende. An einer fremden Valuta konnte
der römische Kupferdenar nicht gemessen werden; dies konnte
nur an den Gütern geschehen, mit denen sich feste Gebrauchs-
wertvorstellungen verbanden.

Man wird das nur verstehen, wenn man sich vergegenwärtigt,
wie tief die ganze römische Welt im vierten Jahrhundert noch
in der Naturalwirtschaft befangen war [1]). Die Steuern der Provinzen wurden zwar in Geld angeschlagen, aber fast ausschliesslich in Lieferungen und Leistungen angesetzt und erhoben. Die
Lieferungen umfassten in erster Linie die *Annona,* d. h. alle Arten
von Lebensmitteln, wie Getreide, Hülsenfrüchte, Oel, Wein, Ochsen-,
Schweine- und Hammelfleisch, überhaupt alle Erzeugnisse der
Landwirtschaft; in zweiter Linie Holz, Eisen, Baumaterialien,
fertige Waffen, Tuch und Leinwand, fertige Soldatenkleider und
andere Fabrikate. Dieselben waren entweder nach Rom, dem
eine eigene *regio annonaria* zugewiesen war, oder an die Pro-
vinzialmagazine, oder an die Stationen der Reichspost oder an
bestimmte Truppenteile zu liefern. A u r e l i a n hatte der Provinz
Aegypten für immer die Verpflichtung auferlegt, Glas, Papier,
Flachs, Werg und sonstige Import-Artikel *(anabolicas species)* als
Steuer nach Rom abzuführen. Die Leistungen bestanden in Hand-
und Spanndiensten, namentlich solchen, die beim Transport der
Naturalsteuern, beim *Cursus publicus,* beim Militärwesen, bei der
Erbauung oder Wiederherstellung öffentlicher Werke, bei der
Waffenfabrikation u. dgl. nötig waren. Der Staat hielt zahllose
Vorratshäuser, die durch das ganze Reich zerstreut waren und in
welche die Lieferungen bis zum Gebrauche abgeführt wurden,
sei es zur Verproviantierung der Städte, sei's zur Verpflegung des

---

*habita, honestiorumque prouectu et e contra suppliciis flagitiosi cuiusque virtutum
studia augebantur.*

1) Vgl. darüber *Rodbertus* a. a. O. S. 403 ff.

Heeres, sei's zur Besoldung der Beamten [1]). Die letztere umfasste vier Bestandteile: 1) das *salarium*, d. h. eine reichlich bemessene Verpflegungsration, 2) *vestes*, Kleider und Decken, 3) *argentum*, Silbergeschirr, auch wohl Barrensilber und Gold, nebst Kupfermünzen, endlich 4) *ministeria*, Sklaven für bestimmte Dienste (Koch, Maultiertreiber), nebst Pferden und Maultieren zum persönlichen Gebrauch. Der Teil des Staatsbedarfes, welcher die Geldform durchlief, war ausserordentlich gering; von mehreren Kaisern wurde die *adaeratio*, die Umwandlung von Natural-Einnahmen in Geld, prinzipiell verboten [2]). Nimmt man dazu, dass der Privathaushalt des Kaisers mit seinen Webereien, Färbereien, Werkstätten für Metallarbeit, mit seinen Landgütern und einem ausserordentlich vielseitig ausgebildeten Sklavenheer fast alles selbst hervorbrachte, was er brauchte, dass die ganze Lokalverwaltung in den Städten des Reichs auf einem System naturaler Lieferungen und Leistungen beruhte, mittels deren die öffentlichen Bedürfnisse direkt von den einzelnen Gemeindegliedern bestritten wurden [3]), so überzeugt man sich leicht, dass im Staats- und Gemeindeleben, trotz stehender Heere und trotz Ausbildung eines Standes von besoldeten Berufsbeamten, der Geldverkehr nur an sehr wenigen Punkten Platz greifen konnte.

Er konnte das aber nicht, weil er auch in der Privatwirtschaft noch immer nur eine sehr bescheidene Rolle spielte. Wir dürfen dahingestellt sein lassen, ob in der späteren Kaiserzeit, wie einige meinen, eine Rückkehr von einer mehr geldwirtschaftlichen Art der Bedürfnisbefriedigung zur vorwiegenden Naturalwirtschaft stattgefunden hat. Sicher ist, dass die Zerlegung der Latifundien in Kolonistenstellen in diesem Punkte keine Aende-

---

1) Das Amt des Finanzministers deckte sich unter diesen Umständen bis zu gewissem Grade mit demjenigen des Kriegsministers *(praefectus praetorio)*. Wie es sich praktisch gestaltete, lehrt die Erzählung des Julius Capitolinus über Misitheus, den *praefectus praetorio* Gordians III (c. 28, 2, vgl. c. 29, 2): *cuius viri tanta in rep. dispositio fuit, ut nulla esset umquam civitas limitanea potior et quae posset exercitum p. R. ac principem ferre, quae totius anni in aceto, frumento et larido atque hordeo et paleis condita non haberet, minores vero urbes aliae triginta dierum, aliae quadriginta, nonnullae duum mensium, quae minimum quindecim dierum.* — Ein anderer Teil der Finanzverwaltung lag dem *comes sacrarum largitionum* ob.

2) *Cod Theod.* XI, 2.

3) Man vergleiche den Digestentitel *de muneribus et honoribus* (50,4) und von Neueren *E. Kuhn*, Die städtische und bürgerliche Verfassung des römischen Reichs I, 35 ff.

rung hat hervorbringen können. Denn mag man dabei nach der früheren Annahme voraussetzen, dass der gutsherrliche Eigenbetrieb vollständig aufgegeben worden sei, mag man nach einer neueren Ansicht das Fortbestehen einer in eigener Regie des Herrn mit Frohndiensten der Kolonen betriebenen Gutswirtschaft annehmen, in beiden Fällen empfing der Grundeigentümer als Einnahme nur Naturalien, die soweit nötig durch Sklavenarbeit in seiner Wirtschaft in Fabrikate verwandelt[1]) und ohne Zweifel auch grösstenteils in seinem Haushalt konsumiert wurden. Vergegenwärtigt man sich nun, dass seit Diokletian Italien derselben Steuerpflicht und demselben Steuersystem unterworfen wurde wie die Provinzen, so überzeugt man sich leicht, dass die auf der Ausbeutung des Bodens beruhenden Wirtschaftsbetriebe durch das ganze römische Reich nur ausserordentlich wenig von ihren Ueberschüssen an den Markt abgeben konnten. Die ägyptische Annona betrug ein Fünftel des Bodenertrags; in den übrigen Provinzen sank sie wohl nirgends unter den Zehnten; in den meisten Fällen aber verschlangen die Steuerlieferungen, da sie nicht auf bestimmte Beträge fixiert waren, alles, was die Pflichtigen über den eigenen Konsum erwirtschaftet hatten, oft sogar mehr.

Soweit die Bevölkerung in ihrem Nahrungsstande unmittelbar von der Bebauung des Bodens abhängig war, bestand noch jene geschlossene Hauswirtschaft, in welcher die Produktion nur durch den eigenen Bedarf bestimmt wird und nur etwaige Ueberschüsse an den Markt abgegeben werden können. Ackerbau und Fabrikation waren noch in e i n e m Wirtschaftsbetriebe vereinigt; ein gewerbliches Unternehmerkapital war kaum noch vorhanden. Soweit ein selbständiger Gewerbebetrieb nachweisbar ist, beruht er auf der Thätigkeit von Sklaven, welchen der Herr die Ausübung ihrer Kunst für andere gegen Bezahlung gestattet hat, oder auf dem Lohnwerk von Freigelassenen und ärmeren Freien. Nirgends aber gewinnen wir aus den Quellen den

---

1) Wie *Rodbertus* a. a. O. annimmt, in eignen städtischen Fabrikationsbetrieben der Herren, nach *M. Weber*, Röm. Agrargeschichte S. 274 im engsten Zusammenhange mit der Gutswirtschaft. Beiläufig bemerkt, scheint mir die *Weber*'sche Hypothese einer allgemeinen Frohnpflicht der Kolonen in den Quellen nicht genügend begründet. Dieselbe müsste in den Rechtsdenkmälern tiefere Spuren hinterlassen haben. Immerhin ist zuzugeben, dass sie viel Ansprechendes hat und für die Entstehung der mittelalterlichen Hofverfassung ganz neue Perspektiven eröffnet.

Eindruck, dass vom Grundbesitz losgelöste gewerbliche Betriebe
mit erheblichem Kapital vorhanden gewesen. Solche gab es nur
im Handel und vereinzelt wohl auch in den Verkehrsgewerben
(Schiffahrt), und darum sehen wir hier auch das Unternehmungs-
kapital einer eigenen Geldsteuer unterworfen [1]).

Dies ist bezeichnend: wo im Privatverkehr der Geldgebrauch
sich eingebürgert hat, da nimmt auch der Staat das ihm Zukommende in dieser Form. Dass aber ein eigener Handelsbetrieb
auch unter dem Systeme der geschlossenen Hauswirtschaft sich
ausbilden kann, liegt einerseits in der Unvollkommenheit der Einzelwirtschaften, anderseits in der ungleichen geographischen Verteilung der Naturgaben begründet [2]). Im römischen Reiche wurde
derselbe ebensowohl durch den hochentwickelten Luxus der Städte,
als auch durch den unter der *pax Romana* sich entfaltenden freien
Verkehr zwischen den einzelnen Teilen des gewaltigen Länder-
gebietes gefördert. Man darf aber nie vergessen, dass dieser
Handel nicht ein notwendiges Ergebnis volkswirtschaftlicher Arbeitsteilung war, sondern dass er bloss die Lücken der Eigenproduktion ausfüllte, auf der das herrschende Wirtschaftssystem beruhte [3]).

Aus dieser Darlegung ergiebt sich, dass die Gütermenge,
welche durch speziell entgeltliche Uebertragung aus einer Wirtschaft in die andere gelangte, im Vergleich mit der Gesamtpro-
duktion der Bevölkerung des römischen Reiches, nur sehr gering
sein konnte, und dass in derselben die Gegenstände des täglichen
Bedarfs nur ausnahmsweise (bei lokalen Missernten u. dgl.) stärker
hervortraten. Der Kolone und der Possessor gewannen in eigener

---

1) Der *lustralis collatio* unterliegen bloss die *negotiatores,* nicht aber die Handwerker, *qui manu victum rimantur aut tolerant, figuli videlicet aut fabri.* Vgl. *Cod.*
Theod. XIII, 1, bes. l. 10.

2) Vgl. meine Entstehung der Volkswirtschaft, besonders S. 37.

3) So lange man in diesen Dingen nicht mit quantitativen Vorstellungen arbeitet, wird man mit Notwendigkeit zu einer Ueberschätzung des antiken Handels
kommen, weil man die Erscheinungen desselben nach dem Eindrucke beurteilt, den
sie auf die Zeitgenossen machten und dabei nur zu geneigt ist, die Ausnahme als
Regel zu betrachten. Dies gilt u. a. auch von den neuesten Ausführungen *Gold-*
schmidt's, Handb. des Handelsrechts I, S. 64 ff. Auch *Friedländer*, Sittengeschichte
Roms I, S. 298 ff. geht noch zu weit, wenn er den Einfuhrhandel Roms »kolossal«
nennt. Die Einfuhr, ja! Aber wieviel war davon Handel? Der Zwischenhandel im
römischen Reiche hat den aleatorischen Charakter, den Horaz so schön dargestellt hat, nie verloren. Seine geringe Intensität geht schon daraus hervor, dass die
römische Reichspost nie dem Privatverkehr zugänglich gemacht wurde.

Wirtschaft, was sie täglich brauchten; der Beamte und der Soldat empfingen das Gleiche aus den Staatsmagazinen; der städtische Arme wurde auf öffentliche Kosten mit dem Nötigsten versehen; die Arbeiterbevölkerung bestand aus Sklaven, die von ihren Herren ernährt wurden; die freien Handwerker empfingen, wo sie ihre Arbeit vermieteten, die Kost: in allen diesen Haushaltungen konnte der tauschmässige Erwerb nur als Lückenbüsser für einen sehr beschränkten Teil des Konsums in Betracht kommen, konnten sich feste Tauschwertvorstellungen wegen der Seltenheit der einzelnen Verkehrsakte kaum bilden. Daher das ausserordentliche Schwanken der aus dem Altertum überlieferten Preise, welches die in der philologischen Litteratur oft versuchte Berechnung durchschnittlicher Handelswerte als vergebene Liebesmühe erscheinen lässt. Man begreift darnach, dass der Gedanke, allen Preisen eine feste obere Grenze von Staats wegen vorzuschreiben, für die Zeit Diokletians eine ganz andere Bedeutung hatte, als er etwa für die Gegenwart haben würde.

Das Edikt gedenkt des Zwischenhandels mit Worten, welche sein Wesen und seine Bedeutung klar bezeichnen. Es spricht von den *venditores emptoresque, quibus consuetudo est adire portus et peregrinas obire provincias* und welche darauf rechnen, beim Verschleiss später teurer verkaufen zu können, als sie im grossen eingekauft haben. Es deutet an, dass Preisverabredungen stattfinden, dass Waren zurückgehalten werden, weil man sie künftig teurer verkaufen zu können hofft. Aber man würde doch irren, wenn man meinte, dass im Tarife selbst der Grosshandel irgendwie berücksichtigt sei. Die der Taxierung zu Grunde gelegten Gewichtsmengen und Stückzahlen berücksichtigen nur den Kleinhandel und den unmittelbaren Verkehr zwischen Produzenten und Konsumenten, und nehmen gerade in diesem Punkte das Interesse des Volkswirtes besonders in Anspruch.

Dass der Kleinhandel in den antiken Städten ausserordentlich reich und vielseitig entwickelt war, liegt in den sozialen und wirtschaftlichen Verhältnissen der ärmeren städtischen Bevölkerung begründet. Aber man darf doch nicht übersehen, dass ihm das wichtigste Gebiet des heutigen Kleinhandels, der Verschleiss der notwendigen Lebensmittel, fast ganz entzogen war. Brot, Oel, Wein, Pöckelfleisch brachte der Staat selbst auf den Markt. Im Anfange des 4. Jahrhunderts waren in Rom 254 Bäckereien und 2300 Stellen für den Oelverkauf auf Rechnung des Staates.

Und nicht bloss Lebensmittel, sondern auch andere Produkte wurden, wie wir im nächsten Abschnitte sehen werden, von dem Staate an den Markt gebracht. Die Taxordnung erlangt so auch für die Reichsfinanzen eine gewisse Bedeutung. Doch ist, um dies zu verstehen, ein Eingehen auf die einzelnen Teile des Tarifs erforderlich.

II.

Die innere Gliederung des Warenverzeichnisses erscheint auf den ersten Blick wenig systematisch. Auf den verschiedenen Steinen liessen sich 46 durch besondere Ueberschriften ausgezeichnete Abschnitte unterscheiden; ausserdem sind Bruchstücke oder ganze Warenklassen vorhanden, denen die Ueberschriften fehlen. Auch wo die letzteren erhalten sind, beziehen sie sich manchmal nur auf die ersten Nummern des ihnen folgenden Abschnittes, und es treten dann öfters recht seltsame Zusammenstellungen auf. So finden wir Salz und Hering unter der Rubrik »Oel«, Käse unter den Fischen, Eier und Milch bei den Gemüsen, die Schreiberlöhne und Lehrhonorare unter der Ueberschrift »Metallarbeit«. Es ist schwer zu sagen, wie viel von dieser Anordnung auf das in der kaiserlichen Kanzlei geschriebene Original, wie viel auf die lokalen Ausfertigungen zurückgeht. *Mommsen* hat zur Erleichterung des Citierens das ganze Verzeichnis in 32 Kapitel eingeteilt und innerhalb dieser die einzelnen Artikel mit Nummern versehen.

Um einen Ueberblick über die Anordnung des Ganzen zu gewähren, so wie sie sich nach *Mommsen's* Zusammenfügung der Bruchstücke darstellt, gebe ich nachfolgend ein Verzeichnis der Hauptrubriken, in welchem die Ueberschriften des Originals so viel als möglich beibehalten, bezw. ergänzt worden sind:

1. Feldfrüchte und Sämereien.
2. Wein.
3. Oel, Essig, Salz, Honig.
4. Fleisch.
5. Fische.
6. Gartenfrüchte, Obst u. s. w.
7. Arbeitslöhne.
8. Metallarbeit und anderes.
9. Schreibwesen.
10. Schneiderarbeit.
11. Unterricht.
12. Felle und Häute.
13. Leisten und Schuhwerk.
14. Andere Lederarbeiten.
15. Ziegen- und Kameelhaare nebst Fabrikaten daraus.
16. Bauholz.
17. Weberschiffchen u. Verwandtes.
18. Pfähle, Brennholz.
19. Wagenholz.
20. Wagen.
21. Karren und andere Holzwaren.

22. Siebe.
23. Nadeln.
24. Fuhrlöhne.
25. Viehfutter.
26. Federn, Stopfwolle.
27. Schreibrohre und Tinte.
28. Wollene Kleiderstoffe.
29. Sticker- u. Seidenwirkerlöhne.

30. Wollenweberlöhne.
31. Walkerlöhne.
32. Preis der Seide.
33. Purpur.
34. Wolle.
35. Leinen.
36. Gold.
37. Silber.

Endlich sind noch einige grössere Reste erhalten, in welchen sich Hanf, Flachs und wie es scheint auch andere Pflanzenfaserstoffe, ausländische Gewürze, Harze, Asphalt tarifiert fanden. Ihre Einreihung ist zweifelhaft. Aber auch die Aufeinanderfolge des obigen Verzeichnisses ist von Nr. 17—27 schwerlich die des Originals. Immerhin lässt sich in der Anordnung ein gewisses System erkennen. Der Tarif begann mit den Lebensmitteln, voran die vier Hauptbestandteile der »Annona«; dann folgten Arbeitslöhne, endlich industrielle Rohstoffe und fertige Fabrikate, untermischt mit Arbeitslöhnen. Allein es fehlen doch zu viele Rubriken, die das Original schwerlich übergangen hat (z. B. die Backwaren, Glas-, Töpfer- und Seilerwaren, die Taxen der Tabernen und Garküchen).

Wir lassen deshalb die Anordnung des Ganzen auf sich beruhen und wenden uns zu der G l i e d e r u n g   d e r   e i n z e l n e n   A b s c h n i t t e. Vielleicht gelingt es uns auf diesem Wege, etwas tiefer in die Entstehungsweise dieser doch immer hervorragenden Schöpfung der kaiserlichen Bureaukratie einzudringen.

Mommsen bezeichnete es in der ersten Ausgabe des Edikts als sehr wahrscheinlich, dass die Redaktoren des Gesetzes bei dessen Abfassung ein nach Gegenständen geordnetes lateinisch-griechisches Glossar zu Grunde legten, ähnlich wie das in dem Schulbuch des Dositheus erhaltene. Seitdem mehrere andere Glossare dieser Art bekannt geworden sind, welche sehr abweichende Anordnungen aufweisen, lässt sich, wie *Blümner* hervorhebt, diese Vermutung nicht aufrecht erhalten.

Sie war auch an sich unwahrscheinlich genug. Mit so wenig Witz ist doch auch in der römischen Kaiserzeit die Welt nicht regiert worden. Denn es kam ja nicht bloss auf Verzeichnisse von Warengruppen an, sondern auch die Preise mussten festgestellt werden, und diese haben die Beamten Diokletians gewiss ebenso wenig aus den Fingern saugen können, wie die des modernen Staates. Heute würde man die Handelskammern und

ähnliche Interessenvertretungen zu Rate ziehen, möglicher Weise
auch bei einzelnen bedeutenden Geschäften Nachfrage halten.
Vielleicht lag auch den Römern ein solches Verfahren nicht so
fern, als man denkt. Man konnte die Kollegien der Handwerker
und Kleinhändler zur Aufstellung von Einzelverzeichnissen veranlassen. Sie würden dann wohl die einzelnen Artikel so aufgezählt haben, wie sie sich auf dem Markte oder in den Niederlagen der Händler zusammenfanden, bei Fabrikaten nach den Ver-
fertigern. Man sieht leicht, dass die Zusammenstellung von Eiern
und Gemüse, Weberschiffchen und Schabmessern, Tinte und Schreib-
rohr, Wolle und Hasenhaaren sich ungezwungen auf diese Weise
erklärt.

Nimmt man dann aber wieder Abschnitte vor, wie diejenigen
über die Weine, Felle, Kleider, Leinwand, so erkennt man in der
bis ins kleinste streng durchgeführten Ordnung nach Sorten und
Qualitäten, dass hier sachkundigere Hände gewaltet haben. Ein
derartiger minutiöser Schematismus lässt sich nicht improvisieren.
Er kann auch nicht etwa aus den Preislisten privater Kaufleute
übernommen sein. Oder glaubt man im Ernste, dass es in Rom
oder Antiochia Leinenwarenlager mit mehr als 200 verschiedenen
Standard-Sorten und Qualitätsnummern gegeben, dass diese Sorten
und Qualitäten etwa durch Handelsusancen genau fixierte und
durch das ganze römische Reich geläufige Begriffe gebildet hätten?

Erinnern wir uns hier, dass sowohl der Staat als auch der
Privathaushalt des Kaisers fast sämtliche Einnahmen *in natura*
empfing und in der gleichen Form seine meisten Ausgaben machte.
Die Kassenführung war darum in der Hauptsache Speicherver-
waltung. In Rom gab es in der späteren Kaiserzeit 291 staatliche
Magazine *(horrea)*, in denen nicht bloss Getreide, Wein und Oel,
sondern Vorräte jeder Art zur Ausgabe im Bedarfsfalle *(erogatio)*
bereit gehalten wurden [1]). In den Provinzen war ihre Zahl noch
weit grösser. Dass über Lagerbestand, Ein- und Ausgang dieser
Magazine genau Buch geführt wurde, verstünde sich nach der
ganzen Einrichtung der römischen Staatsverwaltung von selbst,
auch wenn es uns nicht ausdrücklich in den Gesetzsammlungen
des Theodosius und Justinian bezeugt wäre. Dass die Bücher
nach einem bestimmten Schema eingerichtet waren, welches für
das ganze Reich massgebend war, und welches bei etwaigen

---

1) Es sind selbst *horrea chartaria, candelaria, piperataria* bezeugt: *Marquardt,*
Röm. Staatsverwaltung II, 132. 135.

Anweisungen auf die Magazine von den Beamten oder Truppenführern einzuhalten war, ist eine selbstverständliche Voraussetzung guter Ordnung.

Nun besitzen wir in den Kaiserbiographien aus der zweiten Hälfte des 3. Jahrhunderts noch eine Anzahl solcher Anweisungen, in welchen verdienten Truppenführern Gehalte oder Gehaltszulagen bestimmt werden [1]). In einer derselben schreibt Kaiser V a l e r i a n an Z o s i m i o, den Prokurator von Syrien:

»Den C l a u d i u s aus Illyrien, einen Mann, der den Ergebensten und Tapfersten unter den Alten voransteht, haben wir der sehr tapfern fünften Martischen Legion zum Tribunen gegeben. Als Gehalt wirst du demselben aus unserm Privatschatz geben: j ä h r l i c h 3000 Scheffel Waizen, 6000 Scheffel Gerste, 2000 Pfund Pöckelfleisch, 3500 Sextarien alten Wein, 150 Sext. vom guten Oel, 600 Sext. vom zweiten Oel, 20 Scheffel Salz, 150 Pfund Wachs, Heu, Spreu, Essig, Gemüse und Küchenkräuter nach Bedarf, 30 Decher [2]) Zeltfelle, 6 Maultiere, 3 Pferde, 10 Kamele, 9 Mauleselinnen, 50 Pfund Barrensilber, 150 Philippeer unseres Gepräges jährlich und zu Neujahr 47, und 150 Trientes (Kupfer), ferner in verschiedenen Gefässen 11 Pfd. Silber, . . . Militärtuniken, 2 Mäntel. Dies alles jährlich; ferner f ü r e i n m a l: 2 vergoldete silberne Schnallen, eine goldene Schnalle mit cyprischer Nadel, ein vergoldetes silbernes Wehrgehenk, einen mit 2 Steinen besetzten Ring, eine Unze schwer, einen Armring im Gewicht von 7 Unzen, eine Halskette im Gewicht von einem Pfund, einen vergoldeten Helm, 2 goldgestreifte Schilde, einen Panzer, den er zurückerstattet, 2 Herkulanerlanzen, 2 Wurfspiesse, 2 Sicheln, 2 Sensen. Weiter einen Koch, einen Maultiertreiber, beide mit der Bedingung der Wiedererstattung, 2 schmucke Weiber aus den Gefangenen, eine halbseidene Alba mit girbitanischem Purpur, ein Subarmale mit maurischem Purpur, einen Sekretär, einen Tafeldecker, die er beide zurückzuerstatten hat, 2 Paar cyprische Polster, 2 unverzierte Unterkleider, eine Toga mit breitem Saum, die er zurückerstattet; 2 Jäger zu persönlicher Dienstleistung, einen Wagner, einen Zeltaufseher, einen Wasserträger, einen Fischer, einen Zuckerbäcker; t ä g l i c h 1000 Pfund Holz, wenn Ueberfluss da ist, sonst nach Gelegenheit, täglich 4 Schaufeln Holzkohlen, einen Badewärter und Holz zum Bade; mangelnden Falls mag er das öffentliche Bad benutzen. Alle kleineren Dinge, deren Aufzählung zu weit führen würde, wirst du im gehörigen Ausmass gewähren, aber so, d a s s n i c h t s i m G e l d a n s c h l a g a u s g e r e i c h t und wenn an einem Orte etwas fehlen sollte, es nicht geleistet wird und a u c h d a f ü r d e r G e l d w e r t n i c h t z u f o r d e r n i s t.«

Dieses für die antike Wirtschaftsweise so charakteristische Verzeichnis führt die Bestandteile der Jahresration annähernd in der gleichen Reihenfolge auf und hat für die Sorten gleiche Benennungen *(vinum vetus, oleum bonum, oleum secundum)*, wie die Diokletianische Taxordnung. In noch höherem Grade ist dies

---

1) *Script. hist. Aug.* XXV, 14. 15. XXVI, 9. XXVIII, 4. 7.

2) *Decuriae.* Noch heute ist beim Fellhandel in Frankreich die *dizaine* (10 Stück) gebräuchlich — ein Beweis für das Alter der Handels-Usancen. Auch das entsprechende deutsche Wort kommt ausschliesslich beim Fellhandel vor.

der Fall in einem zweiten, an den Präfekten der Stadt Rom gerichteten Schreiben Valerians, durch welches dem Aurelian,
der damals noch ein hohes militärisches Amt bekleidete, für die
Zeit seiner Anwesenheit in Rom eine Extraration bewilligt wird.
Hier folgen auf einander: *porcina, bubula, oleum, oleum secundum,
liquamen, sal* — genau wie im Edikt. In der Einleitung dieses
Schreibens klagt der Kaiser, dass er nicht mehr geben könne;
*sed facit rigor publicus, ut accipere de provinciarum inlationibus
ultra ordinis sui gradum nemo plus possit.* Damit ist deutlich
genug ausgedrückt, dass alle die angewiesenen Naturalbeträge
nicht gekauft, sondern vom Steuerertrag der Provinzen genommen
werden, dass also der Provinzialtribut sämtliche Spezies enthalten
musste.

Schon *Mommsen* ist bei der ersten Ausgabe des Edikts auf
diesen Zusammenhang aufmerksam geworden. »Es ist bemerkenswert«, sagt er, »dass die Weine ganz wie die Leinenfabrikate
in drei Klassen geteilt werden: 1) sieben namhafte Sorten, 2) gewöhnlicher Wein erster und zweiter Qualität, 3) Landwein — vergleichbar dem Linnen von Skytopolis u. s. w., dem ἄσημον und
dem Linnen εἰς χρῆσιν τῶν ἰδιωτῶν. Ich zweifle nicht, dass der
canon vinarius auf jenen sieben Sorten lastete und dieselben gegen
eine Abgabe von der Regierung gestempelt wurden.«

Wie diese Stempelung zu denken wäre, ist mir nicht klar geworden. *Mommsen* wurde auf die Vermutung dadurch geführt,
dass ein Teil der Leinengewebe mit dem Adjektiv ἄσημος
bezeichnet ist, was ich in der Uebersetzung mit »ungezeichnet«
wiedergegeben habe. Er meint, dass die feineren Leinensorten
gestempelt gewesen seien und führt dies darauf zurück, »dass die
bessern Flachssorten einer Gewerbesteuer unterworfen gewesen
seien und dass dagegen das daraus gefertigte Fabrikat mit einem
Stempel (σῆμα) versehen wurde, der teils als Bürgschaft für die
Güte der Waren, teils zu fiskalischen Zwecken diente.«

Diese Vermutung lässt sich schwerlich so aufrecht erhalten.
Richtig ist davon gewiss, dass ein Teil der Leinenwaren durch
einen Stempel oder auf andere Weise gekennzeichnet sein musste,
wenn andere als ungestempelt bezeichnet werden sollten. In
diesem Punkte hat der Scharfsinn *Mommsen*'s eine glänzende Bestätigung gefunden durch das umfangreiche Bruchstück einer
griechischen Ausfertigung unseres Edikts, welches in Megalopolis
gefunden und 1890 von *W. Loring* im *Journal of hellinic studies*

veröffenticht wurde. Der Stein enthält u. a. auch ein grosses Stück des Abschnitts »Kleidung« (περὶ ἐσθῆτος); richtiger wäre vielleicht zu sagen »wollene Gewebe«. Denn es handelt sich um eine grosse Zahl von Tucharten, welche in abgepassten Stücken, wie sie für bestimmte Kleidungsstücke notwendig waren, verkauft wurden. In diesem Abschnitte findet sich nun neben dem Beiwort ἄσημος auch sein Gegenstück σημιωτός oder σεσημιωμένος. Leider aber sind diese Bezeichnungen nicht streng festgehalten, und mehrfach sind gerade die Zeilen verstümmelt, in denen sie stehen. Dennoch scheint es mir möglich, ihre Bedeutung mit grosser Wahrscheinlichkeit festzustellen. Die Abteilung beginnt nämlich mit folgenden drei Artikeln:

1a. χλαμὺς στρατιωτικὴ ἰνδικτιωνάλια καλλίστη   X ͵δ′
2. στίχη ἰνδικτιωνάλια   X ͵β′
3. ἄσημος   X ͵ασν′

In den beiden ersten Zeilen finden wir die praezisierte Form des Adjektivs *indictionalis*. Es kommt von dem für ein Naturalsteuersystem ausserordentlich passenden Substantiv *indictio*, die Steueransage, und kann also hier nur verstanden werden von Stoffen, welche bei der Steuer geliefert wurden. Wenn nun in der dritten Zeile dem Unterkleid aus Steuertuch ein u n g e s t e m - p e l t e s Unterkleid zu billigerem Preise gegenübergestellt ist, so liegt doch darin, dass das erstere gestempelt gewesen sein wird. Die Ursache der Stempelung braucht nicht weit gesucht zu werden; sie bezeichnet das Staats-, bezw. kaiserliche Eigentum und war schon nötig, um Unterschleife der Beamten zu erschweren.

Dass unter den von den Provinzen zu entrichtenden *species annonae* sich auch Tuchlieferungen für das Militär befanden, ist längst bekannt [1]). In der zweiten Hälfte des vierten Jahrhunderts waren diese Lieferungen mit der Diokletianischen Steuerverfassung dergestalt in Beziehung gebracht, dass in Thracien 20 *juga* oder *capita* eine *vestis* lieferten, in Scythien und Mösien 30, in Aegypten und im Orient 33, ebenso in Asien und in der Pontischen Diözese [2]). Wie die Umlegung in der westlichen Reichshälfte sich gestaltete, wissen wir nicht; dagegen ist vollkommen sicher, dass auch hier alle Provinzen der Tuchlieferung unterworfen waren, und schwerlich war seit Diokletians Steuerausgleichung Italien ausgenommen.

---

1) Vgl. die Stellen bei *Marquardt*, Röm. Staatsverwaltung II, S. 232 f.
2) l. 3 *C. Theod.* VII, 6.

14 *

Nun finden wir unter den Tuchsorten nicht weniger als 12 nach
Provinzen und 5 nach Land- oder Völkerschaften benannt. Die
Kleider, fur die sie zugepasst sind, tragen meist barbarische Namen, wie Birros, Banata, Bedox, Singilion. Die Vermutung liegt
nahe, dass wir es hier überall mit Produkten des Hausfleisses der
betreffenden Völkerschaften zu thun haben, die von ihnen als
zweckmässigste Art der Steuer erhoben wurden.

Man wird das verstehen, wenn man bedenkt, dass es sich
vorzugsweise um die Grenzprovinzen handelt. Getreide, Wein,
Speck u. dgl. konnte hier nicht mehr erhoben werden, als die
etwa in den provinzialen Standlagern garnisonierenden Truppen
brauchten. Landtransport war für diese Güter auf grössere Entfernungen damals ausgeschlossen. Dagegen liessen sich Gewebe
als allgemein geschätzte Produkte von hohem spezifischem Werte
überallhin versenden, wo man sie brauchte, da sie auf Saumtieren
auch da befördert werden konnten, wohin die Reichsstrassen nicht
reichten. Auf diese Weise kamen Wollen- und Leinenstoffe aus
den entferntesten Provinzen auch nach Rom, und die Schnelligkeit, mit welcher barbarische Trachten, wie das gallische Sagum
und die Dalmatica, hier Eingang fanden [1]), mochte dann dazu
führen, dass auch der Privathandel die Ursprungsländer dieser
Artikel aufsuchte, um der Nachfrage in der Hauptstadt genügen
zu können [2]).

Dass Steuertuch und Steuerleinwand aus den Provinzen nach
Rom geführt wurden und hier in gleicher Weise in den Konsum
gelangten, wie das Steuergetreide, das Schweinefleisch, das Oel,
der Wein, welchen die Provinzen lieferten, darf nicht bezweifelt
werden. Wir wissen aber, dass die zuletzt genannten Lebensmittel nicht nur an einen bestimmten Kreis von Personen (man
nimmt für die spätere Kaiserzeit die Zahl auf 200000 an), als
Unterstützung verteilt, sondern zu einem grossen Teile auch gegen
mässigen Taxpreis an das Publikum verkauft wurden [3]). Mit den

1) Vgl. *Marquardt,* Privatleben d. R. S. 565 f. 581.

2) Ueber die Betriebsart dieses Handels geben folgende Digestenstellen einige
Auskunft : *Quidam sagariam negotiationem coierunt: alter ex his ad merces compa-
randas profectus in latrones incidit suamque pecuniam perdidit, servi eius vulnerati
sunt resque proprias perdidit.* l. 52 § 4. D. XVII, 2. — *Etiam eos institores di-
cendos placuit, quibus vestiarii vel lintearii dant vestem circumferendam et distrahen-
dam, quos vulgo circitores appellamus.* l. 5 § 3 D. XIV, 3.

3) Das Nähere bei *Marquardt,* Staatsverw. S. 126 ff., 136 f. und *O. Hirschfeld,*
Philologus 1869, S. 22 ff.

Tuch- und Leinenzufuhren dürfte kaum anders verfahren worden sein. Nach dem Abfalle Aegyptens soll der Kaiser G a l l i e n u s gesagt haben: *Quid? sine lino Aegyptio esse non possumus?* und als auch Gallien verloren war, rief er: *Num Atrabaticis sagis tuta res publica est?* [1]) Von seinem Nachfolger A u r e l i a n erzählt Flavius Vopiscus: *donasse etiam populo Romano tunicas albas manicatas ex diversis provinciis et lineas Afras atque Aegyptias puras ipsumque primum donasse oraria populo Romano, quibus uteretur populus ad favorem* [2]). Solche Verteilungen kamen natürlich nur ausserordentlich selten vor; dagegen ist nicht zu bezweifeln, dass ein regelmässiger Verkauf der Stoffe stattfand, welche nicht zu Besoldungs- und anderen Zwecken im Staatshaushalte gebraucht wurden.

In der zweiten Hälfte des vierten Jahrhunderts finden wir durch alle Teile des Reiches zerstreut, namentlich aber in denjenigen Gegenden, in welchen eine alte Wollen- oder Flachsproduktion blühte, eine erhebliche Zahl von Webereien als Staatsanstalten. Ihre Arbeiter sind unfrei und haften in ähnlicher Weise an der »Fabrik«, wie der Kolone an der Scholle. Sie stehen hierin auf gleicher Linie mit den Arbeitern der kaiserlichen Waffenfabriken, Münzen und Metallwerkstätten. Unterstellt sind sie dem Reichsfinanzminister *(comes sacrarum largitionum)*; jede Fabrik wird von einem *Procurator* geleitet.

Der römische Staatskalender [3]) hat uns die Standorte dieser Staatswerkstätten, soweit sie in der westlichen Reichshälfte lagen, erhalten. Sie zerfallen in Tuchfabriken *(gynaecia* oder *gynaecea)* und Leinenwebereien *(linyfia)*. Der ersteren gab es 17. Von diesen lagen 2 in Pannonien, nämlich zu Sirmium und Bassiana (früher zu Salona in Dalmatien), 2 in Dalmatien zu Spalatum und Jovia, je eine zu Aquileja, Mailand und Rom, 2 in Apulien zu Canusium und Venusia, eine in Karthago, 2 in Gallien, nämlich zu Arles und Lyon, 3 in Belgien zu Rheims, Trier und Tournay, eine in Metz (früher in Autun), endlich eine in Venta in Britannien [4]). Leinenwebereien finden sich nur zu Vienna in Gallien und

---

1) *Trebellius Pollio* in den *SS. hist. Aug.* XXIII, 6, 4.

2) *SS. hist. Aug.* XXVI, 48, 5; vgl. auch c. 12. 1.

3) *Notitia dignitatum Oc.* XI, 45—63. *Or.* XIII, 16 f. 20.

4) Von diesen Staatsfabriken sind die zum Patrimonium des Kaisers gehörigen *Gynaecia* in Trier (wie es scheint, mehrere) und das *Gynaeceum Vivarense* zu unterscheiden. N. D. Oc. XII, 26. 27. Diese standen unter dem *comes rerum privatarum*.

zu Ravenna. Aus der östlichen Reichshälfte fehlen leider nähere Nachweisungen. Aber es ist nicht zu bezweifeln, dass in dieser eine ebenso grosse, wenn nicht grössere Zahl von derartigen Anstalten bestanden hat wie in den Westprovinzen, nur dass hier vielleicht die Leinenwebereien überwogen [1]).

Der Codex Theodosianus hat uns eine Reihe von Erlassen der Kaiser Valentinian, Valens und Gratian aufbewahrt, in welchen das Abspannen von Arbeitern dieser Fabriken *(opifices vestis linteae contexendae, linteones)* mit schwerer Strafe bedroht wird. In einem dieser Erlasse (von 374) heisst es: *Intra Kalendarum Augustarum diem qui linteones retentare dicuntur, antiquis eos condicionibus reddant, aut se, pro ingentis audaciae contumacia, quinis auri libris per singulos eorum poenae nomine sciant esse feriendos: non minore circa eos etiam mulctae comminatione proposita, qui obnoxios Scythopolitanos linyfios publico canoni in posterum suscipere conabuntur* [2]).

Mommsen, der bereits auf diese Stelle aufmerksam geworden ist, meint, hier würden zwei verschiedene Strafandrohungen ausgesprochen. Die eine beziehe sich auf die kaiserlichen Leinenwebereien, in denen für Rechnung und Gebrauch des kaiserlichen Hauses von kaiserlichen Sklaven gearbeitet worden sei, die andere auf Privatfabriken, welche zum Verkaufe arbeiteten, aber eine Abgabe *(canon),* sei es in Waren oder in Geld, entrichteten.

In der That ist in einer zwei Jahre jüngeren Verordnung (l. 6 desselben Titels) davon die Rede, neben der Strafe für die Verführer *opifices ipsos textrinis linteae vestis vindicari,* und in einer solchen aus dem Jahre 380 werden *textrini nostri mancipia* genannt. Die *gynaeciarii, lintearii, linyfarii* bildeten, wie die Münzer und Purpurschneckensammler, Zwangskorporationen, welche in manchen Stücken mit den Korporationen der *navicularii, suarii pistores* etc. verwandt sind, in andern wieder lebhaft an die Stellung der Kolonen erinnern [3]). Wie die letzteren waren sie unfrei, mit ihrer Person und ihrem Vermögen an ihren Geburtsstand und an die Fabrik gebunden. Man konnte zum Eintritt in ein Gynae-

---

1) Die N. D. nennt hier bloss *Procuratores gynaeceorum*; *procuratores linyfiorum,* aber ausserdem *magistri lineae uestis,* die im Occident nicht vorkommen.

2) l. 8 *C. Th* X, 20.

3) Das Nähere im *C. Theod.* X, 20. *C. Just.* XI, 8. Vgl. auch *M. Weber* a. a. O. S. 276, Anm. 118.

ceum verurteilt werden [1]). Der Einzelne konnte durch Freisprech-
ung des Kaisers für seine Person und gegen Stellung eines geeigneten Ersatzmannes die Erlaubnis zum Ausscheiden erhalten;
seine Nachkommenschaft aber und sein ganzes Vermögen blieb
der Korporation verhaftet [2]).

Ob in den Gynäceen und Linifien ein konzentrierter fabrik-
mässiger Gewerbebetrieb stattfand oder ob die einzelnen Arbeiter
in ihren Wohnungen die Weberei auf Rechnung der kaiserlichen
Verwaltung ausübten, ist aus den Quellen nicht zu ersehen. Als
im fünften Jahrhundert den Steuerpflichtigen die *adaeratio vestis
militaris* gestattet wurde, übernahmen die *gynaeciarii* das Weben
derselben [3]). Es sind ausdrücklich die Personen genannt, nicht
die Webereien. Wie dem aber auch sein mag, die *Scythopolitani
linyfi publico canoni obnoxii* können nach dem ganzen Zusammenhang weder mit den *opifices* der Textrinen identisch sein, noch
dürfen sie mit *Mommsen* für freie Webereibesitzer gehalten werden,
die einen Abgabenkanon in Leinwand zu entrichten haben. Denn
die Verordnung von 374 setzt Unfreie voraus, die zu einem privaten Possessor in das Kolonatsverhältnis traten, während sie
doch dem Staate in ähnlicher Weise verhaftet waren.

Vielleicht darf man annehmen, dass auch in Skytopolis sich
ein *linyfium* befand, zu dem eine grössere Zahl von ansässigen
Leinenwebern dergestalt im Verhältnis von Kolonen stand, dass
sie anstatt einer jährlichen Abgabe von ihren Feldfrüchten eine
solche von dem Haupterzeugnis ihres Hausfleisses, der Leinwand,
entrichteten. Es wäre das ein ähnliches Verhältnis, wie wir es
auf den mittelalterlichen Fronhöfen häufig finden [4]). Und wenn
wir diese Analogie weiter verfolgen dürfen, so wäre das *linyfium*
oder *gynaeceum* der herrschaftliche Eigenbetrieb, welcher zu dem
Hausfleiss der *coloni* sich ebenso verhält, wie beim Fronhof die
Gutswirtschaft mit Eigenleuten zu den Sonderwirtschaften der
hörigen Bauern.

---

1) *C. Theod.* IV, 6, 3.

2) *C. Theod.* X, 20, 16.

3) *C. Theod.* VII, 6, 5.

4) Vgl. meine Entstehung der Volkswirtschaft S. 32 f. Ueber das Gynaeceum,
welches in die Villenverfassung Karls d. Gr. mit vielem andern aus der spätrömi-
schen Agrarverfassung übergegangen ist, vgl. *Maurer*, Oesch. der Fronhöfe II,
S. 179—183. — Vielleicht lässt sich auch die Stellung jener Leinenweber von Skytopolis zur Fabrik in Parallele setzen zu der Stellung, welche die Purpurschnecken-
fischer (*C. Theod.* X, 20) zu den Purpurfärbereien einnahmen.

Jedenfalls ist es sehr merkwürdig, dass eine so grosse Zahl von textilen Staatsanstalten durch alle Teile des Reiches bis in das entfernte Britannien hin zerstreut ist. Ueber die Ursache dieser Erscheinung kann man nur Vermutungen hegen, die sich darauf stützen, dass die meisten Webereien der Westprovinzen in solchen Gegenden lagen, welche sich durch die Produktion vorzüglicher Wolle und durch eine sich daran anschliessende einheimische Hausweberei auszeichneten [1]). Ob sie ihren Rohstoff durch Steuerlieferungen bezogen, ob sie die Sammelpunkte bildeten für das Steuertuch der Eingeborenen, dem sie möglicher Weise die letzte Appretur zu geben hatten, ob sie vielleicht in manchen Teilen des Reiches gar gegründet waren, um die Kunst der Weberei unter der anwohnenden Bevölkerung zu verbreiten, das alles sind wohl nie zu lösende Fragen [2]).

Dagegen trage ich kein Bedenken, die von *Mommsen* entschieden verneinte Frage, ob das Fabrikat der kaiserlichen Webereien an den Markt kam, in bejahendem Sinne zu beantworten. In der *Notitia Dignitatum* [3]) und in den Gesetzbüchern werden auf gleicher Linie mit den Woll- und Leinenwebereien die kaiserlichen Purpurfärbereien *(bafia)* genannt. Es sind deren in der westlichen Reichshälfte mindestens 12; aus den Ostprovinzen ist nur die berühmte Purpurfärberei in Tyrus näher bekannt; ausserdem wissen wir, dass in Achaia, Epirus und Thessalien solche Anstalten waren. Die Begründung derselben wird auf A l e x a n - d e r   S e v e r u s zurückgeführt; sie ist aber gewiss älter. Von Anfang an wurden die Fabrikate nicht bloss zum Gebrauche am Hof und für die Dienstkleidung der Beamten, sondern auch zum Verkaufe hergestellt [4]). Im Jahre 383 erhielten die kaiserlichen Fabriken sogar ein Monopol auf Herstellung und Verkauf der edeln Purpurfarben *(blatta)* [5]).

---

1) Vgl die Nachweisungen bei *Büchsenschütz*, die Hauptstätten des Gewerbfleisses im klassischen Altertum, S. 75 ff.

2) Bemerkenswert ist, dass in der *N. D.* von mehreren Gynaeceen berichtet wird, sie seien von anderen Orten an ihren jetzigen Sitz übertragen worden *(translatae)*. So das staatliche Gyn in Metz von Autun, dasjenige in Bassiana von Salona. Ebenso scheint das kaiserliche Privat-Gynaeceum von Vivarium nach Metz übertragen worden zu sein, um später nach Arles übergeführt zu werden. Diese grosse Beweglichkeit stimmt freilich schlecht zu der Vorstellung eines grossen Fabrikbetriebes.

3) *Occ.* XI, 64—73 *Or.* XIII, 17.

4) Vgl. *Marquardt*, Privatleben d. R. S. 514 ff. *O. Hirschfeld* a a. O. S. 193. Wahrscheinlich bestanden die Fabriken schon vor Alexander Severus.

5) l. 1 C. *Just.* 4, 40: *Fucandae atque distrahendae purpurae vel in serico vel*

Wenn aber die kaiserlichen Purpurfärbereien gefärbte Wollen-
und Seidenstoffe auf den Markt brachten, warum sollen die ihnen
an staatsrechtlicher Stellung und Verwaltungseinrichtung ganz
gleichen Leinen- und Wollwebereien anders verfahren sein?

Der Biograph des Alexander Severus berichtet uns
(c. 40): der Kaiser habe nicht geduldet, dass in den Magazinen wollene Kleiderstoffe länger als ein Jahr
blieben und befohlen, dass dieselben sofort bezahlt würden[1]). Alle Stoffe, die er verschenkt habe, habe
er selbst vorher in Augenschein genommen. Unter den Montur-
stücken der Soldaten habe er auch Beinschienen, Hosen und Schuhwerk gegeben. Den schönsten Purpur habe er an wohlhabende
Frauen um sehr hohen Preis verkauft und ihn dem eigenen Gebrauche entzogen. Noch zur Zeit des Schreibers gehe die früher
nach dem Erfinder Aurelius Probus, dem Direktor der kaiserlichen Färbereien, benannte Purpurfarbe unter der Marke alexandrinischer Purpur. Der Kaiser habe für seinen Gebrauch die
billigere Scharlachfarbe vorgezogen. Er sei ein grosser Liebhaber
guter Leinwand gewesen, und zwar der reinen Leinwand, indem
er gesagt habe: »Wenn man die Gewänder deshalb von Leinen
macht, damit sie nichts Rauhes an sich haben, wozu brauchts
da Purpurwolle unter dem Leinen.« Goldfäden aber einzuweben
hielt er geradezu für Unsinn, indem dann zur Rauhheit die Kälte
komme.

Um die letzte Stelle zu verstehen, muss man sich gegenwärtig halten, dass in der römischen Kleidung der Purpur nur
in Gestalt eingewebter oder aufgenähter Streifen oder Säume zur
Verwendung kam und dass diese von Wolle oder Seide sein
mussten, da sich Leinwand mit Purpur nicht schön färben liess.
Nach dem hier möglichst getreu wiedergegebenen Wortlaut der
Erzählung möchte man glauben, dass es sich um Grundsätze
handelte, welche der Kaiser zur Nachachtung für die fiskalischen

---

in lana, quae blatta vel oxyblatta atque hyacinthina dicitur, facultatem nullus possit
habere privatus. Sin autem aliquis supra dicti muricis vellus vendiderit, fortunarum
se suarum et capitis sciat subiturum esse discrimen. Möglicher Weise ist aber das
Monopol schon älter. Um die Verbesserung der Technik in den Färbereien be-
mühten sich die Kaiser Aurelian, Probus und Diokletian. *Vopisc. Aurel.* 29, 3.

1) *In thesauris uestem numquam nisi annum esse passus est eamque statim ex-*
pendi iussit (Lamprid. 40, 3). Das kann dem ganzen Zusammenhang nach, namentlich auch mit Rücksicht auf das folgende *donavit,* nicht anders verstanden werden,
als dass der Kaiser die *vestis* verkaufen liess.

Webereien aussprach. Wird er doch auch den Purpur weniger in Gestalt des Garns oder gar des Farbstoffs als in Gestalt von fertigen mit Purpurstreifen versehenen Gewändern, bezw. abgepassten Stücken Stoffs zu solchen, haben verkaufen lassen, ganz so, wie es mit den Wollstoffen aus den Magazinen geschah. Wer aber noch zweifeln sollte, dass die kaiserlichen Webereien ebenso wie die Purpurfärbereien einen Teil ihrer Fabrikate an das Publikum verkauften, den belehrt eine Stelle des Ammianus Marcellinus (XIV, 9, 7) vom Gegenteil. Dort wird berichtet, dass ein Brief eines Diakonus *ad Tyrii textrini praepositum*, in welchem er um beschleunigte Ausführung einer Bestellung bat *(celerari speciem)*, demselben zum Verderben gereichte, weil man die Worte auf die Anfertigung eines in der Fabrik hergestellten Purpurgewandes bezog. Danach scheint in Tyrus neben der Purpurfärberei noch eine kaiserliche Weberei unter einem eignen Direktor bestanden zu haben. Auf alle Fälle lernen wir aus der Stelle, dass das Publikum in einer kaiserlichen Weberei Bestellungen machen konnte. Dies genügt für unseren Zweck. Gleichgiltig ist, ob mehr für den Staatsbedarf oder mehr für Privatkunden und für den Handel gearbeitet wurde.

Das Bild, welches wir auf diesem Wege gewonnen haben, zeigt uns nur einen Ausschnitt aus dem grossen Ganzen der fiskalischen Gewerbebetriebe. Um das letztere vollständig zu übersehen, müsste auch auf die nicht minder zahlreichen Waffenfabriken und Münzwerkstätten eingegangen werden, die weit über ihren nächsten Zweck hinaus der Metallarbeit oblagen; es müsste die *Bastaga* geschildert werden, die kaiserliche Frachtfuhranstalt, deren Netz sich über alle Reichsstrassen ausspannte und welche vorzugsweise dazu bestimmt war, den Transport von Rohmaterial und Fabrikaten der Staatswerkstätten zu bewirken. Das würde aber hier zu weit führen. Auf dem engeren Gebiete der Textilindustrie sehen wir jede Art von Betrieben da angelegt, wo sie die günstigsten Produktionsbedingungen fand: die Wollwebereien in den Gebieten der Schafzucht, die Leinenwebereien da, wo der Flachsbau blühte, die Purpurfärbereien in der Nähe der Meeresküste. In der westlichen Reichshälfte überwogen die Wollwebereien weit die Leinenwebereien; die römischen Landwirte waren dem Flachsbau nicht hold, weil er den Boden aussauge [1]). Für den Osten darf man vielleicht das entgegengesetzte Verhältnis

---

1) Vgl. *Magerstedt*, Bilder aus der römischen Landwirtschaft, V, S. 340 ff.

annehmen. Aegypten, Syrien, Kleinasien sind die bevorzugten Stätten der Leinenproduktion. Webereien und Färbereien sind komplementäre Betriebe; nur standen sie im Altertume im umgekehrten Verhältnis zu einander wie heute. Gegenwärtig färbt man das rohe Gewebe, im Altertum den Spinnstoff. Die Erzeugnisse der kaiserlichen Purpurfärbereien wurden also in den Gynaeceen und Linyfien zur Veredelung der hier hergestellten Kleiderstoffe verwendet und erlangten wohl meist erst in diesen ihre marktfähige Gestalt. Damit soll jedoch nicht behauptet werden, dass nicht auch schon gefärbte Wolle und Seide an das Publikum abgegeben worden wäre.

Wie es scheint, ging aber die Regieverwaltung in der Veredelung der Gewebe noch weiter. Der schon erwähnte Staatskalender verzeichnet in drei Städten, in welchen staatliche Wollwebereien nachgewiesen sind, nämlich in Arles, Rheims und Trier, *Praepositi barbaricariorum siue argentariorum* [1]). Diese *barbaricarii* werden bald als Brokatweber, bald als Goldsticker erklärt [2]). Jedenfalls beschäftigten sie sich damit, Kleiderstoffe mit Gold- und Silberfäden zu verzieren. Da sie unmittelbar hinter den Webereien und Färbereien aufgeführt werden, so liegt die Vermutung nahe, dass sie zu denselben in Beziehung gestanden haben. Da sie einen *praepositus* haben, während die Webereien unter *procuratores* standen, so werden sie den letztern in der Verwaltung untergeordnete Betriebe gebildet haben.

Mich will bedünken, dass diese Feststellungen einiges Licht auf diejenigen Partien des Diokletianischen Edikts werfen, welche sich mit den Erzeugnissen der Textilindustrie beschäftigten. Es liegt nahe, anzunehmen, dass die betreffenden Abschnitte des Tarifes von den Direktoren der kaiserlichen Fabriken aufgestellt sind oder von den Verwaltern der Provinzialmagazine, in welchen die Erzeugnisse der kaiserlichen Webereien mit den Tuchlieferungen der Steuerpflichtigen sich zusammenfanden. Die in ihnen nor-

---

1) *N. D. Oc.* XI, 74—77.

2) Näheres bei *Blümner* zum Edikt c. XX, 5—8 und *Marquardt*, Privatleben, S. 541. Es gab freilich auch Arbeiter in den Waffenfabriken, die als *barbaricarii* bezeichnet werden (1 1 Cod. *Theod.* X, 22); aber diese können an der erwähnten Stelle der *N. D.* nicht in Frage kommen. Die Waffenfabriken standen unter dem *magister officiorum*, während unsere *barbaricarii* zum Ressort des *comes sacr. largitionum* gehören.

mierten Preise würden dann nicht bloss das Privatgeschäft, sondern
auch den Absatz dieser Regiebetriebe gebunden haben; ja sie
hätten auch für die Steuerverwaltung bei Abgabe des Indiktionen-
tuchs massgebend sein müssen.

Ist diese Vermutung richtig, so müssen sich in jenen Tarifabschnitten Spuren dieser Entstehungsweise finden. Ich glaube
in der That, dass solche vorhanden sind; ja ich möchte behaupten,
dass erst aus der Kenntnis dieser Beziehung die betreffenden
Partien recht verständlich werden.

Vor allem gehen dieselben mehr ins Detail und sind plan-
mässiger angelegt, als die meisten andern Abschnitte der Taxordnung. Während bei den andern Waren nur wenige Sorten
und höchstens zwei oder drei Qualitäten unterschieden werden,
umfasst der Tarif der wollenen Kleiderstoffe 84 Nummern (die
verstümmelten Zeilen eingerechnet), derjenige der Leinenwaren
über 200. Unter letzteren werden 14 Gattungen, jede mit einer
grössern Zahl von Sorten und Qualitätsnummern unterschieden.
Bei den meisten Gattungen werden in systematischer Gliederung
21 Qualitäts- und Sortennummern aufgeführt, nämlich 1) f e i n e
L e i n w a n d in 3 Qualitäten, jede wieder in 5 nach Städten be-
nannten Sorten, 2) m i t t e l f e i n e L e i n w a n d in drei Qualitäten und 3) g r o b e L e i n w a n d zum Gebrauche der gewöhnlichen Leute und Sklaven (εἰς χρῆσιν τῶν ἰδιωτῶν τε καὶ φαμελια-
ρικῶν), wieder in drei Qualitäten. Jene 5 Städte sind — überall
in der gleichen Reihenfolge — Skytopolis in Syrien (nahe bei
Damaskus), Tarsos in Kilikien, Byblos in Syrien, Laodikeia in
Syrien; die fünfte Sorte wird gewöhnlich als tarsisch-alexandrinisch
bezeichnet. Es kann darunter mit *Mommsen* eine. zweite Sorte
von Tarsos verstanden werden, die mit der in Alexandria fabri-
zierten Leinwand zu gleichem Preise verkauft wurde; es kann
aber auch mit *Blümner* ein nach alexandrinischer Art in Tarsos
angefertigtes Fabrikat verstanden werden [1]. Auf alle Fälle liegt
die Vermutung nahe, dass an den genannten Orten sich kaiserliche Leinenwebereien oder doch Sammelstellen für Steuerleinwand
oder für den Leinwand-Kanon der Kolonen von Staatsgütern befunden haben. Für Skytopolis wird diese Vermutung fast zur
Gewissheit durch die Erwähnung der *Scythopolitani linyfi publico
canoni obnoxii* im Codex Theodosianus.

Im Tarife der Wollenstoffe finden sich folgende Städtenamen

---

[1] Vgl. c. 19, 27: βίῤῥος Λαδικηνὸς ἐν ὁμοιότητι Νερβικοῦ.

zur Bezeichnung einzelner Sorten: im Ostreiche Damaskus, Lao-
dikea (das phrygische), Milet, Magnesia; im Westreiche Canusium, Mutina, Trier, Venusia und wahrscheinlich Poetovio (das
jetzige Pettau in Steiermark). Da alle diese Namen in der Ad-
jektivform gebraucht werden, so ist nicht festzustellen, ob es sich
um Gewebe handelt, die an den betreffenden Orten gefertigt, oder
um solche, welche von laodikeischer, mutinensischer etc. Wolle
hergestellt waren. Der Ausdruck mutinensisch dient überdies sonst
zur Bezeichnung einer graubraunen Naturfarbe. Immerhin ist es sehr
bemerkenswert, dass drei der fünf Städte in den Westprovinzen,
Canusium, Trier und Venusia, die Sitze von Gynaeceen waren.

Zwischen den Tarifabschnitten über Wollenstoffe und Leinwand findet sich eine Reihe von Abschnitten, welche zum Betriebe der Weberei in nächster Beziehung stehen. So diejenigen
über Rohwolle und Rohseide, Purpurwolle und Purpurseide; ausserdem aber ausserordentlich in das Detail gehende Lohnlisten für
Wollweber, Leinenweber, Seidenweber, Weberinnen, Sticker, Goldsticker, Purpurwollspinner, Seidenauflöser, Purpurseidenauflöser,
Walker. Wenn ich sie recht verstehe, so eröffnen uns diese Lohnlisten einen ausserordentlich lehrreichen Einblick in die Arbeits-
zerlegung eines antiken Grossbetriebs. Die Löhne sind für jede
Arbeitsart besonders normiert, und für jede Arbeitsart greift eine
besondere Lohnart Platz: bald Stücklohn, bald Zeitlohn, bald mit
bald ohne Kost. · So erhalten wir für Wollweber, Sticker und
Goldsticker je 4 Lohnstufen, für Seidenweber 3, für Weberinnen 2
und eben so viele für Leinenweber. Der Arbeitslohn der Walker
ist für 26 verschiedene Gewandsorten, und zwar d u r c h w e g
n e u e, festgesetzt. Da der Walker den Wollenstoffen die letzte
Appretur zu geben hatte, da die Walkertaxen dieselben Gewandsorten zu Grunde legen, wie der Abschnitt über die wollenen
Kleiderstoffe, so gewinnt man den Eindruck, dass es sich hier
überall um Hilfsarbeiter der kaiserlichen Webereien handelt, welche
vielleicht neben den in den Gynaeceen, Linyfien und Purpurfärbereien wohnenden Sklaven bei flottem Geschäftsbetrieb herangezogen wurden. Die Löhne sind im Vergleich zu den in andern
Teilen des Tarifs normierten ausserordentlich niedrig. Doch darüber werden wir im zweiten Artikel ausführlich reden müssen.
Hier möchte ich nur noch hervorheben, dass eine Reihe von Stellen
dieses grossen Komplexes von dem Gebiete der Textilien angehörigen Taxen (fast ein Drittel des ganzen Tarifs) den Eindruck

macht, als handle es sich um Anweisungen an die kaiserliche Magazinverwaltung oder Fabrikdirektion. An vier Stellen [1]) werden keine Maximalpreise für bestimmte Wollentuch- und Leinwand- sorten angegeben, sondern Vorschriften, wie der Preis b e r e c h n e t werden solle. So heisst es am Schlusse der Abteilung »Leinwand«:

»Bei sämtlichen vorgenannten Arten muss jedoch auf alle Masse geachtet werden, sowohl bei den Frauenkleidern als auch bei den Kinderkleidern und den übrigen Arten. Für diejenigen, bei welchen nicht ein der Art entsprechendes Mass angegeben ist, soll der Vertrieb (διάπρασις) so geschehen, dass zwischen Verkäufer und Käufer sowohl die Beschaffenheit des Purpurs und der Leinwand, als auch das Gewicht, die Arbeit und das Mass in Rechnung gezogen wird.«

Diese Vorschrift fordert offenbar ein so tiefes Eindringen in die Technik der Fabrikation, dass sie uns unerklärlich bleibt, wenn wir von der Voraussetzung des Verkehrs zwischen zwei beliebigen Privatleuten ausgehen. Sie wird uns erst verständlich, wenn wir sie als Anweisung an die kaiserlichen Fabrikdirektionen auffassen, wozu auch schon das Vorkommen des Purpurs uns veranlassen muss.

In der Gruppe der Dalmatiken heisst es an der Stelle, wo sonst die mittelfeinen Sorten aufgeführt werden:

»Was geringer ist als die vorgenannte dritte Qualität, in den meisten jedoch erzeugt wird (ἐν πλείοσιν μέντοι κατασκευάζεται), soll folgende Taxen nicht über- schreiten.«

Hier fehlt zu dem Attribut »den meisten« das Substantiv, ich denke, weil jeder Leser von selbst die kaiserlichen Linyfien ergänzte.

Vielleicht würden bei näherer Untersuchung sich ähnliche Beziehungen zwischen anderen Teilen der Diokletianischen Tax- ordnung und der wirtschaftlichen Verwaltung des Kaiserreichs entdecken lassen, wie wir sie hier für das wichtige Gebiet der Gewebe gefunden haben. Für die Abschnitte Getreide, Wein, Oel, Fleisch liegen sie auf der Hand; für andere wie Lederar- beiten, Holz und Holzfabrikate, Gold und Goldarbeit könnten sie wahrscheinlich gemacht werden. Aber alle derartigen Unter-

---

1) C. 19, 6. 25. 29; 29, 49 *(Mommsen).* Vgl. auch c. 26, 65. Aehnliches kommt nur noch bei den Wagnerarbeiten c. 15, 36 und 39 vor. Ich vermute, dass dieser Abschnitt zu der *Bastaga* und dem *Cursus publicus* in naher Beziehung steht und hoffe darüber im zweiten Artikel einiges beibringen zu können. — Ich möchte auch die Ausdrücke εἰς παράδοσιν (20, 12 und 22, 2) und εἰς παράστασιν (22, 1) auf die Beziehungen der Arbeiter zur Fabrik deuten. Mit dem Handel oder gar Grosshandel, wie *Blümner* S. 161 meint, hat wenigstens παράδοσις gewiss nichts zu thun.

suchungen stellen an die Geduld so grosse Anforderungen, dass
sie nur unternommen werden können, wenn wirklich erhebliche
Resultate in Frage stehen. Ich würde glauben, ein solches Ergebnis gewonnen zu haben, wenn es mir gelungen wäre, dem
geduldigen Leser, der mir auf den verschlungenen Pfaden dieser
Arbeit hat folgen wollen, einen tieferen Einblick zu eröffnen in
das kunstvolle Getriebe eines grossen naturalwirtschaftlichen Staats-
haushaltes.

UNTERSUCHUNG ÜBER DIE GRUNDLAGEN DES TARIFWESENS DER SEESCHIFFAHRT.

VON

FRHR. v. WEICHS.

II.

Was die konkreten Ergebnisse der im ersten Artikel gepflogenen Voruntersuchungen und Darlegungen betrifft, so lassen
sich dieselben in folgendem zusammenfassen:

Es geht aus dem Wesen der Konkurrenz hervor, dass in
einzelnen Verkehren der jeweilig Stärkere in betriebstechnischer,
betriebsökonomischer oder kommerzieller Beziehung dem jeweilig
Schwächeren zuvorkommt, indem die für den Transport bestimmten oder hierzu geeigneten Güter sowie die reisenden Personen
sich im allgemeinen immer demjenigen Verkehrsmittel zuwenden
werden, das ihnen bei gleichen Vorteilen bezüglich Sicherheit,
Raschheit etc. billigere Preise oder bei gleichen Preisen grössere
Vorteile zu gewähren vermag. Der schwächere Mitbewerber ist
daher gezwungen, da es ihm meist nicht möglich sein wird, den
Vorsprung, den der Stärkere in technischer oder kommerzieller
Beziehung gewonnen hat, im Handumdrehen wieder einzuholen,
mit seinen Preisen mindestens auf das Niveau des Stärkeren oder
noch weiter herabzugehen, d. h. er wird in jedem Falle an die
Wand gedrückt werden und hat in dieser Lage allerdings keine
Gelegenheit, sein Tarifwesen nach theoretisch richtigen und ihm
vorteilhaften Grundsätzen einzurichten. Wohl aber wird der Stärkere
dies zu thun im Stande sein. Es bildet sohin die notwendige
Voraussetzung für die Anwendung solcher Grundsätze, dass man
im Konkurrenzkampfe obsiege oder sich doch wenigstens auf

gleichem Niveau mit den Besten des betr. Verkehrs erhalte. Mit anderen Worten, die Konkurrenz lässt die Anwendung der Grundsätze, welche für die Tarifbildung als massgebend und richtig erkannt wurden, nur in dem Masse zu, als es gelingt, in dem fraglichen Verkehre sich ein Monopol zu sichern, bezw. sich dem letzteren dadurch zu nähern, dass man die Mitbewerber in jeder oder doch in der einen oder andern Richtung zu überflügeln sucht.

Es heben sich K o n k u r r e n z und M o n o p o l wie zwei Pole von .den Preiserscheinungen ab. Nur das Monopol ermöglicht es, mit der Preisbildung genau jenen Grundsätzen zu folgen, die sich, vom Standpunkte des Erwerbsunternehmens gesehen, als Ausfluss aus dem Wesen dessen Wirtschaft ergeben; nur bei einem Monopolunternehmen kann überhaupt das Wesen des Preises genau analysiert, umschrieben, in seinem ursächlichen Zusammenhange mit dem Objekte der Preisbildung erkannt und gewissermassen in reiner Form zum Ausdruck gebracht und dargestellt werden. Je weiter ab vom Monopolstandpunkte die Preisbildung erfolgt; je heftiger der Interessenkampf zwischen Käufer und Verkäufer sich gestaltet: desto schwerer wird es, die jeweilig Resultierende aus den verschiedenen und verschiedenartig einwirkenden Kräften zu erkennen; desto unsicherer und wechselnder wird die Basis fur die Preisbildung sein. K o n k u r r e n z i s t d e r K a m p f u m s M o n o p o l oder doch um das Monopol in einzelnen Leistungen, mindestens aber um eine Hegemonie.

Es werden daher auch die in der Folge entwickelten Grundsätze und Regeln nicht unbedingte Geltung haben und in allen Fällen volle Anwendung finden können, sondern es wird die Geltung dieser exakten Normen nur in dem Masse successive einzutreten haben, als einerseits die Ueberlegenheit eines Unternehmens, andrerseits die Konkurrenzverhältnisse dies zulassen, was sich natürlich nicht im voraus für die verschiedenen möglichen Kombinationen bestimmen lasst, sondern dem Scharfblicke und der Einsicht der geschäftlichen Leitung eines Unternehmens überlassen bleiben muss. Immer aber haben jene Regeln und Grundsätze den Hintergrund aller Tarifmassnahmen zu bilden und muss das Bestreben, sich denselben zu nähern, die leitende Tendenz bleiben. Dort, wo mehrere Unternehmen derselben Nationalität oder Staatsangehörigkeit bestehen, hat der Konkurrenzkampf unter denselben einer Verkehrsteilung — sei es in natura oder

mit Geldausgleich — Platz zu machen. Hiezu werden übrigens
jene Unternehmungen durch ihr eigenes Interesse immer gedrängt.
Man sieht dann in solchen Fällen auch regelmässig Verbände
entstehen, durch welche man sich dem Monopol wieder zu nähern
sucht, — wenn auch häufig erst am Schlusse eines heissen Wett-
kampfes.

Weiter ergibt sich aus den erörterten Vorfragen als Schlussfolgerung, dass das kommerzielle Moment, wie dies schon bei
Besprechung desselben mehrfach betont wurde, wesentlichen Einfluss auf die Tarifgestaltung ausüben wird. Hier sei noch auf
einen Umstand besonders hingewiesen. Für jede Schiffahrtsunternehmung werden sich im Hinblicke auf die geographische und
Verkehrslage des Hauptausgangshafens, sowie auf den Umfang und
die Richtung des Handels, ferner im Hinblicke auf die gesamte wirtschaftliche Lage des Hinterlandes und die besonderen Erfordernisse
dessen Produktion und Konsumtion, gewisse Verkehre und in diesen
vielleicht wieder einzelne Transportgattungen erkennen und heraus-
lösen lassen, welche infolge der gegebenen günstigen Voraussetzungen erwähnter Art die meisten Aussichten für einen erfolgreichen
Betrieb haben, und zwar Aussichten, die andern Unternehmungen
nicht oder in minderem Masse teilhaftig werden können. Die
gegebenen Vorteile solcher Verkehre müssen nun mit grösstem
Nachdrucke und aller Energie verfolgt und ausgenützt werden;
denn naturgemäss wird es auf Grundlage bereits gegebener günstiger Momente relativ viel geringerer Anstrengungen und Opfer
erfordern, um im Wettbewerbe die oberste Stufe zu erreichen,
sich auf derselben zu erhalten und sich damit auch die Freiheit
und Fähigkeit zu bewahren, das Tarifwesen nach den Grundsätzen
eines Monopol-Erwerbsunternehmens oder doch in der Richtung
dahin zu gestalten. Auch ist wohl zu beachten, was die Entwicklung des modernen Verkehrs tausendfältig bestätigt hat, dass
sich ein Verkehr, welcher zwischen zwei Gebieten besteht, zwischen
denen die Bedingungen zur Entfaltung eines solchen, bezw. eines
Güteraustausches vorhanden sind, rasch v e r z e h n f a c h t, wird
eine regelmässige, rasche und leistungsfähige Verbindung ein-
geschaltet. Fehlen dagegen die natürlichen Voraussetzungen für
den Verkehr zwischen zwei Gebieten, so lässt sich ein solcher
auch durch die besten Verbindungen nicht künstlich züchten.

Wenn sich auch ein natürliches Parallelverhältnis wird ergeben müssen zwischen den bei den Eisenbahnen bereits er-

kannten und zum Teile auch erprobten Elementen und Prinzipien der Tarifbildung und jenen der Seeschiffahrt und zwar umsomehr, als bei letzteren, wie gezeigt wurde, von exakten Grundsätzen nur unter der Voraussetzung die Rede sein kann, dass von der Einwirkung einer Konkurrenz abstrahiert und der Monopolcharakter angenommen werde, so werden sich immerhin jene Prinzipien der besonderen Eigenart des Verkehrswesens zur See anzupassen haben, bezw. sie müssen sich als aus dem Wesen der Seeschiffahrt hervorgehend erweisen, wie dies analog ein Erfordernis für das Tarifwesen der Eisenbahnen bildet [1]).

Es wurde zwar bereits im ersten Artikel dieser Abhandlung ausdrücklich betont, dass die vorstehenden Untersuchungen stets auch unter dem Gesichtspunkte des Erwerbsprinzipes bei der Seeschiffahrt erfolgten. Bevor jedoch auf die eigentliche Frage der Tarifgestaltung eingegangen wird, ist es notwendig, bei jenem Gegenstande noch zu verweilen.

Den modernen Verkehrsanstalten ist gemeinsam mit der Grossindustrie das Moment des grossen stehenden, auf Ausnützung drängenden Kapitals eigentümlich. Dem Tarifwesen fällt daher in diesem Sinne die positive Aufgabe zu, alle Nutzungen bis zum letzten Atom aus dem grossen, festgelegten Kapital herauszuziehen. Hierunter ist nun nicht die um jeden Preis zu erzielende absolut höchste Ausnutzung der Anlagen und Betriebsmittel verstanden, sondern jene mit Beziehung auf die höchste Rentabilität. Es muss sohin der g r ö s s t e R e i n g e w i n n das vornehmste Ziel jedes Erwerbsunternehmens sein, wie schon aus Begriff und Wesen von Kapital und Kapitalzins hervorgeht. Neben diesem Ziele wird aber noch ein anderes zu verfolgen sein, nämlich die K o n t i n u i t ä t d e s R e i n g e w i n n e s. Diese beiden Ziele fallen nicht unbedingt zusammen; es treten Fälle ein, wo ein Unternehmen auf einen momentan oder einmalig erreichbaren höchsten Gewinn wird verzichten müssen, um sich die Kontinuität eines kleineren Gewinnes zu sichern.

Hieran reiht sich nun zunächst auch die Frage, ob ein Gewinn von vielen Perzenten an wenig Produkten, oder von wenig Perzenten an vielen Produkten vorzuziehen sei. Geschichte und Wissenschaft geben hierauf eine unzweideutige Antwort. »Auf niederer Kulturstufe und bei schwach entwickelter Wirt-

---

1) Siehe meinen Aufsatz: »Ueber das Wesen und die Grundlagen der Eisenbahngütertarife« in Heft I, Jahrg. 1893 dieser Zeitschrift.

schaft pflegt man das erstere vorzuziehen, auf höherer Kulturstufe und hochentwickelter Wirtschaft das letztere« *(Roscher)*.
Dies ist nicht bloss menschenfreundlicher und dem Gemeinwohle
vorteilhafter, sondern auch für den Nutzen des Unternehmens
insbesondere dort auf die Dauer vorteilhafter, wo das stehende
Kapital sehr überwiegt und der Arbeitsfaktor in der Produktion
zurücktritt. Denn hier wird nur eine Massenerzeugung die (relativ)
grösste und ökonomischeste Ausnützung der Anlagen gestatten
und eine von Konkurrenz und anderen Wechselfällen gesichertere
Stabilität in der Produktion und im Absatze herbeiführen, was
eben mit Rücksicht auf die festgelegten grossen Kapitalien von
besonderer Wichtigkeit ist. Es ist dies das moderne Geschäftsprinzip, das allerdings erst mit der Grossindustrie und vorgeschrit-
tenen Arbeitsteilung ins Leben treten konnte und dieser die
Ueberlegenheit gegenüber dem Kleinbetriebe, aber auch den
höheren absoluten Gewinn schuf. Ganz derselbe Standpunkt hat
für die Seeschiffahrt, für die modernen Verkehrsmittel überhaupt
zu gelten. Dass deren Produkte nicht wesenhaft sind, ist dabei
ganz belänglos.

Eine andere Frage wirft sich hier endlich auch noch auf,
nämlich wie sich denn das nach höchster Rentabilität zielende
Streben einer Schiffahrtsgesellschaft als Erwerbsunternehmens mit
ihren Aufgaben im Hinblicke auf die vaterländische Wirtschaft und
mit ihren öffentlichen Pflichten tarifarisch vereinigen lasse. Diese
Frage wird insbesondere von jenen gerne hervorgeholt, die in einer
Verstaatlichung aller Verkehrsmittel und deren Betrieb es lediglich
gegen Entgelt der Eigenkosten das höchste und letzte Ziel sowie
das einzige Mittel erblicken, um den Erfordernissen der Einzelwirtschaften voll gerecht zu werden. Der Fehler in dieser Schlussfolgerung liegt darin, dass eine Gegensätzlichkeit zwischen den
Einzelwirtschaften eines Staates und staatlicher Wirtschaft einerseits, den Interessen der nach dem Erwerbsprinzip bewirtschafteten und unrichtiger Weise ausserhalb des Wirtschaftsganzen
hingestellten Verkehrsmittel andrerseits, angenommen und hervor-
gekehrt wird. Thatsächlich besteht aber ein solcher Gegensatz
nicht. Dieser Irrtum, der schon die Quelle zahlloser verfehlter
Massnahmen war, ist durch unrichtige Tarifgestaltungen« veranlasst
worden, welche seitens privater Verkehrsunternehmen vielfach
ergriffen wurden. Dieselben glaubten durch ein Hochhalten der
Transportpreise ihrem Vorteile zu dienen; thatsächlich aber legten

sie dem Verkehre Fesseln an und beraubten sich selbst der Mittel zu ihrer vollen Entwicklung und Entfaltung. Hier ist die Erinnerung an das obenerwähnte moderne Geschäftsprinzip der Massenproduktion am Platze, welches die Einheit der beiden scheinbar gegensätzlichen Standpunkte so recht vor Augen führt. Denn es ist klar, dass eine für ein Verkehrsunternehmen zur Erzielung der höchsten Rentabilität notwendige Massenproduktion nur durch eine Tarifgestaltung erfolgen kann, welche den Transport auch minderwertiger Massengüter ermöglicht, und mehr als dies, erregt, herbeiführt. Solche Tarife müssen aber notwendig relativ niedere und abgestufte Sätze enthalten und können daher unter keinen Umständen als den Verkehr hemmend und für die Produktion und den Handel nachteilig bezeichnet werden. Und diese, die grösste Rentabilität eines Verkehrsunternehmens sichernde Tarifgestaltung stellt hiedurch gerade die Ausgleichslinie zwischen den Interessensphären der verschiedenen Wirtschaften dar. Ihr Unterschreiten ist immer gleichbedeutend mit einer einseitigen Begünstigung einzelner Wirtschaftszweige zu Ungunsten anderer und einer Störung des Gleichgewichtes im ganzen Wirtschaftsorganismus. Dahin abzielende Forderungen können ruhig als unberechtigt und ungebührlich zurückgewiesen werden; sie entspringen dem häufig geradezu masslosen Geschäftseigennutze gewisser Kreise der Industrie und des Handels, in denen auch erfahrungsgemäss die Hintermänner der bezüglichen Agitationen in Presse und Litteratur zu suchen sind.

Die konstitutiven Elemente des Preises eines Monopolgutes sind W e r t und P r o d u k t i o n s k o s t e n. Es ist dies die ursprünglichste und einfachste Preisform, die sich sofort kompliziert, wenn es sich um ein Marktgut handelt, indem hier die Zahlungsfähigkeit des Käufers als Grundlage der Nachfrage hinzutritt. Je lebhafter der Interessenkampf zwischen Käufer und Verkäufer und die Konkurrenz zwischen Käufern untereinander sowie Verkäufern untereinander werden, desto mehr Preisbestimmungsgründe treten auf den Plan, und desto verworrener und undefinierbarer wird das Preisproblem. Uns kann hier nur die einfachste Form beschäftigen, denn das Preiswesen der Verkehrsmittel muss sich auf dem Monopolcharakter aufbauen, bezw. denselben zur Voraussetzung nehmen, selbst dort, wo wie bei der Seeschiffahrt die Konkurrenz zumeist über die

Preise herrscht. Hier handelt es sich dann gewissermassen darum, den entfernten Typus zu konstruieren, nach welchem hin
zu streben ist.

Was das Element des W e r t e s betrifft, so wirft sich zunächst
die Frage nach dem Begriffe des W e r t e s e i n e r T r a n s p o r t -
l e i s t u n g auf. Es muss hier nun daran erinnert werden, dass
»auch solche Thätigkeiten, welche auf das fertige Produkt keinen
andern Einfluss ausüben, als indem sie dasselbe aus seiner räumlichen und zeitlichen Trennung zu dem Bedarfe hinüberleiten,
mit Recht Anspruch auf Produktivität erheben.« *(G. Cohn*, System der Nationalökonomie.) T r a n s p o r t i s t P r o d u k t i o n,
also Werterzeugung, Werterhöhung. Der Wert einer Transportleistung lässt sich demnach auch von dem Gegenstande des Transportes nicht loslösen und ist an den Wert dieses Gegenstandes
geknüpft, indem er diesen erzeugen, erhöhen half. Von den
verschiedenen Formen der Werterscheinung hat für das Verkehrswesen nur jene des T a u s c h w e r t e s unmittelbaren Bezug.
Dieser Vergleichswert ändert sich mit Ort und Zeit. Der Tauschwert eines Gutes ist umso grösser, je grösser im Verhältnisse
zur verfügbaren Menge dieses Gutes die verfügbaren Mengen anderer Güter (auch Geld) sind, welche dafür eingetauscht werden.
Die örtlichen und hie und da auch die zeitlichen [1]) Unterschiede
zwischen den Tauschwerten eines Gutes verursachen nun dessen
Transport. Wenn in zwei Orten der Tauschwert eines Gutes der
gleiche ist, wird es selbst bei den niedersten Transportpreisen
niemand einfallen, dieses Gut von dem einen nach dem andern
Orte zu transportieren. Tritt aber eine Differenz in den Tauschwerten ein, so wird das Gut von dort, wo sein Wert geringer
ist, wo es also im Verhältnisse zum Bedarfe in grösseren Mengen
verfügbar ist, dahin abfliessen, wo sein Tauschwert höher, der
Bedarf im Verhältnisse zu den gegebenen Mengen grösser ist.

Je grösser diese D i f f e r e n z d e r T a u s c h w e r t e ist,
welche den V e r k e h r s - o d e r T r a n s p o r t w e r t eines
Gutes darstellt, desto weiter auseinander gelegen können die
beiden Orte sein, weil die grössere Differenz die grösseren Transportkosten decken wird. Es ist nun hiebei besonders bemerkenswert, dass im allgemeinen die Schwankungen und Differenzen

---

1) Dies kann nur bei Transporten zutreffen, welche auf Spekulation erfolgen,
nämlich in der Anhoffung eines späteren Steigens des Tauschwertes in dem Bestim-
mungsorte eines Transportes.

der Tauschwerte bei Gütern mit höheren Tauschwerten viel grösser sind, als bei Gütern mit geringen Tauschwerten. Es erklärt sich dies einerseits daraus, dass im Vergleiche kleiner Grössen untereinander grosse Abstände überhaupt nicht entstehen können, während bei Vergleichung grosser Grössen die Voraussetzung für bedeutende Differenzen gegeben ist. Aber auch aus dem Begriffe des Tauschwertes lässt sich diese Erscheinung erklären. Güter von höherem Werte sind nämlich im allgemeinen im Verhältnisse zum bestehenden Bedarfe in knappen Mengen gegeben, infolge dessen müssen auch die örtlichen Schwankungen des Bedarfes einerseits, der verfügbaren Mengen andrerseits grösser sein. Güter von geringem Tauschwerte stehen dagegen im Verhältnisse zum Bedarfe allgemein in grösseren Mengen zur Verfügung, und es kann daher auch keine so bedeutende Schwankung eintreten. So wird z. B. der Verkehrswert, d. h. der Unterschied zwischen den Tauschwerten eines Industrieproduktes, Luxusartikels, Kunstgegenstandes oder dgl. an einem der wenigen Erzeugungsorte und an einer fernabgelegenen Bedarfstelle ein so bedeutender sein, wie ihn z. B. Bausteine oder dgl., die fast überall zu haben sind, niemals werden erreichen können. Wenn gleichwohl auch Rohprodukte, wie Kohlen, Baumwolle etc., oft auf grosse Entfernungen transportiert werden, so erklärt sich dies einerseits aus dem grossen Bedarfe nach solchen Stoffen und aus dem Nichtvorkommen, bezw. der Seltenheit derselben an einem Orte, andrerseits aus der Leichtigkeit und den geringen Kosten ihrer Gewinnung an dem andern Orte, so dass immerhin noch ein die Transportkosten deckender Verkehrswert entsteht; übrigens werden solche Stoffe dann meist nur in grossen Partien verfrachtet, um die auf die Einheit entfallenden Transportkosten möglichst zu mindern.

Es zeigt sich also, dass die Wertvermehrung, bezw. die Werterzeugung, welche durch den Transport eines Gutes erfolgt, eine umso grössere sein wird, je höher der Tauschwert eines Gutes ist, oder mit andern Worten, d e r W e r t e i n e r T r a n s p o r t l e i s t u n g s t e h t i n g e r a d e m V e r h ä l t n i s s e z u m T a u s c h w e r t e d e s t r a n s p o r t i e r t e n G u t e s. Zwar lässt sich der »Wert der Transportleistung« nicht direkt auf den Tauschwert des transportierten Gutes übertragen, bezw. durch letzteren substituieren; es ist aber damit dargethan, dass der Tauschwert der Güter den M a s s s t a b zur Preisbemessung für die Transportleistung

der Verkehrsmittel zu bilden habe, und dass diese Preisbemessung
schon aus dem Wesen des Güterwertes hervorgeht. Weil wir
das Wesen der Wertbildung dem Handel und Verkehre zu danken
haben, geht auch aus dem Wesen des Wertes die Bemessung
des Preises für Thätigkeiten des Handels und Verkehrs hervor.

Nun ist diese Erkenntnis allerdings nicht Ursache gewesen,
dass die Werttarifierung bei den Verkehrsanstalten zur Anwendung kam und insbesondere bei den Eisenbahnen grössere Ausgestaltung erfuhr. Es sprechen für dieselbe eben auch noch
andere Motive, und als nächstliegendes ist wohl jenes anzusehen,
das sich aus dem Gewinnstreben ableiten lässt und sich auf die
grössere Belastungsfähigkeit der wertvolleren Güter bezieht. Mit dem
geringsten Aufwande den höchsten Nutzeffekt zu erreichen, ist das
Ziel der Betriebsökonomie bei jedweder wirtschaftlichen Thätigkeit.
Daraus ergab sich denn von selbst, dass man die Transportpreise
nach dem Tauschwerte der Güter steigerte, und in diesem Sinne,
nämlich im Hinblick auf die rein praktischen Erwägungen, denen
die Werttarifierung ihre Anwendung dankt, ist dieselbe betriebsökonomischen Ursprunges. Im Grunde kommt dies aber wieder
auf das Vorhergesagte hinaus und bildet einen Beleg für die Richtigkeit der aufgestellten Satze, dass die örtlichen Tauschwert-
unterschiede bei hochwertigen Gütern im allgemeinen grösser
sind als bei minderwertigen, und dass diese Differenzen den Spielraum für den Transportpreis bilden, der die Tendenz hat, diesen
Spielraum möglichst auszufüllen. Dazu tritt noch der Umstand,
dass die effektive Wertvermehrung, in welche der fiktive Verkehrswert durch den Transport eines Gutes umgesetzt wird, einen
umso geringeren Teil des Tauschwertes ausmacht, je höher der
Tauschwert eines Gutes ist, daher auch der höhere Transportpreis für wertvolle Guter einen viel kleineren Teil deren gesamten
Produktionskosten ausmacht als selbst der niederste Transportpreis bei geringwertigen Gütern. Auch aus diesem Grunde besitzen die höherwertigen Güter eine grössere Belastungsfähigkeit
durch Transportpreise, und wenn schon gar keine theoretische
Erwägung der Annahme der Werttarifierung vorangegangen sein
mag, — was sich mit einiger Sicherheit behaupten lässt — so
müsste schon einfacher geschäftlicher Spürsinn zu ihr hinführen.
Bei den Eisenbahnen finden wir dies bestätigt; befremdlicher
Weise aber ist bei der Seeschiffahrt die Werttarifierung häufig
nur sehr mangelhaft entwickelt.

In Befolg dieses Prinzipes sind nun die wichtigsten und am häufigsten zum Transport gelangenden Waren in Klassen einzureihen, welche dadurch Gruppen ungefähr gleichwertiger Güter bilden, für welche einheitliche Transportpreise erstellt werden. Dass hiebei nur approximative Schätzungen vorgenommen werden können, ergibt sich einerseits schon aus der tariftechnischen Notwendigkeit einer beschränkten Anzahl von Wertklassen, andrerseits aus der besonderen Schwierigkeit, die Werte verschiedener Güter zu einander in ein richtiges Verhältnis zu setzen, und endlich um für kleinere Schwankungen der Werte, wie solche beständig vorzukommen pflegen, Spielraum zu lassen.

Die Frage der Einreihung in die Wertklassen ist von grosser prinzipieller Bedeutung; in ihr kommt die ganze Tendenz einer Tarifpolitik zum Ausdrucke. Will sich eine Schiffahrtsunternehmung in den Rahmen des vaterländischen Wirtschaftsorganismus einfügen; ist sie sich ihrer Abhängigkeit von letzterem und ihrer Zugehörigkeit zu demselben bewusst; hat sie die heimische Produktion und den heimischen Konsum als die sichersten und dauernden Unterlagen ihres eigenen Bestandes erkannt, und sieht sie in deren Förderung und Entfaltung die Voraussetzung und Bedingung sowie das wirksamste Mittel für das eigene Gedeihen: so kann der Tauschwert nicht als ausschliessliches Kriterium für die Einschätzung der Güter in Wertklassen gelten, sondern es wird auch die Bedeutung mit in Rücksicht zu ziehen sein, welche die Produktion und der Konsum der einzelnen Güter für das Gemeinwohl und für die gesamtstaatlichen Interessen haben. Diese Bedeutung wurde a. a. O. [1]) als »staatswirtschaftlicher Wert« der Güter bezeichnet. Der objektive Begriff des staatswirtschaftlichen Wertes der Güter ergiebt sich einerseits aus der Relativität zwischen einer Staatswirtschaft und den von ihr umschlossenen Privatwirtschaften, andrerseits aus der Relativität verschiedener Staatswirtschaften. Aus den ersteren Beziehungen bestimmt sich der staatswirtschaftliche Wert eines Gutes nach Massgabe der Bedeutung und Stellung seiner Produktion oder seines Konsums innerhalb der Staatswirtschaft und mit Rücksicht auf den Gebrauchswert des Gutes, bezw. die Grösse und Allgemeinheit des Bedürfnisses, welches durch das Gut befriedigt wird, endlich nach Massgabe der Wichtigkeit dieser Bedürfnisbefriedigung. Aus den letzteren Be-

---

1) *Weichs,* »Ueber das Wesen und die Grundlagen der Eisenbahngütertarife«, Zeitschr. f. die ges. Staatsw., Jahrg. 1893, Heft 1.

ziehungen, d. h. aus den Verhältnissen verschiedener Staatswirtschaften untereinander bestimmt sich der staatswirtschaftliche Wert
eines Gutes nach dem Umfange und der Grösse der Vorteile,
welche einem Staate oder ihm angehörenden Einzelwirtschaften
aus der Weltmarktstellung eines Gutes erwachsen. Es geht aus
dieser staatswirtschaftlichen Wertklassifikation hervor, dass dieselbe jeweilig nur für ein bestimmtes Staatsgebiet Geltung haben
kann; aber eben aus diesem Grunde wird der staatswirtschaftliche Wert ein viel sichererer und präziserer Massstab für die
Einschätzung der Güter sein als der Tauschwert. J e d e n f a l l s
w i r d d i e s b e z ü g l i c h e i n g e w i s s e r P a r a l l e l i s m u s
m i t d e m S y s t e m u n d d e n S ä t z e n d e s Z o l l t a r i f e s
z u s u c h e n s e i n. Denn wenn auch die Tarife der Verkehrsmittel, der Eisenbahnen sowohl wie der Schiffahrt, nicht die positiven Aufgaben der Zolltarife erfüllen können, so dürfen sie
diesen doch in keinem Falle entgegengesetzt sein, ihnen entgegenwirken oder dieselben in ihren beabsichtigten Effekten abschwächen.
Sie bilden im Gegenteile ein natürliches Korrelat der Zolltarife,
indem sie einigen Produktionszweigen ermöglichen sollen, die
Vorteile eines Zolltarifes zu verfolgen und auszubeuten, und anderen Produktionszweigen einen Schutz gegen die Nachteile ausländischer Konkurrenz zu gewähren haben. — Dies mag auch
als Beleg dafür angesehen werden, dass in einem auf staatswirtschaftlichen Grundlagen aufgebauten Tarife die Klassifikation der
Güter lediglich nach deren Tauschwert n i c h t e r f o l g e n k a n n
u n d d a r f, weil dies den Anschluss an den Zolltarif und die
unerlässliche Ergänzung desselben verhindern würde, da die Klassifikation des Zolltarifes gleichfalls nicht nach dem Tauschwerte,
sondern im grossen und ganzen nach dem staatswirtschaftlichen
Werte der Güter vorgenommen ist.

Es werden also in diesem Sinne nach der landwirtschaftlichen
Wertskala die Arbeits- und Hilfsmittel der Ur- und Bodenproduk-
tion sowie deren transportfähige Erzeugnisse zuoberst stehen
und sich daran die wichtigsten Nahrungsmittel der Bevölkerung
und die Rohstoffe zu reihen haben; hierauf kommen die Rohstoffe
für die industrielle Produktion, und in die folgenden Klassen sind
Genussmittel, Halbfabrikate, Ganzfabrikate, Luxusartikel u. s. w.
nach Massgabe der Bedeutung einzuschätzen, welche sie für die vaterländische Wirtschaft besitzen. Naturgemäss wird bei Einschätzung
in diese letzteren Klassen der Tauschwert der Güter wieder be-

stimmender in den Vordergrund treten; denn wie wichtig auch in staatswirtschaftlicher Beziehung ein hochwertiges Produkt, bezw. die inländische Produktion desselben sein mag, eine aus diesem Titel etwa gewährte besondere tarifarische Berücksichtigung durch Einschätzung in eine niedere Wertklasse würde ob ihrer relativen Geringfügigkeit auf die Produktion und Marktfähigkeit sowie auf den Umfang des Absatzgebietes des wertvollen Fabrikates zweifellos ganz ohne Einfluss sein, voraussichtlich lediglich dem Zwischenhandel zugute kommen und der zwecklosen Hingabe einer Einnahme gleichzusetzen sein. Es muss eben auch in Bedacht genommen werden, dass die Anwendbarkeit des Gesetzes der Massennutzung in umgekehrtem Verhältnisse zum Tauschwerte der Güter steht.

Es ist nicht zu leugnen, dass derart durch die Werttarifierung auch in das Gebiet der E t h i k hinübergegriffen wird. Aber auch kulturell und geschichtlich erweist sich die Werttarifierung und speziell die staatswirtschaftliche Wertklassifikation als ein Postulat. »Wenn es«, sagt *Cohn* [1]), »eine Folge der historischen Entwicklung ist, dass die grossen Gruppen der landwirtschaftlichen und der industriellen Produktion innerhalb eines Volkes sich verschieben, u. zw. so verschieben, dass der Umfang der industriellen Produktion immer mehr hervortritt, so wird es unmöglich sein, irgend ein normales Verhältnis festzustellen, welches die Grenzen der beiden Gruppen gegen einander absteckt.« Das Fortschreiten dieser Entwicklung ist nun allerdings kaum aufzuhalten, und dies Aufhalten wäre vielleicht auch gar nicht zu wünschen, weil es sonst unmöglich werden würde, im Wettkampfe mit andern vorausgeeilten Nationen in wirtschaftlicher, politischer und sozialer Beziehung auf die Dauer zu widerstehen. Aber gleicherweise scheint es unzulässig, diesen Entwicklungsgang in einseitiger Weise zu begünstigen und zu beschleunigen. Dies müsste jedoch zweifellos erfolgen, wenn man einen so hochbedeutsamen Faktor im wirtschaftlichen Leben, wie das Verkehrswesen, so vorwiegend in den Dienst der Interessen der industriellen Produktion stellte, indem bei Bemessung der Transportpreise die Wertunterschiede nicht genügend beachtet und präzisiert würden oder lediglich der wandelbare Tauschwert eines Gutes ohne Anschung der Produktionsgruppe, welcher dasselbe angehört, zum Massstabe für die Einschätzung in die Wertklassen diente. Denn dies müsste not-

---

[1]) System der Nationalökonomie I.

wendig zu einer Mehrbelastung der Urproduktion, zu einer Ver-
engung des Verkehrswertes deren Roherzeugnisse führen, wogegen
die Vorteile dem berufsmässigen Handel und der industriellen
Produktion in den Schoss fallen würden. Nun ist es aber für
den Bestand und das Gedeihen eines Staates unerlässlich, dass
auf das konservative landwirtschaftliche Element der grösste Wert
gelegt und demselben, wenn es in einem kaum zu verhindernden
allmählichen Zurückweichen begriffen ist, besonders kräftiger Schutz
gewährt, die grösste und erste Fürsorge zugewendet werde. Es
bildet eine Lebensfrage für jeden Staat, dass er die Interessen
seiner landwirtschafttreibenden Bevölkerung thunlichst fördere,
dieselbe insbesondere auch vor den Gefahren übermächtiger auswärtiger Konkurrenz schütze.

Bei der Seeschiffahrt können indessen die aus diesem Ge-
sichtswinkel sich ergebenden Grundsätze natürlich nicht in dem
Umfange bethätigt werden wie von den Eisenbahnen; denn die
Seeschiffahrt hat viel weniger Berührungspunkte mit der Land-
wirtschaft, sie liegt derselben auch räumlich entfernter, und der
Export und Import auf dem Seewege der für diese Gruppe in
Frage kommenden Güter kann zwar unter Umständen quantitativ
bedeutend sein, beschränkt sich aber doch meist nur auf eine geringe
Zahl von Rohstoffen und Produktionsmitteln, für deren Transport
überdies auch die Segelschiffahrt mit Vorliebe herangezogen wird.

Gleichwohl aber war es notwendig, jene für die staatswirtschaftliche Wertklassifikation massgebenden und das innere Wesen
derselben aufdeckenden Gesichtspunkte in ihrem ganzen Umfange
klarzulegen, um die Richtung genau erkennen zu lassen, welche
auch von der Seeschiffahrt bei der Einschätzung der Güter in
Wertklassen eingehalten werden muss. Welche Anzahl Klassen
anzunehmen sei, lässt sich nicht für alle Fälle im voraus festsetzen. Eine zu geringe Anzahl erzeugt zu grosse Abstände in
den Preissätzen und hindert die unerlässliche Individualisierung.
Eine übermässig grosse Anzahl dagegen bietet wieder gewisse
Schwierigkeiten bei Berechnung, Verrechnung, Kontrolle etc. Doch
dürften diese Schwierigkeiten bei der Seeschiffahrt, welche nur
wenige Aufgabs- und Abgabsstellen hat, geringe anzuschlagen
sein gegenüber den Vorteilen, welche ein sorgsam entwickeltes
Klassifikationssystem bietet. Die Preissätze der einzelnen Klassen
werden nun derart abzustufen sein, dass auf die oberste, die staats-
wirtschaftlich wichtigsten Güter enthaltende Klasse der niederste

Satz entfällt und entsprechend der höheren Belastungsfähigkeit der wertvolleren Güter in den folgenden Klassen die Sätze fortlaufend gesteigert werden.

Das System der Werttarifierung stellt sich nach all dem Vorhergesagten als unerlässlich dar im Sinne der Ziele der Seeschiff-fahrt als eines Erwerbsunternehmens. Die Tarifierung nach dem staatswirtschaftlichen Werte vereinigt diese Vorteile mit den Aufgaben, welche die Seeschiffahrt in Hinsicht auf die heimische Staatswirtschaft zu erfüllen hat. Als unbedingt einzuhaltender Grundsatz sowie als Voraussetzung dafür, dass die Werttarifierung diese Zwecke erfüllt, hat jedoch zu gelten, dass die Einreihung in die Wertklassen a u s s c h l i e s s l i c h   n u r   a u f G r u n d   d e r W e r t e erfolge und nicht andere Kriterien hier eingemengt werden, wie dies sowohl bei den Schiffahrtstarifen wie bei den Eisenbahntarifen gegenwärtig allgemein der Fall ist, indem die Einschätzung der Güter in die Wertklassen nach einem kombinierten System auf Grund der Werte und der relativen Tara (spezifisches Gewicht) vorgenommen wird. Dies ist durchaus verfehlt; das eine Prinzip schlägt das andere tot, und das Resultat ist, dass die Ziele beider sich verwischen und es unmöglich wird, diese Ziele zu verfolgen. Diese Forderung einer   r e i n e n   W e r t klassifikation muss unter allen Umständen erfüllt werden.

Auch die Konkurrenz kann kein Hindernis für die Werttarifierung bilden, schon aus dem Grunde nicht, weil die mitbewerbenden Unternehmungen um ihres eigenen Vorteiles willen ebenfalls den Güterwert als eines der Elemente und zum Ausgangspunkt für ihr Preiswesen annehmen müssen, wenn auch, wie bereits erwähnt, dies in höchst unvollständiger Weise erfolgt. Die Tarifierung nach dem   s t a a t s w i r t s c h a f t l i c h e n   Werte wird aber einer Schiffahrtsunternehmung noch besondere Vorteile sichern, die ihr bei einer Klassifikation nach dem Tauschwerte kaum zufallen würden. Handelt es sich nämlich um den Transport von Gütern mit grossem staatswirtschaftlichen Werte, die dementsprechend in eine Klasse mit niederen Tarifsätzen rangieren, zufolge ihres Tauschwertes jedoch bei konkurrierenden Unternehmen in eine höhere Tarifklasse eingereiht sind, so ergiebt sich daraus ein Vorsprung und die Unternehmung sichert sich damit in dieser Transportgattung und in gewissen Verkehren eine Hegemonie, welche ihr nicht so leicht entwunden werden kann, da dieselbe ihre Wurzeln in der heimischen Produktion hat. Nur

in Verbandtarifen mit fremden Anschlusslinien wird sich das Prinzip
der Werttarifierung häufig nicht zur Anwendung bringen lassen,
ohne bedenkliche Komplikationen in der Bildung direkter Transportpreise und direkter Expedition zu erzeugen. Da jedoch
der Schwerpunkt des Unternehmens immer bei den selbst bedienten direkten Verkehren ruhen wird und für Umladungen und
Uebergaben von einer direkten Schiffahrtsverbindung auf eine
andere doch zumeist nur Stückgut in Frage kommt, das ohnedies
zu hohen Sätzen tarifiert, so hat in solchen Fällen ein Abgehen
von der Werttarifierung keine Bedeutung. Uebrigens lassen sich
auch Schnitt-Tarife konstruieren, die bis zum Schnittpunkte das
eigene barême ungeschmälert anwenden lassen.

Das Wesen der Werttarifierung erfordert ein beständiges
Eingehen und Verfolgen der Wert- und Preiserscheinungen, somit
eine ausgeprägte Individualisierung. Der Tauschwert ist zeitlichen und örtlichen ununterbrochenen Schwankungen ausgesetzt;
fortwährend werden durch die Entwicklung der Kultur, der menschlichen Wirtschaft und durch die Fortschritte in Wissenschaft und
Technik neue Werte erzeugt, neue Stoffe in den Kreis der Produktion und des Konsums einbezogen, andere zurückgedrängt,
und natürlich tritt dies umsomehr zu Tage, je grösser der
Kreis ist, der in Betracht gezogen wird; in höherem Masse daher
gegenüber der Seeschiffahrt als gegenüber den Eisenbahnen.
Diesen Wandlungen, denen die Werte unterliegen, kann natürlich
ein Tarifschema durch fortwährende, oft aber nur vorübergehende
Wechsel und Aenderungen der Warenklassifikation, die nur für
geringe Schwankungen Spielraum bietet, nicht folgen, weil dadurch jede sichere Grundlage und Kontinuität in kürzester Zeit
verloren gehen müsste. Andrerseits aber können diese Wert-
schwankungen auch unmöglich übersehen und unbeachtet gelassen werden; sie bieten häufig das, was im Geschäftsbetriebe
eine »günstige Konjunktur« genannt wird, und deren Nichtbeach-
tung liesse sich für ein Erwerbsunternehmen kaum rechtfertigen.
Die Individualisierung hat also soweit zu gehen, dass sie auch
diese vorübergehenden zeitlichen und örtlichen Schwankungen
thunlichst berücksichtigt und in sich begreift. Durch Ausnahme-
und Spezialtarife geschieht dem noch nicht vollkommen Genüge;
diese haben dort Anwendung zu finden, wo voraussichtlich für
längere Zeit obwaltende Verhältnisse ein Abweichen vom normalen barême erforderlich scheinen lassen. Jenen anderen Wert-

schwankungen aber kann nur mit Hilfe des R e f a k t i e w e s e n s gefolgt werden. Die Refaktie besteht in der nachträglichen Rückerstattung eines Teiles von den, zu den allgemeinen öffentlichen Tarifen berechneten, bezahlten oder kreditierten Transportgebühren. Indem sich die Refaktien zumeist auf einzelne, aus der momentanen Geschäftslage sich ergebende Wertverhältnisse und nur für die Dauer derselben beziehen, ermöglichen sie, und nur sie allein, eine weitgehende Individualisierung, ohne die für längere Zeit Geltung besitzende Wertklassifikation zu alterieren. Sie stellen im Gegenteile in dieser Form eine Ergänzung derselben dar und verleihen ihr die für die Seeschiffahrt besonders wertvolle, ja notwendige Elastizität. Wenn die Refaktien bei den Eisenbahnen in gewisser Hinsicht auch als bedenklich angesehen werden können, bei der Seeschiffahrt entfallen diese Bedenken zum grössten Teile; denn während dort in der Regel die Interessen i n l ä n d i s c h e r Produzenten gegen einander ausgespielt werden, gewinnt hier im Gegenteile die Refaktie in vielen Fällen den Charakter eines Schutzmittels für die inländische Produktion gegen die ausländische Konkurrenz. Und sowohl diese Konkurrenz der Produktion als der Konkurrenzkampf der Schiffahrtsunternehmungen untereinander lässt die Waffe der Refaktie kaum entbehrlich erscheinen. Allerdings bleibt sie unter allen Umständen ein zweischneidiges Schwert, und es muss sorgsam darüber gewacht werden, dass sie nie in ein System persönlicher Begünstigungen ausarte, sondern dass ihr Ausnahmecharakter gewahrt bleibe und sie wirklich nur dann und nur so lange zur Anwendung komme, als dies durch die Verhältnisse thatsächlich bedingt erscheint. Nur zu leicht und zu rasch nimmt erfahrungsgemäss das Refaktiewesen, gleich jeder Ausnahme und einseitigen Begünstigung immer grössere Dimensionen an, zieht immer weitere Kreise, schafft immer neue Prajudizfälle und überwuchert schliesslich wie Unkraut das Tarifsystem, das den ursprünglichen Ausgangspunkt gebildet hat, nun aber nur mehr am Papiere besteht. Zwar bietet die Einführung des Zwanges der Veröffentlichung der gewährten Refaktieen die Möglichkeit einer gewissen Kontrolle; dieselbe wird sich aber immer nur auf den Export beziehen und nicht auch auf den Import erstrecken können. Das sicherste Mittel, das Refaktiewesen in mässigen und der Sache förderlichen Dimensionen zu halten, wird neben später erörterten Tarifmassnahmen die Tarifierung nach dem staatswirtschaftlichen Werte sein;

denn wie schon früher erwähnt, wird durch dieselbe das ganze
Tarifwesen einer Seeschiffahrtsunternehmung von Anfang schon
auf ein Niveau gestellt, das eine gewisse Ueberlegenheit gegenüber den Konkurrenten verleiht, indem es unabhängiger von den
jeweiligen Weltmarktlagen ist und von den ständigen Schwankungen
dieses Marktes nicht so bald beeinflusst und erreicht wird.

Neben der Gewinnung von Transporten überhaupt wird weiters
durch das Refaktiewesen angestrebt, grössere Mengen einzelner
Güter für den Transport sicherzustellen. Zu diesem Zwecke wird
die Gewährung von Refaktieen gewöhnlich an die Bedingung der
Auflieferung grosser Quantitäten innerhalb gewisser Zeiträume
und für bestimmte Transportstrecken geknüpft. Dass damit der
Grossbetrieb und der Grosshandel eine Begünstigung gegenüber
dem Kleinbetriebe erfahren, ist wohl zweifellos. Bei den Eisenbahnen mag dies auch als eine Ursache für die Schädlichkeit des
Refaktiewesens angesehen werden, weil ja die Verkehrsmittel des
Binnenlandes unmittelbar in die grossen ebenso wie in die viel
zahlreicheren kleinen Wirtschaftskreise eingreifen, und wenn auch
thatsächlich die grossen Kreise des Handels und der Industrie
immer den weitaus grösseren Vorteil aus der Benutzung der Verkehrsmittel ziehen werden, so geht dies eben aus der Natur des
Grossbetriebes hervor; aber dem Kleinbetriebe steht doch die
Benützung der Eisenbahnen in ganz gleicher Weise unmittelbar
und jederzeit offen, ihm sind dieselben ebenso wichtig, ja unentbehrlich geworden. Wie jedoch die Produktion des Kleinbetriebes im allgemeinen ein geringeres Erträgnis abwirft, so ist auch
dessen Gewinn aus der Benützung der Verkehrsmittel ein kleinerer.
Aus diesem Grunde mag es vielleicht Bedenken erregen, wenn
dem grossen Frächter seitens der Eisenbahnen besondere und
noch weitergehende Begünstigungen eingeräumt werden, als es
ohnehin im Wesen der Betriebsökonomie der Verkehrsmittel liegt
und den in den allgemeinen Tarifen derselben niedergelegten
Grundsätzen entspricht. Bei der Seeschiffahrt kommen aber auch
diese Bedenken in Wegfall; denn der Kleinbetrieb wird — den
Lokalverkehr an einer Küste ausgenommen — kaum in die Lage
kommen, sich der Seeschiffahrt als Transportmittels für seine erforderlichen Rohstoffe und seine Erzeugnisse unmittelbar zu bedienen. Der Kleinbetrieb ist im allgemeinen auf kleine, lokale
Absatzkreise und auf den Grossbetrieb als Bezugsquelle angewiesen,
es wäre denn, dass er durch genossenschaftliche Verbände die

Formen des Grossbetriebes annimmt. Ueberseeische Beziehungen, die für den Export und Import ernsthaft in Frage kommen, vermögen durchgängig nur der Grossbetrieb und der Grosshandel zu knüpfen und zu erhalten. So dient die Seeschiffahrt thatsächlich auch in erster Linie den Interessen der letzteren und kann kaum in die Lage kommen, die Interessen des Kleinbetriebes dagegen zu vernachlässigen.

Auch im P e r s o n e n v e r k e h r e hat eine differentielle Tarifierung platzzugreifen und bildet daselbst ohnehin eine so feste Norm, dass sich der Bau und die Einrichtung der Schiffe hienach gestaltet haben. Selbstredend hat die Scheidung der beförderten Personen nach Klassen nicht die Bedeutung, dass damit eine Einteilung der Menschheit nach dem Werturteile der Transportunternehmung erfolgt, und es ist daher nicht zutreffend, in diesem Sinne von einer W e r t tarifierung zu sprechen. Die verschiedenen Tarifklassen im Personenverkehre sind im Hinblicke auf die verschiedenen Bedürfnisse, Gewohnheiten und Ansprüche der Reisenden rücksichtlich Raumes, Bedienung, Nahrung, Komforts u. s. f. entstanden. Indem man sich genötigt sah, diesen Faktoren in Ausrüstung und Einrichtung nachzukommen, wurde man natürlich darauf geführt, — da sich alle Nüancen der gesellschaftlichen Abstufung und der verschiedenen Ansprüche doch nicht gut zum Ausdrucke bringen liessen, — jene Klasseneinteilung zu schaffen, deren verschiedene Preise demnach ihre Ursache zum Teile in dem U n t e r s c h i e d e d e r K o s t e n der verschiedenen Klassen-einrichtungen haben. Die Einschätzung in die Klassen erfolgt jedoch durch die Reisenden selbst, und auf diese Weise werden dieselben indirekt nach ihrer Leistungsfähigkeit zur Zahlung herangezogen. Für die Unternehmungen ist es allerdings ganz indifferent, ob die Millionäre in der 3. Klasse fahren und die Vertreter der unteren Millionen in der 1. Klasse, oder aber umgekehrt; es handelt sich ihnen nur darum, alle Klassen hübsch voll zu bekommen. Indem aber diese Selbsteinschätzung nach dem Werturteile der einzelnen, u. zw. in Beziehung zu dem gesamten Wertstande eines jeden erfolgt, so wird die Leistungsfähigkeit thatsächlich gerecht getroffen, wenn auch die Selbsteinschätzung häufig weniger nach der ökonomischen Lage, als im Hinblicke auf die soziale Stellung oder das Bewusstsein einer solchen, das man dabei zur Geltung bringen will, vorgenommen wird. Dieser Tendenz kommt die Klassen-einteilung eben entgegen und daher ist dieselbe auch ethisch und

sozial begründet. Mit der Werttarifierung im Sachentransporte hat
die Klasseneinteilung bei der Personenbeförderung darin gemeinschaftliche Wurzeln, dass beide dem jedwedem lebensfähigen
Organismus, jedem gesunden und normalen Lebensprozesse zu
Grunde liegenden Prinzipe der abgestuften Ungleichheit entspringen.

Als das zweite Element für die Preisbildung wurden die Produktionskosten bezeichnet. Strenge genommen, kommt es
hiebei aber, wie schon *Carey* konstatierte, vielmehr auf die Kosten
der Reproduktion, also der zukünftigen Erzeugung, als auf
die der Vergangenheit angehörenden Kosten bereits erzeugter
Produkte an. Immerhin aber werden sich die Reproduktions-
kosten nur auf Grund der Produktionskosten ermitteln lassen, in
dem für die veränderlichen Faktoren die berechneten oder geschätzten Zukunftswerte eingesetzt zu werden haben.

Zunächst müssen, um diesen Gegenstand analysieren und
genau ins Auge fassen zu können, die Selbstkosten des Betriebes
geteilt werden in die Selbstkosten der Leistung und in
die Selbstkosten der Produktion. In beiden Fällen
handelt es sich immer um die Kosten für die Einheit.

Es fährt z. B. ein Dampfer von A nach B. Was er mit
dieser Fahrt leistet, sind Tonnmeilen[1]), d. i. das Produkt
aus der gefahrenen Anzahl Meilen und der Anzahl Tonnen seines
Ladegehaltes. Diese Leistung wird vollbracht, gleichgiltig
ob das Schiff beladen oder leer fährt. Die Kosten
dieser Fahrt auf die geleisteten Tonnmeilen aufgeteilt, geben die
Selbstkosten des Betriebes pro Leistungseinheit. — Eine
Produktion tritt dagegen erst ein, wenn der Transport von
Gütern erfolgt; denn nur diese Thätigkeit erzeugt Werte und ist
produktiv. — Die Anzahl Tonnen (eventuell auch kleinerer Ge-
wichts- und Raumeinheiten) der transportierten Güter × der gefahrenen Anzahl Seemeilen stellt die gesamte Produktion jener
Fahrt dar. Die Kosten der Leistung auf die produzierten Güter-
tonnmeilen aufgeteilt, geben die Selbstkosten des Betriebes
pro Produktionseinheit.

Die Kosten pro Leistungseinheit zu verringern, ist eine Frage
der Technik; die Kosten pro Produktionseinheit zu verringern,
ist eine Aufgabe des Tarifwesens.

Diese Unterscheidung wird allgemein übersehen; sie ist aber
unerlässlich notwendig, um ein klares Urteil zu gewinnen und

---

1) Bei Annahme der Aichtonne und der Seemeile als Raum- bezw. Wegeeinheit.

die Selbstkosten als ein sicheres Element für die Preisbildung ansehen zu können. Es ist daher auch die Bezeichnung »Produktionskosten« als Element der Preisbildung nicht ganz korrekt und sollte vielmehr heissen die »K o s t e n d e r L e i s t u n g«. Denn nur diese, für jedes Schiff im voraus annähernd genau bestimmbaren und geringen Aenderungen unterworfenen Kosten eignen sich zur Unterlage der Preisbestimmung, während die Kosten der Produktion vollkommen variable Grössen sind, die zwischen den grössten Extremen schwanken können und Schlussfolgerungen auf die Preisgestaltung nur mittelbar und auch dann in ungenügender Weise zulassen.

Ein Schiff führt z. B. zwischen zwei Häfen nur ein einziges Kollo. Die Gesamtkosten der Fahrt treffen daher diese Transportleistung und ergeben für den einen Fall natürlich enorme Produktionskosten; würden nun nach diesen die Preise festgestellt werden, so könnten weitere Transporte kaum mehr erfolgen, weil die derart angesetzten Transportpreise nicht zu erschwingen wären. Ein andermal fährt das Schiff in der gleichen Relation, jedoch überladen; nun ergeben sich wieder so niedere Kosten für die Einheit des Transportes (Produktes), dass die Unternehmung mit Schaden arbeiten würde, wollte sie diese zur Grundlage der Transportpreise nehmen.

Auf die Tarifgestaltung wirken die Selbstkosten des Betriebes in mehrfacher Weise ein:

1) Durch die Bewegung und Aenderung der Kosten der Leistung wie der Kosten der Produktion mit der Aenderung des Umfanges der Leistung und Produktion.

2) Hinsichtlich ihrer absoluten Höhe pro Einheit und Leistung und

3) im Hinblicke auf die thunlichste Verminderung der Kosten pro Produktionseinheit.

Was nun die Beziehung zwischen dem Umfange einer Leistung oder Produktion und deren Selbstkosten betrifft, so vergegenwärtige man sich ein zur Abfahrt bereites Schiff. Die Abfahrt ist noch nicht erfolgt; gleichwohl sind bereits Betriebskosten, welche als f e s t e Selbstkosten bezeichnet zu werden pflegen, aufgelaufen, und zwar, — nur die Kosten des eigentlichen Betriebsaufwandes in Betracht gezogen, — eine Quote der Verwaltungskosten, die Kosten der Indienststellung, des Heizens der Kessel etc., dann die späterhin während der Fahrt zu ent-

16*

richtenden Hafen-, Lotsen- und anderen Gebühren, die im voraus in Anschlag gebracht werden können. Nach der Abfahrt u. zw. nach der zurückgelegten e r s t e n Seemeile, beträgt die gesamte L e i s t u n g 1 (Meile) × Tonnengehalt des Schiffes. Die gesamten Kosten dieser Leistung bestehen aus den bereits oben erwähnten festen Selbstkosten, mehr den während der Fahrt von 1 Seemeile aufgelaufenen Kosten für Feuerung, Schmieren, Meilengelder etc. Diese gesamten Kosten auf die Anzahl der geleisteten Tonnmeilen aufgeteilt, geben die E i n h e i t s k o s t e n d e r L e i s t u n g nach 1 Meile Fahrt. Nach zurückgelegten z w e i Meilen beträgt die gesamte L e i s t u n g 2 × Tonnengehalt des Schiffes; die Kosten des eigentlichen Betriebes haben sich jedoch wieder nur um Geringes, nämlich um den Betrag für Feuerung, Schmieren, Meilengelder etc. erhöht; der Dividend ist also nahezu unverändert geblieben, der Divisor dagegen hat sich verdoppelt, daher wird der Quotient, d. s. die E i n h e i t s - k o s t e n d e r L e i s t u n g nach z w e i Meilen Fahrt beträchtlich kleiner sein als nach der zurückgelegten ersten Meile. Nach drei, vier und mehr Meilen Fahrt werden sich die Einheitsselbstkosten weiter verringert haben und mit jeder zurückgelegten Meile wird immer wieder eine Abminderung der Selbstkosten eintreten müssen.

Denkt man sich nun die zurückgelegten Wegeinheiten auf die Abscissenachse, die denselben entsprechenden Einheitskosten als Ordinaten aufgetragen, so wird hiedurch eine Kurve bestimmt, welche sich nach ihrer Gleichung als H y p e r b e l zu erkennen giebt [1]).

Innerhalb einer als Ganzes anzusehenden Leistung, wie z. B. eine Fahrt zwischen den beiden Endpunkten einer Route, nehmen daher die auf die Leistungseinheit entfallenden Kosten des Betriebes den Verlauf einer Hyperbel. D. h. die Kosten pro Leistungseinheit werden im Beginne einer Leistung oder auch bei Leistungen von geringem Umfange r e l a t i v h o c h s e i n, sich bei Fortschreiten der Leistung oder bei Erweiterung ihres Umfanges zunächst in r a s c h e m F a l l e, im weiteren Verlaufe jedoch langsam verkleinern — immer aber verkleinern.

Dass die Einheitskosten diesen Verlauf nehmen m ü s s e n,

---

1) Die genaue Ableitung dieser Gleichung wurde in meinem Aufsatze ›U e b e r d a s W e s e n u n d d i e G r u n d l a g e n d e r E i s e n b a h n g ü t e r t a r i f e‹, Heft I, Jahrg. 1893 der ›Zeitschr. f. d. ges. Staatsw.‹ gebracht.

erklärt sich daraus, dass ein Teil der Selbstkosten ganz oder
nahezu gänzlich unabhängig von der Leistung ist. Hierher gehören, abgesehen von Quoten für Amortisation und Verzinsung des
Anlagekapitals, die vorerwähnten Quoten der Verwaltungskosten,
die Versicherungs-, Hafen-, Lotsen-, Kanal- u. a. Gebühren. Von
diesen sog. festen Selbstkosten werden nun natürlich um so kleinere
Anteile auf die Leistungseinheiten (Tonnmeilen) entfallen, je mehr
solcher Leistungseinheiten eine Leistung umfasst. Dagegen werden
die v e r ä n d e r l i c h e n Selbstkosten, d. s. jene, welche auf-
laufen, um die Leistung selbst hervorzubringen, wie z. B. der
Verbrauch von Kohlen und Schmiermaterial, Meilengelder u. dgl.
m., im grossen und ganzen proportional mit der Anzahl der
Leistungseinheiten wachsen. Denn da es unmöglich ist, die
vorkommenden, aber jedenfalls geringfügigen und sich häufig
doch wieder aufhebenden Schwankungen dieser Kosten in den
einzelnen Leistungsabschnitten zu verfolgen und zu konstatieren,
kann angenommen werden, dass dieselben bei einem und demselben Schiffe für jede Leistungseinheit im Durchschnitte gleich
gross sind.

Das alles gilt in ganz gleicher Weise auch für die auf die
P r o d u k t i o n s e i n h e i t e n entfallenden Kosten unter der Annahme einer bestimmten Transportmenge bei wachsender Leistung.

Ganz denselben, d. h. ebenfalls einen hyperbolischen Verlauf
werden ferner unter der Annahme einer bestimmten Leistung
auch die auf die Produktionseinheit entfallenden Kosten bei verschiedenen Transportmengen nehmen müssen, u. zw. gleichgiltig,
ob sich diese Einheiten auf Raum oder Gewicht beziehen.

Es ergeben sich hieraus folgende Schlüsse: J e g r ö s s e r
d e r U m f a n g e i n e r L e i s t u n g i s t, d e s t o k l e i n e r
w e r d e n g e g e n d a s E n d e d e r s e l b e n d i e K o s t e n
p r o L e i s t u n g s e i n h e i t w e r d e n, und umsomehr werden
sich dieselben den veränderlichen Selbstkosten nähern, ohne
sie je zu erreichen. Ferner werden die Selbstkosten pro Produktionseinheit um so kleiner sein, je grösser die Produktion ist,
u. zw. derart, dass dieselben im Beginne der Produktion oder
bei Produktionen von geringem Umfange, also bei Transporten
von kleinem Gewichts- oder Raumgehalt, sowie bei Transporten
auf kurze Strecken relativ hoch sind, bei Erweiterung des Umfanges der Produktion oder bei deren Fortschreiten zunächst
rasch fallen, im weiteren Verlaufe sich aber nur langsam verringern.

Der hyperbolische Verlauf, den die Selbstkosten pro Einheit innerhalb einer ganzen Leistung oder Produktion nehmen, kann nach Vorstehendem als erwiesen angesehen werden. In welcher Beziehung steht nun die Bewegung der Einheitsselbstkosten zur Tarifgestaltung? Weil jene Kurve durch die Verschiedenheit der Einheitsselbstkosten in den aufeinanderfolgenden Phasen einer Leistung oder Produktion entsteht, so kann, da diese Kosten ein Element der Preisbildung sind, angenommen werden, dass, die Preise eine analoge Gestaltung werden annehmen müssen und pro Einheit der Produktion in d r e i facher Weise, nämlich hinsichtlich Raumes, Gewichtes und Transportweges, als Hyperbeln zu verlaufen haben. Der A b s t a n d dieser Kurven des günstigsten Tarifes von der Selbstkostenkurve lässt sich allerdings nicht berechnen, sondern nur auf empirischem Wege annähernd ermitteln. Es lässt sich aber mit Sicherheit behaupten, dass dieser Abstand in allen Phasen der Produktion eine konstante Grösse sei und demnach d i e K u r v e d e s g ü n s t i g s t e n T a r i f e s, nämlich des Tarifes, welcher (vom Monopolstandpunkte) das höchste Erträgnis für das Unternehmen herbeiführt, p a r a l l e l z u r S e l b s t k o s t e n k u r v e l i e g t.

Alle Momente, welche Erfahrung und Ueberlegung an die Hand geben, bestätigen diese Behauptung, wogegen sich ein Gegenbeweis in keinem Falle erbringen lässt. Es liegt kein Grund vor anzunehmen, dass die Kurve des rentabelsten Tarifes gegen die Selbstkostenkurve d i v e r g i e r e n werde; denn in einer noch endlichen Entfernung würden sich dadurch so hohe Transportpreise ergeben, dass der Gütertransport wenn nicht unmöglich gemacht, so doch reduziert und in weiterer Folge das Erträgnis zweifellos verringert werden würde. Gleichfalls divergierend gegen die Selbstkostenkurve ist auch schon ein Tarif mit fixen Sätzen pro Einheit der Produktion, der also in einer geraden Linie, parallel zur Abscissenachse verläuft. Bei Fahrten von geringer Länge tritt dies allerdings nicht so hervor, da hier selbst bei den grössten Entfernungen keine hohen Beträge in Frage kommen. Wo es sich aber um Transportlängen von vielen hundert oder tausend Seemeilen handelt, da wird es augenfällig, dass ein solcher Tarif mit gleichbleibenden oder gar steigenden Einheitssätzen eine prohibitive Wirkung üben müsste, und dass auch das günstigste Einnahmenergebnis nicht eintreten könnte. Ebensowenig ist jedoch anzunehmen, dass die Kurve des günstigsten Tarifes gegen die

Selbstkostenkurve k o n v e r g i e r e n werde; denn dies hätte ein Sichschneiden beider Kurven in endlicher Entfernung zur Folge, was aber unmöglich erfolgen kann, da Tarifsätze in der Höhe der Selbstkosten oder unter denselben natürlich niemals die günstigsten Einnahmen werden ergeben können.

In der Praxis werden Tarife mit fallenden Sätzen schon längst angewandt. Also auch die geschäftsmännische Kalkulation hat das Richtige dieses Prinzipes anerkannt, wenn natürlich auch sichere Anhaltspunkte dafür fehlten, in welcher Weise die Abminderung der Einheitssätze bei steigender Produktion vorzunehmen sei.

Diese Anhaltspunkte sind nun gewonnen, und wird es an dem b e d e u t s a m e n E r g e b n i s s e dieser Untersuchung, dass die T a r i f k u r v e — gleichgiltig in welchem Abstande von der Selbstkostenkurve — e i n e n h y p e r b o l i s c h e n V e r l a u f n i m m t, u n t e r a l l e n U m s t ä n d e n f e s t z u h a l t e n s e i n.

Es lassen sich daraus nun folgende wichtige Grundsätze für die Preisgestaltung ableiten:

I m L o k a l - o d e r N a h v e r k e h r e s i n d d i e E i n - h e i t s s ä t z e i m a l l g e m e i n e n r e l a t i v h o c h z u h a l t e n, entsprechend den hohen Ordinatenwerten nahe dem Scheitel der Hyperbel. Eine solche Massnahme ist keinesfalls als eine Hemmung des Verkehrs anzusehen, wenn nämlich nicht zu übermässig hohen Sätzen gegriffen wird; denn der totale, zur Einhebung gelangende Preis für eine einzelne Transportleistung wird trotz der hohen Einheitssätze dennoch einen so geringen Betrag darstellen, dass weder der Personen-, noch der Frachtenverkehr dadurch an ihrer Entwicklung behindert werden können. Dies wird aber andrerseits wieder der Schiffahrtsunternehmung zu Gute kommen, da bei der Häufigkeit lokaler Transporte infolge der höheren Einheitssätze grössere Einnahmen erzielt werden. Uebrigens wird bei der Seeschiffahrt zumeist eine vollständige Trennung des lokalen vom Fernverkehre zur Durchführung gelangen müssen, und zur Bedienung des ersteren werden schon aus betriebsökonomischen Rücksichten kleinere Fahrzeuge zur Verwendung gelangen, welche auch geringere Selbstkosten verursachen und die Anlage ganz selbständiger, d. h. von den weiteren Verkehren unabhängiger Tarifkurven gestatten. Diese Kurven werden, weil sie infolge ihrer Kürze wenig über den Scheitel hinausreichen, einen lebhafteren Fall der Transportpreise aufweisen.

Bei Verkehren, welche grosse Distanzen umfassen, wird die Tarifkurve dagegen im allgemeinen eine langgestreckte Form haben und die Einheitssätze werden langsam fallend ein sehr niederes Niveau zu erreichen haben.

Analog ist der Verlauf der Tarifkurven hinsichtlich der aufgelieferten Transportmengen. Kleinere Quantitäten werden höhere Einheitssätze zu zahlen haben, welche unter keinen Umständen den Verkehr belasten, dem Unternehmen aber Vorteile sichern. Zunächst in raschem Falle, dann aber successive verlangsamend werden die Einheitssätze mit den steigenden Transportmengen abzumindern sein. Auch hier wird eine Trennung der Tarifkurve für den Nahverkehr und den Fernverkehr vorzunehmen sein, weil schon die grossen Unterschiede des Ladegehaltes der in beiden Verkehren zur Verwendung gelangenden Schiffe der Entwicklung der Abstufung weit von einander abstehende Grenzen stecken.

Dies sind sozusagen die vier Grundformen der Tarifkurve. Nun folgen dann die Kombinationen. Kleine Transportmengen auf kurze Distanzen werden den Höchstpunkt, grosse Quantitäten auf weite Entfernungen den Tiefpunkt der Einheitssätze bezeichnen; dazwischen liegen die Sätze für grosse Mengen auf kleine Distanzen und jene für kleine Mengen auf lange Strecken, sowie von mittleren Quantitäten auf mittlere Entfernungen.

Eine noch weitergehende Teilung der Tarifkurve wird eintreten, wenn das Moment des Güterwertes hinzutritt, es sich also um die Konstruktion der Tarifkurven nach Gewichtsmengen und Transportlängen innerhalb der einzelnen Wertklassen handelt. Es werden innerhalb jeder Wertklasse die sämtlichen eben angeführten Kombinationen Ausdruck finden müssen. Die Klasse, welche die Güter mit höchsten Tauschwerten enthält, wird natürlich bei geringen Transportmengen und kurzen Distanzen auch die höchsten Sätze aufweisen müssen. Je höherwertiger die Güter einer Klasse sind, um so flacher wird hinsichtlich der Transportentfernung der Verlauf der Tarifkurve sein, um so langsamer werden die Transportsätze sinken. Die Kurve wird um so gekrümmter sein, je geringer der Tauschwert der Güter ist. Denn bei Gütern letzterer Art sinkt infolge ihres meist engen Absatzgebietes, bezw. ihres geringen Verkehrswertes auch die Transportfähigkeit sozusagen mit jedem Schritte; und daher wird auch mit jedem Schritte weiter ein einen

Ausgleich herbeiführender Preisfall einzutreten haben. Sind diese Güter zugleich von grossem staatswirtschaftlichen Werte, so wird der Gebührenfall einen besonders prägnanten Ausdruck erhalten müssen. Bei Gütern von h o h e m Tauschwerte hingegen, deren Absatzgebiet häufig nahezu unbegrenzt ist und die bedeutenden Verkehrswert besitzen, brauchen die Tarifsätze für die Einheit der Entfernung mit z u n e h m e n d e r T r a n s p o r t l ä n g e nur g a n z g e r i n g f ü g i g z u s i n k e n.

Umgekehrt liegt die Sache hinsichtlich der T r a n s p o r t m e n g e n. Hier wird bei den h o c h w e r t i g e n Gütern mit Zunahme der aufgelieferten Mengen ein r a s c h e r F a l l der Einheitssätze zu erfolgen haben, um so rascher, je höhere Wertklassen in Frage kommen. Dagegen wird bei m i n d e r w e r- t i g e n Gütern die Tarifkurve hinsichtlich der Quantitäten einen f l a c h e n V e r l a u f nehmen, indem erstere nur selten Massenartikel sind und eines stärkeren Anreizes bedürfen, um auch zum Vorteile einer Schiffahrtsunternehmung, in grösseren Mengen zur Aufgabe zu gelangen. Die minderwertigen Güter hingegen werden zumeist ohnehin in grösseren Quantitäten verfrachtet u. zw. um so ausnahmsloser, je geringer ihr Wert ist, daher ein rascher Fall der niederen Sätze dieser Klassen hinsichtlich der Transportmengen nicht stattzufinden hat.

In der Praxis ist es natürlich nicht möglich, alle Ordinatenwerte der Tarifkurven durch die Preissätze auszudrücken, schon der grossen Zahl und der geringen Unterschiede nebeneinander liegender solcher Werte wegen nicht. Man wird daher gewisse Gruppen von Entfernungs-, Gewichts- und Raumeinheiten zusammenfassen und für diese einheitliche Sätze bestimmen, so dass Staffeln entstehen, deren Mitten durch die Kurve geschnitten gedacht werden können. Aus der Betrachtung dieser die Kurve ersetzenden Staffellinie ergibt sich, dass die Länge der Staffeln, bezw. der Umfang der Entfernungs-, Gewichts- und Raum-Einheitengruppen um so kleiner wird sein müssen, je schärfer die Krümmung der Kurve ist, d. h. in den Anfangs-Entfernungen und -Gewichten werden die Staffeln nur wenige Einheiten umfassen können, schon aus der praktischen Erwägung, um schroffe Uebergänge zu vermeiden; je grössere Transportlängen und Gewichtsmengen jedoch in Frage kommen, desto länger müssen auch die Staffeln sein, welche dann den im späteren Verlaufe immer schwächer gekrümmten Hyperbelast ersetzen.

Analog wird hinsichtlich des Personentransportes in den verschiedenen Klassen vorzugehen sein. In der I. Klasse wird ein mit der Entfernung langsames Fallen der Einheitspreise platzgreifen müssen; dagegen wird man, um eine grössere Menge von Passagieren dieser Klasse heranzuziehen, grössere Ermässigungen nach der Anzahl solcher Reisender, also für Gesellschaftsfahrten, Familienbillets, Kinder, gemietete Abteilungen u. s. f. eintreten lassen. Die II. Klasse bezeichnet hier die Mittelstrasse; in der III. Klasse (Verdeck, Zwischendeck) sind für längere Fahrten, welche in derselben von Einzelreisenden relativ seltener unternommen werden, bei zunehmender Reiselänge bedeutende Ermässigungen zu bieten; dagegen hat auf Grund der Anzahl zusammengehöriger Reisender dieser Klasse nur relativ geringe Herabsetzung der Preise platzzugreifen. Ohnedies werden Gemeinschaftsfahrten solcher Reisenden, wie z. B. Auswanderer, Pilger, Arbeiter etc., häufig stattfinden.

Eine Trennung der Tarifkurven des Personentransportes für Fern- und Nahreisen bezw. den Lokal- und Fernverkehr wird sich umsomehr empfehlen, als auf den kleinen Schiffen des Lokalverkehrs meist auch die Kostenunterschiede zwischen den drei Klassen unbedeutend sind, endlich auch der Lokalverkehr in der untersten Klasse energische Ermässigungen hinsichtlich der Transportlängen erfordert. Dieselben können um so bereitwilliger gewährt werden, als durch den grösseren Andrang in die 3. Klasse der Unternehmung nicht die mindesten Mehrkosten erwachsen.

Was nun die sub Punkt 2 angeführte Einwirkung der absoluten Werte der Einheits-Selbstkosten auf die Preisgestaltung anbelangt, so kann sich dies, wie schon früher dargelegt wurde, nur auf die Kosten der Leistungseinheit, nicht aber der Produktionseinheit beziehen. Trotzdem wird aber vielfach der Fehler begangen, dass die letzteren Jahr für Jahr ermittelt und zum Ausgangspunkte von Preiskalkulationen gemacht werden. Dass damit auf ganz falscher Basis operiert wird, übersieht man im Drange der Gewohnheit. Die Kosten pro Produktionseinheit haben lediglich den nachträglichen Interessewert, dass man aus ihnen entnimmt, ob man mehr oder weniger, teuerer oder billiger produziert hat als in vergangenen Rechnungsperioden. Aber zu einer positiven Grundlage für die Tarifbildung sind die Kosten

der Produktionseinheit gänzlich unbrauchbar, schon infolge ihres
wankenden Charakters und ihrer häufig der Tendenz des Tarifwesens geradezu zuwiderlaufenden Bewegungen. Es sei nur der
Fall einer allgemeinen wirtschaftlichen Depression angenommen,
wie solche durch politische Ereignisse, Krisen u. dgl. periodisch
immer wiederkehren. Zu solchen Zeiten liegt es zweifellos im
Interesse einer Schiffahrtsunternehmung selbst, durch entsprechendes Herabgehen mit den Tarifen da und dort auf Produktion und
Konsum belebend einzuwirken, ja es fällt hier der Schiffahrt und
den Verkehrsanstalten im allgemeinen die Rolle von Regenera-
toren zu. Nun weist aber der Rechnungsabschluss aus jener
Periode nach, dass infolge der gedrückten Geschäftslage nur wenige
Transporte vermittelt wurden, und da die L e i s t u n g e n gegen
frühere Perioden gleich geblieben waren, so sind die Kosten für
die Produktionseinheit natürlich bedeutend gestiegen. »Daher«,
so lautet nun der verkehrte Schlusssatz, »muss auch mit den
Transportpreisen hinaufgegangen werden.« — Mit dem Herabgehen der Preise zu Zeiten wirtschaftlichen Aufschwunges hat man
es meist nicht so eilig.

Auch der Umstand, dass ja die Verkehrsanstalten nach einem
bestimmten Programm betrieben zu werden haben, also voraus
festgestellte Leistungen nach bestimmter Ordnung vollfuhren müssen,
ruft diese Schwankungen der Produktionskosten hervor. Darin
liegt ein Unterschied zwischen der Transportvermittlung und den
meisten übrigen wirtschaftlichen Thätigkeiten. Bei den letzteren
wird sich der Umfang der L e i s t u n g gewöhnlich dem Umfange
der P r o d u k t i o n anpassen lassen, daher auch die Kosten der
letzteren zu verschiedenen Zeiten nicht so grosse Spannungen
aufweisen werden. Anders bei den Verkehrsmitteln. Ein Schiff
muss unter allen Umständen seine Fahrordnung abfahren und die
vorgeschriebenen Echellen berühren; nun hat es vielleicht da und
dort an der informativen oder werbenden oder verkehrsvermitteln-
den Thätigkeit gefehlt, oder es war unmöglich, der Konkurrenz
zu begegnen oder zuvorzukommen, — kurz, das Schiff wird
einmal voll, einmal leer fahren. Die Fahrt, d. i. die Leistung
kostet aber der Unternehmung in beiden Fällen gleich viel. Was
kann nun der Durchschnitt solcher von einander weit verschiedenen Produktionskosten innerhalb einer Rechnungsperiode fur
einen Wert und eine Bedeutung besitzen?

Als Unterlage für die Tarifbildung sind, wie gesagt, allein die

Selbstkosten pro Leistungseinheit zu verwerten.
Sie allein geben die unterste Grenze an, unter welche mit den
Preisen im allgemeinen nicht gegangen werden darf; sie allein geben
auch ein richtiges Bild von der Oekonomie des Betriebes, sie allein
können die Basis bilden, auf die sich die verschiedenen geschäftsmässigen Kalkulationen und Kombinationen hinsichtlich der absoluten Höhe der Preise zu beziehen haben: denn sie allein lassen sich,
wenn durch entsprechend angelegte Statistik dafür gesorgt ist, mit
annähernder Sicherheit berechnen. Diese Selbstkosten pro Leistungseinheit sind aber natürlich auch nur Durchschnittswerte;
sie werden einfach gebildet, indem man die Leistungen (Tonnmeilen) einer Rechnungsperiode in die Selbstkosten des Betriebes
dividiert. Die hyperbolische Bewegung dieser Einheitskosten
innerhalb der einzelnen Leistungen kommt daher hier nicht zum
Ausdrucke, und demzufolge ist der ermittelte Durchschnittswert
immer noch höher als die thatsächlichen Selbstkosten pro Leistungseinheit am Schlusse einer Leistung. — Die so berechneten
Einheitsselbstkosten sind der arithmetische Durchschnitt aller Ordinatenwerte sämtlicher Leistungen in einer Rechnungsperiode.

Vor allem aber wirft sich hier die eine Frage auf: Was zählt
alles zu den Selbstkosten? Jedenfalls die gesammten Kosten der
Verwaltung und des eigentlichen Betriebes, einschliesslich der
Ausgaben für Erhaltung und Erneuerung. Einen strittigen Punkt
dagegen bildet es, ob auch die auf eine Rechnungsperiode entfallenden Quoten für die Amortisation und Verzinsung des in
den Anlagen investierten Kapitals den Selbstkosten zuzuzählen
seien. Diese Frage wird von vielen bejaht, indem darauf hingewiesen wird, dass nur unter der Voraussetzung einer Til-
gungs-Verzinsung die Festlegung von Kapitalien in einem Unternehmen erfolgte und daher zur sicheren Aufbringung des betreffenden Zinsbetrages eine entsprechende Quote desselben den Einheitsselbstkosten zuzurechnen sei. So zweifellos, ja notwendig
dies Tilgungs-Zinserfordernis nun auch ist, oder vielmehr eben aus
diesem Grunde muss jedoch entschieden verneint werden, dass
dasselbe als ein Bestandteil der Selbstkosten angesehen werden
dürfe. Das gesamte Tilgungs-Zinserfordernis lässt sich thatsächlich
auch ziffernmässig gar nicht ausdrücken; man kann zwar z. B. von
einer landesüblichen Verzinsung sprechen und dieselbe berechnen,
aber in Wirklichkeit lautet das Erfordernis für ein Erwerbsunternehmen »möglichst viel« und dies ist das Ziel, nach dem

hin die ganze Thätigkeit eines Unternehmens gravitiert und gra-
vitieren muss. Dieses »möglichst viel« lässt sich aber natürlich
in einem bestimmten Betrage nicht auswerfen und daher auch
nicht auf Einheiten aufteilen, es ist ein durchaus unsicherer und
schwankender Begriff, der seine Grenzen von Jahr zu Jahr nach
den Wandlungen der Geschäftslage und nach zahllosen andern Einflüssen ändert, und häufig, ja fast immer hat es sich gezeigt, dass
die Einrechnung einer Quote für das Tilgungs-Zinserfordernis in die
Kosten der Einheitsleistung gerade das Gegenteil herbeiführte, nämlich dass die beabsichtigte bezw. erstrebte Verzinsung unterblieb. Es
ist dies auch vollkommen erklärlich. Konsequenter Weise müsste
eine um so grössere Quote eingerechnet werden, je höher man die
Tilgungs-Verzinsungsansprüche spannt. Die derart ermittelten und zu
einer Grundlage für die Preisbemessung verwendeten Einheitsselbstkosten werden aber dadurch eine solche Höhe erreichen,
dass sie zweifellos eine ganze Reihe von Transporten ausschliessen,
die Absatzgebiete vieler Artikel verengen und die Anwendung des
modernen Geschäftsprinzipes der Massennutzung einfach verhindern.
Der Effekt dieser Massregel wird schliesslich sein, dass die erstrebte
Verzinsung und Tilgung nicht eintritt. Aber auch wenn man von
der höchsten Verzinsung absieht und sich mit einem geringern Zins-
erfordernis begnügt, darf die Einrechnung von Tilgungs-Zinsquoten
in die Selbstkosten nicht erfolgen, denn dieselbe ist g r u n d s ä t z-
l i c h falsch und immer eine verkehrte Massregel, die in einem Falle
mehr, im andern weniger, aber unter allen Umständen statt der
beabsichtigten eine derselben e n t g e g e n l a u f e n d e Wirkung hervorbringen wird. Das ganze Tarifwesen hat ja getragen zu sein von
der Tendenz, den höchstmöglichen Ertrag zu erzielen; dort, wo es
zulässig und vorteilhaft scheint, hohe Einheitssätze zu wählen, erfolgt deren Festsetzung ohne Rücksicht auf die Selbstkosten,
welche immer nur einen kleinen Teil jener hohen Sätze ausmachen
werden. Ist man aber gezwungen, sei es durch die Konkurrenz,
sei es, um den Transport minderwertiger Artikel zu ermöglichen
oder das Absatzgebiet anderer zu erweitern, in die Nähe der
Eigenkosten herabzugehen, so geschieht dies auch wieder nur
auf Grund jenes Gewinnstrebens, und das durch letzteres veran-
lasste Herabgehen darf nicht vor einer fiktiven Grenze Halt machen,
jenseits welcher es noch vieles zu holen giebt. Auch darf nicht übersehen werden, dass auch jene Einheitskosten der Leistung, wie schon
a. a. O. hervorgehoben wurde, nur Durchschnittswerte sind, Durch-

schnitte aus den höchsten und kleinsten Ordinatenwerten der
Selbstkostenkurve, und dass es ganz unbedenklich, in manchen
Fällen sogar notwendig sein wird, in den letzten Stufen einer
langgestreckten Tarifkurve bis zu den durchschnittlichen
Selbstkosten oder noch unter dieselben herabzugehen, da selbst
in letzterem Falle die wirklichen Selbstkosten noch nicht erreicht
werden.

Bei Ermittelung der Leistungseinheiten, auf welche dann die
Betriebskosten aufgeteilt zu werden haben, ist vor allem eine
Trennung der Leistungen für den Sachen- und Personentrans-
port vorzunehmen. Zu diesem Zwecke ist der gesamte Rauminhalt eines Schiffes, als des einen Leistungsfaktors, d. h. es sind
der Laderaum für Güter und die für die Reisenden reservierten
Räume in kleine Raumeinheiten, etwa Kubikmeter, zu zerlegen
und auf diese die Selbstkosten aufzuteilen. Es lässt sich nun unschwer ermitteln, wie viel solcher Raumeinheiten pro Reisenden
I., II. und III. Klasse entfallen, wie hoch demnach die K o s t e n
d e r   B e f ö r d e r u n g   e i n e s   P a s s a g i e r p l a t z e s   i n   d e n
v e r s c h i e d e n e n   K l a s s e n pro Meile sind, und in welchem
Verhältnisse mit Beziehung auf die Eigenkosten die Preise der verschiedenen Klassen zu einander zu stehen haben. Hinsichtlich des
Gütertransportes wird, wenigstens für die wichtigsten und häufigst
vorkommenden Transportartikel, eine Umrechnung jener Raumeinheiten auf Gewichtseinheiten der betreffenden Artikel vorzunehmen
sein, wodurch sich die Selbstkostendifferenzen für die G e w i c h t s -
e i n h e i t der einzelnen Artikel (bei Voraussetzung der gleichen
zu transportierenden Gewichtsmengen derselben) ergeben und man
neuerliche wertvolle Anhaltspunkte für die Festsetzung der Höhe
der Preise in den verschiedenen Wertklassen und insbesondere
für die geeignete Abstufung der Preise für verschiedene Transportmengen gewinnt. Jene Selbstkostendifferenzen werden übrigens
im allgemeinen den Differenzen der s p e z i f i s c h e n   G e w i c h t e
der betreffenden Artikel sehr nahe kommen müssen.

Die Ermittlung der Einheitssätze der Leistung, bezw. auch
die Berechnung der Raumeinheiten für Personen- und Gütertransport ist natürlich nicht für jedes Schiff besonders vorzunehmen,
was eine zwecklose Komplikation wäre, sondern man wird gewisse
typische Schiffe zu dieser Berechnung wählen und dieselben nach
Hauptverkehren getrennt vornehmen.

Was endlich die 3. A r t   d e r   E i n w i r k u n g der Selbstkosten auf die Preisbildung betrifft, so handelt es sich hier um die bereits in Betracht gezogenen Kosten pro Produktionseinheit, bezw. um solche Tarifmassnahmen, welche zu möglichst geringen durchschnittlichen Eigenkosten pro Produktionseinheit führen. Diese letzteren werden um so kleiner sein, einerseits je mehr Produktionseinheiten auf eine Leistung entfallen, je besser also die Ausnützung des Lade- und Passagierraumes ist, andrerseits je kleiner die gesamten auf die Produktionseinheiten aufzuteilenden Kosten einer Leistung sind. Wie schon a. a. O. ausgeführt wurde, begegnen sich hier die Aufgaben der Technik und des Tarifwesens, indem die erstere eine Verminderung der Kosten pro Leistungseinheit, das letztere eine Verminderung der Kosten pro Produktionseinheit zu erstreben hat.

Diese letztere Aufgabe bildet nun insoferne den springenden Punkt der ganzen kommerziellen Aktion eines Unternehmens, als diese ja dahin abzielt, möglichst viele und grosse Transporte zu gewinnen und die Produktions-Einheitskosten bei gleichen Leistungen dadurch herabzusetzen. Es sind daher die im I. Artikel[1]) dargelegten und darauf hinzielenden Grundlagen für die Tarifgestaltung allein schon vom Gesichtspunkte der Minderung der Produktions-Einheitskosten zu acceptieren, umsomehr, als die L e i s t u n g e n einer Schiffahrtsunternehmung programmmässig erfolgen und nicht bedeutende Schwankungen aufzuweisen haben werden. Was nun die Einwirkung der Produktions-Einheitskosten auf die Tarifgestaltung anbelangt, so kann von einer solchen nur insoferne gesprochen werden, als der Vergleich dieser Kosten mit jenen pro Leistungseinheit, sowie mit den gleichen Kosten früherer Perioden erkennen lässt, ob, wo und welche Aenderungen in der Tarifgestaltung angezeigt scheinen. Die Produktions-Einheitskosten haben daher nur als Vergleichungswerte Bedeutung und können nur mittelbar auf die Preisbildung einwirken.

Hiemit können die Untersuchungen über das Tarifwesen der Seeschiffahrt im grossen und ganzen als abgeschlossen angesehen werden. Die Ergebnisse dieser Untersuchung stellen gewissermassen die Grundmauern vor, auf denen sich das Zifferngebäude einer rationellen Preisbildung zu erheben hat. Indem diese Ergebnisse aus den allgemeinen Erkenntnissen und längst bewährten und klargelegten Regeln und Gesetzen der Wirtschaftswissenschaft

---

1) Heft I. Jahrg. 1894 der »Zeitschr. f. d. ges. Staatsw.«

entspringen, besitzen sie keinen hypothetischen Charakter, sondern vielmehr jenen erprobter Wahrheiten.

Wenn im wogenden Kampfe der Konkurrenz einem Abgehen von diesen Grundsätzen auch nicht auszuweichen sein wird und durch ein solches Abgehen unter Umständen sogar ein Vorteil gewonnen oder ein Schaden verhindert werden kann, so ist daraus kein voreiliger und falscher Rückschluss zu ziehen, sondern vielmehr zu bedenken, dass dieser Kampf sich ja doch immer nur um einen Punkt bewegt, um das »Monopol«, und dass auch immer wieder auf jene Grundsätze zurückzukommen ist, indem dieses erstrebt wird.

DAS ENGLISCHE VOLKSERZIEHUNGSWESEN.

VON

ALEXANDER WINTER.

Wie die grössten und bedeutendsten Institutionen Englands fast ausschliesslich der Privat-Initiative zu verdanken und nie unter weiten, zweckbewussten Zielen, vielmehr nur um dem jeweiligen, momentanen Bedürfnis zu genügen, ins Leben gerufen worden sind, so ist auch das englische Volkserziehungswesen unter denkbar primitivsten Anfängen aus sich selbst entstanden. Es ist keine Schöpfung, sondern ein Wachstum, eine Selbstentwicklung und beständige Weiterführung der von Anfang an genommenen Richtung. Wo und wann die Regierung in einem Anfall von Verantwortlichkeitsbewusstsein eingriff, war sie immer gezwungen, an solche Gründungen der Privatgesellschaften mit ihren geringen Mitteln, engbegrenzten Zielen und Sonderinteressen anzuknüpfen. Ist nun endlich ein Gesetz reif geworden, so handelt es sich in Theorie wie Praxis im günstigsten Falle um einen Kompromiss zwischen altgewohnten Gebräuchen und dem Geiste der Reform. Der charakteristische Hang des Briten nach individueller Freiheit hat sich immer gegen System und gesetzliche Einheitlichkeit gesträubt. »Gesetze sind von Uebel« war und ist das als selbstverständlich anerkannte Motto, und erst vom absoluten »Muss« gedrängt, setzt man »notwendiges« vor »Uebel«. Durch diese Unvollkommenheit der Gesetze befinden sich alle inneren Staatseinrichtungen gewissermassen in einem kontinuierlichen Entwicklungs- und Uebergangsstadium.

Dieser Umstand erklärt die eigenartige Ausnahmestellung, welche England im Vergleich zu den bedeutenderen Kulturstaaten des Kontinents einnimmt. Was das Volkserziehungswesen im besonderen anlangt, so sind die ersten Anfänge in Wirklichkeit kaum 100 Jahre alt, und können auf einen einzigen Philan-

thropen zurückgeführt werden; erst vor wenigen Jahrzehnten fing
der Staat an, Anteil an der Erziehung seiner zukünftigen Bürger
zu nehmen.

Das englische Erziehungswesen ist aber in Bezug auf Organisation, Verwaltung und den auf die heranwachsende Jugend aus-
übenden Einfluss derartig kompliziert, dass zu einem Verständnis
das Eingehen in seine geschichtliche Entwicklung unbedingt erforderlich ist; giebt es doch selbst im Inlande einen grossen Teil
der Bevölkerung, dem klare und verständnisvolle Einsicht in dasselbe fehlt.

Die Reformation schuf nicht in England, wie auf dem Kontinent oder selbst im Nachbarstaate Schottland ein System von
Elementarschulen. Die unter Edward VI. und Elisabeth gestifteten
Grammar Schools waren Lateinschulen, die nur den Kindern der
besseren Klassen zugänglich waren; für die unteren Volksklassen
gab es damals noch keine Gelegenheiten, sich auch nur die ersten
Anfänge in Elementarbildung zu verschaffen. Erst als die angli-
kanische Kirche nach den Revolutionen und dem Erlass der Dul-
dungsakte mit dem Vorhandensein und der Propaganda der
Dissenters zu rechnen hatte, machte sie einen schwachen Versuch
durch die Schule das Volk im Schosse der Staatskirche festzuhalten. Die 1698 begründete Society for promoting Christian
Knowledge setzte sich die Gründung von Armenfreischulen zur
Aufgabe. Hier wurde den Schülern nicht nur freier Unterricht,
sondern auch freie Wohnung und Kost gewährt. Es konnte sich
dabei also immer nur um einzelne, bevorzugte Kinder handeln.
Und diese wenigen Schulen, deren Hauptzweck fast nur religiöse
Erziehung war, und in denen sich der Unterricht ausser auf Katechismus kaum noch auf Lesen und Schreiben erstreckte, kamen
der schlechten Verwaltung und mangelhaften Oberaufsicht wegen
bald wieder in Verfall, so dass für lange Zeit fürs Volk so gut
wie gar kein Bildungsmittel vorhanden war.

Verrohung, Unwissenheit, geistige und moralische Verkommen-
heit der Masse des Volkes erweckten, wie es heisst, allerdings
bei den Volks- und Staatsvertretern allmählich das Bewusstsein
einer gewissen Verantwortlichkeit. Indes begnügte man sich damit, den Uebelstand einfach zur Erörterung zu bringen. Abhilfe
und Besserung dieses Zuztandes wurde vollständig der Privathilfe
überlassen.

So wurden in 1781 von *Robert Raikes*, Herausgeber des

Gloucester Journals, die Sonntagschulen geschaffen. Dieser Einrichtung, von anderen Philantropen bald unterstützt und zu grösserer Ausbreitung gebracht, verdankte ein grosser Teil mehrerer folgender Generationen nicht nur eine religiöse Instruktion, sondern auch die Fähigkeit lesen und schreiben zu können. Anfangs wurden von den Schülern geringe Beiträge erhoben; von 1800 ab indes war man durch die freiwilligen Zuschüsse durchweg im stande, freien Unterricht zu gewähren.

Zu derselben Zeit trat in dem Quäker *Joseph Lancaster* ein Philanthrop auf, welcher sich des traurigen Zustandes des Volksschulwesens ganz besonders annahm. Mit aller Energie suchte er den höheren wie niederen Klassen die Notwendigkeit und den Segen gründlicher Schulbildung klarzumachen, und kaum 20 Jahre alt errichtete er im Süden Londons eine Freischule für arme Kinder. Die Einkünfte, ausschliesslich von freiwilligen Beiträgen abhängig, waren gering; um indes sein Unternehmen trotzdem weiter ausdehnen zu können, kam er auf den Gedanken, die begabtesten der älteren Schüler zum Unterrichten der jüngeren anstatt besoldeter Lehrer zu verwenden. Dieses Schüler-Lehrer- (pupil teacher) System ist seitdem zu beständig zunehmender Bedeutung gelangt und nimmt heute eine ebenso wichtige als eigenartig einflussreiche Stellung im gesamten englischen Volksschulwesen ein.

Lankaster war durch diese Schüler-Lehrer oder Monitors, wie er sie nannte, im stande, mit verhältnismässig geringen Mitteln grosse Erfolge zu erzielen, und von den Quäkern, den Nokonformisten und andern einflussreichen Gönnern und Freunden unterstützt, begründete er 1808 die erst nach ihm »Lancasterian« und bald darauf »British and Foreign School Society« genannte Gesellschaft, deren ausschliesslicher Zweck die Errichtung und Erhaltung von Elementarschulen war. Religionsunterricht und die Erklärung des Katechismus wurde in den Lankaster'schen Schulen ausgeschlossen und den Eltern, resp. den Geistlichen überlassen, damit die allgemeine Verbreitung des und die Sympathie für den Schulunterricht nicht durch konfessionelle Sonderinteressen beeinträchtigt werde. Die Bibel wurde einfach mit Uebergehung aller streitigen Lehrsätze erklärt.

Das Entstehen und Wachsen der Lankaster'schen konfessionslosen Schulen indes erweckten in den Anhängern der anglikanischen Kirche Neid und Ehrgeiz. Und so wurde von ihnen 1811 unter Leitung des Dr. *Andreas Bell* die »National Society« für die

17 *

»Förderung der Erziehung des Volkes« gegründet. Mit Ausnahme des Religionsunterrichts, welcher hier eine besondere Bedeutung erhielt, gingen beide Gesellschaften nach demselben Plane vor. Auch Bell nahm das Schüler-Lehrer-System an. Lankaster wie Bell errichteten Musterschulen und ein Lehrerseminar in London. Beide gewährten anfangs freien Unterricht und beide führten als notwendige Alternative die wöchentliche Bezahlung eines Schulgeldes seitens der Eltern ein. Das Verwaltungsrecht über Einnahmen und Ausgaben, sowie das Recht der Organisation und Aufsicht des Unterrichts verblieben unumschränkt in den Händen der respektiven Gesellschaft. Erst in 1839 wurde von seiten der Regierung der erste Schritt unternommen, sich das Aufsichtsrecht über die Wirksamkeit des Unterrichts zu sichern. Bis dahin und noch lange nachher waren diese Schulen das einzige Erziehungsmittel des englischen Volkes, und ausschliesslich der Privatinitiative dieser beiden Gesellschaften ist die Entwicklung und Ausbreitung des Elementarunterrichts in England und Wales zu verdanken.

Dass aller Eifer und die grösste Opferwilligkeit privater Personen nicht genügten, um selbst den bescheidensten, damals an Volkserziehung gestellten Anforderungen gerecht zu werden, bedarf wohl kaum weiterer Erläuterungen. Einsichtige Politiker und Staatsmänner drängten auf das Eingreifen der Regierung und im Jahre 1832 nach dem Passieren der Reform-Bill und dem Zutritt des Mittelstands im Parlament vermochte das Ministerium den ersten Staatszuschuss in einer Höhe von 20 000 Pfund Sterling durchzusetzen. Dieser Beitrag wurde alljährlich erneuert und den respektiven Gesellschaften hauptsächlich zu Schulbauten, ohne jedoch Verwendungsnachweis zu verlangen, überwiesen. Irgend ein kontrollierendes oder beaufsichtigendes Recht in die Hände des Staates zu legen, scheiterte an dem starken Widerstande, der von allen Parteien und Sekten aus religiösen und teils auch politischen Gründen dagegen erhoben wurde.

Der Staatszuschuss war gering, lächerlich gering, in einem Lande, in welchem weit über die Hälfte aller Kinder ohne jeden Unterricht aufwuchs, aber es war ein Anfang, und dieser Anfang führte bald zu weiteren Bewilligungen.

In 1839 wurde die staatliche Bewilligung auf 30 000 £ erhöht und die Regierung begann eine gewisse Kontrolle über die Verwaltung der Fonds durch Einsetzung eines Erziehungsrats-

Ausschusses im Geheimen Staatsrat und Aufsicht über den Unterricht durch Ernennung einiger, im Lande herumreisender Schulinspektoren auszuüben.

Das Erziehungs-Departement bezw. der Erziehungsratsausschuss des mit jedem Ministerium wechselnden, aus dem Lordpräsidenten, sechs Ministern und dem Vizepräsidenten des Staatsrats (empfängt 2000 £) zusammengesetzten geheimen Staatsrats bildet auch jetzt die oberste und mit den Lokalschulleitungen des Landes direkt in Verbindung stehende Schulbehörde für alle öffentlichen Gemeinde-, wie freiwilligen Elementarschulen. Ihre Aufgabe beschränkt sich indes so ziemlich ausschliesslich darauf, die Verwendung der vom Parlament zu Schulzwecken bewilligten Gelder zu überwachen und durch ihre Beamte und Inspektoren festzustellen, dass die statutarischen Vorschriften und die Bedingungen in Bezug auf Wirksamkeit der Schule, der sanitären Einrichtungen u. dgl., wozu die staatliche Zustimmung erforderlich ist, gebührend befolgt werden. Nichtbefolgung einer dieser Vorschriften kann durch Verminderung oder Vorenthaltung des Regierungszuschusses geahndet werden und bei einem Schulamt, wenn sehr bedeutend, kann es mit einer Erklärung »in default« heimgesucht und für den Rest seiner dreijährigen Amtsdauer durch Ernennung eines andern event. von seiten der Ortsschulbehörde ersetzt werden.

Der Erziehungsratsausschuss vertritt ferner · die Interessen der Volkserziehung vor dem Parlament, ist demselben gegenüber verantwortlich und nimmt somit eine Stellung ähnlich derjenigen eines Ministeriums für öffentliches Unterrichtswesen ein. Dem Ausschuss zur Seite steht ein ständiges Beamtenpersonal von: 1 Sekretär (Gehalt 1800 £), 5 Hilfssekretären (je 1200 £), Lehrer-Examinatoren (Gehalt von 300—800 £), 1 erster Haupt-Schulinspektor (Gehalt 1100 £), 12 Haupt-Schulinspektoren (700—900 £), 95 Inspektoren (400—800 £), zirka 200 Sub- und Hilfs-Inspektoren (150—500 £), 1 Inspektor für Musik (Gehalt 570 £), 1 Inspektorin für Handarbeit (300 £) und 1 Inspektorin für Küche und Wäscherei (250 £). Die gesamten Kosten der Oberschulbehörde belaufen sich per anno auf 55 534 £, die der Inspektion auf 169 255 £.

Der Oberschulbehörde liegt ferner die Genehmigung von Anleihen seitens der lokalen Schulämter, die Abfassung eines Jahresberichts unter Beifügung der von den Inspektoren eingegangenen Reporte (Minutes and Reports), sowie die Veröffentlichung der für das nächste am 1. September beginnende Schuljahr geltenden Regulationen (Code), welchen die öffentlichen Schulen unbedingt nachzukommen haben, um einen Staatsbeitrag zu erlangen. Dieser Code stellt das jeweilig krafthabende Unterrichtsgesetz dar.

Ob und in wie weit die respektiven Schulleitungen diese Bestimmungen erfüllen, überwachen die Inspektoren. Diese Inspektoren sind nicht dem Schulstande entnommen, sondern bestehen aus Männern, die eine gründliche allgemeine Bildung und einen gesunden Blick für die praktischen Verhältnisse besitzen. Oft sind es Männer von hohem wissenschaftlichen und schriftstellerischen Rufe, z. B. der auch in Deutschland als Essayist und Dichter hochgeschätzte *Matthew Arnold.* Auf der Tüchtigkeit der Inspektoren beruht in der That die Wirksamkeit des ganzen Unterrichtswesens. Sie besuchen mindestens einmal des Jahres die Lehrerseminare und jede öffentliche Elementarschule, sehen die Bücher durch, prüfen die Klassen und auf Grund der von ihnen gemachten Reporte wird von der Oberschulbehörde die Höhe des Staatszuschusses für die respektiven Schulen bemessen.

1846 wurden weitere Gelder, im besonderen zur Errichtung von Seminaren, behufs besserer Vorbildung der Lehrer bewilligt und das System der Schüler-Lehrer erweitert. Wesleyaner und Katholiken hatten inzwischen gleichfalls Schulen gegründet und der bereits auf 100 000 £ angewachsene jährliche Staatszuschuss kam nunmehr auch diesen zu Gute.

In 1853 wurde bei den Schulen auf dem Lande und 1856 auch bei denjenigen in den Städten ein Kopfgeld (capitation grant) eingeführt. Demnach gewährte der Staat der Schulleitung für jedes Kind, welches mindestens während 176 Tagen im Jahre die Schule besucht und wöchentlich 1—4 Pence Schulgeld bezahlt hatte, einen Beitrag von 4—5 Schillingen bei Knaben und 3—5 Schillingen bei Mädchen. Bei dieser Bewilligung wurde ausser auf regelmässigen Schulbesuch auch auf die mit den Schülern erzielten Erfolge, sowie auf den finanziellen Zustand der Schule Rücksicht genommen. Die hierin angedeutete Tendenz, die staatliche Bewilligung vom erziehlichen Erfolge abhängig zu machen, fand mehr und mehr Anhang und kam schliesslich in 1862 durch Einführung des »payment by results«-Systems vollständig zum Ausdruck. Das Kopfgeld wurde auf 4 Schillinge herabgesetzt, indes für jeden Schüler, welcher vor dem Inspektor seine Prüfung im Lesen, Schreiben und Rechnen bestand, ein weiterer Beitrag von 8 Schillingen jährlich gewährt. Im Falle des Nichtbestehens der Prüfung in einem der drei Fächer verminderte sich der Zuschuss für jedes Fach um ein Drittel.

Dieses System der Bezahlung nach Erfolg besteht auch heute noch, indes wird es von verschiedenen Seiten mehr und mehr angefeindet und dürfte wohl früher oder später, wenn nicht gänzlich fallen gelassen, doch in seiner Wirksamkeit eine bedeutende Einschränkung erfahren. Besonders hebt man von pädagogischer Seite mit Recht hervor, dass von den Schulleitungen alle Anstrengungen, alle Mittel und Wege angewandt werden, um nur gute Erfolge bei den Prüfungen, ohne Rücksicht auf wirkliche, dauernde Kenntnisse zu erzielen; dass also die Schüler auf künstliche Weise durchs Examen getrieben werden und dass der Staat einen erheblichen Teil seiner Bewilligungen für Kenntnisse bezahlt, die in Wirklichkeit nicht vorhanden sind. Auf der anderen Seite wird wiederum hervorgehoben, dass die gänzliche Abschaffung einer derartig treibenden Kraft bei den aus so verschiedenartigen Elementen zusammengesetzten und von Sonderinteressen geleiteten Schulen von verhängnisvollen nachteiligen Folgen begleitet sein müsse.

In 1870 besuchten die Inspektoren 8281 unter privater Leitung und Verwaltung stehende Schulen mit Akkommodation für 1 878 584 Kinder. Hiervon besuchten im Durchschnitt höchstens zwei Drittel die Schule und thatsächlich nur ein Drittel aller Kinder im Alter von 6—12 Jahren empfing Unterricht.

Ausgedehnte Distrikte waren ohne jede Schulgelegenheit; je ärmer die Gegend, um so weniger war Fürsorge für die Erziehung und geistige Hebung der Kinder getroffen. Eine umfassende Reform durch energisches Eingreifen des Staates erschien nun unbedingt erforderlich und kam schliesslich durch die von *W. E. Forster* eingebrachte und in 1871 Gesetz werdende Elementary Education Bill, welche im Zusammenhange mit den Amendementsgesetzen von 1876 und 1880 die Grundlage des heutigen Volksschulwesens bildet. Und wenn auch jetzt weder Einheitlichkeit noch System herrscht, die Aufsicht und Verwaltung des Staates nicht auf einem eigentümlichen Rechte die Heranbildung seiner zukünftigen Bürger zu bestimmen und zu regulieren, sondern nur auf dem Anteil beruht, den er in den ausgesetzten Bewilligungen für Erziehungszwecke nimmt, so ist doch wenigstens überall Gelegenheit geschaffen, jedem Kinde einen, wenn auch vielleicht

Manchem nicht genügend erscheinenden Elementarunterricht zuteil werden zu lassen; andererseits ist auch hinreichende Fürsorge getroffen, den regelmässigen Schulbesuch der Kinder von den Eltern zu erzwingen.

Das Schulgesetz von 1870 bestimmte, dass überall, wo die Schulfürsorge dem Bedürfnis nicht genüge, wo es Kinder gäbe, die dieses oder jenes Grundes wegen an dem Unterricht der freiwilligen Schulen nicht teilnehmen, von der Gemeinde oder Kommune ein Schulamt (School-Board) ins Leben gerufen werde, dessen Zweck und Aufgabe es sein würde, diesen Mangel auf Kosten der Lokalsteuern zu ergänzen. Auf diese Weise wurde die eigentliche, weltliche Volks- oder Gemeindeschule (Board-School) geschaffen. Alle bis dahin bestandenen Elementarschulen waren denominationale (denominational), freiwillige oder konfessionelle genannte Schulen, d. h. solche, welche mit der einen oder andern von eigenartig stark markierten Sonderinteressen geleiteten Religionsgemeinde direkt verbunden waren.

Das Gesetz von 1870 schrieb Schulzwang vor und das Amendementsgesetz von 1876 bekräftigte diese Vorschrift, so dass die Eltern zur Bestrafung, mit Geld- und wohl auch Gefängnisstrafen, gezogen werden können, wenn das Kind ohne genügende Entschuldigung den Unterricht nicht regelmässig besucht. Das Gesetz sagt: Die Eltern eines Kindes zwischen 5 und 13 Jahren, welches den von der Lokalschulleitung — School Board oder Schulbesuchskommission — vorgeschriebenen sogenannten Exemption-Standard (Klasse) — meist der 5. — nicht erreicht hat, können bis zu 5 Schillingen und Kosten bestraft werden, wenn das Kind dem Unterricht ohne genügenden Grund fernbleibt; dieselbe Strafe kann Eltern eines Kindes zwischen 13 und 14 Jahren auferlegt werden, wenn dasselbe dem Unterricht fern bleibt ohne vorher mindestens einen niederen Standard (meist der 4.) bestanden zu haben.

Eine andere Art von Exemption (Ausnahme) Standard besteht in den Fabrikdistrikten. Hier sind Kinder, nachdem sie den zweiten oder dritten Standard bestanden haben, nur gebunden, bis zu ihrem 13. Lebensjahre dem Unterrichte für die halbe Zeit beizuwohnen, sogenannte half timers.

Die die Schule betreffende Klausel in der Fabrikordnung lautet:

a. Der Arbeitsgeber (sowohl als die Eltern) eines Kindes unter 13 Jahren (oder unter 14 Jahren, wenn es nicht den vorgeschriebenen Standard erreicht hat) in irgend einem organisierten Industriebetriebe kann, je nach den Umständen, bis zu £ 5 (im Falle der Eltern bis zu £ 1) bestraft werden, wenn das Kind nicht h a l b e Schulzeit besucht.

b. Derjenige, welcher ein Kind, das den, dem respektiven Alter entsprechenden Exemption Standard noch nicht erreicht, in anderer Weise beschäftigt, kann bis zu £ 2 bestraft werden.

Der Lokalschulleitung ist es freigegeben zu bestimmen, der wievielte Standard der Exemption Standard sei. Vor gar nicht langer Zeit hatten fast sämtliche Schulleitungen den dritten oder vierten Standard als Exemption Standard festgesetzt, welcher von den Kindern mit grosser Leichtigkeit im zehnten oder elften Jahre erreicht wird. Heute ist in den Städten für die Regel der fünfte Standard festgesetzt, auf dem Lande, besonders wo das freiwillige Schulsystem besteht, ist es fast ausnahmslos der vierte. Den Begriff Standard genügend zu erklären, wäre hier zu weitläufig; indes mag dasjenige kurz erwähnt werden, was die Inspektoren, bezw. die Regierung bei den Prüfungen der verschiedenen Standards beansprucht.

Im ersten erstreckt sich die Prüfung im Lesen, Schreiben und Rechnen auf: Prosa in einsilbigen Worten, Abschreiben kurzer Worte von der Wandtafel, Zahlensystem bis 1000. Einfaches Addieren und Subtrahieren von dreistelligen Zahlen, Multiplizieren bis 6 × 12. Im zweiten auf: ein Stück aus dem einfachen Lesebuch, Schreiben eines Stückes von 6 Zeilen nach langsamem Diktate. Zahlensystem bis 100 000. Multiplizieren und Dividieren. Im dritten auf: längeres Lesestück, Diktat eines schwereren Stückes von 6 Zeilen, Anwendung der 4 Spezies mit Geldsummen. Im vierten auf: englische Geschichte aus dem Lesebuch, 8 Zeilen Prosa (oder Poesie) nach Diktat, 4 Spezies mit Massen und Gewichten. Im fünften auf: Stück aus einem Klassiker oder der Geschichte, Niederschreiben einer zweimal vorgelesenen kurzen Geschichte, Berechnung des Preises von Waren, einfache Regel de Tri, Addieren und Subtrahieren einfacher Brüche; und der sechste endet mit: Shakespeare oder anderem Klassiker, Abfassung kurzer Briefe, gewöhnliche und Dezimalbrüche nebst Zinsrechnung.

Die an die Kinder gestellten Anforderungen sind verhältnismässig sehr bescheidene; dies beweist auch der Umstand, dass in 1890 in den ersten vier Standards 500 489, 573 212, 543 299

und 483 926 Kinder die Prüfung bestanden, während die Zahl im
fünften schon auf 315 605 und im sechsten gar auf 138 273 fiel,
und diese sechste Klasse wurde nur von 41 286 Kindern besucht.
Der obligatorische Schulbesuch erstreckt sich also in Wirklichkeit
meist nur auf Kinder von 5 bis 10 oder 11 Jahren; die Schullisten
desselben Jahres weisen nach, dass von 4 800 000 Kindern nur
192 000 13 Jahre und darüber zählten. Bemerkenswert ist jedoch,
dass jetzt durchschnittlich über 90 Proz. der Kinder ihre Prüfungen bestehen, also »versetzt« werden, ein Prozentsatz, der im
steten Steigen begriffen ist. In London z. B. betragen die m
den drei Hauptfächern: Lesen, Schreiben und Rechnen mit den
Schülern erzielten erfolgreichen Resultate bei den Prüfungen nach
Prozentsätzen:

	1876	1879	1882	1885	1888	1891
Lesen	87,1	88,2	92,1	95,1	96,—	97,4
Schreiben	83,7	84,7	90,—	89,2	91,—	93,3
Rechnen	77,9	80,—	85,4	87,4	89,—	91,1

Das Gesetz von 1876 schuf ferner für die sich nicht unter
einem Schulamt befindenden Distrikte eine besondere Autorität,
die Schulbesuchskommission, um die gesetzlichen Bestimmungen
in Bezug auf Schulbesuch, sowie hinlängliche Schulakkommodation
für alle Kinder bei den freiwilligen, Staatszuschuss empfangenden
Schulen zu bewachen. Jeder Zoll von England und Wales steht
also entweder unter einem Schulamt oder einer Schulbesuchskommission.

Den Schulämtern wie den Schulbesuchskommissionen liegt
die Ueberwachung des Schulbesuchs ob, zu welchem Zwecke besondere »Visitors« ernannt werden. Diese Visitatoren haben
jährlich eine Liste der schulpflichtigen Kinder ihres respektiven
Bezirks aufzustellen; sie arbeiten und wohnen in demselben Bezirk
in der Regel für viele Jahre und besitzen daher eine umfangreiche
Kenntnis der Bewohner, ihrer Beschäftigung und Lebensweise.
Es ist ihre Pflicht, bereits 2—3 Jahre vor dem Eintritt des Kindes
ins schulpflichtige Alter dasselbe in ihren Listen einzutragen und
ebenso nach Möglichkeit alle neuen Zukömmlinge in ihren respektiven Bezirken ausfindig zu machen. London besitzt gegenwärtig
271 solcher Visitatoren, die 10 Inspektoren unterstellt sind. Auf
Grund der von ihnen eingesandten Listen überwacht die Schulbesuchskommission oder das Schulamt den Schulbesuch, ladet
die Eltern der von der Schule abwesenden Kinder vor sich und

prüft die vorgebrachten Gründe. Alle Fälle, wo ihr eine Bestrafung angemessen erscheint, werden dann vor das Bezirks-Polizeigericht gebracht. Der Richter prüft nochmals den Thatbestand und verhängt dann die ihm gutdünkende Strafe, die in einer Geldbusse oder auch Haft bestehen kann. Dieses Verfahren ist namentlich in grossen Städten äusserst umständlich und nicht so leicht durchführbar. Da es sich meist um die ärmere Klasse des Volkes handelt, sind die Geldstrafen sehr häufig nur nominell und werden nicht eingetrieben, indes kommen auch genug Fälle vor, bei denen im Nichtbezahlungsfalle Gefängnisstrafe folgt. Trotz des grossen Eifers, welchen die Behörden entwickeln, ist der Schulbesuch noch für ein kulturell hochstehendes Land immerhin ein sehr mangelhafter. Von den in den Listen geführten Kindern kamen im Jahre 1891 nur 82 Proz. zur Schule und gar nur 63 Proz. besuchten dieselbe mit befriedigender Regelmässigkeit. In runden Zahlen meint dies, dass eine Million schulpflichtiger Kinder in England und Wales überhaupt allem Elementarunterricht fern bleiben und eine zweite Million ihn geniesst, solange es den Eltern oder oft genug den Kindern selbst gerade gutdünkt,

Der seit 1870 gemachte Fortschritt ergiebt sich aus folgenden Tabellen für London: 1) Das Schulamt hatte:

	Schulakkommodation für	auf den Schullisten	Durchschnittsbesuch
in 1873	58 581	59 606	40 481
» 1876	146 074	146 031	114 380
» 1879	2 19 291	233 480	185 5 18
» 1882	280 275	295 833	238 205
» 1885	357 298	364 140	290 099
» 1888	407 636	420 9 14	328 578
» 1891	428 035	450 98 1	347 857

2) die freiwilligen Schulen:

in 1870	261 158	221 401	173 406
» 1873	282 936	259 543	195 662
» 1876	287 116	259 436	199 605
» 1879	271 3 14	235 084	182 728
» 1882	263 6 17	223 297	174 723
» 1885	262 175	211 711	168 7 12
» 1888	262 022	207 887	162 349
» 1891	258 329	210 5 16	162 525

In Bezug auf Lehrkräfte sei erwähnt, dass nur der Hauptlehrer einer Elementarschule sich im Besitze eines Befähigungsnachweises befinden muss. Dass die Annahme der übrigen Lehrer der Zustimmung des Inspektors bedarf, ist nur nominell, auf ihre Befähigung wird nur indirekt durch die Prüfungen seitens der Inspektoren eine gewisse Aufsicht ausgeübt.

In Betreff der Lehrer gilt, dass ein Hauptlehrer zum Unterrichten von 60 Kindern genügend erachtet wird, ein Hilfslehrer, wenn im Seminar vorgebildet, von weiteren 70, sonst nur von 50, und ein Schüler-Lehrer von weiteren 30 Kindern. Schüler-Lehrer (pupil teachers), Hilfslehrer (assistant teachers) und Hauptlehrer (»ordentliche« oder geprüfte, certificated teachers) sind die drei Hauptgruppen, in welche die Volksschullehrer zerfallen.

Das 1846 eingeführte Schüler-Lehrer-System, welches sich im Grossen und Ganzen bewährt hat, und heute im englichen Volksschulwesen eine so eigenartige Bedeutung einnimmt, ist eine Weiterentwicklung des »Helfer«- (monitor) Systems von Lankaster mit Herübernahme von Verbesserungen, die man seinerzeit in Holland daran gemacht hatte. Es ist in Wirklichkeit nichts anderes als eine Uebertragung des gewöhnlichen Lehrlingswesens anderer Gewerbe auf das Lehrfach. Knaben oder Mädchen, welche mindestens 14 Jahre alt sind, ein gutes Führungs- und Gesundheitszeugnis beibringen, und eine etwa dem Bildungsgrad eines Schülers der höheren Volksschule entsprechende Prüfung im Lesen, Schreiben, Rechnen und zwei anderen Fächern bestanden haben, treten auf 4, 3 oder 2 Jahre, je nachdem sie 14, 15 oder 16 Jahre alt sind, bei einer Volksschule als Schüler-Lehrer ein, um jüngere Schüler unter Leitung des Hauptlehrers zu unterrichten. Der Kontrakt wird zwischen den Eltern bezw. Vormündern und der Schulleitung (nicht dem Hauptlehrer der Schule) abgeschlossen. In die näheren Bedingungen, besonders die Höhe eines etwaigen Gehalts mischt sich der Staat nicht, er schreibt nur vor, dass ein Schüler-Lehrer nicht mehr als 25 Stunden wöchentlich mit Unterrichterteilen beschäftigt werden darf und von dem Hauptlehrer nicht weniger als 5 Stunden wöchentlich behufs Weiterbildung unterrichtet wird. Alle Schüler-Lehrer haben sich bei der jährlichen Visitation des Inspektors einer jedes Jahr schwerer werdenden Prüfung zu unterziehen; von dem Resultat dieser Prüfung hängt einerseits das Vorrücken in die nächste Altersklasse und andererseits auch die Erlangung eines vom Staate ausgesetzten Stipendiums ab. Dasselbe beträgt für jeden Schüler-Lehrer, welcher das notwendige Lehrerpersonal ergänzt und seine Prüfung gut (bezw. hinreichend) besteht, im ersten sowie im zweiten Jahre

2 (1) £, im dritten 3 (2) und im vierten 5 (4) £. Während aber der Schüler-Lehrer verpflichtet ist, seine Lehrzeit abzudienen, entbindet sein zweimaliges Fehlen in derselben Prüfung die Schulleitung von dem Kontrakt.

Die vierte dieser Prüfungen bildet das im Juli jeden Jahres abgehaltene königliche Stipendiat-Examen (Queen's Scholarship Examination). Zu demselben, welches die Inspektoren nicht an den Schulen, sondern den Seminaren abhalten, wird jedoch ausser den Schüler-Lehrern auch jede andere Person, die am nächsten ersten Januar 18 Jahre alt ist, zugelassen. Der Name Stipendiat-Examen ist jetzt eigentlich nicht mehr zutreffend, denn nicht alle, sondern nur die 700 besten männlichen und 900 besten weiblichen Prüfungskandidaten des ganzen Landes sind berechtigt zu einem Stipendium in Gestalt einer kostenfreien Aufnahme in einem der Lehrerseminare für die Dauer von zwei Jahren. Ganz kürzlich hat man versuchsweise noch 400 kleinere Stipendien ausgeworfen für solche, die die Seminare nur am Tage besuchen (Day Queen's Scholars), sonst aber selbst für ihren Unterhalt sorgen.

Der Rest der Kandidaten erwirbt sich mit der bestandenen Prüfung den Titel eines Hilfslehrers (assistant teacher). Es steht den Schüler-Lehrern jetzt nach beendeter Lehre frei, überhaupt die Lehrerlaufbahn zu verlassen oder entweder, sofern sie nicht Queen's Scholars sind, auf eigene Kosten ein Seminar zu besuchen oder als Hilfslehrer bei einer Schule einzutreten, vorausgesetzt, dass sie dazu Gelegenheit haben. Die Staatsbehörde verschafft ihnen keine Anstellung, für sie existiert der Lehrer nur soweit, als er seiner Pflicht nachkommt.

Die Queen's Scholars werden nunmehr einem der 43 Lehrerseminare zugewiesen; 17 derselben sind für Lehrer, 25 für Lehrerinnen und 1 für beide Geschlechter. Keins ist staatlich, sondern alle stehen in Verbindung mit einer der religiösen Gesellschaften; 13 resp. 17 mit der anglikanischen Kirche, 1 (2) wird von den Katholiken, 1 (1) den Wesleyanern, 2 (6) den Dissentern unterhalten. Die Auswahl erfolgt gewöhnlich nach der Konfession der Seminaristen.

In jedem Seminar, dem behufs praktischer Vorbildung der Lehramtskandidaten eine Schule beigefügt sein muss, dauert der gewöhnliche Kursus zwei Jahre. Der Staat zahlt dem Seminar für jeden von ihm der Anstalt zugeteilten Lehrer 100 £ und für jede Lehrerin 70 £, die als Queen's Scholars und 20 £ für jeden

Lehrer oder Lehrerin, die als Tages-Stipendiaten innerhalb zweier
Jahre die ordentliche Lehrerprüfung bestehen und nach abgelegter
Probezeit ihr Zeugnis erhalten. Den Tages-Stipendiaten wird
ausserdem ein persönlicher jährlicher Zuschuss von 25, bei jungen
Mädchen 20 £ gewährt.

Das Befähigungszeugnis eines geprüften Lehrers (certificated
teacher) kann nur durch zwei Prüfungen vor dem Inspektor erworben werden. Zur ersten Prüfung werden die ein Seminar be-
suchenden Queen's Scholars nach einem Jahre zugelassen, alle
anderen Hilfslehrer aber erst nach dem 20. Lebensjahre und nachdem sie ein Jahr lang mit Erfolg unterrichtet haben. Diese Bestimmung giebt den Stipendiaten einen Vorsprung von einem
Jahre, da sie mit 18 Jahren das Seminar beziehen, also mit 19
bereits dasselbe Examen bestehen können. Die zweite Prüfung
folgt ein Jahr später, während dessen die Hilfslehrer ebenfalls
praktisch an einer Schule thätig gewesen sein müssen.

Um die Schule selbst für die Fortbildung der Hilfslehrer zu
interessieren, zahlt der Staat derselben für jeden assistant teacher,
der an ihr 3 Jahre lang unterrichtet und die zweite Lehrerprüfung
gut (oder hinreichend) bestanden hat, 15 (oder 10) £.

Nach glücklichem Bestehen der zweiten Lehrerprüfung werden
alle, Stipendiaten oder Hilfslehrer, ordentliche oder certificated
teachers mit vollen Rechten, doch müssen sie eine Prüfung ersten
oder zweiten Grades abgelegt haben, um späterhin pupil teachers
unterrichten, d. h. auf die Stellung eines Hauptlehrers rechnen
zu dürfen.

Noch immer sind sie nicht im Besitz ihres Zeugnisses selbst.
Sie haben vielmehr erst eine Probezeit in einer Schule abzulegen
und zwei, ein Jahr auseinanderliegende günstige Visitationsbe-
richte des Inspektors aufzuweisen, deren erstem mindestens sechs
Monate Dienstzeit vorangehen müssen, so dass die ganze Probezeit 18—24 Monate dauert. Dann erst erhält der Lehrer oder
die Lehrerin das Zeugnis von der Oberschulbehörde ausgestellt,
das parchment certificate, so genannt, weil es auf Pergament
niedergeschrieben ist .

Die Zahl der geprüften Volksschullehrer in England und Wales
betrug am Ende des Schuljahres 1890 18704, der Lehrerinnen
27835, zusammen 46539, die der Hilfslehrer 5254 bezw. 16530,
zusammen 21784, die der Schüler-Lehrer 7256 bezw. 21420, zusammen 28676. Es unterrichteten demnach 96999 vom Staate

anerkannte Personen in den öffentlichen Volksschulen. Davon sind 32 Proz. männliche und 68 Proz. weibliche Lehrer; es entfallen je 40 Proz. auf die Schulen der Schulämter und der englischen Staatskirche, 4 Proz. der Römisch-Katholiken, 4 Proz. der Dissenter und 2 Proz. der Wesleyaner.

Für die Bemessung der Gehälter existieren überhaupt keine Normen. Da allein die Lokalschulverwaltung über die Ernennung sowohl wie das Gehalt des Lehrers zu bestimmen hat, variiert die Höhe in jeder Ortschaft und wird von lokalen Verhältnissen beeinflusst. Selbst in grossen Städten wie London hängt das Gehalt weniger von der Zahl der Dienstjahre als der Zahl der unterrichteten Kinder und dem Grade der von denselben abgelegten Prüfungen ab bezw. den Mitteln, über welche die Schulleitung verfügt. Nähere Angaben über Lehrergehälter fehlen überhaupt. Das durchschnittliche Gesamteinkommen der geprüften Lehrer beläuft sich auf 120, der Lehrerinnen auf $76^1/_2$ £, doch sind die Schwankungen ausserordentlich gross, zwischen 450 und 50 £. Am besten stellen sich im Durchschnitt die Gemeindeschullehrer mit 125 resp. 90 £ Einkommen. Dabei ist aber zu beachten, dass Lehrer auf keinerlei Alterspensionen zu rechnen haben, und wie z. B. in den Londoner Board schools jederzeit ihre Entlassung erhalten können.

Am ersten Oktober 1891 bestanden in England und Wales 2300 School-Boards, die eine Bevölkerung von 16 600 000 Seelen beherrschten, so dass für die Schulbesuchskommissionen ungefähr 9 375 000 Seelen verbleiben. Diese letzteren sind auf dem Lande vorherrschend, nur 30 Städte, darunter allerdings solch ansehnliche und bevölkerte wie Birkenhead, Southport, Preston, Chester, Cambridge, werden noch bis jetzt ausschliesslich von Schulen religiöser Gesellschaften versorgt. Die School-Boards dürfen sich in die Verwaltung der freiwilligen Schulen nicht einmischen, höchstens einen Auszug der Schulbesuchsliste der Schüler verlangen.

Den Schulämtern liegt es in erster Linie ob, den erforderlichen Schulraum zu finden, für welchen Zweck sie befugt sind, unter Sicherheit der Steuern, $3^1/_2$ prozentige, spätestens innerhalb fünfzig Jahren rückzahlbare Anleihen aufzunehmen. Dann fällt in ihr Bereich die gesamte innere und äussere Verwaltung ihrer respektiven Schulen, die Ernennung, Anstellung und Besoldung der Lehrer, Festsetzung des Schulgeldes und die Bestimmung der Lehrmethode. Alle nicht durch die Staatszuschüsse und Schulgelder gedeckten Ausgaben fallen der Gemeindekasse zur Last und müssen durch eine Schulsteuer aufgebracht werden. Diese Schoolrate wird von den Verwaltungen der respektiven Gemeinden (parish) zusammen mit den übrigen Lokalsteuern erhoben und variiert in den verschiedenen Distrikten bedeutend. In London beträgt die Schulquote gegenwärtig 5 Proz. der Haus-, d. h. der Wohnungsmiete.

Die Schulleitungen der freiwilligen oder denominational Schulen sind durchweg in Bezug auf Verwaltung so gut wie k e i n e r öffentlichen Kontrolle unterworfen. Und wie die Schulämter so sind auch die Leitungen dieser Schulen in Bezug auf Festsetzung des Schulgeldes, Ernennung, Anstellung und Besoldung der Lehrkräfte und Festsetzung des Lehrplanes vollständig unabhängig.

Am 31. August 1890, dem letzten Datum, für welches zuverlässige statistische Angaben vorliegen, bestanden in England und Wales 14 704 denominational Schulen mit Schulakkommodation für 3 621 220 Kinder, in Wirklichkeit jedoch im Durchschnitt besucht nur von 2 263 436 Kindern. Von diesen 14 704 Schulen gehörten zur anglikanischen Kirche 11 922 mit Schulakkommodation für 2 654 954 Kinder und wirklich besucht von 1 682 167 Kindern; den Wesleyanischen Methodisten 551 mit Schulakkommodation für 215 180 Kinder, wirklich besucht von 131 934 Kindern; den Katholiken 946 mit Schulakkommodation für 344 214 Kinder, wirklich besucht von 193 838 Kindern, den Baptisten und Dissentern 1365 mit Schul-Akkommodation für 416 872 Kinder, wirklich besucht von 255 496 Kindern.

Weltliche oder Gemeindeschulen (Board Schools) dagegen bestanden 4714 mit einer Schulakkommodation für 1 935 287 Kinder und wirklich besucht von 1 468 892 Kindern. Für England und Wales ergäben sich sonach für 1889/90 in Summa 19 498 öffentliche Elementarschulen mit Schulakkommadation für 5 566 507 Kinder, wirklich besucht von 3 732 327 Kindern, während die Listen der Visitoren 4 825 560 Kinder anführten.

Wenngleich die weltliche Volksschule seit ihrer zwanzigjährigen Existenz sich ausserordentlich schnell emporgeschwungen hat, so ist doch die von den Denominational-Schulen bis auf den heutigen Tag behauptete erfolgreiche Konkurrenz eine der bemerkenswertesten National-Eigentümlichkeiten, und lässt sich nur einesteils durch den charakteristischen Hang des Engländers an das Althergebrachte und andernteils durch die immerhin noch stark vorhandene religiöse Richtung desselben erklären. Die Denominational-Schools waren die beati possidentes und so genossen sie und geniessen auch heute noch gewisse Vorrechte. Solange sie nämlich durch Erweiterung und Wirksamkeit der Schule den Bedürfnissen und dem Anwachsen der Bevölkerung gerecht werden, hatten und haben es die Leiter dieser Schulen in ihrer Hand, die Board School aus ihrem Bezirke fern zu halten. Angenommen, die Mehrheit der Bürger einer Stadt wollte Gemeindeschulen schaffen, so würde ihnen die gesetzliche Berechtigung hierzu fehlen, so lange die Kirchenvorstände nachweisen könnten, dass jedes Schulkind in der Stadt in ihren, den nach dem Gesetz vorgeschriebenen Anforderungen einer öffentlichen Elementarschule sonst nachkommenden Anstalten Aufnahme finden könne.

Ein anderer wichtiger Grund für den Hang an Denominational-Schulen ist die Thatsache, dass sie fast ausschliesslich bei geringeren Kosten, wie es heisst, gleiche und wohl auch bessere Resultate mit den Kindern erzielen, als die Boardschulen. Ob dieser sparsamen Verwaltung, welche hauptsächlich auf schlechtere Besoldung der Lehrer, die nur zu oft weit geringer ist, als die Durchschnittslöhnung eines Arbeiters, sowie weniger geräumige, weniger luftige und weniger helle Schullokale zurückzuführen ist, auch wirklich billiger und vorteilhafter ist, dürfte indes schwerlich so ohne weiteres vom ökonomisch-kulturellen Standpunkt aus zugestanden werden. Die Kinder müssen dann einfach mit ihrer Gesundheit und Bildung, wenn dem daraus unausbleiblich resultierenden Stocken und ungenügenden Fördern des geistigen, körperlichen und demzufolge auch seelischen Zustandes der Schüler die gebührende volle Beachtung geschenkt wird, bezahlen, was die Eltern bezw. Schulverwaltungen in ihrem Säckel behalten. Wenngleich die Schulämter in Bezug auf Schulraum und Lehrerbesoldung weniger knausern, als die Verwaltungen der freiwilligen Schulen, so bleibt doch auch hier so manches zu wünschen übrig; ausser religiöser u. s. w. giebt es auch eine politische Einseitigkeit in England, und welche die Taschen der Bürger berührende Frage würde nicht von den Politikern aller Schattierungen im Interesse der Steuerzahler ausgenützt werden?! Ja, es giebt sogar kleinere Städte und ländliche Gemeinden, in denen die Bewohner für die freiwilligen Schulen nur deshalb eintreten und die Gemeindeschulen fern halten, um sich keine Schulsteuer — die bei den

freiwilligen Schulen durch Schulgeld oder Staatszuschuss nicht
gedeckten Kosten werden durch freiwillige Beisteuern bestritten —
auferlegen zu brauchen.

Was nun die religiöse Frage betrifft, so muss die Schule,
gleichviel ob ursprünglich und eigentlich für Kinder einer bestimmten Glaubensgemeinschaft errichtet oder nicht, Kindern
aller Konfessionen offen stehen und die religiösen Anschauungen
der Minderheit müssen nach der Bekenntnis- oder Gewissensklausel
(Conscience Clause) des Gesetzes von 1870 geachtet werden.
Sektion 7 sagt: »Die Zulassung eines Kindes zum Besuch einer
öffentlichen Volksschule darf nicht davon abhängig gemacht werden,
dass dasselbe an dem Besuche einer Sonntagsschule oder eines
Gottesdienstes irgendwelcher oder einer bestimmten Art teilnimmt
oder von demselben fernbleibt. Jeder Schüler kann auf den Wunsch
seiner Eltern hin irgendwelchem Religionsunterricht oder Ausübung von Religionsgebräuchen fernbleiben, ohne dadurch der
Vorteile des andern Unterrichts der Schule verlustig zu gehen.«

Um dieses letztere zu sichern, darf Religionsunterricht irgendwelcher Art nicht zwischen anderem Unterricht stattfinden, sondern muss dem Unterrichte in den weltlichen Fächern entweder
vorangehen oder folgen. Weltlichen Gegenständen sind jedesmal
mindestens zwei volle Stunden hintereinander zu widmen.

Kein Lehrer einer öffentlichen Volksschule darf dem geistlichen Stande angehören.

In Bezug auf die Board Schools, die von den Steuerzahlern,
also von den Anhängern aller Konfessionen erhalten werden, bestimmt Sektion 14 desselben Gesetzes ausdrücklich, dass hier
Katechismus oder Glaubensbekenntnis, das einer besonderen Konfession eigen ist, nicht gelehrt werden darf. Dem Schulamt ist
es anheimgegeben, Religionsunterricht erteilen oder nicht erteilen
zu lassen, desgleichen Umfang und Charakter desselben festzusetzen. Nur 8 von 2300 Schulämtern haben die Religion aus
ihren Schulen gänzlich ausgeschlossen; in den übrigen findet der
Religionsunterricht in der mannigfaltigsten Weise statt, von dem
Hersagen eines einfachen Gebets oder dem Singen eines Chorals,
dem blossen Vorlesen eines Kapitels aus der Bibel ohne jedwedes
Wort der Erklärung bis zu einem systematischen Unterricht durch
Erlernen des Vaterunser, der zehn Gebote, der Bergpredigt u. s. w.

Andererseits ist es den Inspektoren ausdrücklich untersagt,
die Schüler in anderen als weltlichen Gegenständen zu prüfen

und kein Teil der Bewilligung wird weder direkt noch indirekt für Religionsunterricht gewährt; noch wird die Anerkennung einer Schule von seiten der Oberschulbehörde in irgend einer Weise von dem Vorhandensein oder Fehlen der religiösen Instruktionen beeinflusst.

Es ist vielleicht hier am Platze, ein par Worte über die Stellung und den Einfluss der G e i s t l i c h k e i t im Schulwesen einzufügen. Wir sahen, wie die Board Schools die schwierige Frage des Religionsunterrichts zu lösen suchen. In den freiwilligen Schulen wird natürlich Religion gelehrt und ausgeübt nach den Vorschriften der betreffenden religiösen Gemeinschaft, der die Schule zugehört. In den weitaus meisten Fällen wird hier der Religionsunterricht von einem Geistlichen des Ortes erteilt. Einem Geistlichen fällt auch die Aufgabe zu, in Extrastunden die Kinder der Gemeindeschulen in ihrer Religion zu unterrichten, nur dass dies ebenfalls eine freiwillige Leistung ist, um welche sich die Schulleitung nicht weiter kümmert, noch durch irgend eine Beaufsichtigung der Teilnahme der Kinder erleichtert. Wären nicht die später zu erwähnenden Sonntagsschulen da, so würden, zumal in den grossen Städten, wohl die meisten Gemeindeschüler ohne jeden Unterricht in ihrer Konfession aufwachsen.

Einen weiteren Einfluss auf die Schule übt die Geistlichkeit dadurch aus, dass die Schulleitung, welche, unabhängig von den Lehrern, für jede freiwillige Schule bestehen muss und mit welcher allein die Regierung in Verbindung steht, gewöhnlich den Geistlichen zum Vorsitzenden hat, und dass endlich die derselben Religion angehörenden Lehrer selbst von diesen Leitern abhängig sind. Dass hierdurch auch die Art und Weise des weltlichen Unterrichts trotz der Gewissensklausel stark beeinflusst wird und eine konfessionelle Färbung gewinnt, ist klar.

Ausser diesen Vorschriften zum Schutze der konfessionellen Minderheiten muss die Anstalt aber noch anderen Anforderungen genügen, ehe sie der S t a a t als eine Public Elementary School anerkennt.

Die Schule darf nicht für privaten Vorteil errichtet sein.

Von keinem Schüler dürfen mehr als 6 pence (50 Pf.) wöchentliches Schulgeld erhoben werden.

Keinem Kinde darf der Besuch ohne triftige Gründe verwehrt werden. Ein solcher Grund war bisher und ist es in den wenigen

18 *

Schulen, die noch nicht unentgeltlich sind, sobald das Kind am Montag früh ohne sein Schulgeld erscheint.

Die Schule muss jederzeit dem Regierungsinspektor oder seinem Stellvertreter zugänglich sein.

Der Stundenplan, sowie das Lehrerpersonal unterliegt der Zustimmung des Inspektors.

Der Hauptlehrer muss ein Befähigungszeugnis der Oberschul-behörde besitzen.

Die Schule muss in Bezug auf Bau, Erleuchtung, Erwärmung, Ventilation, Drainage u. s. w. den sanitären Vorschriften ent-sprechen und über die nötige Einrichtung und Lehrmittel verfügen.

Für die Schule muss Bedürfnis vorliegen, d. h. mindestens 30 Schüler.

Eine Tagesschule muss im Schuljahre mindestens 400, eine Abendschule 45 mal zum Zwecke eines zwei-, resp. einstündigen weltlichen Unterrichts abgehalten werden (bei Tagesschulen meint dies 400 halbe Tage). In der Regel besteht das Schuljahr aber aus 440 Halbtagen. Die Ferien umfassen 14 Tage zu Weihnachten, Charfreitag, Ostermontag, eine Woche zu Pfingsten und 3 oder 4 Wochen im Mittsommer oder Ende Juli. Dazu pflegen noch ein paar freie Nachmittage, wie z. B. Fastnacht zu kommen. Die Woche wird hier zu 10 halben Tagen berechnet.

Anstalten, welche sich diesen Bedingungen nicht fügen, sind, ob gross oder klein, reich oder arm, Privatschulen, welche ausser-halb der staatlichen Aufsicht stehen; alle Schulen aber, die obigen Anforderungen nachkommen, sind öffentliche und haben Anspruch auf staatliche Unterstützung.

Der Staatszuschuss für die public elementary Schools betrug pro 1890 insgesamt 3 289 285 £ oder 17 Schilling 9³/₄ pence pro Schüler bei durchschnittlichem Schulbesuch.

Die eigentliche Volksschule erhält vom Staate (immer pro Kind im mittleren Schulbesuch) 1) einen festen Beitrag von 12¹/₂ oder 14 sh., je nach dem Eindruck, den der Inspektor im allge-meinen von der Intelligenz der Schüler und dem Zustand des Wissens in den Elementarfächern empfängt, 2) für Organisation und Disziplin 1 oder 1¹/₂ sh., hier kommt Sauberkeit, Pünktlich-keit, Benehmen und Wahrheitsliebe der Kinder in Betracht, 3) für Handarbeiten (bei Knaben Zeichnen) 1 sh., 4) für Singen nach Noten (Tonic-Solfa-System) 1 sh. oder nach Gehör ¹/₂ sh.

Dies umfasst die obligatorischen Fächer: Lesen, Schreiben, Rechnen, Nähen (oder Zeichnen) und Singen.

Nun hat aber die Oberschulbehörde noch eine ganze Anzahl fakultativer Fächer aufgestellt, die teils der ganzen Klasse (Class Subjects), teils einzelnen Schülern (Specific Subjects) gelehrt werden können. Zu den ersteren gehören: Englische Sprache, Geographie, Geschichte, elementare Naturgeschichte, Vortrag und Auswendiglernen; zu den letzteren: Algebra, Geometrie, Anfangsgründe der Mechanik, Chemie, Physik oder Physiologie, Botanik, Buchführung, Stenographie, Latein, Französisch, Deutsch, elementare Ackerbaulehre, und speziell für Mädchen: Kochen, Waschen oder Häuslichkeitslehre. Die Auswahl unter diesen Fächern ist der betreffenden Schulleitung überlassen, wodurch sich eine ausserordentliche Verschiedenheit der Schulen ergeben hat, aber auch ein möglichst enges Anpassen an lokale Verhältnisse und Bedürfnisse, sowie an die intellektuellen Fähigkeiten einzelner Schüler ermöglicht worden ist. Um Ueberbürdung zu vermeiden ist jedoch bestimmt, dass kein Schüler neben den obligatorischen in mehr als zwei Klassenfächern und zwei Spezialfächern unterwiesen werden darf, und in den letzteren erst dann, wenn er im Lesen, Schreiben und Rechnen die Prüfung in der vierten Klasse bestanden hat.

Andere Fächer dürfen gelehrt werden, doch wirft der Staat keinen Beitrag für sie aus. Dieser Zusatz trifft auch den bereits berührten Unterricht in der Religion.

Mit Bezug auf die aufgezählten Lehrgegenstände erhält nunmehr die Schule 5) für das erste »Klassenfach« 1 oder 2 sh., und 6), für ein zweites nochmals 1 oder 2 sh., je nach der Höhe der Leistungen. Auch diese Zuschüsse werden nach mittlerem Besuche berechnet. Bei den Spezialfächern jedoch zahlt der Staat für jeden einzelnen Schüler, der die Prüfung besteht, für den ersten oder zweiten Gegenstand je 4 sh., ebenso für jedes Mädchen, das Kochen lernt, 4 sh., und das Waschen lernt, 2 sh.

Lassen wir ein etwaiges Einkommen durch den Unterricht in den Spezialfächern beiseite, so finden wir, dass der Staatszuschuss pro Schüler bei 2 Klassenfächern, was in 91 Prozent der Schulen der Fall ist, zwischen 17 und 21$\frac{1}{2}$ Schillingen betragen kann.

Zu diesen Posten kommt nun noch seit dem am 1. September 1891 in Kraft getretenen Gesetz zur Erleichterung resp. Aufhebung des Schulgeldes ein besonderer Staatsbeitrag von zehn

Schillingen pro Jahr für jedes Kind im mittleren Schulbesuch. Dieser Zuschuss tritt jedoch an Stelle des früher erhobenen Schulgeldes, denn jede Schule, die bisher 10 Schillinge und weniger jährliches Schulgeld erhoben, muss fortan völlig unentgeltlichen Unterricht erteilen, und alle diejenigen Schulen, welche höhere Beiträge erhoben, mussten dieselben um 10 Schillinge ermässigen. In Wirklichkeit ist jetzt Schulgeld fast überall fallen gelassen worden; indes muss der Staat alljährlich weit über 5 Millionen £ zu Volkserziehungszwecken aufbringen.

Das Gesetz schreibt als schulpflichtiges Alter das 5. bis 14. Lebensjahr vor; indes sind die Schulämter gebunden, auf Wunsch auch Kindern unter 5 und über 14 Jahren (bei letzteren nur falls der 7. Standard noch nicht erreicht ist), Schulgelegenheit zu schaffen. Es kommen darum Infant-Schools (Kindergärten) und Evening Schools (Abendschulen) in Betracht, welche zusammen mit den gewöhnlichen Tagesschulen die eigentliche öffentliche Volksschule bilden.

In den Infant Schools werden Kinder gewöhnlich nach vollendetem dritten Lebensjahre aufgenommen, und bleiben daselbst bis zu ihrem Eintritt in die eigentliche Volksschule, was spätestens mit dem 7. Lebensjahre zu geschehen hat. Diese Kindergärten sind eine Erweiterung der Kleinkinderbewahranstalt. Die älteren Schüler treten dann häufig direkt in die zweite Klasse der Volksschule ein. Neben Spielen, Gesängen, Handarbeiten, einfachem Anschauungsunterricht werden die ersten Elemente im Lesen, Schreiben und Rechnen gelehrt. Der Unterricht findet ausschliesslich von Lehrerinnen statt, die, mindestens 18 Jahre alt, und sobald die Klasse mehr als 50 Schüler enthält, geprüfte Kindergärtnerinnen sein müssen. Am 31. August 1890 gab es 6881 solcher Infant shools in England und Wales mit einem mittleren Schulbesuch von 1 111 246 Kindern.

Wie diese Anstalten als eine Vorbereitung zur Volksschule gedacht sind, so sollen die Evening Schools den über 14 und weniger als 21 Jahre alten Knaben und Mädchen Gelegenheit bieten, Versäumnisse nachzuholen oder ihre Kenntnisse zu erweitern. Die Abendschulen fristen gegenwärtig ein kümmerliches Dasein und nehmen jährlich an Zahl ab, da einmal bei der Verbreitung und Trefflichkeit der Tagesschulen vernachlässigte Erziehung im Abnehmen ist, und sie andererseits für eine wirkliche Fortbildung ihrer Schüler so gut wie nichts leisten. Es gab 1890 1173 Abendschulen mit einem durchschnittlichen Schulbesuch von 43 347 jungen Leuten.

Bei Infant Schools gewährt der Staat für jedes Kind im Durchschnittsschulbesuch einen festen Beitrag von 9 oder 7 sh., je nachdem die Kinder in besonders zu Kindergärten eingerichteten Räumen unterrichtet werden oder nicht.

Dazu kommt ein Zuschuss von 2, 4 oder 6 sh. pro Kind im mittleren Schulbesuch, sobald der Inspektor bei seiner Visitation findet, dass Unterricht und Disziplin ausreichend, gut oder ausgezeichnet sind, ferner noch für einfache Handarbeit (bei Knaben kann Zeichnen dafür gelehrt werden) 1 sh., und für Singen nach Noten 1 sh., nach dem Gehör ½ sh. allemal für jedes Kind im mittleren Schulbesuch.

Evening Schools erhalten für jeden Schüler im mittleren Schulbesuch 1) 4 oder 6 sh., je nachdem die Schule weniger oder mehr als 60 mal im Jahre abgehalten wurde, und 2) 2 sh. für jeden einzelnen Schüler, der in einem der Elementar-, Klassen- oder Spezialfächer die Prüfung besteht.

Da diese Berechnung der Zuschüsse erst seit einigen Jahren eingeführt ist, liegen noch keine näheren statistischen Angaben vor, aus denen man genauere Schlüsse auf die Leistungsfähigkeit der Schulen ziehen könnte. Es möge aber hier erwähnt werden, dass im Schuljahre 1889/90 die Kosten für diese Public Elementary Schools sich auf 7 575 439 £ = 151½ Mill. Mark beliefen. Hiervon wurden gedeckt rund 164 000 £ aus Stiftungen, 759 000 £ aus freiwilligen Beiträgen, 1 940 500 £ aus Schulgeldern, 1 320 000 £ aus Gemeindeabgaben (für Board Schools), 3 289 285 £ aus Staatszuschüssen, der Rest aus verschiedenen Einnahmequellen.

Was nun die Gesamt k o s t e n von 1889/90 betrifft, so verteilen sich dieselben auf die Schulen der anglikanischen Staatskirche mit 3 115 914, der Wesleyaner mit 244 971, der Katholiken mit 331 919, der Dissenter mit 508 788 und auf die Gemeindeschulen mit 3 373 846 £.

Die pro 1889 (der neueste veröffentlichte Bericht) für Volksschulzwecke in England erhobenen Beträge ergeben sich aus der Tabelle auf S. 276 und 277.

Schulen	von Stiftungen	Schulsteuern	Freiwillige Beiträge
Englische Kirche	138118. 5.2		589 640.14.1
Wesleyaner	529. 7.8		17 253. 1.5
Röm. Katholiken	2 291. 7.7		70 911.10.9
Britische und andere . . .	19148. 7.4		79 723. 5.9
School Board	3 973.19.5	1 320 487.15.1	1141. 6.1
Summa	164 061. 7.2 £	1 320 486.15.1 £	758 699.18.1 £

Mit andern Worten betrugen die Erziehungskosten in England und Wales in Gemeindeschulen und freiwilligen Schulen zusammengenommen· im Durchschnitt

in 1871 £ 1— 7—5 pro Schüler jährlich
» 1879 » 1—16—10½ » » »
» 1885 » 1—19— 1½ » » »
» 1890 » 2— 4— 6½ » » » in freiwilligen Schulen
» » » 2— 6— 6½ » » » und Gemeindeschulen.

Hier mag noch erwähnt werden, dass die Schulakkommodation einer Gemeindeschule 397 Kinder und die einer freiwilligen Schule nur 242 Kinder im Durchschnitt beträgt.

Für die Leistungen der Schulen können die erlangten Staatsbeiträge einen ziemlich sicheren Massstab liefern. Die Schulen der Staatskirche erwarben sich im Durchschnitt für jeden Schüler einen Staatszuschuss von 17 sh. 5¼ pence, der Wesleyaner 18 sh. 0¾ p., der Katholiken 17 sh. 4¼ p., der Dissenter 17 sh. 11 p. und der Gemeindeschulen 18 sh. 5¾ p. Man sieht aus diesen Zahlen, dass der weltliche Unterricht in allen freiwilligen wie Board Schools über das ganze Land hin auf fast gleicher Höhe steht, ein überraschendes Resultat, wenn man die grosse Verschiedenheit zwischen Stadt und Land, und den unregelmässigen Schulbesuch der Kinder im Auge behält.

Nun ist noch einer zweiten Gattung von Elementarschulen zu gedenken, der Privatschulen, deren es in England eine grosse Anzahl giebt.

Wie bereits erwähnt, herrscht Schulzwang; derselbe ist indes soweit ausgedehnt, dass die Art und Weise, wie die Kinder erzogen werden, den Eltern vollständig freisteht. Der Unterricht kann in öffentlichen oder Privatschulen oder in der Familie stattfinden. Einer besonderen Prüfung, wie es z. B. das französische Gesetz beim Hausunterricht vorschreibt, haben sich die englischen

von Schülern bezahlt	von Armen-Vätern bezahlt	Staats-Bewilligung	von verschiedenen Quellen	Summa
865 515.11.3	31 643. 6.—	1 455 422. 2.3	35 553.18.3	3 115 913.17.—
103 614.13.10	2 229.18.7	117 841. 1.6	3 502. 3.3	244 970. 6.3
81 213.13.7	10 887.12.3	165 485.16.2	1 129. 5.5	331 919. 5.—
171 485.14.1	3 847.18.11	228 251.14.10	6 332. 5.3	508 789. 6.2
659 382.19.3	10 724.14.7	1 322 264. 9.6	55 871.14.6	3 373 845.18.5
1 881 312.12.— £	59 333.10.4 £	3 289 285. 4.3 £	102 389. 6.8 £	7 575 438.13.7 £

Kinder nicht zu unterwerfen. Die Eltern brauchen nur anzugeben, wie und wo das Kind erzogen wird.

Solange eine Erziehungsanstalt keine staatliche Unterstützung empfängt oder nachsucht, ist sie Privatschule, bei der sich der Staat weder um Verwaltung und Höhe des Schulgeldes kümmert, noch irgend welche Aufsicht über die erziehliche Wirksamkeit und sittlichen Einfluss auf die Schüler oder den sonstigen Ruf einer solchen Schule ausübt. Derartige Desiderata sind ausschliesslich den Eltern überlassen, bei denen man, da sie mindestens dem besseren Mittelstande angehören, voraussetzt, dass sie selbst im stande sind, die volle Verantwortung für die Erziehung ihrer Kinder zu tragen. Es treten hier, wie auf vielen anderen Gebieten, recht deutlich die noch festgewurzelten traditionellen Vorrechte in Bezug auf Freiheit und Unabhängigkeit der oberen Klassen vor den unteren Klassen hervor. In Gründung und Haltung einer Privatschule herrscht wie in der Ausübung irgend eines Gewerbes oder Handelsbetriebes die unbeschränkteste Freiheit. Jeder kann, ohne irgend einer Behörde einen Führungs- oder sittlichen oder wissenschaftlichen Befähigungsnachweis zu liefern, eine Schule gründen, jede beliebige Lehrmethode mit diesen oder jenen Büchern anwenden und ebenso jede beliebige Person als Lehrer anstellen.

In den Privatschulen ist die Zahl der Schüler im Durchschnitt verhältnismässig sehr gering; dieser Umstand und andererseits die Thatsache, dass Interessen und Ziele des Unternehmens ausnahmslos in der pekuniären Frage Anfang und Ende nehmen, sind die Gründe, weshalb das Schulgeld in den Privatschulen so ausserordentlich hoch ist und weshalb die Erziehung für ein Kind aus besserem Stande in England überhaupt mit so unvergleichlichen Geldopfern verbunden ist.

Diese Privatschulen befinden sich oft auch in einem jammervollen Zustande. Viele, unendlich viele Eltern, die ihre Kinder nicht der Gemeindeschule anvertrauen wollen, sind nur unter grossen Selbstentbehrungen im stande, die Kosten in einer Privatschule zu erschwingen. Viele solche Eltern fragen dann weniger um die erziehliche Wirksamkeit der Schule, um die Befähigung des Unternehmers, die erfolgreiche Anwendung seiner Lehrkräfte und Lehrmittel, als um ein möglichst geringes Schulgeld; während andererseits Unternehmer, denen es nur um recht viele Schüler, bezw. ihr pränumerando zu entrichtendes Schulgeld zu thun ist, vor keinen Mitteln und Wegen zurückschrecken, für ihre Anstalt nicht nur Reklame zu machen, sondern auch weniger scharfsichtige Väter zu hintergehen.

Einer der Vorzüge des Privatschulwesens jedoch ist die besondere Pflege, welche die Privatschulen, wo die Zahl der Schüler häufig nur 12 und weniger beträgt, der individuellen Erziehung angedeihen lassen, welche für den Briten massgebender und schwerwiegender ist, als der Besitz buchstäblicher Kenntnisse. Dies ist der Grund, weshalb von dem gebildeten Engländer keine Opfer gescheut werden, wenn es sich um die Erhaltung der Individualität, die frühzeitige Förderung und Entwicklung eines gesunden und festen Selbstwillens im Kinde handelt.

Um das Bild des englischen elementaren Erziehungswesens zu vervollständigen, mögen noch die für Spezialverhältnisse errichteten Schulen eine kurze Erwähnung finden. Da sind zuerst die Armenschulen (Poor Law Schools).

Jedes Kirchspiel in England muss zur Erhaltung seiner Armen ein Armenhaus (workhouse) errichten. Meist treten jedoch mehrere Kirchspiele in einen Verband (union) und haben die gemeinschaftliche Benutzung eines Armenhauses. In die letzteren finden natürlich auch Kinder ihren Weg, sei es, dass sie mit ihren Eltern Aufnahme erhalten, oder sei es, weil sie unbemittelte Waisen und heimatlos sind — alle eigentlichen Waisenhäuser sind Privat- oder Stiftungsanstalten. Für diese »Kinder des Staates« besteht merkwürdigerweise bereits seit 1834 der Schulzwang und die Armenbehörde hatte für ihren Unterhalt zu sorgen. Man errichtete daher innerhalb der Armenhäuser Schulen, workhouse schools. Unter den vielen gegen diese Einrichtung erhobenen Einwendungen war auch diejenige, dass sich die Kinder zu sehr an die Atmosphäre des gefängnisähnlichen Armenhauses gewöhnten und dieses zu sehr als ihre Heimat betrachten lernten. Schon 1845 begann man darum die Schulen von dem Armenhaus zu trennen und sogenannte district workhouse schools zu bauen. In neuerer Zeit endlich ziehen es viele Armenbehörden vor, die Kinder in die nächste öffentliche Volksschule zu senden. 266 von 647 Poor Law Unions bedienen sich bereits der Volksschule; 271 meist ländliche Bezirke haben workhouse schools und 110 district work-house-schools. Diese Armenschulen werden vom Staate durch eigens zu diesem Zwecke ernannte vier Inspektoren beaufsichtigt.

Ferner giebt es noch Arbeitsschulen (Certified Industrial Schools, Day Industrial Schools und Truant Schools) und Besserungsanstalten (Reformatories). Die hierauf bezüglichen Gesetze sind im Auszuge wie folgt:

Ein Kind unter 14 Jahren, dessen Erziehung arg vernach-lässigt ist — meist das Kind trunkener oder verkommener Eltern — kann zum Besuch einer Tages-Industrial-Schule verurteilt werden. Ein Kind unter 14 Jahren, welches sich ausserhalb jeder elter-lichen Kontrolle befindet, kann — mit Zustimmung der Eltern — in eine Truant-Schule gesandt werden. Das Kind unter 14 Jahren von verbrecherischen oder im hohen Grade immoralischen Eltern kann in eine anerkannte Industrial Schule gesandt werden, des-gleichen ein Kind desselben Alters, das sich obdachlos herum-treibt und in der Gesellschaft von Verbrechern gefunden wird oder ein Kind unter 12 Jahren, das ein Verbrechen begangen.

Ein Kind über 12 Jahre, welches thatsächlich ein Verbrechen begangen hat, kann einer Besserungsanstalt überwiesen werden.

In den Tages-Industrial-Schulen finden die Kinder nur wäh-rend des Tages Aufnahme, Kost und Unterricht. Sie wohnen bei den Eltern. In den Truant Schools jedoch, einer modifizierten Form der gewöhnlichen Arbeitsschule, werden die Kinder für eine kurze Zeit unter strengster Disziplin gehalten. Im Besserungs-falle werden sie wiederum einer gewöhnlichen Volksschule über-wiesen. Ungehorsam, erneutes Fernbleiben vom Unterricht u. s. w. haben ihre Versetzung in eine anerkannte Arbeitsschule zur Folge. In diesen letzteren werden die Kinder bis höchstens zum 16. Le-bensjahr gekleidet, beköstigt, unterrichtet und meist auch in ein-fachen Handwerkerarbeiten unterwiesen.

Es giebt in England und Wales 141 Industrial-, 19 Tages-Industrial- und 10 Truant-Schulen. Sie alle stehen unter der un-mittelbaren Inspektion des Ministers des Innern, und sind von den Gemeinden zu erhalten. Zu den Gesamtkosten von 386 500 £ zahlte der Staat 201 300, Eltern und Vormünder 21 000 £. 1890 fanden in diesen Anstalten 8359 Aufnahmen statt. Eine bedeutend grössere Anzahl Kinder findet aber jährlich in den vielen Anstalten (hómes, refuges) Aufnahme, welche von Religionsgesellschaften und Privatleuten errichtet und unterstützt sind.

In den Besserungsanstalten, wie sie zuerst die Philanthropic Society 1788 in Redhill erbaute, und welche nach dem Gesetze von 1866 im Bedürfnisfalle von den Gemeinden zu errichten sind, finden nur jugendliche Verbrecher Aufnahme, die über 12 und unter 16 Jahren alt sind, eine mindestens 10tägige Gefängnisstrafe verwirkt haben und ausser derselben vom Richter zur Internierung in einer Besserungsanstalt für die Dauer von nicht weniger als 2 und nicht mehr als 5 Jahren verurteilt sind. Einschliesslich 3 Schiffs-Reformatories bestehen 1890 in England 46 solcher Anstalten, die zusammen mit 10 in Schottland 5031 männliche und 823 weibliche jugendliche Verbrecher beherbergen, und an Jahres-Ausgaben 120000 £ kosten, wozu der Staat allein 79000 £ beisteuert.

Allein hier haben wir bereits das weite Gebiet betreten, auf dem private Mildthätigkeit und unaufhörliches Aufopfern von Zeit und Kraft viel Grösseres zur Linderung unverschuldeten und verschuldeten Elends leisten, als der Staat und die Gemeinde. Wie die Sache es mit sich bringt, haben diese Privatanstalten keinen bestimmten, abgeschlossenen Charakter, sondern umfassen alles vom Waisenhaus bis zur Besserungsanstalt. Besonders erwähnenswert ist vielleicht der Verein der Lumpenschulen (Ragget Schools), nach dem Muster der Johann Falk'schen Anstalt, in denen jährlich über 50000 Kinder Obdach, Unterricht und Gelegenheit zum arbeiten finden.

Bemerkenswert ist schliesslich noch die in England und den englischen Kolonien zu eigenartiger Bedeutung und Ausdehnung gekommene Sonntagsschule. Da der einzige Zweck derselben die Erweckung lebendiger religiöser Erkenntnis ist, so sind die Sunday Schools streng konfessionell und überall Sache der kirchlichen Gemeinde. Der betreffende Geistliche oder ein von der Kirchengemeinde gewählter Ausschuss führt die Verwaltung. Der Ort der Zusammenkunft ist gewöhnlich die Kirche oder ein Zimmer der Volksschule oder besonders dazu bestimmte Lokale, die oft an das Andachtshaus direkt angebaut sind. Die Zeit des Unterrichts, der sich nur mit dem Lernen von Chorälen und Bibelstellen, sowie der Erklärung der heiligen Schrift und des respektiven Katechismus beschäftigt, ist von 9—10½ und von 2 oder 3—4 Uhr. An dem darauf folgenden Gottesdienst haben die Kinder gewöhnlich teilzunehmen. Der Besuch ist ebenso unentgeltlich wie die Dienstleistungen der Lehrer, die sich aus allen Ständen und Professionen der Gemeinde oder Stadt rekrutieren. Mag der Unterricht auch oft bei diesem ungeschulten Lehrermaterial ein recht mangelhafter sein, so ersetzen die Sonntagsschulen doch den in der Volksschule fehlenden Religionsunterricht. Sie haben darum gerade seit dem Aufschwung des Volksschulwesens und dem Aufkommen der konfessionslosen Board Schools als Mittelglieder zwischen Kirche und Schule an Zahl und Bedeutung erheblich zugenommen.

VOLKSVERTRETUNGSPROBLEME
AUS ANLASS
DER ÖSTERREICHISCHEN WAHLREFORM.

VON

Dr. SCHÄFFLE.

———

I. Der Zweck der folgenden Untersuchung.

Am 10. Oktober 1893 hat der Ministerpräsident der österreichischen Reichs-R.Länder, Graf *Taaffe,* zu aller Welt Ueberraschung ein Wahlreformgesetz vorgelegt, welches zwar das allgemeine Wahlrecht noch nicht voll und ganz bedeutet, aber demselben sehr stark zusteuert. Graf *Taaffe* ist hierüber gefallen, doch der Stein, welchen er ins Rollen gebracht hat, ist nicht wieder zurückzubringen. Die Wahlreformfrage wird in Oesterreich, wie die Führer aller Parteien es gerade heraus gesagt oder verblümt es zugegeben haben, nicht zur Ruhe kommen, bis auch die Arbeiter und die anderen kleinen Leute, welche keine oder weniger als fünf Gulden Staatssteuer zahlen, in irgend einer Weise insgesamt oder grossenteils Wahlrecht erlangt haben werden.

Die »Zeitschrift für die gesamte Staatswissenschaft« verfolgt, indem sie sich den Fragen der schwebenden Vertretungsreform für die österreichischen Reichsratsländer zuwendet, keineswegs die Absicht, der Lösung einer verfassungspolitischen Frage für ein bestimmtes Land nach feststehenden Prinzipien der Staats- und Verfassungslehre nachzugehen. Vielmehr ist das Umgekehrte der Fall. Weil die Staatswissenschaft durch Jahrzehnte die Volksvertretungsfragen vernachlässigt hat, nimmt diese Zeitschrift Veranlassung, im Anschluss an die Volksvertretungsprobleme, wie sie sich konkret im cisleithanischen Oesterreich stellen, einigen Gewinn für die Staatswissenschaft einzuheimsen. Wenn die folgende Studie es versucht, die obschwebenden Vertretungsfragen des cisleithanischen Oesterreich praktisch anzufassen, so geschieht es, um weitere theoretische Einsichten davonzutragen, die schon gewonnenen nachzuprüfen, zu bestätigen und zu verstärken.

Für kein Land liegen nämlich die Probleme der Volksvertretung so schwierig, wie für die Reichsratsländer Oesterreichs. Ebendeshalb ist die cisleithanische Wahlreform staatswissenschaftlich so ganz besonders lehrreich, ein vorzüglicher Prüfstein auf die Richtigkeit einer Volksvertretungstheorie.

Den Verfasser bewegt insbesondere das Anliegen, eine von ihm so eben in seinen »Kern- und Zeitfragen« [1]) vertretene Theorie der Volksvertretung an dem schwierigsten aller denkbaren Anwendungsfälle zu prüfen und zu erhärten. Er will nachweisen, dass das allgemeine Stimmrecht verbunden mit verstärkten Zusätzen körperschaftlicher Vertretung auch für Oesterreich möglich wäre und dass dasselbe wahren Fortschritt und eine Verstärkung des Staatbestandes bringen könnte. Würde dies wirklich bescheinigt werden können, so wäre zweierlei gewonnen: eine Bekräftigung der fraglichen Volksvertretungstheorie und die Lösung der Schwierigkeiten einer Vertretungsreform für ein grosses Deutschland verbündetes Reich.

Zwar möchte es scheinen, als ob an den Erscheinungen und Bedürfnissen eines so völlig eigenartigen Staatswesens, wie es das österreichische ist, für die Richtigkeit oder Unrichtigkeit der Theorie der Volksvertretung nichts zu erholen wäre. Der Führer der »Deutschliberalen« oder »Verfassungstreuen« wenigstens hat in seiner geistvollen Philippika gegen den Grafen *Taaffe* die Reichsratsländer für ein Gemeinwesen *sui generis* erklart, unfähig, dem doktrinären Demokratismus als Objekt zu dienen. Allein ein Staatswesen und ein der Volksvertretung bedürftiges Länderreich ist eben Cisleithanien doch. Sogar von wachsenden demokratischen Strömungen ist auch dieses Reich erfasst. Wenn also nun trotz seiner Eigenartigkeit das Vertretungsbedürfnis einschliesslich dessen, was daselbst an der demokratischen Strömung zum allgemeinen Stimmrecht berechtigt ist, nach der hier vertretenen Theorie die Lösung fände, so wäre ein Beweis für die Richtigkeit der fraglichen Theorie kombinierter volkswahlmässiger und körperschaftswahlmässiger Volksvertretung praktisch erbracht und diese Theorie kann bei der

---

[1]) Deutsche Kern- und Zeitfragen. Berlin, 1894.

Anwendung auf den schwierigsten Fall an Durchbildung nur gewinnen.

Die weitere Frage freilich könnte man ernstlich aufwerfen,
ob für sämtliche im Wiener Reichsrate vertretenen Kronländer
auch nach der hier vertretenen Begründung die Zeit des allgemeinen Stimmrechtes schon gekommen sei, ob es nicht angezeigter
gewesen wäre, nur für die fortgeschritteneren Kronländer die
Frage der Wahlreform als Landtagsreform zu stellen und dieselbe
für das Reich von den Landtagen aus zu lösen. Doch kann auch
dieser Zweifel von der nachfolgenden Untersuchung nicht abhalten.
Nachdem einmal seit dem Jahr 1873 der Reichsrat direkt wenn auch
nach den vier Wählerklassen a (Grossgrundbesitz), b (Städte,
Märkte, Industrialorte), c (Gewerbe- und Handelskammern),
d (Landgemeinden) gewählt und nicht mehr aus den Landtagen
delegiert wird, so erhebt sich lediglich die Doppelfrage, ob die
aus allgemeiner Volkswahl u n d aus Körperschaftsabordnung gemischte Reichsvertretung nicht auch mit Umgehung der Landtage als der Delegationswahlkörper für körperschaftliche Reichs-
ratszusätze durchgeführt werden könnte. Wenn die gemischte
Vertretung nicht von den Landtagen aus oder »autonomistisch«,
sondern mit Umgehung der Landtage oder »zentralistisch« aus-
gestaltet werden kann, so spricht dies nur desto mehr für die
Richtigkeit der zu erprobenden Volksvertretungstheorie. Es würde
sich hiemit ergeben, dass, da die Wiederaufnahme des Zankapfels
seitens der »Autonomisten« gegen die 1873 zum Siege gelangten
»Zentralisten« für das Gelingen der österreichischen Wahlreform
als höchst inopportun vermieden werden muss, die fragliche Theorie
auch unter den gegebenen Parteikonstellationen verfassungspolitisch
von aktueller praktischer Bedeutung ist. Ich hoffe in der That,
dass ich die Leser am Ende der nachfolgenden Untersuchung
hievon überzeugt haben werde.

II. D i e z u G r u n d e g e l e g t e V e r t r e t u n g s t h e o r i e
ist in meinen »Kern- und Zeitfragen« knapp, doch eingehend entwickelt und begründet worden, mit besonderer Rücksichtnahme
auf die Gestaltung der Volksvertretung im Neustzeitstaate. Dieselbe fasse ich hier unter Verweisung auf die erwähnte Quelle in
folgenden zwanzig T h e s e n zusammen:

1) Es sind v i e r G r u n d a n f o r d e r u n g e n an gute Ver-

tretung, welche für jedes politische Zeitalter und für jeden ver-
tretungsbedürftigen Kreis der Volksgemeinschaft zu stellen sind:
α) Die Vollständigkeit des Vertretenseins;   } Vertretungs-
β) Die Verhältnismässigkeit des Vertretenseins;} bedürftigkeit
γ) Die Unabhängigkeit zum Vertretenkönnen; } Vertretungs-
δ) Die Tüchtigkeit zum Vertretenkönnen.   } fähigkeit

    Diese Grundanforderungen sind verfassungspolitisch von so
allgemeiner Giltigkeit, wie es finanzpolitisch die bekannten Postu-
late der Steuertheorie sind.

    2) Im weiteren Sinne ist schon jeder Wähler ein Ver-
treter, ja der Urvertreter der hinter ihm stehenden engeren und
weiteren Gruppen, der familien-, privat- und öffentlich-rechtlichen
Verbindungen, in welche derselbe verwoben ist. In den älteren
politischen Zeitaltern vertritt er seine Gruppe unmittelbar, ohne
Wahl von Abgeordneten, und in der modernen Demokratie lebt
diese unmittelbare Vertretung durch Referendum und Volksinitia-
tive ebenso wieder auf, wie sie in der Kammerzugehörigkeit kraft
Amt und Würde namentlich in ersten und einzigen Vertretungskörpern noch fortbesteht.

    3) Alle Vertretung, das Wählen und Wirken des Abgeord-
neten, wie die unmittelbare Vertretung ohne Abgeordnete ist
nicht bloss ein Recht zur Geltendmachung von persönlichen und
sonstigen Sonderinteressen, sondern immer zugleich eine Pflicht
zu staatlichem Mitarbeiten im Interesse der Gesamtheit. Hienach
ist die Entscheidung zu treffen, ob eine bestimmte Art der Berufung zur Volksvertretung: durch Wahl, Ernennung, Gruppen-
vorstandschaft den zwei Grundanforderungen der Vertretungsfähigkeit (Z. I, γ u. δ) unter den volk- und zeitgegebenen Bedürfnissen auch wirklich genügt.

    4) Das Vertretungsbedürfnis ist in den fünf verschiedenen
politischen Volkszeitaltern — von der Volkszeit an durch die
feudale, stadtstaatliche, territorialistische Zeit hindurch bis zur
heutigen fünften neustzeitstaatlichen oder modernen Verfassungs-
stufe gegenständlich und gestaltlich (materiell und formell) ein
sehr verschiedenes und gelangt erst allmählich zu selbständiger
Befriedigung. Je weiter zurück in der Verfassungsgeschichte, desto
mehr überwiegt die unmittelbare, d. h. nicht durch Wahl
vermittelte Vertretung durch die Häupter der geschichtlich gegebenen engeren und weiteren Verbände. Immer mehr jedoch kommt
die mittelbare Vertretung, die Vertretung durch gewählte Ab-

geordnete für alle engeren und weiteren, für die Lokal-, Bezirks-,
Stadt-, Landschafts- und Nationalkreise der Volksgemeinschaft
zur Geltung. Stellvertretende wahlmandatmässige Volksvertretung,
A b o r d n u n g s v e r t r e t u n g kommt schliesslich so überwiegend zur Anerkennung, dass Wahlvolksvertretung und Volksvertretung fast zu identischen Begriffen werden.

5) Zwar fehlt die Vertretung kraft Geburt, Amt, Ernennung
seitens des Staatsoberhauptes auch heute nicht, und dieselbe
kann, wenn sie bei zweikammerlicher Volksvertretung in Ober-
oder Herrenhäusern ein Abbild aller lebendigen Kräfte und Gliederungen des Zeitalters, nicht eine Reliquienkammer von Ueber-
lebseln abgelaufener Epochen ist, eine gewisse Berechtigung wohl
beanspruchen. Doch trifft dieses Wenn für die heutigen Ober-
häuser nirgends ganz, in einzelnen Staaten sogar äusserst unvoll-
ständig zu. Die vier Grundanforderungen an gute Volksvertretung
können ohne breite Geltendmachung der Abordnung unter den
h e u t e gegebenen Bedingungen des Vertretungsbedürfnisses und
der Vertretungsfähigkeit nicht zu voller Verwirklichung gelangen.

6) Die wahlmässige, repräsentative, mittelbare Volksvertretung, welche letztere beim Zweikammersystem der Neuzeit hauptsächlich im Unter- oder Volkshaus Stellung nimmt, muss durch
unabhängige und tüchtige Abgeordnete ebenfalls das ganze Volk
vollständig und verhältnismässig zur Vertretung bringen. Nun
ist das Volk für die Vertretung seiner Interessen, Gefühle und
Ueberzeugungen wie zur Mitwirkung am öffentlichen Leben im
öffentlichen Interesse n i c h t e i n H a u f e n g l e i c h e r I n d i-
v i d u e n, so dass Kopf für Kopf jedes Individuum, Frauen wie
Männer, unreife wie reife Männer, Mündel (durch ihre Vormünder)
zu vertreten wären. Vielmehr ist das Volk politisch ein grosses
und verschlungenes Ganzes von z w e i e r l e i B e v ö l k e r u n g s-
g r u p p e n: teils von e l e m e n t a r e n o d e r e i n f a c h e n
Gruppen, welche sich nach heutigem Verhältnis hochgradiger
Individualisierung u m j e d e n e r w a c h s e n e n M a n n v o n g e-
w i s s e n E i g e n s c h a f t e n zusammenschliessen, teils von z u-
s a m m e n g e s e t z t e n G r u p p e n des jeweiligen öffentlichen
Rechtes, d. h. unter den Verhältnissen der neuzeitlichen Gesellschaft von sämtlichen kommunalen (gebietlichen) und beruflichen,
weltlichen und kirchlichen Körperschaften.

7) Die Elementargruppen sind durch ihre gegebenen Häupter
und Mittelpunkte mittelst der s. g. Volkswahl zur Vertretung zu

bringen; jeder erwachsene Mann von gewissen persönlichen Eigenschaften vertritt zugleich seine Familie, seine Frau und Schwestern, seine Kinder, sein Gesinde, alle geselligen, politischen und sonstigen freien Verbindungen, die staatlichen, kommunalen und sozialen Interessen seiner selbst und aller ihm verwandtschaftlich oder nicht verwandtschaftlich Nächsten. Vertreter einer Elementargruppe ist demnach jeder Wähler und der Vertretung bedürftig sind jene Personen nicht, welche allgemein, wenn auch mittelbar durch die wahlberechtigten Männer vertreten sind. Bei bestehendem Familienrecht ist hienach das allgemeine Frauenstimmrecht weder durch das Vertretungsbedürfnis gefordert, noch durch die Vertretungsfähigkeit der Frauen begründet.

Alle Elementargruppen der in den erwachsenen Männern sich auf millionenfach eigentümliche Weise kreuzenden Volksgefühle, Volkswünsche und Interessen werden für das öffentliche Recht erfasst durch Erteilung des Wahlrechtes, durch K o n s t i - t u i e r u n g   v o n   V o l k s - W ä h l e r s c h a f t e n.

8) Allein die Elementargruppen von Personen und Verbänden, welche sich um den verheirateten oder nicht verheirateten erwachsenen Mann zusammenfinden, sind nicht die einzigen Gruppen, welche zur öffentlich-rechtlichen Funktion zu fassen und daher durch die Verfassung als vertretungsbedürftig und vertretungsfähig zur Vertretung zu berufen sind. Die grossen kommunalen und beruflichen Volksgliederungen sind von deren Kommunal- und berufskörperschaftlichen Vertretungsorganen aus vollständig und verhältnismässig ebenfalls heranzuziehen. Heisst man die von den Wählerschaften der Elementargruppen entsendeten Abgeordneten Volkswahlabgeordnete, dagegen die durch Vorstandschaft oder Abordnung bestellten Vertreter der Kommunal- und Berufskörperschaften D e l e g i e r t e, so ergiebt sich, dass nur die aus V o l k s w a h l - u n d   a l l s e i t i g e r   D e l e g i e r t e n - V e r t r e - t u n g   v e r h ä l t n i s m ä s s i g   z u s a m m e n g e s e t z t e oder g e - m i s c h t e Vertretung den neustzeitlichen Anforderungen der Vertretungsbedürftigkeit und der Vertretungsfähigkeit entspricht.

9) Dem modernen Vertretungsbedürfnis und der modernen Vertretungsfähigkeit wird nach der Seite der V o l k s w a h l - Abordnung nur noch die Wahlvertretung durch das a l l g e m e i n e S t i m m r e c h t aller erwachsenen Männer, welche zusammen alle Elementarzusammenhänge, Elementarinteressen, Elementarströmungen, jeder in b e s o n d e r e r   W e i s e einen b e s o n d e -

19*

r e n K o m p l e x vertretungsbedürftiger Interessen in ihrer Person
zusammenfassen, ganz gerecht werden können. Die Elementarver-
tretung abgelebter Gesellschaftszustände, vollzogen durch die freien
Häupter der älteren geschlossenen Familienverfassung reicht als Basis
der Volksvertretung nicht mehr aus. Das allgemeine Stimmrecht
aller erwachsenen Männer von bestimmten Eigenschaften ist für
die Sphäre der Volkswahlvertretung n e b e n der Körperschafts-
delegation zur Geltung zu bringen: nicht als Ausfluss des natürlichen Menschenrechtes, des individualistischen Freiheits- und
Gleichheitsprinzipes, vielmehr als unerlässliche Bedingung und als
einziges Mittel, um das Volk nach der Seite seiner f a m i l i e n r e c h t-
l i c h e n u n d p r i v a t r e c h t l i c h e n (gesellschaft- und genos-
senschaftlichen, parteienmässigen) Elementarschichtung heranzuziehen ist das allgemeine Stimmrecht begründet. Nicht wegen der
Gleichheit, vielmehr wegen der U n g l e i c h h e i t d e r E i n z e l-
n e n, welche sich als führende Elemente der sozialen Elementarverbindungen, jeder in seiner besonderen Weise bethätigen und mit
eigenartiger Anziehungskraft die Elementargruppierung der ver-
tretungsbedürftigen Kräfte, Interessen, Gefühle und Ueberzeugungen
bestimmen, ist das allgemeine Stimmrecht der erwachsenen Männer
begründet. Nur, indem diese Männer zu Wählerkörpern vereinigt
werden, welchen bestimmte Programme vorgelegt, die Wahlbe-
kenntnisse abgelegt, die Ueberzeugungen aller Parteien durch
die Agitation vorgetragen werden, vermag alles, was im Volke
an Vertretungsbedürfnis vorhanden und durch Einwirkung auf
den Gang des Staatslebens dem letzteren Kraft und Schwung zu
verleihen geeignet ist, unter n e u z e i t l i c h e n Verhältnissen zur
Geltung zu gelangen. Alle erwachsenen Männer ohne Unterschied
des Standes und der Klasse müssen ohne Absonderung von
Schichten zu Wahlkörpern zusammengefasst werden.

10) Das allgemeine Stimmrecht ist hienach ein Postulat der
Vollständigkeit für die Elementar-Volksvertretung. Es gewährt
aber durch die Zugänglichkeit der Wählerschaften für die Ueberzeugung seitens der bedeutendsten, geistig und geschäftlich führenden Persönlichkeiten auch der V e r h ä l t n i s m ä s s i g k e i t den
Spielraum. Die erwachsenen Männer sind unter heutigen Verhältnissen wenigstens in West- und Mitteleuropa auch unabhängig und
tüchtig genug, um zum Wählen und zum Abgeordnetwerden
fähig zu sein. — Nur nicht alle Individuen ohne Unterschied des
Alters und Geschlechtes, sind geeignet, Wählerkörpern anzuge-

hören, welche die Vollständigkeit und Verhältnismässigkeit der Volksvertretung mit der möglichen Vollkommenheit zu Stande bringen sollen. Als die geeignetsten O r g a n e für das Vertretungsbedürfnis, als die Mittelpunkte aller b e s o n d e r e n s o z i a l e n E l e m e n t a r g r u p p i e r u n g e n, welchen jeder reife Mann angehört, als mannigfaltigst individualisierte politische Berufsträger, nicht als Mandatare von Haufen vermeintlich gleicher Individuen — sind die erwachsenen Männer zum allgemeinen Stimmrecht berufen [1]).

11) Die V o l k s w a h l v e r t r e t u n g a u s s c h l i e s s e n d u n d a l l e i n, als blosse Elementargruppen-Vertretung, ohne Vertretung des Volkes auch nach seiner g r o s s e n G e b i e t s - u n d K u l t u r g l i e d e r u n g e n, wie solche sich in den Vertretungskörpern der Kommunal- und Berufskörperschaften darstellen, ist jedoch u n b e r e c h t i g t. Sie widerstreitet der Vollständigkeit, wie der Verhältnismässigkeit und Mangels mässigender Elemente auch der Unabhängigkeit und Tüchtigkeit der Volksvertretung, wie umgekehrt eine ausschliessende Körperschaftsvertretung dasjenige, was vertretungsbedürftig in den zahllosen familienhaften und privaten Elementarverbindungen lebt und webt, zu voller, verhältnismässiger, unabhängiger und tüchtiger Vertretung nicht zu bringen, also dem Staat die unentbehrliche Schwungkraft des einigen Volksgeistes nicht zur Verfügung zu stellen vermag [2]).

12) Das V e r h ä l t n i s, in welchem zur Volksvertretung Abgeordnete der allgemeinen Volkswahl und Delegierte der grossen öffentlichen Volksgliederungen zusammen berufen werden sollen, lässt sich selbstverständlich nur nach den b e s o n d e r e n V e r h ä l t n i s s e n j e d e s L a n d e s richtig bestimmen. Dem Volkswahlbestandteil wird aber, da er das Volk nach der Fülle des Lebensinhaltes sämtlicher Elementargruppen repräsentiert, das Uebergewicht mit etwa zwei Dritteln oder drei Fünfteln aller Abgeordnetensitze gegeben werden dürfen. Die Verteilung der Sitze zwischen den kommunalkörperschaftlichen und den berufskörperschaftlichen Delegierten wird im Durchschnitt halbscheidig sein dürfen, desgleichen innerhalb der Delegation aus den wirtschaftlichen und den nichtwirtschaftlichen Berufskörperschaften: Landwirtschaftskammern, Handels- und Gewerbekammern, Handwerker-

---

1) Für die nähere Begründung dieser weittragenden Sätze muss ich ganz besonders auf meine »Kern- und Zeitfragen« verweisen.

2) Für die nähere Begründung auch dieser These verweise ich auf d. a. O.

kammern, Arbeiterkammern einerseits — den kirchlichen Kapiteln
und Synoden, Universitäten, Schulratskollegien, Aerzte- und Advokatenkammern u. s. w. andererseits. Im übrigen muss nach
dem gegebenen besonderen Kulturinhalt des Volkslebens jedes
Landes und Landesteils die Beteiligung der einzelnen Berufskörperschaften am Delegationsrecht abgemessen und von der quantitativen Gleichberechtigung wird auch mehr oder weniger abgewichen
werden dürfen und müssen.

13) Der einfachste Weg, um den Delegierten-
Bestandteil einer Reichsvertretung zu Stande zu bringen,
ist die Delegation aus den Landtagen, jedoch nur
unter der Voraussetzung, dass der Landtag selbst
schon auf mittelbare oder unmittelbare Weise das Volk zugleich
nach seiner kommunalen und beruflichen Gliederung zur Geltung
bringe. Ein Reichstag oder Reichsrat würde alsdann Abgeordnete des allgemeinen Stimmrechtes und solche von Landtagen
vereinigen. Unumgänglich ist jedoch die Delegation aus den
Land- oder Provinzialtagen nicht. Auch von Kommunal- und Berufskörperschaften tieferer Ordnung und engeren Kreises, etwa
von den Bezirks- oder wenigstens Grossstadt-Gemeinderäten, Schul-
räten, akademischen Senaten, Handels- und Gewerbekammern aus
kann das körperschaftlich gegliederte Volk im Parlament zur Vertretung gebracht werden,

14) Die gemischte Volksvertretung lässt sich auf verschiedene
Weise ausführen: entweder im Einkammersystem oder im
Zweikammersystem. Bei der Ausführung im Zweikammersystem wird der körperschaftliche Teil der Gesamtvertretung sachgemäss hauptsächlich ins Oberhaus einzusetzen sein. Doch steht
nichts im Wege, auch beim Zweikammersystem schon im Unterhause körperschaftliche Zusätze anzubringen, wenigstens insoweit,
als die gegebenen berufs- und kommunalkörperschaftlichen Gliederungen des öffentlichen Rechtes im Oberhaus unvertreten sind
oder nach den gegebenen Landesverhältnissen und Volkszuständen
korporative Elemente als wünschenswerte Bestandteile schon des
Unterhauses sich darstellen.

15) Die Eigenschaften, welche als Bedingungen der Einräumung des Wahlrechtes der erwachsenen Männer aufrecht erhalten bleiben, sind die folgenden: reifes Alter, über die aktive
Militärdienstzeit hinaus (vgl. Z. 1, γ); Eigenberechtigung (Freiheit
von Kuratel); strafrechtliche und konkursrechtliche Unbescholten-

heit; Besitz des Bürgerrechtes. Die effektiv erfüllte Militärpflicht gehört zu den Bedingungen des Wahlrechtes nicht; denn die Ausschliessung der Militäruntüchtigen widerstreitet der Thatsache ihrer Vertretungsbedürftigkeit und Vertretungsfähigkeit, also allen vier Grundanforderungen der Ziffer 1, α bis δ. Zu den das aktive Wahlrecht bedingenden Eigenschaften gehört auch nicht die Lese- und Schreibfähigkeit; die Analphabeten sind nicht bloss vertretungsbedürftig, sie können auch vertretungsfähig, d. h. zum Wählen geeignet sein. Als ein drittes weiteres Erfordernis für das allgemeine Stimmrecht ist im Sinne der Ziff. 3 die s e l b s t ä n d i g e I n n e h a b u n g einer E i g e n - oder M i e t w o h n u n g (die bekannte *occupyer-* oder occupation = Eigenschaft) geltend gemacht worden, welche selbst in England trotz des scharf auf das allgemeine Stimmrecht losgehenden Kurses dortiger Verfassungspolitik immer noch nicht aufgegeben ist. In Ländern mit viel Gesinde, namentlich mit familienzugehörigem Gesinde, welches durch den Familienvater bereits vertreten ist, oder mit viel Schlafgängerproletariat in den Industrieorten und Hauptstädten kann diese Anforderung, wenigstens als Uebergangsmassregel sehr wohl in Frage kommen. Dieselbe ist jedenfalls von grösserer Bedeutung und wohl auch von grösserer Berechtigung, als Militärgestellung und Bildungszensus (Ausschluss des Analphabetentums).

Als Bedingung der Wählbarkeit sind die Wählereigenschaften, jedoch mit höherem Altersansatz anzusehen. Zugehörigkeit zur Kommunal- und Berufs-Wahlkörperschaft ist nicht als Erfordernis der Wählbarkeit zu erachten.

16) Wenn die M i n o r i t ä t s v e r t r e t u n g (Proportionalvertretung), das R e f e r e n d u m und die V o l k s i n i t i a t i v e, d. h. die abordnungslos unmittelbare Volksvertretung für ein bestimmtes Land als angezeigt erscheinen würden, so ist dies mit dem gemischten Vertretungssystem der Volkswahl u n d Delegation verfassungstechnisch nicht unvereinbar, wie ich dies näher nachgewiesen habe [1]).

17) Die a u s s c h l i e s s e n d e Volksvertretung bloss aus der B e s i t z klasse, das r e i n e Z e n s u s s y s t e m steht mit der Vollständigkeit, mit der Verhältnismässigkeit, und da die Besitzwähler Knechte ihres Klasseninteresses bleiben, den nichtwahlberechtigten Klassen und den von den Körperschaften des öffentlichen Rechtes gehüteten Allgemeininteressen nicht mit Gerech-

---

1) A. a. O. S. 157 ff.

tigkeit sich zuwenden, auch mit der Unabhängigkeit und Tüchtigkeit der Volksvertretung, also mit allen vier Grundforderungen guter Volksvertretung im Widerspruch. Die Elementargruppenvertretung durch das allgemeine Stimmrecht der erwachsenen Männer v e r - b u n d e n mit vollständiger und verhältnismässiger Delegation aus den grossen Kommunal- und Berufskörperschaften lässt bei dem grossen Einfluss, welcher dem Besitz mittelbar in der Volks- wahlagitation und unmittelbar innerhalb der Kommunalkörper- schaften, sowie innerhalb der wirtschaftlichen Berufskörperschaften (Landeskulturräte, Handels- und Gewerbekammern, Handwerker- kammern) u. s. w. gesichert ist, das Zensussystem im Masse des Ersatzes durch das vollkommenere System der Volkswahl mit körperschaftlichem Delegationszusatz als v ö l l i g o d e r g r ö s s - t e n t e i l s e n t b e h r l i c h e r s c h e i n e n.

18) Soweit das Zensussystem dennoch aufrechterhalten bleibt, wäre, woferne die Volksvertretung einigermassen vollständig wer- den soll, auch die B e s i t z l o s e n k l a s s e z u r V e r t r e t u n g z u b r i n g e n. Das richtige Verhältnis hiefür ist jedoch nicht zu finden und die Besitzlosen werden in ihrer Vertretungskurie stets besitzfeindlich bleiben, nur besitzfeindlich wählen, was bei einer alle erwachsenen Männer ohne Unterschied der Besitzklasse und des Berufes zusammenfassenden allgemeinen Volkswahl für sämt- liche Wahlbezirke mit überwiegender Bevölkerung von Gross-, Mittel- und Kleinbesitz-Familien nicht der Fall sein wird.

19) Die G l i e d e r u n g der Z e n s u s v e r t r e t u n g nach Grossgrundbesitz, nach grossem Handels- und Gewerbekapital, nach Bezirken des mittleren und kleinen Landwirtschaftsbesitzes (Bauern- stand), endlich nach Bezirken und Wählerkörpern des mittleren und kleineren s t ä d t i s c h e n Unternehmertums (Bürgerstand), ist dem k a h l e n B e s i t z z e n s u s w e i t v o r z u z i e h e n. Man kann den gegliederten Zensus Kurialzensus nennen. Der Kurial- zensus vermag unter besonderen Verhältnissen einen Teil der Delegationsvertretung neben der Volkswahlvertretung wenigstens provisorisch zu ersetzen [1]).

20) Der Delegiertenteil der Abgeordnetenhäuser sichert der Volksvertretung unbedingt einen G r u n d s t o c k i n t e l l i g e n t e r, u n a b h ä n g i g e r, k o n s e r v a t i v e r E l e m e n t e und nötigt zur Wahl bedeutender Kandidaten in mittelbarer Weise auch die Volkswahlkörper.

---

1) Die Begründung s. in Abschnitt IV.

Dies sind die Thesen, welche an dem cisleithanischen Wahl-
reformproblem einerseits zu bekräftigen, andererseits für dieses
Problem praktisch zu verwerten sind. Diese Bekräftigung und
diese Verwertung erheischt jedoch, damit die gegenwärtige Untersuchung einen verständnisvollen Fortgang nehmen könne, die
Kenntnis des im nächsten Abschnitt darzulegenden Thatbestandes.
Die in den Thesen 1 bis 20 aufgestellte Theorie ist keine
willkürliche Konstruktion. In der reichsrätlichen und in der land-
täglichen Vertretung der Gewerbe- und Handelskammern ist unmittelbar, im Kurialzensus mittelbar das eine Stück des gemischten
Systems bereits anerkannt. In den demokratischen Republiken
besteht letzteres ganz allgemein, indem die Senate als Länder-
und Kantonal-Delegierte auftreten. Diejenige grosse Republik,
welche das allgemeine Stimmrecht zuerst unter den Grossstaaten
alter Kultur von der Gemeinde bis zum Nationalparlament durchgeführt hat, Frankreich nämlich, hat sich in seinem Senat einen
kommunalkörperschaftlich fundierten Vertretungskörper geschaffen,
ohne welchen der Staat einer Auflösung durch den Radikalismus
nicht zu widerstehen vermöchte. Es handelt sich also nicht um
eine willkürliche, unpraktische Idealkonstruktion, sondern um ein
Ausgreifen in der Richtung fortgeschrittenster Verfassungsent-
wicklung.

III. Die bestehende Organisation der reichsratländischen Vertretungskörper.

Um zu prüfen, ob die in den Grundzügen soeben formulierte
Vertretungstheorie auf die R.Ratsländer bei der obschwebenden
Vertretungsreform anwendbar sei, muss man sich zuerst mit der
bestehenden Organisation der dortigen Vertretungskörper bekannt
machen. Diese Vertretungskörper sind von oben nach unten:

die Delegation;

der Reichsrat oder die Zentralvertretung für die gemeinsamen
Angelegenheiten der nicht ungarischen Kronländer, welche, nachdem der Name Oesterreich für das Gesamtreich durch den im
»Ausgleich« von 1867 geschaffenen Reichs-»Dualismus« verloren
gegangen ist, im e. S. Oesterreich vulgär auch Cisleithanien genannt, prägnanter als Reichsratsländer bezeichnet werden;

die Landtage der einzelnen Kronländer;

die Bezirksvertretungskörper, welche jedoch nur für Böhmen,

Galizien, Schlesien, Steiermark, Tirol bestehen, den preussischen Kreistagen vergleichbar;

endlich die Ortsgemeindevertretungen, auf Grund des Gemeinde-Reichsgesetzes, der Landgemeindeordnungen und der Lokalstatute für eine Anzahl von Städten und Kurorten.

1) D i e D e l e g a t i o n. Die cisleithanische Zentralvertretung und der ungarische Reichstag entsenden je eine alljährlich neu gewählte Delegation, deren Tagung abwechselnd in Wien und Budapest stattfindet, zur verfassungsmässigen Vertretung der reichs-gemeinsam gebliebenen auswärtigen und militärischen Angelegen-heiten, gegenüber der Verwaltung durch die drei Reichsministerien für Auswärtiges, für Krieg und Marine und für die Reichsfinanzen. Es giebt wohl auch andere gleichartig geregelte Einrichtungen für beide Reichshälften, auf Grund von Verträgen, welche alle zehn Jahre zu erneuern sind, allein eine gemeinsame Verwaltung und Vertretung besteht für die fraglichen Einrichtungen (Zoll-wesen, Geldwesen etc.) nicht.

Zu der vom österreichischen Vertretungskörper zu entsen-denden österreichischen Delegation wählt das Herrenhaus des Reichsrates 20, das Abgeordnetenhaus 40 Mitglieder. Das Herren-haus hat die auf dasselbe entfallenden Mitglieder der Delegation mittelst absoluter Stimmenmehrheit aus seiner Mitte zu wählen. Die auf das Haus der Abgeordneten entfallenden Mitglieder der cisleithanischen Delegation werden in der Weise gewählt, dass je die Abgeordneten der einzelnen Länder nach einem näher be-stimmten Verteilungsmodus Abordnungen wählen, wobei jeder Gruppe freisteht, die Delegierten aus ihrer Mitte oder aus dem Plenum des Abgeordnetenhauses zu nehmen. Aus dem Abge-ordnetenhaus entsenden die Böhmen 10, die Galizier 7, die Mährer 2, die Niederösterreicher 3, die Oberösterreicher, Steiermärker und Tiroler je 2, die übrigen im Reichsrate vertretenen Kronländer je einen Abgeordneten zur Delegation. Die Vertretung für die mit Ungarn gemeinsamen Angelegenheiten ist von keiner Seite in Frage gestellt; obwohl blosse Delegation hat sie sich nach weit verbreitetem Urteil als den gegebenen Verhältnissen entsprechend wohl bewährt.

2) D e r R e i c h s r a t — ist aus Herrenhaus und Abgeord-netenhaus zusammengesetzt. Derselbe ist Vertretungskörper für die in § 11 des Reichsvertretungsgesetzes vom 21. Dezember 1867 aufgeführten Kompetenzen (lit. a bis lit. o), welche als die ge-

meiusamen Angelegenheiten der »im Reichsrate vertretenen Königreiche und Länder« sich darstellen. Alle übrigen Angelegenheiten sind der »Autonomie« der einzelnen Kronländer, bezw.
den Landtagen überlassen.

Die dem Reichsrat zugewiesenen Angelegenheiten stellen zusammen eine sehr bedeutende Kompetenz dar. In Gemässheit
des § 11 gedachten Gesetzes erscheint das cisleithanische Oesterreich in weit höherem Grad zentralisiert, als das deutsche Reich
es ist, in welchem die Gesetzgebung über die direkten Steuern,
die eigene Verwaltung aller Steuern, die Einheit der Verkehrsanstalten, die Kompetenz zur Feststellung der Grundsätze des
ganzen Unterrichtswesens, die Gesetzgebung über die Universitäten
fehlen und noch lange fehlen werden. Diese seit Maria Theresia
gewonnene und auch nach dem Fehlschlagen der noch weit mehr
unitaristischen Bestrebungen Josefs II. festgehaltene relative Zentralisation wird mittelbar eine noch grössere, da der Kaiser der
L a n d e s f ü r s t a l l e r K r o n l ä n d e r ist, welchen er die Statt-
halter giebt, so dass auch die autonome Länderverwaltung und
Ländergesetzgebung in einem und demselben Geiste geleitet
werden kann und geleitet wird. Die »böhmische Frage« besteht
wesentlich in Gewährung oder Nichtgewährung einer Dezentralisation von Reichsratsangelegenheiten zum Vorteil der Autonomie
der Länder und der Kompetenz der Landtage. Die Polen wider-
setzen sich wenigstens jeder weiteren Beschränkung der Landtags-
zuständigkeit und der Erweiterung der Reichsratskompetenz.

Der »Reichsrat« sollte ursprünglich ein den Kaiser für das
ganze Reich beratender Körper werden (Diplom vom 20. Okt.
1860). Dann wurde durch das Patent vom 26. Febr. 1861 eine
eigentliche Verfassung geschaffen (»Februarverfassung«). Der
Name »Reichsrat« blieb, aber unter Spaltung in einen weiteren
Reichsrat, welcher die Ungarn mit umfassen sollte, aber nie zu
stande kam, und einen »engeren Reichsrat« kam ein cisleitha-
nisches Parlament zu stande. Nach dem Ausgleich mit Ungarn
im J. 1867 wurde durch die Staatsgrundgesetze vom 21. Dezember
1867 die jetzt geltende Verfassung für die gemeinsamen Angelegenheiten der Reichsratsländer festgestellt (»Dezemberverfas-
sung«), aus dem engeren Reichsrat wurde der heutige Reichsrat.
Im Ausgleich von 1867 hatte Ungarn bis auf die wenigen schon
erwähnten Angelegenheiten alle weitere seit 1849 stattgehabte
Zentralisation abgeworfen und hiemit den »Dualismus« geschaffen,

Infolge dessen hatte durch eines der Dezembergrundgesetze »die Abänderung des Grundgesetzes über die Reichsvertretung« erfolgen müssen. Auf diesem Grundgesetz, sowie auf den Gesetzen über die Reichsrat-Wahlordnung von 1873 und 1882 beruht die noch bestehende reichsratsländische Gesamtvertretung, immer noch »Reichsrat« wie schon im Oktoberdiplom genannt.

Das Oberhaus dieses Reichsrat genannten cisleithanischen Reichstages oder das H e r r e n h a u s hat zu Mitgliedern: 1) durch Geburt die grossjährigen Prinzen des Kaiserlichen Hauses, 2) durch erbliche Verleihung der Reichsratswürde seitens des Kaisers die grossjährigen Häupter gewisser inländischer Adelsgeschlechter, welche in den reichsratsländischen Kronländern durch ausgedehnten Grundbesitz hervorragen, 3) vermöge ihrer hohen Kirchenwürde alle Erzbischöfe uud Bischöfe fürstlichen Ranges, 4) »ausgezeichnete Männer, welche sich um den Staat oder die Kirche, Wissenschaft oder Kunst verdient gemacht haben«, kraft Kaiserlicher Berufung auf Lebensdauer. Aus dieser Zusammensetzung des Herrenhauses geht hervor, dass durch Amt die religiösen, durch Kaiserliche Berufung die Kunst- und Wissenschafts-Interessen zur Vertretung zu gelangen vermögen. Die Ausübung des Kaiserlichen Berufungsrechtes hat bisher zu erheblichen Beanstandungen m. W. nicht Anlass gegeben. Das Herrenhaus hat nach dem Urteil unbefangener Beobachter mindestens ebenso gut wie anderswo in monarchischen Ländern die ersten Kammern, fungiert [1]). Daher steht es auch bei den gegenwärtigen Bestrebungen nach Vertretungsreform ausser Frage und Beanstandung; dasselbe wird, obwohl es in keiner Weise als Ausdruck der berufs- und kommunalkörperschaftlichen Gliederung des Kronländerkomplexes anerkannt werden darf, auch in der folgenden Untersuchung ausser Frage bleiben.

Die gegenwärtigen Bestrebungen richten sich auf die zweite Kammer des Reichsrates, auf die Ausdehnung des Wahlrechtes für das A b g e o r d n e t e n h a u s. Dieser zweite Vertretungskörper der reichsratländischen Gesamtvertretung war zuerst eine Delegation aus den Landtagen der »Kronländer«: Böhmen, Dalmatien, Galizien, beiden Oesterreich, Salzburg, Steiermark, Kärnthen, Krain, Bukowina, Mähren, Schlesien, Tirol, Vorarlberg, Istrien, Görz und Gradiska und Triest. Diese Reichsratsländer wählen seit 1873 direkt nach vier »Wählerklassen« (a, b, c, d) und be-

---

1) Vgl. meine »Kern- und Zeitfragen« S. 132.

setzen die vier Kurien des Abgeordnetenhauses mit zusammen 353 Mitgliedern. Die Verteilung der Stimmen des Reichsrates ergiebt sich aus folgender Uebersicht. Die in den Landesordnungen enthaltenen Wählerklassen:

entsenden aus	a) Grossgrundbesitz	b) Städte, Märkte, Industrialorte		c) Handels- und Gewerbekammern	d) Landgemeinden	a—d zusammen
Böhmen	23	32	—	7	30	92
Dalmatien	1	—	2 (b u. c)	—	6	9
Galizien	20	13	—	3	27	63
Niederösterreich	8	17		2	10	37
Oberösterreich	3	6	—	1	7	17
Salzburg	1	—	2 (b u. c)	—	2	5
Steiermark	4	8	—	2	9	23
Kärnthen	1	3	—	1	4	9
Krain	2	—	3 (b u. c)	—	5	10
Bukowina	3	2	—	1	3	9
Mähren	9	13	—	3	11	36
Schlesien	3	—	4 (b u. c)	—	3	10
Tirol	5	—	5 (b u. c)	—	8	18
Vorarlberg	—	—	1 (b u. c)	—	2	3
Istrien	1	—	1 (b u. c)	—	2	4
Görz u. Gradiska	1	—	1 (b u. c)	—	2	4
Triest			—	1	—	4
						353

Hienach kommen, wenn man von den 19 gemischten Kurial-stimmen (b, c) zehn den Städten, Märkten und Industrialorten (b), die neun andern aber den Gewerbe- und Handelskammern aufteilend zulegt, fur den Grossgrundbesitz (a) 88, für die Städte, Märkte und Industrialorte (b) 104, für die Handels- und Gewerbekammern (c) 30 und fur die Landgemeinden (d) 131 Abgeordnete. Grossgrundbesitz und Landgemeinden zusammen sind hienach in der grossen Mehrheit von 219 Stimmen und in einer noch grösseren, wenn man beiden diejenigen Stadt-, Markt- und Industrialort-Bezirke zuschlägt, welche überwiegend Landstädte und gemischte handwerklich bäuerliche Städte mit Stimmenübergewicht des kleinen Grundbesitzes darstellen. Im übrigen zeigt sich für jedes Kronland eine sehr verschiedenartige Verteilung der zugewiesenen Reichsratssitze auf die vier Wahlerklassen, wie der kürzeste Blick auf die obige Tabelle erweist.

Ein gleichartiges einfaches reichsratsländisches Wahlrecht giebt

es hienach nicht, sondern viererlei Kurialwahlrechte der Wählerklassen a, b, c, d. Der Kurialzensus beherrscht das ganze Vertretungssystem, alle Wählerklassen sind Zensuswahlklassen; in
jeder der vier Wählerklassen giebt die Bezahlung einer Mindest-
summe von »Realsteuern« (Grund- und Gebäudesteuern) oder von
direkten Steuern überhaupt das Wahlrecht und dieser Mindest-
betrag ist für jedes Kronland landesordnungsmässig besonders
geregelt. Derselbe bewegt sich für den Grossgrundbesitz zwischen
100 und 250 fl. an »Realsteuern« und beträgt für die zur Reichsratswahl berechtigten Gemeindewähler der städtischen und der
Landbezirke, seit der bedeutenden Ausdehnung des Wahlrechtes
durch Gesetz vom 4. Oktober 1882 zur Zeit noch 5 fl. an direkter
Steuerzahlung. Die Handelskammervertretung ist unmittelbar eine
körperschaftliche, aber mittelbar ebenfalls eine Besitzvertretung,
indem das Recht zur Wahl der Mitglieder der Gewerbe- und
Handelskammer an einen sehr kräftigen Zensus gebunden ist.

In der Hauptsache ist die Kammernkurie eine Vertretung des
grossen Unternehmungskapitals. Im Abgeordnetenhaus sind bezüglich der Wiener Gewerbe- und Handelskammer jüngst folgende
Ziffern mitgeteilt worden: Im ersten Wahlkörper der Gewerbe-
sektion wählen 200 Grossindustrielle acht Kammerräte; im zweiten
Wahlkörper wählen etwas mehr als 1000 Industrielle wieder acht
Vertreter; im dritten Wahlkörper sind 13 000 Wähler, für nur
vier Vertreter; der vierte Wahlkörper hat 56 000 Wähler, welche
auch nur vier Vertreter wählen. Der dritte und vierte Wahlkörper haben also trotz ihrer ungeheuren Wählerzahl zusammen
nur so viele Vertreter in die Handelskammer zu wählen, als der
erste oder zweite allein. Daher ist auch der Ruf nach Trennung
der Handels- und Gewerbekammern entstanden. Man wünscht
eine besondere handwerkliche Vertretung.

Was insbesondere den Grossgrundbesitz betrifft, so giebt
nicht aller Grossbesitz, welcher 100 bis 250 fl. an »Realsteuern«
entrichtet, sondern nur der land- und lehentäflige, d. h. früher
gutsherrliche Grossgrundbesitz das Wahlrecht. Trotz der längst
erfolgten Beseitigung der Gutsherrlichkeit ist hienach der früher
feudale Teil des Grossgrundbesitzes im Wahlrecht privilegiert.
Wie dies wirkt, dafür ist im Abgeordnetenhaus angeführt worden,
dass in dem einzigen Bezirk Karolinenthal 44 Grundbesitzer sich
befinden, die allein an Grundsteuern mehr als 250 fl. zahlen, ohne
im Grossgrundbesitz wahlberechtigt zu sein. Der nicht altguts-

herrliche Grossgrundbesitzer hat nicht mehr Stimmgewicht, als jeder 5 fl.-Zensit in Wählerklasse b und d; dasselbe gilt vom städtischen grossen »Hausherrn«.

Das Abgeordnetenhaus ist trotz der uneigentlich so genannten vier Kurien ein einheitlicher Vertretungskörper ohne kurienweise Beratung und Abstimmung.

Die Reichsratsländer haben hienach weder das allgemeine Wahlrecht; denn die Arbeiterklasse samt den Zensiten von weniger als 5 fl. direkter Steuern haben kein Wahlrecht. Noch haben die Reichsratsländer ein gleiches Wahlrecht mit einheitlichem Zensus, sondern ein solches mit vierstufigem Wahlzensus. Noch haben sie durchaus ein direktes Wahlrecht; denn für die Wählerklasse d (Landgemeinden) besteht in der Reichsratswahl das Wahlmännerwahlverfahren. Noch haben sie durchaus das geheime Wahlrecht; denn in jenen Kronländern, wo die Stimmgebung bei der Landtagswahl eine öffentliche ist, ist es auch die Stimmgebung zur Reichstagswahl und das trifft zu für Galizien, Mähren, Oberösterreich, Steiermark, Tirol u. s. w.

Die Reichsratsländer haben auch keine gleiche Verteilung des Wahlrechtes nach der Bevölkerungszahl. Bei den Bezirken der Wählerklasse b und d wäre das ausführbar und auf diesem Boden der Gleichberechtigung wäre eine Scheidung nach Nationalitäten bis zu einem gewissen Grade möglich gewesen. Die Wahlkreisgeometrie des Anhanges zur Reichsratswahlordnung ist jedoch nicht der Bevölkerungszahl und Nationalität nachgegangen und sie bildet, wenn bei den jetzigen Wahlreformbestrebungen etwas herauskommen soll, ein *Noli me tangere*, da hierüber der Streit zwischen Deutschen und Czechoböhmen, Polen und Ruthenen lichterloh entbrennen würde.

D i e L a n d t a g e. Diese Vertretungskörper sind im allgemeinen nach demselben System der Vierwählerklassen (a bis d) aufgebaut. Doch kommen zu den vier Wählerklassen, beziehungsweise Kurien im Landtag weiter Vertreter kraft Amt und Würde, hohe Geistliche und die Rektoren der Landesuniversitäten hinzu; man heisst sie uneigentlich »Virilisten«.

Die Landtage der einzelnen Länder finden die Norm ihrer Zusammensetzung in den mit dem Patente vom 26. Febr. 1861 kundgemachten Landesordnungen. Die Landtage vereinigen ihre Mitglieder in e i n e Kammer zu gemeinschaftlichen Sitzungen und Abstimmungen. Die sog. Landtagskurien der Virilstimmen und

Grossgrundbesitzer, der Städte- und Handelskammer-Abgeordneten,
der Vertreter der Landgemeinden sind keine selbständigen Körperschaften des Landtages, sondern nur Abteilungen desselben Hauses
zur Erleichterung der Ausschusswahlen und formellen Geschäfts-
verhandlung. In Triest fungiert der Stadtrat als Landtag.

Indirekte Wahl in den Reichsrat durch die Landtage aus
den Kurien der letzteren ist bis 1873 vorhanden gewesen.

Das vollziehende und verwaltende Organ des Landtages in
Landesangelegenheiten, zugleich das Aufsichts- und Berufungs·
organ über den Bezirks- und Orts-Gemeinde-Organen ist der vom
Landtag gewählte L a n d e s a u s s c h u s s unter einem von der
Regierung berufenen Vorsteher (Landmarschall, Landeshauptmann
u. s. w.).

3) D i e B e z i r k s v e r t r e t u n g e n. Solche Vertretungskörper mit einem geschäftsführenden B e z i r k s a u s s c h u s s
bestehen bis jetzt nur in den Kronländern Böhmen, Galizien,
Schlesien, Steiermark und Tirol. Dieselben sind ähnlich dem
Landtag teils Selbstverwaltungskörper für die allen Gemeinden
eines Bezirkes gemeinsamen Angelegenheiten, teils Aufsichts- und
Berufungsinstanz in Selbstverwaltungsangelegenheiten der Ortsgemeinden des Bezirks. Als Bezirkseinheiten liegen zu Grunde:
in Böhmen und Steiermark die Gerichts- und Steuerbezirke, in
Galizien die politischen Verwaltungsbezirke.

Auch die Bezirksvertretungen sind nach dem ₍Kuriensystem
aufgebaut, indem der Grossgrundbesitz (a), die Höchstbesteuerten
in Gewerbe und Handel (b), die Gemeindeausschüsse der Städte,
Märkte und Industrialorte (c), endlich die Gemeindevorsteher und
die Ausschüsse der Landgemeinden (d) die Bezirksvertretung als
vier besondere Wahlkörper wählen. Die nach der Bevölkerungszahl bemessene Gesamtzahl der Mitglieder der Bezirksvertretung
wird unter die vier Wählerklassen nach Verhältnis der Gesamt-
steuerleistung jeder der vier Klassen verteilt. Während zum
Reichsrat und zum Landtag das Industrie- und Handels-Grosskapital 'körperschaftlich durch seine Kammern wählt, wählt es zu
den Bezirksvertretungen direkt. Dagegen ordnen die Gemeinden
der Klasse b und d (Städte und Landgemeinden) ihre Vertreter
delegationsweise ab, indem sie durch ihre Gemeindeausschüsse,
beziehungsweise Gemeindevorsteher ihre Kurie in der Bezirksvertretung besetzen.

4) D i e O r t s g e m e i n d e v e r t r e t u n g e n. Dieselben

sind organisiert nach dem allgemeinen Reichs-Gemeindegesetz vom 5. März 1862, nach besonderen, doch gleichartigen Gemeindeordnungen und Gemeindewahlordnungen der einzelnen Kronländer und für gewisse Grossgemeinden und Kurorte, weiter durch besondere landtäglich verabschiedete Ortsstatute.

Die Organe der Ortsgemeinde sind: erstens der »Gemeindevorstand«, bestehend aus dem Gemeindevorsteher samt mindestens zwei Gliedern aus dem Gemeindevertretungskörper (bezw. gewählten Magistratsräten, Stadträten) und zweitens der »Gemeindeausschuss« (Gemeinderat, Stadtverordnetenkollegium). Der Gemeindeausschuss wird im Dreiklassenwahlsystem durch drei Wahlkörper, deren jeder ein Drittel der direkten Gesamtsteuerzahlung hinter sich hat, von jedem Wahlkörper zu einem Drittel gewählt. Doch ist es nicht rein das preussische Dreiklassenwahlsystem, sondern dieses System mit Zumischung eines Würdenwahlrechtes, indem Beamte, Geistliche, Lehrer u. s. w. ohne Rücksicht auf Steuerzahlung — in der Hauptsache im ersten Wahlkörper mitwählen.

Die Statutargemeinden haben teilweise eine abweichende Organisation. Das bedeutendste und umfangreichste der Gemeindestatute ist das durch das Landesgesetz vom 19. Dezember 1890 für Wien erlassene Gemeindestatut. Durch Vereinigung der Vororte und Nachbargemeinden mit dem bestehenden Gemeindegebiet von Wien ist ein grosses Gemeinwesen geschaffen worden, das für die Gemeindeverwaltung in XIX Bezirke eingeteilt ist. Organ der Gemeinde sind der G e m e i n d e r a t, der S t a d t r a t und der M a g i s t r a t. An der Spitze aller dieser Gemeindeorgane steht der Bürgermeister. Der Gemeinderat besteht aus 138 gewählten Mitgliedern; der S t a d t r a t ist ein engerer Ausschuss des Gemeinderates und besteht aus 22 von diesem gewählten Mitgliedern. Der Magistrat besteht aus dem Magistratsdirektor und einer Anzahl rechtskundiger Beamten mit dem erforderlichen Sachverständigen- und Hilfspersonal. Der Bürgermeister und die beiden Vizebürgermeister werden aus der Mitte des Gemeinderates auf sechs Jahre gewählt. Die Wahl des Bürgermeisters bedarf der Bestätigung des Kaisers. Der Stadtrat ist das beschliessende Organ der Gemeinde in allen nicht dem Gemeinderate ausdrücklich zugewiesenen Angelegenheiten. Die Besorgung der sonstigen Angelegenheiten des eigenen Wirkungskreises, sowie jener des sog. übertragenen Wirkungskreises erfolgt durch den Magistrat.

In Selbstverwaltungsangelegenheiten unterstehen die Ortsgemeinden dem Bezirksausschuss, bezw. Landesausschuss. Die
Gemeinden mit selbständigem Gemeindestatut unterstehen direkt
dem Landesausschuss.

Aus dem Vorstehenden geht hervor, dass das der Reichs-,
Landes- und Bezirksvertretung gleichmässig zu Grunde liegende
System eines viergliedrigen Kurialzensus bei der Ortsgemeinden-
Vertretung dem kahlen Gesamtsteuerzensus jedes Wählers weicht.
Das setzt den städtischen gegen den ländlichen Grossbesitz gewaltig zurück. Es ist eine Abweichung vom sonst geltenden Vertretungsprinzip, und das wäre wenigstens für die Grossstädte, wo an
Stelle des landwirtschaftlichen Grossgrundbesitzes der grosse Ge-
bäude- oder Hausherrnbesitz neben dem Industrie- und Handels-
kapital massig und selbständig hervortritt, durchaus nicht erforderlich gewesen. Die Bedeutung, welche einer nachträglichen
Füllung dieser Lücke für die schwebenden Volksvertretungsprobleme Oesterreichs zufällt, wird weiterhin hervortreten.

Im ganzen erweist sich das reichsratsländische Vertretungs-
Gesamtsystem als ein nach S t a d t g e m e i n d e b e z i r k e n
und nach L a n d g e m e i n d e b e z i r k e n, nach a l t g u t s -
h e r r l i c h e m G r o s s g r u n d b e s i t z und m o d e r n e m i n -
d u s t r i e l l - k o m m e r z i e l l e m G r o s s k a p i t a l v i e r k l a s -
s i g g e g l i e d e r t e s a u s s c h l i e s s e n d e s Z e n s u s s y s t e m.
Zwar kein kahles, alle Gemeinde- und Berufsgliederung nivelli-
rendes Zensussystem und daher zur Umbildung in eine gemischte
Vertretung mehr geeignet, aber dennoch ein System unvollständiger und unverhältnismässiger Vertretung: einmal gegenüber der
ganzen unbegüterten, aber dennoch Geld- und Blutsteuer zahlenden Bevölkerung, welche gar kein Wahlrecht besitzt, sodann
auch im Verhältnis der Besitzenden untereinander, da der nicht
altgutsherrliche Grossgrundbesitz auf dem Lande und der städtische
Grossgrundbesitz an Häusern im Stimmgewicht den Fünfgulden-
zensiten gleichgesetzt sind.

Dieses System ist unhaltbar. Es bedarf in erster Linie der
Beiziehung aller erwachsenen Männer, von gewissen Eigenschaften
und in zweiter Linie der Ergänzung bezüglich des bürgerlichen
Stadt- und Landgrossbesitzes. Solche Ergänzung des Kurialsystems
würde erst recht unumgänglich werden, wenn in den jetzigen
Wählerklassen b und d der Fünfguldenzensus dem allgemeinen
Stimmrecht weichen sollte. Das letztere nicht zu beachten, war

es, was wie sich zeigen wird, dem Grafen *Taaffe* zum Verhängnis geworden ist.

IV. Die verfassungstechnische Ausführbarkeit des gemischten Systems für die Reichsratsländer.

Die Möglichkeit, das von der Vertretungstheorie des Abschnittes II geforderte System in den Reichsratsländern mittelst Umbildung der soeben dargelegten Vertretungsordnung durchzuführen, ist in einem doppelten Sinne zu verstehen. Nämlich einmal als so zu sagen verfasungstechnische Möglichkeit, das fragliche Gebilde für Oesterreich überhaupt auszuführen, sodann als so zu sagen opportunistische Möglichkeit den vorhandenen in der jetzigen Vertretung liegenden Widerständen gegenüber die Reform in der bezeichneten Richtung durchzusetzen; die erstere Möglichkeit soll in diesem, die andere im nächsten Abschnitt nachgewiesen werden. Einer besonderen Erörterung wird es dann in Abschnitt VI vorbehalten sein, zu untersuchen, ob Oesterreich das durch körperschaftlich-kuriale Zusätze gezügelte allgemeine Stimmrecht aushalten könne, ob es das nicht eher, als eine Arbeiterkurie zu den bestehenden vier Kurien hinzu zu ertragen vermöge.

Die verfassungstechnische Durchführbarkeit ist unbestreitbar.

Als Körperschaften des öffentlichen Rechtes, welche durch das Delegationsdrittel des Abgeordnetenhauses im Reichsrate und durch etwaige einkammerliche Landtage (der grösseren Kronländer) zur Vertretung zu bringen wären, stellen sich hier die Kommunalkörperschaften, dort jene Berufskörperschaften dar, welche teils wirtschaftlicher Art als Landeskulturräte, Gewerbe- und Handelskammern, teils »liberalen« Berufes als k. Konsistorien und Synoden, Hochschulen, Akademien, Landesschulräte, Aerzte- und Advokatenkammern sich darbieten. Beiderlei Elemente könnten je nach der Kompetenzabgrenzung zwischen dem Reichsrat und den Landtagen, sowohl in den Reichsrat als in die Landtage verflochten werden. Was die Landtage betrifft, natürlich nicht nach einer und derselben Schablone; für kleinere Kronländer müsste ja die einfachste das Volk überhaupt noch einigermassen gliedernde Vertretungsweise vorgezogen werden. Bei Zweikammersystem, welches der österreichischen Reichsratsvertretung nach dem für ein Herrenhaus in Oesterreich vorhandenen Material ganz

sachgemäss zu Grunde gelegt worden ist, könnte man die beiderlei
körperschaftlichen Elemente und wieder von den berufskörperschaftlichen Elementen die Körperschaften des idealen und
weiter jene des wirtschaftlichen Volkslebens entweder mehr in
das Ober- oder in das Unterhaus, oder nur in das eine oder in
das andere hereinziehen; bei Einkammersystem, also in den Landtagen, wären neben einer Mehrzahl von Volkswahlabgeordneten,
sämtliche bedeutende Körperschaften des öffentlichen Rechtes,
kommunale und berufliche, idealberufliche und wirtschaftsberuf-
liche zu verhältnismässiger Geltung zu bringen, sofern der Umfang
des Kronlandes und der Inhalt seines Gesittungslebens dies noch
ausführbar und lebensfähig erscheinen lässt.

Nun ist in den österreichischen Landtagen Kirche und Wissenschaft durch deren Würdenträger bereits vertreten, desgleichen
auch Grossindustrie und Grosshandel, von den Gewerbe- und Handelskammern aus nach streng körperschaftlichem Vertretungsprinzip. Es bedürfte nur einer Reform der Landtage, um auch
die übrigen Körperschaften des öffentlichen Rechtes vom Landeskulturrat, Landesschulrat, den Aerzte- und Advokatenkammern,
den Grosskommunen und den Bezirkskommunalkörpern aus durch
Delegierte körperschaftlicher Art neben der überwiegenden Volks-
wahl-Abgeordnetenschaft zur Vertretung gelangen zu lassen. Dasselbe wäre nötig, wofern eben in das Abgeordnetenhaus des
Reichsrates die ganze Körperschaftsgliederung sämtlicher Reichsratsländer neben einer überwiegenden Volkswahl-Abgeordneten-
schaft delegationsweise behufs vollständiger und verhältnismässiger,
unabhängiger und tüchtiger Bestellung der Volksvertretung eingesetzt werden wollte. Und auch die Vertretung der grossen
Städte, sowie der Bezirkskommunalkörper liesse sich nach demselben Prinzip ausgestalten. Das gesamte Vertretungswesen bis
zum öffentlichen Lokalgemeinde- und Lokalberufsleben hinab
lässt sich in allerlei den besonderen Verhältnissen sich anpassen-
der Abwandlungen nach dem Prinzip kräftiger körperschaftlicher
Zusätze zur Volkswahl- oder Elementargruppen-Vertretung ausgestalten.

Zum vollen Verständnis und zur Begründung dieser Sätze
muss ich jedoch auf meine »Kern- und Zeitfragen« verweisen.

Genauer würde sich die Reichsrats-Zusammensetzung also
ergeben: von den 353 Mitgliedern des jetzigen Abgeordnetenhauses
würden zwei Drittel, nämlich die Bezirke der Wählerklassen

b und d dem allgemeinen Stimmrecht durch Aufhebung des Fünfguldenzensus, zur allgemeinen Volkswahl überlassen werden. In
diesen Bezirken würden alle erwachsenen Männer zusammen ohne
Unterschied des Standes, der Klasse, der Besitzart und der Nationalität stimmen. Nur für den Fall, als die Grossgrundbesitzer-
kurie nicht wieder, wie vor 1873 von den Landtagen aus beschickt werden wollte, würden die Grossgrundbesitzer von den
Wahlkörpern der allgemeinen Volkswahl auszuschliessen sein. Alle
übrigen Sitze (a, c) wären (vermehrt) durch körperschaftliche Delegation zu besetzen. Die Zusammenfassung aller Volksklassen in
der Volkswahl ist gefordert, damit in der Volkswahl alle Bürger,
vor allem die führenden Elemente des Besitzes und der Bildung
mitwirken und die Volkswahl eine im wahren Sinne des Worts
allgemeine werde.

Die Sitze der Kl. a u. c würden der gebiets- und berufskörperschaftlichen Delegation zugewiesen werden, unter etwa notwendiger mässiger Vermehrung um 20 bis 40 Wahlbezirke. Hienach
kämen neben 235 Volkswahl- 118 bis 158 Delegationssitze.

Die Volkswahlsitze als solche könnten nur in direkter Wahl,
was für den cisleithanischen Verfassungs-Sprachgebrauch, die
Wahl mit Umgehung der Landtage als Wahlkörper bedeutet, besetzt werden. Dagegen liessen sich als Wahlkörper für die Entsendung der Delegierten sehr wohl die Landtage benützen, namentlich wenn die letzteren zugleich in der Richtung vollständiger und verhältnismässiger Vertretung sämtlicher gebiets- und
berufskörperschaftlicher Grundgliederungen des Landeslebens die
schon bezeichnete Fortbildung erfahren würden. Zu letzterer
wäre das Material wenigstens in den grösseren und kulturreicheren
Kronländern gegeben.

Auch ohne Aenderung an der bestehenden Zusammensetzung der
Landtage könnte man zur Delegation von Vertretern der Gemeinde-
und der Berufskörperschaften die Kurien a und c der Landtage als
Delegationswahlkörper benützen. Zur Entsendung von Delegierten
des grossen Gewerbe- und Handelskapitals, der Handwerker, der
Hochschulen und Kunstakademien, der Kirchengemeinschaften
würden sich die Landtage als Wahlkörper wenigstens dann eignen,
wenn die in einem neuen Reichswahlgesetz jeder gebiets- und
berufskörperschaftlichen Volkshauptgruppe zugewiesenen Delegationssitze aus deren besonderen Körperschaftsvertretungen: aus
den Landeskulturräten, aus den Handels- und Gewerbekammern,

aus etwaigen erst zu schaffenden Handwerkskammern oder aus
Handwerkerkurien der Handels- und Gewerbekammern, aus den
akademischen Senaten und Landesschulräten (aus diesen in nationaler Bifurkation), aus den Aerzte- und Advokatenkammern und
aus den etwa zu schaffenden Arbeiterkammern heraus von den
Landtagen zu n o m i n i e r e n wären. Die kleineren Kronländer
könnten für die Delegationswahlen zum Reichstage in der Weise
zusammengelegt werden, dass ihre vereinigten Landesausschüsse
die jeder Gruppe zustehenden Delegationssitze aus den Mitgliedern der erwähnten Vertretungsgremien nominieren würden. Die
Landtage wären auf diese Weise durchgreifend als Delegations-.
wahlkörper denkbar, während die überwiegende Zahl der Volkswahlsitze unter Belassung der Scheidung von Stadt (b-Kurie) und
Land (d-Kurie) der »direkten« allgemeinen Wahl überlassen werden
würde. Bis 1873 waren die Landtage Delegationswahlkörper
für alle 353 Sitze des reichsrätlichen Abgeordnetenhauses gewesen.

Sämtliche Delegierten würden so aus einheitlicher Körper-
schaftswahl nach Länderindividualitäten hervorgehen, die Gross-
grundbesitzdelegierten nicht ausgenommen. Zur Volkswahl könnten
dann wirklich alle erwachsenen Männer, die Grossgrundbesitzer
eingeschlossen, berufen werden.

Glaubt jedoch der »Zentralismus« in Furcht vor dem ge-
spenstigen oder leibhaftigen »Autonomismus« oder gar »Föderalismus« die indirekte, d. h. landtägliche Nomination der Delegierten
ablehnen zu müssen, so lassen sich die Landtage auch umgehen
und die erwähnten Gremien, beziehungsweise vereinigten Bezirks-
und Ortsgemeindevorstehungen als Wahlkörper zu direkter Delegation ausgestalten. Die Grosskommunen würden durch ihre Ge-
meindevertretungen direkt delegieren. In Kronländern mit Be-
zirksräten hätten die vereinigten Bezirksausschüsse, in anderen
Wahlmänner der Wahlbezirksgruppen b und d die auf das Land
entfallenden Kommunaldelegierten zu nominieren.

Die von den Kronländern, bezw. Kronländergruppen aus zu
entsendenden Delegierten könnten auch bei landtäglichem Delegieren wählbar aus dem ganzen Reich gemacht werden, wenn
die sämtlichen Kommunal- und Berufsgremien dem delegierenden
Landtag in ungebundener Auswahl einen Dreier-, Vierer- etc.
Wahlvorschlag präsentieren dürften.

Auch die Bestimmung der Z a h l der Körperschaftssitze des
Abgeordnetenhauses würde v e r f a s s u n g s t e c h n i s c h , also

abgesehen von den Schwierigkeiten der parlamentarischen Durchsetzbarkeit besondere Hindernisse nicht finden. Liessen sich der
Grossgrundbesitz und das Grosskapital bei der Verfassungsrevision
auf den ihnen nach dem hier vertretenen Vertretungsprinzip zukommenden Teil der Delegiertensitze beschränken, so würde man
vielleicht mit der bestehenden Anzahl von 353 Abgeordneten-
sitzen recht wohl das Auskommen finden.

Letzteres wenigstens dann, wenn die berufskörperschaftliche
Vertretung der Kirchengemeinschaften, der Universitäten und Akademien, der Landesschulräte, der Vertretungskammern der liberalen
Berufe dem Herrenhaus zugedacht werden würde. In diesem
sind sie (vgl. S. 296, Ziffer 3 und 4) teils virilistisch, teils ernen-
nungsweise, nahezu schon vertreten. Wenn letztere Vertretung
als eine vollständige und verhältnismässige nicht anerkannt werden
wollte, so liesse sich durch Nominierung oder Präsentation einer
mässigen Anzahl von Delegierten zum Herrenhaus seitens der
Landtage oder seitens der Gremien sehr einfach Rat schaffen,
obwohl dieser Rat bis auf weiteres nicht gegeben sein soll. Da
für Oesterreich das Material für ein tüchtiges Herrenhaus in ungewöhnlichem Masse vorhanden und der Fortbestand des jetzigen
Herrenhauses so gut wie unangefochten ist, so wird man davon
auszugehen haben, dass die Körperschaften des geistigen Volkslebens wirklich im Herrenhaus zur vollständigen und verhältnis-
mässigen Vertretung gebracht werden, soweit die letztere nicht
schon als vorhanden angesehen werden will.

Hienach blieben neben zwei Dritteln Volkswahlsitzen im Abgeordnetenhaus (Kurie b und d) oder rund 240 Volkswahlsitzen
weiter rund 120 Sitze für Delegierte, welche teils von den Kommunalkörperschaften, teils von den wirtschaftlichen Berufskörperschaften:
Landwirtschaftskammern, von Gewerbe- und Handelskammern, von
zu schaffenden Handwerkerkammern und von »Arbeiterkammern«
aus zu besetzen wären. Von diesen 120 Delegierten- oder Körper-
schaftssitzen des Abgeordnetenhauses wären zwei Drittel der Kom-
munaldelegation, das dritte Drittel in der Zahl von 40 Sitzen wäre
den vier genannten Arten volkswirtschaftlicher Kammern zuzu-
weisen. Die Kommunal- und die Kammerndelegierten wären —
mit Unterscheidung von Stadt- und Landgemeinde-Delegation,
von Delegierten der Grosslandwirtschaft und der übrigen Landwirtschaft, auf etwa sechs Kronlandsgruppen zu verteilen: auf Böhmen,
Galizien und Bukowina, Mähren und Schlesien, N. Österreich, deutsche

Alpenländer, die südöstlichen Kronländer. Die Verteilung hätte
in dem Verhältnis stattzufinden, als sie mehr grössere oder mehr
kleinere Gemeinden, mehr oder weniger Grosslandwirtschaft, mehr
oder weniger Industrie und Handel, mehr oder weniger Handwerk
und unselbständige Arbeiterschaft haben. Dies hätte auf Grund
genauer statistischer Ermittelungen zu geschehen.

Die Verteilung ins Einzelne zu verfolgen wäre unpraktisch;
denn für eine ideal richtige Anwendung des fraglichen Vertretungs-
prinzips ist ja *tabula rasa* n i c h t gegeben. Dass eine ganz befriedigende Verteilung gelingen k ö n n t e, w e n n *tabula rasa*
gegeben wäre und nur die verfassungstechnische Seite des schwierigen Problems in Frage stünde, wird nach dem Gesagten kaum
jemand im allgemeinen bestreiten wollen.

Die verfassungstechnische Durchführbarkeit des gemischten
Systems für die Reichsratsländer dürfte hienach erwiesen sein.

V. Die Durchsetzbarkeit des gemischten Systems für die Reichsratsländer.

Die alsbaldige, völlige, schnurgerade Durchführung des gemischten Systems, wie solche soeben skizziert worden ist, würde
bei den für die Gewinnung der erforderlichen Reichsratsmehrheit
massgebenden Parteiverhältnissen unüberwindlichen Schwierigkeiten begegnen. Der Staatsmann, welcher die nächste praktische
Wahlreform durchzuführen hat, wird auf die ideale Durchführung
Verzicht leisten müssen. Man wird sich bescheiden müssen,
alles auf einmal durchzusetzen. *Qui trop embrasse, mal étreint —*
gilt nirgends mehr als bei der Aufgabe opportunistischer Durchfuhrung der Vertretungsreform für die Reichsratsländer.

Einmal wird man das H e r r e n h a u s bei der Reform aus
dem Spiel lassen müssen und die öffentlichen Körperschaften des
geistigen Volkslebens mittelst der bestehenden lebenslänglichen
Berufungen seitens der Krone in der Vertretung als bis auf weiteres
leidlich gedeckt anzusehen haben.

Sodann wird man, was den Rückgriff auf l a n d t ä g l i c h e
Delegation betrifft, den Sieg des Zentralismus von 1873, welcher
die »direkte« Wahl (durch die Wählerklassen a und c, statt durch
die Landtagskurien a und c) durchgesetzt hat, nicht wieder an-
fechten dürfen. Die Streitäxte des Zentralismus einer-, des Autonomismus und Föderalismus andrerseits wird man im Grabe liegen
lassen müssen. An sich wäre es gegenüber der früheren Delegation

aller Abgeordneten etwas ganz anderes, wenn, nachdem die Einführung des allgemeinen Stimmrechts für die 235 Wahlbezirke
der Kurien b und d erfolgt wäre, wenigstens für die neben die
Volkswahlabgeordneten hinzustellenden Delegierten kommunal-
und berufskörperschaftlicher Art auf die einfachere Entsendungs-
weise aus der Zeit von 1861 bis 1873 zurückgegriffen werden
würde. Gleichwohl wird jeder österreichische Staatsmann, welcher
demnächst dem dringenden Bedürfnis nach Vertretungsreform
gerecht werden will, opportuner Weise auf jegliche Landtags-
delegation verzichten dürfen. Gerne zwar wird er diesen Verzicht
nicht leisten wollen, da nur bei landtäglicher Grossgrundbesitz-
Delegation es möglich wäre, in den Wahlkreisen der jetzigen
Kurien b und d wirklich alle Volksklassen einschliesslich der
Grossgrundbesitzer zur allgemeinen Volkswahl zusammenzufassen.

Vorab muss man weiter darauf verzichten, für die allgemeine
Volkswahl wesentliche Aenderungen an der W a h l k r e i s e i n-
t e i l u n g von Stadt und Land (b und d) durchzusetzen oder
die Scheidung zwischen Stadt- und Landwahlbezirken, welche
überdies für Oesterreich als das Zweckmässigere anzusehen sein
wird, aufzuheben. Es werden eben die bisherigen städtischen
und ländlichen Bezirke zu Volkswahlkreisen nach dem Vorschlag
des Grafen *Taaffe* zu machen sein.

Da man die Vertretungsreform opportunistisch behandeln
muss, so wird ferner davon auszugehen sein, dass der Grossgrundbesitz mit seinen 88, sowie das Industrie- und Handels-Grosskapital mit seinen 30 bis 40 Sitzen für die Abschaffung und Minderung ihres j e t z i g e n B e s i t z s t a n d e s nicht zu haben, dass
vielmehr die Kurien a und c ungeschmälert aufrecht zu erhalten sein
werden. Anderen Falles würde überhaupt eine Verfassungsreform
nach dem hier vertretenen Prinzip nicht gelingen können. Das
Einzige, was dabei in Frage kommen kann, wäre die Ausdehnung
des Stimmrechtes in Wählerklasse a auf den ganzen, statt bloss
auf den altgutsherrlichen Grossgrundbesitz.

Die fraglichen opportunistisch notwendigen Konzessionen an
die dermaligen Wählerklassen a und c sind verfassungstechnisch
nicht allzu bedenklich; denn der Kurialzensus kommt dem System
der kommunal- und berufskörperschaftlichen Delegation weit mehr
nahe, als eine alle Unterschiede von Stadt- und Landgemeinden,
Landwirtschaft, Industrie und Handel, Gross- und Kleinbesitz aus-
löschende nivellierende Wahlkreisbildung nach dem Zensussystem

der Steuergesamtsumme (zwei, drei oder mehr Steuersummen-
Klassen). Der Kurialsteuerzensus der vier Gruppen a bis d hält
immerhin die Gross- und die Kleingemeinden, den Gross- und
den Kleinbetrieb, die landwirtschaftliche und die gewerblich-kom-
merzielle Gruppierung der Bevölkerung auseinander. Bis auf
weiteres, d. h. insolange, als dem Grossgrundbesitz- und der Ge-
werbe- und Handelskammerkurie die bisherige Stellung belassen
werden muss, wird man auch die bisherige Kurie a mit 88 und
c mit mindestens 30 Sitzen als t e i l w e i s e s Surrogat für vollständige und verhältnismässige Vertretung der grossen öffentlichen
Körperschaften beibehalten können, ohne dem Prinzip einer der
Volkswahl zugemischten Körperschaftsvertretung gänzlich untreu
zu werden. Es wird lediglich gelten, die der Zensuswahl be-
lassenen Kurien a und c durch Vermehrung der Mitgliederzahl
des Abgeordnetenhauses s o z u v e r s t ä r k e n, dass die schon
jetzt vergleichsweise zurückgesetzten Bevölkerungsschichten von
den Grossgemeinden, von Handwerker- und etwa auch von Arbeiterkammern aus nunmehr zur Vertretung gebracht wären.

In der That kann insolange, als die Abgeordnetensitze des
Grossgrundbesitzes (a), sowie die Abgeordnetensitze der Gewerbe-
und Handelskammern (c) für die kommunal- und berufskörperschaftliche Delegierung nicht aufgeteilt, die künftigen Volkswahlbezirke (b, d) aber weder vermehrt, noch vermindert werden
dürfen, nicht daran gedacht werden, auf unmittelbare Weise die
Körperschaftssitze des Abgeordnetenhauses aus den Gemeinde-
vertretungen und aus den volkswirtschaftlichen Kammern für ein
Drittel aller Mitglieder des Abgeordnetenhauses zu gewinnen.
An sich wäre dies ja leicht möglich, sei es auf direkte Weise,
sei es von körperschaftlich vervollständigten Landtagen aus auf
indirekte Weise, wie bereits nachgewiesen ist. Es kann jedoch
nur dies erreicht werden, die Volksvertretung auf unmittelbare
Weise insoweit zu ergänzen, als n i c h t s c h o n d a s v o r l ä u-
f i g f e s t s t e h e n d e S y s t e m d e r K u r i a l z e n s u s v e r-
t r e t u n g (a und c) a u f m i t t e l b a r e W e i s e f ü r d i e D e-
l e g a t i o n aus den Gebietskörperschaften und aus den volkswirtschaftlichen Kammern z u r e i c h e n d e n E r s a t z g i e b t.

Eine erweiterte Vertretung ist nun gar nicht nötig, was Gross-
industrie und Grosshandel betrifft, denn die jetzigen Sitze der
Gewerbe- und Handelskammern stellen eine direkte Kammern-
Delegation des gewerblichen Grossbetriebes dar.

Von der Vertretung der Landwirtschaft gilt dies noch mehr. Die beizubehaltende Kurie des Grossgrundbesitzes sichert wenigstens der grossen Landwirtschaft im Masse ihrer Verbreitung über die Kronländer genügende Vertretung. Wo etwa infolge des allgemeinen Stimmrechtes in grossagrarischen Bezirken mit starkem Fabrik- und Bergbaubetrieb der Grossgrundbesitz keinen Erfolg in der Volkswahl haben sollte, sichert ihm die zu belassende Kurie a dennoch allen nur wünschenswerten Einfluss.

Wie aber verhält es sich mit dem m i t t l e r e n u n d k l e i n e r e n G r u n d b e s i t z, sowie mit jenem in Kurie a nicht zur Vertretung gelangenden Grossgrundbesitz, welcher nicht land- und lehenstäflich ist, nicht feudalherrlich war?

Dass der letztere in der Kurie a durch Ausmerzung des Erfordernisses der einst besessenen Gutsherrlichkeit die gebührende Stellung leicht finden könnte und wenn es durchsetzbar ist, auch finden sollte, ist bereits bemerkt.

Ist es aber nicht notwendig, weiter den Landgemeinden und ihrer bäuerlichen Wirtschaft teils durch Delegierte von Gruppen der Landgemeindevorstände, teils durch Abordnung vom Landeskulturrat oder von wie in Baden zu schaffenden Landwirtschaftskammern aus Delegation zu verschaffen? Verfassungstechnisch ausführbar wäre es, wie schon gezeigt wurde. Doch wird man es opportunistisch nicht wagen dürfen, soweit auszugreifen. Man wird diese Art der Vertretung der Landgemeinden und der Bauernwirtschaft bis auf weiteres auch entbehren können, da die Landgemeinden und die Bauernschaften auch beim Volkswahlsystem als abgesonderte Gruppe auch fortan wählen und grösstenteils bäuerlich wählen werden; von den 131 Sitzen der Kurie d werden für absehbare Zeit auch bei Volkswahl die meisten dem Bauernstand und dem Landgemeinden-Interesse verbleiben, namentlich wenn man wenigstens bei dieser Gruppe selbständiges Wohnen als Bedingung der Wahlberechtigung aufstellen würde. Hienach liegt im Fortbestand der Kurialgliederung ein Surrogat für landgemeindlich-bäuerliche Körperschaftsvertretung.

Dasselbe und infolge derselben Ursache trifft für das K l e i n g e w e r b e und den K l e i n h a n d e l in ziemlichem Umfang durch die Wahlbezirke der »Städte, Märkte und Industrialorte« zu. Auch diese Bezirke werden, selbst wenn sie Volkswahlbezirke werden, zu vier Fünfteln oder fünf Sechsteln dem Stadtgemeinde-Interesse und dem Handwerk samt kleinstädtischer Landwirtschaft ver-

bleiben. Soweit dies der Fall ist, lässt sich also eine besondere
kommunal-handwerkliche Vertretung bis auf weiteres entbehren.

Das Grossgewerbe und der Grosshandel der Land- wie Städte-
gemeindengruppe (Gruppe b und d) sind zwar in den Gewerbe-
und Handelskammern körperschaftlich in starker Weise vertreten.
Nicht so verhält es sich mit jenen Elementen, welche in den
e i g e n t l i c h e n   G r o s s s t ä d t e n und i n   s o n s t i g e n I n-
d u s t r i e - u n d   H a n d e l s z e n t r e n k o m m u n a l u n d w i r t-
s c h a f t l i c h von grosser Bedeutung sind. F ü r   s i e   u n d n u r
f ü r   s i e ist die Neuschaffung einer b e s c h r ä n k t e n A n z a h l
D e l e g i e r t e n s i t z e   t e i l s   v o n   d e n   G e m e i n d e v e r t r e-   ⋅
t u n g s k ö r p e r n,   t e i l s   v o n   z u   s c h a f f e n d e n   H a n d-
w e r k e r -   o d e r   a u c h   A r b e i t e r k a m m e r n   a u s   e r f o r-
d e r l i c h.

Da sind zuerst die sog. H a u s h e r r n oder der s t ä d t i s c h e
G r o s s g r u n d b e s i t z (Häuserbesitz). Im Gegensatz zum altgutsherrlichen Grossgrundbesitz auf dem Lande haben die Hausherrn keine besondere Vertretung. Sie haben nicht mehr Stimmgewicht als andere Fünfguldenmänner. Dies war schon bisher
eine Lücke und Zurücksetzung. Mit dem Aufhören alles Zensus,
mit dem allgemeinen Stimmrecht würde der reichste Hausherr
Wiens oder Prags im Wahlrecht jedem Eingulden- und Kein-
guldenmann gleichgesetzt oder vielmehr, da seine Klasse für die
allgemeine Volkswahl geringzählig ist, weit unter die Masse der
kleinen Hausbesitzer, Handwerker und Lohnarbeiter b i s   z u   v ö l-
l i g e r   E i n f l u s s l o s i g k e i t   s e i n e r   S t i m m e   h e r u n t e r-
g e s e t z t worden. Für Mittel- und Kleinstädte ist dies nicht
ebenso empfindlich, da hier ein selbständiger Häusergrossbesitz,
welcher nicht zugleich Gewerbe- und Handels-Grosskapitals-Besitz
wäre, nicht stark vorhanden sein wird. In den eigentlichen Grossstädten aber wäre jener Häusergrossbesitz, welcher nicht dem
Gewerbe- und Handels-Grosskapital angehört, mit Einführung des
allgemeinen Stimmrechts unerlässlich zu körperschaftlicher Vertretung zu bringen. Das einfache Wie? wird alsbald nachgewiesen
werden.

Als grosse Städte, welchen von der Gemeindevertretung aus
eine verstärkte Vertretung im Abgeordnetenhaus zu geben wäre,
kommen jedenfalls Wien, Prag, Lemberg, Graz, Triest, vielleicht
auch Brünn, Reichenberg-Trautenau, Pilsen, Eger in Betracht,
wenn man es nicht vorzieht, diesen letzteren Städten durch ver-

stärkte Zahl der Gewerbe- und Handelskammersitze den entsprechenden Einfluss zu sichern.

Es ist aber nicht bloss der städtische Grossgrundbesitz, welcher in den Grossstädten durch das allgemeine Stimmrecht zur Einflusslosigkeit herabgesetzt werden würde, sondern auch der Rentnerstand, namentlich aber das, was man i. e. S. Bildung und Intelligenz nennt: die Beamten, Geistlichen, Lehrer, Aerzte, Advokaten und dergleichen. Sie sind zwar zusammen keine einheitliche Berufsschichte, aber als soziale Nullen dürfen sie nicht behandelt werden und kommunal gehören sie durch die Gemeindegesetzgebung ihrer sozialen Bedeutung entsprechend dem ersten Gemeindewahlkörper bereits an. Von der Vertretung der Grossgemeinden aus können auch sie zu körperschaftlicher Vertretung gelangen. In den gewöhnlichen Stadt- und Ortsgemeinden treten diese Elemente als Wähler der Zahl und dem Wahleinfluss nach nicht so stark zurück, dass sie auch von da aus zu abgesendeter Vertretung zu bringen wären; auch würde das von den Lehrkörpern, Aerztekammern, Advokatenkammern aus verfassungstechnisch weder ganz vollständig, noch ganz einfach sich bewerkstelligen lassen.

Wieder in den Grossstädten würde durch das allgemeine Stimmrecht weiter der Mittel- und Kleinbesitz in Handel und Gewerbe am gebührenden Einfluss verlieren. Auch der Handwerker- und Kleinhändlerstand der grösseren Städte wäre daher körperschaftlich zu ergänzender Vertretung zu bringen. Für die grosse Masse der Mittel- und Kleinstädte, der Märkte und Industrialorte wäre dies nicht erforderlich; denn hier bringt sich der Kleinbetrieb auch bei allgemeiner Volkswahl sicher zur Geltung.

Die Vertretung des Mittel- und Kleinbürgerstandes brauchte nicht so stark zu sein, wie jene des grossstädtischen Grundbesitzes; denn das allgemeine Stimmrecht wird die Handwerker und Kleinhändler zwar gegen die Lohnarbeitermasse im Stimmgewicht zurückbringen, es wird aber dem Kleinbürgertum aus der grossen Zahl der Unterfünfguldenmänner auch eine Verstärkung zuführen. Die Schwächung des grossstädtischen Kleinbürgertums wäre wohl kaum hälftig so stark, wie jene des grossstädtischen Grossgrundbesitzes bei allgemeinem Stimmrecht. Jenem könnten nur 10, diesem 20 Sitze zugewiesen werden. Manche werden dem Kleinbürgertum das Anrecht auf besondere Vertretung überhaupt bestreiten.

W i e liesse sich dem grossstädtischen Mittel- und Kleinbürgertum eine körperschaftliche Vertretung verschaffen? Etwa von den fortzubildenden Genossenschaften des bestehenden Gewerberechtes aus? Denkbar ist es, aber leicht zu machen ist dies nicht. Oder streng berufskörperschaftlich im Anschluss an die Klassifikationen und Grössenabstufungen der Gewerbesteuer? Auch dies ist möglich. Oder kommunal von den durch die Gem.-Wahlkörper gewählten Gemeinderatskurien aus? Oder durch Umbildung der grossgemeindlichen Vertretungskörper nach einem Drei- oder Vierkuriensystem? Auch dies wäre thunlich.

Für das Eine, nämlich für den Anschluss an die Gemeinderatskurien der drei Gemeindewahlkörper würde die Einfachheit sprechen; die zwei ersten Gemeinderatskurien samt Stadtrat und Bürgermeister würden zusammen den Wahlkörper für den grösseren Häuserbesitz und die »Bildung« abgeben. Von der dritten Gemeinderatskurie aus kämen die Handwerker und Kleinhändler nebst den sonstigen Kleinzensiten der direkten Steuerzahlung zur Vertretung.

Vieles spricht aber auch für die Umbildung der Grossgemeindenvertretung nach dem das österreichische Vertretungsrecht sonst — nämlich im Reichsrat, Landtag und Kreisrat (Bezirks-Vertretung) beherrschenden Kurienzensus: Wahlkörper des städtischen Grossgrundbesitzes und der Intelligenz, Wahlkörper der grossen Gewerbesteuerzahlung, Wahlkörper für den nach der Gewerbesteuer abgegrenzten Mittelstand, endlich Wahlkörper für alle übrigen Gewerbesteuerzahler oder Träger direkter Steuern überhaupt.

Auch der dritte Weg ist möglich: zwar die Delegierten des grossgemeindlichen Grossgrundbesitzes durch die zwei ersten Gemeinderatskurien, dagegen die Delegierten des Handwerkes und des Kleinhandelsstandes von besonderen Handwerkskammern aus, wie sie zur Zeit in Preussen seitens der Regierung vorgeschlagen sind, oder von der verstärkten Handwerkerkurie der Gewerbe- und Handelskammern aus wählen zu lassen.

Hier war jedoch nur zu zeigen, dass, wo ein Wille auch ein Weg, ja eine Auswahl von Wegen sich findet. Und es ist wirklich gezeigt worden, dass keine Aufhebung. des bestehenden Kurien-Systems, sondern nur dessen Weiterbildung und körperschaftliche Verstärkung in der Richtung des gemischten Systems in Frage steht.

Wenn nicht, wovon sofort weiter die Rede sein wird, auch eine besondere körperschaftliche Lohnarbeiterkurie, trotz der Ueberlassung der jetzigen Zensuskurien b und d an das allgemeine Stimmrecht geschaffen werden will, so würde es sich nur um eine Vermehrung des Abgeordnetenhauses um dreissig Sitze (20 für Grossgemeinde-, 10 für handwerkskammerliche Delegierte) handeln und das kurial-körperschaftliche Element hätte dann stark ein Drittel aller Stimmen des Abgeordnetenhauses im Besitz.

Auf das kleine Detail der Organisation für die Vertretung einerseits alles grossstädtischen Gross- und Mittelbesitzes sowie der grossstädtischen Intelligenz, andererseits des grossstädtischen Handwerker- und Kleinhändlerstandes ist hier nicht weiter einzugehen. Nur so viel sei betont, dass die Verteilung der vermehrten Sitze auf die verschiedenen Nationalitäten und Kronländer, bezw. Nationalitäts- und Kronländer g r u p p e n nach der Proportion des jetzigen Besitzstandes, also im Verhältnis der Wahl zur Delegation (§ 8 des betr. Staats-G.G. vom 21. Dez. 1867 oder nach § 6 des Gesetzes vom selben Datum über Aenderung der Reichsvertretung) stattzufinden haben würde. Zur erforderlichen Ausgleichung könnte dann die Vermehrung der Sitze des Abgeordnetenhauses von der Zahl dreissig auch um einige neue Sitze auf oder ab abweichen.

Und nun ist noch die vorgeschlagene Bildung der A r b e i - t e r k a m m e r n und der von diesen ausgehenden reichsrätlichen A r b e i t e r k u r i e ins Auge zu fassen.

Weiterhin wird auch der Vorschlag erörtert werden, welcher in mehreren Anträgen bereits vor dem reichsratsländischen Abgeordnetenhaus liegt, der Vorschlag, s t a t t des allgemeinen Stimmrechtes Arbeiterkammern mit Delegationsrecht zum Reichsrat zu schaffen. Dieser Vorschlag hat nichts zu thun mit einem anderen Vorschlag, welcher neben allgemeiner Volkswahl für die Mehrzahl der Sitze auch dem Arbeiterstande an der Seite der übrigen Kurial- und Körperschafts-Delegierten eine Anzahl körperschaftlicher Delegierter zuwenden würde. Ich sehe die letzte Forderung, sobald einmal neben der allgemeinen Volkswahl Aller auch die besondere körperschaftliche Volksgliederung und durch Kurialzensus der Grossgrundbesitz abgesonderte Vertretung erhalten, beziehungsweise behalten, nicht als unbegründet an, wenigstens nicht

für die nicht in Hausgemeinschaft mit dem Arbeitgeber lebenden
Lohnarbeiter. Allein eine starke Vertretung wird, nachdem die
Arbeiter überall in den Wählerklassen b und d werden wählen
dürfen, nicht begründet sein; denn die Besitzlosen erlangen schon
in allen grossbetriebreichen Stadt- und Landbezirken durch das
allgemeine Stimmrecht einen bedeutenden Einfluss, während alle
übrigen Stände bis einschliesslich des Handwerkerstandes durch
Einbeziehung der Lohnarbeitermassen in die Wählerkörper b und
d relativ an politischem Einfluss verlieren. Der Anspruch des
Arbeiterstandes auf Delegiertensitze wäre also bei allgemeiner
Volkswahl für zwei Drittel aller Abgeordnetensitze jedenfalls nur
ein beschränkter. Ob diesem beschränkten, aber an sich nicht
unbegründeten Anspruch schon jetzt entsprochen werden soll,
kann opportunistisch sehr wohl in Frage gestellt werden. Die
Taaffe'sche Vorlage hat diesen Gegenstand unberührt gelassen.

Selbstverständlich wäre auch die Arbeiterkurie nicht durch
allgemeine Wahl der Arbeiter, sondern nur von den jetzt schon
vorhandenen Ansätzen körperschaftlicher Arbeiterausschüsse, von
wirklichen »Arbeitskammern« aus zulässig. Solche Ansätze finden
sich in den Ausschüssen für Arbeiterversicherung und in den
Bruderladen. Weiteres Material würde, wenn das Institut der
Arbeiterausschüsse der Fabriken ausgebildet werden würde und
wenn die bestehende Absicht der preussischen Regierung, Handwerkerkammern mit gewählten G e h ü l f e n a u s s c h ü s s e n einzurichten, auch in Oesterreich weitergeführt werden würde, von
den Arbeiterausschüssen und von einer handwerklichen Gehülfen-
vertretung heraus sich gewinnen lassen. Sicherlich kommt eine
konzentriertere Mitwirkung des Arbeiterstandes für den ganzen
Umfang der sozialpolitischen Verwaltung früher oder später zu
Stande, eine Vermutung, welche ich in meinen »Kern- und Zeitfragen« näher begründet habe [1]). Aber vorhanden ist diese körperschaftliche Vertretung des Arbeiterstandes noch nicht und ein
vorläufiges Surrogat hiefür wird sich nicht leicht, geschweige im
Handumdrehen schaffen lassen. Delegation aus Arbeiterkörper-
schaften ist also zwar möglich, schwerlich aber schon praktisch
und reif. In der bäuerlichen Landwirtschaft fehlt ebenso das Bedürfnis wie das Material für Arbeiterkammern. Für die Industrie
in Stadt und Land würde sich wohl nur nach Gewerbe- und Handels-
kammerbezirken und durch Zusammenlegung einzelner solcher

---

[1]) S. 400 ff.

Bezirke eine Zusammenfassung des Arbeiterstandes zu Arbeitskammern und aus letzteren heraus eine Arbeiterkurie für das Abgeordnetenhaus jetzt schon erreichen lassen. Die Einräumung von neun arbeitskammerlichen Stimmen n e b e n Erteilung des Wahlrechts an alle Arbeiter in den Stadt- und in den Landgemeinde-Wahlbezirken wäre mindestens so viel, als die Anträge auf Arbeiterkurien ohne allgemeines Stimmrecht einräumen wollen. Die Arbeiterklasse würde mit beidem und wenigstens vorläufig gewiss mit dem allgemeinen Stimmrecht schon allein zufrieden sein.

Hier ist nun der Ort, mit dem anderen Vorschlag sich abzufinden, a n s t a t t der Einführung der allgemeinen Volkswahl eine kombinierte K l e i n z e n s i t e n - u n d A r b e i t e r k u r i e oder je eine Kleinzensitenkurie und eine Arbeiterkurie an das bestehende viergliedrige Kurialzensus-System äusserlich anzufügen. Ich würde diesen Weg für äusserst bedenklich halten, indem ich frage: Kann man die ländlichen Kleinzensiten und Lohnarbeiter zu lebensfähigen und sachgmässen Kurien zusammenfassen? Zerreisst man nicht, was für Oesterreich doppelt bedeutsam, die Bevölkerung politisch in bedenklichem Masse noch weiter, da die vier bestehenden Kurien a bis d immerhin noch im Besitzklassencharakter einig sind, ihnen aber in der Arbeiterkurie die Klasse der Nichtbesitzenden als feindliches stets vollbesetztes Lager gegenübergestellt werden würde? Wo in der Welt ist eine derartige Organisation des Klassengegensatzes innerhalb der Volksvertretung? Wie viele Sitze will und soll man der Arbeiterkurie einräumen? Wie will man wählen lassen? Wird die Arbeiterklasse, wenn sie in den 353 Wahlbezirken auch fortan ausgeschlossen bleibt, mit 20 oder 30 oder 40 Sondersitzen zufrieden bleiben? Wird aber nicht schon bei zwanzig- bis vierzig Sitzen, obwohl die Arbeiterklasse sich auf die Dauer nie zufrieden geben wird, das ganze Nationalitäten-, Kronländer- und Parteiengleichgewicht umgestossen, die Arbeiterkurie in zahlreichen Fällen das ausschlaggebende Zünglein an der politischen Wage der reichsratländischen Volksvertretung werden, um so mehr, da eine Verstärkung körperschaftlicher Art von anderen Volksschichten aus nicht damit verbunden wäre? Ist es denn zu empfehlen, zwanzig bis dreissig Sitze s i c h e r und i m m e r mit Vertretern b l o s s der Besitzlosen zu besetzen, mit Vertretern, welche nicht wie in der allgemeinen Volkswahl der Gesamtbevölkerung, sondern nur dem Proletariat bei der Wahl und Wiederwahl Rede zu stehen haben? Ist denn irgend zu befürchten, dass aus der allgemeinen Volkswahl auch nur ebensoviele Vertreter des Proletariates und diese als b l o s s e und reine Proletariatsabgeordnete hervorgehen würden, wie es bei einer Arbeiterkurie ganz sicher der Fall wäre? Man braucht diese Fragen nur zu stellen, um dem Vorschlage der Arbeiterkurie an Stelle der körperschaftlich vervollständigten und umschränkten Volksvertretung mit allgemeinem Stimmrecht in der Kurie b und d, entschiedenst entgegentreten zu müssen.

G a n z   b e s o n d e r s   v o m   S t a n d p u n k t   d e s   l i b e r a l e n   G r o s s k a p i t a l s   a u s ! Keiner Partei wird die Arbeiterkurie schärfer, ·bewusster und abgeneigter gegenübertreten, als der liberalen Partei des Grosskapitals, namentlich des deutschen Grosskapitals.

Mit dem allgemeinen Wahlrechte zur Stadtgemeinden- und zur Landgemeindenkurie würde wohl auch für die Reichsratsländer das d i r e k t e   W a h l v e r f a h r e n allgemein verbunden werden. Warum nur die L a n d gemeinden im Wahlmännerverfahren wählen sollen, ist nicht zu begründen und widerspricht der Erfahrung, welche anderwärts die vom direkten Wahlverfahren gehegt gewesenen Befürchtungen nicht bestätigt hat. Ob die Lücke, welche die *Taaffe*'sche Vorlage diesfalls gelassen hat, jetzt schon gefüllt werden soll, ist jedoch eine Frage der Opportunität, welche die Anwendbarkeit des gemischten System der Vertretung im Wesen nicht berührt.

Das letztere gilt auch von der Einführung der g e h e i m e n Stimmgebung. Letztere besteht schon in einzelnen Kronländern. Es ist schwer abzusehen, weshalb in Mähren geheime Stimmgebung nicht zulässig sein sollte, da sie doch in Böhmen besteht, und dass sie für Oberösterreich, Tirol, Steiermark, Kärnthen nicht passen sollte, da sie doch in Niederösterreich längst gilt. Jedenfalls wäre von jenem Zeitpunkt an, da alle Wähler durch die 1869 eingeführte Volksschule gegangen sein werden, die Verallgemeinerung der geheimen Stimmgebung angezeigt. Die *Taaffe*'sche Vorlage hat weder die geheime noch ˙die direkte Wahl vorgeschlagen.

Einen W e h r z e n s u s hatte dagegen die soeben genannte Vorlage neu vorgesehen mit der Bestimmung § 9a, dass wahlberechtigt werden sollen alle welche »1) vor dem Feinde gestanden sind, beziehungsweise zum Tragen der Kriegsmedaille berechtigt sind, oder das Zertifikat für ausgediente Unteroffiziere im Grunde des Gesetzes vom 19. April 1872 erworben haben, oder 2) in der Lage sind, sowohl den erforderlichen Bildungsnachweis (§ 9 b) als den Nachweis über die rechtzeitig und ordnungsmässig erfüllte Stellungspflicht (§ 9 c) vorbehaltlich der in den bezogenen Paragraphen bezeichneten Ausnahmen zu erbringen. Dieser Wehrzensus ist (vgl. S. 291) vom Standpunkt der Vertretungstheorie des Abschnittes I nicht berechtigt.

Auch der » B i l d u n g s z e n s u s « hat höchstens eine vorübergehende Bedeutung bis zu der Zeit, da alle erwachsenen Männer in sämtlichen Kronländern durch die allgemeine Volksschule gegangen sein werden. Die *Taaffe*'sche Vorlage schlägt den Bildungszensus für alle Wähler vor, welche vor Einführung der allgemeinen Volksschule (1869) im schulpflichtigen Alter des Volksschulgesetzes von 1869 gestanden sind. Als gelungen ist die R e g e l u n g des Bildungszensus in § 9 b der Vorlage nicht anzusehen. Dieser § 9 b wollte bestimmen: » § 9 b. Den erforderlichen Bildungsnachweis erbringt derjenige, der nachweist, dass er in einer der landesüblichen Sprachen des Lesens und Schreibens kundig ist. Dieser Nachweis wird erbracht von Personen, welche die Volksschule nach der Wirksamkeit des Gesetzes vom 14. Mai 1869 absolviert haben, durch Beibringung eines Entlassungszeugnisses seitens einer öffentlichen oder mit dem Oeffentlichkeitsrechte ausgestatteten Volksschule, sofern dasselbe hinsichtlich des Lesens und Schreibens mindestens die Fortgangsnote »genügend« enthält. Durch ein Zeugnis einer Bürgerschule oder einer über den Kreis der Volksschule hinausreichenden Schule wird der bezeichnete Nachweis ersetzt. Ist jemand nicht in der Lage, den Bildungsnachweis in der vorstehenden Art zu erbringen, so bleibt es ihm vorbehalten, den Nachweis in der Art zu liefern, dass er vor einer Kommission das Gesuch um Einräumung des Wahlrechtes nach einer voraus bestimmten Formel richtig niederzuschreiben vermag. Diese Kommission hat aus dem Gemeindevorsteher (Bürgermeister) des Wohnortes des das Wahlrecht Anstrebenden, oder dem vom Gemeindevorsteher bezeichneten Stellvertreter und aus dem Leiter einer Volksschule und aus einem vom Gemeindevorsteher zu bestimmenden schreibkundigen Gemeindeangehörigen zu bestehen. Gewinnt die Kommission die Ueberzeugung, dass der Wahlrechtswerber des Lesens und Schreibens kundig ist, so hat sie ihm eine Bestätigung dahin lautend auszustellen, dass er sich an dem zu bezeichnenden Tage vor der

21*

zu benennenden Kommission der Prüfung unterzogen habe und
als des Lesens und Schreibens kundig befunden worden sei. Diese
Bestätigung gilt auch als Darlegung des Bildungsnachweises für
spätere Wahlen.«

Gegen diesen Bildungszensus ist bei der ersten Lesung der
Taaffe'schen Vorlage und der Wahlreformanträge im Abgeordnetenhause drastisch und treffend bemerkt worden: »Dieser Bildungszensus, so niedrig gestellt, hat überhaupt kein Gewicht. Das
kurze Gesuch: »Ich bitte mir das Wahlrecht einzuräumen. Johann
Mayer.«, abzuschreiben, bildet keine Garantie, dass der Mensch
gescheiter ist, als ein anderer, der das Schreiben vergessen hat.
Nebenbei bemerkt, dass Fälle eintreten können, dass jemand
wegen eines Gebrestes, Schlaghaftigkeit oder eingetretenen Alters
nicht im Stande ist, diese Schreibeprobe abzulegen, sonst aber
der grösste Philosoph des Jahrhunderts sein könnte: er würde
das Wahlrecht nicht erlangen. Dann müsste man noch auf bestimmte Verhältnisse hinweisen und gerade auf die galizianischen.
Was wäre dort mit dem Bildungszensus? Dort würde jeder jü-
dische Faktor, wenn er noch so ungebildet ist, diese Zeile mit
seinem Namen »Laib Federbusch« zusammenbringen, und wenn
er es nicht zusammenbringt, so setzt er sich 8 Tage hin und
lernt das Gesuch abschreiben. Aber der Häusler oder Knecht,
der dadurch, dass er 20 Jahre hinter dem Pflug gegangen ist,
diese Fertigkeit vielleicht vergessen hat, weil er eben keine Gelegenheit hatte, sie auszuüben, der wird von dem Wahlrechte
ausgeschlossen sein. Und wenn Sie zusehen, so ist der eine
ebensowenig gebildet wie der andere, und in Dingen, die dem
Lande nützlich sind, der Analphabet oft der wertvollere.«

Ueber einen »W o h n u n g s z e n s u s« wird alsbald das Erforderliche kurz bemerkt werden.

Man wird nicht sagen können, dass die nun im ganzen entwickelte Anwendung des gemischten Vertretungssystems auf die
Reichsratländer eine parlamentarisch undurchsetzbare Aenderung
der bestehenden Verfassung bedingen würde. Es sind wenige,
aber allerdings eingreifende Aenderungen, nur unerlässliche Lücken-
füllungen, welche dabei in Frage stehen. Der Nationalitäten-
bestand und das dermalige Kronländergleichgewicht würden
nicht angetastet, die Zahl der Sitze des Abgeordnetenhauses nur
sehr mässig vermehrt werden. Auch zwischen Konservatismus,
Liberalismus und Radikalismus würde das politische Machtver-

hältnis nicht eigentlich verschoben sein; denn die neuen Stimmen der dreissig Delegierten des grossstädtischen Grossbesitzes samt der grossstädtischen Intelligenz, sowie des Kleinbürgerstandes würden den Verlust, welchen Konservative und Liberale zusammen durch das allgemeine Wahlrecht in den Fabrik- und Handelszentren schlimmsten Falles erleiden würden, bereits ausgeglichen haben. Und zwar durch blosse Füllung bisheriger Lücken in der Vertretung des städtisch-gewerblichen Gross- und Kleinbürgertums.

Selbst für den Fall, als die vorgeschlagene Reform als eine Bedrohung des Konservatismus durch den grossstädtischen Liberalismus anzusehen wäre, was mir nicht zutreffend erscheint, so wäre dennoch ohne Schwierigkeiten Rat zu schaffen. Man braucht dann nur das grundbesitzliche Element durch eine k l e i n e A n z a h l s e l b s t ä n d i g e r S t i m m e n f ü r d e n n i c h t l a n d - u n d l e h e n t ä f l i c h e n G r o s s - u n d M i t t e l b e s i t z z u v e r - s t ä r k e n, statt den nicht altgutsherrlichen Grossgrundbesitzer zu der jetzigen ausschliessend altgutsherrlichen Kurie a der Reichsrats-Wahlordnung beizuziehen. Hiedurch würde sich auch weiteres Material zur Ausgleichung zwischen den Kronländern und den Nationalitäten schaffen lassen. Doch bleibe diese Eventualität dahingestellt!

Hienach ist zu hoffen, dass mit dem Vorschlage alle Parteien des Parlamentes nach stattgehabter Diskussion sich einverstanden erklären werden.

Sollten aber dennoch Bedenken übrig bleiben, welche das Zustandekommen einer Zweidrittelmehrheit für die Vertretungs- reform in Frage stellen, so liessen sich auch diese Bedenken niederschlagen, um überhaupt einen erheblichen Fortschritt in der reichsratländischen Volksvertretung herbeizuführen.

Man könnte es vorläufig bei der Einführung des allgemeinen Stimmrechtes bloss in der Wählerklasse (c) der Städte, Märkte und Industrialorte bewenden lassen. Nach meiner Ansicht wäre dies nicht wünschenswert, da dem L a n d v o l k im Interesse des Staates politische Regsamkeit ebenso einzuhauchen ist, wie der Masse der Stadtbevölkerung. Allein unzulässig wäre diese opportunistische Einschränkung nicht.

Man könnte ferner das allgemeine Wahlrecht aller erwachsenen Männer nach dem Vorgang des englischen *occupyer*-Zensus an die Bedingung s e l b s t ä n d i g e n W o h n e n s knüpfen; hiedurch würden nicht bloss auf dem Lande die mit den Eltern und den Gesindeherren in Hausgemeinschaft lebenden, jedoch von letzteren als Häuptern der Elementargruppen mitvertretenen unselbständigen Elemente (Gesinde, Hausindustriearbeiter) vorläufig ohne Wahlberechtigung bleiben; es wäre keine kleine Zahl. Durch den Innehabungszensus würden auch in den Bevölkerungszentren die zweifelhaftesten Elemente, Schlafgänger, sowie die Angehörigen der s. g. gefährlichen Klassen ausgeschlossen bleiben. In Anknüpfung an die Hausklassensteuer- und Hauszinssteuer-Einhebungslisten liesse sich dieser Wohnungszensus für Oesterreich recht einfach durchführen. Ich lege auf diese Einschränkung kein besonderes Gewicht. So unzulässig, um nicht dem Opportunismus eingeräumt werden zu dürfen, wäre sie jedoch nicht.

Mit den Einzelnheiten wäre ich nun zu Ende. Mein Gesamtvorschlag würde sich mit dem Gesetzesentwurf des Grafen *Taaffe* darin decken, dass er fast zwei Drittel der heutigen Abgeordnetensitze an das allgemeine Stimmrecht jedoch ohne Bildungs- und Wehrpflichtzensus abgeben würde. Von der *Taaffe*'schen Vorlage grundverschieden wäre derselbe jedoch darin, dass er die Lücken, welche in der kurial-körperschaftlichen Vertretung klaffen und welche nach erfolgter Einführung des allgemeinen Stimmrechtes bei weiterer starker Zurückdrängung des grossbürgerlichen Land- und Stadtgrossgrundbesitzes nur desto fühlbarer wären, völlig ausfüllen würde, und zwar fast genau im Masse des Verlustes, welchen die konsertiven und liberalen Stimmen den radikalen gegenüber in grossen Städten und Industriezentren erleiden könnten. Von den zwei Anträgen, den vier Kurien einfach und bloss eine weitere Arbeiterkurie mit 9 oder 20 Sitzen oder auch noch eine Kurie der Kleinzensiten (Einguldenmänner) hinzuzufügen, unterscheidet sich der hier vertretene Vorschlag auf fundamentale Weise dadurch, dass er den Schwerpunkt der Arbeitervertretung in ein alle Klassen und Stände (mit Ausnahme des altgutsherrlichen Grossgrundbesitzes) zusammenfassendes und in der Wahlagitation zusammenführendes Volkswahlsystem verlegt, dagegen die längst begründete Ergänzung des kurial-korporativen Vertretungselementes vielmehr als korporatives Gegengewicht des allgemeinen Stimmrechts verwertet.

Die Anwendbarkeit und Durchsetzbarkeit des gemischten Systems in Anpassung an die gegebenen Reichsrat-Machtverhältnisse der Klassen, Besitzarten, Stände, Nationalitäten und Länder wird im Vorstehenden hinlänglich bescheinigt sein.

VI. Die besondere Zweckmässigkeit des ge- mischten Systems für die R.Ratsländer.

Leute, welche für das allgemeine Stimmrecht ausserhalb Oesterreichs schwärmen, verwerfen dasselbe dennoch für Oesterreich. Sie würden wohl Recht haben, wenn das allgemeine Stimmrecht o h n e kurial mittelbare und körperschaftlich unmittelbare Mitvertretung auch der grossen Territorial- und Berufsgruppen, wenn die allgemeine Volkswahl ausschliesslich eingeführt werden wollte; denn die alleinige Elementargruppenvertretung ist für jedes Land eine unvollständige und gefährliche Vertretung, sie wäre es wenigstens nicht in geringerem Grade auch für Oesterreich. Nun ist dies aber selbst im *Taaffe*'schen Wahlreform-Entwurf nicht beabsichtigt gewesen, da er die Kurien a und c der Reichsratswahlordnung stehen lassen wollte; der in der gegenwärtigen Abhandlung vertretene Vorschlag aber will die kurial und körperschaftlich unvollständige Vertretung, wo sie Lücken hat, vervollständigen.

Der Skandal, dass die Hauptstädte eines Reiches nur noch vom Proletariat vertreten wären, dass von Triest kein Rheder mehr in das Abgeordnetenhaus kommen könnte, wie dies im Deutschen Reich Hamburg ergeht, dass Wien nur noch durch Sozialdemokraten etwas zu sagen hätte, würde ja teils durch die Delegierten der Handels- und Gewerbekammern, teils durch die weiter zu schaffenden Kurien des grossstädtischen Handwerkes und Grossgrundbesitzes schlechthin ausgeschlossen sein. Die einfache Ergänzung der Lücken, welche im jetzigen System klaffen, würde so viele konservative Stimmen weiter ergeben, als Sitze in den Kurien b und d an das Proletariat verloren gehen könnten. Die Stimmen dieser neuen Kurien zusammen mit den Stimmen der verbleibenden Kurien a und c würden dem Abgeordnetenhaus einen völlig standhaltenden Grundstock konservativer Gesinnung sichern.

Es ist wohl auch als völlig unrichtig anzusehen, wenn behauptet wird, dass neben zwei Kurien des allgemeinen Stimmrechtes die Kurien des Grossgrundbesitzes und des Grosskapitals sich nicht würden behaupten können; die Vollständigkeit der Volksvertretung fordert sie für immer. Durch den gemachten Vorschlag würden sie auch eine verhältnismässige Verstärkung erfahren. Nach richtigen Grundsätzen ist blosse Volkswahl unzulässig. Die Sitze

der Kurien b und d selbst gingen dem konservativen Interesse
nur in sehr geringer Zahl verloren; die kleinen Leute zumal auf
dem Lande werden nicht mit den Besitzlosen wählen, sobald ihr
eigener auch noch so kleiner Besitz in Frage käme.

Allerdings ist das System gemischter Elementargruppen- und
Körperschaftsgruppen-, »allgemeiner« Volkswahl- u n d durchgrei-
fender Delegierten-Vertretung streng nach den eigensten Bedürfnissen und Gliederungen der neustzeitlichen Gesellschaft noch
nirgend vollständig durchgedrungen und sicherlich wird nicht
Oesterreich es sein, wo die vollständige Verwirklichung der gemischten Vertretung zuerst und vollständig durchdringen wird.
Allein in dem Masse, als die herrschende Zensusvertretung auch
in den Landtagen (Generalräten, Provinzialtagen, Grafschaftsräten)
und in den noch engeren politischen Körperschaften würde weichen
müssen — und sie ist auch hiefür in den demokratischen Republiken
schon gewichen, in England zusehends im Weichen, in Deutschland bereits stark angefochten, teilweise für Landtag und Gemeinde schon beseitigt (Württemberg), — in diesem Masse wird
durchgreifende Verwirklichung der fraglichen Art gemischter Vertretung immer mehr ins Gesichtsfeld der praktischen Verfassungspolitik treten, als der einzige Weg für den Ersatz der Vertretungs-
privilegien des Besitzes in Reich, Land, Bezirk und Gemeinde
durch eine in viel vollkommenerer Weise gemässigte Ausgestaltung jeglicher politisch-kommunalen Vertretung. Wären die Landtage bereits von unten auf nach diesem Prinzip berufs- und kom-
munalkörperschaftlicher Zumischung aufgebaut, so wären sie je
der gegebene Delegationswahlkörper zur Beschickung der Delegiertensitze eines im übrigen und überwiegend volkswahlmässigen
Reichsrates (Reichstags, Parlamentes, Nationalvertretung). Noch
sind sie es nicht, aber der Drang, sie dazu zu machen, wird zugleich mit dem zunehmenden Sieg des allgemeinen Wahlrechts
über das Zensussystem steigen.

Dies alles vorausgeschickt ist das allgemeine Stimmrecht in
den zwei Kurien b und d meines Erachtens auch für die Reichsratsländer nicht bloss zulässig, sondern sogar besonders wünschenswert. Als man vor 34 Jahren den Ruf nach einer Volksvertretung für diese Länder erhob — Verfasser ds. hat diesem Ruf in
den Spalten der »Allgemeinen Zeitung« lebhaft sekundiert —,
da hiess es auch: eine gewählte Reichsvertretung mit nicht bloss

beratender Befugnis ist mit Oesterreichs Bestand und mit den gerechten Ansprüchen seiner Nationalitäten und Länder nicht verträglich. Heute steht Oesterreich wesentlich auch durch die Volksvertretung finanziell, volkswirtschaftlich und politisch konsolidierter als je da. Und Oesterreich wird bei der in Frage stehenden vollständigeren und verhältnismässigeren Vertretung, welche eine Masse neuer, noch schlummernder Kräfte weckt und mit den bisher. vertretenen Schichten — den alten Grossgrundbesitz ausgenommen, in den engen Kontakt der allgemeinen Volkswahl versetzt, sich nur noch mehr konsolidieren.

Weniger als in irgend einem anderen Reiche wird das allgemeine Stimmrecht die Herrschaft des s o z i a l d e m o k r a t i s c h e n R a d i k a l i s m u s bedeuten; denn gerade in Oesterreich ist der Klassengegensatz zwischen Besitz und Lohnarbeit durch die Nationalitäts- und Landsmannschafts-Gegensätze geschwächt und gezügelt. Wenn in den grossen Industrie- und Handelsmittelpunkten die Arbeiterklasse eine kleine Anzahl Sitze erobert, so wächst dafür auf dem Lande wohl ebenso stark der stets mehr oder weniger konservative Einfluss der Kirche. In den Städten selbst, teilweise auch innerhalb der Handelskammern, würde, und zwar nicht im Unrecht gegen die Arbeiterpartei, sondern zum Recht für die Schichten der städtisch-industriellen Grossbesitzer und der Intelligenz ein Gegengewicht weder sozialistischer, noch klerikaler Art geschaffen werden.

Durch das Auftreten eines Häufleins radikaler Abgeordneter würden die anderen Elemente, L i b e r a l e u n d K o n s e r v a t i v e m e h r a n e i n a n d e r g e d r ä n g t und aneinander gewiesen. Hat doch das allgemeine Stimmrecht schon im ersten Augenblick, als es in der *Taaffe*'schen Vorlage für Cisleithanien den ersten Schatten vor sich herwarf, das »Wunder« einer Koalitionsregierung von Parteien zu Stande gebracht, welche durch Jahrzehnte einander feindliche Brüder waren. *Durante causa durabit effectus!*

Ist es nicht gerade für Oesterreich wünschenswert, dass die Schärfe der N a t i o n a l i t ä t s g e g e n s ä t z e, jedoch ohne Vergewaltigung irgend einer Nationalität, Gegengewichte erhalte? Es ist bereits dargethan, dass die Reform ohne jegliche Antastung des jetzigen gerechten oder ungerechten Besitzstandes der Nationalitäten wie der Kronländer durchgeführt werden könne und solle. Bei solcher Durchführung kann das allgemeine Stimmrecht

für zwei Drittel aller Sitze neben einem Drittel kurial-körperschaft-
licher Sitze nur mildernd auf die Schärfe des Nationalitätengegen-
satzes einwirken.

Die B e s i t z e n d e n der verschiedenen Nationalitäten werden und bleiben enger zusammengedrängt, als dies zwischen den
Konservativen und Liberalen der Fall gewesen ist; denn auch
den Besitzklassen, welche doch wohl die eigentlichen Träger der
Nationalitätsbestrebungen sind, liegt bei jeder Besitzgefahr das
Hemd näher als der Rock. Bei den grossindustriellen und gross-
landwirtschaftlichen A r b e i t e r m a s s e n ist dasselbe der Fall.
Ihre Hauptanliegen sind überwiegend sozialpolitischen Inhalts und
werden es bleiben. In dieser Beziehung wirkt das allgemeine
Stimmrecht auf die heutige Nationalitätenhetze unmittelbar ebenso
mildernd ein, wie so eben schon auf die bisherige Hetze zwischen
konservativem Land- und liberalem Kapital-Grossbesitz. Ueberall
herum im ganzen Reiche würden die Besitzenden und Gebildeten
jeder Nationalität um die Stimmen der Lohnarbeiter jeder im Bezirk befindlichen Nationalität zu werben haben und daher in der
Gesetzgebung zu rechtzeitigen Reformen sozialpolitischer Art gemeinsam sich genötigt sehen. Wenn je der Einfluss des Klerus
stärker werden würde, als er es schon ist, so würde auch dies
eine Kraft weiter zur Milderung der Nationalitäten-Hetze durch
das ganze Reich hindurch auslösen.

Uebrigens wird es angezweifelt werden dürfen, ob der K l e -
r i k a l i s m u s an Einfluss so gewaltig zunehmen würde, wie einzelne es fürchten. Man darf sich für Oesterreich durch das Vorbild des Zentrums im Deutschen Reichstag nicht schrecken lassen.
Im deutschen Reich sind die Katholiken die Minderheit; in Oesterreich haben dieselben nicht nötig, das kirchliche Interesse zum
allbeherrschenden zu machen. Der Einfluss des Klerus ist schon
jetzt beim Fünfguldenwahlrecht gross genug, und wird durch das
allgemeine Stimmrecht kaum sehr viel grösser werden; er kann
bei kompakten Arbeiterbevölkerungen sogar sinken. Im deutschen
Reichstag sitzen nur Abgeordnete der allgemeinen Volkswahl; im
österreichischen Abgeordnetenhaus würden auch künftig die alten
und ergänzende neue Gegengewichte kurialer und körperschaftlicher Art, für welche der kirchliche Gesichtspunkt nicht der entscheidende ist, sich eingesetzt finden. Sie und die Arbeiter-
stimmen aus den grossen Bevölkerungszentren wären verstärkte
Gegengewichte gegen die Uebertreibungen des Klerikalismus,

welche mir übrigens für Oesterreich, wenn sie überhaupt vorhanden sind, keine besondere Gefahr zu sein scheinen. In dem ebenso katholischen Frankreich ist der Klerikalismus bei ausschliessender Volkswahl doch nicht entfernt zur Ausschlag gebenden Unterhaus-Macht geworden.

Man wird auch nicht einwenden können, die österreichische Lohnarbeiterklasse habe w e n i g e r V e r t r e t u n g s b e d ü r f n i s und W ä h l e r q u a l i f i k a t i o n, als jene anderer Länder mit gemeinem Stimmrecht. Von den deutschen, czechoslavischen und italienischen Bevölkerungsmassen darf dies nicht gesagt werden und so angezeigt, wie für Posen kann das allgemeine Stimmrecht auch für Galizien und für die Bukowina sein. Gerade auf zurückgebliebene Bevölkerungsmassen wirkt es erweckend und die vorwiegend sozialpolitische Anregung derselben kann wenigstens dem Reiche und Gesamtstaate an zentrifugalen Tendenzen nichts hinzusetzen.

Kann der sog. »Z e n t r a l i s m u s« beim gemischten System nicht verlieren, so kann letzteres doch auch für den berechtigten A u t o n o m i s m u s keine Gefahr werden; denn die vom Zentralismus wirklich bedrohten Nationalitäten und Kronländer können vom allgemeinen Stimmrecht auch zur Verteidigung der bedrohten Nationalität und Autonomie einen viel schwungvolleren und einmütigeren Gebrauch machen, als bei Kurialzensus-Wahl.

Bezüglich der Rückwirkung des gemischten Vertretungs-Systems auf die N a t i o n a l i t ä t e n V e r h ä l t n i s s e ist zu unterscheiden zwischen den Gefahren, welche Oesterreich von aussen her bedrohen, und zwischen den Gefahren für das G l e i c h g e w i c h t d e r N a t i o n a l i t ä t e n im Innern des Reichs selbst.

Ich kenne die heutigen Zustände der polnischen, ruthenischen und italienischen Gebietsteile nicht so genau, um mit Sicherheit sagen zu können, wie die a u s w ä r t i g e P r o p a g a n d a durch das allgemeine Stimmrecht beeinflusst werden würde. So viel ist gewiss, dass Presse und Klerus jetzt schon Träger der fraglichen Propaganda sind oder sein können und dass sie in Nationalitätsfragen bei Wählerschaften von den Fünfguldenmännern aufwärts keinen geringeren Wiederhall finden dürften, als bei den Wählerschaften von den Fünfguldenmännern abwärts. Die nach der fraglichen Richtung etwa bestehende Befürchtung müsste praktisch in die Forderung der Wiederaufhebung aller Volksvertretung auslaufen oder doch in die andere Forderung, die fraglichen nordöstlichen und südöstlichen Gebiete vom allgemeinen Stimmrecht auszunehmen.

Die Einführung des gemischten Systems kann aber auch vom Standpunkt des Nationalitäten-Gleichgewichtes aus nicht beanstandet werden. Die Wahlreform kann ja nur mit allseitiger Wahrung des dermaligen Besitzstandes erfolgen.

Zwar ist jüngst von czecho-slavischer Seite, unter Berufung auf eine deutsche Quelle [1]) behauptet worden, dass die Czechoslaven im Verhältnis der Bevölkerung den 170 Sitzen der Deutschen gegenüber 48 Sitze zu wenig haben. Allein ob dies richtig ist oder nicht, ist für die Wahlreform, da diese nur bei strenger Achtung der jetzigen Besitzstände gelingen kann, ohne jede Bedeutung. Mittelst des hier vertretenen Vorschlages ist die vollständigste Achtung dieser Besitzstände erreichbar. Die Neutralisierung des Nationalitätenhaders für opportunistische Durchführung der Wahlreform ist beim Uebergang zum gemischten System eher zu erwarten, als bei der Anschweissung einer Arbeiterkurie, deren deutsche Elemente vielleicht weniger »national« wären, als die slavischen.

Allerdings sind es hauptsächlich die slavischen und italienischen Bevölkerungen, welche den Boden des Deutschösterreichertums durch Zuströmen ihrer grösseren Bevölkerungsüberschüsse unterspülen. Diese Gefahr ist gar nicht gering, aber weit weniger auf dem Boden der Verfassungs-, als auf demjenigen der Agrar- und Sozialpolitik zu bekämpfen, wie die wahrlich guten Deutschösterreicher *Hainisch* und *Herkner* dargethan haben. Es handelt sich dabei, wenn die scharfsinnigen und gründlichen Schriftsteller Recht haben, weit mehr darum, in den deutschen Alpenländern auf agrarpolitischem Wege die Geburtenüberschüsse der Deutschen auf die Höhe derjenigen der Czechoslaven, Südslaven, Polen und Italiener zu heben und andererseits im östlichen Deutschböhmen die Verdrängung der Deutschen zu vermindern. Der Stärkung des deutschen Elementes auf diesem Wege, d. h. der Erfassung der eigentlichen Wurzeln der Bedrohung der Deutschösterreicher in ihrem Territorialbesitzstand kann das gemischte System mit seinem stärkeren Drängen zu aktiver Sozialpolitik doch wohl nicht abträglich sein.

Herkner [2]) anerkennt das Ergebnis der Untersuchung von

---

1) *Hainisch*, Die Zukunft der Deutschösterreicher. 1893.
2) Die Zukunft der Deutschösterreicher. 1893.

Hainisch über die Wirkung des Hofsystems auf die Bevölkerungszunahme. Diesem System, welches die Ehen verspätet, ist die
geringere Volkszunahme in den Alpenländern zuzuschreiben. Es
bewirkt einen geringeren Zufluss deutscher Arbeiterbevölkerung
in die deutschen Städte und Industrieorte; die slavische und italienische Bevölkerung dringt dafür ein. Das Hofsystem verzögert
die Ehe des Anerben so lange, bis der Bauer in die Ausnahme
geht oder stirbt, und es hindert die Ehe der gesamten auf dem
Hofe ständig beschäftigten männlichen und weiblichen Arbeitskräfte: der Bauer pflegt ja nicht mit selbständigen Taglöhnern zu
wirtschaften, sondern ausschliesslich mit unverheirateten Knechten
und Mägden, die zu ihm in einem durchaus patriarchalischen Verhältnisse stehen. Zu diesen in den Agrarverhältnissen wurzeln-
den Hindernissen der Eheschliessung tritt noch der Umstand,
dass in Deutsch-Tirol und Vorarlberg rechtlich, in Salzburg wenigstens thatsächlich die Eheschliessung an die Zustimmung der Gemeinde geknüpft ist. Diese Umstände haben nach Ansicht
Hainisch's nicht nur die Ausbildung eines zahlreicheren Proletariates, sondern auch die höhere Entwicklung der Industrie,
welche einer proletarischen Bevölkerung mit niedriger Lebenshaltung nachzugehen pflegt, in den Alpenländern verhindert.
Bleiben die Agrarverhältnisse der deutschen Alpen in ihrer gegenwärtigen Beschaffenheit erhalten, dann erscheint eine stärkere
Volkszunahme ausgeschlossen und den Deutsch-Oesterreichern
winkt eine wenig tröstliche Zukunft. »Diese Entwicklung ist indes
nicht wahrscheinlich. Zahlreiche Beobachtungen lehren, dass die
Bedürfnisse der bäuerlichen Bevölkerung der Alpengebiete in beträchtlichem Umfange gestiegen sind. Diese neuen und wachsenden Bedürfnisse können nicht innerhalb der geschlossenen Hauswirtschaft, die bis in die neuesten Zeiten herein vielfach noch
aufrecht erhalten wurde, befriedigt werden. Die zu ihrer Befriedigung dienenden Güter sind vielmehr im Verkehre, gegen Geld
auf dem Markte zu erwerben. Ausserdem erhöhen auch die
stetig wachsenden Abgaben für Reich, Land und Gemeinde den
Geldbedarf der Bauern. Die eindringende Geldwirtschaft aber
wird die überkommenen, durch Jahrhunderte stationär erhaltenen
Verhältnisse zweifellos zersetzen. Auf der einen Seite wird eine
grosse Proletarisierung der bäuerlichen Bevölkerung durch zunehmende Teilung der Güter, auf der andern eine Zusammenlegung bäuerlicher Anwesen zu Grossbetrieben namentlich dort,

wo nur Viehzucht getrieben werden kann, sich herausbilden.
Dann wird sich aber auch die Industrie in grösserem Umfange
den Alpen zuwenden, da sie dann das ihr nötige Proletariat dort
vorfinden wird. Die Ausbreitung der Industrie muss den Uebergang von der Natural- zur Geldwirtschaft und die Auflösung der
geschlossenen Höfe sehr erleichtern, weil erst mit dem Auftreten
der Industrie eine ansehnliche Zunahme in der Intensität der
Bodenkultur sich durchführen lässt. Gelingt es aber, um mit
Friedrich List zu sprechen, die Alpenländer aus dem Zustande
der Ackerbauperiode in den der Agrikultur-Manufaktur-Handels-
periode hinüber zu führen und auf diesem Wege die Bevölkerungs-
kapazität beträchtlich zu erweitern, so rückt auch die Zukunft
des Deutschtums wieder in eine freundlichere Beleuchtung.« Wir
halten — sagt *Herkner* — diesen Gedankengang von *Hainisch* im
grossen und ganzen, nicht in allen Einzelnheiten, die aber hier
unerörtert bleiben dürfen, für durchaus zutreffend. Zwar spricht
es *Hainisch* nicht aus, aber wir glauben doch das ihm Vorschwe-
bende richtig mit dem Schlagworte wiedergeben zu können: die
österreichischen Alpenländer werden sich wirtschaftlich mehr und
mehr der Schweiz nähern. Da die Bevölkerungsdichtigkeit der
Schweiz sich zu derjenigen der deutsch-österreichischen Alpen
verhält etwa wie 3 zu 2, so könnte diese Entwicklung in der
That eine einflussreiche Verstärkung des deutschen Stammes in
Oesterreich zur Folge haben.

Das Deutschtum ist aber auch im ö s t l i c h e n D e u t s c h-
b ö h m e n bedroht. Wie die Statistik ergiebt, sind — sagt *Herkner*,
dem ich wörtlich hier folge — »die natürlichen Zunahmeverhält-
nisse der deutsch-böhmischen Bevölkerung ö s t l i c h u n d w e s t-
l i c h d e r E l b e von einander ganz verschieden. Während die
westlichen Gebiete eine natürliche Zunahme aufweisen, die kaum
hinter derjenigen der tschechischen Nationalität zurückbleibt, ja
in einzelnen Fällen dieselbe noch überholt, erreichen die östlichen
Bezirke nicht einmal die Hälfte des tschechischen Zuwachses.
Nun ist aber dieses geringere Wachstum keineswegs in erster
Linie durch eine geringere Geburtenfrequenz bedingt. Der vornehmste Grund dieser für das Deutschtum verhängnisvollen Erscheinung ist vielmehr in der grossen K i n d e r s t e r b l i c h k e i t
zu suchen, welche diejenige der T s c h e c h e n um mehr als ein
Drittel überragt. Im übrigen stimmen östliche und westliche
Bezirke darin überein, dass ihre natürliche Volkszunahme von der

thatsächlichen übertroffen wird, d. h. dass sie durch Wanderung
mehr empfangen als abgeben. Bei den Tschechen ist das Gegenteil der Fall, und die Mehreinwanderung, welche die deutschen
Gebiete erkennen lassen, wird jedenfalls zum grössten Teil von
ihnen bestritten. Freilich würde man durchaus irre gehen, wenn
man die tschechische Einwanderung in deutsche Bezirke nicht
höher veranschlagen wollte, als die Ziffern der »Mehreinwanderung« in deutsche Bezirke anzeigen. Es bleibt zu beachten, dass
an der Auswanderung sich auch Deutsche in beträchtlichem Umfange beteiligen, und in die Stellen der deutschen Auswanderer
in der Mehrzahl der Fälle Tschechen einrücken. Auch hier vollzieht sich die so oft beobachtete Wanderbewegung aus wirtschaftlich niedrig stehenden Gebieten in wirtschaftlich höher stehende.
Gar mancher Deutschböhme strebt der ökonomischen Verbesserung wegen über seine Heimat hinaus, in der der tschechische
Einwanderer noch ein ihn befriedigendes Auskommen findet. So
ziehen ja auch aus den östlichen Gebieten Preussens deutsche
Arbeiter nach dem Westen oder über die See, preussische Polen
nach der Provinz Sachsen, ja nach Westphalen, während in Alt-
preussen russische Polen an ihre und der deutschen Auswanderer Stelle treten. So sind zahlreiche englische Arbeiter nach
Amerika oder Australien ausgewandert, während ein Strom irischer
Einwanderer sich über England ergoss. Die durch die h o c h -
e n t w i c k e l t e I n d u s t r i e s i c h s t ä n d i g e r w e i t e r n d e
B e v ö l k e r u n g s k a p a z i t ä t Deutschböhmens ist also teils
infolge der hohen Kindersterblichkeit, teils infolge der höheren
sozialen Ansprüche der Deutschen nicht von diesen allein, sondern auch zu einem guten Teile von tschechischen Zuwanderern
erfüllt worden. Und weiter: Die deutschböhmische Industrie hat
unzweifelhaft grosse Reichtümer geschaffen, aber auch die L e -
b e n s k r a f t d e r n o r d b ö h m i s c h e n A r b e i t e r s c h a f t
u n g e h e u e r g e s c h w ä c h t. Man braucht, um dies in seiner
vollen traurigen Wahrheit zu begreifen, nur einen Blick auf die
Ziffern zu werfen, welche über die Tauglichkeit der Bevölkerung
von Reichenberg, Friedland und Gablonz zum M i l i t ä r d i e n s t e
Aufschluss geben. Diese zurückgehende körperliche Tüchtigkeit
der deutschen Arbeiterschaft in Böhmen macht es ebenfalls erklärlich, dass trotz aller nationalen Begeisterung die Einwanderung tschechischer Arbeiter keine Unterbrechung erleidet. Zu-
weilen kann die Industrie einer Ergänzung ihres Arbeiterstammes

durch die robuste Kraft der zuwandernden tschechischen Landbe-
völkerung gar nicht entbehren. So ist der während des letzten
Jahrzehntes ungemein gewachsene Bedarf an Arbeitskräften im
deutschböhmischen Braunkohlenrevier zum grössten Teile durch
tschechische Einwanderer gedeckt worden. Selbst wenn eine plan-
mässige deutsche Arbeitsvermittlung stattgefunden hätte, so würde
die schwächliche, zum Teil halbverhungerte Bevölkerung der
deutsch-böhmischen Gebirge den hohen Anforderungen der Bergarbeit doch nicht gewachsen gewesen sein.«

Dass aber die geringe körperliche Tüchtigkeit der deutsch-
böhmischen Bevölkerung nicht etwas ist, was dieser an und für
sich zukäme, »ergiebt sich aus der Thatsache, dass z. B. die Deutschen in dem weniger industriereichen Bezirk Braunau in Bezug
auf militärische Tauglichkeit selbst tschechische Ackerbaugebiete
noch übertreffen. Es kann also nicht geleugnet werden, dass
die physische Entartung, welche einen Teil der deutschböhmischen
Bevölkerung erfasst hat, und die in der Statistik einen so über-
zeugenden Ausdruck findet, in erster Linie durch die gesundheits-
schädlichen Einflüsse der Industrie, durch erschöpfende Arbeit,
niedrigen Lohn, ungenügende Ernährung und Fabriksarbeit der
Frauen, früher auch der Kinder, verursacht worden ist. Nicht
anthropologische, sondern s o z i a l e Verhältnisse, und zwar diejenigen des nordöstlichen Böhmens, bedrohen die Erhaltung des
Deutschtums. Und gerade darin liegt vom deutschen Standpunkte
aus ein grosser Trost, denn s o z i a l e M i s s s t ä n d e k ö n n e n
d u r c h s o z i a l e R e f o r m e n e r f o l g r e i c h b e k ä m p f t
w e r d e n... Die soziale Reform hat für die Deutschen Böhmens
überdies zu gelten als ein G e b o t d e r n a t i o n a l e n S e l b s t-
e r h a l t u n g. Es ist kaum zu fassen, wie selten noch der innige
Zusammenhang zwischen der nationalen und sozialen Frage in
den Kreisen des deutschböhmischen Bürgertums voll gewürdigt
wird. Da giebt es Männer, die mit der tiefsten Entrüstung jeden
Zweifel an ihrer echt nationalen Gesinnung zurückweisen würden,
die es aber trotzdem mit ihrem Gewissen durchaus vereinbar
finden, jedem auch noch so bescheidenen Versuch der Regierung
oder der Arbeiter, einen sozialpolitischen Fortschritt anzubahnen,
mit unbedingtestem Widerstand entgegenzutreten. Es giebt für
einen von der nationalen Bedeutung der sozialen Reform durch-
drungenen Deutschböhmen kaum ein schmerzlicheres Gefühl, als
immer wieder sehen zu müssen, wie schwer man sich im deutschen

Norden Böhmens entschliesst, auch nur den allerdringlichsten sozialpolitischen Anforderungen nachzukommen.« *Herkner* apostrophiert (S. 13 ff.) seine deutschböhmischen Landsleute diesfalls sehr scharf. Für diese Untersuchung ist nur seine Verweisung auf positive Sozialpolitik von grossem Gewicht.

Offenbar ist die Gefahr des Hervortretens slavischer und italienischer Volkszuflüsse auf bisher deutschem Boden beim jetzigen Vertretungssystem oder für den Fall der Schaffung einer Arbeiterkurie keine geringere, als beim allgemeinen Stimmrecht in den Kurien b und d; denn allmählich werden auch aus den slavischen und italienischen Volkszuflüssen immer mehr Fünf- und Mehrgulden-Männer hervorgehen und Stimmrecht gewinnen. In einer Arbeiterkurie aber kommen Fremde eher zur Geltung, als wenn sie beispielsweise in Wien und Graz mit allen übrigen Einwohnern in der allgemeinen Volkswahl zusammen die Stimme abgeben.

Unter allen Umständen kommen aber jene agrarpolitischen und Arbeiterschutz-Massnahmen, auf welchen nach *Hainisch* und *Herkner* die Behauptung des Deutschösterreichertums beruht, unter d e m s t a r k e n s o z i a l p o l i t i s c h e n D r u c k , w e l c h e n d i e a l l g e m e i n e V o l k s w a h l a u s ü b t , w e i t e h e r z u S t a n d e.

Herkner sagt: »Wie steht es mit der noch g r ö s s e r e n A n z i e h u n g s k r a f t , d i e i n f o l g e s o z i a l e r R e f o r m e n d i e d e u t s c h e n G e b i e t e a u f t s c h e c h i s c h e A r b e i t e r ausüben würden? Wir glauben, dass diese Gefahr überschätzt wird. Kommen tschechische Einwanderer als Lohndrücker , so werden kräftig entwickelte deutsche Arbeiterorganisationen sie bald von der Arbeit auszuschliessen oder zu einer andern Haltung zu bestimmen wissen. Stellen die Einwanderer aber dieselben Forderungen, so werden deutsche Arbeitgeber sie kaum vor deutschen Arbeitern bevorzugen. Geschieht es in vereinzelten Fällen doch, so wird es sich um ungewöhnlich begabte Elemente handeln, deren Ausschluss keineswegs im wohlverstandenen Interesse des Deutschtums liegen würde. Derartige vereinzelte hochqualifizierte Arbeiter tschechischer Nationalität werden auch keine Gefahren für das deutsche Volkstum bringen, wenn man sie nicht durch Verfolgungen zu Märtyrern der nationalen Sache macht, sondern sie durch wohlwollende Behandlung rasch dem deutschen Stamm zu assimilieren sucht. Man denke daran, dass nicht Sturm und Regen, sondern der

warme Sonnenschein dem Wanderer den Mantel abgenötigt hat!
Dass die Position der Deutschen sich festigen muss, wenn sie
eine ernste sozialreformatorische Politik treiben, und die Tschechen
dies verabsäumen, wird kaum bezweifelt werden. Wie aber soll
ein Vorteil sich ergeben, wenn die Tschechen, wie so oft, das
deutsche Beispiel nachahmen? Offen gestanden, ein schönerer
Wettkampf zwischen den feindlichen Brudernationen als der auf
dem Gebiete volkstümlicher Sozialpolitik liesse sich gar nicht
denken und wünschen. Wir meinen, dass man in Böhmen wie
in Oesterreich dem nationalen Frieden am nächsten sein wird,
sobald man von seiten aller Nationen sich dem Gedanken politischer und sozialer Reform ganz hingiebt, sobald der nationale
Sinn mehr in einer stillen, aber grossen und werkthätigen Liebe
zum eigenen Volke als in der Bedrückung und dem Hasse des
Fremden sich äussert und die Einsicht immer weitere Kreise erfasst, dass die Erhaltung und Pflege der Nationalität zwar ein
sehr hohes, aber schliesslich doch nicht das einzige und vielleicht
auch nicht das höchste aller irdischen Güter darstellt. Wir haben
früher schon für die Alpenländer die Schweiz als Vorbild empfohlen. Wir müssen noch einmal auf sie verweisen. Sie zeigt
uns das für Oesterreich so lehrreiche Schauspiel, wie drei verschiedene Nationen, die aber von denselben sozialen und politischen Idealen durchdrungen sind, in voller Eintracht und unge-
trübtem Frieden nebeneinander wohnen. Indes, was auch kommen
mag, gelingt es den Deutschböhmen — und manches ist ihnen
schon gelungen — die {am Marke ihres Volkstums zehrenden
sozialen Missstände auszutilgen, die durch sozialen Zwist aufge-
lösten Reihen wieder zu schliessen und ein einig' Volk von Brü-
dern zu werden, so wird ihre Stellung umsoweniger ernsten Gefahren durch ein Vordringen-des tschechischen Volkes mehr ausgesetzt sein, als dieses mit seiner bewunderungswürdig rasch vor-
schreitenden wirtschaftlichen und sozialen Entwicklung sich auch
in Bezug auf seine natürliche Volksvermehrung den Deutschen
zweifellos nähern wird. Schon für das abgelaufene Jahrzehnt liess
sich eine relativ langsamere Zunahme feststellen. Und so dürfen
wir mit der tröstlichen Ueberzeugung schliessen: Wir brauchen
an unserer Zukunft nicht zu verzweifeln, denn wir sind die Herren
derselben, wenn wir nur wollen!« — Ja gerade bei freierem Wahlsystem! Nicht obgleich, sondern w e i l Oesterreich ein Natio-
nalitätenreich ist, empfiehlt sich das gemischte Wahlsystem!

VII. Ergebnis.

An der *Taaffe*'schen Vorlage ist nicht dies abzulehnen, dass sie für den grösseren Teil der Volksvertretung etwas wie das allgemeine Stimmrecht verlangte. Vielmehr dies, dass sie für die in der Einführung des allgemeinen Stimmrechts liegende Schwächung des grossstädtischen Gross- und Kleinbürgertums einen Ersatz nicht schaffte. Durch die Einfügung körperschaftlicher Vertretungselemente zu den fortbestehenden Kurien a und c hinzu wäre dieser Ersatz einfach und vollwichtig zu geben gewesen. Das allgemeine Stimmrecht zu den Kurien b und c hätte dann alle Bedenklichkeit verloren gehabt. Nicht weil das gemischte System für Oesterreich unausführbar, undurchsetzbar oder unzweckmässig wäre, war die *Taaffe*'sche Vorlage abzulehnen, sondern umgekehrt deshalb, weil sie neben der Einführung des allgemeinen Stimmrechtes nicht die erforderliche Fortbildung und Verstärkung des kurial-körperschaftlichen Elementes vorgesehen hat.

Und so darf denn wohl die Bekräftigung unserer Vertretungstheorie an dem schwierigsten Anwendungsfall als gelungen gelten.

———

II. MISZELLEN.

Zum sogenannten Schwabenspiegel.

Von

Freiherr *L. v. Borch.*

Nachdem ich 1890, 1892 und 1893 in dieser Zeitschrift durch Gründe verschiedener Art nachzuweisen versuchte, dass die Heimat jenes Rechtsbuches im Kur-Mainzischen zu vermuten sei, stützte ich diese Annahme 1893 im Archiv des historischen Vereins für Unterfranken und Aschaffenburg auch noch durch Hervorhebung einiger Stellen, »die im offenen Widerspruch mit dem s c h w ä b i s c h e n Rechte stehen«, wie z. B. das Verfahren bei Pfändung und Ergreifung des Ehebrechers. In beiden Fällen ist nämlich nach den Rechtsquellen Schwabens die Tötung gestattet, während unser Rechtsbuch eine solche nur bei Raub und Diebstahl als N o t w e h r zulässt: was weit mehr den fränkischen Ueberlieferungen entspricht. In allen meinen Aufsätzen hatte ich aber bisher die folgende so b e d e u t u n g s v o l l e Uebereinstimmung mit dem fränkischen Privatrecht anzuführen vergessen: Ld.Ger.Rat Dr. *Gaupp* (Zeitschrift für Deutsches Recht III, 75), wenn auch ohne jede Absicht, den Entstehungsort des Rechtsbuches zu begründen, weist die Quellen nach, welche feststellen, dass jenes vom sogenannten Schwabenspiegel erwähnte F a l l r e c h t — *paterna paternis, materna maternis*, wenn der Erblasser keine Nachkommenschaft hatte — ganz heimisch in f r ä n k i s c h e n Gebieten, wie z. B. in Frankreich und Niederland, war. Das wird nun aber von höchster Bedeutung für meine bisherigen Untersuchungen über die Heimat des sogenannten Schwabenspiegels! Vielleicht ist auch nicht zu übersehen, dass, wie Geheimrat Dr. *L. v. Rockinger* in den Sitzungsberichten der bayer. Akad. d. Wiss. 1869, S. 191 ff. nachgewiesen, Bischof Gottfried v. Wirzburg (1446) in einem kurz gefassten Gerichtsbuch »sich gerade des sogenannten Schwabenspiegels so eingehend bedient«. Wenn dagegen Professor *Weiske* in der Zeitschrift für deutsches Recht (I, 85) einen Beweis für die Herkunft unseres Rechtsbuches darin finden will, dass es die Schwaben nennt, wo im Sachsenspiegel die Sachsen stehen, so hat schon Professor *Franklin* (das Reichshofgericht im Mittelalter, II, 72) nachge-

wiesen, dass es sich hier um d i e A u f n a h m e eines Artikels des
Sachsenspiegels handelt, und dass jener Satz: ein in Sachsen und
Schwaben gescholtenes Urteil könne vom Könige n u r d o r t erledigt
werden, überhaupt unsicher ist und Ende 13. Jahrh. jedenfalls nicht
in Kraft war. So sagt denn auch Geheimrat *Gengler* in seiner Ausgabe
(Art. 96, § 4) nichts davon, sondern nur »verwirft der Schwabe des
Sachsen Urteil (und umgekehrt), so soll man es vor den König ziehen«,
was sich jedenfalls auf den S c h w a b e n g a u i n S a c h s e n bezieht.

Die nordamerikanischen Trusts. — *Zeitgeschichtliches über den Krach
der Kupfermetallgesellschaft Secrétans 1890,* nach *Claudio Jannet* »*le Ca-
pital, la spéculation et la finance au XIX. siècle.*« Der französische Nationalökonom *Cl. Jannet* (nicht zu verwechseln mit dem bekannten Philo-
sophen und Historiker der Staatslehre *Paul Janet)* veröffentlichte im
vorigen Jahre bei Plon et Nouriel einen starken Band anerkennens-
werter Studien über, so zu sagen, das Antlitz des Kapitalismus nach
dem Gesichtswinkel des U m l a u f s, worüber die Zeitschrift eine kurze
Inhaltsanzeige und Besprechung an einer andern Stelle bringen wird.
Neben dem Glanzpunkte dieses Werkes, dem Abschnitte über B ö r s e,
Differenzgeschäfte, dem die deutsche Fachlitteratur nur den bekannten
Aufsatz *G. Cohn's* [1]) anzureihen vermag, den köstlichen Abschnitt über
die H a u t e B a n q u e u. s. f., enthält der Abschnitt VIII *(Accapare-
ments)* gute Notizen über Aufkäuferei, Kartelle, Trusts, sowie über das
verunglückte Unternehmen der Pariser Kupfergesellschaft *Secrétans,*
(nicht zu verwechseln mit dem schweizerischen, verehrungswürdigen So-
zialphilosophen gleichen Namens); demselben ist schon im J. 1837 als
Gegen- und Vorspielstück eine vergessene ähnliche »bubble« von einem
amerikanischen Spekulanten voraufgegangen, also zu einer Zeit, wo die
Yankees noch keine Trusts und sonstige Ausbeutungs-, Schutz- und
Trutzwaffen des Kapitalismus kannten. Wenn auch diese Thatsachen
unsern Lesern nicht unbekannt sein dürften, ist es vielleicht nicht
ohne Interesse, den Gegenstand im Lichte des Nationalökonomen aus
Leplay's Schule nochmals ins Auge zu fassen.

Verfasser unterscheidet Eingangs Aufkäuferei und Spekulation im
e. S insofern, als der Spekulant sich darauf beschränke, die künftigen
Preisschwankungen vorherzusehen und seine Käufe entsprechend einzurichten, wogegen der Aufkäufer und Agioteur auf hausse- und baisse-
Manövers und eine geflissentliche Ausbeutung des Marktes zum Nachteil
der Konsumenten lossteuern. Ein »corner« bestünde aus geheimen
Unterredungen mächtiger Spekulanten, die ohne wie die Aufkäufer
früherer Zeiten die Verkaufsoperationen absolut einzustellen, darauf
hinarbeiten, dass der Verkauf sich auf Gegenstände des täglichen Ver-

---

1) Volkswirtschaftliche Aufsätze. (S. 669—704) 1882. Cotta.

brauchs beschränke, die beabsichtigten ihnen zusagenden Preise aber
stufenweise und je nachdem der Kurs sich hebt, erfolgen. Gleichzeitig
beeinflusst der corner das Angebot durch Käufe mit Schlussterminen.

Der Artikel 419 des französischen Strafgesetzbuchs sei ungerecht,
wenn er j e d e Verständigung zwischen den Produzenten, die sich vor
den unvermeidlichen Schäden der Konkurrenz wehren wollen, untersagt; dagegen entspreche es dem Zweck und Rechte sowohl als der Ethik,
wenn er die Verbreitung falscher Gerüchte, das künstliche Hinauf-
schrauben der Preise u. s. w. verpönt, wenn auch der belgische, englische und deutsche Gesetzgeber mit Fug und Recht darauf verzichtet
hätten, den entsprechenden Machinationen mit Erfolg beikommen zu
können. Gegenüber den ausländischen Produzenten benachteilige dieser
Artikel die französischen. So lange die Verständigung nicht auf Vernichtung von Gewerbtreibenden hinsteure, welche am corner nicht Teil
nehmen wollen, sei er ethisch unverfänglich und erlaubt.

»In Europa«, heisst es, »scheinen die Aufkäufersyndikate nützliche
Schutzwehren im Angesichte der industriellen Niedergangszeiten, sowie
Mittel zu sein, der oft allzu gewaltigen Wirksamkeit des Wettbewerbs
vorzubeugen, in Amerika dagegen treten dieselben als eine Ausbeutung
des Konsumenten schlechtweg auf und wie eine gegen kleine und
mittlere Produzenten gebrauchte Waffe. D i e s   s e i   d e r   u n t e r-
s c h e i d e n d e   G e s i c h t s p u n k t   z w i s c h e n   d e n   K a r t e l l e n
D e u t s c h l a n d s   u n d   d e n   T r u s t s   j e n s e i t s   d e s   W e l t m e e r e s.

Typisch sind in dieser Hinsicht die *Sugarraffineries Company* und
besonders der *American Cottenseed and Standard Oil Trust* v. J. 1882.
Das Kartell verbindet sämtliche Eigentümer der Petroleumsanlagen und
die Raffinerie-Eigentümer sowohl, als Aktionäre bezüglicher Unternehmungen, d. h. die Majorität unter ihnen übergeben ihre Anteile einem
geheimen Komitee des Verwaltungsrats der Trustees, welche ihnen
Depositbescheinigungen (*Stores Trust*), alle Vollmachten absorbierend,
aushändigen. Jedes Geschäft wird abgeschätzt. Nachdem der Trust
zu Stande gekommen, pflegen die verbundenen Geschäftsfirmen s c h e i n-
b a r selbständig weiter zu fungieren. So scheinen z. B. die 8 grossen
Petroleumreinigungsanstalten und die 72 Mühlen der verschiedenen
Staaten der nordamerikanischen Union, welche den Cottenseed Trust
bilden, unabhängig weiter ihre Geschäfte zu führen. Die Trustees
geben vor, als handle es sich ihrerseits bloss um eine Verteilung der
zufallenden Dividenden: jedermann weiss indessen, dass die einzelnen
Verwaltungsräte der bezüglichen Gesellschaften Strohmänner und Hand-
langer des geheimen Komitee sind, welche übrigens über die Stimmen
in Generalversammlungen gebieten. Sehr häufig wird eine Schliessung
des Geschäfts und eine Verminderung der Produktion u. s. w. angeordnet. Mit bekannten Einschüchterungsmitteln wird gegen Fabriken
verfahren, die ihren Beitritt zum Trust verweigern. In New-York ver-

weigerte man den Zuckerverkauf der *Crokers* (Detailhändler), da diese
rohen Zucker an die dem Trust nicht angehörenden Raffinerien verkauften. Ohne Zweifel gelang es einigen selbständig sein wollenden
Unternehmern, sich dem Drucke der Trust zu entziehen; da diese Syn-
dikate jedoch den Markt mit ihren Erzeugnissen sättigen, so fristen
die am Leben gelassenen Satelliten derselben ein kümmerliches Dasein
und nehmen die Bissen und Brocken vom Monopol auf, indem sie zu
den vom Trust bestimmten Preisen verkaufen; nichtsdestoweniger verliert das Publikum die guten Früchte der Konkurrenz. Im J. 1890
suchte der Kongress der Ver. Staaten mittelst eines am 2. Juli d. J.
erlassenen Gesetzes dem Uebel der Aufkauferei zu steuern, diese mit
Strafen belegend. Gegen dreissig Unionsstaaten haben ebenfalls seit
1889 Strafbestimmungen erlassen, welche jedoch, wie wir bald sehen, er-
folglos bleiben. Die *Attorneys* in den einzelnen Staatengerichten sollen
im gegebenen Falle das Bundesgericht anrufen und jede Person sowohl als Korporation wird ermächtigt, wenn sie Gefahr laufen, an Eigentum und Geschäften durch Aufkaufereien beschädigt zu werden, den
Thäter am Bundesgerichte wegen Schadensersatz anzuklagen. Waren,
die von den im Gesetz verpönten Machinationen stammen, dürfen kon-
fisziert und zum Frommen des Bundesfiskus versteigert werden. In legisla-
torischer Beziehung rühmt *Jannet* ein k a n a d i s c h e s Gesetz des Bundesparlaments zu O t t a w a. Nach dessen XXII. Art. wird als strafwürdig
bezeichnet 1) jede E i n s c h r ä n k u n g im Transport, der Produktion, auch
der Lagerung und der Lieferung irgend eines Artikels oder Ware, die zum
Handel und Verkehr geeignet erscheint; 2) jede Handlung, welche den
Handel und Umsatz der bezeichneten Ware beschädigt; 3) in ungesetz-
licher Weise die Fabrikation davon einschränkt, dem Fabrikationsprozess
zuvorkommt oder »u n v e r s t ä n d i g e r W e i s e« den Preis in die
Höhe treibt; 4) welche es unternimmt, den Wettbewerb in Erzeugung,
Fabrizierung, Erwerb, Verkauf, Transport, Lieferung der bezüglichen
Artikel zu vermindern oder nichtig zu machen.« Offenbar, sagt *Jannet*,
hat der Richter in den Texteswörten »unverständiger Weise« eine gute
Handhabe behufs Feststellung, ob das Syndikat die Interessen seiner
Mitglieder lediglich schützt oder das Publikum auszubeuten beabsichtigt.

Nach Auflösung der Trusts beeilte sich der Cottenseed Trust in
gesetzlicher Form, sich als registrierte Aktienunternehmung eintragen
zu lassen und brachte das gesamte Werkzeugs- und bergmännische
Kapital der früheren Teilhaber durch Kauf an sich. In der That sind
auch trotz des Verbotes die Trusts so mächtig in den Ver. Staaten
als je zuvor. Ein Schriftsteller zählte deren 120 im J. 1891 und die
Anzahl dürfte nicht vollständig sein. Nur das *boycottage* wurde durch
jenes Gesetz geahndet und untersagt. Was in Amerika den Trusts unter
die Arme greift, ist die Kombination der Eisenbahngesellschaften —
bekanntlich auch Landeigentümerinnen in gewissem Umkreise der Bahnen

— mit den Handels- und Gewerbsaufkäufern. Uebrigens bietet der Zustand der ö f f e n t l i c h e n S i t t e n dort einen mächtigen Anreiz. N i r g e n d s i s t d i e M a c h t d e s G e l d e s a u c h i n B e z u g a u f T a g e s p o l i t i k s o w i r k s a m. Die grossen Kapitalisten beherrschen überall die Gesetzgebungsorgane einzelner Unionsstaaten. Sie vermochten 1888 den ehrlichen Cleveland aus dem Felde zu schlagen u. s. w. »La *véritable* volonté populaire parviendra et elle à briser une pareille m a c h i n e d e p a r t i, c'est une question vitale pour les Etats unis.«

Ueber *Secrétan's* Kupfergesellschaft erzählt *Jannet* folgendes: Im J. 1881 war dieser Spekulant Vorstand der *Société industrielle et commerciale des métaux,* welche seit 1882 Handelsoperationen mit dem Kupfer unternahm. Das Anlagekapital war auf 25 Millionen Frks. bestimmt und die Anteilsscheine wurden den Eigentümern der früheren Gesellschaften zugestellt, welche sich der Aktien schrittweise zu entledigen suchten.

Der Preis des c h i l e n i s c h e n Kupfers, worauf der Londoner Preissatz basiert, stand im Jahr 1871, wenn die Vorräte rekonstruiert werden sollten, auf 120—130 £ die Tonne. Er sank hernach unter dem Einfluss der Inbetriebsetzung zahlreicher Bergwerke; in den Jahren 1872—81 hielten sich die Kurse, die extremen Abschweifungen abgerechnet, zwischen 17 und 74 £. Von 1882—86 ging die Baisse regelmässig vor sich, so dass 1887 der Preis auf 40 £ herabsank. Die Produktion begann stillzustehen; das Erz kam nicht mehr auf den Londoner Markt, die Bergwerke hielten bedeutende Vorräte auf dem Erzeugungsort zusammen; der disponible Stock verminderte sich um 60 000 Tonnen und sank auf 40 000 zurück. Der Kupferpreis betrug kaum 38 und sogar 36 £ die Tonne!

Eine Anzahl englischer Spekulanten, welche die 40 000 Tonnen inne hatten, strebten nach einer Preiserniedrigung, indem sie einen Teil davon zu Markt brachten, und heimsten infolge dessen beträchtliche Gewinn durch »offene« Verkäufe (à *découvert*) ein. Der industrielle Verbrauch, eine grössere Baisse argwöhnend, kaufte nur von Tag zu Tag. Infolge des steten Preisniederganges des Rohstoffes litten die Kupfer verarbeitenden Fabriken bedeutende Verluste. Die Baisse-Campagne der Londoner Spekulanten und Eigentümer des Kupfervorrats war indessen eine L ü g e angesichts der thatsächlichen Lage, da Kupfervitriolverbrauch in Behandlung der Weinreben sowohl als die rasche Entwickelung der Elektrizität offenbar den gewerblichen Gebrauch des Kupfers vergrösserten. *Secrétan* fasste den Gedanken, dem Londoner Markt einen gegnerischen in Paris gegenüberzustellen. Er versicherte sich ein Anlagekapital von 68 737 500 Frks. auf dem Wege des Kredites, indem *Bamberger*, die *Banque de Paris et des pays Bas*, *M. Joubert, Leçeuyer* und *Hartich* die Summe zusammenschossen.

Gestützt auf diese Operationsbasis gab er seinen Londoner Agenten den Auftrag, das Kupfer, sowohl das verfügbare als das künftig zu beschaffende (à terme) anzukaufen. Im Oktober brachte er mehr als 12 000 Tons an sich, im November und Dezember weitere Mengen, und hob dadurch geflissentlich den Preis bis auf 84 £ die Tonne. Wiederverkäufe von Spekulanten à découvert brachten ihn auf 101 £ ¹/₂ an einem Tage. Alle Kupfervorräte srömten natürlich nach London und *Secrétan* kaufte davon im Laufe von 1888 130 000 Tonnen. Die Bergwerke verdoppelten ihre Thätigkeit und das Syndikat lief Gefahr, aus dem Markte geschlagen zu werden. Das Syndikat schloss also im J. 1888 Verträge mit englischen und amerikanischen, schwedischen, spanischen Kupferbergwerken, die ihm binnen 3 Jahren eine Lieferung von 542 000 Tonnen Kupfer zu liefern sich erboten, was sich nach dem Durchschnittskurse auf 908 Millionen bezifferte. Die gesamte Produktion des Kupfers zählte 1887 auf der Erde bloss 280 000 Tons. Folglich wurde alles ausser 40 000 Tons vorverkauft. *Secrétan* bedang sich ausserdem die Verträge auf 6—9 Jahre zu verlängern aus. In vielen Verträgen verbanden sich die Bergwerksgesellschaften und verpflichteten sich *Secrétan* gegenüber, Niemandem sonst als ihm die vertragsmässigen Vorräte zu verkaufen. — Unglücklicherweise reichten die Fonds bei weitem nicht aus, um diese Riesenoperation zuwege zu bringen, geschweige, dass der Verbrauch bloss einen schwachen Teil des immer wachsenden Vorrats von Kupfer absorbierte.

Um an die Aktionäre der *société des métaux* Dividenden zu verteilen und b u c h h a l t e r i s c h e Scheingewinne nachweisen zu können, verfiel man auf den Gedanken, damit man eine Verdoppelung des Kapitals erschleichen könne, *Secrétan* einen Teil des Stocks abzukaufen und die Gesellschaft damit zu kreditieren. Anfangs 1889, als die Lage bereits eine verzweifelte wurde, wurde eine neue Hilfsgesellschaft in Paris errichtet, die sogleich 75 000 Tonnen Kupfer der *société des métaux* abkaufte. Der Preis wurde vermittelst des eingeschossenen Kapitals, sowie durch warrants-Anleihen geregelt. Augenscheinlich war es ein buchhalterisches Trugspiel, die Kreditgeber jedoch entledigten sich ihrer Obliegenheiten durch Teilnahme an der neuen Gesellschaft. *Denfert Rochereau*, Direktor des *Comptoir d'escompte*, verstieg sich so weit, die von ihm geleitete Kreditanstalt in Mitleidenschaft mit diesem Geschäft hineinzuziehen, indem er Vorschüsse bis zu 130 Millionen Frks. gab auf Grund von Warrants über 82 457 Tonnen Kupfer bis zum Ende 1888, ohne nach den Statuten auf den erforderlichen Deckungen (*marges*) für das Komptoir zu bestehen. Man arbeitete mit diesen Vorschüssen noch im J. 1889, bis der sanguinische Direktor am 5. März seinem Leben selbst ein Ende machte und den Krach erst recht zum Ausbruch brachte.

Man wird eine Seite dieser Riesenoperation nie aufhellen: nämlich die Börsenspekulationen mit den Aktien und Obligationen der *société des métaux*. Die Rechtsanwälte von *Secrétan* und *Lassuger*, der Hauptschuldigen, vermochten wohl nachzuweisen, dass die Gewinne und Verluste ihrer respektiven Klienten sich die Wage hielten und dass schliesslich beide b l u t a r m aus dem bankerotten Geschäfte sich zurückzogen, *Law* und *Bontoux* ähnlich. Wer wird aber die Gewinne an der Börse vermittelst der Schlussgeschäfte nachweisen hönnen, welche aus dem Umsatze der Effekten flossen? Der Preis der Aktie der *société des métaux*, der im Juli 1886 auf 400 Frks stand, war im März 1888 1200. Leichter ist es, den Ruin der Aktionäre beider Gesellschaften, welche die Direktoren auf diese unsinnige Bahn trieben, zu beweisen. Im März 1888 verdoppelte die *société des métaux* ihr Anlagekapital durch Emittierung von neuen 50000 Anteilen zu 500 Frks, Emissionspreis 750. A l l e s   d i e s e s   K a p i t a l   i s t   u n w i d e r b r i n g l i c h   v e r l o r e n und 40000 Obligationen nach zwei Jahren zu 500 Frks, haben nach zehn Jahren nicht einmal den Wert von 220 Frks. Sachverständige haben den Verlust des *Comptoir d'escompte* im April 1889 auf 155 Mill. festgestellt, wozu man 22 Mill. schlagen muss, verausgabt auf Operationen mit dem Z i n n. Diese halbregierungsmässige grosse Kreditanstalt musste liquidieren. . . .

Ein halbes Jahrhundert früher ging es ähnlich einem gewissen *Biddle* in Amerika. Dieser Aufkäufer war Direktor der *Bank der Ver. Staaten* und unternahm mit der Baumwolle, welche damals bloss in den Südstaaten produziert wurde, eine ganz ähnliche Handelsoperation vor. *Biddle* begann damit, sämtliche Baumwollenvorräte bei den Pflanzern des Südens mittelst der Banknoten der von ihm geleiteten Anstalt anzukaufen. Nachdem in den Staaten des Südens neue Bankinstitute überall gegründet wurden, durch die hohen Preise der Aufkäufereioperation *Biddle*'s angeregt, brachte derselbe die meisten ihrer Aktien durch Kauf an sich, damit er ihr Thun und Lassen kontrollieren könnte. Sämtliche Baumwollenvorräte wurden in Liverpool und Havre aufgespeichert. *Biddle* gelang es, bei der Bank von England Wechsel im Belauf von 3 Mill. £ zu diskontieren, was in den Ver. Staaten den Umlauf der ihm unterstehenden Banknoten stützen sollte. Diese im J. 1839 durchgeführte Operation gab 15 Mill. Dollars Gewinn. Der durch die Bank angekaufte Baumwollenstock hatte sich auf 90 Mill. Ballen angehäuft. Ueberall fingen die Fabriken an ihre Thätigkeit einzuschränken, die Preiserhöhung liess unsichtbar gehaltene Vorräte aus ihren Schlupfwinkeln herauskommen, man machte sich diesen Umstand überall zu Nutzen, so dass nach einer oder zwei niedergehaltenen Erschütterungen der Krach ausbrechen musste. Der Baumwollenpreis ging gewaltig herunter und die *Biddle*'sche Bank musste liquidieren, ungeheure Verluste sowohl europäischen als amerikanischen

Kapitalisten beibringend, worüber die neue Auflage von *Juglar's Crises commerciales* (1880) Aufschluss giebt.   J. O . . . . ki.

—e. *Die preussischen Staffeltarife nach ministerieller Darstellung.* Ende Juni 1893 haben im preussischen Abgeordnetenhause interessante Verhandlungen über den überschriftlich bezeichneten wichtigen Gegenstand stattgefunden. Der Herr Eisenbahnminister verteidigte die Staffeltarife grundsätzlich in einer Rede, welche sich selbst dahin zusammenfasst:

»Die Ermässigung der Tarifsätze mit wachsender Entfernung beruht auf einer wirtschaftlich und finanziell richtigen Grundlage, denn sie ist proportional den Selbstkosten;

der Staffeltarif eignet sich insbesondere für die landwirtschaftlichen Produkte, denn er ist ein wirksames Ausgleichsmittel zwischen Mangel und Ueberfluss auch für weite Entfernungen;

die geographische Gestaltung unseres Landes und das Ueberwiegen der landwirtschaftlichen Produktion in den östlichen und nördlichen Provinzen, der Industrie in den mittleren und westlichen Provinzen gewährt den Staffeltarifen für Getreide eine besondere Bedeutung und Berechtigung;

der Staffeltarif erleichtert den Wettbewerb der inländischen Produktion gegen die ausländische;

der Staffeltarif ist für den Konsumenten unbestreitbar nützlich, für die fiskalischen Interessen vorteilhaft.

Die G l e i c h s t e l l u n g von M e h l und G e t r e i d e, von M a l z und G e r s t e beruht auf althergebrachten wirtschaftlichen Grundsätzen. Die Aufhebung derselben würde einen Eingriff in die Produktionsbedingungen der betreffenden Betriebe darstellen.

Unsere Nachbarn sind ebenso und zum Teil schon länger weise gewesen als wir. Alle unsere Nachbarn haben Staffeltarife und die für unser Getreide in Betracht kommenden erst recht. Die Russen sind sogar so weit gegangen, Mehl noch billiger zu fahren als Getreide; Belgien hat Staffeltarife für Getreide und Mehl, ebenso Oesterreich-Ungarn und Frankreich. Das sind gerade diejenigen, welche uns, bezüglich der Getreide auf allen unseren Grenzen flankierend, Konkurrenz machen. Heben wir unsern Staffeltarif auf — die ganze Nachbarschaft freut sich darüber, und die I n t e r e s s e n t e n d e r W a s s e r w e g e n a t ü r l i c h e r s t r e c h t.«

Z u r R e c h t f e r t i g u n g t a r i f a r i s c h e r G l e i c h b e h a n d l u n g d e r M ü h l e n f a b r i k a t e m i t G e t r e i d e bemerkte der Herr Fachminister: »Getreide und Mehl ist seit undenklichen Zeiten gleich tarifiert; das hat nicht der Staffeltarif erfunden, sondern das hat er so vorgefunden. Es ist weitaus auf den meisten deutschen Bahnen von Anfang an der Tarif so gestaltet gewesen, es ist aber seit dem Reformtarif in ganz Deutschland Getreide und Mehl gleich tarifiert. Die Erwägungen, die dazu geführt haben, abweichend von dem bisherigen Tarifgrundsatz, das veredelte Produkt höher zu tarifieren als das Rohprodukt, Mehl und Getreide gleich zu tarifieren, sind nicht eisenbahnfiskalischer, sondern lediglich wirtschaftlicher Natur. Diese Erwägungen beruhen darauf, dass es sich im allgemeinen empfiehlt, den Veredelungsprozess am Erzeugungsorte zu begünstigen. Es sind infolge dessen auch nicht bloss die Ausnahmen für Mehl und Getreide gemacht worden, sondern ebenso für Kohle und Kokes, für Erze und Roheisen, für Kalk und Kalkstein und noch für eine ganze Reihe anderer Produkte. Für Mehl und Getreide lagen aber noch ganz besondere Gründe vor, die Veredelung am Erzeugungsort zu begünstigen. Diese Gründe liegen darin, dass zumeist diejenigen Landesteile, in denen die Landwirtschaft überwiegt, arm an sonstigen Industrien sind. Die Mühlenindustrie ist in weiten Strichen unseres Landes fast die einzige grosse Industrie, die wir haben. Es war daher wirtschaftlich durchaus richtig, die Veredelung hier durch die Gleichstellung des Veredelungsprodukts mit den Rohprodukten im Tarif zu begünstigen. Es war ferner in Betracht zu ziehen, dass die Abfallstoffe der Mühlenindustrie im wesentlichen wieder Konsumstoffe der Landwirtschaft sind, dass in denjenigen Landesteilen, die grossen Körnerbau haben, auch naturgemäss die Viehhaltung gross ist, und dass die Landwirtschaft dieser Landesteile die Abfallstoffe, Kleie und Futtermehl, für ihre Viehhaltung durchaus notwendig hat, und dass auch aus diesem Grunde gleiche Vergünstigungen für den Veredelungsprozess am Erzeugungsort geboten sind. Unter diesen Umständen war es ganz unvermeidlich, wenn nicht grosse, kaum zu verantwortende Verschiebungen innerhalb der Mühlenindustrie und innerhalb der Landwirtschaft eintreten sollten, dass die Mühlenfabrikate von dem Staffeltarif nicht ausgeschlossen wurden. Es wäre geradezu vernichtend gewesen für unsere nördliche und östliche Mühlenindustrie und in hohem Masse gefährlich und bedenklich geworden für unsere östliche Landwirtschaft, wenn wir die Mühlenfabrikate im Spezialtarif 1 gelassen und die Rohstoffe in den Staffeltarif gesetzt hätten. Unsere östlichen und nördlichen Mühlen hätten ihren Betrieb aufgeben müssen. Die Staatsregierung glaubte daher, unter diesen Umständen es durchaus nicht verantworten zu können, die Mühlenfabrikate im Spezialtarif zu lassen, sondern es für wirtschaftlich berechtigt erachten zu müssen, das alte gleiche Verhältnis für Mühlenfabrikate und Getreide aufrecht zu erhalten, um so mehr, da es sich um einen Versuch handelte.«

Entschieden wurde die Behauptung zurückgewiesen, dass die Staffeltarife der Einfuhr ausländischen Getreides und Mehles günstig

seien. Der »D. R.A.« fasst die Ausführungen vom Ministertisch diesfalls dahin zusammen: »Nach den angestellten statistischen Ermittelungen ist die Menge der über Entfernungen von mehr als 200 km
(dem Beginn der Frachtermässigung) bewegten Transporte in den neun
Monaten September 1892 bis Juni 1893 gegenüber dem gleichen Zeitraum des Jahres 1890/91 um 237 000 t bei Getreide und um 29 600 t
bei Mühlenfabrikaten gestiegen. Die Steigerung hat auch bereits in
dem ersten Jahre nach Einführung der Staffeltarife trotz der ungünstigen
Ernte des Jahres 1891 festgestellt werden können, sodass der Anteil
der über weite Bahnstrecken bewegten Transporte gegenüber der Ge-
samtbeförderungsmenge bei Getreide von 10 Proz. im Jahre 1890/91
auf 13,4 Proz. im Jahre 1891/92 und auf fast 20 Proz. im Jahre 1892/93,
bei Mühlenfabrikaten von 17 Proz. auf 20 Proz. und auf 23 Proz. gestiegen ist. Gerade nach der günstigen Ernte des Jahres 1892 hat
sich gezeigt, in wie hervorragendem Masse die ermässigten Tarife den
Interessen des I n l a n d e s gedient haben, indem dieselben durch die
Erleichterung des Austausches inländischen Getreides dazu beitrugen,
die ausländische Einfuhr in den Bedarfsgegenden mehr oder minder
entbehrlich zu machen. So hätten die Mehrzufuhren aus den fünf östlichen Provinzen in dem Halbjahr vom 1. Oktober 1892 bis 1. April
1893 gegenüber dem gleichen Zeitraum des Jahres 1890/91 nach Berlin
an Getreide 44 000 t, an Mühlenfabrikaten 8400 t, nach dem Königreich Sachsen an Getreide 76 000 t, an Mühlenfabrikaten 7500 t, nach
Westdeutschland an Getreide 8900 t, an Mühlenfabrikaten 2500 t, nach
Süddeutschland an Getreide 6500 t, an Mühlenfabrikaten 6400 t betragen. Es gehe aus diesen Ziffern hervor und werde auch sonst durch
die Statistik bestätigt, dass die wesentlichsten Wirkungen des Tarifs
in den mittleren Entfernungsstufen bis 600 km hervorgetreten seien,
während die Transportmengen über ganz weite Strecken sich naturgemäss in mässigem Umfange gehalten hätten. Es gehe ferner aus
den Anschreibungen hervor, dass die östlichen Provinzen nach der
Ernte des Jahres 1892 in erster Linie die Vorteile der Frachtermässigung ansgenutzt haben, dass es aber auch anderen Gebieten möglich
geworden sei, für ihren Ueberschuss an einzelnen Getreidegattungen
und an Mehl entferntere Absatzgebiete aufzusuchen, so Schleswig-Holstein und andere nördliche Gebiete, die Provinz Sachsen für Weizen,
Gerste und Malz, teilweise auch Hannover und Westfalen. Auch aus
S ü d d e u t s c h l a n d seien nach der Ernte von 1891 und von 1892
bedeutende Mengen von Getreide — namentlich Hafer — unter Ausnützung der Vorteile des Staffeltarifs auf weitere Entfernungen als früher
nach Norddeutschland befördert worden. Namentlich haben die bisherigen Erfahrungen nicht bestätigt, dass die Frachtermässigung in
erster Linie dem a u s l ä n d i s c h e n Getreide und Mehl zu gute komme.
Nach dem Durchschnitt der sechs Jahre vor Einführung der Staffel-

tarife habe die über die trockenen Grenzen auf der Eisenbahn in den
freien Verkehr Preussens eingeführte Getreidemenge kaum d e n z e h n-
t e n T e i l d e r j e n i g e n E i n f u h r a u s l ä n d i s c h e n G e t r e i d e s
b e t r a g e n , w e l c h e z u W a s s e r e i n g e g a n g e n s e i. Von
dem mit der Eisenbahn eingeführten Getreide verblieben zudem drei
Viertel innerhalb der G r e n z g e b i e t e, für welche eine Frachtermässigung durch die Staffeltarife überhaupt nicht eingetreten sei. Hierin
habe sich auch nach Inkrafttreten der Staffeltarife nichts geändert;
wenn auch die letzten Jahre in Bezug auf den internationalen Getreidemarkt nicht normale gewesen seien, so sei doch aus dem für die Einfuhr zu Lande besonders in Frage kommenden Nachbarland Oesterreich-Ungarn trotz des grossen Bedarfs des Inlands nach der 91er Ernte
nur eine sehr mässige Steigerung der Einfuhr an Brotgetreide zu verzeichnen. Die B e d i n g u n g e n d e r W a s s e r z u f u h r d e s a u s-
l ä n d i s c h e n — namentlich auch des russischen — Getreides seien
nach wie vor s o v i e l g ü n s t i g e r, dass ein Anlass nicht vorliege,
mit einer Aenderung der bisherigen Einfuhrwege zu rechnen, zumal da
die grössere oder geringere Höhe des Zollschutzes, eine gute oder minder
gute Ernte des Auslandes für die Wahl des Zufuhrweges gleichgültig
seien. Auch die Befürchtungen einzelner Provinzen, namentlich des
Westens, dass mit Hilfe der neuen Tarife ihnen grosse Mengen inländischen Getreides zugeführt würden, welche die vorteilhafte Verwertung
des eigenen Getreides in Frage stellen müssten, erschienen »um so
weniger begründet, wenn man erwäge, dass diesen Provinzen schon
bisher der inländische Ueberschuss anderer Gebiete auf dem W a s s e r-
w e g e zugegangen sei, und dass es sich viel weniger um eine erhebliche Vermehrung der zugeführten M e n g e, als um eine t e i l w e i s e
V e r ä n d e r u n g d e s Z u f u h r w e g e s handle.«

III. LITTERATUR.

Bücher's „Entstehung der Volkswirtschaft".
Von Adolph Wagner.

Dr. Karl Bücher, ord. Prof. an der Universität Leipzig, *Die Entstehung der Volkswirtschaft,* Tübingen, 1893. VII und 304 S.

Diese nach Inhalt und Form gleich vorzügliche Schrift beweist wohl, dass die fachgenössischen Verehrer *Bücher*'s schon länger Recht hatten, in ihm einen der tüchtigsten jüngeren Nationalökonomen der mehr historischen Richtung zu schätzen. Mit dieser Schrift hat sich *Bücher* jedoch unverkennbar einen der ersten Plätze in dieser Richtung erworben. Aber mehr als das: *Bücher* zeigt sich hier auch als ein t h e o r e t i s c h beanlagter Kopf von einer Schärfe und Kraft des logischen Abstraktionsvermögens, des richtigen spekulativen Vorgehens, der Fähigkeit der prinzipiellen Behandlung und der Begriffsbildungen, wie deren nur sehr wenige in der deutschen wie ausländischen historisch-nationalökonomischen Schule zu finden sein möchten. Er gehört freilich auch nicht nur dieser Schule an. Seine Bemerkungen zur Methodologie (S. 5 ff., 77 * ff.) weichen sehr wesentlich von der hochfahrenden Art des jüngeren Historismus in der Be- und Verurteilung des deduktiven Verfahrens, der isolierenden Abstraktion, der älteren »klassischen« Nationalökonomie ab und stimmen zu meiner eigenen Genugthuung in wesentlichen Punkten mit den von mir vertretenen vermittelnden methodologischen Ansichten und selbst manchfach mit denjenigen des ersten neueren deutschen Methodologikers, *Karl Menger*'s, auch mit denen *H. Dietzel*'s überein. In der öffentlichen Widmung seiner Schrift an einen Meister der spekulativen Richtung wie *Schäffle* spricht sich die unbefangene Würdigung, welche ein Name von *Bücher*'s Bedeutung in der historisch-nationalökonomischen Richtung dem ersten Vertreter einer anderen Richtung zu Teil werden lässt, hochsinnig aus.

Uebrigens bietet diese schöne Schrift *Bücher*'s von seiner Seite nicht ganz Neues. Nicht nur, dass sie sich aus sechs früher bei verschiedenen Gelegenheiten gehaltenen, teilweise nur überarbeiteten Vorträgen zusammensetzt. Sie giebt im Grunde auch nur die Quintessenz und die leitenden Gedanken e i g e n e r f r ü h e r e r grösserer und kleinerer Arbeiten des Verfassers und gelegentlicher Andeutungen darin, die nunmehr weiter ausgeführt, in Zusammenhang gebracht und für eine umfassendere Theorie der wirtschaftlichen und sozialen Erscheinungen, welche *Bücher* hier behandelt, verwertet werden. O r i g i n a l ist der Inhalt dieser Schrift daher auch grösstenteils, wie gerade der Ursprung der bedeutendsten Gedanken und Ergebnisse aus den eigenen Arbeiten des Verfassers am besten beweist. Und zwar auch gegenüber den mittlerweile hervorgetretenen Arbeiten Anderer, in welchen mitunter ähnliche Auffassungen der historischen Entwicklung der

Volkswirtschaft und der Phasen dieser Entwicklung, auch der Arten und der Reihenfolge der gewerblichen Betriebssysteme hervortreten, wie u. a. namentlich in den hierher mitgehörigen, so wertvollen Arbeiten *G. Schmoller*'s. Es kann sich zwischen diesen beiden ausgezeichneten Wirtschaftshistorikern daher auch kaum um Prioritätsstreitigkeiten und Derartiges handeln, wie man nach einigen Sätzen in einer sonst vielfach *Bücher*'s Leistungen voll anerkennenden Rezension *Schmoller*'s (Jahrb. f. Gesetzgeb. u. s. w. 1893. XVII, B. 2 S. 302) vermuten könnte. Gerade die konstruktiven Hauptgesichtspunkte der *Bücher*'schen Theorie der Entstehung der Volkswirtschaft und der geschichtlichen Entwicklung der gewerblichen Betriebssysteme sind in die neue Schrift aus älteren Arbeiten *Bücher*'s übergegangen, wenn auch weiter entwickelt, geklärt und schärfer gefasst. Sie treten m. E. auch noch plastischer bei *Bücher* als bei *Schmoller* hervor und enthalten Abweichungen von des letzteren Auffassungen, welche jedenfalls beachtenswert sind, auch für denjenigen, welcher vielleicht in Einigem *Schmoller* mehr als *Bücher* beistimmt. Seine älteren Hauptgesichtspunkte und Gedanken sind auch von *Bücher* mit noch grösserem Erfolge für die »Theorie« der bezüglichen Erscheinungen und Entwicklungen verwertet. Die Typen, welche *Bücher* in der Reihen- oder Stufenfolge der gewerblichen Betriebssysteme entwickelt (S. 87 ff.), enthalten einiges ganz Neue, das auch in den eindringenden Arbeiten *Schmoller*'s, so viel ich sehe, noch nicht zu finden war, wenn er auch nach seiner eigenen Aeusserung ähnliche Unterschiede selbst längst gemacht hat (s. Jahrbuch XVI, B. 2, S. 278). Es ist ja auch von vorneherein wahrscheinlich, dass Männer, welche auf demselben Gebiete ähnlich arbeiten und von gewissen gleichen Anschauungen, wie hier dem Entwicklungsprinzip, ausgehen, ganz unabhängig von einander zu ähnlichen Ergebnissen gelangen. Darf ich doch selbst behaupten, dass ich, obwohl einer mehrfach anderen wissenschaftlichen Richtung und Methode angehörend als *Schmoller*, doch wegen sonstiger verwandter Grundanschauungen, z. B. über einen so charakteristischen Punkt, wie die prinzipielle Würdigung des Merkantilsystems und seiner universellen, die bloss handelspolitische Bedeutung weit überragenden Wichtigkeit für die Entwicklung der ganzen modernen Volkswirtschaft, lange vor *Schmoller*'s eigenen bezüglichen Arbeiten zu fast genau denselben Ansichten wie er gelangt bin, und dass wir selbst mehrfach in der Formulierung unserer Ansichten übereinstimmen [1]). Gerade in nationalökonomischen Dingen, wo so viel gleichartige Zeiteinflüsse das Urteil der Autoren bestimmen, ist eine derartige Uebereinstimmung in Auffassungen und selbst in Formulierungen derselben gar nicht selten, ohne dass dadurch irgend auf Abhängigkeit des einen vom andern geschlossen werden kann. In den sozialistischen Theorien *(Rodbertus, Marx)* hat sich das z. B. öfters gezeigt.

Neben Gesichtspunkten und Auffassungen einzelner seiner kleineren älteren Arbeiten (z. B. schon in den »Aufständen unfreier Arbeiter«, 1874) hat *Bücher* in dieser neuen Schrift namentlich seine bahnbrechenden Studien über die Bevölkerung Frankfurts am Main im 14. und 15. Jahrhundert (1886) — die weitaus bedeutendste Leistung

---

1) Vgl. meinen 1867/68 geschriebenen Aufsatz »Zölle« im Bluntschli-Brater'schen Staatswörterb. B. XI, S. 342—346, bes. S. 344, 346 an mehreren Stellen und *Schmoller* in s. Jahrbuch 1884, VIII, B. I, bes. S. 41—43, 45 ff. passim. Ich habe hierauf schon hingewiesen in der 3. Aufl. meiner Grundlegung. I, S. 241 Note. Vgl. auch eb. S. 359, 360 über die Entwicklungsmomente der Volkswirtschaft und ähnlich schon in der 1. Aufl. (1875) S. 60. *Schmoller*'s wie meine Auffassung knüpft freilich an *List*'sche Anschauungen an.

der historischen Bevölkerungsstatistik, eine Arbeit von ebenso stupendem Fleiss, wie von ausserordentlicher Kombinationsgabe und Scharfsinn zeugend — für theoretische Kernpunkte mancher seiner nunmehrigen Ausführungen benutzen können. Auch seine vorzüglichen statistischen Arbeiten, besonders über die Bevölkerung, die Steuer-, Einkommens- und Vermögensverhältnisse Basels boten ihm diesen und jenen brauchbaren Gesichtspunkt und Beweismaterial für die Konstruktion einzelner Punkte seiner Theorien. Und die schöne Abhandlung »Gewerbe« im Handwörterbuch der Staatswissenschaften — die ich zum Bedeutendsten aus *Bücher's* Feder und zum Wichtigsten aus der ganzen reichen neueren gewerbeverfassungsgeschichtlichen und gewerbepolitischen Litteratur rechne — liefert wertvolle Ergänzungen zu dem Vortrag über die gewerblichen Betriebssysteme. Die neue kleine Schrift, obwohl vielfach nur Skizze und kurze Ausführung, beruht daher auf dem Fundament grosser Jahre langer, ebenso fleissiger wie scharfsinniger eigener Arbeiten des Verfassers. Sie enthält aber auch, wenn schon von Wirtschaftshistorikern und Theoretikern wie *Rodbertus*, *Marx*, *Schäffle* in gewissen Gedankengängen und Auffassungen wirtschaftlicher und sozialer Entwicklungen und Begriffe beeinflusst, eine solche Selbständigkeit und Eigenart der Gedanken, wie sie sich nicht oft findet.

Die kleine Schrift hat ihren Titel nach dem ersten der sechs Vorträge erhalten, in welchem der alle Vorträge durchziehende Grundgedanke ausgesprochen ist: »die Entstehung der Volkswirtschaft«. Ob dieser Titel und dieser Grundgedanke ganz richtig sind, soll am Schluss dieser Besprechung erörtert werden. Der Verfasser kann jedenfalls mit Recht im Vorwort sagen, »dass die einzelnen Stücke innerlich nach Gegenstand und Methode mit einander zusammenhängen und einander ergänzen.« »Sämtliche Vorträge — Nr. II, die gewerblichen Betriebssysteme in ihrer geschichtlichen Entwicklung, III, Arbeitsteilung und soziale Klassenbildung, IV, die Anfänge des Zeitungswesens, V, die soziale Gliederung der Frankfurter Bevölkerung im Mittelalter VI, die inneren Wanderungen und das Städtewesen in ihrer entwicklungsgeschichtlichen Bedeutung — beherrscht eine einheitliche Auffassung vom gesetzmässigen Verlaufe der wirtschaftlichen Entwicklung und eine gleichartige methodische Behandlung des Thatsachenmaterials.« Der Grundgedanke des ersten Vortrags über die Entstehung der Volkswirtschaft kehrt daher mehrfach in den anderen Vorträgen wieder und findet hier eine öfters überraschende Bekräftigung und Weiterführung, so z. B. selbst in dem vierten Vortrag über das Zeitungswesen. So ist die Schrift doch ein einheitliches Ganze und kann in dieser Hinsicht ihren Titel mit Recht führen. Sie enthält aber in ihrem knappen Umfang so Vieles, regt so mancherlei Gedanken an, fordert in Einzelheiten auch mehrfach zum Widerspruch heraus, dass wir es uns versagen müssen, im Rahmen einer Anzeige auf den ganzen Inhalt näher einzugehen Zu den Vorträgen 2—6 daher hier nur einige Bemerkungen.

Eine besonders bedeutende Leistung *Bücher's* scheint uns die Herausbildung der fünf Typen der historischen Entwicklung der gewerblichen Betriebssysteme, Hausfleiss, Lohnwerk, Handwerk, Verlagssystem (Hausindustrie), Fabrik (S. 87 ff.). Die Ausführungen sind überzeugend. Hier ist ein Gewinn für die Theorie anzuerkennen, auch über die Ergebnisse der Arbeiten *Schönberg's*, — dessen auf diesem Gebiete für die neuere Litteratur bahnbrechende Arbeit »Zur wirtschaftlichen Bedeutung des deutschen Zunftwesens im Mittelalter« schon aus 1867 in Hildebrand's Jahrb. B. 9 doch auch gegenüber den späteren Arbeiten *Gierke's*, *Schmoller's* u. a. m nicht so übersehen werden sollte, wie es neuerdings mitunter geschehen ist —, ferner der Arbeiten *Schmoller's* und seiner Schüler hinaus. Auch die Verbindung, in welche *Bücher* diese Dinge

mit den allgemeinen Fragen der Entwicklung der wirtschaftlichen, sozialen Verhältnisse, der Arbeitsteilung und der ganzen Volkswirtschaft bringt, ist vorzüglich gelungen (s. Ergebnis S. 111 ff.). Gerade darin zeigt sich, wie sehr er mit Recht diesen
zweiten Vortrag eine Ergänzung des ersten nennen kann.

Nicht ganz beizustimmen vermag ich dagegen *Bücher* hier wie in verwandten
anderen Ausführungen der Schrift hinsichtlich verschiedener abstrakter und begriff-
licher Punkte, in welchen er sich der sozialistischen, speziell der *Marx*'schen Auffassung mehr anschliesst — ohne auf eine besondere Begründung dafür einzugehen —
als mir richtig erscheint. Es handelt sich hier u. a. namentlich um den K a p i t a l -
b e g r i f f. In der Phase der blossen Bedarfsproduktion des »Hausfleisses« giebt es
z. B. für *Bücher* »noch keinen Guterumlauf und k e i n K a p i t a l. Das Haus hat
nur G e b r a u c h s v e r m ö g e n auf verschiedenen Stufen der Genussreife« (S. 89)
Auch in der zweiten Stufe, beim »Lohnwerk« (in seinen beiden von *Bücher* wesentlich zuerst scharf unterschiedenen Formen der »Stor« und des »Heimwerks« S. 97 ff.)
ist »volkswirtschaftlich betrachtet das Wesentliche an diesem Betriebssystem, dass es
k e i n B e t r i e b s k a p i t a l giebt. Weder der Rohstoff, noch das fertige Gewerbs-
produkt wird für seinen Erzeuger jemals ein Mittel des Gütererwerbs.« »Das Produkt
ist niemals Kapital gewesen, sondern immer nur Gebrauchsgut auf dem Wege zur
Genussreife« (S. 99, 100). Es sei Unrecht, »noch immer den zünftigen Handwerker-
stand des Mittelalters als einen Stand kleiner Kapitalisten anzusehen«. »Er war vielmehr ein gewerblicher Arbeiterstand« (S. 100), (auch der Zunftmeister, der mit Gesellen arbeitet und doch an der Arbeit der letzteren verdient —?). Aehnlich dann
in den Ausführungen S. 113 ff. über die Stellung des Arbeiters, wo in knappen scharfen
Zügen das Auftreten des Kapitals und dessen allmähliche Ausdehnung in den fortschreitenden Betriebssystemen abstrahiert wird mit dem Schlusssatz (S. 114), »in den
Händen des Betriebsunternehmers wird selbst der Anteil des Arbeiters am Produkt
zu einem Teil des Betriebskapitals«.

Hier zieht sich wie ein roter Faden die m. E. zu enge Auffassung und Begriffs-
bestimmung des Kapitals im sozialistischen, namentlich *Marx*'schen Sinne durch die
Erörterungen, wonach »Kapital« nur dasjenige bewegliche sachliche Produktionsmittel in
den Händen eines Unternehmers (Arbeitgebers) ist, welches zur Beschäftigung Dritter,
eben der Arbeiter, dient und für den Eigentümer, bezw. Besitzer die Möglichkeit
eines Kapitalrentenbezugs aus dieser Arbeiterbeschäftigung liefert. Damit ist die von
Rodbertus im Kern herrührende, von mir aufgenommene und weitergeführte Unterscheidung von »rein ökonomischen« und »historischen-rechtlichen« Begriffen, welche
Bücher auch sonst zu verwerfen scheint, hier in Bezug auf den Kapitalbegriff unter-
blieben. Ich habe mich auch durch *Bücher*'s Ausführungen nicht überzeugen können,
dass das richtig ist. Sein Kapitalbegriff ist eben doch nicht »das Kapital«, sondern
nur das Kapital der n e u e r e n v e r k e h r s w i r t s c h a f t l i c h e n O r g a n i s a -
t i o n s f o r m, hier der betreffenden gewerblichen Betriebsform, daher m. E. zu eng.
Unter speziellerer Bezugnahme auf *v. Böhm-Bawerk* möchte ich nur in Kürze verweisen auf die Ausführungen in der 3. Aufl. meiner Grundlegung B. I über die Unterscheidung rein ökonomischer und historisch-rechtlicher Begriffe und die Anwendung
daselbst auf den Kapitalbegriff und auf die mehrfach konnexe Frage des Begriffs
und der Ausdehnung der »Kosten« (§ 109 S. 288, § 123 ff. S. 306 ff., bes. § 129
S. 315 und § 172 S. 400 ff.), wo u. a. auch die Streitfrage behandelt wird, ob und
wann die Arbeitslöhne, wenngleich sie in letzter Linie v o l k s w i r t s c h a f t l i c h
betrachtet, » A n t e i l e a m P r o d u k t« sind, doch auch zu den Kosten und zum

Kapital gerechnet werden können. *Bücher* verlässt hier m. E. mit Unrecht die Bahnen von *Rodbertus*, denen er sonst mehrfach folgt und für dessen Leistungen er wiederholt seine hohe Anerkennung äussert [1]).

Mein Dissens in diesem Punkte ist übrigens derselbe, den ich auch gegen den Grundgedanken seines ersten Vortrags glaubte erheben zu müssen. Darauf komme ich unten zurück. Ich möchte in Betreff des Kapitalbegriffs daran festhalten, dass jedes bewegliche Gut, welches in einem gegebenen Zeitpunkte und in einem bestimmten Stadium des Produktionsprozesses eben als Produktionsmittel dient, als B e d i n g u n g für die Ausführung der Produktion i n d i e s e r Z e i t und in d i e s e m S t a d i u m »Kapital« im rein ökonomischem Sinne ist. Das festzuhalten scheint mir geboten für a l l e historischen Entwicklungen der Produktion und der Betriebsformen. Nur Aenderungen im Umfang des Kapitalbegriffs und in den R e c h t s v e r h ä l t n i s s e n bezüglich »Kapital und Arbeit«, Produzent und Konsument treten dann in der historischen Entwicklung ein. Auch in *Bücher*'s primitiveren Betriebsformen möchte ich daher von »Kapital« in ökonomischem Sinne sprechen.

Im dritten Vortrage über Arbeitsteilung und soziale Klassenbildung zeigt sich *Bücher*, übrigens dabei mehrfach -- und mit Recht — streng deduktiv verfahrend (S. 141 ff.), wieder als Meister feiner Unterscheidungen der Arten der Arbeitsteilung und bringt auch diese in Verbindung mit der historischen Entwicklung. Ich kann ihm im Wesentlichen, doch nicht durchweg beistimmen, meine u. a. auch, dass die älteren Ausführungen *v. Hermann*'s und *v. Mangoldt*'s hier hätten mit Berücksichtigung verdient. Schon in den ersten Teilen dieses Vortrages berührt sich *Bücher* hier wesentlich mit den schönen neuesten Arbeiten *Schmoller*'s über Arbeitsteilung und Unternehmungen und übt daran Kritik. Bezüglich des Urteils über *Schmoller*'s Definitionen u. dgl. (z. B. S. 130) stimme ich *Bücher* bei, nicht ebenso in allem anderen, was hier aber nicht weiter verfolgt werden soll. Dagegen bin ich

---

1) Das tritt auch in der Tendenz der ganzen Schrift hervor und liefert vielleicht wieder den Beweis, dass *Rodbertus* auch gegenwärtig noch Anerkennung genug findet und nicht, wie jüngst einer der besonders bescheidenen Anhänger der »historischen Richtung« meinte, nur meine »polternde Reklame« die sozialistisch-organische Auffassung von *Rodbertus* »dem Publikum aufgedrängt hat«. (Herr *Lujo Brentano* in dem Aufs. »Die Volkswirtschaft und ihre konkreten Grundbedingungen«, Ztschr. f. Soz. u. Wirtsch.Gesch. I, 100). Ich bin übrigens gern bereit, die Fachgenossen, die historischen Nationalokonomen und die Freunde des Herrn *Brentano* inbegriffen, darüber abstimmen zu lassen, auf wen sich der Vorwurf »mit polternder Reklame dem Publikum etwas aufdrängen« eher beziehen könnte, auf mich mit meinem Auf- und Eintreten für *Rodbertus* unter steter kritischer Stellungnahme zu dessen Hauptdoktrinen, unter Ablehnung der meisten davon, oder auf den Herrn *Lujo Brentano* mit seiner tendenziosen, nun bald ein Vierteljahrhundert immer wiederholten Verherrlichung der englischen Gewerkvereine und der Uebertreibung der prinzipiellen und praktischen Bedeutung derselben und auf die ihm beistimmenden Schüler, die uns unter steter Berufung auf »er hat es gesagt« Herrn *Brentano*'s Wege als die allein zum sozialen Frieden führenden anpreisen, im Moment, wo der Strike in England mehr als je blüht und die dortigen Gewerkvereine mit Pauken und Trompeten ins sozialistische Lager abschwenken. Ich sorge nicht, wenn die Freunde Herrn *Brentano*'s nur einigermassen objektiv sein können, dass ich in diesem Punkte bei einem solchen Urteil selbst bei ihnen den Kürzeren ziehe.

23 *

nicht erst durch *Bücher* zu der Ansicht gekommen, denn ich hatte mir sie schon
ähnlich gebildet, aber vollends durch seine Ausführungen darin bestärkt worden, dass
Schmoller's ja einzelnes Richtige sicher enthaltende, aber viel zu viel generalisierende
und im Grunde doch r e i n s p e k u l a t i v gewonnene Ansichten über die Vererb-
lichkeit und thatsächliche Vererbung der durch die Arbeitsteilung hervorgebrachten
persönlichen Verschiedenheiten unter den Menschen (S. 147 ff.) n i c h t bewiesen,
kaum überhaupt beweisbar sind, und die gegenteilige Ansicht, die *Bücher* vertritt,
ohne ebenfalls genauer bewiesen zu sein, viel mehr für sich hat (S. 158 ff., 163, 166).
Bücher verlangt jedenfalls mit R e c h t, dass überhaupt streng, schon begriffsmässig,
zwischen Vererbung und Einfluss von Erziehung, Nachahmung u. dgl. (S. 151) unterschieden werde. Was *Schmoller* an Thatsachen als Beweise mit benützt, hat eben
wegen dieser mangelhaften Unterscheidung keine ‚B e w e i s k raft. *Bücher* scheint mir
daher im Recht mit dem Schluss auf S. 160 und mit seiner eigenen Annahme, dass
»die grossen Züge unserer sozialen Berufsgliederung sich h i s t o r i s c h a u s d e r.
v e r s c h i e d e n e n V e r t e i l u n g d e s E i g e n t u m s entwickelt haben und fortgesetzt auf d i e s e r Grundlage ruhen, die durch unsere heutige Wirtschaftsorganisation immer mehr befestigt wird« (S. 155). *Schmoller* hat gerade auf diese Ausfuh-
rungen *Bücher*'s in der oben genannten Rezension eingehender geantwortet (Jahrb.
XVII, B. 2, S. 303 ff.), vielleicht in Nebenpunkten sich richtig verwahrt, aber in der
Hauptsache kaum Recht behalten. U. a. würde mit einer selbst feststehenden physio-
logischen Theorie, welche die Vererbung der väterlichen Eigenschaften verständlich
macht, worauf sich *Schmoller* beruft, doch in einer Frage noch gar nichts bewiesen
werden, in welcher es sich darum handelt, o b denn Berufsverhältnisse und soziale
Klassenzustände überhaupt zu persönlichen »Eigenschaften« führen, welche zu den
vererbbaren und wirklich vererbten gehören. Warum, nebenbei bemerkt, *Bücher*'s
ihm supponierte »radikal-demokratische Prinzipien« ihn, der so eminente Fähigkeit
h i s t o r i s c h e r Auffassungsweise besitzt, hindern sollen, eine historische Betrachtung
unbefangen zu würdigen, welche der Aristokratie wie der Demokratie gerecht zu werden
sucht, — ist schwer einzusehen. .

Auch der vierte bis sechste Vortrag würden mich zu manchen Bemerkungen veranlassen, doch würde das in einer Bücheranzeige zu weit führen. Eine Menge fein-
sinnige Ausführungen, feine Beobachtungen, scharfe statistische Analysen finden sich
auch hier, alles immer benutzt, um die Grundanschauungen des Verfassers zu belegen.
Am meisten Dissenspunkte bietet mir der letzte Vortrag über die Wanderungen, wo
ich auch die methodologischen Bemerkungen S. 260 ff. und die Vorwürfe gegen die
bisherige litterarische Behandlung des Wanderungsproblems nicht alle für richtig halte,
Der etwas ironische Satz über den Streit im Deutschen Reichstage, ob die Leute
auswanderten, weil es ihnen gut oder schlecht gehe, wird doch der damaligen Kontro-
verse nicht ganz gerecht. (S. meine Grundlegung 3. Aufl. I, S. 559 mit den dortigen ‚Zitaten aus *Giffen* und *Neumann-Spallart*). Auch die Schlusssätze *Bücher*'s
S. 302 ff. möchte ich mit Fragezeichen versehen. Indessen muss es hier genügen,
diesen Dissens nur auszusprechen. Zu einer weiteren Begründung wird sich mir
vielleicht im 2. Bande meiner Grundlegung (Zugrecht, Ein- und Auswanderung) bald
Gelegenheit geben. Einstweilen möchte ich mich auf die Ausführungen darüber in
der 2. Aufl. und auf die §§ 224 ff. über Wanderungen in der 3. Aufl. I meines gen.
Werks beziehen.

Ich komme aber nunmehr zum Schluss dieser Besprechung noch auf den Hauptpunkt der ganzen Schrift, auf *Bücher*'s Theorie der Entstehung der Volkswirtschaft,

auf seine Periodenbildung dabei und auf die Charakterisierung jeder Periode mit einigen Bemerkungen. Von einer bezüglichen »T h e o r i e« *Bücher*'s darf man hier reden Gerade in dieser erkenne ich ein besonderes Verdienst des Verfassers. Seine Theorie berührt sich in manchen Punkten mit derjenigen *Schmoller*'s und anderer historischer Nationalökonomen, übernimmt Klassifikationen und Merkmale der Typen mit von anderen, wie besonders von *Rodbertus*, *G. Schönberg*, aber *Bücher* führt doch seine Gedanken selbständig durch und gelangt zu einer in sich geschlosseneren Gesamttheorie des von ihm behandelten Erscheinungskomplexes, als irgend ein Vorgänger. Sein Hauptsatz, dem man neuerdings ähnlich bei anderen historischen Nationalökonomen begegnet (so z. B. bei *Brentano* a. a. O. S. 78), ist, »dass die Volkswirtschaft das Produkt einer Jahrtausende langen historischen Entwicklung ist, d a s n i c h t ä l t e r i s t a l s d e r m o d e r n e S t a a t; dass vor ihrer Entwicklung die Menschheit grosse Zeiträume hindurch ohne Tauschverkehr oder unter Formen des Austauschs von Produkten und Leistungen gewirtschaftet hat, die a l s v o l k s w i r t s c h a f t l i c h n i c h t b e z e i c h n e t werden können« (S 14). Nach dem Gesichtspunkt »des Verhältnisses, in welchem die Produktion der Güter zur Konsumtion derselben steht, oder genauer: der Länge des Weges, welchen die Güter vom Produzenten zum Konsumenten zurücklegen«, teilt *Bücher* dann (wenigstens für die zentral- und westeuropäischen Volker) die gesamte wirtschaftliche Entwicklung in drei grosse Perioden: »1) die Periode der g e s c h l o s s e n e n H a u s w i r t s c h a f t (reine Eigenproduktion, tauschlose Wirtschaft), in welcher die Güter in derselben Wirtschaft verbraucht werden, in der sie entstanden sind; 2) die Periode der S t a d t w i r t s c h a f t (Kundenproduktion oder Periode des direkten Austauschs), in welcher die Güter aus der produzierenden Wirtschaft u n m i t t e l b a r in die konsumierende übergehen; 3) die Periode der V o l k s w i r t s c h a f t (Warenproduktion, Periode des Güterumlaufs), in welcher die Güter in der Regel eine Reihe von Wirtschaften passieren müssen, ehe sie zum Verkauf gelangen« (S. 14, 15).

In grossen Zügen und für verschiedene Völker und Zeitalter wird dann jede dieser Perioden etwas näher charakterisiert, u. a. die erste für die antike »Oekenwirtschaft« in *Rodbertus*' Terminologie, für die mittelalterliche Frohnhofwirtschaft (S. 15–43), dann die Periode für die Stadtwirtschaft (S. 43 ff.), endlich diejenige der modernen Volkswirtschaft, seit dem Ausgang des Mittelalters, unter Hinweis auf den prinzipiellen Charakter der Merkantilpolitik (S. 67 ff.). Im ganzen stimmt das mit der neueren Auffassung, so in Betreff der Stadtwirtschaft mit der wohl mit zuerst gerade in dieser Weise von *Schonberg* (in der oben gen. Abhandl. von 1867, bes. S. 14), dann namentlich von *Schmoller* vertretenen, in Betreff der neueren Volkswirtschaft mit des letzteren, auch mit meiner eigenen, wie bemerkt, schon früher dargelegten Ansicht überein. Nur hinsichtlich der ersten Periode weichen andere, so insbesondere auch *Schmoller*, etwas mehr von *Bücher* ab, und bezüglich der letzten, *Bücher*'s dritter Periode, sucht *Schmoller* noch mehr Territorial- und Volkswirtschaft (bezw. territoriale und staatliche Volkswirtschaft) zu unterscheiden. In letzterer Beziehung möchte ich *Bücher* in der Zusammenfassung von »Volkswirtschaft« als E i n e r Entwicklungsstufe mehr beistimmen. Denn das Charakteristische ist hier eben doch die Z u s a m m e n f a s s u n g v o n S t a d t u n d L a n d, wodurch sich die »Stadtwirtschaft« von der »Volkswirtschaft«, die Ausdrücke in diesem Sinne einer Entwicklungsstufe genommen, unterscheidet, während zwischen *Schmoller*'s Territorial- und Volkswirtschaft doch nur ein gradweiser Unterschied, wesentlich bloss in Beziehung auf die Ausdehnung des Wirtschaftsgebiets auf das ganze Staats- oder Zollgebiet (»das

Zollgebiet wird die territoriale Basis der nationalen Volkswirtschaft«, mein Aufs. Zölle, Staatswörterb. XI, 344) besteht. Dagegen möchte ich *Schmoller* gegen *Bücher* darin Recht geben, dass die »Hauswirtschaft« k e i n e l o g i s c h e Parallele für die Stadt- und Volkswirtschaft sei, sondern nur das Nebeneinander mehrerer Hauswirtschaften (Jahrb. XVII, B. 1, S. 303). *Schmoller* hat die Reihe: Dorf-, Stadt-, Territorial- und Volkswirtschaft. Könnte man nicht mit Rücksicht auf die Verschiedenheit der Ansiedlungsverhältnisse, der Grundbesitzorganisation und im Hinblick auf Frohnhof- und sonstige Gutswirtschaften lieber zusammenfassend von (vorherrschend) »agrarischer« Wirtschaft als der ersten vor-stadtwirtschaftlichen Stufe sprechen? (S. meine Grundleg. 3. Aufl. I, S. 356 ff.).

Eine Fülle treffender Bemerkungen, welche ebenso sehr die reiche Sachkenntnis und die umfassenden Studien des Verfassers, als dessen Kombinationsgabe und Gedankenschärfe und Tiefe zeigen, sind in diesen Ausführungen *Bücher*'s enthalten und belehren und regen allseitig an. Besonders die Beziehungen der geschilderten Entwicklungen zu Arbeitsteilung, Besitzverhältnissen, Tauschverkehr, Marktwesen, Preisbildung, Geld, Handel und dessen Arten, Besteuerungsart u. s. w. u. s. w. werden verfolgt und mannichfach neu beleuchtet. Einzelnes erhält dann in den folgenden Abhandlungen noch Ergänzungen und Weiterführungen. Mit Recht hebt *Bücher* auch hervor, wie ähnlich bei den Stufen der gewerblichen Betriebssysteme (wo er S. 117 auch einen für die gegenwärtigen gewerblichen und gewerbepolitischen Verhältnisse wichtigen — und wohl richtigen — Schluss zieht), dass immer nur e i n e Art des Wirtschaftens im Stufengang von Haus-, Stadt- und Volkswirtschaft v o r h e r r s c h t, n i c h t a l l e i n herrscht (S. 76*).

Gerade aber mit diesem eigenen Zugeständnis gelangen wir zu meinem kritischen Haupteinwand gegen *Bücher*'s Grundauffassung und gegen die dieser angepasste Terminologie, damit auch zu der Frage, ob der Titel des ersten Vortrags und der ganzen Schrift richtig gewählt und haltbar sei. Ich will meinen Einwand gleich aussprechen: *Bücher* wie *Schmoller* zeigen uns vortrefflich, wie wenig man unmittelbar die Kategorien der modernen volkswirtschaftlichen Organisation auf frühere Zeiten anwenden darf, sie belehren uns richtig darüber, welchen Ab- und Einschnitt in der gesamten wirtschaftlichen Entwicklung die Periode der Bildung des modernen Staats darstelle und wie sehr hierbei die merkantilistische Politik als Hebel gedient hat. Die Ausführungen über die haus-, dorf-, stadtwirtschaftliche Phase entwickeln gut, was alles derjenigen Phase vorangegangen ist, in der wir leben und welche die »abstrakten« Nationalökonomen, die britischen Oekonomen, die »Klassiker« kurzweg, aber durchaus unhistorisch, als »die Volkswirtschaft schlechthin« betrachtet haben, der ökonomische Liberalismus und Individualismus noch heute so ansieht. Aber was insbesondere *Bücher* — *Schmoller* ist hier vorsichtiger im Ausdruck und steht vielleicht hier meiner gleich zu präzisierenden Ansicht näher als derjenigen *Bücher*'s — m. E. n i c h t hewiesen hat, ist, dass man v o r der Zeit des modernen Staats überhaupt g a r k e i n e » V o l k s wirtschaft« gehabt habe, von einer solchen daher auch nicht reden dürfe. Diese Auffassung scheint mir doch erheblicher Einschränkungen zu bedürfen, sowohl historisch als in Betreff der zu Grunde liegenden Begriffe. Ich würde die vorausgehenden Stufen nicht als, was sie bei *Bücher* sind, wenn er sie auch nicht so nennt, » v o r - volkswirtschaftliche« Stufen der »Volkswirtschaft«, sondern v o r a u s g e h e n d e Stufen e i n f a c h e r e r, aber doch auch schon v o l k s wirtschaftlicher Organisation der m o d e r n e n Volkswirtschaft nennen. Daher schiene mir *Bücher*'s Buch auch richtiger den Titel zu führen: »Die Entstehung der m o d e r n e n Volkswirtschaft«.

Hier liegt bei mir allerdings eine etwas abweichende prinzipielle Auffassung vor, welche mit meiner Unterscheidung »rein okonomischer« und »historischer« Kategorien von Begriffen auch hier zusammenhängt. Sie lässt sich in dem in Rede stehenden Falle aber auch in historischer Beweisführung rechtfertigen, wenn man einige andere Seiten der früheren wirtschaftlichen Verhältnisse betrachtet, als die gerade allein von *Bücher* für seine Beweisführung berücksichtigten.

Die ganze Frage, ob man erst mit dem modernen Staate von einer »Volkswirtschaft« soll sprechen dürfen, ist ähnlich, wie die Frage zu beantworten, ob man erst Im modernen Staat einen »Staat« erkennen will. Beides ist doch wohl zu verneinen. in beiden Fällen können wir aber allerdings etwa seit dem 15.—17., 18. Jahrhundert unterscheiden : ältere Phasen der noch unentwickelten und weniger entwickelten von der modernen Phase der entwickelten, »verkehrsmässigen«, »staatswirtschaftlichen« Volkswirtschaft und ebenso den früheren weniger entwickelten und den modernen hoch entwickelten (den Rechts- und Kultur-) Staat.

Nur solange und soweit in der »hauswirtschaftlichen« Periode *Bücher*'s g a r k e i n e wirtschaftlichen Beziehungen der einzelnen »Hauswirtschaften« unter einander oder mit irgend welchen einzelnen Personen, Familien und deren Wirtschaften a u s s e r- h a l b der eigenen »Hauswirtschaft« in der Nachbarschaft, in weiterer Entfernung, in der Fremde bestehen , auch nicht irgendwie eine Zusammenfassung der Hauswirtschaften und ihrer Angehörigen zu grösseren politischen, sozialen Verbänden und Einheiten stattfindet, mag man das Vorhandensein einer selbst auch noch ganz unent wickelten »Volkswirtschaft« bestreiten. Allein in wie beschränktem Masse, wenn überhaupt, findet man eine solche wahre Isolierung von Hauswirtschaften ? Wo irgendwie wirtschaftliche Beziehungen der letzteren untereinander, sei es durch Tausch und Verkehr, sei es durch Dienst- und Sachleistungen, vorhanden sind, wo irgend welche solche Leistungen an Autoritäten, Häuptlinge, Fürsten, Priester, an grössere Gemeinschaften, zu denen die einzelne Hauswirtschaft als Glied gehört, erfolgen, d a s i n d a u c h b e r e i t s w i r t s c h a f t l i c h e E r s c h e i n u n g e n u n d K o m p l e x e v o n s o l c h e n d a , w e l c h e e s e r l a u b e n , ja m. E. welche, h i s t o r i s c h w i e l o g i s c h g e u r t e i l t , e s n ö t i g m a c h e n , v o n » V o l k s w i r t s c h a f t «, wenn auch noch v o n s e h r w e n i g e n t w i c k e l t e r Volkswirtschaft, zu reden. Tausch und Verkehr (eventuell wenigstens durch fremde Händler, »Wander-Kaufleute« vermittelt , wie *Bücher* so hübsch ausführt), werden dabei selten ganz fehlen. Aber sie können ganz untergeordnet sein und begrifflich wäre ihr Vorhandensein nicht einmal nötig, um doch schon von » V o l k s wirtschaft« sprechen zu können. Dienst-, Lieferungs-, Abgabenverhältnisse zwischen den Hauswirtschaften untereinander wie zwischen ihnen und grösseren Gemeinschaften und Oberhäuptern genügen auch allein, um einen Komplex wirtschaftlicher Erscheinungen zu ergeben, der als »Volkswirtschaft« aufzufassen ist. Und wo fehlen solche Verhältnisse ganz? Jedenfalls treten sie bei irgend etwas einer politischen, einer staatlichen Organisation nur entfernt Aehnlichem, auch in den primitivsten Verhältnissen, den frühesten Zeiten, bei den rohesten Völkern auf. Jedes noch so rohe System von Abgaben und Dienstpflichten der »Hauswirtschaften« und ihrer Angehörigen, insbesondere zunächst ihrer Herren gegenüber politischen und hierarchischen Autoritäten bedingt b e g r i f f l i c h und besitzt auch h i s t o r i s c h eine g e w i s s e R e g e l u n g , bei welcher die einzelne Wirtschaft als G l i e d e i n e s w i r t s c h a f t l i c h e n G a n z e n , eben der grösseren und kleineren » V o l k s w i r t s c h a f t « unter Einer Autoritätsherrschaft erscheint.

Vollends in der Weiterentwicklung gerade der politischen Verhältnisse — und

Bücher denkt bei seiner ersten Periode der »Hauswirtschaft« an die ganze antike
Welt, Griechenland und das römische Weltreich nicht ausgeschlossen, und an das
mittel- und westeuropäische Mittelalter bis etwa zum J. 1000 (S. 16) — sind schon
die f i n a n z i e l l e n Beziehungen, die selten ganz fehlenden, vielfach, wie in der
alten Welt, zu hoher technischer Entwicklung gekommenen Natural- und Dienst-
leistungs-, Abgaben- und Steuerverfassungen der Art, dass auch dabei die einzelnen
Wirtschaften, auch die Oeken- und Hauswirtschaft, als G l i e d e r e i n e s w i r t -
s c h a f t l i c h e n G a n z e n, doch eben der »V o l k s w i r t s c h a f t« der Zeit und
des Landes erscheinen. Das mag in der Auffassung der Zeitgenossen noch nicht begrifflich erfasst werden, noch lange später mag die »Idee« einer Volkswirtschaft
fehlen, aber wir Späteren sind doch im Rechte, wenn wir auch für solche Zeiten
bereits von einer »V o l k s wirtschaft« reden. Ich habe gerade die weitere Verfolgung
solcher d u r c h d i'e f i n a n z i e l l e n V e r h ä l t n i s s e bedingten Zusammenhänge
auch in *Bücher*'s Ausführungen über seine beiden älteren Perioden vermisst. In der
»stadtwirtschaftlichen« ist doch vollends diese Seite der Sache von deutlichster Wichtigkeit für die Frage, ob hier bereits von einer »Volkswirtschaft« zu reden sei. In
aller Besteuerung der ständischen Periode, in der Festsetzung von Steuerkontingenten
und von Massstäben der Repartition auf die einzelnen Stände und weiter auf die einzelnen Wirtschaften (agrarische, städtische u. s. w.) schwebt implicite doch immer
schon die Idee eines »volkswirtschaftlichen Ganzen« vor und besteht eben auch thatsächlich ein solches.

Dazu kommen dann aber doch auch schon alle die zahlreichen und wichtigen
Normen für Handel und Wandel, Mass und Gewicht, Geld und Münze, Wege
und Transport, Märkte und Verkehr darauf, Preise und Qualitätskontrollen u. s. w.
u. s. w., die durchaus in die Zeiten nicht nur der stadtwirtschaftlichen, sondern auch
weit zurück in diejenigen der hauswirtschaftlichen Phase hineinragen. Und zwar
überall da, wo sich ein grösserer Staat bildet und eine entsprechende Staatsgewalt
besteht, nicht nur Normen k l e i n e r e r l o k a l e r Autoritäten und für k l e i n e r e
Gemeinschaften, wie Dörfer, Markgenossenschaften, Städte und nicht erst in den
Perioden, wo die kleinen autonomen Körper und Herrschaften, wie in der Mitte und
der zweiten Hälfte des Mittelalters, jeder möglichst für sich alles regelt, wo daher,
wie *Schmoller* ausgeführt hat, gerade viele dieser Normen ganz dezentralisiert erscheinen, so in der stadtwirtschaftlichen Periode der zweiten Hälfte des Mittelalters
und noch bis in die spätere Zeit hinein. Sondern gerade a l l g e m e i n e r e Normen des Staats, des Fürsten, des Königs, des Kaisers, wenigstens über viele der genannten Angelegenheiten für das G a n z e oder doch für grosse Teile des Volks-
wirtschafts- und Staatsgebiets, in der hauswirtschaftlichen, wie in der stadtwirtschaftlichen Periode, im römischen Weltreich wie im früheren Mittelalter, im karolingischen
Reiche und später unter starken Königen, in Deutschland wie in andern Ländern. Nur wo
eben keine eigentliche grössere Staatsbildung zu stande kam, oder eine solche wieder
zusammenbrach, jenes in Griechenland, dieses in und seit der Mitte des Mittelalters in
Deutschland und teilweise auch in anderen europäischen Ländern, blieb es bei w e -
s e n t l i c h l o k a l e r »volkswirtschaftlicher« Gesetzgebung und Verwaltung oder
wich die Reichsgesetzgebung wieder der lokalen. Aber als G l i e d e r eines g r ö s -
s e r e n nicht nur politischen, sondern auch w i r t s c h a f t l i c h e n G a n z e n fühlten
sich die Wirtschaften dennoch auch hier, sowohl in der hauswirtschaftlichen als in
der stadtwirtschaftlichen Phase, wenn auch die Wirtschaftsorganisation und die wirtschaftliche Rechtsordnung, und freilich e b e n s o s e h r oder n o c h m e h r die U n-

vollkommenheit der Verkehrsmittel und der mangelhafte Rechtsschutz Produktion, Verkehr, Konsumtion in enge lokale Schranken bannten und den Verkehr, welcher durch Dritte zwischen Produzent und Konsument vermittelt wird, den Handel in den wichtigsten Bedarfsartikeln, sowie selbst den direkten Austausch zwischen Produzent und Konsument in der hauswirtschaftlichen Periode fast ganz unterbanden oder unnötig machten und in der stadtwirtschaftlichen sehr beschränkten und an feste enge Regeln knüpften. Völlig gefehlt hat der Handel und direkte Umtausch doch fast nie und nirgends. Auch damit ist das frühere Vorhandensein von »Volkswirtschaft« m. E. erwiesen.

Doch es muss an diesen wenigen Andeutungen und kritischen Bemerkungen bezüglich der *Bücher*'schen Theorie genügen, eine förmliche Gegenbeweisführung ist an dieser Stelle nicht möglich. Es sind auch nur kleine, wenn auch prinzipielle Bedenken gegenüber den trefflichen Ausführungen des Verfassers, die auch weniger, ja überhaupt eigentlich kaum seine Grundanschauungen selbst, als die t h e o r e t i s c h e F a s s u n g der Ergebnisse derselben und seiner ganzen Untersuchungen betreffen. Das ergiebt sich auch schon aus meinem obigen Versuche, n u r d i e s e F a s s u n g etwas zu ändern. Meiner aufrichtigsten Hochschätzung der schönen Arbeit des Verfassers thut die Kundmachung dieser Bedenken natürlich nicht im mindesten Abbruch. Im Gegenteil wird er darin hoffentlich selbst ein Zeichen meiner Anerkennung finden. Ich habe wenige Arbeiten aus meinem Fache, welche einer wesentlich anderen Richtung angehören, mit so viel Genuss und, wie ich hoffe, Belehrung gelesen. Mit einem, auch etwas persönlichen Wunsche möchte ich schliessen: dass *Karl Bücher* bald die Zeit findet, seine gewerbegeschichtlichen und gewerbepolitischen Studien zu einem ganzen System der Theorie des Gewerbewesens und der Gewerbepolitik zusammen zu fassen. Er hat als »historischer Nationalökonom« auf diesem Spezialgebiete, der aber gleichzeitig Sinn, Verständnis, Neigung und Begabung für die theoretische Seite der wirtschaftlichen Dinge, für abstrakte, prinzipielle und begriffliche Behandlung hat, vielleicht mehr als irgend ein anderer Spezialist das Zeug, hier ein »*standard work*« zu liefern. Die wie er selbst zugiebt, manchfach nur andeutungsweise hingeworfenen Gedanken und als Thesen hingestellten Sätze in dieser Schrift über die Entstehung der Volkswirtschaft und über Gewerbe im Handwörterbuch der Staatswissenschaften würden in einem solchen Werke erst ihre gebotene Ausführung und nähere Begründung finden. Möchte er uns nicht lange mehr auf dieses Werk warten lassen!

Berlin, Nov. 1893. A d. W a g n e r.

M. Hauriou, *Histoire de la Formation du droit administratif français depuis l'an* VIII. p. 32 Seiten. Berger, Levrault et Comp. 1893.

Obiger Umriss der Entwickelung des französischen, als homogen und festgefugt bekannten Rechtsgebietes darf mit Recht als eine Fortsetzung der Monographie *K'. v. Mohl*'s bezeichnet werden und verdient in dieser Zeitschrift schon deshalb Erwähnung, weil sein Verfasser, mit der deutschen Litteratur bekannt, gerade hervorhebt, und seinen Landsleuten es vorhält, wie der III. Band d e r G e s c h i c h t e u n d L i t t e r a t u r d e r S t a a t s w i s s e n s c h a f t e n dem französischen Verwaltungsrechte 100 Seiten widmet. *Hauriou*, Prof. in Toulouse, hat früher ein brauchbares Handbuch herausgegeben, worüber indessen der Gefertigte bereits früher in einer hier erschienenen Uebersicht der fremden staatswissenschaftlichen Litteratur 1890—92 seine Meinung ausgesprochen und als dessen Grundzug er dies gekennzeichnet hat, dass dem Verfasser das moderne französische Verwaltungsrecht ein P r o d u k t d e r E v o - l u t i o n a u s d e r V e r w a l t u n g s r e c h t s p f l e g e erscheint. Obiger Ansicht dürften Eingeweihte, wie z. B. *Sarwey* nur zustimmen. In der That, das ganze Rechts- gebiet hatte mit dem ganzen Contentieux der alten guten Zeit Frankreichs wenig Ge- meinsames, indem vor der durch Napoleon I. eingeführten Organisation bekanntlich Verwaltung und Justiz vielfach vermengt waren und weder eine ordentliche Verwal- tungsrechtspflege noch eine richtig abgemessene Verordnungsgewalt möglich waren. Der berühmte französische Staatsrat, dieses *ens redivivum,* das allen Staatsumwälzungen Frankreichs trotzend, stets aus der Asche hervorgeht und ein Hort und Bildner der Verwaltungsrechtsprechung und -Gesetzgebung ist, ist bekanntlich auch modernen Da- tums und verdankt dem ersten Konsul samt der neuen Verwaltungsorganisation sein Dasein, wir meinen das Conseil d'Etat, jenes Werkzeug des »individualisierten Ver- waltungsdespotismus« *L. v. Stein's,* jene »Spinne im gewaltigen Netz und Gewebe«, welche die Zügel der zentralisierten Verwaltung so straff und stramm zusammenzieht, dass es die gerühmte preussische »Strammheit« überbietet. Die Präfekturalräte heben auch von 1800 an und deuten den Instanzenzug der Verwaltungsjurisdiktion. Teilweise könnte man schon jetzt der Meinung unseres Verf. beipflichten, wonach das jetzige franzöS. Verwaltungsrecht als juristisches Ganzes sich neben dem Privat-Handelsrecht u. dgl. heraus differenziert und durch die juridische Geistesarbeit der Verwaltungs- richter beziehungsweise des Staatsrats vervollständigt hat.

Hauriou unterscheidet in seiner recht anschaulichen Skizze drei Epochen der Entwicklung: 1) des geheimthuenden Bildungsprozesses 1800—1818; 2) der Zugäng- lichwerdung 1818—1860; 3) endlich der eigentlichen Organisation des verwaltungs- rechtlichen Stoffes.

In den beiden ersten Zeiträumen, worüber sich auch *Mohl's* Darstellung verbreitet, herrschte teils eine unheimliche Voreingenommenheit sowohl des Publikums als der Volksvertreter der neuen Rechtsgebiete gegenüber, teils die mit Erfolg gekrönte Ab- sicht seitens gebildeter Rechtslehrer das administrative Rechtsgebiet zugänglicher zu machen und darzustellen und die Vorurteile zu verscheuchen. In der Restaurations- zeit konnte sich in der That das Conseil d'Etat einer teilweise begründeten Verdäch- tigung nicht erwehren, man hielt den Staatsrat für eine politische Körperschaft neben den Kammern, weil es die Schadloshaltung der Emigrierten, die Majorate, die Ko- lonialfragen von San Domingo und ähnliche Fragen beraten und lösen half. Wissen- schaftlich hatte auch dieser erste Zeitraum wenig zu bedeuten, indem Schriftsteller wie *Portier de l'Oise* — »allzuernst von *Mohl* behandelt«, meint *Hauriou* — *Bonnin* (1812) in einer unerquicklichen mit phrasenreicher Ideologie aufgestülpten Art und Weise die Satzungen des vom Machthaber oktroyierten quos ego Rechtes eher ver- pfuschend darstellten. Hiebei wurden von ihnen die Rechtsquellen: das Bulletin des loix 1794, die Regierungserlässe seit 1789, obwohl 1806 amtlich veröffentlicht, ausser Acht gelassen und so gut wie nicht benutzt. In der Restaurationsepoche rafft sich die schriftstellerische Thätigkeit den Bedingungen des Kulturaufschwunges dieser Zeit gemäss, auf diesem Gebiete empor. Eine tüchtige juristische Zeitschrift, die T h e m i s entsteht 1819 und drei hervorragende Gelehrte *Macarel, De Gérando* und *Cormenin* — nach *Mohl* die »Begründer der franz. Verwaltungsrechtswissenschaft« treten auf den Schauplatz. *Hauriou* widerspricht *Mohl* nicht, aber er vindiziert doch die Priorität den beiden früher Genannten insoferne, als namentlich *Macarel* im J. 1818 seine »*Elements de jurisprudence administrative*« herausgab, die damals dem Gegenstand Reiz abzugewinnen wusste und sich überdies auf die Durchforschung der massenhaften seit 1806 rechtskräftigen Entscheidung stützte, wodurch der Stoff thatsächlich sich zu einem juristisch handbaren gestaltete. *De Gérando*, in Deutschland durch sein Buch über Armenpflege bekannt, mehr Philosoph und Vielschreiber hielt Vorträge über das neue Rechtsgebiet an der Pariser Rechtsschule, die indessen 1822 eingingen, beschäftigte sich inzwischen fast gar nicht mit der Verwaltungsrechtspflege. Er hat jedoch das Verdienst, später unter der Julimonarchie (1830) eine wahre »Benediktinermönchsarbeit«, seine emsig in 6 Bänden zusammengetragenen *Institutes du droit administratif* hervorgebracht zu haben. Gleichzeitig schafft ein maitre des requêtes, der Staatsrat *Bouchené Lefer* ein Buch in 4 Bänden, das als Pandekten neben dem *Gérando*'schen Buche gilt. In 1844 versuchte es wieder *Macarel*, dem Lehrstuhl in der Rechtsschule seit *Gérando*'s Abgang einen neuen Glanz zu verschaffen. Der bekannte (Timon) *de Cormenin* hat zweifelsohne dazu beigetragen, dass die Studien der praktischen Verwaltungsrechtspflege seitdem ordentlich und mit mehr juristischer Schärfe betrieben wurden, wenn auch sein alphabetisch geordnetes und mit geometrischer Methode schreitendes System mehr abstossend wirkte. Die im J. 1822 erschienenen »*Questions*« wuchsen bereits 1840 zu einem *Traité de droit administratif* in 5. Auflage heran. In diesen Zeitraum fallen auch ansehnliche Monographien über Wasserrecht, Verwaltung der Pfarreien, Entwährung, das tüchtige Handbuch *Macarel*'s über das franz. Staatsvermögen, »das erste finanzwissenschaftliche Buch«. (Verf. vergisst *Ganilh*'s *Revenu public* 1809; das Machwerk *Gandillot*'s: *Essai sur la science des finances* erschien 1840).

Was aber den Kern- und Kristallisierungspunkt betrifft, die Verwaltungsjustiz, so erwarb sich um 1842 ein bedeutendes Verdienst ein junger Prof. aus Dijon, *Serrigny*, dessen spätere treffliche Arbeiten, insbesondere das 1862 erschienene *Droit administratif romain* auch in Deutschland mit Anerkennung aufgenommen wurden, dadurch, dass es ein gutes Handbuch über die Verfassung und Prozedur der »Contentieux« verfasste. Nebenbei und flüchtig erwähnt auch der Verf. *Vivien*'s »kleiner Meisterwerke« der *Etudes*, wie wohl zu beachten ist, dass für *Hauriou* die j u r i s t i s c h e Konstruktion die H a u p t s a c h e ist, mithin der s t a a t s w i s s e n s c h a f t l i c h e Wert der *Etudes admtnistratives* nicht so in den Vordergrund tritt, als für Kenner der Verwaltungstheorie und Politik.

Die Bewegung ging seitdem mehr von den provinziellen Rechtsgelehrten als von der Hauptstadt aus. *Foucart* in Poitiers und der geachtete Rechtshistoriker und *Rossi*'s Schüler im Verfassungsrechte *Laferrière* (1839), *Chauveau* (Toulouse 1838) gaben brauchbare Lehrbegriffe des Verwaltungsrechts. In der Kaiserzeit Napoleons III. verstummte die an das Verfassungsleben anknüpfende Bearbeitung, um der Exegese, »dem *esprit positif qui est opposé à l'esprit scientifique*«, Platz zu machen. Nichtsdestoweniger bezeichnet das Jahr 1860 den Ausgangspunkt der »organisatorischen« Periode. Die 1866—67 erschienenen Gesetze über die Erweiterung der Conseils Généraux bahnten einigermassen der dürftigen Selbstverwaltung den Weg. *M. Block* u. a. betreiben die grossen Arbeiten der *Dictionaire de l'administration;* seit 1878 erscheint die *Revue générale d'Administration;* die Sprüche des Staatsrats wurden von *Dalloz* zusammengestellt. Das treffliche Buch von *Dareste* über Verwaltungsrechtspflege erscheint 1862. Ein sehr wichtiges und tüchtiges Unternehmen ist das unter Leitung *Laferrière*'s junior seit 1882 erscheinende *Répertoire de droit administratif* von *L. Bequet*.

Lafferriere's Vaters Schüler und späterer Unterrichtsminister *Batbie* bemühte sich, — etwa nach *Heffter*'s Vorgang im Völkerrechte — dem System eine privatrechtliche

Gestaltung einzuprägen, indem er die Kategorien, Personen, Sachen und Erwerbs-
arten der Verwaltungsrechtsgebiete ein- und durchzuführen unternahm. Gegner mit
Recht dieses unvollständigen und lückenhaften Schematismus ward *Ducrocq* aus Poitiers,
jetzt das Haupt der Publizisten an der Pariser Rechtsschule. Unser Verf. stellt ihn
und seine Anhänger als »Individualisten« auf, da sie Satzungen des Rechts im Lichte
von Einschränkungen auffassen, »was mit den Theorien der orthodoxen Pariser Nationalökonomen zusammenhängt«. Referent glaubt es der *pietà erga magistrum* nicht zu
vergeben, zumal Dieser nicht mehr lebt, wenn er die persönliche Bemerkung ein-
bringt, dass *Ducrocq's* Bücher vor 1872 in Deutschland wenig bekannt waren, wiewohl
die erste Auflage des Cours 1861 erschienen war. In dieser Zeit machte ich L. v. Stein
darauf aufmerksam und die Fachkollegen werden es bezeugen, dass seitdem die *Stein'*-
schen Handb. der Verwaltungslehre regelmässig *Ducrocq* anfuhren. *Hauriou* preist
mit Recht *Aucoc* den Lehrer an der Schule der Hochbauten und dessen *» Conférences «*
vom J. 1885. Derselbe hat zuerst die Tragweite des *»recours pour abus de pouvoir«*
ans Licht gestellt und wissenschaftlich bearbeitet. Der neue 1874er Staatsrat wurde
bekanntlich in die Fülle seiner Verwaltungsjurisdiktion eingesetzt, worin ihm der gleichzeitig ins Leben getretene Kompetenzkonfliktgerichtshof unter die Arme greift. Als
Frucht der Bearbeitung des verwaltungsrechtlichen Stoffes dieser neuesten Epoche ist
das gründliche *»Traité de la jurisdiction administrative et des recours contentieux«*
1887 von dem jüngeren *Laferrière* zu betrachten.

Joseph Oczapowski.

Henry W. Wolff, *People's Banks, a record of social and economic succes.*
London: Longmanns, Green and Co. 1893 (261 S.).

Derselbe: *People's Banks for England.* London: Rivington, Percival and
Co. 1893. (20 S.).

Derselbe: *Essais de crédit populaire en Angleterre et en Écosse.* Menton.
1893. (20 S.).

Drei sehr bemerkenswerte Schriften, auf die an dieser Stelle aufmerksam zu
machen der Unterzeichnete um so mehr Veranlassung hat, als die ersterwähnte Schrift
nicht nur überhaupt zu dem Besten und Wirkungsvollsten gehört, was über die genossenschaftliche Organisation des Personalkredits und seine Bedeutung für die wirtschaftliche Hebung der unteren und mittleren Erwerbsstände in den letzten Jahren
geschrieben worden ist, sondern auch, weil diese und die weiter angeführten Schriften
mit rückhaltloser Offenheit die im Gebiet der Personalkreditbefriedigung in G r o s s -
b r i t a n n i e n bestehenden Lücken aufdecken und in eindringlicher Sprache für ein
Beschreitung des auf dem Kontinent betretenen Wegs der Selbsthilfe in der Form der
auf dem Grundsatz der solidarischen Haftung beruhenden Genossenschaft für England
Propaganda machen, wo, wie der Verfasser sagt, Kredit *»is still the Monopoly of
the Rich«*, weil es eben zu einer angemessenen Organisation des Kredits im Sinn der
»Demokratisation« und der »Dezentralisation« desselben noch nicht gekommen ist. —
Was namentlich der Hauptschrift besonderen Wert verleiht, ist nicht nur die sorgfältige und gewissenhafte Verwertung der einschlägigen Litteratur, sondern auch die
unbefangene und richtige Beurteilung der k o n t i n e n t a l e n Genossenschaftsbewe-
gung im Gebiet des Personalkredits, die sich der Verfasser bei seinen wiederholten
Reisen auf dem Kontinent durch persönliche Wahrnehmung und Umfrage angeeignet
hat und der er in der gleichen anziehenden Weise Ausdruck giebt, die seine *»Rambles
in the black forest«* (London, 1890) auch für deutsche Leser zu einer so genussreichen

Lektüre gestaltet. Die Hauptschrift knüpft zunächst an die Bedeutung der »Selbsthilfe« auch für die Lösung der Kreditfrage an, deren Segen er in warmen Worten
seinen Landsleuten vor Augen führt. »Man gehe in das Rheinthal, wo die Raiffeisen'schen Darlehenskassen (und die ebenfalls auf dem Grundsatz der Solidarhaft
ruhenden Einkaufs- und Verkaufsgenossenschaften : landwirtsch. Konsumvereine —) mit
am längsten ihre Thätigkeit entfalten — und man wird sehen können, wie wohnlich
und behaglich dort die Heimstätten der bäuerlichen Bevölkerung ausgestattet sind,
welche Verbesserungen die Bodenkultur erfahren, welche Summen dort für Mastiere,
Futter- und Düngemittel unausgesetzt aufgewendet werden; wie der ehedem allmäch-
tige Wucherer allmählich gezwungen worden ist, das Feld zu räumen und wie arme
Leute allgemach kleine Kapitalisten werden — und man ist versucht, mit dem ungarischen Professor *von Dobransky* zu sagen: »»Ich habe eine neue Welt gesehen««.
— Wie denn der Verfasser sehr richtig herausfindet, dass nichts mehr zur Verbreitung von Ordnung und Wirtschaftlichkeit, zur Entfaltung der Tugenden der Sparsamkeit und des wirtschaftlichen Fortschritts, aber auch zur Hebung der Sittlichkeit,
die in letzter Linie immer ein bestimmtes Mass wirtschaftlichen Wohlbehagens zur
Voraussetzung haben dürfte, beigetragen hat, als die Zusammenschliessung der ländlichen Elemente in korporative Organisationen, die eben ein denkbar fruchtbarer Nähr-
boden sind, um das standschaftliche Gefühl der Interessengemeinheit, des Gemein-
sinns, der Nächstenliebe zur Blüte zu bringen. — Der Verfasser giebt in den ff. Kapiteln eine sorgfältige Darstellung der allmählichen Entwicklung des Assoziations-
gedankens im Gebiet des Personalkredits in Deutschland, sowie in den europäischen
und aussereuropäischen Staaten; er wägt die Vorzüge und Mängel der beiden Haupt-
systeme, in denen sich in Deutschland und anderwärts die Kreditgenossenschaften
sich bewegen: das System von Schulze-Delitzsch und von Raiffeisen — sorgsam gegen
einander ab und gelangt zu dem Ergebnis (das auch der Unterzeichnete in seiner
»Agrarpolitik« sich angeeignet hat), dass die Organisation der R a i f f e i s e n 'schen
Darlehenskassen mit ihrer stärkeren Anpassung der Darlehensbedingungen an die wirtschaftliche Lage der Darlehensbedürftigen, mit ihrer Fernhaltung jedes spekulativen
Moments in der Finanzgebahrung, mit der durch die lokale Organisation geschaffenen
Möglichkeit der besseren Berücksichtigung der wirklichen Kreditbedürftigkeit und der
schärferen Ueberwachung der Schuldner der Genossenschaft — für die kleineren
Leute, zumal auf dem flachen Lande, der Vorzug gebühre. — Der Verfasser bezeichnet es mit Recht als auffallend, dass England, wo die Idee der Assoziation in
der Form der Errichtung von grossen Verkaufsmagazinen (Lebensbedürfnisvereinen),
von Baugenossenschaften so bedeutsame Erfolge erzielt hat, in Bezug auf volkstümliche Ausgestaltung der Kreditorganisation, von einigen wenigen bescheidenen Anfängen abgesehen (sog. »*Slate-Clubs*« und »*Loan Societies*«) eine rechte »Wüste« ist
und dass bislang diejenigen, die die wirtschaftlichen Heilslehren von Schulze-Delitzsch,
Raiffeisen, Luzzati und Wollemborg dort zu predigen unternahmen, meist auf taube
Ohren gestossen sind, so dass, wie *Wolff* meint, in seiner Heimat ein grosses Feld
noch brach liegt, dessen Kultivierung den Einzelnen und der Gesamtheit reichen
Segen bringen könnte. Und man kann nur wünschen, dass die Hoffnung des Verfassers, der mit einer Wärme, wie man sie bei englischen Volkswirten nicht eben
häufig antrifft, für die korporative Organisation des Kredits seit Jahren unermüdlich
eintritt, es werde eine Anzahl Philantropen endlich sich bestimmen lassen, mit praktischen Versuchen auf diesem wichtigen Gebiet vorzugehen, baldigst sich erfülle.

B u c h e n b e r g e r .

Adler, Georg, Die Fleischteuerungspolitik der deutschen Städte beim Ausgange des Mittelalters. Tübingen, 1893. H. Laupp'sche Buchh.

Eine überaus lehrreiche, sehr schön geschriebene Monographie. Der H. Verfasser selbst fasst die Ergebnisse seiner Forschung im Schlusswort wie folgt zusammen: Die gegebene Darstellung umfasst alle t y p i s c h e n Massregeln der deutschen Städte des Mittelalters. Sie ergiebt, dass alle jene vielen Statuten und Verordnungen k e i n einheitliches System bilden, — das, getragen von einem bestimmten ökonomischen Prinzip, dieses bis in seine letzten Konsequenzen verfolgt — sondern dass sie auf den v e r s c h i e d e n s t e n Wegen und durch eine bunte Mannigfaltigkeit von Mitteln der allgemeinen Wohlfahrt zu dienen suchen. Deshalb giebt d i e s e r Komplex teuerungspolitischer Massnahmen geradezu ein klassisches Spiegelbild von dem Wesen und der Wirkung der ganzen zünftigen Gewerbeordnung und Wohlfahrtspolizei. Immer und überall steht bloss das E n d z i e l fest: preiswürdige Ware dem Konsumenten zu sichern und »gerechten« Gewinn dem Produzenten; immer und überall erfolgt die Entscheidung bloss von Fall zu Fall: ohne Rücksicht auf eine bestimmte Doktrin, ohne Bedenklichkeit in der Wahl der Mittel, und, wenn für nötig befunden, mit einer schier endlosen Reihe detailliertester Bestimmungen je nach der speziellen Art der lokalen Markt-, Verkehrs- und Gewerbsverhältnisse. — Darnach ergiebt sich, dass die staatlichen Massnahmen ein wesentlich verschiedenes Gepräge tragen mussten, je nachdem sie bloss die a l l g e m e i n e n, möglichen Konsequenzen des Zunftsystems für die Versorgung mit notwendigen Lebensmiteln zu treffen hatten, oder noch ausserdem gegen die geschilderte Fleischn o t gerichtet waren. Denn, wie schon verschiedentlich betont, h e r r s c h t e k e i n e s w e g s i n a l l e n T e i l e n D e u t s c h-l a n d s g l e i c h m ä s s i g V i e h m a n g e l. Süddeutschland litt ganz unverhältnismässig mehr und anders als Norddeutschland oder gar speziell Nordostdeutschland. Dort, auf den Stätten älterer Kultur, war die Bevölkerung erheblich dichter, die Viehzucht wesentlich geringer, der Import und Transport von Vieh aus den Ackerbauländern — Ungarn, Polen, Preussen und Dänemark — weit schwieriger und kostspieliger als in Norddeutschland. Von einer Fleischnot im Nordosten, in Pommern, Brandenburg, Schlesien, ist schlechterdings nichts zu bemerken.

Wenn wir schliesslich nun zu der Erörterung der Frage übergehen: welchen Erfolg alle jene Massregeln gegen die Fleischteuerung aufzuweisen haben, — so ist zu unterscheiden, wie weit durch sie die möglichen üblen Folgen des spezifisch zünftigen Betriebes für die Fleischversorgung allgemein abgewehrt worden sind, und ferner wie weit da, wo Fleischnot war, geholfen worden ist. Ein statistischer Nachweis dieser Wirksamkeit ist nicht zu erbringen, da die erforderlichen wirtschaftshistorischen Untersuchungen über den Kausalnexus und die Wechselwirkung zwischen Teuerungspolitik und Preisbewegung nebst Fleischkonsum in den einzelnen Städten und Territorien nicht vorliegen; wohl aber lässt sich die Wirkung symptomatisch erschliessen.

Um den richtigen Standpunkt für die Wertschätzung der ersten Seite der Fleisch-Teuerungspolitik zu gewinnen, ist natürlich die Bedeutung des gesamten Gewerbesystems, wie es in den Stadtstaaten jener Zeit herrschend war, zu würdigen. Eine solche Würdigung giebt *Schmoller* mit den Worten: »Was wir im Mittelalter vor uns haben, sind städtische, lokale Wirtschaftszentren, deren ganzes wirtschaftliches Leben darin beruht, dass die verschiedenen Lokalinteressen sich zu zeitweiliger Uebereinstimmung durcharbeiten, dass einheitliche Gefühle und Vorstellungen von lokalen Gesamtinteressen entstanden sind, dass für diese die Stadtgewalt mit den ausgebildetsten Schutzmassregeln eintritt, die natürlich lokal und zeitweise verschieden sich gestalten, je nachdem die Versorgung des lokalen Marktes oder die Blute bestimmter Gewerbe- oder Handelszweige als das jeweilig Wichtigste erscheint. Die gesamte städtische Wirtschaftspolitik in dieser ihrer lokalen Einseitigkeit war solange berechtigt, als der Kultur- und Wirtschaftsfortschritt in erster Linie in dem Aufblühen der Städte bestand; dieses Aufblühen konnte auf keinem andern massenpsychologischen Ursachenkomplexe ruhen, als auf dem egoistischen Genossenschaftsgeiste der Städte ... Solange das egoistische Gemeinschaftsgefühl engerer Kreise zugleich der Träger einer energischen Vorwärtsbewegung war, hatte es sein Recht, trotz der Rohheiten und Gewaltthätigkeiten, die wir heute nicht nur missbilligen, sondern kaum mehr begreifen.« — In diesem Rahmen der allgemeinen Gewerbeverfassung hatte sich also das Fleischergewerbe zu bewegen. Da nun seine Produkte unentbehrlich sind, so konnte die zünftige Organisation, zumal wenn die Konstellation von Bedarf und Angebot es begünstigte, nur zu leicht zu einer Ausbeutung des Publikums, ja zu einem Raubzuge der Metzger gegen die Konsumenten führen. Hier hat die Teuerungs politik sicherlich präventiv gewirkt, dadurch, dass sie die Zahl der zünftigen Fleischer vermehrte, freie Fleischmärkte schuf, den Bruch des Gewerbemonopols durch nichtzünftige Metzger und Bürger in gewissen Grenzen gestattete, den Vieheinkauf der Bürger begünstigte, den Detailverkauf der Metzger zu Gunsten des Publikums reglementierte, Fleischtaxen einführte u. s. f. — Somit ist der Nutzen, welchen die Teuerungspolitik nach dieser Seite hin gestiftet hat, unbestreitbar. Es leuchtet dies um so mehr ein, wenn wir uns daran erinnern, dass in den Zeiten, wo die Transportschwierigkeiten grösser waren als heutzutage, die Grossstädte — selbst bei allgemein herrschendem System der Gewerbefreiheit — speziell für die Versorgung mit notwendigen Lebensmitteln gern das Prinzip einer eingehenden staatlichen Gewerberegulation annahmen: so das alte Rom und Byzanz und dann in der Neuzeit wieder das moderne Paris Jahrzehnte hindurch seit Napoleon I. — Die Teuerungspolitik ist somit einfach ein Gebot der Notwendigkeit in der Epoche der Zünfte gewesen, welche ihrerseits wieder eine notwendige Entwicklungsphase in der Wirtschaftsgeschichte der Kulturmenschheit gebildet hat. Dieses Urteil gilt aber freilich nur für das grosse Ganze der angeführten Massnahmen, während im einzelnen gar manche überflussig, übertrieben, undurchführbar oder sogar unvernünftig und darum schädlich waren. — Die andere Seite der Teuerungspolitik, wonach man speziell das Missverhältnis zwischen Viehbestand und Fleischbedarf bessern und aufheben wollte, hat aus den (im 2. Kapitel) angeführten Gründen ökonomischer und politischer Natur ein wesentliches Resultat nicht zu erzielen vermocht. Die Frage der Fleischnot konnte eben in damaligen Zeiten nur die — allerdings wenig glückliche — Lösung finden, dass der standard of life breiter Volksschichten herabgedrückt wurde, indem ihr Fleischkonsum dauernd nachliess, und so die Nachfrage sank. Immerhin ist aber der Teuerungspolitik das Verdienst nicht abzusprechen, verhindert zu haben, dass die Fleischnot nur die unbemittelten Klassen allein traf. Sie hat dafür gesorgt, diesen möglichste Erleichterung zu schaffen, indem sie die Reichen zur Fleischabstinenz zwang und den kleinen Konsumenten vor vielen Zurücksetzungen gegen den grossen schützte. — Das Gesamturteil über die Fleischteuerungspolitik der deutschen Städte jener Epoche darf mithin nicht so ungünstig lauten, wie es vielfach geschieht. Man kann ihren Massnahmen nur gerecht werden, wenn man sie als historisch, örtlich und relativ bedingt auffasst. Es hat eben jede Zeit und jedes System der Wirtschaftspolitik eine eigene Teuerungspolitik, — welche freilich manchmal im vollständigen Verzicht auf jeden Eingriff der Verwaltung bestehen kann.

—e. *Rivista internazionale delle Scienze Sociali e Discipline Ausiliarie. Publicazione Periodico dell' Unione Cattolica Per gli Studi Sociali in Italia.* Nach dem Programm, welches in dem uns vorliegenden ersten Heft dieser für Förderung sozialwissenschaftlicher Studien in Italien herausgegebenen Zeitschrift vorangestellt ist, will die herausgebende k a t h o l i s c h e Vereinigung die Sozialwissenschaft in ihrem ganzen Umfang in den Bereich ihrer Thätigkeit einbeziehen. Es handelt sich also nicht bloss um sozialökonomische Reformen, wofür Italien allerdings besonders reichen Stoff bietet. Die Zeitschrift schreibt die wissenschaftliche Unterstützung der s o z i a l e n Grundanschauungen und Grundbestrebungen der k a t h o l i s c h e n K i r c h e und d e s P a p s t t u m s auf ihre Fahne. Sie ist ersichtlich eine der Blüten, welche die sozialen Encykliken Leo's XIII. hervortreiben. Das vorliegende erste Heft zeigt, dass dem Unternehmen nicht bloss glaubenstreue, sondern auch wissenschaftlich unterrichtete Federn zur Verfügung stehen. Man hat auch in der protestantischen Welt Veranlassung, demselben Achtung entgegenzubringen und Aufmerksamkeit zu schenken. *A. Leroy Beaulieu* hat in seiner jüngsten Schrift »Papsttum, Sozialismus und Demokratie« das grosse Ereignis des »U e b e r g a n g s d e s P a p s t t u m s z u d e m o k r a t i s c h e r P o l i t i k« unbefangen und vorurteilslos gewürdigt. Die neue italienische Zeitschrift wird vermutlich den Spiegel abgeben, in welchem man Fortgänge oder Rückgänge des Papsttums in dieser Richtung wird beobachten können. Die Gründung einer katholischen Revue für sozialwissenschaftliche Studien in Italien ist unter allen Umständen ein Ereignis, ein Zeichen der Zeit.

Neumann, Fr. J., *Beiträge zur Geschichte der Bevölkerung in Deutschland.* Band IV. *Vallentin:* W e s t p r e u s s e n seit den ersten Jahrzehnten dieses Jahrhunderts, ein Beitrag zur Geschichte der Entwickelung des allgemeinen Wohlstands in dieser Provinz und ihren einzelnen Teilen. Tübingen, Laupp'sche Buchh. 1893.

Schon seit geraumer Zeit wird vom Herausgeber der »Beiträge« für seine Heimat, das Gebiet der jetzt getrennten Provinzen Ost- und Westpreussen eine Arbeit vorbereitet, in welcher die wichtigsten Vorgänge der B e v ö l k e r u n g s b e w e g u n g dort, in ihren Beziehungen zur gleichzeitigen Entwickelung des a l l g e m e i n e n W o h l s t a n d e s, seit dem Anfange dieses Jahrhunderts verfolgt werden sollen. Hiebei erschien es, sagt der Herausgeber, geboten, Vergleiche sowohl mit anderen Provinzen, als namentlich auch i n n e r h a l b Ost- und Westpreussens zwischen jenen einzelnen Distrikten zu ziehen, in welche diese Gebiete nach n a t i o n a l e n, t e r r i t o r i a l e n und w i r t s c h a f t l i c h e n Gegensätzen zu gliedern waren. Nur bei solcher Trennung und Vereinigung von auf längere Zeit sich erstreckenden örtlichen und allgemeinen Untersuchungen konnte gehofft werden, manchen schwierigen Fragen der Bevölkerungsstatistik wie z. B. jener nach den Gründen früher allgemein zunehmender, seit den siebziger Jahren aber fast allgemein sinkender K i n d e r s t e r b l i c h k e i t mit einiger Aussicht auf Erfolg gegenüberzutreten. Als erster Teil dieser Arbeit und gewissermassen als Einleitung zu derselben erscheint nun die vorliegende von Dr. *Vallentin* unter Mitwirkung *Neumann*'s zu Stande gebrachte Monographie. Letztere behandelt Westpreussen, auch f a s t a l l e i n Vorgänge der Wohlstandsentwickelung dort, aber diese jenem Plane gemäss in Parallele mit analogen Vorgängen in anderen Provinzen und auch mit der Gestaltung derselben Dinge in einzelnen Kreisen und jenen Kreisgruppen, die nach den angedeuteten Gesichtspunkten innerhalb Westpreussens zu bilden waren. Die Sorgfalt und der Fleiss der Bearbeitung, welche grosse Schwierigkeiten zu überwinden hatte, verdient — wenigstens nach dem entschiedenen Eindruck der Lektüre auf den Referenten vollste Anerkennung. Die Disposition des Stoffes ist musterhaft klar, das beigebrachte Material bereichert das Wissen über eine der Ostprovinzen, welche volkswirtschafts- und handelspolitisch für ganz Deutschland eben jüngsther so bedeutungsvoll geworden sind, in ganz erheblichem Masse. Dabei ist es erfreulich, dass diese Provinz F o r t s c h r i t t e aufzuweisen hat. Herr *Vallentin* fasst das Ergebnis seiner Untersuchungen dahin zusammen: »Ein erfreulicher Wohlstand ist innerhalb der Grenzen der Provinz seit Alters vorzugsweise in den N i e d e r u n g s gegenden zu finden. Hier vereinen sich viele Faktoren, welche eine gute wirtschaftliche Lage zur Folge haben: ein von Natur äusserst fruchtbarer Boden, eine dem Verkehr sehr günstige Lage und eine vorwiegend deutsche Bevölkerung, die mit der dem niedersächsischen und holländischen Stamme eigentümlichen Energie und Ausdauer vorgefundene Hindernisse überwand. Diesem Gebiet zunächst steht das der östlichen Güterkreise (Kr. Marienwerder, Stuhm, Rosenberg). Ihnen folgen mit grossen inneren Verschiedenheiten die Kreise des deutsch-polnischen Mittelgebiets (Schwetz, Graudenz, Kulm, Thorn, Konitz, Tuchel) und sodann das südwestliche deutsche Höhengebiet (Kr. Deutsch-Krone, Flatow, Schlochau). Zwar ist in letzterem der Boden im allgemeinen ein recht dürftiger, und seine Ergiebigkeit wird überdies durch ein wechselvolles und rauhes Klima noch erheblich beeinträchtigt. Indessen gelingt es der Zähigkeit und dem Fleiss seiner fast ausschliesslich d e u t-s c h e n Bewohner, diesem Boden ihre Lebensbedürfnisse in genügendem Masse abzuringen und ihre Lage derjenigen des Mittelgebiets, welches vom Verkehr mehr begünstigt ist, etwa gleich zu gestalten W e n i g e r entwickelt erscheint der allgemeine Wohlstand in grossen Teilen des deutsch-polnischen Hohengebiets (Kr. Neustadt, Karthaus, Berent, Pr.Stargard) und im südöstlichen p o l n i s c h e n Gebiet (Kr. Löbau, Strasburg). Ein von Natur im allgemeinen wenig fruchtbarer Boden, eine auch klimatisch ungünstige Lage auf dem Rücken nicht ganz unerheblicher Höhenzüge, geringer Verkehr und zu alledem eine früher an harte Unterdrückung gewöhnte und noch heute weniger energische Bevölkerung: alles das sind Faktoren, welche wenig geeignet waren, einen Wohlstand erringen zu lassen, wie er in andern Gegenden zu finden ist. Indessen sind auch in diesen Gegenden insbesondere während der letzten Dezennien erhebliche Fortschritte gemacht worden. Im allgemeinen haben staatliche Einrichtungen, amtliche Fürsorge und eigene Kraft der Bevolkerung erfreuliche Zustände geschaffen, die noch erheblich besser sein könnten, wenn nicht eine anderen Landesteilen günstige Wirtschaftspolitik hier schmerzliche Wunden geschlagen hatte, und wenn namentlich das östliche Nachbargebiet deutschem Handel und deutschem Gewerbfleisse zugänglicher wäre. Von den zu Anfang dieses Jahrhunderts herrschenden Verhältnissen sind die jetzigen jedenfalls grundverschieden. Und manche Kreisgruppen liefern überdies den Beweis, dass auch in der slavischen Bevolkerung sich erfreuliche Fortschritte vollzogen haben, so dass, was man früher wohl von »p o l-n i s c h e r W i r t s c h a f t« sagte, heutigen Verhältnissen gegenüber dort in vielen Beziehungen irrig oder doch arg übertrieben erscheint.« Entschiedener Fortschritt ergiebt sich auch in der neueren Gestaltung der L o h n bewegung Westpreussens. Doch müssen wir diesfalls auf die Schrift selbst verweisen.

Zeitschrift für Sozial- und Wirtschaftsgeschichte. Herausgegeben von *Dr. St. Baur* (Brünn), *Dr. C. Grünberg, Dr. L. M. Hartmann, Dr. E.Szanto* (Wien). Diese neue Zeitschrift, deren erste Hefte uns vorliegen, (3 Hefte auf 1 Band), erscheint im Siebeck'schen Verlag (J. C. B. Mohr) Freiburg. Dieselbe stellt sich dem Vorwort zufolge die Aufgabe, »ausschliesslich der Erforschung der wirtschaftlichen Zustände aller Zeiten und Völker zu dienen und sich ebenso von der Behandlung der Probleme der, theoretischen Nationalökonomie wie von den Fragen der Sozial- und Volkswirtschaftspolitik der Gegenwart fernzuhalten. Sie soll in ihrer streng historischen Tendenz einem gemeinsamen Bedürfnis der Geschichtsforschung und der Sozialwissenschaft Rechnung tragen und die wirtschaftlichen Ursachen historischer Veränderungen aufklären helfen. Sie wird daher solche Beiträge zur Veröffentlichung bringen, welche die ökonomischen Zustände, sowie die Wirtschaftspolitik der Vergangenheit in exakter Weise behandeln. Ebenso wird die Mitteilung urkundlichen Materials erstrebt werden. Eine nach Möglichkeit vollständige Litteraturübersicht und Bibliographie soll schliesslich anderwärts publizierte Abhandlungen wirtschafts- und sozialgeschichtlichen Inhalts, sowie sonstiges in dieses Gebiet einschlagendes Material zur Kenntnis der Leser bringen.« Das vorliegende 1. Heft enthält folgende Beiträge: R. Pöhlmann, die Feldgemeinschaft bei Homer. — Th. Mommsen, die Bewirtschaftung der Kirchengüter unter Papst Gregor I. — W. Cunningham, Die Regelung des Lehrlingswesens durch das Gewohnheitsrecht von London. — L. Brentano, Die Volkswirtschaft und ihre konkreten Grundbedingungen I. — P. Fabre, Eine Nachricht über die Bevölkerungsziffer Englands zu Zeiten Heinrichs II.

M. v. Seydel, · *Bayerisches Kirchenstaatsrecht.* Freiburg i. B. 1892. J. C. B. Mohr. 356 S.

Das Buch ist ein Sonderabdruck aus *Seydel*'s Bayr. Staatsrecht, B. VI, muss daher aus diesem vielfach ergänzt werden. Dies gilt namentlich von der Geschichte des bayerischen Kirchenstaatsrechts, welche bei der kathol. Kirche erst mit dem Jahre 1817, bei der evangelischen mit dem Jahr 1809, als den Anknüpfungspunkten für das geltende Recht, beginnt, wogegen die Darstellung der Vorgänge aus der früheren Zeit im I. Band S. 170 ff., 331 ff. enthalten ist. Mehr als irgend ein anderer Teil des *Seydel*'schen Werks ist dieses Kirchenstaatsrecht geeignet, in weiteren Kreisen -- ausserhalb Bayerns — Interesse zu erregen. Namentlich gilt dies von der Schilderung des bis auf die neueste Zeit fortgeführten Streits über das Verhältnis des Konkordats und der Erklärung von Tegernsee zur bayr. Verf.Urk. und ihren Beilagen, ferner über die Anerkennung der vatikanischen Dekrete, die Erteilung des Placets und die Verweigerung der staatlichen Hilfe gegen den Altkatholizismus, überhaupt über die kirchenpolitischen Kämpfe der siebenziger Jahre bis zum Ausschluss der Altkatholiken aus der katholischen Kirche (1890). Es wird hier das ganze Material für die Beurteilung der aufgeworfenen kirchenpolitischen Streitfragen — unter möglichster Ausscheidung einerseits der kirchlichen, andererseits der politischen Erörterungen — aus den Akten der Staatsregierung und den Verhandlungen der Stände in den Text eingeflochten und daher der Leser in den Stand gesetzt, sich selbst ein objektives Urteil zu bilden. Dadurch erhält zwar das Buch einen grösseren Umfang, es gewährt dafür aber auch dem ausserbayerischen Leser die Möglichkeit dem Verfasser auf Schritt und Tritt in seinen Ausführungen zu folgen. —

Auf die geschichtliche Entwickelung des Verhältnisses von Staat und Kirche im ersten, folgt im zweiten Hauptstück (S. 101—224) eine dogmatische Darstellung des allgemeinen Rechts der »Glaubensgesellschaften« (worunter der Verfasser die einzelnen Kirchen oder Religionsgesellschaften versteht). Es wird insbesondere dargestellt die Gewissensfreiheit und Hausandacht, die Glaubensangehörigkeit, die rechtliche Stellung und Verfassung der Glaubensgesellschaften, ihre Verwaltung, ihr Finanzwesen und ihre

Stellung zur Staatspolizei. Dabei will immer nur bayr. Kirchen s t a a t s recht, nicht Kirchenrecht gegeben werden. »Der hergebrachte Begriff der Kirchenhoheit nebst der Unterscheidung verschiedener jura ist beiseite gelassen, der Begriff der Staatsgewalt ist völlig ausreichend.« Da übrigens der Verfasser auch bei der Darstellung der evangelischen Kirche die Kirchenhoheit der Staatsgewalt von der Kirchengewalt mit aller juristischen Schärfe unterscheidet, so handelt es sich bei dieser Bemerkung offenbar nur um die Wahl des Ausdruckes, was wir gegenüber einem neusten Versuch von anderer Seite, diese ganze in der Natur des Rechtsverhältnisses begründete Unterscheidung zu verwischen, besonders hervorheben. Im 3 und 4. Hauptstück wird dann die Organisation der katholischen und evangelischen Kirche in Bayern erörtert, im 5. die Kirchengemeinde und Kirchenabgaben, im 6. das örtliche Kirchenvermögen, im 7. endlich das Recht der israelitischen Glaubensgesellschaft behandelt — Die Darstellung erschöpft, soweit wir beurteilen können, den gesamten Stoff an Gesetzen, Verordnungen und Entscheidungen unter sorgfältigster Berücksichtigung der bayer. Litteratur ohne allzu strenge Ausscheidung des rein juristischen und des mehr historischen und statistischen Materials. Die Freiheit von trockenem Formalismus und die Berücksichtigung der auch für das Staatsrecht wichtigen persönlichen Vorgänge mag vielleicht bei dem auf strenge Abrundung abhebenden Systematiker Anstoss erregen, gewährt aber den wünschenswerten Einblick in die jeweiligen staatsrechtlichen Situationen und steigert das Interesse an dem lehrreichen Buche.   G.

J. Heimberger, Die staatskirchenrechtliche Stellung der Israeliten in Bayern. Freiburg i. B. J. C B. Mohr. 1893. 207 S.

Die Israeliten bilden in Bayern Privatkirchengesellschaften im Sinne der §§ 32—38 des bayer. Religionsedikts; dagegen fehlt es an einer einheitlichen Organisation der einzelnen Kultusgemeinden, also an einer die Gesamtheit der Israeliten in Bayern umfassenden Kirchenverfassung, sowohl im rechtsrheinischen Bayern als in der Pfalz. Die Einführung einer israelitischen Hierarchie nach dem Vorgang der napoleonischen Gesetzgebung stiess im Anfang dieses Jahrhunderts — im Gegensatz zu den anderen süddeutschen Staaten — in Bayern auf den Widerspruch der Regierung und als diese später — im Jahre 1848 — den Bestrebungen wegen Einsetzung einer solchen entgegenkam, war der Widerstand, welcher hiergegen aus den Kreisen der orthodoxen Judenschaft vom Standpunkte des israelitischen Lehrbegriffs erhoben wurde, so bedeutend, dass die Regierung von der Einführung einer Gesamtverfassung abstehen musste. Auch in der Pfalz hat sich die von dem grossen Sanhedrin zu Paris vorgeschlagene und durch kaiserliches Dekret für ganz Frankreich (1806—1808) eingeführte Konsistorialverfassung nicht erhalten.

Der Verf. giebt nun nach einem Ueberblick über die Stellung der Juden in Bayern und die massgebenden Rechtsquellen eine umfassende Darstellung des in Bayern geltenden Sonderrechts der Israeliten, welche das *v. Seydel*'sche Kirchenstaatsrecht in manchen Richtungen ergänzt. Dabei wird zunächst der Rechtszustand »der Gesamtheit der israelitischen Religionsgesellschaft in Bayern«, soweit man von einer solchen bei dem Mangel einer Gesamtorganisation reden kann, dargestellt, insbesondere die bei dieser Sachlage nicht ganz einfache Frage von der Zugehörigkeit zu der israelitischen Religionsgenossenschaft, der Aufnahme und dem Austritt aus derselben; auch werden die Besonderheiten bezüglich der religiösen Kindererziehung und die Konzessionen, welche das bayerische Recht an das religiöse Bewusstsein der Israeliten auf dem Gebiete des Armen- und Beerdigungswesens und der Sabbatfeier gemacht

hat, erörtert. Hieran schliesst sich die Darstellung des Rechts der einzelnen Kultusgemeinden in den Landesteilen rechts des Rheins und in der Pfalz. Im Anhang sind
die geltenden Normen über die Rechtsverhältnisse der Israeliten zum Abdruck gebracht.

Das ganze Buch ist eine grundliche und sorgfältige Arbeit, welche einen interessanten Einblick in die Rechtsverhältnisse der Israeliten in Bayern gewährt.   G.

Dr. G. *Jellinek*, *System der subjektiven öffentlichen Rechte.* Freiburg i. B.
1892. Verlag von J. C. B. Mohr. 348 S.

Zu den bestrittensten Grundfragen des öffentlichen Rechts gehört neuerdings die
Frage nach der Existenz und Natur der sog. subjektiven öffentlichen Rechte. Während
ein Teil der modernen Gesetzgebungen die ganze Verwaltungsrechtssprechung auf die
Notwendigkeit des gerichtlichen Schutzes solcher Rechte gegründet hat, haben neuerdings verschiedene Publizisten die Existenz solcher subjektiven offentlichen Rechte
überhaupt — nicht bloss der sog. Freiheits- oder Grundrechte — als mit dem Begriff
der obersten Staatsgewalt unvereinbar bekämpft. Es ist daher sehr erfreulich, dass
ein so hervorragender Publizist wie der Verfasser sich einer ebenso tiefeindringenden
und umfassenden als ergebnisreichen Untersuchung dieser Frage unterzogen hat.

Der Verf. will, nachdem er eine Skizze der Geschichte der Theorie des subjektiven öffentlichen Rechts seit der naturrechtlichen Lehre vorangestellt, das gesamte
öffentliche Recht, — also namentlich die Rechte der Einzelnen, ferner des Staats
nach innen und aussen, endlich die Rechte privat- und öffentlich-rechtlicher Verbände
unter dem Gesichtspunkte des subjektiven Rechts der Untersuchung unterwerfen. Jedes
subjektive Recht, wird ausgeführt, setzt das Dasein einer objektiven Rechtsordnung
voraus. Auch auf dem Gebiete des öffentlichen Rechts ist eine Verpflichtung des
höheren Ganzen, der Kollektivperson gegen das ihr Substrat bildende Individuum und
damit eben ein subjektives öffentliches Recht möglich. Dass der Staat der Träger der öffentlichen Rechtsordnung und zugleich der Schöpfer derselben und selbst keiner höheren
Macht unterworfen ist, schliesst die Möglichkeit von rechtlichen Ansprüchen der
Subjizierten an den Staat nicht aus. Im Gegenteil beruht die Möglichkeit einer
Rechtsordnung, der öffentlich-rechtlichen wie der privatrechtlichen auf der Voraussetzung der Existenz subjektiver öffentlicher Rechte. Denn alle Rechtsordnung ist Beziehung von Rechtssubjekten. Auch der Staat kann nur Rechte haben, wenn ihm
Persönlichkeiten gegenüberstehen. Von dem Dasein öffentlicher Berechtigung der
dem Staat Eingegliederten hängt daher das Dasein des öffentlichen Rechtes selbst
ab. Das objektive öffentliche Recht einerseits und das subjektive Recht andererseits
sind bedingt durch die Thatsache, dass Herrscher und Beherrschte Rechtsgenossen sind.

Verf. charakterisiert dann den Staat als eine Personeneinheit auf territorialer
Grundlage und weiterhin als P e r s ö n l i c h k e i t. Die Persönlichkeit, die Fähigkeit,
Träger von Rechten zu sein, ist stets vom Rechte verliehen, nicht von der Natur
aus gegeben; sie gehört nicht der Welt der Dinge an sich an, es giebt daher keine
natürliche, sondern nur eine juristische Persönlichkeit. Jedes Rechtssubjekt muss aber
einen Willen haben. Der Wille des Staats ist, wie bei jeder Kollektivperson, keine
Fiktion, sondern die Personeneinheit hat unmittelbar ihren eigenen Willen. Das Organ
ist ein integrierender Bestandteil der Einheit, nicht Vertreter derselben. Durch die
Porsönlichkeit des Staats und seine Eigenschaft als Rechtssubjekt ist von selbst die
*Seydel'*sche Herrschertheorie ausgeschlossen, welche letztere die verschiedenen Erschei-
nungen des Rechtslebens, namentlich die Rechtsbeschränkung des Herrschers, die
Unterordnung des Königs unter das Gesetz und die Rechtsordnung, und die Existenz

eines öffentlichen Rechts der Gewaltunterworfenen, nicht zu erklären vermag und konsequenterweise — mit *Bornhak* — jedes öffentliche Recht läugnen muss. Die Auffassung des Staats als Organismus enthält keinen juristischen Begriff, sondern nur ein Bild, eine Analogie des Naturorganismus, welche zwar die Auffassung des Wesens des Staats vielfach fördert, sich aber nicht zur Ziehung logischer Konsequenzen eignet. Verf. unterscheidet dann das Interesse als materielles, den Willen als formelles Element jedes subjektiven Rechts. Das subjektive Recht des Einzelnen auf dem Gebiete des öffentlichen Rechts besteht ausschliesslich in der Fähigkeit, Rechtsnormen in individuellem Interesse in Bewegung zu setzen. Dasselbe beruht nicht auf erlaubenden (»dürfen«), sondern ausschliesslich auf Macht verleihenden Rechtsätzen (»können«). Das rechtliche Können ist aber identisch mit der Rechtsfähigkeit. Die Gesamtheit des Könnens stellt die Persönlichkeit dar. Alles subjektive öffentliche Recht des Subjizierten beruht daher auf Qualifikationen der Persönlichkeit und besteht seiner formellen Seite nach in Ansprüchen, welche sich aus konkreten Qualifikationen der Persönlichkeit ergeben. Seiner materiellen Seite nach ist dagegen das subjektive öffentliche Recht ein solches, welches dem Einzelnen im Gemeininteresse wegen seiner gliedlichen Stellung im Staate zusteht. Im Anschluss hieran wird der Unterschied zwischen öffentlichem und privatrechtlichem Anspruch und die Grenze zwischen Privat- und öffentlichem Recht festgestellt. Familienrechtliche Statusverhältnisse erscheinen hienach als privatrechtlich. Andererseits sind alle Ansprüche des Staats, welche ausschliesslich in seinem Imperium ihren Grund haben, öffentlich rechtlicher Natur, nur kann das positive Recht auch öffentlichen Verhältnissen ein privatrechtliches Element beimischen oder rein privatrechtliche Verhältnisse in öffentlich rechtliche verwandeln, so dass man unterscheiden muss zwischen den bloss formellen und den materiell öffentlich rechtlichen Ansprüchen. — Vermögensrechtliche Ansprüche des Individuums an den Staat sind öffentlich rechtlich dann, wenn sie einerseits einem öffentlich rechtlichen Verhältnis (der Gliedstellung der Individuen im Staat) entspringen, andererseits an ihrer Gewährung das Gemeininteresse überwiegend beteiligt ist. Bei Ansprüchen gegen öffentlich rechtliche Verbände und von solchen ist zu unterscheiden, ob die Ansprüche von dem Verband als vom Staat unabhängiger Persönlichkeit oder von dem Vollstrecker staatlichen Willens erhoben werden, sowie andererseits, in welcher Eigenschaft der Verband als zur Erfüllung des Anspruchs verpflichtet erscheint. Privatrecht und öffentliches Recht stehen jedoch in den verschiedensten Wechselbeziehungen: indem namentlich sehr häufig das eine das andere zur Voraussetzung hat, oder der publizistische Anspruch sich in einen privatrechtlichen verwandeln kann. Nachdem dann der Verf. zur Unterscheidung des subjektiv-öffentlichen Rechts von den andern Wirkungen der öffentlichen Rechtsordnung, wie uns scheinen will, unnötigerweise die *Ihering*'sche Reflexwirkung — also ein Bild, kein Begriff! — herangezogen hat, giebt er im ersten Abschnitt einen systematischen Ueberblick über die verschiedenen ö f-fentlichen Rechte des Einzelnen, wobei er die öffentlichen Statusverhältnisse als Basis der offentlichen Ansprüche behandelt und hierbei unter Verwendung einer ziemlich scholastischen Nomenklatur —, welche von der scharfsinnigen und geistreichen Deduktion des Verfassers auffallend absticht — zwischen dem p a s s i v e n Status (status subjectionis), in welchem die Selbstbestimmung und damit die Persönlichkeit ausgeschlossen ist, und den übrigen auf der Rechtsfähigkeit des Individuums beruhenden Status unterscheidet. Von diesem wird dann zunächst erörtert der n e g a-tive Status oder status libertatis (Freiheitsrechte, Rechtsgleichheit und folgeweise individualisierter Anspruch auf Anerkennung und Nichtstörung), dann der p o s i t i v e

Status (status civitatis), Mitgliedschaft im Staat (rechtlich geschützte Fähigkeit, positive Leistungen vom Staat zu verlangen, und rechtliche Verpflichtung des Staats, im Einzelinteresse thätig zu werden; Anspruch auf Anerkennung und Rechtsschutzanspruch); endlich der aktive Status (Status der aktiven Civität). Der Einzelne hat auf Grund dieses Status Anspruch auf Organschaft, oder auf Anerkennung seiner Individualität als Träger staatlicher Kompetenzen. Die Vorschriften über die Organbildung (Wahlrecht, überhaupt »politische Rechte«) sind zwar in eminent staatlichem Interesse gegeben, aber sie werden realisiert nicht durch Begründung einer Dienstpflicht (wie die Wehrpflicht, Geschworenenpflicht), sondern durch Zuteilung bestimmter Fähigkeiten oder Berechtigungen. Verf. giebt hier eine treffliche Kritik des entgegenstehenden Standpunkts und erörtert dann im einzelnen das Monarchenrecht, die Rechte des Regenten, das Recht der republikanischen Staatshäupter und Richter, das Wahlrecht, das Recht des Gewählten, das Recht nicht gewählter Parlamentsmitglieder, die Stimm- und Wahlrechte in der unmittelbaren Demokratie, die Ansprüche aus staatlichen Beamtungen, die Ansprüche der Repräsentanten und Beamten öffentlich rechtlicher Verbände. In einem zweiten Abschnitt werden dann die Rechte des Staates und der Verbände, insbesondere die öffentlichen Rechte des Staats, die Rechte der Staatsorgane, die Ausübung staatlicher Hoheitsrechte durch Private, die öffentlichen Rechte der privatrechtlichen, andererseits der öffentlichen Verbände, das öffentliche Recht der Mitglieder von Staatenverbindungen und die Staatenrechte in der internationalen Gemeinschaft behandelt und überall die subjektiven öffentlichen Rechte von den sog. Reflexwirkungen ausgeschieden. So enthält der besondere Teil des Buches eine Reihe ebenso scharfsinniger als interessanter Untersuchungen über Einzelfragen aller Art aus sämtlichen Gebieten des öffentlichen Rechtes, den Zivilprozess nicht ausgenommen, und wer etwa an den etwas abstrakten Erörterungen des allgemeinen Teils Anstoss nehmen sollte, wird mit um so grösserer Befriedigung sich diesen Einzelerörterungen zuwenden, wobei allerdings für etwaige Meinungsverschiedenheiten noch Raum genug übrig bleibt. Gaupp.

Triepel, H., Das Interregnum. Leipzig, 1892. Hirschfeld. 117 S. Die Lehre vom Interregnum ist in der letzten Zeit in der Litteratur ziemlich vernachlässigt worden; um so dankbarer sind wir dem Verfasser für die vorliegende, mit gründlicher Kenntnis der älteren und der neueren Litteratur hergestellte sorgfältige Arbeit über dieses Thema.

Nach der Ansicht des Verf. gehör zum Begriff des Interregnums, dass in demselben der persönliche menschliche Träger der Staatsgewalt hinweggefallen ist, ohne dass unmittelbar ein anderes Subjekt von gleichem rechtlichem Werte und von ideell unbegrenzter Dauer an seine Stelle gerückt ist. Ein Interregnum im rechtlichen Sinn liegt daher nur vor bei dem Wegfall des Monarchen in der Wahlmonarchie, bei dem Aussterben der Dynastie ohne Successionsberechtigten, bei Verzicht des oder der letzten lebenden Sprossen eines Fürstengeschlechtes unter Ermanglung anderer Folgeberechtigter, endlich bei Wegfall des Monarchen ohne successionsberechtigte Descendenz, aber mit Hinterlassung einer schwangern Witwe. Dagegen findet ein Interregnum nicht statt bei dem Eintritt einer Regentschaft wegen Minderjährigkeit, Abwesenheit oder Krankheit des Staatsherrschers, ebensowenig in der Zwischenzeit vor Ableistung der nach der Verfassung eines Landes vor dem Regierungsantritt eines neuen Herrschers vorgeschriebenen eidlichen Versicherung; oder wenn der zur Thronfolge gelangende Monarch eines Gliedstaats durch die übergeordnete Gewalt des

Bundesstaats am Regierungsantritt verhindert wird, oder endlich bei der gewaltsamen Thronentsetzung des Monarchen, sei es durch Revolution oder Usurpation. — In einem ersten geschichtlichen Teil behandelt dann der Verf. die interregna im ehemaligen deutschen Reich, insbesondere das Reichsvikariat seit der goldenen Bulle; dann die französischen interregna von 1316 und 1328, sowie das spanische Zwischenreich 1885/86. In zweiten dogmatischen Teil erörtert der Verfasser, nachdem er einen Ueberblick über die verschiedenen Auffassungen der Schriftsteller gegeben, die Frage, wem steht die Staatsgewalt während des Interregnums zu, wer ist der oder wer sind die Inhaber, die sinnlich wahrnehmbaren Träger dieser Gewalt zu eigenem Recht und giebt es überhaupt im Zwischenreich ein persönliches Subjekt der Staatsgewalt? wobei Verf. zu dem Resultate gelangt, dass der Staat im Interregnum weder Monarchie noch Aristokratie, noch Demokratie, sondern ein Viertes sei, nämlich während dieser Zeit kein physisches Subjekt, keinen Träger seiner Gewalt habe. Verf. zeigt dann, dass dies rechtlich möglich sei, dass also der Staat trotz des Wegfalls des Monarchen im Interregnum fortdaure, indem er die herrschende Theorie, auf welcher die heutige Staatsrechtswissenschaft beruht — dass nämlich der Staat ein selbständiges, mit Persönlichkeit (Rechtssubjektivität) begabtes Wesen, welches Träger eines eigenen Willens ist und fortdauert, auch wenn das physische Organ dieses Willens hinweggefallen, — gegen die Auffassung von *Bornhak* und *Seydel* verteidigt. Da hiernach der Staat auch ohne Träger seiner Gewalt im Interregnum fortbesteht und als Rechtspersönlichkeit selbst Subjekt aller staatlichen Rechte und Pflichten bleibt, so ändert sich im Interregnum auch nichts an den rechtlichen Beziehungen des Staats zu andern Rechtssubjekten. Es wird dann noch erörtert, wie die provisorische Regierung im Interregnum gebildet wird und wie sich die Sache bei Staatenverbindungen, insbesondere im deutschen Reich gestaltet. Den Schluss bildet die Lehre von der Beendigung des Interregnum.   G a u p p.

H. Kunz, *Das Zürcherische und eidgenössische Aktivbürgerrecht*, eine staatsrechtliche Studie. Zürich. C. M. Ebell. 1892. 116 S.

Der Verf. giebt zunächst in einer geschichtlichen Darstellung einen Ueberblick über die Entwicklung des Begriffs »Aktivbürger« bei *Sieyès* und in den französischen Revolutionsverfassungen, dann bis auf die neueste zürcherische und eidgenössische Gesetzgebung bei Einführung der »unmittelbar-demokratischen Verfassung« des Kanton Zürich vom 18. April 1869 und zeigt, dass namentlich seit dem Ges. vom 25. April 1866 in Zürich der Schwerpunkt der Verwaltung auch prinzipiell in die Einwohnergemeinde verlegt worden sei. Während bis dahin der Ausdruck »politische Gemeinde« immer noch die Bürgergemeinde bedeutete, in welcher die bloss Niedergelassenen geringere oder grössere Rechte hatten, umfasst jetzt die politische Gemeinde umgekehrt in erster Linie die ganze aus S c h w e i z e r b ü r g e r n bestehende Einwohnerschaft, innerhalb welcher die Gemeindebürger zur Besorgung einiger besonderen Angelegenheiten eine »Bürgerversammlung« bilden.

In dem zweiten Teil »über den Begriff das Aktivbürgerrechts« werden die einzelnen Rechte aufgezählt, welche den Züricher Aktivbürgern seit 1798 bis 1869 allmählich verliehen worden sind und zwar als Rechte, welche allen dazu staatsrechtlich qualifizierten Personen übertragen sind.

Diese im Züricher Aktivbürgerrecht enthaltenen Rechte werden dann juristisch im Anschluss an *Jellinek* qualifiziert als »s u b j e k t i v e ö f f e n t l i c h e R e c h t e«. Sie stehen ihren S u b j e k t e n nicht schon als Angehörigen des Gemeinwesens, sondern als Organen desselben zu. Verf. unterscheidet hierbei unmittelbare und mittelbare Staatsorgane. Zu ersteren, welche ohne Mitwirkung bestehender Staatsorgane unmittelbar kraft Rechtssatzes zu solchen werden, gehört in Demokratien der Aktivbürger, anderwärts der Monarch und andere Personen, welche infolge des Vorhandenseins gewisser staatsrechtlich erheblicher Eigenschaften *ipso jure* Staatsorgane sind, wogegen zu den mittelbaren Staatsorganen alle durch Wahl oder Ernennung geschaffenen gehören. Allerdings erzeugt die Thätigkeit des Aktivbürgers nur in Verbindung mit der Wirksamkeit der übrigen Aktivbürger Rechtsfolgen für das Gemeinwesen, beschränkt sich also darauf, an der Bildung des Willensentschlusses der Gesamtheit teilzunehmen. Während hiernach der einzelne Aktivbürger nur ein Teil des Organs ist, bildet die Aktivbürgerschaft das ganze Organ und zwar giebt es in der Demokratie nur ein Staatsorgan, welches Organ unmittelbar des ganzen Staats ist — in Zürich die Gesamtheit der Aktivbürger. — Objekt des Aktivbürgerrechts, wie jedes subjektiven öffentlichen Rechts ist das Begriffsganze des Gemeinwesens oder ein Teil desselben, d. h. hier die Pflicht der Aktivbürgerschaft bezw. der andern Aktivbürger, dem von einem Aktivbürger geäusserten, objektiv rechtmässigen Willen, bei der Bildung des Willens der Aktivbürgerschaft vollen Anteil zu gewähren. Ein subjektives öffentliches Recht besteht nämlich auch dem Staat gegenüber (gegen *Bornhak*). Der Satz: der Staat als Quelle der Rechtsordnung stehe über dem Recht, da der Staat das aus bestehenden Rechtssätzen ihm gegenüber entspringende subjektive Recht als für ihn verbindlich nicht anzuerkennen habe, ist unrichtig. Wenn überhaupt ein Recht und eine Rechtsordnung gelten soll, so kann es niemals im Belieben eines Teils stehen, ob er den subjektiven Rechtsanspruch des andern anerkennen will. Das Recht ist Gebundenheit gegenüber der Rechtsordnung selbst. Dass der Staat als Quelle der Rechtsordnung einen Rechtssatz aufheben kann, ist unerheblich. So lange er nicht aufgehoben, ist auch der Staat an den Rechtssatz und die daraus hervorgehenden subjektiven Rechte gebunden; er kann auch das Entstehen subjektiven Rechts nicht hindern, solange der Rechtssatz gilt. Allerdings kann der Staat als höchste irdische Macht sich weigern, einem an sich begründeten Rechtsanspruch zu genügen, allein dann zerstört er die von ihm gesetzte Rechtsordnung selbst. Da dem Aktivbürger sein Recht als einem Teil eines Staatsorgans verliehen ist — nicht in eigenem, sondern in öffentlichem Interesse, so ist er verpflichtet, sein Recht auszuüben, so oft es das öffentliche Interesse verlangt. — Keine Aktivbürgerrechte sind u. a. die sog. passiven Wahlrechte; deshalb sind sie aber doch (gegen *Laband*) subjektive öffentliche Rechte, denn die in Frage stehenden Rechtssätze bestimmen nicht nur die Qualifikation der im Staatsdienst zu verwendenden Personen, sondern sprechen zugleich aus, w e r i m S t a a t s d i e n s t , f a l l s e i n e W a h l a u f i h n f ä l l t , V e r w e n d u n g n i c h t n u r f i n d e n d a r f , sondern findet, also Staatsorgan i s t . Daraus entspringen aber für den Gewählten subjektive öffentliche Rechte des Inhalts, als Staatsorgan oder Teil eines solchen anerkannt zu werden. Allein dieses subjektive Recht gehört nicht zu den Aktivbürgerrechten. Diese und die politischen Rechte oder bürgerlichen Ehrenrechte fallen nicht zusammen. — In einem dritten Teil wird dann das geltende zürcherische und eidgenössische Aktivbürgerrecht in sechs Kapiteln (Inhalt, Erwerb, Ausübung, Verlust, Schutz und Zusammenhang desselben mit anderen Rechten) dogmatisch dargestellt. — Die juristische Schärfe und Klarheit der Arbeit verdient alle Anerkennung. Der dritte dogmatische Teil insbesondere gewährt einen interessanten Einblick in das neueste eidgenössische und Züricher Recht. G.

C. Bornhak, *Preuss. Staatsrecht.* Ergänzungsband 1893. Freiburg i. B. und Leipzig. J. C. B. Mohr. 70 S.

Ein Nachtrag zu dem preuss. Staatsrecht des Verf., welcher die Aenderungen, die das öffentliche Recht des preuss. Staats durch die grösseren Reformgesetze der Jahre 1891 und 1892 erfahren hat, zur Darstellung bringen soll. Wir heben hier nur hervor: die Neubearbeitung der g e w e r b l i c h e n A r b e i t s v e r h ä l t - n i s s e, der K r a n k e n v e r s i c h e r u n g, der E i n k o m m e n s s t e u e r, der S t e m p e l - und E r b s c h a f t s s t e u e r. G.

M. v. Seydel, *Staatsrechtliche und politische Abhandlungen.* Freiburg i. B. und Leipzig. 1893. 247 S.

Wir finden hier in der Hauptsache alte werte Bekannte; aber der Verf. schreibt so klar und anschaulich, dass man, auch wenn man den Inhalt bereits kennt, immer wieder mit Genuss sich dem Studium seiner Aufsätze hingiebt. Zunächst stossen wir auf die im Jahrgang 1872 dieser Zeitschrift veröffentlichte »staatsrechtliche Erst-lingsarbeit« des Verfassers: Zur Lehre von den Staatenverbindungen, welcher jetzt als Anhang zwei kürzere Ausführungen über den Staatenbund und über demokra-tische und monarchische Staatenbünde, nach einem vom Verf. gehaltenen Vortrag, angehängt sind. Hieran reihen sich zwei Aufsätze über den Bundesgedanken und den Staatsgedanken im deutschen Reich, sowie über die neuesten Gestaltungen des Bundesstaatsbegriffs — letzterer namentlich gegen *Hänel* und *Laband* —, beide aus *Hirth*'s Annalen (1874 und 1876); an letzterer Stelle war früher auch der weitere Aufsatz über konstitutionelle und parlamentarische Regierung, 1887, erschienen. Der Artikel »Die Demokratie« (1887) war in Verbindung mit einer Besprechung von vier Aufsätzen des englischen Rechtsgelehrten *Henry Sumner Maine* über diesen Gegen-stand zuerst in der Beil. der Allg. Zeitung erschienen. Der Aufsatz »Ein Jahr-hundert französischer Verfassungsgeschichte« 1890 war s. Z. in der wissenschaftlichen Rundschau der Münchner N. Nachrichten veröffentlicht worden. Das für den Ju-ristentag (1888) ausgearbeitete Gutachten über »parlamentarische oder richterliche Legitimationsprüfung« ist nach seiner ersten Publikation bereits Gegenstand viel-seitiger Erörterung in der Tagespresse gewesen. Der Verf. erklärt es nämlich als eine unabweisbare Forderung der Rechtssicherheit, den Parlamenten das Recht der Legitimationsprüfung zu entziehen und es einem Gerichtshof zu übertragen. G.

---

v. Bar, *Das Gesetz über das Telegraphenwesen des deutschen Reichs* (vom 6. April 1892). Berlin, internat. Verlagsanstalt. 35 S.

Vorliegendes Schriftchen bietet zwar manchen interessanten Beitrag zur Erläu-terung des neuen Gesetzes, ist aber offenbar in erster Linie ein ziemlich stark po-litisch gefärbter Rechenschaftsbericht über die parlamentarischen Vorgänge und Kämpfe, welche dieses Gesetz — so wenig man es erwarten sollte — hervorrief und an welchen namentlich der Verfasser als Mitglied des Reichstags und der ein-gesetzten Kommission lebhaft beteiligt war. G.

Th. Gerstner, *Das internationale Eisenbahnfrachtrecht,* Berlin, 1893. Fr. Vahlen. S. 618.

Am 14. Oktober 1890 wurde, nachdem die Verhandlungen im Jahre 1874 be-gonnen hatten, zu Bern das internationale Uebereinkommen über den Eisenbahn-frachtverkehr zwischen Deutschland, Oesterreich-Ungarn, Italien, Frankreich, Russland,

Belgien, den Niederlanden, Luxemburg und der Schweiz abgeschlossen. Der Austausch der Ratifikationsurkunden fand am 30. September 1892 statt und am 1. Januar 1893 begann seine Wirksamkeit. Eine Reihe anderer Staaten sind demselben seitdem beigetreten. Es ist damit nach Ueberwindung vieler Schwierigkeiten ein vollständiges und gemeinfassliches, wesentlich einheitliches Recht für den internationalen Güterverkehr unter den Eisenbahnen des grössten Teils des europäischen Kontinents geschaffen. Ohne Berücksichtigung der später erklärten Beitritte sind schon auf den 1. Januar 1893 auf einem Gebiet von rund 7 1/2 Millionen Quadrat-Kilometern mit 260 Millionen Einwohnern alle für den internationalen Verkehr wichtigen Bahnen in der Ausdehnung von etwa 150 000 Kilometern zu einer Gemeinschaft verbunden, welche diese Linien in ihrem wechselseitigen internationalen Verkehr den gleichen Rechtsnormen unterwirft. Ein mit dem vorgeschriebenen internationalen Frachttarif aufgegebenes Gut muss jetzt bei Einhaltung der gegebenen Vorschriften von jeder zur Gemeinschaft gehörigen Bahn zum Transport angenommen und durch diese und die folgenden Bahnen nach seinem innerhalb des Vertragsgebiets liegenden Bestimmungsort unter der Verantwortlichkeit sämtlicher am Transport beteiligten Bahnen weiter befördert werden. Eine Abänderung der für diesen direkten Transport vereinbarten internationalen Normen durch die Willkür der Parteien, insbesondere durch reglementarische und tarifarische Normen ist hiebei nicht zugelassen. Die Eingehung und der Inhalt des Eisenbahnfrachtvertrags, seine Ausführung und die aus ihm hervorgehenden gegenseitigen Rechte und Pflichten der Eisenbahn und des Publikums wie auch das Verhältnis der Bahnen untereinander ist aufs eingehendste geordnet und zwar nicht nur in Beziehung auf das materielle Recht, sondern auch auf das Prozessrecht, namentlich die Vollstreckbarkeit der Urteile. Im Gegensatz zu dem so geregelten internationalen Güterverkehr ist das innere Verkehrsrecht der ausschliesslichen Regelung der einzelnen Staaten überlassen; auch ist der Personenverkehr und die damit zusammenhängende Beförderung des Reisegepäcks etc. vom Uebereinkommen ausgeschlossen. Zur Ausführung des Uebereinkommens sind organische Einrichtungen ins Leben gerufen, wie das Zentralamt für den internationalen Transport und die Verabredung weiterer Konferenzen zur Weiterbildung des Vertragswerks. Von Beginn der Verhandlungen an bis zu deren Abschluss hat der Verf. des vorliegenden Werks als Referent im Reichs-Eisenbahn-Amt und als einer der deutschen Delegierten zu den Berner Konferenzen in ganz hervorragender Weise an dem grossen Werke mitgearbeitet und war daher, da er den ganzen Stoff in der umfassendsten Weise beherrscht, zur litterarischen Bearbeitung des Uebereinkommens ganz besonders berufen. Er hat sich dieser Aufgabe auch mit sichtlicher Hingebung und offenbarem Erfolg gewidmet. Das Buch soll ein »Lehrbuch«, eine systematische Darstellung sein, schliesst sich aber an die Reihenfolge der Artikel des Uebereinkommens an, und hat daher ganz den Charakter eines Kommentars; nur ist der Text des Uebereinkommens, der deutsche wie der französische, nebst den Ausführungsbestimmungen in einem Anhang aufgenommen. Bei der Darstellung des neuen Rechts sind die Rechtsnormen der einzelnen Vertragsstaaten in weitem Umfang berücksichtigt und zur Auslegung verwertet. Die Sprache ist durchaus gemeinverständlich und für einen weiteren Leserkreis berechnet, das ganze Buch eine sehr gewissenhafte Arbeit.　　　　　　　　　　　　　　　　　G.

W. Gleim, *Das preuss. Gesetz über Kleinbahnen und Privatanschlussbahnen vom 28. Juli 1892.* Berlin. Fr. Vahlen. 124 S.

Die Verhältnisse der dem allgemeinen Verkehr dienenden Eisenbahnen sind in Preussen durch das Ges. v. 3. Nov. 1838 geregelt; sie unterstehen zugleich der Gesetzgebung und der Aufsicht des Reichs. Daneben hat jetzt das preuss. Gesetz vom 28. Juli 1892 auch die öffentlich rechtlichen Verhältnisse der K l e i n b a h n e n, d. h. der Pferdebahnen sowie der mit Dampfkraft oder Elektrizität, sei es auf selbständigem Bahnkörper oder mit Benutzung der Landstrassen betriebenen Lokalbahnen, ferner den öffentlichen Rechtszustand der sog. P r i v a t a n s c h l u s s - b a h n e n, d. h. derjenigen Privatgeleise, welche, ohne dem öffentlichen Verkehr zu dienen, mit eigentlichen Eisenbahnen oder mit Kleinbahnen derart in unmittelbarer Gleisverbindung stehen, dass ein Uebergang der Arbeitsmittel stattfinden kann — erstmals geregelt. Der Verf., welcher bei der Vorbereitung und Abfassung dieses Gesetzes als Referent im Ministerium der öffentlichen Arbeiten beteiligt war, giebt nun in der vorliegenden Schrift zunächst eine orientierende Einleitung über die Gesichtspunkte, welche bei der Abfassung des Gesetzes massgebend waren und dann den Text des Gesetzes selbst mit ausführlichen Erläuterungen.   *G.*

V. Ring, Das Reichsgesetz, betr. die Kommanditgesellschaft auf Aktien und die Aktiengesellschaften vom 18. Juli 1884. Zweite völlig umgearbeitete Auflage. Berlin. C. Heymann's Verlag. 1893. 756 S.

Unter den zahlreichen Bearbeitungen des neuen Aktiengesetzes ist die vorliegende wohl die umfassendste. Die zweite Auflage ist mit Recht als eine gänzlich umgearbeitete bezeichnet. Verf. bemüht sich — unter Festhaltung an der Form des Kommentars — eine in grösseren Zügen gehaltene theoretische Erläuterung des Gesetzes zu geben und auf diesem Weg — unter Vermeidung eingehender kasuistischer Erörterungen alle Möglichkeiten der Praxis zu erschöpfen. Eine Kritik des geltenden Rechts ist soweit möglich vermieden. Da das Aktiengesetz, wie schon früher das Handelsgesetzbuch, an welches sich dasselbe als Novelle anschliesst, die für die beiden angeführten Arten von Gesellschaften geltenden Normen nicht bei der Lehre von den Aktiengesellschaften, welche ungleich wichtiger ist, als die Lehre von der Kommanditgesellschaft auf Aktien, darstellt, sondern vielmehr bei der Lehre von den Kommanditgesellschaften, weil diese im Handelsgesetzbuch vorangestellt sind, so hat sich der Verfasser nach dem Vorgang anderer in der zweiten Auflage veranlasst gesehen, die für beide Gesellschaften gemeinsamen Normen, abweichend vom Gesetz bei der Lehre von den Aktiengesellschaften darzustellen, um eine zusammenhängende Darstellung des Rechts dieser letztern Gesellschaft zu ermöglichen. Auf einzelne Ausführungen des Werkes einzugehen, ist hier nicht der Ort; es genügt, wenn wir hervorheben, dass das Buch von *Ring* seinen Gegenstand nach allen Richtungen erschöpfend behandelt und als eine der tüchtigsten Arbeiten auf dem Gebiete des Aktienrechts bezeichnet werden darf.   *G.*

Wilh. Hausmann, Die Veräusserung beweglicher Sachen gegen Ratenzahlung. Berlin. Decker's Verlag. 1891. S. 202.

Das sog. Abzahlungsgeschäft ist in neuerer Zeit, weniger aus den Kreisen der dabei unmittelbar beteiligten Personen, als von seiten der geschäftlichen Konkurrenz, welche sich durch dasselbe benachteiligt findet, Gegenstand so unausgesetzter Angriffe geworden, dass sich die Reichsregierung veranlasst gesehen hat, ohne die Fertigstellung des bürgerlichen Gesetzbuchs abzuwarten, dem Reichstag — jetzt zum

zweitenmal — den Entwurf eines besonderen Gesetzes über diese Abzahlungsgeschäfte zu unterbreiten. Da ist das vorliegende, aus der gründlichsten Kenntnis,
namentlich der grossstädtischen Verhältnisse hervorgegangene Buch von besonderem
Wert. Es werden hier von einem ebenso unparteiischen als wohlmeinenden Standpunkt den aus dem Missbrauch dieser Geschäfte zu wucherlicher Ausbeutung hervorgehenden Gefahren andererseits die grossen wirtschaftlichen Vorteile gegenübergestellt, welche bei geordnetem Betrieb der Abzahlungsgeschäfte gerade auf Grund
der in Deutschland für diese Geschäfte allgemein üblichen Rechtsform des Eigentums-
vorbehalts oder auch der Sachmiete für die unbemittelten und wirtschaftlich schwachen
Volksklassen sich ergeben, insofern nur auf dem Weg des Abzahlungsgeschäfts diese
Kreise im Stande sind, geschützt vor dem Exekutionszugriff früher unbefriedigt ge-
bliebener Gläubiger eine neue wirtschaftliche Existenz zu gründen.

Der Verf. will daher nur die Auswüchse des Instituts, welche besonders in der
Verfallklausel bei nicht rechtzeitiger Ratenzahlung hervortreten, beseitigen und kommt
zu dem Vorschlag: »dass der Veräusserer bei der Zurücknahme des Kaufsgegen-
standes im Falle des Ausbleibens einer Ratenzahlung auf Verlangen des Erwerbers
verpflichtet sein soll, denjenigen Betrag der geleisteten Zahlungen, welcher den
Wert der angemessenen, von Sachverständigen zu schätzenden Vergütung für den
Gebrauch und die Abnützung des Kaufsgegenstands übersteigt, zurückzuerstatten.«

Angehängt ist der Schrift eine Zusammenstellung von Gutachten der deutschen
Handelskammern über die vorliegende Frage.   G.

Puchelt, E. S., *Kommentar zum allg. deutschen Handelsgesetzbuch*, vierte vermehrte Aufl., bearb. v. *R. Förtsch*. Reichsgerichtsrat. Leipzig. Rossberg, 1893.
Band I.

Der *Puchelt'*che Kommentar hat sich u. a. wegen seiner leicht verständlichen
Darstellung seit Jahren, namentlich im Gebiete des rheinischen Rechts viele Freunde
erworben. Die Rechtsprechung des Oberhandelsgerichts und später des Reichsgerichts war darin von Anfang an in äusserst ausgiebiger Weise nicht bloss bei Entscheidung von Streitfragen, sondern auch zur Veranschaulichung der einzelnen Rechtssätze verwertet. Die letzte, dritte, noch vom Verf. bearbeitete Auflage war noch
vor der Aktiennovelle von 1884 erschienen und daher von der Gesetzgebung überholt. Die von dem R.G.Rat *Fortsch* bearbeitete vierte Auflage hat das Buch jezt
wieder auf die neuesten Standpunkt gestellt. Gesetze und Litteratur sind bis auf
die neueste Zeit sorgfältig nachgetragen, übrigens ohne die Ergänzungen und Aenderungen äusserlich erkennbar zu machen. Im übrigen ist der ganze Charakter des
ursprünglichen Werkes, insbesondere auch die frische, wenn auch etwas zwanglose
Darstellung von *Puchelt* unverändert geblieben. Auch die Eigentümlichkeit, dass
das Buch, ohne jede Einleitung, sofort mit Art. 1 des H.G.B. beginnt, wurde bei-
beibalten. Dagegen hat *Förtsch* in zwei Supplementheften zu dem bis jetzt allein
vorliegenden I. Band des Ges. über die Gesellschaften mit beschränkter Haftung
vom 20. April 1892 unter sorgfältiger Berücksichtigung der Materialien ganz neu
bearbeitet. Erfahrungen über dieses ungemein rasch verabschiedete, nicht unge-
fährliche Gesetz liegen bei der kurzen Zeit, seitdem es ins Leben getreten, nicht vor.
Verf. erkennt zwar die, namentlich von *Bahr* geltend gemachten Bedenken an und
giebt zu, dass dasselbe zur Beschwindelung des Publikums und zur Unterstützung
staatsgefährlicher Unternehmungen benützt werden könne, hofft aber, dass dasselbe
den Unternehmungsgeist und damit den wirtschaftlichen Aufschwung fördern werde

und vertröstet auf die Gesetzgebung, welche etwaigen Auswüchsen künftighin Schranken zu setzen berufen sei. G.

Konkursgesetze aller Länder der Erde. Mit vergleichender Uebersicht herausgegeben von *J. Alexander,* Bücherrevisor in Berlin. Berlin, 1892. Puttkammer und Mühlbrecht. 530 S.

Die Kenntnis des Konkursrechts fremder Staaten hat nicht nur für die vergleichende Jurisprudenz, sondern auch für den Kaufmann und Nationalökonomen Interesse. Das Material zur Stelle zu schaffen ist aber, wenn man von den grösseren europäischen Kulturstaaten absieht, nicht leicht. Der Herausgeber will dieses Bedürfnis befriedigen und hat die Aufgabe dadurch zu lösen gesucht, dass er sich mit Juristen des Auslands in Verbindung gesetzt hat, welche das Konkursrecht ihres Staats je nach dem Zustand der betreffenden Gesetzgebung teils — wo nämlich umfassende Konkursgesetze bestehen, durch Uebersetzung derselben, teils durch Auszüge aus den einzelnen Gesetzen, teils in Form von Berichten über das geltende Recht dargestellt haben. Die Qualität dieser Leistungen ist unter diesen Umständen natürlich eine sehr verschiedene und lässt sich schwer kontrollieren. Für den Juristen ist das Buch — wenn man von der allgemeinsten Orientierung absieht, kaum zu gebrauchen. Denn es fehlt an jeder Angabe der Litteratur, um die Darstellung des Buchs oder auch nur die Richtigkeit der Uebersetzungen zu kontrollieren. Auch erregt es bei demjenigen, was man kontrollieren kann, und das ist namentlich das deutsche Konkursrecht, immerhin einiges Misstrauen, dass in dem 1892 erschienenen Werke der Genossenschaftskonkurs unter Ignorierung des neuen Genossenschaftsgesetzes vom 1. Mai 1889 noch ganz nach dem Genoss.Ges. v. 4. Juli 1868 und der K.O. behandelt ist. Damit wollen wir übrigens nicht läugnen, dass das Buch für nichtjuristische Zwecke, bei welchen es auf Zuverlässigkeit und Exaktität im Einzelnen weniger ankommt, immerhin brauchbar sein kann. Als Einleitung ist ein geschichtlicher Umriss der Entwicklung des Konkursrechts vorangeschickt, der auf wenigen Seiten wiederum ohne jede Litteratur- und Quellenangabe, die verschiedenen Perioden der Entwickeluug des römischen Konkursrechts, dann den kaufmännischen Konkurs nach den italienischen Statutarrechten des Mittelalters, endlich das deutsche Konkursrecht darstellt. Den Schluss des Werkes bildet eine vergleichende Uebersicht der nach der Auffassung des Herausgebers wesentlichen Bestimmnngen der dargestellten Konkursgesetzgebungen nach 16 Kategorien geordnet, offenbar, wie die Einleitung, eine Arbeit des Herausgebers. G a u p p.

M. Stenglein, Appelius und *G. Kleinfeller, Die strafrechtlichen Nebengesetze des deutschen Reichs.* Berlin, 1893. Otto Liebmann. 1138 S.

Mit der Ausdehnung der Reichsgesetzgebung namentlich auf die sozialen und wirtschaftlichen Verhältnisse sind auch die strafrechtlichen Normen derselben in ausserordentlichem Masse gewachsen; es wird nur wenige Reichsgesetze geben, in welchen nicht irgend eine wenn auch nur ganz vereinzelte Strafandrohung zu finden ist. Es mag daher ein Bedürfnis für alle mit der Strafrechtspflege betrauten Behörden sein, diese Gesetze in einem Werke vereinigt zu finden. Je mehr eine einzelne Strafbestimmung von dem regelmässigen Geschäftskreis der Strafgerichte abseits liegt, um so grösser ist dieses Bedürfnis, da die Bibliotheken der verschiedenen Justiz- und Verwaltungsbehörden die Litteratur über diejenigen Gebiete regelmässig vermissen lassen, welche nicht in ihren unmittelbaren Geschäftskreis gehören. Dies gilt namentlich von den Gerichten in Beziehung auf die bereits umfangreiche Litteratur über die Verwaltungs- und Steuergesetzgebung des Reichs. Insofern mag das vorliegende, unter der Leitung und Mitwirkung des Reichsgerichtsrats *Stenglein* vollendete Werk, welches mit Ausnahme des Strafgesetzbuchs und der Strafprozessordnung alle Reichsgesetze mit Strafandrohung umfassen will, Manchen willkommen sein. Es sind hier nicht weniger als 73 Reichsgesetze mit Rücksicht auf ihren strafrechtlichen Inhalt abgedruckt und erläutert, wobei die Branntwein-, Brau- und Stempelsteuergesetze mit Rücksicht auf die jüngst angekündigten Novellen nicht aufgenommen, sondern auf künftige Supplementhefte verwiesen sind. Fraglich kann hierbei allerdings sein, in welchem Umfang die Reichsgesetze wegen ihrer strafrechtlichen Normen in ein solches Unternehmen hereinzuziehen sind. Während z. B. die Gesetze zum Schutz des geistigen Eigentums in ihrem ganzen Umfang als Strafgesetze gelten können, weil auch diejenigen Paragraphen, welche keine Strafandrohungen enthalten, insofern strafrechtliche Bedeutung haben, als sie den Thatbestand normieren, auf welchen sich die Strafandrohung bezieht, dürfte doch Mancher sich wundern, wie er hier unter den Strafgesetzen des Reichs die ganze Reichsgewerbeordnung mit ihren Novellen, das ganze Vereinszollgesetz v. 1. Juli 1869 und das ganze Tabaksteuergesetz abgedruckt und teilweise ausführlich erläutert findet:

Die Gesetze sind in XI Abteilungen aufgeführt: Gesetze zum Schutz des geistigen Eigentums, Gesetze über gewerbliche Vereinigungen, Gesetze das Verkehrswesen betreffend, Gesetze über das Gesundheitswesen und die Lebensmittel, Gesetze über Viehkrankheiten, Gesetze über militärische Verhältnisse, Gesetze allgemein polizeilichen Charakters, Gesetze das Seewesen betreffend, über strafbaren Bankrutt, über die Gewerbeordnung und die Arbeiterversicherung, Steuergesetze. — Jedes Gesetz ist von einem der Mitarbeiter selbständig bearbeitet. Litteratur und Materialien sind, soweit wir kontrolliert haben, mit ziemlicher Vollständigkeit angegeben.

Gaupp.

J. Olshausen, Kommentar zum Strafgesetzbuch für das Deutsche Reich. Vierte umgearbeitete Auflage. 2 Bände. Berlin, 1892. Verlag von Vahlen.

Ausserordentlich rasch ist auf die im Jahre 1890 erschienene 3. Auflage des umfangreichen Werks die vierte gefolgt. Dies beweist am besten, welche Bedeutung das Buch in der Wissenschaft und in der Rechtsprechung erlangt hat. Als Nachschlagwerk über den neuesten Stand der reichsgerichtlichen Judikatur, wie auch über die kriminalistische Speziallitteratur ist dasselbe kaum zu entbehren. Die Reichhaltigkeit des Stoffs, die Kürze und Präzision der Darstellung im einzelnen muss dabei entschädigen für die Schwerfälligkeit und geringe Uebersichtlichkeit des Ganzen, welche nun einmal eine Folge der Kommentarform und des grossen Stoffs ist. G.

Petersen, J. und *Kleinfeller, G.,* Konkursordnung für das Deutsche Reich 3. verm. Aufl. Lahr, 1892. Schauenburg. 18 M.

Kaum haben wir die im Jahre 1890 erschienene 2. Aufl. dieses Werks angezeigt, so ist bereits über die dritte zu berichten. Wir können daher nur wiederholen, was wir früher über die bei der 2. Aufl. eingetretene gänzliche Umarbeitung dieses Buches, welches jetzt in zweckentsprechender Weise von der einfachen Kommentarform zu einer an die Legalordnung sich anschliessenden umfassenden systematischen Darstellung des gesamten Konkursrechts fortgeschritten ist, bemerkt haben. Die neue Auflage ist vermehrt namentlich durch die Erläuterung der konkursrechtlichen Bestimmungen des neuen Genossenschaftsgesetzes und des übrigens erst in den Nachträgen berücksichtigten Reichsgesetzes über die Gesellschaften mit beschränkter Haftung. Ueber die Art und Weise, wie sich die beiden Verfasser in die Arbeit geteilt haben, giebt jetzt das Vorwort Auskunft.   G.

K. Fuhr, Strafrechtspflege und Sozialpolitik. Ein Beitrag zur Reform der Strafgesetzgebung etc. Berlin, 1892. O. Liebmann. 342 S.

Der Verfasser, ein Schüler und Anhänger des Kriminalisten *v. Liszt*, betrachtet das Verbrechen als »soziale Erscheinung«, als einen Ausdruck antisozialer Gesinnung. Die Strafe hat daher nicht auf dem Prinzip der Vergeltung für eine Rechtsgüterverletzung zu beruhen, sondern ist eine Massregel, um den Willen des Verbrechers zu beeinflussen oder niederzudrücken. Die ganze bürgerliche Gesellschaft ist mit verantwortlich an den Verbrechen, welche in ihr begangen werden und es ist ihre Pflicht, die in ihrem Schosse Ursprung und Nahrung findenden Wurzeln des Verbrechens aufzusuchen und ihnen den Lebensfaden abzuschneiden. Das Strafrecht muss daher befreit werden von den starren Formen, in welche es von der Rechtswissenschaft geschlagen worden ist. Die Strafe muss der Persönlichkeit des Verbrechers angepasst werden. Denn die soziale Erscheinung des Verbrechens wird nicht dadurch aus der Welt geschafft, dass man den Thäter ein bestimmtes Mass von Weh und Uebel dulden lässt, sie kehrt vielmehr so lange wieder, als die erkannten, aus dem Studium des Verbrechers und dessen Lebensverhältnissen sich ergebenden, zum Verbrechen treibenden Ursachen weiter zu wirken vermögen. Verf. will hiernach unterschieden haben: e r s t m a l i g e V e r b r e c h e r, für welche er eine kurze, aber empfindliche Freiheitsstrafe (Dunkelarrest bei Wasser und Brot bis zu 8 Tagen) verlangt, G e l e g e n h e i t s - V e r b r e c h e r, gegen welche er verschärfte Freiheitsstrafen mit Friedensbürgschaft, Verbot des Besuchs einzelner Orte etc. vorschlägt, endlich wiederholt rückfällige G e w o h n h e i t s - V e r b r e c h e r. Bei letzteren soll zwischen verbesserungsfähigen und unverbesserlichen unterschieden werden. Für die besserungsfähigen will er F r e i h e i t s s t r a f e n a u f u n b e s t i m m t e Z e i t b i s z u e i n g e t r e t e n e r B e s s e r u n g und zwar mit einer Minimalgrenze, welche in keinem Fall unter drei Jahren sein darf; für die unverbesserlichen Gelegenheitsverbrecher dagegen soll lebenslängliche Einsperrung eintreten. Einen Beitrag zur Diagnose des organischen Fehlers, an welchem nach des Verf. Ansicht die bisherige Rechtspflege in Deutschland wie in andern Staaten leidet, und zugleich eine Rechtfertigung des von dem Verf. vorgeschlagenen Strafensystems soll nun die in dem vorliegenden Werk enthaltene ausführliche Darstellung der geschichtlichen Entwicklung des bisherigen Strafmittels der Stellung unter Polizeiaufsicht in Deutschland, Frankreich, Belgien, Italien, England, Oesterreich, Russland, Schweden, Norwegen und der Schweiz und der mit derselben erzielten Erfolge liefern und zugleich eine vollständige Materialiensammlung für die Entwicklung dieses von des Verf. Standpunkt kriminalpolitisch hochinteressanten Strafmittels darbieten — als Grundlage für künftige legislatorische Erörterungen. Verf. kommt dabei zu dem Resultate, dass die polizeiliche Aufsicht in Frankreich wie in Deutschland infolge mangelhafter Organisation der Polizei, Unmöglichkeit der Durchführung einer wirklichen Aufsicht, Mangel einer durchgreifenden Schutzfürsorge bisher überall Misserfolge erzielt hat. Er will dagegen jetzt die Stellung unter polizeiliche Aufsicht in engste Verbindung bringen mit dem von ihm vorgeschlagenen neuen Strafensystem, so dass sich bei Wiederholungen von Gewohnheitsverbrechen — bei den »unverbesserlichen«, wenn sie ausnahmsweise wegen wirklich dauernder Sinnesänderung widerruflich entlassen worden —, an die verbüsste Freiheitsstrafe eine Stellung unter Polizeiaufsicht auf 2—5 Jahre anzuschliessen hätte mit der Wirkung, dass der Entlassene sich — nach dem Vorbilde der englischen Gesetzgebung — in bestimmten Zwischenräumen bei einer bestimmten Behörde zu melden und von jedem Aufenthaltswechsel Mitteilung zu machen hat, namentlich aber einer beständigen Aufsicht über sein Thun und Treiben — übrigens ohne jede unnütze Belästigung — unterworfen wird. 　　　　　　　　　　　　　　　　　　　　　　　　　　　　　G.

Die Proberelationen. Eine Mitteilung aus der (preussischen) Justizprüfungskommission. 2. Aufl. Berlin 1892. Fr. Vahlen. 96 S.

Eine unverkennbare Schattenseite des seit 1879 im deutschen Reich durchgeführten rein mündlichen Prozessverfahrens ist die Schwierigkeit, die im Vorbereitungsdienste befindlichen Referendäre in die praktische Thätigkeit, namentlich auf dem Gebiete der Zivilrechtspflege einzuführen. Das wichtigste und bei angemessener Unterweisung in der That vorzügliche Bildungsmittel bestand früher in der Anfertigung von Relationen auf Grund passend ausgewählter Prozessakten. Da jetzt aber die Prozessakten eine ganz andere rechtliche Bedeutung haben, als im schriftlichen Prozess, bieten dieselben nur noch selten eine passende Grundlage dar, »um eine vollständige und wohlgeordnete Darstellung des Sach- und Rechtsverhältnisses, ein begründetes Gutachten und einen Urteilsentwurf aus denselben zu bearbeiten«. Dennoch hat man sowohl in Preussen als in andern Staaten nicht nur bei der höhern Justizdienstprüfung an der Bearbeitung einer Relation aus Prozessakten festgehalten, sondern es werden die Referendäre auch im Vorbereitungsdienst mit der Anfertigung von Relationen aus Prozessakten beschäftigt, weil man in der Herstellung einer schulgerechten Relation nicht ohne Grund noch jetzt den besten Prüfstein für logisches Denken, richtige Gesetzesanwendung und was den Vortrag des Faktums betrifft — für die Darstellungsgabe und den Stil des künftigen Richters oder Anwalts findet. Die vielfachen Mängel, welche nun aber in neuerer Zeit wie auch schon früher die in den Besitz der Justizprüfungskommission gelangten Relationen der Referendäre an sich trugen, gaben den Anlass, durch die vorliegende, aus der Feder eines Mitglieds dieser Kommission herrührende Veröffentlichung auf die häufigsten und wichtigsten dieser Mängel hinzuweisen und auf deren Hebung hinzuwirken. Ob übrigens die Rücksicht auf die Ausbildung der Referendäre die in dem Schreiben der Prüfungskommission an den Präsidenten des Oberlandesgerichts zu Köln empfohlene Einwirkung auf die rheinischen Anwälte zur Anfertigung formgerechter vorbereitender Schriftsätze zu rechtfertigen geeignet war, dürfte trotz des guten Zweckes bezweifelt werden. Denn wenn auch die Zivilprozessordnung in instruktorischer Weise für den Anwaltsprozess die Vorbereitung der Verhandlung durch Schriftsätze vorschreibt, so muss doch dem Anwalt das Recht zustehen, den Umfang dieser Schriftsätze auf dasjenige Mass zu beschränken, welches die Vorbereitung der mündlichen Verhandlung erfordert. 　　　G.

Berichtigung. S. 336 ist Z. 18 v. u. statt »Ld.Ger.Rat Dr.« »Professor« *Gaupp* zu lesen.

I. ABHANDLUNGEN.

GESETZ UND BUDGET.

VON

PROF. Dr. FRICKER.

I. Gesetz.

I. Man kann sich den Inhalt aller Gesetze eines Staates als das eine, ganze, Gesetz dieses Staates vorstellen; es kann sogar eine Einrichtung getroffen sein, welche dieser Auffassung einen offiziellen geschäftsmässigen Ausdruck giebt. Dieses eine Gesetz ist also nichts anderes, als das ganze bestehende Gesetzesrecht, das dann durch jedes weitere Einzelgesetz eine Aenderung erfährt. Hier soll nur vom Einzelgesetz die Rede sein.

Jedes Einzelgesetz wird durch dieselbe Eingangsformel zusammengehalten (mag diese auch weitere unwesentliche Elemente in sich aufzunehmen im Stande sein). Ein Gesetz ist also die Summe der durch dieselbe konkrete Anwendung der Gesetzesformel zusammengefassten Sätze. Jedes Gesetz ist sonach ein Gesetzes-Individuum, das äusserlich abgeschlossen und dadurch von allen andern Gesetzen unterschieden ist. Es beruht auf einem einzigen gesetzgeberischen Willensakt, der alle seine Sätze, aber nur sie, begreift.

Man kann dies die äussere Einheit des Gesetzes nennen im Gegensatz gegen die innere Einheit, den inneren Zusammenhang, nach welchem jeder Satz das Glied eines einheitlichen Systemes ist, das alle Sätze des Gesetzes logisch gegliedert enthält.

Man kann sagen, dass in der inneren Einheit des Gesetzes die Rechtfertigung der äusseren Einheit gelegen ist. Aber doch nur im Sinn einer allgemeinen Erklärung. Wie überall, so erweist

sich auch hier die äussere Form oder besser gesagt die That-
sächlichkeit als etwas Selbständiges, auch gegenüber ihrer eigenen
inneren Begründung. Was äusserlich als Gesetz erscheint, das
ist das Gesetz in seiner äusseren Einheit, mag es mit der inneren
Einheit so oder so stehen. Wenn der Gesetzgeber, wie dies schon
vorgekommen ist, die Gelegenheit eines innerlich zusammenhängenden Gesetzes benützt, um einen nicht damit im innern Zusammenhang stehenden weiteren Satz unterzubringen, so gehört
auch dieser zu diesem Gesetz, ist ein Teil dieses Gesetzesganzen.
Es kann auch sein, dass ein Gesetz eben gerade dazu bestimmt
ist, eine Menge von Einzelsätzen, die unter sich in keinem Be-
dingungsverhältnis stehen, zusammenzufassen, um sie einer vagie-
renden Einzelexistenz zu entreissen. Auch kann an die Gesetzes-
novellen erinnert werden, deren einzelne Sätze vielleicht unter
sich in keinem sichtbaren Zusammenhang stehen, sondern diesen
nur durch die Vermittlung des Hauptgesetzes finden. Jede Gesetzes-
novelle und überhaupt jede Aenderung eines bestehenden Gesetzes bildet ein Gesetz für sich, das aber die Aenderung des Inhaltes eines andern Gesetzes zum Zweck hat.

Auf die Verschiedenheit des Inhalts des Gesetzes kommt es
hiebei gar nicht an. Jeder Gesetzesinhalt ist Gesetz, und jeder
Rechtsinhalt, der nicht Gesetzesinhalt ist, ist nicht Gesetz. Die
Unterscheidung von Gesetzen im formellen und materiellen Sinn,
deren Klärung wir den durchschlagenden Darlegungen *Hänel*'s
verdanken, ist (vorbehältlich des sog. Budgetgesetzes) staatsrechtlich ohne Bedeutung. Jeder Rechtsinhalt in der Form des Gesetzes ist Gesetz im formellen und materiellen Sinn und jeder
andere Rechtsinhalt ist nicht Gesetz, weder im formellen noch
im materiellen Sinn. Die Unterscheidung ist also überflüssig für
den Gesetzesinhalt, unrichtig für jeden anderen Rechtsinhalt. Man
darf einfach nur vom Gesetz reden.

Eine ganz andere Frage ist es, ob man nicht thatsächlich
zwischen einem regelmässigen und einem ausnahmsweisen Gesetzesinhalt unterscheiden kann. Jedes Verfahren ist auf einen bestimmten Zweck zugeschnitten. Das schliesst aber nicht notwendig
aus, dass es nicht auch einem andern Zweck nebenbei dienen
kann, und dass nicht sogar ein anderer Zweck, wenn er überhaupt verwirklicht werden soll, auf dieses Verfahren angewiesen ist.

Diese andere Frage führt zum Verhältnisse der Begriffe Gesetz und objektives Recht.

Nichts ist gewisser, als dass objektives und subjektives Recht korrelate Begriffe sind. Es giebt kein objektives Recht, dem nicht subjektives, kein subjektives, dem nicht objektives entspricht. Im objektiven Recht wird das Recht in seinem Ursprung im Willen der Gemeinschaft erfasst, im subjektiven Recht in seiner Wirksamkeit am Subjekt. Objektives Recht, dem kein subjektives entspricht, ist ein Recht ohne Wirksamkeit, also kein Recht. Subjektives Recht, dem kein objektives entspricht, ist eine nicht gerechtfertigte Forderung, also auch kein Recht. Selbst der absolute Monarch kann sein unbegrenztes subjektives Recht nur auf objektives Recht stützen. Auch hier muss ein von dem subjektiven Willen des Monarchen unterschiedener objektiver Wille des Staats gedacht werden. Ein absoluter Monarch, der seine Gewalt nur auf seine individuelle Willkür stützen könnte, wäre überhaupt nicht Monarch, nicht Staatsoberhaupt, sondern ein des Rechtes darbender Tyrann.

Dieser Begriff des objektiven Rechts hat zum Gesetz keine spezifische Beziehung, so richtig er auch ist und so gewiss er auch das Gesetz begreift. Dass die Verordnung selber eine subjektive Ermächtigung zur Grundlage hat und dass diese im Gesetz wurzelt, ist für die Korrelation objektives und subjektives Recht ohne Bedeutung. Das in einer Verordnung enthaltene Verbot z. B. ist für den, an den es sich richtet, objektives Recht und bewirkt seine subjektive Pflicht. Es muss gesetzmässig sein, ist aber darum doch nicht Gesetzesverbot, sondern eben nur Verordnungsverbot. Auch das Gesetz entspringt aus einer subjektiven Ermächtigung, nämlich der Ermächtigung des Gesetzgebers durch die Verfassung. Das Gesetzesverbot muss verfassungsmässig sein, ist aber darum doch nicht Verfassungsverbot.

Nun giebt es aber einen andern engeren Begriff des objektiven Rechts, der zum Gesetz eine ganz spezifische Beziehung hat, indem er nämlich einfach identisch ist mit Gesetzesrecht. In diesem Sinne bildet also der Rechtsinhalt der Gesetze das objektive Recht. Von Gewohnheitsrecht sehen wir ab, das Gesetz ist die spezifische Form, in welcher der konstitutionelle Staat neues objektives Recht in bewusster Arbeit herstellt. Dass das Gesetzesrecht von jedem anders festgestellten Rechtsinhalt unterschieden wird, hat einen guten Sinn; es ist im Wesen des konstitutionellen Staats begründet. Auch der Ausdruck objektives Recht bekommt dadurch eine besondere Rechtfertigung. Denn das vermag eben der konstitu-

tionelle Staat zu leisten, dass sich vom subjektiven Wollen des
Gesetzgebers das Gesetz als etwas Objektives ablöst. Und deshalb erblickt der Konstitutionalismus im Gesetz den Willen des
Staates im Gegensatz gegen den Willen eines staatlichen Organs.
Gesetzgeber der konstitutionellen Monarchie ist der Monarch. Er
unterscheidet sich von jedem andern Organ des Staates dadurch,
dass sein Recht zur Ausübung der Staatsgewalt in der Verfassung
wurzelt, nicht aber in dem Willen eines anderen Organs. Jedes
andere Organ dagegen leitet sein Recht vom Monarchen ab, dem
es untergeordnet ist und in der Ausübung der Staatsgewalt dient
und in dessen Willen die ganze Staatsgewalt als eingeschlossen
gedacht wird. Wenn dies von der Monarchie überhaupt gilt, so
kommt in der konstitutionellen Monarchie hinzu, dass der Monarch
als Gesetzgeber an die Mitwirkung und Zustimmung der Volksrepräsentation gebunden ist. Materiell erlangt dadurch das Gesetz
den Wert eines unmittelbar aus dem Ganzen, der Gemeinschaft
hervorgehenden Rechtsinhalts; formell wird durch diese Mitwirkung,
die auch zur Abänderung des Gesetzes notwendig ist, das einmal
geschaffene Gesetz unabhängig vom fortdauernden Willen des Gesetzgebers, d. h. des Monarchen, und kann daher in einem andern
Sinn als sonstige Willensakte staatlicher Organe als reiner unmittelbarer Staatswille aufgefasst werden.

Der Rechtsinhalt des Gesetzes ist unbedingt Recht. Zwar
an die Verfassung ist der Gesetzgeber gebunden und seine Kompetenz kann durch die Verfassung eingeschränkt sein; aber die
Verfassung selbst ist seiner Kompetenz nicht entzogen. Die Ver-
fassungsänderung durch den Gesetzgeber ist an besondere Vorschriften gebunden; in dieser Form aber ist sie unbegrenzt zulässig.
Im Hinblick auf diese Kompetenz kann man also sagen, dass die
Gesetzgebung hinsichtlich des Gesetzesinhalts keine Schranke hat
und dass der Gesetzgeber in jedem einzelnen Falle seine Kompetenz selbst bestimmt. Wenn man also von der Gesetzeskompetenz redet, so fragt man nicht, zu was der Gesetzgeber zuständig
ist, sondern zu was nur er zuständig ist; nicht von der Beschränkung seiner Kompetenz, sondern von der der andern Organe
handelt es sich.

Jeder Rechtsinhalt, jede Bestimmung von der Bedeutung einer
rechtlichen Forderung, jeder Inhalt, von dem man sagen kann,
das soll Recht sein, ist auch möglicher Gesetzesinhalt, für den
es nur politische, ausschliesslich zur Erwägung des Gesetzgebers

stehende, nicht rechtliche Grenzen giebt. So können subjektive Rechte unmittelbar durch Gesetz begründet werden; es braucht dann keines Rechtsgeschäftes hiefür. Auch richterliche Urteile können durch Gesetz überflüssig gemacht werden, indem an ihre Stelle die konkrete Ordnung des Gegenstandes durch Gesetz tritt. Nicht bloss im Verhältnis der Einzelnen zu einander und zum Staat, sondern auch im Verhältnis der Organe des Staats zu einander, kann jede Aenderung vom Gesetzgeber getroffen werden; selbst was sonst der Instruktion vorbehalten ist, könnte der Gesetzgeber bestimmen und insoweit die Instruktion ausschliessen. Aenderungen, die nach bestehendem Recht der Verordnung reserviert sind, kann das Gesetz aufnehmen und dadurch die Verordnung ausschliessen. Selbst den Inhalt schon bestehender Verordnungen kann es sich aneignen und dadurch diese Verordnungen in soweit beseitigen. Es giebt überhaupt keine den Gesetzgeber beschränkende Grenze gegen die Verordnung; ob er sich auf die Aufstellung der Hauptgrundsätze beschränken will, jede weitere Bestimmung der Verordnung überlassend, ob er selber die näheren Vorschriften geben, ob er bis ins Detail gehen und der Verordnung nichts überlassen will, ist seine Sache. Aber in allen diesen Fällen ist das Gesetz Gesetz und nur Gesetz; es wird nicht zum Rechtsgeschäft, zum Urteil, zur Instruktion, zur Verordnung.

Wenn es sich nun weiter fragt, welcher Rechtsinhalt zur ausschliesslichen Kompetenz des Gesetzgebers gehört, also nur im Weg der Gesetzgebung hergestellt werden kann, so kann diese Frage in ihrer Allgemeinheit nur aus dem Wesen der konstitutionellen Verfassung beantwortet werden, der das Gesetz in seiner spezifischen Bedeutung allein angehört. Der konstitutionelle Staat will Rechtstaat sein und zwar in dem besonderen Sinn der Ausschliessung jeder Willkür im Gebiet des Rechts. Die Sicherung dieser Forderung findet die konstitutionelle Verfassung eben in der entscheidenden Mitwirkung der Volksrepräsentation bei der Gesetzgebung. Daraus folgt dann, dass jede Vorschrift, jede Forderung Einzelner oder öffentlicher Organe, jede Veränderung thatsächlicher Verhältnisse als Wirkung menschlichen Willens, sofern ihnen die Kraft und Autorität des Rechtes zukommen soll, im Gesetz begründet sein müssen. Soll also dergleichen eintreten, ohne in der bestehenden Gesetzgebung schon seine Begründung zu finden, so ist ein neues Gesetz notwendig. Dahin gehört also jede neue, auf die bestehende Gesetzgebung nicht zurückführbare

Rechtsregel, die Nichtanwendung des Gesetzes im einzelnen Fall,
die rechtliche Ordnung eines konkreten Verhältnisses, die aus
der bestehenden Gesetzgebung nicht abgeleitet werden kann u. s. f.
Jeder Rechtsinhalt muss also entweder selbst Gesetzesinhalt oder
aus dem Gesetz ableitbar sein.

Dieser allgemeine Gedanke stösst allerdings in der logischen
Durchführung und in der thatsächlichen Verwirklichung auf
gewisse Schwierigkeiten, die übrigens nicht unüberwindlich sind.
Namentlich geht neben der konstitutionellen Gesetzgebung ein
anderes gleichwertiges, also in demselben Sinn objektives Recht
her, durch dessen ergänzendes Hinzutreten jene Schwierigkeiten
zu heben sind. Seine Beseitigung gehört der allmählichen Entwicklung an. Wenn schon in dem Augenblick, da eine konstitutionelle Verfassung entsteht, alles Recht auf der konstitutionellen
Gesetzgebung begründet sein müsste, so müsste es ja zunächst
überhaupt aufhören, da eine solche, von der Verfassungsurkunde
selber abgesehen, noch nicht bestehen kann. Auch heute noch
bestehen solche Oasen nicht konstitutionell-gesetzlichen Rechts,
insbesondere in der Form von herkömmlichen Ermächtigungen
öffentlicher Organe; doch auch für sie kommt die Zeit, wo sie
in eine neue Gesetzgebung aufgenommen werden.

Endlich aber verengt sich der Begriff des objektiven Rechtes
noch einmal, indem darunter nur derjenige Gesetzesinhalt begriffen wird, der die Bedeutung allgemeiner dauernder abstrakter
Rechtsregeln hat. Man wird zugeben müssen, dass der Ausdruck
objektives Recht in dieser Bedeutung ganz besonders gebraucht
wird. Den Gegensatz hiezu bilden dann einerseits diejenigen allgemeinen Rechtsregeln, welche nicht im Gesetz enthalten sind,
andrerseits die rechtliche Bestimmung und Ordnung konkreter
Verhältnisse.

Dieser Begriff des objektiven Rechtes ist wertvoll und man
muss ihn haben; ob es zweckmässig ist, ihm den Namen objektives Recht zu geben, ist eine untergeordnete Frage; doch dürfte
diese Bezeichnung wohl begründet sein. Dies ergiebt sich schon
daraus, dass der Inhalt der konstitutionellen Gesetze in der That
meist aus solchen Rechtsregeln besteht, neben denen ein anderer
Inhalt wie eine Ausnahme erscheint. Die Anwendung des Aus-
drucks »abstrakte Rechtssätze« auf diese Rechtsregeln ist nicht
zu tadeln, sie steht nicht im Widerspruch mit der lebendigen
Kraft des Rechtes, bezeichnet aber ganz zutreffend die Sache

selbst. Denn darin besteht gerade das Wesen und der Wert der Regeln, dass durch sie kein konkretes Verhältnis unmittelbar geordnet wird. Sie gehen aus dem Leben hervor und sind für das Leben bestimmt, werden aber durch Abstraktion geschaffen. Aus der Vorstellung der unendlich verschiedenen Möglichkeit konkreter Gestaltung wird ein bestimmter wesentlicher Thatbestand durch Abstraktion herausgefunden, an welchen bestimmte Rechtswirkungen geknüpft werden, so dass diese zutreffen, wo immer jener Thatbestand da ist. Die Regel ist daher anzuwenden auf jeden einzelnen Fall; diese Anwendung bedeutet aber nicht eine Teilung der Regel, einen allmählichen Aufbrauch derselben; vielmehr wird sie auch durch noch so viele Anwendungen nicht erschöpft, überhaupt nicht verändert. Die Regel schwebt also allerdings über der Wirklichkeit, aber nicht als blosses Gedankending, sondern als eine stets gespannte Energie, immer parat, sich auf die Wirklichkeit herabzulassen und in ihr wirksam zu werden. So sind die Rechtsregeln selbst eine Wirklichkeit; sie meint man, wenn man von dem Rechte eines bestimmten Staates redet; an ihrer Abstraktheit hängt die Gerechtigkeit und die Sicherheit des Rechts. Müsste das Recht immer erst für den einzelnen Fall und für das konkrete Verhältnis geschaffen werden, so wäre es mit seiner Objektivität, mit der Blindheit der Gerechtigkeit für das subjektive Interesse, übel bestellt, möchte der Schöpfer ein Harun al Raschid oder die Gesamtheit des Volkes sein. Die abstrakten Rechtsregeln des Gesetzes geben dem Staat sein festes Gepräge und dem Einzelnen den festen Rahmen, innerhalb dessen sich sein individuelles Leben vollzieht, auf den er bauen, mit dem er rechnen kann. Sie sind die Vollendung des Gedankens des objektiven Rechts im Sinn des Gesetzesrechts. Ist das Gesetz überhaupt der starke Schild, der jeden schützt, jedem gehört, von jedem jedem entgegengehalten werden kann, der sichere Boden, auf dem jeder in gleicher Höhe dem andern gegenüber steht, so wird dieses Gut zur vollen Wahrheit erst durch die abstrakte Rechtsregel des Gesetzes.

Kein Wunder also, wenn sich die Vorstellung der Rechtsregel ganz besonders mit dem Begriff des Gesetzes und des objektiven Rechtes verbindet. Das Ideal des konstitutionellen Gedankens wäre also Verwirklichung des gesamten Rechts in der Form der Anwendung abstrakter Gesetzesregeln. Wenn zwischen das Gesetz und seine Anwendung im einzelnen Fall noch allge-

meine Ausführungsverordnungen treten, so widerspricht dies dem
Ideal nicht. Sie sind selbst Rechtsregeln und werden getragen
durch das Gesetz. Allgemeine Ermächtigungen zu Anordnungen,
die nicht als Ausführung materieller Rechtsgrundsätze des Gesetzes erscheinen, vielmehr solche ohne diese Grundlage erst aus
dem Willen des ermächtigten Organs hervorgehen lassen, würden
dem Ideal nicht entsprechen, wenn sie gleich formell durch das
Gesetz gedeckt wären. Wo dergleichen vorhanden, ist es Aufgabe der Gesetzgebung, die materielle Rechtsregel, beschränke
sie sich auch nur auf die Hauptgrundsätze, an die Stelle zu setzen.
Den eigentlichen Gegensatz gegen das Ideal würde es aber bezeichnen, wenn der Gesetzgeber den einzelnen Fall, das konkrete
Verhältnis ordnet, unmittelbar subjektive Rechte bestimmter Personen schafft. Dass auch in diesem Fall das Gesetz als Staatswille objektives Recht und das durch dasselbe geschaffene subjektive Recht seine Wirkung ist, kommt für den Wert der Rechtsregel natürlich nicht in Betracht. Wollte man aber ein solches
Gesetz, das ad hoc dieselbe Wirkung hat, wie die Rechtsregel,
eben darum selbst als Rechtsregel ansehen, so wäre das schwerlich
logisch richtig, nicht einmal da, wo ein Spezialgesetz eine vorhandene Rechtsregel im einzelnen Fall ausser Anwendung setzt.
Eine Regel für den konkreten Fall geben oder aufheben ist ein
widerspruchsvoller Ausdruck, und die Nichtanwendung einer Regel
ist keine Aufhebung derselben; sie bleibt als Regel unverändert.

Dass auch für einen solchen Inhalt das Gesetz notwendig
werden kann, wurde bereits zugegeben. In diesem Fall muss es
dann aber gestattet sein, einen solchen Gesetzesinhalt als ausnahmsweisen anzusehen, und zu sagen, dass hier die Form des
Gesetzes angewendet wurde (bezw. werden musste) für einen Inhalt, der sonst und nach der regulären Bestimmung des Gesetzes
nicht durch das Gesetz selbst, sondern in Anwendung eines Gesetzes herzustellen gewesen wäre. Aber auch ein solches Gesetz
ist wie jedes Gesetz Gesetz im formellen und im materiellen Sinn;
sein Inhalt ist berechtigter Gesetzesinhalt.

II. Die äussere Einheit des Gesetzes macht sich im ganzen
Gesetzgebungsvorgang geltend und äussert charakteristische Wirkungen.

Die nachstehende Untersuchung beschränkt sich auf die deutsche
Monarchie mit dem Zweikammersystem und die Gesetzgebungs-
initiative der Regierung.

Die Regierung legt den Entwurf des Gesetzes der Ständeversammlung vor; sie bringt ihn an die Kammer A, damit diese,
nachdem sie ihn beraten und ihren Beschluss darüber gefasst
hat, ihn an die Kammer B bringe. Diese Mitteilung des Entwurfs
an die Stände hat den Zweck, sie zur Gewährung ihrer zum Zustandekommen des Gesetzes notwendigen verfassungsmässigen Zustimmung zu veranlassen. Darin ist die Erklärung der Regierung
enthalten, dass der Gegenstand des Gesetzes eine rechtliche Ordnung im Gesetzgebungsweg finden solle, dass diese Ordnung nach
Ansicht der Regierung am besten gerade in der durch den Entwurf proponierten Weise und in diesem äusseren Abschluss hergestellt werde und dass daher die Regierung auf Grund ihrer jetzt
vorhandenen Ueberzeugung willens sei, ein Gesetz in dieser Form
und mit diesem Inhalt zu erlassen, wenn sie hiefür die Zustimmung
der Stände erhalte. Eine Vertragsproposition ist dies ersichtlich
nicht. Da die Stände verfassungsmässig ein Aenderungsrecht
haben, so muss sich die Regierung namentlich die Aenderung
ihrer jetzigen Ueberzeugung auf Grund der zu erwartenden ständischen Vorschläge vorbehalten. Doch ist dies nicht so zu verstehen, als ob die Regierung ihre eigene Ansicht und Absicht
in dem Entwurf noch gar nicht zum Ausdruck gebracht habe,
sondern dies erst nach Anhörung der Stände zu thun gedenke.
Eine solche Indifferenz der Regierung ihrem eigenen Entwurf
gegenüber wäre nicht zu verstehen. Andrerseits ist aber die Vor-
legung des Entwurfs an die Stände auch nicht eine bedingte Erklärung desselben zum Gesetz. Sie drückt nur eine Absicht, aber
eine ernste Absicht aus.

Der Entwurf wird den Ständen zur Genehmigung vorgelegt.
Für die Mehrzahl der deutschen Monarchien steht dies nach dem
Ausdruck der Verfassungsurkunden fest. In Beziehung auf Preussen
wird es bezweifelt unter der sehr gewichtigen Berufung auf den
Wortlaut der Verfassung. Dass aber dieser unbedingt die Gleichstellung der Gesetzgebungsfaktoren ausspreche und den Begriff
einer ständischen Genehmigung ausschliesse, lässt sich doch nicht
behaupten; die ernstliche Verneinung dieses Begriffs würde nicht
mehr und nicht weniger bedeuten, als die Behauptung, der König
von Preussen sei nicht ausschliesslicher Gesetzgeber, vielmehr
komme das Gesetzgebungsrecht in Preussen auch den Ständen
ganz in derselben Weise zu wie dem König. Dass dies nicht der
Sinn der Verfassung ist, wird sich erweisen lassen. Die preussische

Gesetzesformel stellt sich auch ohne weiteres auf den Standpunkt
der Genehmigung. Die Gleichstellung beider Faktoren in Beziehung auf die Findung des Gesetzesinhalts berührt unsere Frage
gar nicht. Es handelt sich lediglich darum, wem die staatliche
Gesetzgebungsgewalt zur Ausübung zusteht, wer sie im Sinn einer
Aktivität gegenüber den Unterthanen besitzt. Dies ist auch in
Preussen nur der König. Der höchste Grad der Teilnahme eines
Subjekts an der Leistung eines andern, aus dessen ausschliesslicher Aktivität diese Leistung hervorgeht, ist das Veto. Die
ständische Genehmigung oder Zustimmung in der Gesetzgebung
ist die Erklärung, in Beziehung auf ein bestimmt formuliertes Gesetz dem gesetzgeberischen Willen die Bahn offen zu lassen, sie
nicht durch das den Ständen rechtlich zustehende Veto zu verschliessen. Die Ablehnung des Gesetzentwurfs durch die Stände
ist das Veto. Die Amendierung bedeutet das Veto gegenüber
dem eingebrachten Gesetzesentwurf, aber die Nichtverhinderung
des der Amendierung entsprechenden Gesetzes. Die Kraft des
gesetzgebenden Willens wird durch die ständische Genehmigung
nicht verstärkt; in ihm allein ruht sie.

Allerdings arbeiten die Stände positiv an der Gesetzgebung
mit, indem sie den Entwurf materiell prüfen und selber positive
Vorschläge machen. Der materielle Wert dieser Arbeit ist ausser
Frage. Aber rechtlich kommt es doch nur auf ihr Ja oder Nein
an und dieses kann, wenn der Monarch allein der Gesetzgeber
ist, doch nur die bemerkte Bedeutung haben.

Das Veto der Stände bildet ihr Recht. Sie können davon
Gebrauch machen oder nicht, Nein oder Ja sagen. Allerdings
üben sie einen öffentlichen Beruf aus, der Willkür ausschliesst.
Sie sind verpflichtet, das Gesetz zu prüfen, den gut erfundenen
Entwurf zu genehmigen, den schlechten abzulehnen oder seine
Verbesserung vorzuschlagen. Aber nur sie selber haben die Ent-
scheidung. Das materielle Urteil und das formelle Ja oder Nein
fallen nicht auseinander, können also nicht in Widerspruch stehen;
jenes kommt durch dieses allein zum offiziellen Ausdruck. Das
Ja oder Nein der Stände kann also niemals von dem materiellen
Urteil eines andern Subjektes aus korrigiert oder als pflichtwidrig
dargestellt werden.

III. Die Kammer A hat den Gesetzesentwurf durchzuberaten
und ihr Urteil über denselben in Einzelbeschlüssen, die zugleich die
Amendierungen enthalten, festzustellen. Zuletzt folgt die Schluss-

abstimmung, gerichtet auf Annahme oder Nichtannahme des Entwurfes, wie er aus diesen Einzelbeschlüssen hervorgegangen ist. Die Nichtannahme heisst auch Ablehnung oder Verwerfung. Die Schlussabstimmung ist völlig frei und durch die Einzelbeschlüsse nicht gebunden. Es kann daher sehr wohl sein, dass die Einzelberatungen ein positives Ergebnis haben und dennoch in der Schlussabstimmung die Kammer Nein sagt. Die Einzelbeschlüsse sind wie die Hauptbeschlüsse Majoritätsbeschlüsse. Wenn nun der eine Teil der Kammer um dieses, ein anderer um jenes Einzelbeschlusses willen, denen sie nicht zugestimmt haben, das ganze Gesetz nicht mehr annehmbar finden, so fällt dasselbe, falls sie zusammen die Majorität ausmachen. Das einzelne Mitglied ist frei in seiner Abstimmung und der Beschluss der Kammer ergiebt sich aus den Stimmen der einzelnen Mitglieder in mathematischer Weise.

Das Verhältnis der Schlussabstimmung zum Regierungsentwurf hängt von den Einzelbeschlüssen ab. Enthalten diese keine Veränderungen des Entwurfs, sondern nur Annahme oder Ablehnung aller seiner Sätze, so kann in der Schlussabstimmung nur der Regierungsentwurf in Frage gestellt werden. Ist aber dieser Entwurf durch die Einzelbeschlüsse abgeändert worden, wozu auch die einfache Streichung einzelner Teile gehört, so ist in der Schlussabstimmung der Regierungsentwurf gar nicht in Frage; die Vorlage ist nun eine andere geworden. Wird der Entwurf in dieser neuen Gestalt angenommen, so ist der Regierungsentwurf als Ganzes damit abgelehnt; wird er nicht angenommen, so ist das Gesetz von dieser Kammer (vorbehältlich der verfassungsmässig zulässigen Aenderung dieses Beschlusses) überhaupt abgelehnt, also auch der Regierungsentwurf. Die Abstimmung giebt der Wahl zwischen dem ursprünglichen und dem durch die Einzelbeschlüsse neu gestalteten Entwurf keinen Platz.

In der Schlussabstimmung behauptet sich also die aussere Einheit des Gesetzes. Der Entwurf kann nur im ganzen angenommen oder abgelehnt werden. Eine Auslese auf Grund der Einzelbeschlüsse ist ausgeschlossen. Die Einzelbeschlüsse haben nur die Bedeutung, die Vorlage für die Schlussabstimmung zu bestimmen, über die als ein Ganzes nun abzustimmen ist.

Der Fall, wo der Entwurf ohne Einzelberatung unverändert angenommen wird, bedarf keiner besonderen Ausführung.

IV. Nun gelangt der Entwurf an die Kammer B, wo er in

derselben Weise zu behandeln ist. Was ist nun die Vorlage für die Einzelberatung der Kammer B? Wenn die Schlussabstimmung der Kammer A ein positives Ergebnis gebracht hat, so ist nun zu unterscheiden. Lag für die Schlussabstimmung der Kammer A nur der Regierungsentwurf vor, so kann auch der Kammer B für die Einzelberatung nur der Regierungsentwurf vorliegen. Umgekehrt: lag für die Schlussabstimmung der Kammer A der aus ihren Einzelbeschlüssen hervorgegangene geänderte Entwurf vor, so muss dieser die Vorlage für die Einzelberatung der Kammer B bilden. Dies ergiebt sich mit Notwendigkeit aus dem Zweck. Denn die beiden Kammern sind nicht ohne Zusammenhang; sie kommen nur als die beiden Glieder der Ständeversammlung in Betracht. Es kann kein Gesetz zu Stand kommen, wenn sie nicht übereinstimmen. Diese Uebereinstimmung bedeutet nicht die zufällige Thatsache gleicher Beschlüsse, sondern das aus wechselseitiger Einwirkung auf einander hervorgegangene Einverständnis. Somit muss sich die Kammer B über die Beschlüsse der Kammer A schlüssig machen. Natürlich prüft dabei die Kammer B die Sätze und Motive des Regierungsentwurfs nicht minder als die des Entwurfs der Kammer A. Die entscheidende Bedeutung ihrer Beschlüsse ist aber Beitritt oder Nichtbeitritt zu den Sätzen des letzteren, mögen diese aus dem Regierungsentwurfe stammen oder nicht. Der Nichtbeitritt ist einfache Streichung oder Veränderung; zu der letzteren gehört auch die Rückkehr zu den von der Kammer A gestrichenen oder veränderten Sätzen der Regierung. So entsteht wiederum aus den Beschlüssen der Kammer B ein vollständiger Gesetzesentwurf, nicht bloss eine Summe einzelner Beschlüsse. Endlich folgt die Schlussabstimmung der Kammer B eben über diesen Entwurf als Ganzes. Auch hier ist nur entweder Annahme oder Nichtannahme desselben zulässig. Die Nichtannahme lässt gar nichts übrig; sowohl der Entwurf der Regierung, als der der Kammer A ist abgelehnt, ein anderer nicht an die Stelle gesetzt. Ist er angenommen und differiert er vom Entwurf der Kammer A, so ist dieser zunächst, so wie er ist, im ganzen abgelehnt.

V. Das Resultat der Schlussabstimmungen der beiden Kammern ist nun entweder 1) übereinstimmende Annahme des Regierungsentwurfs, oder 2) Vereinigung über einen neuen Entwurf unter Ablehnung des Regierungsentwurfs so wie er ist, oder 3) zwei neue, von einander differierende Entwürfe der beiden

Kammern, oder 4) Annahme des Regierungsentwurfs durch die eine, eines neuen Entwurfs durch die andere Kammer.

Ob auch das Resultat eines negativen Beschlusses der Kammer A, eines positiven der Kammer B oder eines negativen Beschlusses beider Kammern immer möglich sei, ist für verschiedene Staaten verschieden zu beantworten (in Z. IV wurden die Eventualitäten negativer Beschlüsse absichtlich nicht weiter verfolgt). Es kann die Einrichtung die sein, dass wenn die Kammer A zu einem negativen Beschluss gekommen ist, damit die Gesetzesarbeit für diesesmal bereits ihr Ende findet, die andere Kammer also gar nicht zu beraten hat. Es kann aber auch sein, dass die Kammer B noch das Gesetz zu beraten und darüber zu beschliessen hat. In diesem Fall kann nur der Regierungsentwurf die formelle Vorlage für die Kammer B abgeben. Die Kammer B kann dann entweder diesen Entwurf annehmen oder einen neuen feststellen oder einen negativen Beschluss fassen. Aber auch wenn die Kammer A einen positiven Beschluss gefasst hat, kann durch negative Beschlussfassung der Kammer B das Resultat eines positiven und eines negativen Beschlusses sich ergeben.

Somit reiht sich den 4 oben bemerkten Möglichkeiten weiter an 5) Annahme des Regierungsentwurfs durch die eine Kammer, negativer Beschluss der andern oder 6) Herstellung eines neuen Entwurfs durch die eine Kammer, negativer Beschluss der andern, oder endlich 7) negativer Beschluss beider Kammern.

Zu 7) ist nun die Gesetzesarbeit ad hoc jedenfalls zu Ende; auch zu 5) und 6) kann sie zu Ende sein; es hängt dies von den Verfassungsvorschriften ab. Im Falle 1) ist nun wenigstens die Arbeit der beiden Kammern beendigt. Im Falle 2) ist sie vorerst beendigt; der weitere Fortgang hängt von der Regierung ab. In den Fällen 3), 4) und bezw. 5), 6), (wenn in diesen nicht nach der betreffenden Einrichtung das Ende des Verfahrens eintritt), ist zunächst die Bemühung, eine Vereinigung der beiden Kammern herbeizuführen, fortzusetzen. Dies kann nach den bestehenden Einrichtungen in verschiedener Weise geschehen, was hier nicht weiter verfolgt werden soll.

Das Schlussergebnis kann nicht über die obigen 7 Möglichkeiten hinausführen; es findet sich immer unter ihnen. Nur zwei derselben (1 und 2) enthalten einen positiven Ständebeschluss, an den sich das weitere Gesetzesverfahren anschliesst. In den Fällen 3—7 ist ein Ständebeschluss nicht zu Stand gekommen (ob man den negativen

Beschluss beider Kammern als negativen Ständebeschluss auffassen
will, ist ohne Relevanz). Was aber auch das Resultat der Kam-
merberatungen sein mag, so ist jedenfalls der Regierung Nachricht zu geben.

VI. Nun steht die Regierung dem Resultat der ständischen
Beratung und Beschlussfassung gegenüber. In den Fällen oben
Z. V, 3—7 kann die Einbringung eines neuen Gesetzentwurfs in
Frage sein; zu dem bisherigen ist die ständische Genehmigung
nicht zu erreichen gewesen und über einen andern haben sich
die Stände nicht geeinigt. Von der Einbringung eines neuen Regierungsentwurfs ist hier natürlich nicht zu reden, sondern nur
von der Fortsetzung und Beendigung des bereits begonnenen und
bis zur definitiven Beschlussfassung der Kammern gediehenen Verfahrens, also nur von den Fällen 1 und 2. Was zunächst den
Fall 2 betrifft, wo also die Stände sich über einen vom Regierungsentwurf abweichenden neuen Entwurf geeinigt haben, so
kann die Regierung diesem Entwurf ihre Zustimmung erteilen.
Da die ständische Mitteilung dieses Entwurfs an die Regierung
nichts anderes ist, als die Erteilung der verfassungsmässigen ständischen Genehmigung für einen Regierungsentwurf von der Form
und dem Inhalt des von den Ständen proponierten, so wird der
letztere durch seine Annahme von seiten der Regierung zum von
den Ständen genehmigten Regierungsentwurf. Ein Gesetz kann
also überhaupt nur als ein von den Ständen genehmigter Regierungsentwurf zu Stand kommen (ob die ständische Initiative eine
Ausnahme macht, wird hier unentschieden gelassen, da sie überhaupt ausser Betracht bleibt). Der Fall der Z. 2 löst sich mit
Annahme der ständischen Gesetzesformulierung durch die Regierung in den Fall 1 auf. Die Regierung kann aber auch im Fall 2
den Versuch machen, die Stände für eine neue Fassung zu gewinnen. Auch dieser Versuch muss aber, wenn er überhaupt zu
einem Gesetz soll führen können, mit der ständischen Genehm-
migung eines Regierungsentwurfs abschliessen. Will die Regierung diesen weiteren Versuch nicht machen und auch die ständische Gesetzesformulierung nicht acceptieren, so ist die Sache
aus. Denn die Erklärung der Stände durch Mitteilung ihres Entwurfs enthält die Nichtgenehmigung des Regierungsentwurfs. Ganz
ausgeschlossen ist es aber, dass die Regierung den ständischen
Entwurf zerlegt und die ihr genehmen oder ihrem eigenen Entwurfe entsprechenden Teile als von den Ständen genehmigt zum

Gesetz erhebt. Selbst wo der innere Zusammenhang eine solche Teilung zulassen würde, ist sie rechtlich nicht möglich. Die Stände haben ihren Entwurf als Ganzes in der Schlussabstimmung hergestellt und nur als Ganzes kann er von der Regierung acceptiert oder verworfen werden.

Ist nun also diese Lage eingetreten — ein von den Ständen verfassungsmässig genehmigter Regierungsentwurf — so kann dieser Entwurf, so wie er ist, unverändert ohne Zusatz und ohne Abstrich, als Gesetz erlassen werden.

Dazu gehört nach der herrschenden Lehre des deutschen Staatsrechts zunächst die Sanktion des Gesetzes durch den Monarchen, die in allen Fällen, auch bei der reinen ständischen Zustimmung zum ursprünglichen Regierungsentwurf, für nötig erachtet und als ein freier Akt des Monarchen angesehen wird. Der Sanktion muss dann noch, soll das Gesetz zu Stand kommen, die Publikation folgen, die gleichfalls als freier, durch die Sanktion bedingter, aber nicht von ihr notwendig verursachter Akt des Monarchen erscheint.

Die Verfassungen selbst heben die Verkündigung der Gesetze in der Regel besonders hervor, vielfach aber auch die Sanktion: sanktionieren und bekanntmachen, sanktionieren und verkündigen, sanktionieren und erlassen, erlassen und promulgieren, erlassen und verkündigen, bestätigen und promulgieren; oder sie reden auch nur von erlassen. Die Begriffe selbst werden nicht weiter definiert. Die Freiheit der Sanktion und Publikation wird nicht ausdrücklich hervorgehoben.

Die herrschende Lehre wurde für die neuere Zeit hauptsächlich durch *Zöpfl* (D. St.R. 5. Aufl. II, § 373) formuliert, »sowohl nach der Grundidee der repräsentativen Monarchie überhaupt, als auch nach den . . bestehenden Verfassungen«, offenbar mehr nach der erstern. Dabei ist *Zöpfl* inkonsequent, sofern er die Sanktion erst als die Genehmigung ständischer Beschlüsse bezeichnet, weiterhin aber ihre Notwendigkeit und Freiheit behauptet, »völlig gleichgültig, ob der Gesetzesentwurf etwa von der Krone selbst ausgegangen ist und die Zustimmung der Stände ohne alle Modifikation erhalten hat oder nicht«. Nichts kann verkehrter sein, als die ständische Genehmigung eines Regierungsvorschlags zur Regierungsgenehmigung eines ständischen Vorschlags zu machen.

Dass mehrere Verfassungen wirklich die Sanktion als Regierungsgenehmigung zum ständischen Beschluss auffassen, ist nicht

zu leugnen. Auf diesem Standpunkt kann dann aber konsequenterweise bei reiner unveränderter Annahme des Regierungsentwurfs
durch die Stände von Sanktion nicht die Rede sein. Wenn man
auch in diesem Fall der Logik zuwider an der Sanktion festhält,
so beweist das nur, dass man bewusst oder unbewusst doch noch
einen andern Gedanken damit verbindet.

Die Vereinbarungstheorie, welche im Anschluss an die Preussische Verfassung aus der Uebereinstimmung beider Gesetzgebungsfaktoren über Form und Inhalt des Gesetzes dasselbe fertig, d. h.
reif zur Publikation hervorgehen lässt, versteht unter Sanktion
den Regierungswillen als Komponent dieser Uebereinstimmung.
Regierung und Stände sind beide nach dieser Auffassung Gesetzgebungsfaktoren in demselben Sinn; die Uebereinstimmung besteht darin, dass beide das Gesetz in gleicher Weise wollen. Warum
soll dann aber die Sanktion nicht auch den Ständen zukommen?
Wenn diese Theorie dennoch immer die Sanktion nur der Regierung zuschreibt, und um dies thun zu können, dieselbe immer,
auch in dem Fall, wo die Stände den Regierungsentwurf unverändert angenommen haben, an das Ende des Verfahrens stellt,
so beweist das eben nur, dass jene Theorie nicht durchführbar
ist. Wollte man in diesem Fall unter Sanktion nur den Regie-
rungsakt verstehen, durch welchen die Uebereinstimmung der
Stände konstatiert wird, so muss doch der Regierungswille, auf
den sich diese Uebereinstimmung bezieht, schon vorher vorhanden
sein. Wollte man aber umgekehrt in dem Regierungsentwurf
noch nicht das Wollen dieses Gesetzes von seiten der Regierung verstehen, sondern nur die Veranlassung der Thätigkeit der Stände, so wäre das vom Standpunkt dieser Theorie aus
eine sehr willkürliche Annahme. Es ist doch höchst unnatürlich,
auch in dem Fall, wo die Stände dem Regierungsentwurf zustimmen, den Vorgang als Zustimmung der Regierung zu dem von
den Ständen gewollten Gesetz zu deuten.

Ganz anders, wenn man von dem hier vertretenen Standpunkt ausgeht, dass im Sinn der Verfassungen der Monarch allein
Gesetzgeber ist, und den Ständen nur ein Vetorecht zusteht, in
welchem ihre Genehmigung wurzelt. Dass dann die Sanktion
nur der Regierung zustehen kann, ist einfache logische Konsequenz.
Und dass sie etwas besonderes, von der Uebereinstimmung der
Faktoren verschiedenes, über dieselbe hinausliegendes, ihr nach-
folgendes ist, ergiebt sich in natürlichster Weise.

Die Mitwirkung der Stände, die durch die Einbringung des Gesetzes veranlasst wird, hat danach die Bedeutung, das Veto der Stände hinwegzuräumen und dadurch dem Gesetzgeber die Bahn frei zu machen. Die Mitwirkung der Stände ist also zwar ein rechtlich wesentlicher Bestandteil des Gesetzgebungsverfahrens im w. S., es ist aber noch nicht der Gesetzgebungsakt; sie muss diesem vorausgehen; das Gesetz kann erst gegeben werden, wenn die ständische Genehmigung erteilt ist. Die Einbringung des Entwurfs bei den Ständen enthält noch nicht das *sic volo* des Gesetzgebers gegenüber den Unterthanen, auch nicht in bedingter Weise. Sie erklärt nur die Absicht der Regierung, dieses Gesetz geben zu wollen, und sucht die für die Ausführung dieser Absicht verfassungsmässig notwendige ständische Genehmigung. Sie spricht ausschliesslich nur zu den Ständen. Diese Erklärung der Absicht der Regierung muss vernünftigerweise ernstlich gemeint sein; aber sie ist doch nicht mehr als die Erklärung der Absicht. Geben die Stände ihre Genehmigung, so ist dadurch im Regierungswillen nichts geändert worden; er befindet sich immer noch im Stadium der Absicht. Selbst wenn die Stände den Entwurf verändern, so enthält die Acceptierung ihres Entwurfs von seiten der Regierung für sich allein noch nicht die Sanktion, führt noch nicht notwendig über das Stadium der Absicht hinaus. Die unveränderte Annahme des Regierungsentwurfs durch die Stände sagt: wenn die Regierung ihre Absicht verwirklichen will, so steht unsrerseits nichts im Weg; die Amendierung des Regierungsentwurfs durch die Stände sagt: wenn die Regierung ihre Absicht in der von uns vorgeschlagenen Weise verwirklichen will, so steht unsrerseits nichts im Weg. Ist so die Regierung versichert, dass sie das Gesetz geben kann, dann folgt erst die Gesetzgebung selbst, und ihr gehört die Sanktion an. Die Sanktion ist die einseitige Erklärung des Gesetzentwurfs zum Gesetz durch den Monarchen.

Die Freiheit der Sanktion ergiebt sich bei dieser Auffassung als etwas ganz selbstverständliches. Der Vertragsstandpunkt ist ganz überwunden und in dem ganzen Vorgang der sog. Verabschiedung ist nirgends ein Versprechen der Regierung anzubringen. Nur eine nachweisbare Verfassungsbestimmung könnte eine Pflicht der Regierung zur Sanktionierung des verabschiedeten Gesetzes begründen.

Der Sanktion muss noch die Publikation des Gesetzes durch die Regierung folgen, soll das Gesetz überhaupt zu Stand kommen.

Erst durch die Publikation tritt das Gesetz aus dem inneren Vorgang zu selbständiger objektiver Existenz heraus. Ohne hinzukommende Publikation ist die Sanktion unwirksam. Mit der Publikation, aber erst mit ihr, löst sich das sanktionierte Gesetz von der Subjektivität des Gesetzgebers ab und wird objektiv, auch dem Gesetzgeber selbst gegenüber, Gesetz. Eben darum ist auch die Publikation freie That des gesetzgebenden Monarchen, wenn die Verfassung nichts anderes bestimmt. Denn wenn die Sanktion frei ist, so muss es auch die Publikation sein, weil nichts in der Mitte zwischen beiden ist, was eine Verpflichtung zur letzteren begründen könnte, wenn man nicht eine rechtliche Selbstverpflichtung durch einseitigen Akt für möglich halten will. Die Publikation ist nur die Vollendung der Sanktion.

Die Publikation ist eine bestimmte Aeusserlichkeit. Wo aber haben wir die Sanktion zu suchen? Wenn sie als besonderer äusserer Akt erscheinen soll, so kann dies nur die Unterzeichnung durch den Monarchen sein. So viel ist gewiss, dass ein Gesetz ohne eine solche äussere Beglaubigung durch den Monarchen keine Gültigkeit hat. Die Unterzeichnung des Gesetzes durch den Monarchen ist ganz allgemein als wesentliche Form des Gesetzes anzusehen, wenn sie gleich nur selten in den Verfassungen ausdrücklich gefordert ist. Sie ergiebt sich schon aus den Bestimmungen über die Ministerkontrasignatur. Die Unterzeichnung hat aber nur dann diese Bedeutung, wenn sie wirklich den aktuellen Gesetzgebungswillen enthält. Ob sie immer diese Bedeutung hat, liesse sich fragen; doch kommt wenig darauf an. Denn wenn man sich fragt, wem denn die in der Unterzeichnung enthaltene Erklärung gegeben werde, so können nur die Unterthanen als dieses Subjekt bezeichnet werden. Man möchte ja vielleicht an die Minister denken; aber mit Unrecht; ihnen gegenüber spricht der Monarch nicht sein gesetzgeberisches *sic volo* aus. Der Wille des Ministers kann nicht den Willen des Monarchen erfassen und binden; er ordnet sich demselben unter und tritt in der Kontrasignatur hinzu, so dass die Unterzeichnung erst durch diesen Hinzutritt kräftig wird. Er ist also ein Bestandteil der Sanktion, nicht ein ihr gegenüberstehender, sie entgegennehmender Wille. Nur die Unterthanen sind es also, an welche sich die Unterzeichnung des Gesetzes durch den Monarchen richtet. Aber gerade ihnen gegenüber wird diese Erklärung erst durch die Publikation wirklich. Bis dahin ist die Sanktion eine *res interna* ohne Wirkung nach aussen und deshalb ohne bindende Kraft, daher auch der Rücknahme oder Nichtvollendung ausgesetzt.

Der eigentliche Gesetzgebungsakt ist die Publikation, das wirkliche vernehmbare *sic volo* des Gesetzgebers, mit welchem derselbe seine Gesetzesarbeit vollendet und das Gesetz zur Existenz bringt. Sie schliesst die Sanktion in sich, die erst vermöge der Publikation endgiltig und zweifellos in der Welt steht. Die bisherige Untersuchung giebt jedoch nur für den monarchischen Einheitsstaat das Recht zu dieser Behauptung. Die merkwürdige Betonung der Sanktion rührt davon her, dass man die psychologische Analyse des Gesetzgebungsvorgangs in die Aeusserlichkeit übertragen hat. Die Publikation nach Zustimmung der Stände als Willenserklärung des Monarchen gegenüber den Unterthanen, ausgedrückt durch seine Unterschrift und mit der Gegenzeichnung des Ministers ist der Gesetzgebungsakt. Es ist daher sehr wohl erklärlich, wenn manche Verfassungen die Sanktion gar nicht hervorheben, sondern nur die Publikation.

Oben wurde gesagt, dass eine Verpflichtung des Monarchen zur Sanktion und Publikation des verabschiedeten Gesetzes durch die Verfassung möglich sei. Natürlich nur zu beidem zumal, oder sagen wir jetzt einfach zur Publikation, da in ihr die Sanktion eingeschlossen ist. Vom Standpunkt der Vereinbarungstheorie aus müsste diese Verpflichtung als logische Konsequenz eintreten; denn die freie Publikation hebt diese Theorie einfach wieder auf. Aus dem Satz, dass die Freiheit der Publikation nur möglich ist, wo der Monarch der alleinige Gesetzgeber ist, darf nicht der umgekehrte gefolgert werden, dass, wo der Monarch der alleinige Gesetzgeber ist, nur die Freiheit der Publikation möglich sei. Denn auch dann, wenn der Monarch zur Verkündigung seines von den Ständen genehmigten Entwurfs verpflichtet ware, wäre der Verkündigungsakt doch ausschliesslich sein Akt und würde er nichts anderes verkündigen als sein Gesetz, das er selber ursprünglich formuliert oder den ständischen Beschlussen entsprechend in seinen Willen frei aufgenommen hat.

Wenn der Monarch das verabschiedete Gesetz nicht publiziert (wo er nicht etwa zur Publikation nach den eben gemachten Bemerkungen verpflichtet ist), so bleibt alles wie es war. Wenn die Verfassung nicht ausdrücklich anderes bestimmt, so hat der Monarch das Recht, die Publikation so weit hinauszuschieben, als es ihm beliebt. Will er das Gesetz aufgeben und demnach

nicht publizieren, so ist sein hierauf gerichteter Beschluss rechtlich
nicht bindend. Bis zur Publikation kann also ein Zustand des
Zweifels darüber, ob das Gesetz noch in Aussicht steht oder
nicht, eintreten. Dies ist kein guter Zustand, und einzelne Verfassungen sind daher bemüht, durch Zeitbestimmungen Abhilfe
zu schaffen. Jedenfalls sollte die Regierung, wenn sie zu dem
Entschlusse gelangt, das Gesetz nicht werden zu lassen, gehalten
sein, davon den Ständen Mitteilung zu machen, womit dann ihr
Beschluss unwiderruflich werden müsste.

Wenn die Stände den Regierungsentwurf ablehnen oder der
Monarch den von den Ständen amendierten Entwurf nicht in
seinen Willen aufnimmt, wenn also eine Verabschiedung überhaupt
nicht zu Stande kommt, so bleibt gleichfalls alles wie es war,
Der Monarch kann also, wie schon früher bemerkt wurde, seinen
Entwurf nicht unter der Behauptung, dass die Stände durch die
Verwerfung desselben ihre Berufspflicht verletzt haben, publizieren;
er kann aber auch nicht Teile desselben, auch nicht die den Einzelbeschlüssen der Kammern entsprechenden Teile, alle zusammen
oder einzelne derselben, verkündigen. Nun muss aber doch die
Frage entstehen, ob der Monarch, wenn er überzeugt ist, dass
eine zur Gesetzgebungskompetenz gehörende Anordnung, für die
er die Zustimmung der Stände nicht erlangen kann, vom Staats-
wohl durchaus geboten ist, kein rechtliches Mittel hat, dem Staat
zu geben, was er bedarf. Ob es über die Verfassung hinaus
liegende Mittel dieser Art giebt, ist hier nicht in Betracht zu
ziehen. Unsere Verfassungen kennen nur die Notverordnung, an
die etwa zu denken wäre. Die deutschen Verfassungen schliessen
die Anwendung des Notverordnungsrechts nirgends in Beziehung
auf den Inhalt von den Ständen abgelehnter Gesetzesentwürfe
ausdrücklich aus. Für die Ausschliessung spricht aber im allgemeinen, dass wenn die Stände einem Gesetzesentwurf nicht zugestimmt haben, sie dadurch eben erklärten, dass sie die dringende
Notwendigkeit des Gesetzes nicht anerkennen. Andrerseits ist
aber darauf hinzuweisen, dass das Nichtzustandekommen des Gesetzes nach den obigen Ausführungen ein Moment des Zufälligen
in sich schliesst. Dass eine bestimmte Gestalt des Gesetzes nicht
gefunden werden konnte, ist also doch nicht gleichbedeutend mit
der Erklärung, eine gesetzliche Aenderung des betreffenden Gegenstands sei kein Bedürfnis. Dauert dieses Bedürfnis fort, so
ist es jeden Augenblick aufs neue vorhanden. Wie dem aber

auch sein möge, so dürfte die Notverordnung nicht als ausserordentliche Form der Vollendung der begonnenen Gesetzgebungs-
arbeit angesehen werden. Die Notverordnung gehört nicht zum
verfassungsmässigen Gesetzgebungsverfahren. In dem von uns
vorausgesetzten Fall wäre das letztere vielmehr beendigt und
zwar ohne Erfolg.

II. Budget.

I. Nach der Preussischen Verfassung, der einige andere Landes-
verfassungen gefolgt sind, wird das Budget durch Gesetz hergestellt. Man kann das nur so verstehen, dass das Budget selbst
Gesetz ist bezw. zum Inhalt des Budgetgesetzes gehört. Nach
andern deutschen Verfassungen wird das Budget mit Bewilligung
der Stände geschaffen (ohne Anwendung des Gesetzgebungswegs).
In den Staaten, wo dies geschieht, fehlt jedoch grossenteils das
Budgetgesetz dennoch nicht; nur nimmt das Budget nicht am
Budgetgesetz Teil. Doch ist dies eine recht unklare Einrichtung,
und es wäre richtiger, hier auf das Budgetgesetz überhaupt zu
verzichten, wie denn auch in mehreren Staaten das Budgetgesetz
nicht auf der Verfassung, sondern auf dem Herkommen beruht.
Es fragt sich namentlich, ob da, wo das Budgetgesetz neben dem
Budget besteht, das Budgetgesetz selbständig entsteht und von
seinem Entstehen das Zustandekommen des Budgets abhängt.
Aber zum Gesetzesinhalt wird hier das Gesetz doch nicht.

Nach dem zweiten System sind also Budget und Budgetgesetz rechtlich von einander zu unterscheiden. Nach dem Preussischen System ist das Budget Teil des Budgetgesetzes. Gleichwohl ist es auch hier in sich abgeschlossen; es tritt als Anlage
des Gesetzes auf und ist nicht unmittelbar in das Budgetgesetz aufgenommen; merkwürdigerweise erscheint es sogar als besonderer
Staatsakt für sich, indem es vom König vollzogen, vom Ministerium kontrasigniert ist. Dass das Budget immer als in sich abgeschlossenes besonderes Ding erscheinen und sich vom sonstigen
Inhalt des Budgetgesetzes dadurch abscheiden muss, liegt in
der Natur der Sache; denn das Budget ist der aus Rubriken und
Zahlen bestehende Wirtschaftsplan für eine Wirtschaftsperiode.
Als ein solches systematisches und vollständiges Zahlenwerk muss
das Budget in sich abgeschlossen und von allem anderen Rechtsinhalt äusserlich geschieden sein, ganz einerlei, ob es nun weiterhin in ein Gesetz aufgenommen wird oder für sich allein schon

rechtliche Bedeutung erhält. Wo im Nachfolgenden der Ausdruck
Budget gebraucht wird, da ist er immer zu verstehen als dieses
Zahlenwerk, gleichgiltig ob Preussisches oder anderes System.
Dass im Anschluss an die geschichtliche Entwicklung den Ständen
vielfach nur ein Steuerbewilligungsrecht, nicht ein Budgetbewilli-
gungsrecht erteilt wird, darauf soll hier nicht weiter Rücksicht
genommen werden. Es wird davon ausgegangen, dass diese der
alten Verfassung angehörende und angemessene Unterscheidung
sich im jetzigen Staat nicht mehr festhalten lässt, dass vielmehr
in Wahrheit das ganze Budget der ständischen Bewilligung unterstellt ist, und durch sie auf Grund des objektiven Rechtssatzes
der Verfassung rechtliche Bedeutung erhält.

Wenn es sich nun fragt, was die rechtliche Bedeutung des
Budgets sei, so ist zunächst von Wichtigkeit, dass die Begriffe,
Haushalts- und Wirtschaftsplan, Einnahmen, Ausgaben gar keine
Rechtsbegriffe sind. Der Wirtschaftsplan gehört zu den Bedingungen des guten Wirtschaftens, indem er dem Wirtschaftsherrn
eine Uebersicht über Einnahmen und Ausgaben giebt. Er macht
diesen Plan selbst und für sich selbst. Weder ihm selbst noch
andern erwachsen aus dem Wirtschaftsplan Rechte oder Rechts-
pflichten; er ist namentlich nicht gebunden an den Plan. Dagegen
muss sich der Wirtschaftsplan innerhalb des Rechtes halten;
thut er das nicht, so verletzt er zwar weder das Recht noch ein
Recht, aber er hört auf, ein wirklicher ernstlicher Wirtschaftsplan
zu sein. Der Wirtschaftsplan des Staats erhält seine Rechtsbe-
ziehungen erst durch die verfassungsmässige Notwendigkeit der
Herstellung durch Gesetz oder ständische Bewilligung. Die Verschiedenheit dieser beiden Wege macht einen Unterschied in den
dadurch entstehenden Rechtswirkungen nicht aus. Man wird dies
dahin deuten dürfen, dass nicht sowohl die Bewilligung die Rechtswirkung des Gesetzes hat, sondern umgekehrt der Anwendung
der Gesetzesform auf das Budget die Wirkung der Bewilligung
zukommt. Als die angemessenere Form für Herstellung des Budgets
erscheint also die Bewilligung.

Dass das Budget, wenn es durch Gesetz hergestellt wird,
eben nicht mehr Verwaltungsakt ist, sondern Gesetz, das ist nicht
zu leugnen. Aber eben das ist unangemessen, weil es seinem
Wesen nach Verwaltungsakt ist. Im Begriff des Budgets liegt
nicht die Forderung der Gesetzesform, und die allgemeinen Grundsätze der Gesetzeskompetenz fuhren nicht zur Anwendung dieser

Form auf das Budget. Das Budget gehört zur guten Verwaltung und bildet einen Teil des Wirtschaftsbetriebs selbst. Wenn hiebei die Verwaltung an die entscheidende Kontrolle der Stände gebunden wird, so ist dies mit dem Begriff des Verwaltungsaktes vereinbar.

Eine rechtliche Bedeutung muss natürlich dem Budget zukommen. Es muss also auch ein objektiver Rechtssatz da sein, aus dem es diese Bedeutung zieht; bei dem System der Bewilligung ist dieser Rechtssatz unmittelbar in der Verfassung zu finden. Macht man aber das Budget selbst zum Gesetz, so schiesst man über das Ziel; das Budget ist nun nicht bloss auf das objektive Recht gestellt, sondern sein Inhalt soll selbst objektives Recht sein, was ganz unnatürlich ist. Wenn das Budget überhaupt rechtliche Wirkungen hat, so können diese nur in subjektiven Ermächtigungen und Verpflichtungen hinsichtlich des konkreten Wirtschaftbetriebs bestehen.

Ist das Budget Gesetz, so muss es auch publiziert werden. Sachlich ist das jedoch ganz unnötig, da es Dritte gar nicht unmittelbar angeht. Wo es nicht publiziert wird, wird dennoch ganz dasselbe erreicht. Die Publikation ist ein blosser Schein. Es wird nichts publiziert als eine Anzahl konventioneller Rubriken mit grossen Zahlen; Rechtssätze kommen nirgends zum Ausdruck; der wirkliche Rechtsgehalt ist überhaupt erst aus den Spezial-Etats und den Abmachungen zwischen Regierung und Ständen zu erkennen, und alles das wird nicht publiziert (im Sinn der Publikation von Rechtssätzen). Ist das Budget Gesetz, so ist seine Verletzung unmittelbar Verletzung objektiven Rechts, d. h. der verletzte Rechtsinhalt ist selbst Gesetz; beruht aber das Budget nur auf Bewilligung, so ist das verletzte objektive Recht ein ganz allgemeiner Satz, während der erst durch das Budget bestimmte Rechtsinhalt nur einer subjektiven Pflicht angehört. Im letztern Fall steht daher die subjektive Verantwortlichkeit im Vordergrund, während die verletzende Handlung selbst die beabsichtigte Rechtswirkung dennoch haben kann. Im ersteren Fall ist die verletzende Handlung (von der Verantwortlichkeit abgesehen) rechtlich wirkungslos. Eine Indemnitätserklärung durch die Stände ohne Gesetzesform widerspricht daher in allen Fällen dem Gesetzescharakter des Budgets, nicht aber dem auf Bewilligung der Stände beruhenden Budget.

Soll das Budget selbst Gesetz sein, so muss sein ganzer In-

halt die Bedeutung objektiven Rechts haben, z. B. auch die blossen
Voranschläge, was wiederum ganz unnatürlich ist. Es hilft nichts,
wenn man sagt, dass jede Zahl des Budgets eben so genommen
werden müsse, wie sie der Gesetzgeber verstanden habe, also
Voranschläge als Voranschläge; gerade wenn der Gesetzgeber
die Voranschläge eben nur als Voranschläge gemeint hat, so hat
er sie nicht als objektives Recht gemeint.

Das Budget selbst zum Gesetz zu machen, ist eine Gewalt-
samkeit des positiven Rechts, die zur Folge hat, dass man sich
an der Wirklichkeit mit der Konsequenz des Begriffs überall stösst,
wie leicht zu erkennen ist; *naturam expellas furca, tamen usque
recurret.*

II. Auch das Budget ist eine äussere Einheit, ein Ganzes, das
nur entweder als solches oder gar nicht zu stande kommt.

Das Budget wird von der Regierung bei den Ständen ein-
gebracht. In denjenigen Staaten, in welchen es auf Gesetz beruht, und in welchen zugleich die ständische Gesetzes-Initiative
anerkannt ist, müsste es auch der letzteren zustehen. Auch die
Preussische Verfassung macht in Art. 64 keine Ausnahme von
der ständischen Initiative für das Budgetgesetz. In Art. 99 aber
ist ohne Schwierigkeit die ausschliessliche Regierungsinitiative zu
finden. Diese Inkonsequenz erklärt sich völlig aus dem Wesen
des Budgets; wo es sich nur um ständische Bewilligung handelt,
hat die ständische Initiative keine Stelle.

Das Budget ist Wirtschaftsplan. Daraus folgt, dass es auch
eine innere Einheit in stärkerer Bedeutung ist, als das Gesetz.
Es nimmt alle Einnahmen und Ausgaben des Staats für die bezügliche Periode auf, einerlei ob sie rechtlich bereits begründet
sind oder nicht.

Ueber die Art der ständischen Verhandlungen soll hier nicht
geredet werden. Aus jeder Kammer geht ein volles Budget hervor, das entweder dem Regierungsbudget gleich ist oder dasselbe
abändert. Einigen sich die beiden Kammern, so resultiert das
volle ständische Budget. Auf die besonderen Einigungsmittel
wird hier nicht eingegangen. Es fragt sich bloss, ob aus den
ständischen Verhandlungen ein als Ständebeschluss anzusehendes
Budget hervorgegangen ist. Wird dieses auch von der Regierung
angenommen, so ist nun das Budget fertig.

Die Annahme des von den Ständen abgeänderten Budgets
durch die Regierung kann man Sanktion nennen. Sie ergreift

das ganze Budget, weil die Stände ein volles, von dem der Regierung somit als Ganzes unterschiedenes Budget als Ausdruck ihrer Bewilligung an die Regierung gebracht haben. Denn auch beim Budget folgt der Einzelberatung und Abstimmung die auf das Ganze, so wie es aus der Einzelberatung hervorgegangen ist, gerichtete Abstimmung. Diese Sanktion ist frei.

Würden die Stände das Budget unverändert annehmen, so wird niemand eine freie Sanktion der Regierung behaupten mögen, selbst dann nicht, wenn das Budget durch Gesetz hergestellt wird. Dies rührt daher, dass eben auch die Form des Gesetzes nur ständische Bewilligung des Budgets bedeutet.

Eine Publikation des Budgets ist nur notwendig, wenn es Gesetz ist, und sie ist dann nur als formelle Konsequenz, nicht durch das Wesen des Budgets gefordert.

Das Unterscheidende zwischen der Gesetzgebung und der Budgetbewilligung liegt darin, dass hier das Budget mit der Uebereinstimmung zwischen Regierung und Ständen fertig ist, während dort diese Uebereinstimmung nur die Bedingung ist für den nunmehr folgenden Gesetzgebungsakt.

Die Regierung hat das Recht und die Pflicht, die Wirtschaft des Staats zu besorgen. Wem es nicht genügt, diesen Satz aus dem Wesen der Regierung abzuleiten, der wird in den Verfassungen selbst, in der Zeichnung der allgemeinen Aufgabe der Regierung ihn finden können. Es wäre unsinnig, in der ständischen Bewilligung die Erlaubnis für die Regierung zum Wirtschaften zu erblicken. Das Budget gehört zum guten Verwalten selbst. Die Regierung stellt es her und nur für sich selbst. Sie darf aber keines herstellen, das den Ständen nicht gefällt. Bequemt sie sich dem von den Ständen geänderten Budget, so wird es eben dadurch ihr eigenes Budget.

Durch die Gesetzesform wird dieses Verhältnis ganz unnötig verdunkelt. Fur die Versagung der Anerkennung des von den Ständen genehmigten Budgets durch die Regierung giebt es daher gar keinen Platz; es wäre die pflichtwidrige Herbeifuhrung eines budgetlosen Zustands.

III. Kommen beide Kammern oder eine zu einem negativen Beschluss oder gelangen sie nicht zu Uebereinstimmung über das ganze Budget, also nicht zu einem ein volles Budget umfassenden Ständebeschluss, oder hält die Regierung das von den Ständen geänderte Budget für unannehmbar, so ist nun kein Budget da.

Dafür ist durchaus niemand verantwortlich zu machen. Die Regierung ist nicht verbunden, Aenderungen ihres Budgets anzunehmen, die sie nicht für gut hält. Und nicht minder frei ist das Urteil der Stände. Beide Teile haben ganz selbständig und ganz ausschliesslich allein zu prüfen, was gut und Recht ist, und was ihre Pflicht von ihnen fordert. Insbesondere kann man nicht aus dem Einzelinhalt der ständischen Budgetgestaltung irgend einen Vorwurf ableiten. Die Schlussabstimmung der Kammern über das Budget ist entscheidend. Sie ist aber das mathematische Resultat der Abstimmungen der Einzelnen ohne alle Rücksicht auf deren Motive. Es ist möglich, dass das Budget als Gesetz zu Fall kommt gerade durch diejenigen, welche die ständischen Abänderungen für verfehlt halten.

Es giebt nun also überhaupt kein Budget. Man kann keines aus den übereinstimmenden Einzelbeschlüssen der Stände, mit Hinweglassung der nicht übereinstimmenden, gewinnen. Die einen sind wie die andern dahin. Die Verfassungen haben zum Teil besondere Bestimmungen darüber, was nun werden soll. Diese Vorschriften haben alle die Bedeutung von Notmitteln, von ausserordentlicher Ermächtigung der Regierung zum Wirtschaften ohne verabschiedetes Budget. Sie sind nicht Fortsetzung und Abschluss der mit den Ständen begonnenen Budgetherstellung.

Was nun aber, wenn die Verfassung ein solches Notmittel nicht vorgesehen hat? Soll von dem Augenblick des Ablaufs der seitherigen Haushaltsperiode bis zum Augenblick des Zustandekommens eines neuen Budgets nicht gewirtschaftet, keine Einnahme und keine Ausgabe gemacht werden? Sollen keine Geldstrafen erhoben, keine schuldigen Zahlungen angenommen, keine Naturalvorräte verkauft, keine Staatsschuldzinse, keine Beamtengehälter, keine Arbeitslöhne gezahlt werden u. s. f.? Einer Verfassung einen solchen Nonsens zuzumuten, geht nicht an. Nicht die ohne verabschiedetes Budget fortwirtschaftende, sondern die nicht mit der Wirtschaft fortfahrende Regierung würde ihre Pflicht verletzen. Ihre Pflicht, die Wirtschaft des Staates zu führen, besteht ununterbrochen und ist ausser aller Frage. Wenn man dieses Fortwirtschaften als thatsächlich zwar schlechthin notwendig, aber rechtlich unzulässig ansieht, so heisst das, den konstitutionellen Staat auf Unwahrheit bauen. Das Wirtschaften des Staats kann nicht aufs Belieben von irgend wem und nicht auf Zeit gestellt sein. Nicht einmal die alte Verfassung kannte diesen Widersinn, wenn sie auch den vollen Sinn formell-rechtlich noch nicht zum Ausdruck gebracht hatte; sie war übrigens insoweit im Lauf der Zeit ein Schein, eine Unwahrheit geworden. Der erreichte wirkliche Staat hat keinen Platz für solche Spielerei. Das Budget ist eben Wirtschaftsplan und nicht mehr. Einen rechtlich und thatsächlich feststehenden, eine Unterbrechung schlechterdings nicht ertragenden Zweck der zeitlichen Unzugänglichkeit des regulären Mittels zu opfern ist Widersinn. Das heisst das Mittel über den Zweck stellen und die Willensmacht der Stände über die Existenz des Staats. Und wer weiss denn, dass das überhaupt der Wille der Stände ist. Die Schlussabstimmung der Kammern entscheidet; über die Motive wird nicht abgestimmt; das ganze Budget ist abgelehnt, weil über das ganze Budget abgestimmt wird; vielleicht sind es wenige spezielle Punkte, die es zum Fallen gebracht haben, und sind alle Ständemitglieder mit dem übrigen Inhalt einverstanden. Oder wollen die Stände nur diesem Ministerium nichts bewilligen; dann führt sie die Erreichung ihres Zwecks sofort *ad absurdum;* denn das neue Ministerium darf dann wirtschaften, obwohl das Budget fehlt.

Wenn also das Budget nicht zu Stande kommt, so muss doch ununterbrochen für die Wirtschaft des Staates gesorgt sein. Was nun geschieht, ist ein Notmittel, gerade wie die Notverordnung im Gebiet der Gesetzgebung. Und gerade wie diese, wenn es sich um die unbedingte und unaufschiebliche Forderung des Staatswohls handelt, möglich sein muss, selbst wo die Verfassung schweigt, so muss auch die immer unaufschiebliche und immer unentbehrliche Wirtschaft des Staates fortdauern, auch wenn die Verfassung dies nicht ausdrücklich bestimmt. Ob man dieses Recht durch Auslegung der Verfassung gewinnt oder jenseits der ausdrücklichen Verfassungsbestimmungen erblickt, ist gleichgültig, wenn man nur überhaupt seinen rechtlichen Karakter erkennt; in erster Linie ist es eine nicht abweisbare Rechtspflicht der Regierung. Wenn eine Verfassung das Notverordnungsrecht zum Ausdruck bringt, das Recht zum Wirtschaften ohne verabschiedetes Budget aber nicht, so mag das daher rühren, dass das Notverordnungsrecht nicht so selbstverständlich und notwendig erscheint, wie das andere Recht, das sich jedem klaren Denken von selber aufdrängt.

Die hier vertretene Ansicht hat mit Politik gar nichts zu schaffen. Wollte man in ihr eine Aufhebung des ständischen Be-

willigungsrechts finden, so wäre dies nicht richtig; wohl aber
würde von der andern Ansicht aus nicht bloss das Recht der
Regierung, sondern das Recht des Staates aufs stärkste verletzt.
Der Politik gehört die Auflösung der Stände und die Minister-
entlassung an; die Frage der rechtlichen Wirkung des Nichtzustandekommens des Budgets lediglich als solcher ist eine Rechts-
frage, für die es nur Eine Antwort giebt. Dass der Zustand eines
budgetlosen Wirtschaftens ein unleidlicher, für beide Teile, wenn
sie wirklich das Wohl des Staates im Auge haben, unerwünschter
Zustand ist, enthält für beide Teile den Antrieb, sich zu vereinigen. Was in Zeiten des Kampfes thatsächlich geschieht, ist
keine Frage des Rechts.

Dass die Regierungen den Zustand der Budgetlosigkeit nicht
wünschen können, ist ein starker Schutz gegen die Gefahr der
Vernichtung des ständischen Bewilligungsrechts durch das Recht
der Regierung, auch ohne Budget zu wirtschaften. Das ständische
Recht wird überhaupt nicht durch das der Regierung aufgehoben.
Denn die Regierung ist nun den Ständen verantwortlich für ihre
Wirtschaftsführung. Es ist gleichgültig, ob man diese Verantwortlichkeit für dieselbe hält, wie sie das verabschiedete Budget
begleitet, oder nicht. Dass die Regierung den Ständen für ihre
gesamte budgetlose Wirtschaftsführung verantwortlich wird, ist
nicht zu bezweifeln. Sie hat sich also nicht eine den Ständen
nicht erreichbare Oase im Recht geschaffen.

Eine formelle Grenze dieses Notrechts der Regierung lässt
sich nicht feststellen. Nur darf es natürlich nicht in den Gesetz-
gebungskreis eingreifen. An die Stelle formeller Beschränkung
tritt eben die Verantwortlichkeit gegenüber den Ständen. Hiefür
ist es aber von Wichtigkeit, dass dieses Notrecht wie alle Not-
rechte in den engsten Grenzen sich halten muss. Die hieraus
sich ergebenden Unzuträglichkeiten vom Standpunkt der guten
Wirtschaft müssen als vorübergehender Ausnahmszustand ertragen
werden. Am wenigsten sind durch diese Schranke die Einnahmen
berührt. Gar nicht die rechtlich notwendigen Ausgaben; es ist
widersinnig, die Erfüllung der Zahlungsverbindlichkeiten des Staats
von dem Zufall des Nichtzustandekommens des Budgets abhängig
zu machen. In den nicht notwendigen Ausgaben muss hauptsächlich die Beschränkung eintreten; sie sind, soweit es nur der
Staat erträgt, zu verschieben. Die Erhebung der Steuern kann
nicht ohne weiteres ausgeschlossen werden; sie muss aber mög-

lichst beschränkt werden ; das geschieht eben durch die Ordnung der Einnahmen und Ausgaben. Nicht bloss für ein Zuviel, sondern auch für ein Zuwenig wird übrigens die Regierung verantwortlich.

Auch da wo das Budget durch Gesetz hergestellt wird, muss beim ?Nichtzustandekommen desselben das Gleiche gelten. Man darf auch diesen Verfassungen nicht den Nonsens einer rechtlichen Ausschliessung dieses Notrechts der Regierung zumuten. Uebrigens ist es merkwürdig, dass vom Standpunkt der Herstellung des Budgets durch Gesetz nicht die Anwendung der Notverordnung erwogen wird.

ÜBER DIE WEITERE ENTWICKLUNG DES GEMEINDE-STEUERWESENS

AUF GRUND DES PREUSS. KOMMUNALABGABEN-GESETZES VOM 14. JULI 1893 [1]).

VON

F. ADICKES.

---

1. Einleitung.

Das grosse Werk der Reform der Staats- und Kommunal-Steuern ist unter der genialen Führung des Finanzministers *Miquel* in erstaunlich kurzer Zeit (von 1890 bis 1893) von der Preussischen Gesetzgebung bewältigt worden. Freilich war das Bedürfnis seit Langem und in immer weiteren Kreisen empfunden worden; allein dass es so bald gelingen würde, unter geschickter Benutzung von Strömungen und Winden das Schiff in den Hafen zu bringen, wagte im Juni 1890 beim Amtsantritt des neuen Finanzministers kaum jemand zu hoffen (vgl. K.A.G. S. 109—111).

Die Reform der S t a a t s s t e u e r n hat durch das Einkommensteuergesetz vom 24. Juni 1891 und durch die beiden am 14. Juli 1893 erlassenen Gesetze: das Ergänzungssteuergesetz und das Gesetz wegen Aufhebung direkter Staatsteuern bereits ihren unmittelbaren A b s c h l u s s gefunden: unter Verzicht auf jegliche direkte Realbesteuerung wird der Staat künftighin nur in der Form von Personalsteuern vom Einkommen (mit steigenden Sätzen von

---

1) Im Folgenden wird dieses Gesetz als K.A.G. bezeichnet werden. Dieselbe Bezeichnung in Verbindung mit Seitenzahlen weist auf m e i n e n unter dem Titel: »Das K.A.G. v. 14. Juli 1893, für den praktischen Gebrauch mit einer geschichtlichen Einleitung und Erläuterungen versehen . . . Berlin. J. Guttentag. 1894« erschienenen Kommentar hin.

0,62—4 Proz.) und vom Vermögen (mit einem einheitlichen Satze von ¹/₂ vom Tausend) direkte Steuern erheben.

Für die Steuern der kommunalen Körperschaften und insbesondere die G e m e i n d e s t e u e r n ist dagegen durch das zuletzt genannte, sowie das am gleichen Tage erlassene Kommunalsteuergesetz[1]) noch keine feste Gestaltung, sondern zunächst n u r d i e G r u n d l a g e einer solchen geschaffen worden, und erst der Ausbau dieser Grundlage und die Aufführung und Einrichtung des Gebäudes selbst wird eine Entscheidung der Frage ermöglichen, ob die Zwecke der Reform auf der vom Gesetz gegebenen Grundlage in der That erreicht worden und überhaupt in allen Gemeinden erreichbar sind (vgl. K.A.G. S. 177—180).

Die Z i e l e der Reform lassen sich negativ und positiv in folgender Weise näher umschreiben: n e g a t i v dahin, dass Gemeindezuschläge zu der auf Selbsteinschätzung begründeten staatlichen E i n k o m m e n s t e u e r in thunlichst engen Grenzen zu halten sind, und zwar sowohl im Interesse des Staates, dessen künftighin einzige direkte Steuer nicht durch die Steueransprüche der Gemeinden »demoralisiert« werden darf (Finanzminister *Miquel* in den Verhandl. des Abgeordnetenhauses. 29. April 1893. Verb. S. 2310), als im Interesse der Gemeinden selbst, deren Haushalt durch eine Begründung auf diese in ihren Erträgnissen sehr wechselnde Steuer gefährlichen Schwankungen und Störungen ausgesetzt wird; p o s i t i v dahin, dass einmal die von der Wissenschaft seit fast einem Menschenalter geforderte thunlichste Ausdehnung der B e s t e u e r u n g n a c h d e m I n t e r e s s e thatsächlich zur Durchführung gebracht wird, und andererseits auch die i n d i r e k t e n S t e u e r n mehr als bisher entwickelt werden.

Die Gefahr der D e m o r a l i s a t i o n für die auf Selbstdeklaration beruhende E i n k o m m e n s t e u e r ist in den Verhandlungen wiederholt betont und erörtert worden, und es bedarf in der That keiner weiteren Ausführung, um zu erkennen, dass Gemeindezuschläge zur Einkommensteuer — Zuschläge zur Ergänzungssteuer sind nach § 36 des K.A.G. überhaupt ausgeschlossen — in der bisher vielfach üblichen Höhe von mehr als 180 Proz. die Versuchung zu falschen Deklarationen auf eine sehr bedenkliche Höhe bringen, da schon dieser Satz bei den höheren

---

1) Das Gesetz tritt am 1. April 1895 in Kraft; jedoch können die zur Ausführung desselben erforderlichen Gemeindebeschlüsse schon vom 1. April 1894 an gefasst werden.

Einkommen eine Gesamtsteuer von 9¼ Proz. des aus Vermögensbesitz herrührenden Einkommens bedeutet (K.A.G. S. 146).

Weniger treten in den Verhandlungen die Bedenken hervor, welche die auf Selbstdeklaration beruhende Einkommensteuer wegen der mit ihr untrennbar verbundenen starken E r t r a g s s c h w a n k u n g e n für den Gemeindehaushalt erwecken muss. Allerdings ist wiederholt derjenigen Gefahren gedacht, weiche die Einkommensbesteuerung grosser industrieller Unternehmungen mit naturgemäss stark schwankenden Umsätzen und Gewinnen mit sich bringt, dagegen ist kaum darauf hingewiesen, wie grade die Einführung der Deklaration auf den Charakter der Einkommensteuer und infolge dessen auch ihre Erträgnisse in höchst einschneidender Weise eingewirkt hat. Und doch verdient grade auch diese Seite der Sache die ernsteste Aufmerksamkeit der Gemeindebehörden. Denn wenn auch in grösseren Bezirken Gewinne und Verluste der verschiedenen Bevölkerungsklassen sich vielfach decken mögen, so dass im ganzen doch die natürliche Steigerung der Einkommen zur Erscheinung gelangt, so trifft dies für die einzelnen Gemeinden in keiner Weise zu, und während früher, unter dem System der behördlichen Einschätzung, auch in schlechten Jahren regelmässig höhere Einschätzungen in grösserem Umfange vorgenommen werden konnten, weil die Kenntniss der Behörden eine fortschreitend bessere und umfassendere wurde, so fehlt eben unter der Herrschaft der Selbstdeklaration ein ähnliches Mittel zur Gewinnung höherer Einnahmen durchaus.

Es sei gestattet, hier aus den Stadtstaaten H a m b u r g und B r e m e n , in welchen die Selbstdeklaration bereits seit längerer Zeit besteht, diejenigen Ziffern wieder zu geben, welche auch bei den Beratungen der städtischen Körperschaften von Frankfurt a. M. zu Anfang 1892 bereits wiederholt angezogen sind [1]).

In H a m b u r g sind im Jahre 1881 die Steuersätze erhöht und die juristischen Personen zur Steuer herangezogen. Es werden daher die Jahre bis 1880 und die Jahre von 1881 an getrennt zu behandeln sein. Es wuchs nun die Zahl der Steuerzahler von 1866—1880 in ziemlich regelmäsiger Steigerung von 38 374 auf 95 301, der Steuerertrag von 2 584 768 in 1866 auf

---

· 1) Vgl. Statistisches Handbuch für den hamburgischen Staat. 1885 S. 232 und 1891. S. 311. Jahrbuch für bremische Statistik. 1882 II, S. 454 ff., 484. 1887 II, S. 422 ff., 441. 1889 II, S. 216 ff., 234 ff.

4 400 925 M. in 1880. Allein schon 1873 war der Betrag von
4 169 405 M. erreicht, fiel dann beständig bis 1876 auf 3 747 537,
um in den folgenden 4 Jahren wieder zu steigen. Von 1866 bis
1871 war nur ein sehr mässiges Wachstum vorhanden: von
2 584 768 M. auf 2 982 784 M. Ebenso stagnierend waren die
Erträge von 1882—1886, nämlich der physischen Personen mit
5 863 475 M. in 1882, und 6 124 639 M. in 1886 und der juristischen
Personen mit 6 779 166 M. in 1882, 6 979 095 M. in 1883 und
7 103 246 M. in 1886. Erst 1887 beginnt wieder ein stärkeres Steigen.

Noch augenfälliger tritt in B r e m e n in dem letzten Jahrzehnt
längere Stagnation und zeitweiliger Rückgang hervor. Die Steuer
erbrachte 1880 2 616 656 M., fiel bis 1885 auf 1 941 742 M. und
stieg erst langsam wieder auf 2 553 934 M. in 1888 und 2 958 696
Mark in 1891. Andrerseits stieg in F r a n k f u r t a. M. die
städtische Einkommensteuer trotz des durch Freilassung der
beiden untersten Stufen entstehenden Ausfalles (seit 1884) von
2 950 702 M. in 1881/2 stetig bis auf 4 535 240 M. in 1891/2, während
sie in den Jahren der Selbstdeklaration 1892 und 1893 nahezu gleich
geblieben ist. Die thunlichste Beschränkung der Zuschläge zur
Einkommensteuer liegt daher in der That im eigenen Interesse
der Gemeinden nicht minder wie in dem des Staates.

Als die zu dieser Beschränkung brauchbaren Mittel wurden
im K.A.G. neben der thunlichsten Entwicklung aller sonstigen
Einnahmequellen der Gemeinden einerseits die möglichst ausgedehnte Durchführung der B e s t e u e r u n g n a c h d e m I n -
t e r e s s e und andrerseits die Ausbildung indirekter Steuern zur
Verfügung gestellt. Zur Durchführung der ersteren ist ein ganzes
System von Verwaltungsgebühren, Benutzungsgebühren, Beiträgen
und Mehrbelastungen zum Zweck der Erhebung s p e z i e l l e r
E n t g e l t e für besondere von der Gemeinde gewährte Vorteile
ausgebildet, während zugleich Grundbesitz und Gewerbe zu
g e n e r e l l e n E n t g e l t e n für die ihm aus der Gemeindeverwaltung zufliessenden Vorteile durch Grund- und Gewerbesteuern
herangezogen werden sollen (vgl. K.A.G. S. 167. 247—250. 322 bis
327). In beiden Richtungen hat das K.A.G. die bisherige Freiheit der
Gemeinden wesentlichen Beschränkungen unterworfen, indem es
denselben in erheblichem Umfang die Erhebung von Grundbesitz-
und Gewerbesteuern sowie von speziellen Entgelten der gedachten
Art zur Pflicht gemacht hat.

Die Ausbildung i n d i r e k t e r S t e u e r n ist dagegen völlig der freien Entschliessung der Gemeinden anheimgegeben. Nur negativ wirkt das Gesetz ein, indem es die indirekte Besteuerung gewisser Gegenstände verbietet.

Eine nähere Erörterung der Bestimmungen über Gebühren, Beiträge und Mehrbelastungen kann nur unter Eingehen auf die Fassung des Gesetzes und deren vielfach ungewisse Auslegung unternommen werden: ich habe es daher für zweckmässig gehalten, meinen Kommentar in diesen Beziehungen etwas ausführlicher werden zu lassen (vgl. S. 244—310. 322—327). Die folgenden Darlegungen werden sich infolge dessen auf die Fragen der Weiterentwicklung der den Gemeinden überlassenen Grund-, Gebäude- und Gewerbesteuern und der Ausgestaltung indirekter Gemeindesteuern beschränken. Ich beginne mit den letzteren, weil ihre Erörterung in einigen wichtigen Beziehungen der Behandlung des andern Gegenstandes vorarbeitet.

Vor dem Eintritt in diese Erörterungen erscheint es jedoch angemessen, die zur Zeit in Preussen sowie den grösseren deutschen Staaten bestehende Verteilung der Steuern auf die verschiedenen Steuerarten durch einige, dem Statistischen Jahrb. deutscher Städte 2. Jahrg. 1892 S. 384 flg. entnommenen Zahlen zu veranschaulichen (vgl. Tabelle auf S. 415). Die Auswahl der Städte ist so getroffen, dass sowohl die Gegensätze zwischen Nord- und Süddeutschland als auch die innerhalb des Preussischen Staates vorhandenen Verschiedenheiten, welche in den 1866 erworbenen Provinzen zum Teil noch aus älterer Zeit stammen, zur Erscheinung gelangen.

Bemerkenswert erscheint vor allem die sehr verschiedene finanzielle Bedeutung der indirekten Steuern, welche in den 3 elsass-lothring. Städten 74—88 Proz. des ganzen Steuerbedarfes decken, während in Köln und Frankfurt a. O. überhaupt keine indirekten Steuern und in Frankfurt a. M., Altona und Leipzig wenigstens keine indirekten Verbrauchssteuern erhoben werden.

Die in den 3 elsässisch-lothringischen Städten erhobenen indirekten Steuern sind lediglich Verbrauchssteuern und umfassen auf Grund umfassender Oktroitarife äusserst zahlreiche Gegenstände. Getreide, Mehl und Backwerk sind jedoch in Strassburg und Metz steuerfrei und nur in Mühlhausen in verhältnismässig geringem Masse pflichtig. Den grössten Einnahmeposten bilden in allen 3 Städten die Getränkesteuern mit 6—7 M. auf den Kopf der Bevölkerung.

...rsicht über die Verteilung von Gemeindesteuern auf die verschiedenen Steuerarten im Jahre 1889.

	Einwohnerzahl	Gesamtbetrag der erhobenen Gemeindesteuern überhaupt M.	auf 1 Einwohner M.	Von dem Gesamtbetrag der Gemeindesteuern sind: Verbrauchsabgaben überhaupt M.	auf 1 Einwohner M.	in % der Ge-samtsteuern	Abgaben vom Besitzwechsel von Immobilien überhaupt M.	in % der Ge-samtsteuern	Grund- und Gebäudesteuern überhaupt M.	in % der Ge-samtsteuern	Gewerbesteuern von stehenden Betrieben überhaupt M.	in % der Ge-samtsteuern	Steuern vom Lohn- u. Berufs-Einkommen überhaupt M.	in % der Ge-samtsteuern	Kapitalrentensteuern überhaupt M.	in % der Ge-samtsteuern	Einkommensteuern (allgemeine) überhaupt M.	in % der Ge-samtsteuern
	1 334 050	34 266 666	22.34	575 858	0.43	1.68	—	—	5 083 690	14.84	—	—	416 570	6.01	923 313	13.33	15 502 232	45.24
	329 683	5 530 558	16.78	1 698 376	5.15	30.71	—	—	561 816	10.16	135 369	2.91	115 324	5.07	299 149	13.15	3 165 080	57.23
	276 000	4 655 896	16.87	173 769	0.89	6.57	—	—	544 220	11.63	—	—	59 282	4.34	159 217	11.66	3 912 299	84.03
	195 650	2 644 832	13.52	—	—	—	497 631	8.17	236 089	8.93	8 077	0.13	—	—	—	—	2 203 016	83.30
	176 320	6 091 559	34.55	—	—	—	127 215	4.85	1 291 797	49.20	—	—	—	—	—	—	4 226 242	69.38
	136 650	2 625 398	19.21	467 489	6.55	38.64	—	—	203 260	16.80	—	—	—	—	—	—	1 139 287	43.39
	71 420	1 209 770	16.94	516 332	8.15	34.07	—	—	247 628	16.24	—	—	—	—	—	—	526 819	43.55
	63 380	1 315 408	23.92	—	—	—	—	—	98 638	13.18	67 484	4.45	—	—	—	—	662 846	43.74
	56 720	616 827	10.87	—	—	—	—	—	—	—	—	—	—	—	—	—	515 280	83.54
a. M.	218 430	4 995 025	23.12	1 440 176	5.32	25.46	501 803	10.17	917 134	18.58	—	—	—	—	—	—	3 455 096	70.01
	270 570	5 656 010	20.90	—	—	—	494 085	8.74	915 378	16.18	—	—	—	—	—	—	1 307 287	23.11
a. O.	312 380	6 927 683	22.18	2 154 201	6.90	31.10	—	—	1 423 130	20.54	1 008 043	14.55	—	—	923 313	13.33	—	—
	136 890	2 274 725	16.62	749 131	5.47	32.93	—	—	497 220	21.85	468 305	20.59	—	—	299 149	13.15	—	—
	72 970	1 365 631	18.71	572 786	7.85	41.94	—	—	181 735	13.31	188 566	13.44	—	—	159 217	11.66	—	—
	198 010	3 498 109	25.51	990 054	7.17	28.34	—	—	996 537	28.53	946 157	27.09	90 438	9.50	300 991	8.62	—	—
	724 440	1 497 306	19.85	218 780	2.90	14.61	—	—	312 657	20.88	509 526	34.03	—	—	128 116	8.42	359 221	23.99
	70 960	960 744	13.54	280 152	3.95	29.16	—	—	202 266	21.05	116 629	12.14	—	—	142 884	14.87	182 694	19.02
	71 450	1 854 653	25.96	540 025	7.56	29.12	—	—	330 923	17.81	341 416	18.41	—	—	97 583	5.26	558 358	30.11
	56 680	1 305 060	23.25	472 164	8.42	36.18	—	—	199 308	15.27	133 485	10.23	—	—	115 577	8.86	386 328	29.60
g i. E.	121 940	2 379 725	19.52	1 984 373	16.27	83.39	—	—	134 576	5.66	151 204	6.35	—	—	—	—	—	—
	75 970	1 740 340	20.25	1 147 123	15.10	74.47	—	—	130 189	8.45	187 879	12.20	—	—	—	—	—	—
ni. E.	53 590	1 222 641	15.51	812 512	13.66	88.06	—	—	40 942	4.44	43 779	4.74	—	—	—	—	—	—

Soweit die Isteinnahmen bei einzelnen Steuerarten nicht zu ermitteln waren, ist an Stelle derselben das Erhebungssoll eingesetzt. Dies bei den Städten München, Nürnberg, Augsburg, Mannheim, Karlsruhe, Mainz, Darmstadt und Mühlhausen. — Da die Ziffern vollständig ... Jahrbuch entnommen sind, sind auch die Anmerkungen desselben (S. 394—397) für Bedeutung und Inhalt der Ziffern im einzelnen massgebend.

In weitem Abstande folgen, jedoch mit gleichfalls noch hohen Beträgen von Verbrauchssteuern A u g s b u r g , K a s s e l , D a r m - s t a d t , W i e s b a d e n , M ü n c h e n , N ü r n b e r g , B r e s l a u , K a r l s r u h e , M a i n z , S t u t t g a r t , D r e s d e n (41,94 bis zu 25,46 Proz. der Gesamtsteuern). Die steuerpflichtigen Gegenstände sind jedoch sehr verschiedene. Während z. B. in München und Augsburg das Bier als der Hauptsteuerträger erscheint (mit 4—5 Mark auf den Kopf), erbringt es in Nürnberg und den andern Städten nur 2 M. und weniger, wogegen in diesen die Lebens- mittelsteuern überwiegen, und zwar sind Getreide und Backwaren in Nürnberg (ebenso in München und Augsburg), Kassel, Darm- stadt, Wiesbaden, Karlsruhe, Mainz und Dresden zugleich mit Fleisch, Wild und Geflügel steuerpflichtig. B r e s l a u ist von den genannten Städten die einzige, in welcher Getreide frei und nur Fleisch pflichtig ist.

Von den in letzter Linie stehenden Städten erhebt nur M a n n h e i m (neben Getränken und Wild und Geflügel) auch von Getreide eine Abgabe, während M a g d e b u r g nur eine Biersteuer und B e r l i n einen Zuschlag zur Brausteuer erhebt.

An s o n s t i g e n i n d i r e k t e n Steuern sind nur die Im- mobiliarbesitzwechselabgaben in F r a n k f u r t a. M., A l t o n a , D r e s d e n und L e i p z i g zu nennen (vgl. unten S. 429 flg).

In z w e i t e r L i n i e zieht die Heranziehung des G r u n d - b e s i t z e s zu den Steuern die Aufmerksamkeit auf sich. Die interessanteste Thatsache ist hiebei wohl die Ergiebigkeit der Grundbesitzbesteuerung in A l t o n a , wo dieselbe fast die Hälfte (49,26 Proz.) des gesamten Steuerersatzes und 9,4 Mark auf den Kopf erbringt. Diese Summe wird bis auf einen Betrag von 66 875 M., welche durch eine Feuerlöschabgabe vom Grundbesitz nach dem Massstab des Brandkassenwertes aufgebracht wird, durch eine Ertragsbesteuerung von 12 Proz. — neben der staatlichen Gebäudesteuer von 4 Proz. für Wohngebäude und 2 Proz. für Ge- werbelokale — erbracht und zwar, wie ich aus eigner Beobachtung bestätigen kann, ohne erhebliche Klagen [1]), da sie von den Eigen- tümern, Käufern und Spekulanten bei allen ihren Geschäften von vornherein in Anschlag gebracht wird. In der alten Stadt Altona

---

[1]) Nur in einem Punkte sind Abänderungswünsche laut geworden: in Bezug auf Ermässigung der Steuer, auch wenn nur einzelne Wohnungen leer stehen; bisher tritt Ermässigung nur beim Leerstehen ganzer Häuser ein. — Auf diese Frage wird im zweiten Aufsatz näher einzugehen sein.

stammt sie bereits aus älterer Zeit, während sie in dem am 1. Juli 1889 eingemeindeten Stadtteil Ottensen erst vor einigen Jahren an Stelle einer Mietssteuer und in den am 1. April 1890 eingemeindeten drei ländlichen Vororten erst mit der Eingemeindung und zwar in gewissen Abstufungen eingeführt ist.

Charakteristisch ist ferner, dass der Prozentanteil der Grund-und Gebäudesteuer auch in den s ü d d e u t s c h e n S t ä d t e n, und ebenso auch in K a s s e l und W i e s b a d e n ein erheblich höherer als in den grossen altpreussischen Städten Breslau, Köln und Magdeburg ist, während B e r l i n infolge seiner besonderen Haussteuer von $2^3/_5$ Proz. und F r a n k f u r t a. O. infolge seiner niedrigeren Gesamtsteuern sich in der Höhe des Prozentsatzes mehr den südlichen Städten nähern. An der Spitze dieser süddeutschen Städte — deren direktes Steuersystem in Zuschlägen zu sämtlichen staatlichen Ertragssteuern besteht — befindet sich S t u t t g a r t mit 7,2 M. auf den Kopf und 28,53 Proz. Die andern süddeutschen Städte folgen mit 21,86 bis zu 13,31 Proz. und 2,8 bis etwas über 4 M. auf den Kopf. Die s ä c h s i s c h e n Städte schliessen sich den süddeutschen an. Auch mag erwähnt sein, dass das nicht in die Tabelle aufgenommene K i e l auch 4,6 M. auf den Kopf erhebt. Völlig ohne Ertragssteuer von Grund und Boden ist nur F r a n k f u r t a. M. Weniger vergleichbar ist die G e w e r b e s t e u e r, welche nur in den süddeutschen Staaten mit vollständig durchgeführten Ertragssteuersystem von Belang ist, hier aber zum Teil (M a n n h e i m, S t u t t g a r t) sehr erhebliche Erträge liefert.

Ebenso kommt andererseits die a l l g e m e i n e E i n k o m m e n-s t e u e r nur in d e n Staaten in Betracht, in denen eine solche staatliche Steuer besteht. Naturgemäss sind aber die Unterschiede unter den hienach überhaupt nur in Betracht zu ziehenden Städten sehr bedeutende: infolge der verschiedenen Heranziehung der Grundsteuern sowie der Verbrauchsabgaben [1]) stehen Köln und Magdeburg wesentlich anders wie Altona, Kassel, Wiesbaden, und die hessischen und badischen Städte, ebenso Leipzig in scharfem Gegensatze zu Dresden. Wenn der Prozentsatz der Ein-kommensteuer in B e r l i n und F r a n k f u r t a. M. erheblich niedriger als in den andern grossen Preussischen Städten ist, so

---

1) Ueber die in den meisten Preussischen Gemeinden mehr und mehr vollzogene Begründung des Gemeindehaushalts auf die Einkommensteuer vgl. K.A.G. S. 9—13 und über die dagegen erhobenen und zu erhebenden Bedenken ebenda S. 35 ff., 131 ff.

rührt das von den daselbst bestehenden Mietssteuern her. Rechnet man diese der Einkommensteuer zu, so ergiebt sich für Berlin mit 12 761 686 M. Mietssteuer ein Prozentsatz von 82,48 Proz. der Gesamtsteuer und in Frankfurt a. M. mit 1 189 215 M. Mietssteuer ein Satz von 88,90 Proz.

2. Ueber die Ausbildung indirekter Gemeindesteuern.

Die von den indirekten Gemeindesteuern handelnden §§ 13—19 des K.A.G. sind in allen wesentlichen Teilen unverändert dem Regierungsentwurf entnommen. Trotzdem wird es angemessen sein, in einzelnen Beziehungen die parlamentarischen Verhandlungen heranzuziehen, weil sie für die weitere Entwicklung vielleicht nicht ganz bedeutungslos sind.

In der Begründung des Gesetzentwurfes war von der Staatsregierung wiederholt auf die Zweckmässigkeit einer weiteren Pflege indirekter Steuern und namentlich auf die Notwendigkeit einer verstärkten Heranziehung der Verbrauchsabgaben, welche die ihnen zukommende Bedeutung im Haushalte der Gemeinden fast überall mehr oder weniger eingebüsst haben, hingewiesen (vgl. K.A.G. S. 152. 171. 172). Ein Zwang der Gemeinden zur Einführung indirekter Steuern, wie er in der Gemeindeordnung für die Städte und Landgemeinden Kurhessens vom 23. Oktbr. 1834 hinsichtlich der Verbrauchsauflagen vorgesehen war, sollte jedoch nicht eintreten können. Das Abg.-Haus hatte diesem letzteren Gedanken in § 78 Abs. 3 gesetzlichen Ausdruck dahin gegeben, dass die Einführung neuer und die Erhöhung bestehender indirekter Steuern nicht angeordnet werden darf. Für diese gesetzliche Festlegung stimmten sowohl die Gegner indirekter Verbrauchssteuern als auch die Freunde derselben, welche aber deren Einführung der freien Entschliessung der Gemeinden vorbehalten wissen wollten.

Der nachdrückliche Hinweis der Regierung auf die indirekten Steuern entsprach zwar im allgemeinen der Stellung, welche die Regierung schon bei den ergebnislos verlaufenen Verhandlungen von 1877—1880 über die Neuregelung des Gemeindesteuerwesens eingenommen hatte. (K.A.G. S. 89. 171). Im einzelnen aber zeigte die Haltung wesentliche Verschiedenheiten, indem — im Gegensatze zu der neueren Entwicklung in mehreren süddeutschen Staaten, über welche u. a. Frhr. *v. Reitzenstein's* Aufsatz »über indirekte Verbrauchssteuern in den Gemeinden« in Conrad's Jahrbüchern. Neue Folge. Bd. 8 (1884) S. 40 zu vergleichen ist — · die B e s t e u e r u n g der n o t w e n d i g e n L e b e n s m i t t e l über den bestehenden Umfang hinaus allgemein u n t e r s a g t ist. Insbesondere dürfen auch S c h l a c h t s t e u e r n , auf deren Wiedereinführung die Regierung 1877—1880 Gewicht legte, weder neu eingeführt noch in ihren Sätzen erhöht werden.

Diese Lebensmittel-Steuern waren die einzigen, welche im Hause der Abgeordneten lebhaftere und längere Erörterungen hervorriefen, indem seitens der konservativen Partei der Antrag gestellt wurde, dass Schlachtsteuern und andere Steuern auf die in § 14 genannten notwendigen Lebensmittel (Fleisch, Getreide, Mehl, Backwerk, Kartoffeln, Brennstoffe) »a u s n a h m s w e i s e neu eingeführt oder in ihren Sätzen erhöht werden (dürften), wenn bereits Zuschläge über den vollen Satz der Staatseinkommensteuer erhoben werden und nach Lage des Haushaltes andernfalls eine erhebliche Erhöhung dieser Zuschläge nicht zu vermeiden sein würde«. In den Verhandlungen des Abg.-H. (S. 1986 – 1992) wurde dabei besonders darauf hingewiesen, dass es in vielen Gemeinden nach Lage der Verhältnisse vielleicht unumgänglich sein werde, die unteren Stufen der Einkommensteuer auf Grund des § 37 des K.A.G. mit höheren Sätzen als in dem stark degressiven Staatssteuertarif vorgesehen sei, heranzuziehen, und dass es in solchen Fällen sich vielfach empfehlen würde, statt solcher Erhöhung der direkten Steuerlast auf indirekte Steuern zurückzugreifen.

Die Wiederzulassung von Schlachtsteuern war insbesondere auch von Städtetagen zu Anfang der 1880er Jahre mehrfach gefordert worden [1]); der konservative Antrag wurde jedoch von allen andern Parteien abgelehnt, nachdem er von dem Frhrn. *v. Minnige-rode* ausdrücklich als »Zukunftsantrag« bezeichnet war, der aus prinzipiellen Gründen gestellt werden müsse und dem die Zukunft gehöre. (S. 1990). Es muss hier lediglich der Zukunft überlassen bleiben, ob unter den gegenwärtigen Verhältnissen in der That an eine Wiedereinführung indirekter Steuern auf notwendige Lebensmittel in den Gemeinden gedacht werden kann [2]). That-sache ist, dass man in Belgien und Holland, obwohl die Folgen

---

1) Vgl. Frhr. *v. Reitzenstein* a. a. O. S. 13. 38.

2) Auch in der Kommission des Herrenhauses »wurde von einer Seite das Bedauern darüber ausgesprochen, dass den Gemeinden nicht allgemein oder wenigstens in dem Falle, dass die Zuschläge zu der Staatseinkommensteuer 100 Proz. übersteigen, das Recht zur Einführung von Schlachtsteuern gegeben sei. Von einem Abänderungsantrage wurde lediglich mit Rücksicht auf den im Eingange dieses Berichtes darge-

der Aufhebung der Oktrois nach Freiherr *v. Reitzenstein's* Ausführungen a. a. O. Bd. 9 (1884) S. 289. u. Bd. 18 (1889) S. 533
noch keineswegs überwunden sind, doch auf deren Wiedereinführung nicht zurückgegriffen hat. Nur der Schlachtsteuer mag
vielleicht eine besondere Stellung zuzuerkennen sein.

Das Feld der indirekten Besteuerung ist hienach schon infolge des erwähnten § 14 ein sehr eingeschränktes [1]); wenn man
aber zugleich erwägt, dass der Getränkebesteuerung in Preussen
hohe reichsgesetzliche Schranken entgegenstehen — Wein und
Branntwein darf gar nicht und Bier nur mit dem niedrigen Satz
von 65 Pfg. für das eingeführte Hektoliter und einem Zuschlag
von 50 Proz. zur Brausteuer der einheimischen Brauereien besteuert
werden (K.A.G. S. 316), so scheint trotz der lebhaften regierungs-
seitigen Empfehlung nur ein sehr geringer Spielraum für die Entwicklung indirekter Steuern gelassen zu sein; und dies würde in
der That zutreffen, wenn es keine andern Gegenstände indirekter
Besteuerung in den Gemeinden gäbe, als die im Hause der Abgeordneten fast allein berührten Getränke und Luxusobjekte.

Glücklicherweise liegt die Sache jedoch anders, und der
energische Hinweis der Regierung auf die Pflege indirekter Steuern
behufs thunlichster Entlastung der Staats-Einkommensteuer ist
namentlich in der Richtung von grösster Bedeutung, als man
hoffen kann, dass die Gemeinden hinfort in der Entwicklung zweckmässiger indirekter Steuern nicht mehr so gehindert werden, wie
es bisher durch Versagung der früher wie künftig vorgeschriebenen
höheren Genehmigung wohl geschehen ist. Denn an sich sind
durch die Bestimmungen des K.A.G. den meisten Gemeinden neue
Rechte in Bezug auf Einführung indirekter Steuern, welche letztere
auch schon durch die Städteordnungen und die neuen Landgemeindeordnungen für die östlichen Provinzen und Schleswig-Holstein von 1891 und 1892 als zulässig anerkannt waren, nicht nur
nicht verliehen, vielmehr sind diese Rechte durch den mehrerwähnten § 14 nicht unerheblich eingeschränkt worden. Die grosse

---

legten Standpunkt der Kommission, alle Anträge zu unterlassen, welche das Zustandekommen des Gesetzes erschweren könnten, abgesehen«. (S. 405.)

[1]) Die in § 11 zugelassene Erhöhung der Schlachthausgebühren von 6 Proz. auf
8 Proz. des Anlagekapitales ist finanziell von keiner erheblichen Bedeutung. Sie wird
vielleicht 20 Pf. auf den Kopf erbringen, während die Schlachtsteuer nach dem Stat.
Jahrb. deutscher Städte, 1892. S. 390 z. B. in Breslau, Potsdam, Kassel und Posen
zwischen $3^1/4$ bis $4^1/2$ M. auf den Kopf betrug.

Veränderung der Sachlage besteht aber darin, dass die Staatsregierung es jetzt als ein ganz eminentes Staatsinteresse anerkennt,
die gesunde Entwicklung der auf Selbsteinschätzung beruhenden
Staatseinkommensteuer durch thunlichste Freihaltung von Gemeinde-
zuschlägen zu sichern.

a. Verbrauchssteuern.

Wenn wir uns nun zunächst vergegenwärtigen, welche finanziellen Erträge aus den i n d i r e k t e n V e r b r a u c h s s t e u e r n
zu gewinnen sind, so kommt hiebei als neu einzuführende Ge-
tränkesteuer zur Zeit — in dem noch unerledigten Gesetzentwurf
über die Weinsteuer ist allerdings auch eine Gemeindebesteuerung
des Weines in gewissen Grenzen zugelassen — nur die B i e r-
s t e u e r in Betracht, welche in den letzten Jahren bereits in einer
Reihe von Preussischen Städten neu eingeführt ist, deren Erträge
jedoch in allen Städten mit Ausnahme von Erfurt unter 1 M. auf
den Kopf der Bevölkerung bleiben. Es betrugen nämlich nach
den mir gütigst übermittelten Auszügen die Einnahmen abzüglich
der Hebegebühren und Rückvergütung

in Aachen-Burtscheid (eingef 1886) im Durchschn. der letzten Jahre auf den Kopf 0,66 M.
in Düsseldorf [1])   (» 1881) von 1886—1892 auf den Kopf 0.24—0,28 Mark
in Magdeburg   (» 1888)   » » » 0,80—0,90 »
in Halle a. S.   (» 1887) » 1887—1892 » » » 0,83—1,01 »
in Erfurt [2])   (» 1875) » 1888—1892 » » » 1,19—1,29 »

ausserdem nach dem Stat. Jahrb. deutscher Städte 1889/1890 in
Königsberg 0,70 M. und in Posen 0,60 M. gegenüber den oben
S. 416 erwähnten weit höhern Sätzen und Betragen in den süddeutschen Städten. Unter den zulässigen Verbrauchssteuern ist
ferner die B e l e u c h t u n g s s t e u e r zu erwähnen, welche in
Form einer im Kaufpreise verhüllten Gassteuer (*G. Cohn*, Finanz-
wissensch. 1889 S. 648) schon jetzt in zahlreichen Gemeinden
und wohl in allen, welche eigne Gasanstalten besitzen, erhoben
wird. Nach § 14 des K.A.G. durfen allerdings Steuern auf den
Verbrauch von »B r e n n s t o f f e n aller Art« nicht neu eingeführt
werden, und es wurde daher im Hause der Abgeordneten (Verh.
S. 2287) die Frage gestellt, ob Petroleum, welches zugleich als
Leucht- und Heizmaterial verwandt werde, hierunter falle. Regie-

---

1) Die wesentlich höhere Angabe im Stat. Jahrbuch deutscher Städte, 1892
S. 391 scheint auf Irrtum zu beruhen.

2) Der Braumalzsteuerzuschlag wird seit 1847 erhoben, anfänglich mit 40 Proz.,
seit 1888 mit 50 Proz.

rungsseitig wurde auf erneute Frage in der Kommission des Herrenhauses (Bericht. S. 405) hierauf erwiedert, dass der Ausdruck »Brennstoffe aller Art« aus den Zollvereinsverträgen übernommen und daher aus diesen zu interpretieren sei. Hienach wird es nicht zweifelhaft sein können, dass — wie in den Oktroiordnungen auch jetzt noch zwischen Leucht- und Brennstoffen unterschieden wird — die Brennstoffe an sich die Leuchtstoffe nicht umfassen, und die Besteuerung der letzteren daher nicht verboten ist. Soweit freilich Leuchtstoffe als Brennstoffe benutzt werden, wird eine Besteuerung derselben auf Grund des § 14 für ausgeschlossen zu erachten sein.

Für die Besteuerung kommt zunächst P e t r o l e u m mit Rücksicht auf die reichsgesetzlichen Beschränkungen (K.A.G. S. 315) nicht in Betracht, weil es (seit 1879) mit einem Zolle von 6 M. für 100 Kilogr. belegt ist. Steuern auf O e l und L i c h t e r würden in Orten ohne Oktroi-Einrichtungen schwerlich die Erhebungskosten lohnen.

Auch das G a s wird regelmässig nur in begrenztem Umfange, nämlich nur in Gemeinden ohne eigne Gasanstalten in Betracht kommen, wie z. B. in S t u t t g a r t , wo es auf Grund des Württembergischen Gesetzes vom 23. Juli 1877, welches für den Fall einer gewissen Höhe der direkten Abgaben Verbrauchsabgaben auf Bier, Fleisch und Gas gestattet, erhoben wird. Und in diesen Ortschaften kann eine Gassteuer, welche z. B. in Stuttgart nach dem Stat. Handbuch deutscher Städte 1892 231,344 Mark, d. i. 1,67 M. auf den Kopf der Bevölkerung erbrachte, sehr wohl angezeigt sein. Eine sozialpolitisch bedenkliche Wirkung wird schon dadurch vermieden, dass das zu motorischen Zwecken als »Brennstoff« benutzte Gas nach § 14 steuerfrei bleibt. Im Uebrigen wird die »unverhüllte Gassteuer« in gewissen Grenzen kaum anders als die »verhüllte« zu heurteilen sein, vorausgesetzt, dass nicht grade besondere örtliche Verhältnisse in Bezug auf die Preisbildung und die Verteilung des Konsums ihre Einführung unrätlich erscheinen lassen sollten. Schon *Gneist* (die Preuss. Finanzreform durch Regulierung der Gemeindesteuern. 1881. S. 62. 63.) empfiehlt die Gassteuer, da sie »die Arbeiterbevölkerung nicht trifft, für Restaurationen, Läden, Fabrikgeschäfte u. s. w. ein wohlberechtigtes Element einer Gewerbe- und Luxussteuer an sich trägt und besondere Rücksichten auf einzelne Abnehmer durch einen Rabatt sich ausgleichen lassen«.

Die Entwicklung der e l e k t r i s c h e n B e l e u c h t u n g mag vielleicht hie und dort dahin führen, auch in Städten mit eigenen Gasanstalten die G a s s t e u e r vom U n t e r n e h m e r g e w i n n zu s c h e i d e n ; jedenfalls eignet sich die, den Luxuscharakter im allgemeinen noch stärker an sich tragende elektrische Beleuchtung mehr noch als das Gaslicht für eine Verbrauchsbesteuerung.

Die elektrische Beleuchtung unterscheidet sich von der Gasbeleuchtung wesentlich dadurch, dass die Stromerzeugung schon für weit kleinere Gebiete rentabel sein kann, als die Gasgewinnung, und dass daher grössere und kleinere elektrische Zentralen für einzelne Fabriken, geschäftliche Betriebe oder auch Häuserblöcke neben und unabhängig von städtischen Gas- oder Elektrizitätswerken unter Umständen errichtet werden können, unter welchen besondere Gasanstalten durchaus ausgeschlossen erscheinen. Da in allen genannten Fällen der Betrieb die Benutzung öffentlicher Strassen nicht erfordert, wird mithin die Gemeindeverwaltung in ihrer Eigenschaft als Strasseneigentümerin nicht in der Lage sein, diese elektrischen Anlagen so zu Leistungen heranzuziehen, wie sie dies bei Pferdebahnen und Gasanstalten, denen sie die Benutzung ihrer Strassen gestattet, vermag. Da aber eine offenbare Ungerechtigkeit darin liegt, diejenigen Konsumenten der städtischen Gasanstalt, welche aus zufälligen Grunden zur Einrichtung elektrischer Beleuchtung nicht übergehen können, sowie die an die städtische elektrische Zentralanlage Angeschlossenen zur Entrichtung verhüllter Beleuchtungssteuern zu zwingen und jene grossen Betriebe und Blockstationen frei zu lassen, so wird nichts anderes übrig bleiben, als — wie gesagt — in Gemeinden mit eigenen Gasanstalten oder elektrischen Zentralen Steuer und Unternehmergewinn von einander zu sondern und eine besondere B e l e u c h t u n g s s t e u e r von G a s und e l e k t r i s c h e m L i c h t einzuführen, d. h. den Weg einzuschlagen, der sich den Städten ohne eigne Anstalten von vornherein aufdrängt.

Dass Einrichtung und Erhebung der Steuer bei Gas wie bei elektrischem Licht erhebliche Schwierigkeiten nicht verursachen wird, ist an dieser Stelle im Einzelnen nicht weiter auszuführen. Soweit die Erhebung nicht an den zentralen Erzeugungsstellen geschehen kann, werden Messer, event. auch Einschätzungen die nötigen Grundlagen geben.

Neben Beleuchtungsstoffen und Bier dürften endlich unter den Verbrauchssteuern noch die B a u m a t e r i a l i e n in Frage kom-

mcn, welche in den elsass-lothringischen Städten mit Oktroi-Einrichtungen zum Teil recht erhebliche Erträge liefern [1]); sie er-
brachten nämlich

im Jahre 1889/90	in Strassburg	in Mühlhausen	in Metz
für Bauholz	64 850 M.	67 185 M.	9 853 M.
» Glas	6 855 »	7 653 »	1 769 »
» Eisen	35 295 »	2 731 :	— »
» Bau- und Pflastersteine	150 995 »	62 615 »	11 303 »
im ganzen	257 993 M.	140 184 M.	22 925 M.
gegen 1888/89	222 224 »	137 273 »	16 785 »
oder auf den Kopf der Bevölkerung	etwa 2 »	1,84 »	0,38 »

Eine Baumaterialiensteuer erscheint freilich auf den ersten Blick
nicht ohne Bedenken, da sie namentlich die kleineren Wohnungen
ungünstig beeinflussen könnte, und in der That erklärt sich z. B.
W. Roscher. Finanzwissenschaft. § 160. A. 9. gegen diese Abgabe,
weil sie auch die Preise der schon bestehenden Häuser und Wohnungen entsprechend verteuere und die Wohnungsnot steigere.
Und es ist gewiss nicht zu bestreiten, dass eine neu eingeführte
Steuer dieser Art eine solche Wirkung haben k a n n. Allein es
ist damit noch nicht gesagt, dass sie auch solche Wirkung haben
m u s s; vielmehr hängen ihre Einwirkungen auf die Gestaltung
des Wohnungsmarktes von zahlreichen Verhältnissen, nicht zum
Wenigsten schon vom Z e i t p u n k t i h r e r E i n f ü h r u n g ab:
ob sie etwa in der Zeit einer Ueberproduktion an Wohnungen
oder zur Zeit eines Wohnungsmangels eingeführt werden soll;
ferner ist die H ö h e u n d d i e A r t i h r e r T a r i f i e r u n g
von ausserordentlich grossem Einfluss. So lange die Höhe in
mässigen, örtlich zu ermittelnden Grenzen bleibt, kann sie ebensowenig zu einer merklichen Verteurung führen, als die Baugebühren,
welche in einzelnen Gemeinden für die baupolizeilichen Bescheide
zu zahlen sind und deren Einführung den Gemeinden jetzt durch
§ 6 des K.A.G. allgemein freigegeben ist. Noch wichtiger fast
ist die richtige Tarifierung, und in dieser Richtung ist bemerkenswert, dass nach Frhr. *v. Reitzenstein* a. a. O. Bd. 8, S. 97
im Oktroitarif für die f r a n z ö s i s c h e n Städte neuerdings das
Prinzip zur Geltung gebracht ist, die teuern Luxusmaterialien
höher als die billigen zu besteuern. Da aber in allen Städten ohne

---

1) In P a r i s erbrachte 1885 der Oktroi von Baumaterialien 10 138 000 Fr.
(*Wagner*, Fin.W. II, S. 905).

Oktroieinrichtungen eine Baumaterialiensteuer nicht an den Eingängen, sondern nur auf Grund der für die Erlangung der Bauerlaubnis einzureichenden oder ähnlicher Anzeigen erhoben werden kann, so würde eine noch weit vollständigere Durchführung dieses Prinzips keinerlei Schwierigkeiten haben, indem bei der Tarifierung Häuser mit kleinen Wohnungen, namentlich die in sozialpolitischem Interesse zu fördernden Häuser für eine oder mehrere kleine Familien, unschwer anders zu behandeln sind, als luxuriöse Geschäftsgebäude, Etagenhäuser, Privatpaläste und Fabriken. Und grade auch in Bezug auf letztere ist der Baumaterialiensteuer eine hohe Bedeutung zuzuerkennen. In den Verhandlungen des Abgeordnetenhauses ist immer wieder darauf hingewiesen — und im zweiten Aufsatz wird bei der Frage der Fortbildung der Gewerbesteuer darauf näher einzugehen sein — dass die grossen Fabriken und Gewerbebetriebe vielfach den Gemeinden, grossen wie kleinen, ganz unverhältnismässige Opfer auferlegen in Bezug auf Unterhaltung von Wegen und Schul- und Armenlasten, und dass deren besondere Heranziehung zu diesen Kosten daher ebenso gerechtfertigt als notwendig sei. Nun bietet eben die Baumaterialiensteuer die Möglichkeit, sowohl die Fabriken als die Geschäftshäuser und auch die Wohngebäude in angemessener Weise heranzuziehen. Wer dagegen den Vorwurf der Willkürlichkeit in der Tarifbildung erheben wollte, dem würde mit der mehrfach eingeschärften Mahnung des Finanzministers *Dr. Miquel* entgegenzutreten sein, dass das ganze K.A.G. auf dem Vertrauen zu dem gesunden Sinn der Gemeindebehörden und der zur Genehmigung ihrer Steuerordnungen berufenen Aufsichtsbehörden — in diesem Falle der Minister des Innern und der Finanzen — beruhe und das Vertrauen zu einer gerechten und sozialpolitisch angemessenen Abgaben-Gestaltung auch wohl bei diesen Tarifierungen gehegt werden dürfe.

Es würde hienach unrichtig sein, die Baumaterialiensteuer lediglich vom Standpunkt der Wohnhäuser aus zu beurteilen; soweit aber letztere in Betracht kommen, werden voraussichtlich die hinsichtlich der Entwicklung der Gemeinden getroffenen allgemeinen Massnahmen (Erschliessung von Baugelände, rationelle Stadterweiterung, Verbilligung der Herstellung von Wohnstrassen[1]), Verkehrsmittel u. a. m.) von weit grösserem Belang sein als eine

---

[1] Vgl. *Th. Goecke*, Verkehrsstrasse und Wohnstrasse, in den Preuss. Jahrb. 1893, Bd. 73, S. 85—104.

zu richtiger Stunde in angemessener Höhe und Tarifierung auferlegte und ohne Erhebungs-Kosten und -Schwierigkeiten in einfachster Weise durchführbare Baumaterialiensteuer.

Der Ertrag einer solchen Abgabe würde mit Rücksicht auf
die schwankende Höhe desselben in kleinen Gemeinden zweckmässiger Weise zur Bildung und Speisung von Neubaufonds (für
Schulhäuser u. s. w.) verwendet werden können, und es würde
dann auch äusserlich erreicht sein, was schon oft als erstrebens-
wert bezeichnet ist: dass die durch die Entwicklung der Gewerb-
thätigkeit und den Zuzug neuer Einwohner veranlassten ausserordentlichen grossen Aufgaben durch eben jene Unternehmungen
mit getragen wurden, denen eine derartige indirekte Steuer schwerlich so unangenehm als hohe Gewerbesteuern sein würde.

b. Indirekte Aufwands- oder Luxussteuern.

Das K.A.G. erwähnt als derartige Steuern nur Lustbar-
keits- und Hundesteuern (§§ 15. 16.). Letztere, welche
bislang in den alten Provinzen auf den Höchstbetrag von 20 M.
beschränkt waren, sind künftighin in beliebiger Höhe zulässig.
Doch ist zur Zeit auch der Betrag von 20 M. erst in wenigen
Gemeinden, u. a. Berlin, erreicht. In den Verhandlungen (Herren-
haus-Bericht S. 407) ist auch der Besteuerung des Haltens von
Equipagen und Pferden[1]) als indirekter Luxussteuern gedacht. Der Abg. *Dr. Avenarius* regte ausserdem im Interesse
des Wald- und Vogelschutzes eine — freilich finanziell nicht erhebliche — Steuer auf das Halten einheimischer nützlicher Sing-
vögel an, deren rechtliche Zulässigkeit Finanzminister *Dr. Miquel*
auch anerkannte. (Verhandl. S. 228). Manche andere Objekte
derartiger Luxussteuern finden sich in den Darstellungen des
staatlichen Steuerrechtes verschiedener Länder[2]). Das Halten von
Dienstboten ist wie früher in England, so jetzt noch in Holland steuerpflichtig, die Billards sind in und ausser Deutschland (z. B; in Bremen, Genf und Frankreich) vielfach besonderer

---

1) In Bremen erbrachte 1888/89 die Pferdesteuer 37 646 M., die Steuer von Lust-
fuhrwerken 10 425 M., die in Frankfurt a. M. mit 30 M. für das Pferd — mit Ausnahme jedoch der Dienstpferde und der nur gewerblich benutzten Pferde — erhobene
Steuer erbringt etwa 15 000 Mark. — Uebrigens schliesst eine alle Pferde betreffende Steuer zugleich eine gewerbliche Besteuerung ein.

2) Vgl. *Lehr* in Schönberg's Handbuch III, 3. Aufl. 1891, S. 426—428 und über
Holland Frhr. *v. Reitzenstein* a. a. O. Bd. 18 (1889) S. 515. 531.

Steuer unterworfen, ebenso auch das Führen von W a p p e n. Indessen sind alle diese Steuern nicht von grosser Ertragsfähigkeit und werden in Ländern mit progressiv entwickelter Einkommensbesteuerung im allgemeinen kaum sehr empfehlenswert sein, da sie den Steuerdruck wohl fühlbarer machen als eine entsprechende Erhöhung der Einkommensteuer.

Es soll hier daher nur noch der L u s t b a r k e i t s - und V e r g n ü g u n g s s t e u e r n gedacht werden.

Zu den ersteren kann wohl auch die T h e a t e r b i l l e t s t e u e r gezählt werden, welche — in Nachbildung der namentlich in Frankreich zu Gunsten der Wohlthätigkeitsbureaus bestehenden Abgabe von Theatern und andern öffentlichen Schaustellungen (*Wagner* a. a. O. III, S. 884) — in F r a n k f u r t a. M. seit 1880 mit einem Ertrag von jetzt etwa 100 000 M. und folgenden Sätzen durch die Theaterkasse beim Verkaufe der Billette erhoben wird:

im Opernhaus auf ein Billet der Logen im Parkett, Balkon und ersten Rang, sowie auf ein Sperrsitzbillet mit 30 Pf., auf ein Billet im zweiten Rang und im Parterre mit 20 Pf., auf ein Galeriebillet mit 10 Pf.;

im Schauspielhaus ebenso, jedoch auf ein Billet im zweiten Rang gleichfalls mit 30 Pf.

S o n s t i g e L u s t b a r k e i t s s t e u e r n bestehen nach dem Stat. Handbuch deutscher Städte in zahlreichen Gemeinden. In F r a n k f u r t a. M. war eine solche durch Regulativ vom 1. März 1881 eingeführt und erbrachte etwa 32 000 M.; sie wurde jedoch infolge lebhafter Bekämpfung bereits nach zweijährigem Bestande wieder beseitigt [1]).

---

1) Das Frankfurter Regulativ setzte die Abgaben in folgender Weise fest: A. Für Konzerte, bei welchen Eintrittsgeld erhoben wird: 1) in Wirtschaftslokalen unter Verabreichung von Speisen und Getränken: a. wenn die Zahl der mitwirkenden Musiker und Sänger weniger als 12 Personen beträgt M. 3—10, b. wenn die Zahl der Mitwirkenden 12 Personen oder mehr beträgt M. 10—30; 2) in Konzertsälen und anderen dergleichen Lokalitäten ohne gleichzeitige Restauration M. 6—50. B. Für musikalische Unterhaltung in Wirtschaftslokalen, bei welchen kein Eintrittsgeld erhoben wird: a. wenn die Zahl der Mitwirkenden weniger als 12 Personen beträgt M. 1—5, b. wenn die Zahl der Mitwirkenden 12 Personen oder mehr beträgt M. 5—20. C Für Tanzvergnügungen: 1) bis 11 Uhr abends M. 6—20; 2) über 11 Uhr abends M. 8—150. D. Für Maskenbälle und kostümierte Bälle M. 20—300. E. Für Schaustellungen verschiedener Art; 1) für theatralische Vorstellungen, Gesangs- und deklamatorische Vorträge, Taschenspieler-Vorstellungen, Ballets, pantomimische, plastische, equilibristische und ähnliche Produktionen in dauernd erbauten Lokalitäten, Sälen u. s. w. pro Tag M. 5.50; 2) für dergleichen Produktionen und Schaustellungen in

Eine ähnliche Abgabe wird in A l t o n a erhoben und bringt dort etwa 50 000 M.

Das K.A.G. (vgl. S. 318 und 319) gestattet die Besteuerung sowohl öffentlicher als privater Lustbarkeiten. Im Frankfurter Regulativ waren letztere steuerpflichtig, wenn sie in öffentlichen Lokalen abgehalten wurden.

Die Besteuerung des J a g d v e r g n ü g e n s ist in verschiedenen Ländern in Form höherer Jagdscheingebühren durchgeführt. Während dieselbe in Preussen auf Grund des Gesetzes vom 7. März 1850 in den alten Provinzen und Schleswig-Holstein nur 3 M., in anderen Provinzen etwas mehr, z. B. in Hessen-Nassau (mit Ausschluss des ehemaligen Herzogtums Nassau) 7,50 M. beträgt, wird sie in Baden und Hessen mit 12 M., im Königreich Sachsen mit 12 M. bei einjähriger und 3 M. bei eintägiger Dauer der Karte, in Baiern mit 15 M., in Württemberg und Elsass-Lothringen mit 20 M. erhoben. In Frankreich beträgt sie 28 Fr., von denen 10 Fr. der Gemeinde zufliessen (vgl. Conrad's Handwörterbuch III, S. 716).

In Preussen fliesst die gesetzlich festgestellte Gebühr in die Kreiskommunalkasse; es scheint indessen rechtlich unbedenklich auf Grund der §§ 13, 18 und 77 des K.A.G., nach welchen beliebige indirekte Steuern mit ministerieller Genehmigung erhoben werden können, den Besitz von Jagdscheinen mit einer besondern kommunalen indirekten Abgabe zu belegen.

c. V e r k e h r s s t e u e r n.

Verkehrssteuern haben nach der in neuerer Zeit wohl als herrschend zu bezeichnenden Auffassung vor allem die Aufgabe, eine Ergänzung der direkten Einkommens- und Ertragsbesteuerung zu bilden und Lücken in derselben auszufüllen [1]. Allerdings hat man bislang von diesem Gesichtspunkte aus in eingehenderer Weise meistens nur das staatliche Steuersystem der Prüfung unterzogen; bei der starken Anspannung der direkten Steuern in Staat und Gemeinde und bei der grossen Schwierigkeit, die der letzteren

---

zeitweise errichteten Buden M. 2.10. F. Für Wettrennen pro Tag M. 100. Innerhalb der hienach gegebenen Grenzen wurde die im einzelnen Fall zu entrichtende Abgabe auf Grund gewisser nach Grösse des Lokals, Anzahl der Teilnehmer und der Mitwirkenden und Hohe des Eintrittsgeldes festgesetzte allgemeine Normen bestimmt.

1) Vgl. *Schäffle*, Grundsätze der Steuerpolitik. 1880. S. 484 ff. *Schall* in Schönberg's Handbuch III, 3. Aufl. 1891. S. 493 ff. *Wagner*, Fin.Wiss. II, § 224 ff.

insbesondere überwiesene Grundbesitzbesteuerung auf direktem Wege in starkem Masse weiter anzuspannen und der Notwendigkeit, die Einkommensteuer zu schonen, muss es indessen dringend geboten erscheinen, die Verkehrsbesteuerung auch¹ einmal auf ihr Vermögen hin, als Ergänzungssteuer für die Gemeinde zu dienen, näherer Betrachtung zu unterwerfen.

Ich beginne mit dem M o b i l i a r v e r k e h r.

Das K.A.G. enthält in seinem § 36 Absatz 1 das V e r b o t v o n Z u s c h l ä g e n z u r E r g ä n z u n g s s t e u e r, ebenso sind den Gemeinden (vgl. K.A.G. S. 322) andere, selbständige, direkte V e r m ö g e n s s t e u e r n n i c h t gestattet. Die Begründung beschränkt sich auf die kurze Bemerkung (K.A.G. S. 173), dass »der Gemeinde zur Deckung des Steuerbedarfes Realsteuern bereit gestellt sind und die von den letzteren getroffenen Objekte nicht noch einmal — nach dem Massstabe des Netto-Ertrages — besteuert werden können«. Indessen ist diese Begründung offenbar ungenügend, und sowohl in Petitionen als im Landtage ist auch hierauf hingewiesen. Denn die Ergänzungssteuer soll die nach der Leistungsfähigkeit umzulegende Einkommensteuer dadurch richtiger gestalten, dass nicht nur das Einkommen, sondern ergänzend auch das Vermögen mit einer Steuer belegt wird, um auf diese Weise das aus Vermögen stammende Einkommen höher als das Arbeitseinkommen zu treffen und überdies — unabhängig von dem Einkommen aus Vermögen — schon den Besitzer von Vermögen als solchen wegen seiner aus diesem Besitz entspringenden Steuerfähigkeit zur Steuer heranzuziehen. Offenbar treffen diese Gründe für eine die staatliche Einkommensteuer ergänzende Vermögenssteuer (vgl. K.A.G. S. 141—144) auch für die kommunale Einkommensbesteuerung vollkommen zu und es kann, nachdem im Staat die Notwendigkeit einer solchen Ergänzung anerkannt worden ist, nicht wohl als gerecht angesehen werden, dass in der Gemeinde auch künftighin sehr vermögende Leute steuerfrei bleiben, weil ihr Vermögen zufällig einmal kein Einkommen gegeben hat, und dass Arbeits- und fundiertes Einkommen in gleichem Masse besteuert wird.

Dass in der Gemeinde   im Gegensatz zum Staate -- Realsteuern erhoben werden, kann hiegegen nicht als durchschlagender Einwand anerkannt werden, weil die Realsteuern mit der Besteuerung nach der Leistungsfähigkeit in keinem Zusammenhang stehen, vielmehr nach der mit der Lehre der Wissenschaft übereinstim-

menden Begründung auf dem Prinzip der Besteuerung nach dem
Interesse beruhen: Grundbesitz und Gewerbe steuern besonders,
weil ihnen besondere Vorteile aus dem Gemeindeverbande zufliessen (K.A.G. S. 167, A. 4), und zwar sind die Objekte als
solche steuerpflichtig, weil auch sie die Vorteile geniessen, ganz
unabhängig davon, ob ihr Inhaber vermögend oder verschuldet
ist. Die Objektbesteuerung in den Gemeinden ruht also auf ganz
besonderem Grunde und kann nicht wohl den Anlass bilden, von
der gerechten Verteilung der persönlichen Steuerlast Abstand zu
nehmen.

Zuzugeben ist höchstens, dass das gewerbliche Einkommen
Schwierigkeiten bereiten würde, da die zur Zeit bestehende und
demnächst am 1. April 1895 den Gemeinden zu überweisende
Gewerbesteuer nicht auf dem Prinzip der Besteuerung nach dem
Vorteil (Leistung und Gegenleistung) beruht, sondern in gewissem
Umfange auf dem Gedanken aufgebaut ist, das im Gewerbebetrieb
steckende Vermögen besonders zu belasten. Allein — dieser Um-
stand genügt doch nicht, um nunmehr der Gemeinde die gesamte
Vermögenssteuer zu verschliessen. Insbesondere können innere
Gründe dafür, dass auch das nicht gewerbliche Kapitalvermögen —
welches gar keiner Objektbesteuerung unterliegt — völlig frei bleibt,
durchaus nicht beigebracht werden.

Es besteht in dieser Richtung also zur Zeit in der Gemeinde-
Einkommensbesteuerung offenbar eine erhebliche L ü c k e. Zu
ihrer Ausfüllung bietet sich in der Heranziehung des M o b i l i a r-
b e s i t z e s zur Steuer um so mehr ein Ausgleichsmittel, als dieser
Besitz auch bei der staatlichen Ergänzungssteuer unberücksichtigt
bleibt. Die für diese Freilassung des beweglichen Gebrauchsvermögens geltend gemachten Gründe: lästiges Eindringen in die
häuslichen Verhältnisse, Schwierigkeiten der Erhebung u. s. w.,
welche für eine direkte staatliche Steuer in der That von erheblicher Bedeutung sind, würden in Wegfall kommen, wenn es gelänge, eine einfache Form der i n d i r e k t e n B e s t e u e r u n g
d e s b e w e g l i c h e n G e b r a u c h s v e r m ö g e n s ausfindig
zu machen, welche weder Belästigungen noch Schwierigkeiten
verursachte. Und in der That erscheint der Nachweis dieser
Form besondere Schwierigkeiten nicht zu bieten: die Besteuerung
der M o b i l i a r - F e u e r v e r s i c h e r u n g s - P o l i c e n, wie sie
insbesondere von *Schall* in Schönberg's Handbuch III, 3. Aufl.

1891, S. 515. 516 empfohlen ist, erfüllt in einfachster Weise die zu lösende Aufgabe.

Mancherlei Einwendungen werden freilich natürlich gegen diese wie gegen jede Steuer alsbald erhoben werden; allein sie können der Aufgabe gegenüber, jene oben festgestellte Steuerlücke auszufüllen, eine entscheidende Bedeutung nicht gewinnen. Wenn man die Befürchtung [1]) äussert, es möchte die nationalökonomisch so wichtige Feuerversicherung durch solche Auflage in ihrer Entwicklung gehemmt werden, so ist einmal zu antworten, dass in Gemeinden mit noch unentwickelten Verhältnissen eine solche Steuer allerdings nicht am Platze sein würde, dass sie aber in anderen Gemeinden, natürlich bei mässiger Höhe, ebenso einflusslos sein würde, als die jetzt bereits vorhandene Verschiedenheit der Prämien in verschiedenen Ortschaften, da wohl noch niemand seine Versicherung aufgegeben hat, weil er infolge Ortswechsels im neuen Wohnort eine höhere Prämie zahlen muss. Auch wäre darauf hinzuweisen, dass schon der staatliche Stempel von den Mobiliar-Versicherungs-Policen ein sehr verschiedener ist, indem er z. B. in Preussen nur $^1/_2$ Proz. der gezahlten Prämie, dagegen in Elsass-Lothringen 1 Proz., in Oesterreich 1 $^1/_2$ Proz. und in Frankreich 8 Proz. (Enregistrement) beträgt (*Schall* a. a. O. S. 516). Es dürfte also kaum bedenklich sein, in Preussen zur staatlichen Abgabe noch eine gemeindliche hinzuzufügen. Endlich bietet sich zur Entkräftung jenes Einwandes auch noch die Möglichkeit, die Besitzer unversicherten Gebrauchsvermögens in anderer Weise zur Steuer heranzuziehen und dadurch den Anreiz zur Unterlassung der Versicherung, wenn und soweit er wirklich durch solche Auflage gegeben sein sollte, zu beseitigen. Durch solche Bestimmung würde zugleich auch d e m Einwand der Boden entzogen, dass die Steuer eine unberechtigte Belastung gerade der ökonomisch Verständigen und eine Bevorzugung der Unverständigen sei.

Andererseits spricht f ü r eine solche Gemeindeabgabe, insbesondere in Ortschaften mit ausgebildeten Löscheinrichtungen, noch die weitere Erwägung, dass grade der Besitz beweglichen Gebrauchsvermögens den Gemeinden erhebliche Aufwendungen auferlegt, sowohl in Bezug auf die eben genannte Feuersicherheit als in Betreff polizeilichen Schutzes, und dass eine solche Abgabe

---

1) Vgl. hiegegen schon *Bruch* in den 10 Gutachten zur Kommunalsteuerfrage, herausgegeben vom Verein für Sozialpolitik. 1877. S. 25.

somit nicht nur zur Ausfüllung der oben festgestellten Lücke dient, sondern zugleich auch aus dem Prinzip von Leistung und Gegenleistung heraus gerechtfertigt wird — ebenso wie Grundbesitz und Gewerbesteuern.

Um die weitere Einbürgerung der Versicherung in den unbemittelten Klassen, bei welchen die Gewöhnung an Versicherung noch nicht besteht, nicht zu erschweren, wäre H a u s r a t g e r i n g e r e n W e r t e s ganz freizulassen.

Was die F o r m d e r E r h e b u n g anlangt, so verdient nach *Schall* S. 516 »die unmittelbare Erhebung der Steuer bei den Versicherungsanstalten den Vorzug vor der Erhebung der Abgabe in Stempelform. Die Bemessung der Steuer nach dem versicherten Vermögenswert verdient den Vorzug vor der Bemessung nach der mit der Verlustgefahr wechselnden Prämie, Rückversicherungsverträge sind frei zu lassen«.

Wenn auf diesem Wege ein Teil der Feuerlöschkosten dem Mobiliarbesitz auferlegt ist, so wird es andrerseits nicht schwierig sein, auch dem Grundbesitz seinen Anteil an diesen Kosten aufzuerlegen und zwar — da Grund- und Gebäudesteuern ebenso wie Immobiliar-Umsatzsteuer ebensowohl den Grund und Boden als die Gebäude treffen — am einfachsten wohl durch eine gleichartige A b g a b e a u f d i e I m m o b i l i a r - V e r s i c h e r u n g s - P o l i c e n. Da Gebäude nur ganz ausnahmsweise unversichert sind, und für diese unschwer eine Heranziehung in Form von Beiträgen einzurichten wäre, so scheint bei diesen die Policen-Abgabe noch leichter und unbedenklicher.

Eine Heranziehung des Grundbesitzes zu den Löschkosten ist überdies vielfach bereits geltendes Recht. Abgesehen von der oben S. 416 erwähnten, in A l t o n a bestehenden Feuerlösch-Abgabe, wird in Städten mit öffentlichen Feuersocietäten (Hamburg, Berlin u. a. m.) das gesamte Löschwesen oder doch ein Teil seiner Kosten aus der Societätskasse bestritten.

Ein fernerer Bruchteil der Feuerlöschkosten wäre endlich in den Gemeinden ohne eigne Societäten den Feuerversicherungsanstalten aufzuerlegen. Das K.A.G. lässt freilich Zweifel über die Zulässigkeit einer solchen Besteuerung, wie sie im Königreich Sachsen und andern deutschen Staaten besteht, zu (vgl. K.A.G. S. 290 und 326), und es ist hier nicht der Ort, näher auf diese, durch eine Petition der Stadt Frankfurt a. M. im Landtage angeregte, aber nicht zum Austrag gebrachte Frage einzugehen.

Es kam hier nur darauf an, die Möglichkeit und Zweckmässigkeit einer Feuerversicherungs-Policen-Besteuerung sowohl vom Standpunkt einer Ergänzung der Einkommensbesteuerung als vom Gesichtspunkt der Besteuerung nach dem Vorteil aus zu erweisen.

Die eben erörterte Gemeinde-Verkehrssteuer kann sowohl Mobiliar- als Immobiliarbesitz ergreifen. Wichtiger noch ist die auf den letzteren beschränkte A b g a b e v o m U m s a t z v o n G r u n d s t ü c k e n, und zwar sowohl wegen ihrer Ertragfähigkeit auch in der bisherigen einfachsten Form, als wegen ihrer bedeutsamen Entwicklungsfähigkeit. Freilich ist sie bislang, namentlich auch von Praktikern viel zu wenig gewürdigt und infolge dessen auch im Landtage nur kurz berührt, in der Kommission des Abgeordnetenhauses lediglich mit einer gelegentlichen, lokalem Anlass entsprungenen Bemerkung (Bericht. S. 2425), in der Kommission des Herrenhauses freilich unter Hinweis auf ihre Bedeutung (Bericht. S. 406), jedoch (wohl infolge der ungünstigen Geschäftslage) ohne weiteres Eingehen auf die Sache. Diese bisherige fast missachtende Behandlung ist um so auffallender, als *Ad. Wagner* schon seit mehr als 20 Jahren auf die Notwendigkeit der weiteren Ausbildung dieser Steuer hingewiesen hat; und es wird wohl kaum eine andere Erklärung übrig bleiben, als dass infolge der bisherigen schablonenhaften, wesentlich auf dem System der Zuschläge zu den direkten Staatssteuern, namentlich der Einkommensteuer beruhenden Praxis die Augen dieser Steuer gegenüber geradezu gehalten gewesen sind, was auch um so eher verständlich ist, als die auf Einfuhrung einer Umsatzsteuer gerichteten Versuche einzelner Gemeindeverwaltungen bei den Aufsichtsbehörden nicht auf geneigtes Gehör stiessen, so dass auch in den Städten, in welchen Umsatzsteuern bestanden, das Gefühl erweckt wurde, dass es besser sei, an denselben nicht durch Veränderungsversuche zu rütteln.

Es wird zweckmässig sein, zunächst aus einer A n z a h l v e r s c h i e d e n g e a r t e t e r S t ä d t e nähere N a c h w e i s e über die in denselben bestehenden Umsatzsteuern zu geben, wobei auch einige königl. sächsische Städte mitaufgeführt werden, weil ihre Einrichtungen nach e i n e r Seite besonders beachtenswert sind[1]).

In E m d e n wird seit 1670 und nach zeitweiliger Aufhebung unter der holländischen Herrschaft wieder seit 1819 unter dem

---

1) Die Ziffern sind den von den Stadtverwaltungen gutigst mitgeteilten Zusammenstellungen entnommen.

Namen »Siegelgeld« eine Abgabe von 1 Proz. des Kaufpreises
von allen freiwillig oder von Amtswegen verkauften städtischen
Immobilien und Schiffen erhoben. Eine beim öffentlichen Verkaufe von Mobilien und Kaufmannsgütern früher erhobene Abgabe ist 1873 aufgehoben. Die Abgabe kommt jedoch nur im
i n n e r e n Stadtgebiet zur Erhebung. Ihr Ertrag stellte sich in
den Jahren 1888/89 bis 1892/93 auf 5838, 4644, 3482, 3924 und
3556 M. bei einer Einwohnerzahl von 13 659 und einem Erträgnis
der in den betreffenden Stadtteilen aufkommenden Grund- und
Gebäudesteuer von etwa 20 200 M., mithin auf durchschnittlich
21 Proz. der letzteren (schwankend zwischen 17 und 29 Proz.)
und durchschnittlich 0,31 M. (zwischen 0,25 und 0,42 M.) auf den
Kopf der Bevölkerung.

Ein ähnliches Bild zeigt D a n z i g , wo auf Grund von Rat-
schlüssen des vormaligen Freistaates Danzig unter dem Namen
»Kaufschoss« bei jeder Veräusserung eines in der Stadt belegenen
Grundstückes eine Abgabe von 1 Proz. des Kaufpreises erhoben
wird. Bei Verkauf an und von Ascendenten, Descendenten und
Geschwistern wird observanzmässig der Kaufschoss nicht erhoben,
ebensowenig bei Erwerbung durch letztwillige Verfügungen. Die
Einnahme aus demselben schwankt in den letzten 5 Jahren zwischen 60 000 M. und 65 000 M. bei einer Einwohnerzahl von etwa
118 000—123 000 und einem steigenden Erträgnis der Grund- und
Gebäudesteuer von 302 109 M. in 1888/89 bis 320 293 M. in 1892/93.
Sie betrug also etwa 20 Proz. der letzteren und etwa 0,50 M.
auf den Kopf der Bevölkerung.

Weit älter ist die in H i l d e s h e i m unter dem Namen »Lit-
kaufsgeld« mit 0,627 Proz. (gleich der alten Berechnung von 1 Pf.
für den Mariengulden von 20 Mariengroschen) des Kaufgeldes
erhobene Abgabe von Immobiliarverkäufen; dieselbe beruht auf
sehr altem Herkommen und findet sich schon 1374 unter den
städtischen Einkünften unter der Bezeichnung »Litcopespennige«.
Der Abgabe unterliegen innerhalb der alten Stadtthore alle Grundstücke, ausserhalb derselben nur die bewohnten Häuser. Bei
Tausch, Schenkung und Erbschaft wird kein Litkauf bezahlt. Die
Einnahme aus derselben betrug von 1888 bis 1892 15 240; 25 581;
25 060; 24 783; 16 797 M. bei einer Einwohnerzahl von 33 480
und bei einem steigenden Erträgnis der Staats-, Grund- und Gebäudesteuer von 59 555 M. bis 70 107 M.; mithin 25—42 Proz.
der letzteren und durchschnittlich etwa 64 Pf. auf den Kopf. Führt

man vergleichshalber die Abgabe auf 1 Proz. zurück, so würde ihr Ertrag sich auf 40—67 Proz. und etwa 1 M. belaufen.

Aus dem Anfange des Jahrhunderts (1807) stammen die zur Gewinnung von Mitteln zur Verbesserung des Armenwesens eingeführten sog. ½ proz. Abgaben in A l t o n a und K i e l. Sie werden bei allen Kauf- und Tauschverträgen über Immobilien, in Kiel auch bei schenkweisem Erwerb derselben gezahlt.

Die Abgabe erbrachte in K i e l		Die Grund- und Ge- baudesteuer betrug	Die Abgabe betrug also in % der Steuer
1888/89	55 756 M. d. i. auf d. Kopf 0,89 M.	129 711 M.	42,98
1889/90	66 370 » » » » » » 1,01 »	136 969 »	48,46
1890/91	63 558 » » » » » » 0,91 »	144 693 »	43,93
1891/92	52 161 » » » » » » 0,71 »	155 090 »	33,63
1892/93	57 369 » » » » » » 0,75 »	172 467 »	33,26

Bei Zuruckführung auf 1 Proz. ergiebt sich also auf den Kopf ein Ertrag von 1,42 M. bis 2,02 M., und von 66,52 bis 96,92 Proz. der Grund- und Gebäudesteuer.

Die Erträge in A l t o n a sind geringere; indessen kann das günstigste Jahr 1889/90 zu Berechnungen leider nicht benutzt werden, weil im Laufe desselben, am 1. Juli 1889 die Vereinigung von Ottensen stattgefunden hat. Auch mag von gewissem Einfluss gewesen sein, dass am 1. April 1890 drei ländliche Vororte eingemeindet sind. Der im folgenden v e r w e r t e t e höchste Ertrag erreichte also nicht ganz den (1889/90) w i r k l i c h e r r e i c h t e n höchsten Ertrag.

Die Abgabe erbrachte		Grund- u Gebäude- steuer betrug	Die Abgabe betrug in % dieser Steuer
1888/89	73 802 M., d. i. auf den Kopf 0,67 M.	234 588 M.	31,46
1889/90	127 214 » » » » » » — »	— »	—
1890/91	107 382 » » » » » » 0,75 »	308 707 »	34,79
1891/92	87 350 » » » » » » 0,60 »	323 902 »	26,97
1892/93	82 605 » » » » » » 0,55 »	343 587 »	24,04

Bei Annahme von 1 Proz. würde sich mithin ein Ertrag von 1,10 M. bis 1,50 M. auf den Kopf und von 48,08 bis 69,58 Proz. der Grund- und Gebäudesteuer ergeben haben.

Eine noch längere Zahlenreihe (vgl. Tabelle auf S. 436) steht für F r a n k f u r t a. M. zu Gebote, wo von Alters her unter dem Namen »W ä h r s c h a f t s g e l d« eine Abgabe von Immobiliar-Veränderungen erhoben wird. Dieselbe betrug in älterer Zeit 1 Fl. von 100 Fl., wurde dann 1714 auf 50 Kreuzer von 100 Fl. und 1801 auf 20 Kreuzer herabgesetzt, später aber, nachdem an ihre Stelle in den Zeiten der grossherzoglichen Herrschaft eine Registrierungsgebühr von 3 Proz. getreten war, vom Januar 1814

in Frankfurt a. M. 1840—1892 bezw. 1869—189

Jahr	Bevölkerungszahl für das betreffende Kalenderjahr	Ertrag des Währschaftsgeldes			Grundsteuer-soll (ohne Erhebungs- und Veranlagungskosten)		Gebäudesteuersoll		Gesamtsumme der Grund- u Gebäudesteuer			Verhältnis des Währschaftsgeldes zur
		überhaupt		pro Kopf					überhaupt		pro Kopf	
		M.	Pf	M.	M.	Pf	M.	Pf.	M.	Pf.	M	
1840¹)	56 123	45 164	99	0,80	—	—	—	—	—	—	—	
1841	56 175	36 232	63	0.65	—	—	—	—	—	—	—	
1842	56 227	52 768	73	0.94	—	—	—	—	—	—	—	
1843	56 280	43 499	59	0.77	—	—	—	—	—	—	—	
1844	57 000	37 587	33	0.66	—	—	—	—	—	—	—	
1845	57 720	40 870	02	0.71	—	—	—	—	—	—	—	
1846	58 440	40 240	04	0.69	—	—	—	—	—	—	—	
1847	58 732	40 098	30	0.68	—	—	—	—	—	—	—	
1848	59 024	31 896	59	0.54	—	—	—	—	—	—	—	
1849	59 316	26 061	93	0.44	—	—	—	—	—	—	—	
1850	60 381	20 185	16	0.33	—	—	—	—	—	—	—	
1851	61 446	43 027	71	0.70	—	—	—	—	—	—	—	
1852	62 511	48 333	06	0.77	—	—	—	—	—	—	—	
1853	63 093	46 883	49	0.74	—	—	—	—	—	—	—	
1854	63 676	41 723	70	0.66	—	—	—	—	—	—	—	
1855	64 257	52 037	39	0.81	—	—	—	—	—	—	—	
1856	65 496	61 732	29	0.94	—	—	—	—	—	—	—	
1857	66 735	84 961	27	1.27	—	—	—	—	—	—	—	
1858	67 975	77 151	79	1.14	—	—	—	—	—	—	—	
1859	69 171	106 685	47	1.54	—	—	—	—	—	—	—	
1860	70 367	121 318	41	1.72	—	—	—	—	—	—	—	
1861	71 564	127 233	55	1.78	—	—	—	—	—	—	—	
1862	73 791	225 444	93	3.06	—	—	—	—	—	—	—	
1863	76 018	312 786	38	4.11	—	—	—	—	—	—	—	
1864	78 245	220 089	03	2.81	—	—	—	—	—	—	—	
1865²)	78 256	329 621	54	4.21	—	—	—	—	—	—	—	
1866	78 267	140 529	64	1.80	—	—	—	—	—	—	—	
1867	78 277	55 510	59	0.71	—	—	—	—	—	—	—	
1868	81 468	39 505	64	0.48	—	—	—	—	—	—	—	
1869	84 659	81 755	35	0.97	—	—	311 519	27	311 519	27	3.68	26
1870	87 840	126 622	65	1.44	—	—	323 651	98	323 651	98	3 60	36
1871	91 040	258 886	45	2.84	—	—	329 956	59	229 956	59	3.62	78
1872	94 064	551 613	90	5.86	—	—	334 324	50	334 324	50	3.55	164
1873	97 088	785 860	71	8.09	—	—	336 762	40	336 762	40	3.47	233
1874	100 112	436 424	—	4.36	—	—	340 341	—	340 341	—	3.40	128
1875	103 136	365 599	01	3.54	—	—	348 268	20	348 268	20	3.38	104
1876	106 638	255 272	57	2.39	—	—	362 965	60	362 965	60	3.40	70
v. 1. Jan. 1877 bis 31. März 1878	122 702	369 239	93	3.01³)	24 835	72	388 258	50	413 094	22	3.37₄)	88
1878/79	127 412	217 254	21	1.71	24 283	70	423 537	50	447 821	20	3.51	48
1879 80	132 120	163 266	62	1.24	23 913	80	513 243	38	537 157	13	4.07	30
1880/81	136 831	163 055	83	1.20	23 697	81	667 358	—⁵)	691 055	81	5.05	28
1881/82	140 353	235 122	92	1.68	23 576	21	696 505	90	720 082	11	5.13	32
1882/83	143 875	234 516	54	1.63	23 448	78	716 945	70	740 394	48	5.15	31
1883/84	147 397	211 877	71	1.44	23 282	56	730 046	70	753 329	26	5.11	28
1884/85	150 919	279 007	26	1.45	23 129	17	743 971	90	767 100	47	5.08	28
1885/86	154 441	219 224	46	1.42	22 927	81	758 851	10	781 778	91	5.06	25
1886 87	159 557	263 218	71	1.65	22 888	48	777 915	40	800 758	88	5.02	25
1887/88	164 673	297 969	17	1.81	32 494	94	801 181	80	823 676	74	5.00	30
1888/89	169 783	422 865	61	2.49	22 382	23	822 045	70	844 427	93	4.97	50
1889/90	174 905	497 681	28	2.84	22 180	27	841 846	60	864 029	87	4.94	57
1890/91	180 020	443 453	84	2.46	22 014	68	863 432	29	885 446	97	4.92	50
1891/92	184 136	480 451	99	2.60	21 931	28	902 806	47	924 737	70	4.99	51
1892/93	190 252	494 291	93	2 60	21 782	03	953 621	80	965 403	83	5.13	50

1) Die früher als Staatssteuer erhobene Abgabe wird seit dem 1. September 1867 Gemeindeabgabe erhoben.

2) Die vom Preussischen Staate zu veranlagende Gebäudesteuer wurde erst vom J 1869 ab erhoben.

3) Die vom Preussischen Staate zu veranlagende Grundsteuer gelangte erstmals 187 zur Erhebung.

4) Infolge Uebergangs vom Kalender- zum Etatsjahre sind hier 5 Vierteljahre zusam gefasst. Für das Kalenderjahr 1877 würden die bezügl. Erträge pro Kopf 2.41 bezw. 2.70 betra

5) Erhöht zufolge der Gebäudesteuer-Revision.

an wieder mit 1 Proz. und zwar von allen auf Grund lästigen Titels erfolgenden Immobiliarveränderungen erhoben [1]).

Bemerkenswert ist e i n m a l , dass vom 1. Septbr. 1867 an neben diese — kommunal gewordene — Abgabe noch der allgemeine Preussische staatliche Kaufstempel von 1 Proz. trat, d. h. also, dass eine Verdoppelung der Abgabe eintrat, während von 1869 ausserdem die Grund- und Gebäudesteuerbelastung hinzukam, und z w e i t e n s , dass diese Abgabe in neuester Zeit eine E r h ö h u n g um $\frac{1}{3}$ (auf 1 $\frac{1}{2}$ Proz.) erfahren hat; und da dieser Fall m. W. der einzige in Preussen ist, wird es nicht ohne Interesse sein, den Anlass dieser zuständigermassen vom Bezirksausschuss genehmigten Erhöhung zugleich zu erwähnen. Das Erträgnis derselben ist nämlich durch Gemeindebeschluss dazu bestimmt, zum weitaus grösseren Teile die Mittel zur Verzinsung und Tilgung einer grösseren Anleihe zu gewinnen, aus welcher mehrere bereits seit längeren Jahren erörterte Strassendurchbrüche in der inneren Stadt bestritten werden sollen. Massgebend für diese V e r b i n d u n g d e r E r h ö h u n g des Währschaftsgeldes mit den S t r a s s e n d u r c h b r ü c h e n war insbesondere die Erwägung, dass derartige Durchbrüche einen erheblich gesteigerten Umsatz im Grundbesitz hervorzurufen pflegen, welcher sich nicht nur auf die Durchbruchsgegend beschränkt, sondern von hier aus nach allen Seiten anregend und befruchtend wirkt, und dass es auf diese Weise möglich wird, die aus dem Durchbruch in irgend einer Richtung besonders Gewinnenden (Eigentümer, Bauunternehmer u. s. w.) auch für die Kosten desselben in angemessener Weise heranzuziehen und so die Einkommensteuerpflichtigen von der Deckung dieser Ausgaben frei zu halten. Es kann hinzugefugt werden, dass die Erhöhung ohne irgend welche Klagen oder Beschwerden hingenommen worden ist und getragen wird, obwohl der augenblickliche Zeitpunkt weitverbreiteten wirtschaftlichen Druckes an sich keineswegs günstig für diese Steuererhöhung war. Auch der Ertrag ist dadurch in keiner Weise berührt worden, vielmehr — infolge eben der Durchbrüche und anderer zufälliger Umstände — in den bisher abgelaufenen Monaten dieses Jahres erheblich höher gewesen als in irgend einem der letzten Jahre,

---

1) Vgl. *C. L. Franck*, Geschichtl. Darstellung des Währschafts-, Transskriptions-Hypotheken- und Restkaufschillingswesens zu Frankfurt a. Main. 1824. S. 30. 31. 33. 41. 44. 49.

indem er — ohne den Zuschlag — voraussichtlich über 580 000 M. erbringen wird. Ebensowenig ist auf die Mieter ein ungünstiger, steigernder Einfluss hervorgetreten; was übrigens auch schon dadurch ausgeschlossen war, dass zur Zeit infolge einer Ueberproduktion an neuen Häusern zahlreiche Wohnungen leer stehen. Ebensowenig hat die Verdoppelung von 1867 ungünstig gewirkt, wie die gesamten Umsätze von 1870 an im Vergleich mit denjenigen vor 1866 beweisen. Die Jahre unmittelbar nach der Vereinigung mit Preussen (1867, 1868 und 1869) zeigen allerdings ganz besonders niedrige Ziffern; indessen sind diese lediglich auf die infolge der Annexion zunächst eingetretene ungeheure allgemeine Depression zurückzuführen. Es darf also wohl gesagt werden, dass die Umsatzsteuer ihre Fähigkeit, sich einem gesteigerten Bedarf anzupassen, in Frankfurt a. Main leicht und schlagend erwiesen hat.

Ueberblickt man nunmehr die Gesamtziffern der genannten 6 Preussischen Städte, so gewinnt man ein anschauliches Bild der verschiedenartigen Erwerbs- und Verkehrsverhältnisse, welche sich in Bezug auf eine ihrer wichtigsten Seiten in der Umsatzsteuer geradezu widerspiegeln. E m d e n und D a n z i g erscheinen hienach als verhältnismässig ruhige Städte von geringem Umsatz in Grundstücken, welche sich nur dadurch unterscheiden, dass der Wert derselben in Danzig ein höherer ist, so dass bei fast gleichem Prozentsatz von der Grund- und Gebäudesteuer (etwa 20 Proz.) doch der Ertrag auf den Kopf der Bevölkerung in Emden nicht unerheblich geringer (31 gegen 50 Pf.) ist. Den schärfsten Gegensatz hiezu bildet F r a n k f u r t a. Main, welches infolge des Zusammentreffens hoher Werte und starken Umsatzes in 12 der letzten 24 Jahre über 50 Proz. der Grund- und Gebäudesteuer und in den 4 Jahren 1872—1875 gar über 100 Proz., ja einmal über 200 Proz. derselben erbracht und seit 1870 nie unter 1,20 M. auf den Kopf fiel, aber bis auf 8,09 M. in einem Jahre stieg.

Ihm am nächsten steht K i e l mit 1,42 M. bis 2,02 M. auf den Kopf; ja der Prozentsatz von der Grund- und Gebäudesteuer ist sogar wegen verhältnismässig niedrigerer Werte ein höherer (66,52—96,92 Proz.).

In der Mitte halten sich A l t o n a und H i l d e s h e i m, letzteres mit 1 M. auf den Kopf und 40—67 Proz. und ersteres mit 1,10—1,50 M. auf den Kopf und 48,08—69,58 Proz.

Im ganzen schwankt somit der Ertrag — immer bei Annahme

von 1 Proz. — zwischen 31 Pf, und 8,09 M. auf den Kopf der Bevölkerung und von 20 Proz. bis 233,36 Proz. vom Erträgnis der Grund- und Gebäudesteuer.

Zugleich lehren aber die Ziffern, und zwar gerade in den verkehrs- und umsatzreichsten Städten ein starkes Schwanken der einzelnen Jahreserträgnisse, welche auch hierin ihren natürlichen Anschluss an die wirtschaftlichen auf- und niedergehenden Bewegungen zur Anschauung bringen.

Immerhin werden die verschiedenen Zahlen genügen, um auch für andere Gemeinden die Möglichkeit annähernder Schätzung des durchschnittlichen Ertrages einer solchen Steuer zu begründen, und um zu zeigen, dass dieses Erträgnis — wenn man dasselbe etwa mit der Ergiebigkeit der Biersteuer (oben S. 416) oder auch sogar mit der finanziellen Bedeutung der grossen Massregel der Ueberweisung der Grund- und Gebäudesteuer an die Gemeinden in Vergleich stellt — gross genug ist, um in Gemeinden mit mittleren Grundstücksumsätzen eine solche Steuer als eine sehr erwägenswerte erscheinen zu lassen [1]).

Bevor jedoch die Bedeutung und Ausgestaltung der Steuer näher dargelegt wird, soll zunächst noch ein Blick auf die sachsischen Städte L e i p z i g , D r e s d e n und C h e m n i t z geworfen werden, welche bei mannigfacher Verschiedenheit im Einzelnen doch darin übereinstimmen, dass sie eine Abgabe a u c h i m F a l l d e r S c h e n k u n g u n d E r b s c h a f t erheben, während von den Preussischen Städten keine den Erbschaftsfall und nur Kiel den Fall der Schenkung trifft.

In L e i p z i g hat jeder, wer im Stadtbezirke Grundstücke oder dingliche Rechte mit besonderem Folium im Grundbuche erwirbt, sofern dies nicht infolge notwendiger Versteigerung geschicht, eine »Grunderwerbsabgabe« zu entrichten, welche regelmässig $^8/_{10}$ Proz. der Erwerbsumme bezw. des jeweiligen Zeitwertes des Grundstückes — darunter $^2/_{10}$ Proz. für die Armenkasse — und im Fall des Erwerbes auf Grund Erbrechtes oder Vermächtnisses in auf- oder absteigender Linie oder unter Ehegatten $^2/_{10}$ Proz. — darunter $^1/_{10}$ Proz. für die Armenkasse — beträgt. Der Ertrag dieser Abgabe belief sich

---

1) In B e r l i n betrug nach dem Stat. Jahrb. XVI, XVII (1893) S. 246 der feststellbare Kaufpreis der in 1890 freiwillig verkauften Grundstücke 573 806 673 M. Eine Umsatzsteuer von 1 Proz. wurde also 5 738 066 M. erbracht haben.

	bei einer Ein- wohnerzahl	für die Stadtkasse	für die Armenkasse	im ganzen	auf den Kopf
1888	175 163	268 159 M.	95 919 M.	364 078 M.	2,08 M.
1889	2 11 598	372 302 »	129 501 »	501 803 »	2,37 »
1890	281 374	337 872 »	1 22 000 »	459 872 »	1,58 »
1891	362 555	342 394 »	1 27 307 »	469 701 »	1,30 »
1892	378 04 1	265 1 36 »	97 518 »	362 654 »	0,96 »

wobei zu bemerken ist, dass von der Gesamtsumme nur eine verhältnismässig geringe Summe (28 000 M. in 1892 d. h. etwa
7,7 Proz.) auf die Erbschaftsabgabe von $^2/_{10}$ Proz. entfiel.

In D r e s d e n' wird eine gleichmässige Abgabe bei j e d e r
Art von Grunderwerb (Eigentum wie rechtlich gleichgestellten
Berechtigungen) mit Ausnahme nur des Erwerbes bei notwendiger Versteigerung. erhoben, welche »von jedem hundert Thaler
der Erwerbs- oder Wertsummen« 10 Ngr. für die Armenkasse,
5 Ngr. für die städtische Schulkasse und 5 Ngr. für die städtische
Feuerlöschgerätskasse, im ganzen also 20 Ngr. auf $^2/_{100}$ Thaler
d. i. 2 M. auf 300 M. oder 0,66 Proz. beträgt. Jedoch wird der
letztgenannte Teil der Abgabe nur bei bebauten Grundstücken
erhoben. Ausserdem gelangt noch für die evangelisch-lutherischen
Gemeinden auf Grund alten Herkommens ein gewisser Zuschlag
zur Abgabe zur Erhebung, welcher hier unberücksichtigt bleibt.
Die Einnahme der Stadt aus dieser Steuer belief sich auf:

	Einwohner-Zahl (einschl ca. 7000 Militar)	Armenkasse	Schulkasse	Feuerlösch- kasse	im ganzen	auf den Kopf
1887	255 2 18	1 91 703 M.	97 542 M.	9 1 830 M.	37 1 075 M.	1,45 M.
1888	261 1 57	186 8 13 »	94 151 »	81 883 »	362 847 »	1,39 »
1889	267 236	254 077 »	128 888 »	1 11 119 »	494 084 »	1,85 »
1890	273 456	292 549 »	147 6 12 »	130 402 »	570 563 »	2,09 »
1891	280 200	233 439 »	122 021 »	106 044 »	461 504 »	1,65 »

Die in der Stadt C h e m n i t z beim Erwerb von Grundstücken
und mit besonderem Folium ausgestatteten Berechtigungen an
die Stadtverwaltung zu entrichtende Abgabe beträgt
        a. im Falle zwangsweiser Versteigerung $^1/_3$ Proz. an die
Schulkasse und beim Erwerbe auf Grund Erbrechtes oder Vermächtnisses $^1/_3$ Proz. an die Armenkasse und
        b. in allen übrigen Fällen $1^6/_6$ Proz., wovon 1 Proz. für die
Stadtkasse, $^2/_3$ Proz. für die Armenkasse und $^1/_6$ Proz. für den
geistlichen Gemeindekasten bestimmt ist.
        Der Ertrag belief sich auf:

	Einwohnerzahl	zu a	zu b	insgesamt	auf den Kopf
1888	123 790	1 2 007 M.	353 353 M.	365 360 M.	2,95
1889	130 180	5 858 »	334 530 »	340 388 »	2,62
1890	137 190	11 119 »	308 145 »	3 19 264 »	2,33
1891	139 730	8 636 »	242 6 19 »	251 255 »	1,80
1892	140 260	1 3 1 32 »	1 66 639 »	1 79 77 1 »	1,28

In jetziger Höhe von 1⁵/₆ Proz. besteht diese Abgabe erst seit 1861, bis zu welchem Zeitpunkte sie — seit 1821 — mit 1 Proz. erhoben wurde.

Auch diese sächsischen Grunderwerbsabgaben, deren Ziffern sich freilich mit den oben genannten Preussischen Umsatzsteuern nicht unmittelbar vergleichen lassen, beweisen sonach übereinstimmend die Einträglichkeit derselben in verkehrsreichen Städten.

Die kommunale Umsatzsteuer, deren gegenwärtige Einrichtungen und Erträge am Beispiel einzelner Städte bisher vorgeführt sind, berührt sich auf das Engste mit der s t a a t l i c h e n S t e m p e l a b g a b e oder staatlichen Steuern von Verträgen über Immobilien; es wird daher erforderlich sein, auch dieser staatlichen Abgaben kurz zu gedenken, und zwar um so mehr, als in den meisten Ländern diese Besitzwechselabgaben bisher überhaupt mehr als staatliche denn als Gemeindeabgaben zur Ausbildung gelangt sind. Was zunächst P r e u s s e n anlangt, so beträgt der für Kauf- und Tauschverträge von Immobilien zu zahlende Stempel 1 Proz.; im Königreich S a c h s e n kommt auch bei Kaufverträgen nur der allgemeine Vertragsstempel von ¹/₁₀ Proz. zur Erhebung; in den Stadtstaaten B r e m e n und H a m b u r g wird eine Abgabe von 1 ¹/₂ bezw. 2 Proz. erhoben; in B a y e r n erhebt der Staat 2 Proz., in B a d e n 2¹/₂ Proz., dagegen in O e s t e r r e i c h 3¹/₂ und in E l s a s s - L o t h r i n g e n 5¹/₂ Proz. (einschliesslich der Gebühr für die Hypothekenbucheinschreibung).

Die letztere wesentlich höhere Ziffer führt zugleich zu den von F r a n k r e i c h beeinflussten Staaten hinüber. In den Schweizer Kantonen [1] N e u e n b u r g und G e n f wird sie mit 4 Prozent, freilich in W a a d t — wo sie früher mit 4 Proz., dann von 1863 bis 1885 mit 3 Proz. erhoben wurde — und in B a s e l s t a d t nur mit 2 Proz., und ebenso auch in H o l l a n d, wo sie früher 5,5² Proz. betrug, seit Mai 1893 nur noch mit 2 Proz. erhoben. Da-

---

1) Vgl. hiezu *G. Schanz*, Die Steuern der Schweiz in ihrer Entwicklung seit Beginn des 19. Jahrh. Bd. I, 1890. S. 160. 161. 217. — Die Angaben über Belgien und Holland verdanke ich gefälliger privater Mitteilung.

gegen steigt sie in Belgien auf 6,75 Proz. und in Frankreich
einschliesslich des nach dem Kriege von 1870 eingeführten Zuschlages von 25 Proz. auf 6,875 Proz. Während also in Holland
und im Kanton Waadt eine erhebliche Herabsetzung eingeführt
und auch in der übrigen Schweiz die bäuerlichen Kreise, ebenso
wie die Vertreter der Landwirtschaft in Deutschland auf ihre
Aufhebung oder doch Verminderung dringen, finden wir in Belgien und in Frankreich eine, nach unsern Gewöhnungen ganz
ausserordentlich hohe Abgabe. In Betreff Frankreich's muss hier
besonders auf *Ad. Wagner*, Finanzwissensch. Bd. III, S. 398 ff.,
515. 525. 543. 579 (1889) verwiesen werden, welcher das Uebermass des Fiskalismus in der Ausbildung dieser Besitzwechselabgabe und die unverhältnismässig starke Belastung des Immo-
biliarbesitzes zwar rügt, zugleich aber auch hervorhebt, wie
leistungsfähig und elastisch sich das französische System der Verkehrsbesteuerung — in welchem die Besitzwechselabgabe eben
eines der wichtigsten Glieder ist — zur Bewältigung der unge-
heuern Mehrerfordernisse nach dem Kriege von 1870 erwiesen
hat. (Enregistrement 1869: 372 Mill. — 1881: 571,8 Mill. Fr.)
»Der Einfluss der wirtschaftlichen Verkehrslage auf Zahl, Ort und
Höhe der Umsätze, daher auf den Steuerertrag (ist) zu durch-
schlagend, als dass selbst so hohe Steuersätze, wie die französischen eine starke Verminderung der Umsätze und damit der
Erträge herbeiführten. Erst mit dem Rückgang der Geschäfte
von 1882 an erlitten die Einnahmen des Enregistrements auch
Verminderungen ... Eine Ueberspannung einer solchen Steuer,
wenigstens unter gewissen Verhältnissen, wird hier zuzugeben
sein« (a. a. O. S. 407).

Dieser kurze Ueberblick über die staatliche Immobiliar-Be-
sitzwechselabgabe, welcher auf der einen Seite sowohl die ausserordentliche Elastizität derselben, als die neuerdings gegen sie
erhobenen Angriffe vor Augen stellt, zeigt andererseits zugleich,
wie gerade in Preussen der niedrige staatliche Stempel den Gemeinden die in andern Ländern mehr oder weniger verschlossene,
Möglichkeit eröffnet, diese Abgabe in angemessener Weise
zu einem Gliede des Gemeindesteuersystems aus-
zubilden — eine Entwicklung, welche in der neueren Litteratur
mehr und mehr als berechtigt anerkannt, und auch bereits in der
Praxis hervorgetreten ist, indem auch in Ländern wie die Schweiz,
in denen gegen die Abgabe als Staatsabgabe stärkere Gegner-

schaft erwachsen ist, den Gemeinden noch neuerdings gestattet
wurde, sie für sich zu erheben, so in St. Gallen und Graubünden
(*Schanz* a. a. O. S. 218).

Ausser *Ad. Wagner*, welcher schon seit dem Eisenacher
Kongress (1872) auf diese Ausbildung hingedrangt und sie insbesondere auch bei den Verhandlungen des Kongresses für Sozialpolitik über die Kommunalsteuerfrage 1877 (vgl. K.A.G. S. 40. 41)
empfohlen hat, sind hier insbesondere *R. Friedberg,* Die Besteuerung der Gemeinden. 1877. S. 77, *Schäffle*, Die Grundsätze der
Steuerpolitik. 1880. S. 518. 578. *Roscher,* Finanzwissensch. 3. Aufl.
1889. S. 746. *G. Schanz* a. a. O. S. 160. 161. 217—219. *Eheberg* in Conrad's Handwörterbuch III, S. 778 (1892) und *Schall*
in Schönberg's Handbuch III, S. 506 (3. Aufl. 1891) zu nennen,
welche übereinstimmend einen Anteil der Gemeinde an dieser
Abgabe, bezw. kommunale Zuschläge der staatlichen Abgabe für
angezeigt erachten.

In der That muss die G e m e i n d e, und zwar ganz besonders vom Standpunkte des neuen Preuss. K.A.G. aus, als die zur
Erhebung einer solchen Abgabe in e r s t e r L i n i e b e r u f e n e
Körperschaft angesehen werden. Denn diese Abgabe ist eine
I m m o b i l i a r - Besitzwechsel-Abgabe, und es ist von der Staatsregierung wieder und wieder als eine der wesentlichsten A u f-
g a b e n des K.A.G. bezeichnet worden, den G r u n d b e s i t z,
welcher als solcher zur staatlichen direkten Besteuerung künftighin gar nicht mehr herangezogen wird, in einer seiner Stellung
und den ihm aus dem Gemeindeverband erwachsenden Vorteilen
entsprechenden Weise z u d e n G e m e i n d e l a s t e n h e r a n-
z u z i e h e n (vgl. K.A.G. S. 131—140). Nun bietet aber eine erweiterte Heranziehung des Grundbesitzes auf dem Wege der hergebrachten direkten Steuer nach Massgabe des Ertrages sehr
grosse Schwierigkeiten, und wie in den Landtagsverhandlungen
einerseits von ländlichen wie städtischen Abgeordneten die Schwierigkeit, ja Unmöglichkeit betont wurde, dem Grundbesitz als
solchen ohne Rücksicht auf die Vermögenslage des Besitzers in
steigendem Umfange Lasten aufzuerlegen, so wurde anderseits
auch von den Vertretern der Regierung anerkannt, dass jede
Steuer, welche ohne Rücksicht auf den Schuldenstand aufgelegt
wird und überhaupt die individuelle Leistungsfähigkeit gar nicht
berücksichtigt, ihrer Natur nach nur eine sehr beschränkte Höhe
verträgt (vgl. K.A.G. 248 und 377). Jede Erhöhung einer Grund-

und Gebäudesteuer, welche ohne Rücksicht darauf, ob die Erträge oder die Werte steigen oder abnehmen, aufgelegt wird, wird
daher stets von allen verschuldeten Besitzern — und diese bilden
insbesondere auch in den Städten die grosse Mehrheit — als
eine drückende und ungerechte empfunden und nur mit grösstem
Unwillen getragen werden. Die in Preussen regierungsseitig vielfach bethätigten Versuche, einen Teil der Einkommensbesteuerung
durch Zuschläge zu den Realsteuern zu ersetzen, haben daher
bislang auch niemals zu nennenswerten Erfolgen geführt, und auch
die jetzige Ueberweisung der staatlichen Grund-, Gebäude- und
Gewerbesteuer wird, wenn das bisherige Besteuerungssystem dem
Grundbesitz gegenüber festgehalten wird, nur zu Augenblicks-
und Scheinerfolgen führen; denn die Belastung des Grundbesitzes
über das bisherige Mass hinaus wird dann künftig genau dieselben
Schwierigkeiten finden, welche bislang die angemessene Heranziehung des Grundbesitzes hintangehalten haben. Und es kann
kaum zweifelhaft erscheinen, dass die bisherigen Klagen der Haus-
und Grundeigentümervereine über ungerechte Vorausbelastung
des Grundbesitzes und die bisher schon hervorgetretenen Versuche,
eine Berücksichtigung der Schulden bei Veranlagung der Realsteuern herbeizuführen, auch fernerhin sich mit unveränderter
Energie bemerkbar machen und der Fortentwicklung des Real-
steuerwesens dieselben Hemmnisse wie bisher entgegenstellen
werden, wenn es nicht gelingt, die G r u n d b e s i t z b e s t e u e -
r u n g l e i c h t e r e r t r ä g l i c h u n d e i n l e u c h t e n d e r z u
g e s t a l t e n.

Und doch erscheint es gegenüber der k o l o s s a l e n W e r t -
s t e i g e r u n g d e s G r u n d b e s i t z e s in zahlreichen deutschen
Gemeinden fast wie ein Hohn oder Scherz, wenn die Unmöglichkeit seiner stärkeren steuerlichen Heranziehung ernsthaft behauptet wird. Fast von Beginn eingehender Erörterungen über
das Gemeindesteuerwesen an ist die Tragfähigkeit und die Steuer-
pflichtigkeit des Grundbesitzes in schärfster und überzeugendster
Weise hervorgehoben, und schon 1866 führte *Dr. Alexander Meyer*
in den Preuss. Jahrbüchern (Bd. 18, S. 170, vgl. K.A.G. S. 4) zutreffend aus: »Auf den Preis keines andern Gegenstandes (übt)
das Zusammenleben vieler Menschen einen so durchgreifenden
Einfluss aus, wie auf den des Grund und Bodens ... Was hat
der Eigentümer gethan, seinem Besitztum einen so hohen Wert
zu verleihen? er selbst ... nicht das geringste. Aber hundert-

tausend fleissige Menschen haben sich rings umher angesiedelt, arbeiten und verzehren, kaufen und verkaufen und machen sich diesen Raum streitig, um auf demselben zu wirken ... Eben der Umstand, der den Ertrag erhöht hat, verursacht nun aber Kosten zur Abwendung von Schädlichkeiten und Gefahr, zur Erhöhung des Nutzens, und ich sollte mich weigern, von dem auf das Hundertfache gestiegenen Ertrage den zehnten Teil zur Bestreitung dieser Kosten wieder herzugeben? ... Gemeindesteuern sind die Voraussetzung des örtlichen Gemeindeverbandes, der örtliche Gemeindeverband ist die Voraussetzung lohnender Arbeit, lohnende Arbeit ist die Voraussetzung hohen Grundwertes. Die Gemeindesteuern kommen in überwiegendem Masse dem Grundbesitzer zu statten« — und andere, insbesondere *Ad. Wagner* haben seitdem in gleicher Weise auf die Notwendigkeit angemessener Besteuerung dieser wachsenden Grundwerte hingewiesen. Auch ist schon bei dem ersten Versuch der Schaffung eines einheitlichen Preussischen Gemeindesteuerrechtes (1877—1880) von seiten der Regierung wie der Abgeordneten der Baustellensteuer als einer überaus gerechten und einträglichen besonders gedacht (vgl. K.A.G. S. 55. 69. 71), und auch in den neuesten Verhandlungen ist wiederum in energischer Weise die Gerechtigkeit und Ergiebigkeit dieser in der Steigerung der Grundwerte gegebenen Steuerquelle hervorgehoben (vgl. K.A.G. S. 169. 170). Freilich geschah dies meist im Hinblick auf die direkte Besteuerung, über deren Schwierigkeiten erst in einem folgenden Aufsatz zu handeln sein wird: immerhin ist es von Wichtigkeit, festzustellen, dass in Bezug auf die Notwendigkeit angemessener Besteuerung dieser in ihrem Wert gesteigerten Grundstücke keinerlei Meinungsverschiedenheit besteht.

Noch in einer andern Beziehung haben die neuesten Verhandlungen zur Erkenntnis des entscheidenden Gesichtspunktes in hervorragendem Masse beigetragen. · Die — oben S. 413 bereits erwähnte — entschiedene Hervorkehrung des Gedankens der Besteuerung nach dem Interesse musste nämlich sehr bald zu der Erwägung führen (vgl. K.A.G. S. 248. 249), dass viele der gemeindlichen Veranstaltungen zwar dem Grundbesitz, k e i n e s - w e g s aber a l l e m Grundbesitz, sondern nur einem Teile desselben zu Gute kommen, während sie einem andern Teile vielleicht geradezu Schaden bringen, wie z. B. Aufwendungen für neue Stadtteile, Strassendurchbrüche im Innern, welche andern

Gegenden Mieter entziehen u. a. m. Indem nun das neue K.A.G.
— im Anschluss an die bereits vielfach aus den Gemeinden selbst
heraus erfolgten Bildungen — für solche Fälle die Auferlegung
von Vorausbelastungen vorschreibt, giebt es zugleich dem Gedanken Ausdruck, dass neue Lasten dem Grundbesitz in d e m
Augenblicke auferlegt werden müssen, in welchem ihm Vorteile
irgend welcher Art zuwachsen, sei es durch gemeindliche Uebernahme von Arbeiten, welche bisher die Eigentümer zu besorgen
hatten (etwa Strassenreinigung, Abfuhr des Hausunrats u. a. m.),
sei es durch Ausführung wertsteigernder Unternehmungen, wie
Kanalisationen, Eindeichungen u. s. w.

Und dieser Gedanke ist es auch, der allein im Stande ist,
überhaupt die Lösung des Problems einer rationellen Grundbesitzbesteuerung herbeizuführen. Die S t e u e r e r h ö h u n g s o l l —
abgesehen von besonderen Fällen und insbesondere von denjenigen
Fällen, in denen bislang eine ungerechte Besteuerung vorhanden
war, welche des Ausgleiches bedarf — regelmässig nur dann,
aber auch immer dann erfolgen, wenn es sich um Ausgaben handelt,
welche zur Erhaltung des bisherigen Ertrages oder Wertes des Grundbesitzes gemacht werden müssen oder wenn infolge irgend welcher
Umstände der Grundbesitz eine Wert- oder Ertragssteigerung erfährt — und besonders in diesem letzten wichtigeren Falle, in
welchem in gewissem Sinn diese W e r t e r h ö h u n g oder E r-
t r a g s z u n a h m e selbst das eigentliche Steuerobjekt bildet, ist
die Wahrheit des soeben (S. 445) angeführten Meyer'schen Satzes:
»und ich sollte mich weigern, von dem auf das Hundertfache gestiegenen Ertrage den zehnten Teil zur Bestreitung dieser Kosten
wieder herzugeben?« so einleuchtend, dass Klagen und Beschwerden, welche auch nur einen Anschein von Begründung haben,
dagegen nicht erhoben werden können.

Inwieweit und auf welchem Wege hiebei die direkte B e-
s t e u e r u n g eine Lösung des Problems bringen kann, wird im
folgenden Aufsatz näher zu prüfen sein: hier war zunächst sowohl
für die direkte wie die indirekte Besteuerung die gemeinsame
Grundlage zu schaffen, um auf derselben nunmehr die I m m o-
b i l i a r - U m s a t z s t e u e r als die zur Bewältigung wenigstens
einiger Teile der Aufgabe vorzüglich g e e i g n e t e i n d i r e k t e
G e m e i n d e s t e u e r aufzubauen.

Nach dem Ausgeführten wird es kaum noch erforderlich
sein, auf die gegen die Umsatzsteuer als Staatssteuer vielfach,

insbesondere auch von *Schäffle* a. a. O. S. 515 ff. geäusserten Bedenken [1]) näher einzugehen, da sie — zum grossen Teil auch ausdrücklich — nur gegen die Ausdehnung derselben auf das ganze Staatsgebiet erhoben sind und ihre Bedeutung verlieren, wenn die Steuer nur in denjenigen Gemeinden eingeführt wird, in welcher sie die oben geschilderte Aufgabe erfüllen kann, d. h. wenn auf der einen Seite zunächst alle rein landwirtschaftlichen Gemeinden ausgeschieden und andererseits diejenigen Gemeinden in erster Linie in Betracht gezogen werden, in denen die Bevölkerung und damit der Grundwert wächst und gewerbliche Geschäftigkeit, Handel und Verkehr zu öfterem Besitzwechsel führt.

Insbesondere ist bei dieser Ausscheidung nicht zu vergessen, dass die Besitzwechselsteuer auch noch eine andere Seite hat als die: eine Immobiliarsteuer zu sein, dass sie nämlich zugleich eine i n d i r e k t e Verkehrssteuer ist und mithin vor der direkten Besteuerung alle diejenigen bekannten Vorteile voraus hat, welche insbesondere in Frankreich zu einer so weiten Ausdehnung der Verkehrssteuern geführt haben und welche auch in Preussen bei der nunmehr schärfer als irgendwo sonst durchgeführten direkten Besteuerung erhöhte Aufmerksamkeit verdienen. Es wird im allgemeinen wohl nicht zweifelhaft sein können, dass die nur bei besonderen Gelegenheiten, wenn doch einmal eine grössere Summe ausgegeben werden muss oder eingenommen wird, zu zahlende Besitzwechselabgabe leichter getragen wird als eine jahraus, jahrein in vierteljährlichen Raten immer wieder zahlbare Grund- und Gebäudesteuer [2]) von entsprechender Höhe, d. h. nach dem oben S. 438 Gesagten: es wird regelmässig leichter sein, eine 1 prozen-

---

1) Insbesondere verliert das von *Schäffle* a. a. O. und von *Ad. Wagner* an verschiedenen Stellen der Finanzwissenschaft z. B. Bd. II, S. 554, § 226, 2. Aufl. 1890. III, S. 542, § 225 geäusserte Bedenken, dass Besitzwechselabgaben den Grundbesitz, namentlich den ländlichen, im Verhältnis zum Mobiliarbesitz zu stark belegten, einer Gemeinde-Umsatzsteuer gegenüber und angesichts der Aufgabe, den Grundbesitz in der Gemeinde stärker als bisher zu belasten (vgl. auch oben), durchaus sein Gewicht. Ueberhaupt e r w a c h s e n d e r w i s s e n s c h a f t l i c h e n D a r s t e l l u n g a u s d e r U e b e r w e i s u n g d e r G r u n d b e s i t z b e s t e u e r u n g a n d i e G e m e i n d e n e i n e g a n z e F ü l l e v e r ä n d e r t e r G e s i c h t s p u n k t e u n d n e u e r A u f g a b e n. Näheres hierüber im zweiten Aufsatz.

2) In Frankreich hat man deshalb kein Bedenken getragen, 1873 25 Proz. Zuschlag zur Umsatzgebühr, obwohl diese schon 5,50 Proz. betrug, einzuführen, sich dagegen gehütet, die direkten Immobiliarsteuern zu erhöhen. *Wagner* a. a. O. S. 399. 402.

tige Besitzwechselabgabe einzuführen als eine Grund- und Gebäude-
steuererhöhung zu bewirken, welche je nach der wirtschaftlichen
Lage auch in Orten mit mittlerem Verkehr, um entsprechend zu
sein, 25—50 Proz. betragen müsste. Gegenüber diesen psycho-
logischen Gründen kommen auch die Bedenken nicht auf, welche
daraus hergeleitet werden können, dass unter Umständen für e i n
Grundstück bei öfterem Besitzwechsel wiederholte und dadurch
hoch anschwellende Abgaben gezahlt werden müssten, während
gerade der lange in e i n e r meist starken Hand befindliche Besitz
verschont bleibe, dass die Steuer vielfach gerade den in Not befindlichen schwächeren Verkäufer treffe, auf den sie der Käufer
abwälze u. s. w., zumal es keineswegs unmöglich ist diese Bedenken durch entsprechende Einrichtung der Steuer teilweise
hinwegzuräumen. Und gerade für die Umsatzsteuer, für welche
die überall schwierige Frage der Ueberwälzung, die Frage, wer
die Steuer eigentlich trägt, im allgemeinen gar nicht und im einzelnen Falle auch nur sehr selten beantwortet werden kann, weil
die in Betracht kommenden Umstände gar zu zahlreich sind, ist
dieses letztere Moment von ausserordentlicher Bedeutung für die
Erscheinung der Steuer, als einer leicht erträglichen und wenig
fühlbaren. Im übrigen wird es ja keiner Steuer gelingen können
— und am wenigsten gerade der bisherigen Ertragsbesteuerung —,
in a l l e n Fällen allen Forderungen der Billigkeit gerecht zu werden; man wird dies also auch nicht von der Besitzwechselabgabe verlangen dürfen, wie es sich denn bei der Auswahl verschiedener Steuern überhaupt immer nur um die Herausfindung
der r e l a t i v z w e c k m ä s s i g e r e n handeln kann *(Ad. Wagner,*
Fin.Wiss. III, S. 518, § 215).

Wenn hienach die Immobiliar-Umsatzsteuer wegen ihrer Eigenschaft als indirekte Steuer schon in ihrer bisherigen einfachen
Gestalt und auch für die Gemeinden mit mässigem Grundbesitz-
wechsel gewisse erhebliche praktische Vorzüge vor Grund- und
Gebäudesteuerzuschlägen besitzt, so gewinnt diese Steuer eine
weitaus erhöhte Bedeutung in allen denjenigen zahlreichen städtischen wie ländlichen Gemeinden, in denen die Bevölkerung rasch
wächst, der Gewerbfleiss blüht, industrielle Anlagen neu erstehen
oder sich erweitern, der Grundbesitz leicht von Hand zu Hand
geht und die Grundwerte steigen. Hier bildet die Besitzwechselabgabe nur den ›gesellschaftlichen Anteil‹ der Gemeinde *(Ad.*
Wagner II, § 226. 236, S. 554. 579) an dem ohne Zuthun der

Grundeigentümer wachsenden Kapitalwert des Grund und Bodens und die französischen Zahlen zeigen (vgl. S. 442), wie schwere Lasten die Wogen raschen Verkehrs tragen können. Allerdings hat man, und insbesondere *A. Wagner* allgemein (Fin.Wiss. II, § 229, S. 561. 562) die Forderung aufgestellt, dass die Umsatzsteuer, soweit sie sich nicht auf geringe Beträge beschränkt, nicht vom ganzen Kapitalwert, sondern nur von dem Gewinn erhoben werde, da eine allgemeine Voraussetzung, dass jede Besitzveränderung mit Gewinn verbunden sei, nicht zutreffe. Allein, wenn letztere Bemerkung auch im allgemeinen nicht bestritten werden kann, so gilt doch für aufstrebende Gemeinden und für längere Zeiträume, wie auch *Wagner* selbst anerkennt, der Satz, dass der Grundwert im ganzen steigt und also jeder Eigentümer — von besonderen, ihn persönlich von diesem Gewinn ausschliessenden Umständen abgesehen — im Lauf der Zeit bei Veräusserung seinen Anteil an dieser Wertsteigerung realisiert: diese im allgemeinen zutreffende Betrachtung muss aber genügen, um für Gemeinden der genannten Art die Berechtigung auch zu einer in allen Fällen und ohne weiteres zahlbaren namhaften Besitzwechselabgabe vom ganzen Verkaufswert der Liegenschaften zu begründen, da eben im grossen und ganzen die Wertsteigerung vorhanden ist und die Ausnahmsfälle hier so wenig wie sonst berücksichtigt werden können. Allerdings soll damit über die A u f g a b e d e r U m s a t z s t e u e r i n B e z u g a u f E r f a s s u n g d e s K o n - j u n k t u r g e w i n n e s , welche *Ad. Wagner* der Praxis seit 1872 gestellt hat, und die Möglichkeit ihrer Lösung noch kein Urteil gefällt sein: es bedarf hiezu einer ausführlichen Betrachtung, welche indessen erst in dem folgenden Aufsatz in Verbindung mit der Frage der Neugestaltung der Ertragssteuern und der Baustellensteuern gegeben werden kann [1]).

---

1) Ueber die grossen Schwierigkeiten, welche sich einer rationellen Gestaltung der B a u s t e l l e n s t e u e r aus der Fassung des § 27 des K.A.G. entgegenstellen, vgl. einstweilen K.A.G. S. 337—339 und über die B e s t e u e r u n g d e s K o n - j u n k t u r g e w i n n e s *A. Wagner*, Finanz-Wissensch. II, 2 Aufl. 1890, §§ 224—240, S. 547—588, besonders S. 581. 582 und die S. 567 genannten. — Ausserdem hat unter dem Titel »Entwurf einer Bauplatzsteuer« neuerdings *Rud. Eberstadt* in den Preuss. Jahrb. Bd. 74. 1893 S. 466—481 — im Anschluss an seine Erörterungen über Reformen im Bauwesen und anscheinend ohne Kenntnis der *Wagner'*schen Ideen — den Gedanken einer s t a a t l i c h e n U m s a t z s t e u e r vom Verkauf von Grundstücken entwickelt, welche nur den 2500 M. pro Hektar übersteigenden Bodenpreis — unter Absatz der Gebäudewerte — mit Sätzen von $1/2$ bis 4 Proz. treffen soll Auch hierauf kann erst im folgenden Aufsatz eingegangen werden.

Hier war nur zunächst der Nachweis zu versuchen, dass die
für eine staatliche Besitzwechselabgabe entscheidenden Gesichtspunkte für eine Umsatzsteuer als Gemeindeabgabe keineswegs
ohne weiteres zutreffen, und dass letztere in zahlreichen Gemeinden
auch schon in ihrer einfachsten Form, als Proportionalabgabe
vom Kapitalwert wohl gerechtfertigt sein kann, wobei kaum besonders hervorgehoben zu werden braucht, dass einfachen Formen
gerade im Steuerwesen an sich schon ein bedeutender Vorzug
vor undurchsichtigeren und im Verkehr von den Interessenten
deshalb nicht völlig zu übersehenden Einrichtungen zukommt.
Ein Geschäftsmann stellt eben in seine Rechnung lieber einen
höheren aber sicheren, als einen unsicheren, wenn auch unter
Umständen niedrigeren Posten ein. Und für die Praxis, namentlich in Gemeinden, in denen bisher eine Umsatzsteuer nicht bestand, wird voraussichtlich die einfache Form schon deshalb an-
nehmbarer erscheinen, weil es sich bei ihr um eine unter den
mannigfachsten und schwierigsten Verhältnissen bewährte Einrichtung handelt, während der Konjunktursteuer trotz theoretischer
Vorzüge jedenfalls zur Zeit noch die Feuerprobe der Erfahrung
fehlt. Die Anerkennung des Existenzrechts auch für die bisherige einfache Form ist somit von sehr erheblicher praktischer
Bedeutung, und an dieser Stelle war daher zunächst diese, unabhängig von der im zweiten Aufsatz [1]) zu versuchenden feineren
Ausgestaltung der Steuer, zu begründen.

Es ist nunmehr noch die Frage zu berühren, w e m d i e s e
B e s i t z w e c h s e l a b g a b e   a u f z u e r l e g e n ist. In den
meisten Städten ist der E r w e r b e r der Steuerpflichtige; eine
Ausnahme macht besonders F r a n k f u r t a. M., wo Käufer und
Verkäufer je zur Hälfte pflichtig sind. Auch in den übrigen
Städten kommt es aber nicht selten vor, dass die Parteien sich
über eine solche halbschiedliche Tragung der Steuer einigen,
wenn auch der Gemeinde gegenüber lediglich der Käufer haftet.
Die Heranziehung des Verkäufers würde insbesondere dem Gedanken Ausdruck verleihen, dass die Wertsteigerung getroffen

---

1) Erst im zweiten Aufsatz kann auch die im K.A.G. S. 272. 273. 300—307.
315 nur gestreifte Frage näher erörtert werden, inwieweit für die Umsatzsteuer in einzelnen Stadtteilen, insbesondere im Stadterweiterungsgebiet erhöhte Sätze festzustellen
sind, um auf diese Weise eine Deckung der Stadterweiterungskosten zu erlangen. Vgl.
einstweilen hiezu auch m e i n e n Aufsatz in *Braun's* Archiv für soziale Gesetzgebung.
Bd. VI, S. 446 ff. (Ueber Umlegung und Zonenenteignung.)

werden soll; indessen ist auf die Regelung dieser Frage kein grosses Gewicht zu legen, da die F r a g e , w e r die Steuer endgültig t r ä g t, sich, wie gesagt, zunächst nach der Vereinbarung der Parteien, zugleich aber auch nach einer ganzen Reihe schwer übersehbarer Umstände entscheidet (vgl. oben S. 448). Die Steuerpflicht des Käufers hat jedenfalls den Vorzug, dass der Eingang der Steuer am besten gesichert ist.

Von grösserer Bedeutung ist die Frage nach der B e g r e n z u n g d e r A b g a b e p f l i c h t. Zur Zeit beschränkt die letztere sich in den meisten Städten (vgl. S. 434 u. ff.) auf entgeltlichen Erwerb, in Kiel erstreckt sie sich auch auf Schenkungen und in den sächsischen Städten auch auf letztwilligen Erwerb.

Die Ausdehnung auf den letzteren Fall ist von *Schall* a. a. O. S. 506 mit Recht als eine Forderung der Gerechtigkeit bezeichnet, da sonst gerade die steuerfähigsten Besitzer, welche ihren Besitz Generationen hindurch festhalten, und zugleich durch die Wertsteigerung langer Perioden die höchsten Gewinne machen, in unbilliger Weise bevorzugt werden. Die in gewissen Erbfällen in Preussen schon j e t z t e r h o b e n e s t a a t l i c h e E r b s c h a f t s s t e u e r trifft nur die subjektive Bereicherung, während es sich bei dieser Liegenschaftsabgabe um eine Steuer vom objektiven Wert handelt, wobei es indessen wohl zulässig erscheint, für — irgendwie zu bestimmende — Fälle fehlender oder verminderter Leistungsfähigkeit die Steuer gar nicht oder in geringerer Höhe zu erheben und dabei die Verwandtschaftsgrade angemessen zu berücksichtigen, wie dies in Leipzig und Chemnitz allgemein geschieht, während in Dresden in allen Fällen derselbe Satz von 0,66 Proz. zur Erhebung kommt (oben S. 439). Namentlich bei dem Erbesübergang auf Abkömmlinge wird sorgfältig darauf Bedacht zu nehmen sein, dass nicht Härten entstehen, welche die ganze Abgabe zu einer missliebigen machen [1]). Insbesondere wird es sich wohl empfehlen, in den letzten Fällen die Abgabe nur dann zu erheben, wenn in den letzten Jahren kein Besitzwechsel erfolgt ist und sie beim nächsten Wechsel anzurechnen, wenn derselbe bald nach dem Erbfall erfolgt. Inwieweit ausserdem für die dem Verkehr entzogenen G ü t e r d e r t o t e n H a n d

---

1) Weitergehend als diese Immobiliar-Umsatzsteuer in Erbfällen ist die namentlich in der Schweiz sich findende Beteiligung der Gemeinden an der Erbschaftssteuer. Vgl. *Schanz* a. a. O. S. 217, welcher diesen Gemeindeanteil nur billig findet, ebenso *Schäffle* a. a. O. S. 553. 561.

u. dergl. eine Ausgleichsabgabe (Gebühren-Aequivalent in Bayern und Oesterreich, ähnlich in Frankreich und Italien), sei es in Form jährlicher Zahlungen, sei es in Form von zeitweilig sich wiederholenden Abgaben (in Bayern alle 20 Jahre 1 Proz.) zu erheben ist, soll hier nur angeregt werden, da in dieser Frage die örtlichen Verhältnisse von entscheidender Bedeutung sind (vgl. *Schall* a. a. O. S. 525. 526 und die dort Angeführten).

Ich schliesse hiemit die Ausführungen über die Besitzwechselabgabe einstweilen ab.

Die Reihe der für die Gemeinde sich eignenden Immobiliar-Verkehrsabgaben ist hiemit indessen noch keineswegs erschöpft. Verpachtung und Vermietung in den grösseren Städten, auch wohl die hypothekarische Belastung erscheinen insbesondere als Geschäfte, welche neben dem staatlichen Stempel auch einen kommunalen Zuschlag tragen könnten. Allerdings würde hiezu in Preussen vielleicht erforderlich sein, dass zunächst die verwickelte staatliche Stempelgesetzgebung einer Reform unterzogen und bei derselben auch zugleich das Recht der Gemeinden zu Stempelzuschlägen und die Beihilfe des Staates zu ihrer Erhebung geregelt würde. Es kann hier daher nicht weiter auf diese Frage eingegangen werden: nur ist noch einmal zu betonen, dass bei der starken Anspannung unserer direkten Steuern eine weitere Ausbildung indirekter Verkehrssteuern auch für die Gemeinden als ein dringendes Bedürfnis anerkannt werden muss.

ZUR ERRICHTUNG DER HANDWERKS- UND DER LANDWIRTSCHAFTSKAMMERN.

VON

Dr. SCHÄFFLE.

Im Jahre 1893 hat der preussische Herr Handelsminister *v. Berlepsch* Grundzüge einer körperschaftlichen Organisation des Handwerkes zu »Handwerkskammern« und zu obligatorischen »Fachgenossenschaften« der öffentlichen Kritik übergeben und schon im Januar 1894 ist dem preussischen Landtage ein Gesetzentwurf zur Einführung von Landwirtschaftskammern vorgelegt worden. Die körperschaftliche Organisation des Handwerkes ist hiebei als Institution für ganz Deutschland in Fortentwickelung der Gewerbeordnung gedacht. Aber auch die zunächst nur für Preussen entworfene Organisation von Landwirtschaftskammern würde, einmal in Preussen durchgedrungen, rasch auch das übrige Deutschland zur Nachfolge veranlassen, davon abgesehen, dass mehrere Bundesstaaten mit Landwirtschaftsräten vorangegangen sind. Nachdem Handel und Industrie eine körperschaftliche Stellung im öffentlichen Leben der Gegenwart schon lange und überall, freilich noch nicht in vollständiger Entwickelung erreicht haben, strebt hienach der berufskörperschaftliche Bildungstrieb der Neuzeit in lebhaftem Arbeiten weiter seinem Ziele entgegen.

Die körperschaftliche Organisation auf volkswirtschaftlichem Gebiete, bildet in ihrem mächtigen Fortschreiten einen auch praktisch wichtigen Gegenstand für die staatswissenschaftliche Untersuchung. Diese Untersuchung ist dadurch gefordert, dass die ganze Bewegung noch viel unsicheres Tasten zeigt und keineswegs von völliger Klarheit und Bewusstheit über die Aufgaben, Mittel, Grenzen und Formen der Ausgestaltung getragen erscheint. Wer der betreffenden Litteratur und Agitation gründlich, ohne Voreingenom-

menheit folgt, wird sich sogar des Eindruckes einer gewissen
Blindheit der ganzen Bewegung, welche gar oft vor einzelnen
Bäumen den Wald nicht sieht und gegen weitere freie Horizonte
durch Scheuleder sich absperrt, kaum erwehren können. Daraus
erklärt es sich denn auch sofort, dass auf diesem Gebiete noch
so viel Streit einander diametral entgegenlaufender Meinungen
obwaltet und dass jähe Meinungsumschläge selbst bei den die
Bewegung führenden Elementen stattfinden.

In der That merkwürdige Schwankungen sind auf allen beteiligten Seiten wahrzunehmen. Es war in der grossen Handwerksdebatte vom 6. Dez. 1892, als der Herr Reichsstaatssekretär
des Innern *v. Bötticher,* die obligatorische Innung für alle Handwerke als unannehmbar erklärte, und schon im August 1893 bringt
Herr *v. Berlepsch* unter dem Namen der »Fachgenossenschaft«
die obligatorische Innung allgemein in Vorschlag. Der deutsche
Handwerkertag hatte kaum die obligatorische Innung entschieden
verlangt, als er letztere, in der *v. Berlepsch*'schen Fachgenossenschaft von der Regierung dargeboten, unter diesem Namen ablehnte; nachträglich scheinen sich die Führer auf eine günstigere
Meinung über das Angebot, welches bei der Regierung erreicht
ist, besinnen zu wollen. Nach einer langen Vorgeschichte des
Widerstandes landwirtschaftlicher Gremien gegen obligatorische
Landwirtschaftskammern sprach sich endlich das preussische
Landesökonomie-Kollegium im November 1892 für solche Kammern
aus, im Landtag wird das Verlangen durch den Antrag *Loë* u. G,
im Juli 1893 nachdrücklich unterstützt, die K. preussische Staatsregierung legt im Januar 1894 einen Gesetzesentwurf für Bildung
von Landwirtschaftskammern dem Abgeordnetenhaus vor, dieses
aber lässt in der ersten Lesung, welche am 6. Februar und an
den folgenden Tagen stattfindet, aus allen Parteien heraus Bedenken und Widerspruch aufs neue hervorbrechen, erst in der
Kommission ist eine Verständigung herzustellen, deren Gelingen
nicht zweifellos ist. Diese und ähnliche Erscheinungen weisen
auf eine grosse Unsicherheit der wirtschaftskörperschaftlichen Bewegung hin und diese Unsicherheit lässt, da auf allen Seiten nur
der beste Wille anzunehmen ist, auf Unklarheiten und Lücken in
den Grundanschauungen über berufsständische Körperschaftsbildung
schliessen. Das Wort *Göthe's*; »Der Mensch in seinem dunklen
Drange ist sich des rechten Weges wohl bewusst« — wird zwar
auch in diesem Falle von Plato's »Menschen im Grossen«, von

Volk und Staat gelten. Des »rechten Weges« ist man sich wohl bewusst, wenn man für die Verfolgung der einem ganzen Berufsstande gemeinsamen Interessen nicht bloss das flüssige, stückweise, agitationsgepeitschte Vereinswesen, sondern auch die feste, vollständige und geschlossene, alle Interessenten zwangsweise heranziehende, den Kommunalkörperschaften und dem Staate imponierende, den grossen Berufszweigen Rückgrat gebende, das Vereinswesen zugleich stützende und mässigende Korporation zu gewinnen sucht. Allein dieser »Drang« ist offenbar auch ein »dunkler« Drang. Nicht als ob darob den Praktikern, den führenden Persönlichkeiten ausserhalb und innerhalb der Regierungen ein Vorwurf zu machen wäre oder gemacht werden wollte! Den Praktikern kann man nicht zumuten, in erster Linie akademische Betrachtungen anzustellen, die von der Wissenschaft nicht dargeboten werden. Sie sind, ob Minister oder Verbandshäuptler, von dem Drang der Massen geschoben, und können sich dem Antrieb der jeweiligen Leiden und Interessen des Volkes nicht entziehen. Vielmehr dürfte es die Aufgabe der Wissenschaft sein, das unklare in ein klares Drängen, das Tasten in ein sicheres Gestalten verwandeln und den weiten Horizont, von welchem aus man den rechten Weg leichter überschaut, von wo aus man vor den Bäumen auch den Wald noch sieht, herstellen zu helfen. Diese Aufgabe ist noch nicht gelöst. Auf Grund eingehenderer Betrachtung der Agitations- und der Fachlitteratur will es wenigstens dem Verfasser ds. erscheinen, dass die Wissenschaft hier dem Leben die Füllung einer Lucke schuldig sei, und da er methodologisch nicht der Ansicht huldigt, dass die Sozialwissenschaft bloss die Aufgabe habe, das Gewordene festzustellen und geschichtlich zu erklären, so hat er aus Anlass der amtlichen Vorlagen über einzuführende Handwerks- und Landwirtschaftskammern es versucht, für die wirtschaftlich berufsständische Körperschaftsbildung der Neuzeit leitende Gesichtspunkte zu finden und dem blinden Drängen der Interessen gegenüber standhaltende Grundsätze zu gewinnen. Freilich beansprucht die folgende Untersuchung mehr nicht, als einen Beitrag zur Füllung der bezeichneten Lücke zu liefern.

Die folgende Untersuchung soll sich an das greifbare Objekt der amtlichen Vorschläge des leitenden deutschen Staates für körperschaftliche Organisation des Handwerkes und der Landwirtschaft anschliessen und deshalb wird es die Aufgabe des gegenwärtigen

einleitenden Aufsatzes sein, vor allem von den erwähnten Vorschlägen ein anschauliches Bild·zu entwerfen, um für die in einem
nächsten Heft dieser Zeitschrift zu pflegende staatswissenschaftliche Untersuchung in einer für das Leben fruchtbaren Weise
thatsächliche Unterlagen herzustellen. Doch dürfte schon dieser
einleitende Aufsatz es dem Leser schuldig sein, die hauptsächlichen Gesichtspunkte anzudeuten, welche weiterhin in Auseinandersetzung mit dem Inhalt der die fragliche Bewegung beglei-
tenden Diskussion, Agitation und Litteratur in Frage kommen
müssen.

Man wird die **Funktionen** oder **Aufgaben** von der
Form oder Organisation jeder Art wirtschaftlicher Kammern (Fach-
körperschaften) zu unterscheiden haben. Man darf den Körperschaften nicht einen Inhalt geben wollen, welcher für sie nicht
taugt und muss dabei vor allem den Fehler vermeiden, den
neuen Most lebendiger Volksbedürfnisse der Neuzeit in den alten
Schlauch des abgelebten Korporationswesens der Vergangenheit
(Zunftwesens) fassen zu wollen. Und zwar wird man das Leistungs-
bedürfnis und die Leistungsfähigkeit für jeden körperschaftlich
auszugestaltenden Zweig wirtschaftsberuflicher Volksarbeit, dann
für die engeren Fachunterkörperschaften und für die weiteren
Gesamtkörperschaften jedes ganzen grossen Berufszweiges, endlich
für die verschiedenen Territorialabstufungen der Organisation
vom Lokal- und Kreis- bis zum Landes- und Reichsverband je
besonders bestimmen müssen.

Man hat zweitens die Frage des **Verhältnisses der
Korporation** zu anderen Formen vereinter Verfolgung von
gemeinsamen Interessen zunächst zum gemeinnützigen sog. **Vereinswesen** und zum interessierten sog. **Genossenschaftswesen** klar zu stellen. Im Gebiete des Handwerkes und in
demjenigen der Landwirtschaft hat bisher die Verfolgung gemeinsamer Interessen wenigstens in Deutschland hauptsächlich in den
Formen der Freiwilligkeit vom Verein an bis zur fakultativen,
also nur halbkorporativen »Innung« hinauf stattgefunden, wenn
man von den hanseatischen lebensvollen und von den preussischen totgeborenen Gewerbekammern (1884) absieht. Diese
Thatsache ist auch eine ganz naturgemässe Erscheinung; denn
nur aus dem ersten Weben und Treiben freier Gemeinschaft
können sich feste, eigentlich korporative Verbände herauskristalli-
sieren. Allein es wäre ebenso einseitig, fürderhin in den Kor-

porationsverband alle Aufgaben der bisherigen Vereins- und der Genossenschaftsgemeinschaft hineinzulegen, wie es offenbar einseitig ist, den Kammerprojekten gegenüber nur vereinsmässige und genossenschaftliche Samtbestrebungen als zulässig und fruchtbringend anzuerkennen und weitere Wirtschaftskammern zur Seite der Handelskammern nur deshalb abzulehnen, weil die alten abgelebt waren und trotz aller Wiederbelebungsbestrebungen in dem antiquarischen die Aufrechterhaltung der Zünfte betr. Beiwerk der G.O. sich als völlig fruchtlos erwiesen haben. Die jede Korporationsbildung abweisende Ueberschätzung blosser Vereinsgemeinschaft müsste wenigstens so konsequent sein, wie dies ein hervorragendes Mitglied des preussischen Abgeordnetenhauses gewesen ist, welches mit der Bekämpfung der Landwirtschaftskammern den offenen Wunsch verband, dass auch die Korporationen für Handel und Grossindustrie, die Handelskammern wieder aufgelöst werden möchten. Allein das Richtige wird doch in der Mitte liegen, wonach Körperschaften, Vereine und Genossenschaften nebeneinander zu wirken und zwar in sachgemässer Arbeitsteilung unter sich z u s a m m e n zuwirken haben; denn reiches Leben erblüht nur aus der Mannigfaltigkeit verschiedener Organe, eines jeden der letzteren an seinem Platze und für seine besonderen Aufgaben. Gerade vom Rechte der Organisation sozialer Gemeinschaftsbildungen wird *Schiller*'s allgemeines Wort über die »Gerechtigkeit« gelten, diese sei der »kunstvolle Bau der Welt, wo Eines Alles, Alles Eines hält, wo mit dem Einen Alles stürzt und fällt«. Korporation, Verein und Genossenschaft stützen und tragen einander.

Es gilt drittens zu untersuchen, welche besonderen Aufgaben je dem Kammerwesen, dem Vereinswesen und dem Genossenschaftswesen zukommen. Und da wird sich zeigen, dass n i c h t b l o s s w i r t s c h a f t l i c h e Funktionen in Frage kommen, sondern manche andere, namentlich politische und kommunale Funktionen des Vertretenseins und des Mitwirkens in Staat und Gemeinde, und dass eben diese Funktionen der körperschaftlichen Organisation gerade beim Handwerk und bei der Landwirtschaft ganz besonders zufallen.

Dies führt von selbst zu einem vierten leitenden Gesichtspunkt. Nicht bloss das Verhältnis zu Vereinen und Genossenschaften wird klarer zu legen sein, sondern auch das Verhältnis z u a l l e n ü b r i g e n G a t t u n g e n v o n K o r p o r a t i o n e n u n d O r g a n e n d e s ö f f e n t l i c h e n R e c h t s. Dieser Organe

sind es hauptsächlich drei: erstens die nichtwirtschaftlichen S p e-
z i a l - (Berufs-, Fach-) K o r p o r a t i o n e n, wobei namentlich
das Schulwesen in Betracht kommt; zweitens die K o m m u n a l-
körperschaften vom Ortsgemeinde- bis Provinzialverband aufwärts;
drittens der S t a a t, welcher nicht nur durch das politische Wahlrecht aller erwachsenen Männer sämtliche sozialen Elementargruppen [1]), sondern auch alle Spezial- und Gebietskörperschaften
in sich zur gegliederten Volkseinheit zur »Korporation der Korporationen« zusammenfasst. Die Stellung der wirtschaftlich-berufsstän-
dischen Korporationen, namentlich der im Wurf befindlichen Hand-
werks- und Landwirtschaftskammern, sowie der obligatorischen
»Fachgenossenschaften« kann in Beziehung auf Gemeinde und
Staat gar nicht ernst genug genommen werden. Solche Körperschaften müssen verfassungs- und verwaltungsmässig in den Staat,
Staat und Kommunalkörperschaften müssen ebenso in die Wirtschaftskammern gliedlich eingehen; ausserdem würden solche
Kammern schwindsüchtig geboren werden. Man scheut sich wohl,
einen politisch-kommunalen Beruf der Kammern und umgekehrt
einen positiven Dienst von Gemeinde und Staat für die Kammern
anzuerkennen. Haben denn aber einen solchen Beruf und Dienst
nicht gerade jene Kammern, welche sich als lebenskräftig erwiesen
haben? die hanseatischen Gewerbekammern? die österreichischen
Handelskammern als Wahlkörper für den Reichsrat? [2]) Ist nicht
auch bei den deutschen Handelskammern der Schwerpunkt ein
politischer, obwohl ihre politische Ausgestaltung noch em-
bryonal ist? sind dieselben nicht gerade durch das Gehör bei der
Regierung und durch ihre Dienste für Zwecke der Gesetzgebung,
Regierung und Verwaltung mächtige Faktoren des öffentlichen
Lebens geworden? Schon jetzt ist es gerade eine politische
Funktion, was den Kern ihrer Bedeutung ausmacht. Sind die
zwei Forderungen, dass alle Arten von Wirtschaftskammern von
der Regierung sollen nicht bloss gehört werden können, sondern
gehört werden m ü s s e n, und dass die Kammern unmittelbar
an der Börsenpolizei, an der Uebung des Arbeiterschutzes u. s. w.
zu beteiligen seien, nicht eigentlich politische Ansprüche? In der
That: es ist der politische Einfluss, welchen nun auch das Handwerk und die Landwirtschaft in erster Linie durch Handwerks-
und Landwirtschaftskammern erlangen wollen und sollen. In der

---

1) Vgl. Tüb. Ztschr. 1894, S. 280.
2) Vgl. 2. Heft 1894 dieser Ztschr., S. 282 ff.

politisch öffentlich-rechtlichen Stellung sind sie dem Grosshandel und Grossgewerbe gegenüber zur Zeit Aschenbrödel und vergleichsweise machtlos. Es ist gar nicht zu verkennen, dass in gewissen Kreisen des Handels und der Grossindustrie teilweise eine den Handwerks- und Landwirtschaftskammern abgeneigte Stimmung herrscht; geht diese Stimmung vielleicht aus dem politischen Wunsche des Alleinbesitzes volkswirtschaftlichen Machteinflusses im Staate hervor? Der Bestand von Kammern ist anscheinend auch den Regierungen, welche mit den Handwerker- und Bauernbünden zu thun haben, aus politischen Gründen zum tiefgefühlten Bedürfnis geworden; denn ein wilder Antrieb der Vereinsagitation, wie ihn die Reichsregierung eben schaudernd selbst erlebt hat, ersetzt weder den Machtmangel für Handwerker und Landwirte, noch bringt er die Mässigung, welche Körperschaften dem Staate gegenüber zu gewährleisten haben. Man täusche sich also darüber nicht: die ganze wirtschaftliche Kammerbewegung ist bereits von der Politik beim Schopfe gefasst. Ein unpolitisches, »rein wirtschaftliches« Funktionieren von Wirtschaftskammern ist schon jetzt nicht vorhanden und gar nicht denkbar. Ohne Fundierung der Fachgenossenschaften oder Innungen unmittelbar zu Wahlkörpern von zusammenfassenden Ortsgewerberäten und hiedurch mittelbar zu Wahlkörpern für weitere Körperschaften und zuletzt für die Volksvertretung, andererseits ohne Benützung der Kammern und Innungen bei Unterstützung und Beeinflussung von Handwerk und Landwirtschaft seitens des Staates und seitens der Kommunalkörperschaften werden, wenn diese politische Fundierung zunächst auch nur vorsichtig und schrittweise zu bewerkstelligen sein wird, lebensfähige, dem Mehltau des Bureaukratismus widerstehende Handwerks- und Landwirtschafts-Körperschaften nicht geschaffen werden können. Für die landwirtschaftliche Körperschaftsbildung wird sich dasselbe ergeben. Und die Handelskammern selbst stehen ja auch erst in den Anfängen ihrer staatlich-provinzialen Organisation. Eine grundsätzliche Erörterung der Stellung der Wirtschaftskammern zu den übrigen Korporationen des öffentlichen Rechtes, namentlich zu Gemeinde und Staat ist daher wohl angezeigt.

Hieran wird sich weiter fünftens die prinzipielle Erörterung zu schliessen haben, ob die Ausstattung von Vereinen freiwilligen Beitrittes mit Befugnissen, Begünstigungen und Unterstützungen öffentlich-rechtlicher Art, ob die fakultative oder

Quasi-Korporation, wie sie dem Innungs- und Innungen-
verbandsgedanken der Novellen zur Gewerbe-O. (§§ 97 ff.) zu
Grunde liegt, neben der allgemeinen Zwangskorporation fallen zu
lassen und zu vernachlässigen sei, ob sie nicht vielmehr — verstärkt und unterstützt vom Staat und Kreise und als Fortbildung
des örtlich-bezirklichen Vereinswesens für Gewerbe und Landwirtschaft dazu angethan wäre, um eine Gestaltung von bewährtem
Bestehendem aus zur lebensvollen Unterlage von Kammern weiteren Territorialumfanges zu ermöglichen, namentlich aber auch,
um die Schwierigkeiten der Grenzziehung zwischen Handwerks-
und Fabrikbetrieb ganz zu umgehen. Es ist wohl als eine Grund-
bedingung des Gelingens weiterer wirtschaftlicher Körperschaftsbildung anzusehen, dass nur gleichartige Interessen in den Ele-
mentarverbänden und die ungleichartigen Elementarverbände nur
in ihren gemeinsamen Interessen zusammengefasst werden. Hiezu
kann die Beibehaltung und weitere Stärkung der fakultativen
Korporation vielleicht mächtig beitragen. Wenigstens ist auch
diese Frage ernst und klar ins Auge zu fassen.

Ein weiterer sechster Gesichtspunkt, welcher klar gestellt
werden muss, betrifft das V e r h ä l t n i s d e r K a m m e r n v e r-
s c h i e d e n e r V o l k s w i r t s c h a f t s z w e i g e u n d d e r v e r-
s c h i e d e n e n F a c h a b t e i l u n g e n j e d e s s o l c h e n Z w e i-
g e s z u e i n a n d e r. Dies ist wichtig namentlich für folgende
Fragen: soll das Handwerk eine von Handel und Grossindustrie
ganz getrennte Verkörperung öffentlich rechtlicher Art erhalten
oder soll es nur einen körperschaftlichen Abteilungsanbau an die
bestehenden Handels- und Gewerbe (Industrie)-Kammern erlangen? lässt sich die Forstwirtschaft und der Handelspflanzenbau
ohne weitere Gliederung in die Landwirtschaftskammern hineinlegen? sollen die verschiedenen Kammern der grossen Zweige
der Volkswirtschaft: Handels-, Landwirtschafts- und Handwerkskammern als Sektionsverbände zu allgemeinen Volkswirtschafsräten
zusammengefasst werden, was ja, sobald die dreierlei Elementar-
Fachkörper in lebensfähiger Weise geschaffen sein würden, ohne
Wiederholung des Misserfolges der preussischen Gewerbekammern
von 1884 und des *v. Bismarck*'schen Volkswirtschaftsrates sehr
wohl als ausführbar und zweckmässig sich erweisen könnte?
wäre es nicht angezeigt, wenigstens die verschiedenen Aestc
jedes Hauptzweiges der Volkswirtschaft, also beim Handwerk
die verschiedenen Fachgenossenschaften schon lokal so zu-

sammenzulegen, dass eine örtliche Gesamtvertretung in Pflege
aller den Fachgewerben gemeinsamen Interessen auf korporative
Weise jenen Aufgaben nachgehen würde, welche jetzt namentlich
in Süddeutschland die Gewerbevereine, aber ohne die Macht und
Mittel einer Korporation mit ungenügenden Mitteln und ohne allgemeine Beteiligung zu lösen suchen? Wären nicht solche allgemeine Ortsgewerberäte als Gesamtorgane der »Fachgenossenschaften« oder Innungen wohl dazu angethan, die Basis für die
Heranziehung des Handwerks zum öffentlichen Leben der Gemeinde, sowie die Grundlage für Handwerkskammern grösserer
Bezirke abzugeben? Ueber alle diese Fragen ist, soweit Verf. ds.
zu ersehen vermag, die wünschenswerte Klarheit noch nicht vorhanden. Und doch hat die Beantwortung, wie sich zeigen wird,
eine grosse Bedeutung für die praktische, nicht bureaukratische
Ausgestaltung der handwerklichen und landwirtschaftlichen Körperschaftsbildung.

Erforderlich ist siebentens die grundsätzliche Vorverständigung
über einen Punkt, welcher seinen Ausdruck in der Frage findet:
hat allgemein oder doch bei dieser oder jener Art von Wirtschaftskammern eine t e r r i t o r i a l e S t u f u n g so stattzufinden,
dass über und aus den einzelfachlichen oder gesamtfachlichen
Ortswirtschaftsräten weitere Verbände, Kreis-, Provinz-, Reichs-
Wirtschaftsräte aufzubauen wären? Für die fakultativen Innungen
der Gew.O. sind territorial weitere Verbände als Fachverbände
in der Gew.O. bereits vorgesehen. Ueber etwa zu schaffenden
Stadt- oder Kreis-Gesamträten des Handwerkes, bezw. der Landwirtschaft liesse sich eine territoriale Stufung bis zu einem Reichs-
Handwerks- und Reichs-Landwirtschaftsrat ebenfalls denken. Durch
das Misslingen einzelner, in dieser Richtung ausgreifender Entwürfe
— von dem *Marlo*'schen Volkswirtschafts-Parlament des Jahres
1848 an bis zu *Bismarck*'s »Volkswirtschaftsrat« ist ja die Sache
noch nicht entschieden; denn diese Gedanken samt dem Gedanken der »Gewerbekammern« der pr. V.O. von 1884 [1]) sind in
ihrer Grösse und Richtigkeit nicht widerlegt, weil sie Mangels
einer gleichmässigen Unterlage von Elementarkörperschaften nicht
richtig aufgeführt werden konnten; vielleicht war der Grund des
Misserfolges doch in der verfrühten Ausführung zu suchen. Nun

---

1) In vier Sektionen (Landwirtschaft, Handwerk, Industrie, Handel), gegliederte,
von den Provinziallandtagen gewählte und ernährte Volkswirtschaftsräte für jeden
Regierungsbezirk.

handelt es sich aber zur Zeit eben darum, die Unterlagen zu schaffen und dann erst in die Höhe zu bauen! Schon als Berufungsinstanz der Selbstverwaltung, also zur Vermeidung der bureaukratischen Bevormundung kämen weitere Verbände sehr in Betracht.

Eine achte Grundbetrachtung wird zu pflegen sein. Nämlich über das Problem, ob und wie man innerhalb der Berufskörperschaften auch der alle einzelnen Berufszweige und Berufsfächer durchziehenden B e s i t z - oder K l a s s e n s c h i c h t u n g gerecht werden kann. Der gewerbliche Gehilfenausschuss des *v. Berlepsch*-schen Projektes fasst dieses Problem an. Nicht ebenso der Entwurf über Landwirtschaftskammern. Die Forderung der Vertretung auch der Lohnarbeiter aller Art innerhalb der zu schaffenden Landwirtschaftskammern, sowie die Stellung des Pächters neben dem Gutsherrn zu und in den zu schaffenden Landwirtschaftskammern betreffen Fragen äusserst heikler Art, welche der Aufhellung ganz besonders bedürftig sind.

Ohne noch Weiteres schon im Eingang hervorzuheben, ist schliesslich auch noch das Problem der passenden Aufbringung der Mittel für die zu schaffenden Wirtschaftskammern erst zu lösen. Die K a m m e r f i n a n z - Frage kann keineswegs als geklärt angesehen werden. Die Lösung durch eine neue Art von Zuschlägen zu den Ertragssteuern, zur Grundsteuer und zur Gewerbesteuer braucht nicht voraus und ohne weitere Prüfung als die einzig- und bestmögliche anerkannt zu werden. Schon der Umfang der zu erwartenden Ausgaben wird von der richtigen Verteilung der Aufgaben unter Vereine, Genossenschaften, Wirtschaftskammern, Gemeinde und Staat abhängen und dann wohl viel kleiner ausfallen, als gefürchtet wird.

Die aphoristischen Andeutungen, welche über einige allgemeine Vorfragen wirtschaftlicher Körperschaftsbildung so eben gegeben worden sind, sollen in einem weiteren Artikel ihre nähere Ausführung finden. Im gegenwärtigen Artikel sind nun nur noch die Projekte der Inkorporation des Handwerks und der Landwirtschaft selbst zur Darstellung zu bringen, um den weiter zu pflegenden prinzipiellen Ausführungen die Folie praktischer Bedeutung für die Gegenwart und für die nähere Zukunft zu verschaffen.

1) Die körperschaftliche Organisation des Handwerks.

Nach den *v. Berlepsch*'schen Grundzügen, welche unter dem 15. August 1893 »als unverbindliches Ergebnis vorläufiger Erwägungen« zur Berichterstattung der Oberpräsidenten und zur öffentlichen Kritik hinausgegeben worden sind, wird der B e g r i f f d e s H a n d w e r k s, welcher für verschiedene Zwecke der Gesetzgebung wird verschieden fixiert werden dürfen, für die besonderen Zwecke des *v. Berlepsch*'schen Projektes dahin gefasst, dass dazu gehören »alle Gewerbetreibenden, welche ein H a n d - werk [1]) betreiben (ohne Rücksicht auf die Zahl der beschäftigten Arbeiter) o d e r regelmässig nicht mehr als z w a n z i g Arbeiter beschäftigen. Der Kreis des Handwerks im Sinne des zu schaffenden Körperschaftsgesetzes, wird hienach sehr weit gezogen, wenn man bedenkt, dass nach der Berufsstatistik von 1882 (allerdings einschliesslich der Handelsgeschäfte, Ladengeschäfte, Gastwirtschaftsbetriebe) schon die Geschäfte mit 5 und weniger Arbeitern 96 Proz. sämtlicher Gewerbetreibenden ausmachen. Bundesrätlich soll übrigens für bestimmte Gewerbe die Zahl von weniger als zwanzig Arbeitern als Grenze gesetzt werden können. Für das Handwerk nach dieser weiten Begriffsfassung erscheinen nun zweierlei körperschaftliche Organe geplant, Handwerkskammern und Fachgenossenschaften.

Die H a n d w e r k s k a m m e r n würden sämtliche Zweige des Kleingewerbes, soweit dieselben überhaupt für korporationspflichtig erklärt sind, umspannen; die Handwerkskammer ware in ihrem Bezirke das korporative G e n e r a l organ des ganzen Handwerkes. Die Abgrenzung der B e z i r k e der Handwerkskammern wäre »nach Anhörung beteiligter Gewerbetreibenden« durch die Landeszentralbehörde zu bestimmen.

Dagegen wären die innerhalb jedes Handwerkskammerbezirkes zu errichtenden F a c h g e n o s s e n s c h a f t e n je die besondere Vertretung der einzelnen Zweige (Fächer) des Kleingewerbes, bezw. von verwandtschaftlich zu Gruppen vereinigten Zweigen des Kleingewerbes. Wäre das Wort Innung nicht schon (für fakultative Handwerkerverbände mit öffentlich-rechtlichen Befugnissen) durch die Novellen zur Gewerbeordnung (§§ 97 ff.) verbraucht, so wäre wohl Innung der Name der Fachgenossenschaft

---

[1]) Wohl im Sinn vorwiegend manuellen, nicht für den Handel arbeitenden Betriebes.

geworden. Die Fachgenossenschaften sollen die Rechte einer
Korporation haben, aber nicht erst durch diese Rechte mittelbar
Korporationen werden, sondern dies unmittelbar dadurch sein,
dass jeder Gewerbetreibende kraft Gesetzes der Zwangsgenossen-
schaft seines Faches angehört. Es handelt sich hienach um die
allgemeine »o b l i g a t o r i s c h e Innung«.

Soweit nur immer innerhalb des Handwerkskammer-Bezirkes das
einzelne Fachgewerbe hinreichend stark vertreten ist, um einen
lebensfähigen Verband zuzulassen, wäre die e i n f a c h e Fachgenossenschaft zu bilden ; die Gruppen-Fachgenossenschaft verwandter Gewerbe ist nur als Notbehelf gedacht, welcher zu vermeiden ist. Der Handel und die Polizeigewerbe (§§ 29—37 der
Gew.O.) wären nicht korporationspflichtig. Ausserdem sollen
durch Beschluss des Bundesrates bestimmte Gewerbe von der
Zugehörigkeit zu den Fachgenossenschaften, allgemein oder für
östlich begrenzte Bezirke ausgenommen werden können. Hiedurch
würde die obligatorische Fachgenossenschaft der gesetzlich angeordneten und bundesrätlich verfügbaren Exemptionen wegen,
welche z. B. den Kleinhandel und das Gastwirtschaftsgewerbe
betr. auch bestritten werden könnten, keine schlechthin allgemeine
Institution werden.

Ueber das T e r r i t o r i a l v e r h ä l t n i s zwischen F a c h-
g e n o s s e n s c h a f t s - B e z i r k und H a n d w e r k s k a m m e r-
B e z i r k ist der *v. Berlepsch*'schen Vorlage ganz Bestimmtes nicht
zu entnehmen. Decken sich beide genau in gebietlich engerer
Umgrenzung, dann wäre die Handwerkskammer nur ein Stadt-
oder Kreis-Gesamtgewerberat von Stadt- und Kreisfachgenossen-
schaften, ein zur Korporation gewordener Orts- oder Bezirks-
gewerbeverein. Umfasst aber die Handwerkskammer ähnlich der
Handelskammer eine kleinere oder grössere Anzahl von engeren
Fachgenossenschaftsbezirken derselben Art, dann fragt sich, ob
nicht vorher alle Fachgenossenschaftsarten dieser Bezirke zu einem
Lokal-Gesamtgewerberat zusammengefasst werden wollen oder
doch sollen, um u. a. auch als Wahlkörper für eine den Handelskammern äquiparierende Handwerkskammer je für mehrere Kreise
oder für eine Provinz zu dienen. Hierauf wird zurückzukommen sein.

Als O r g a n e der Fachgenossenschaft sind die G e n e r a l-
v e r s a m m l u n g und der aus dieser und durch diese gewählte
»V o r s t a n d« gedacht. Die Generalversammlungen würden
als Wahlkörper für die Handwerkskammer dienen. Letztere hätte

also die Plena sämtlicher Fachgenossenschaften zu Wahlkörpern. Eine Reichs-Handwerkskammer, gewählt durch sämtliche einzelnen Handwerkskammern ist so wenig vorgesehen, als es gesetzliche Zentralverbände der einzelnen Arten von Fachgenossenschaften sind.

Nach dem Vorgang der österr. Gesetzgebung, welcher auch die Fachgenossenschaft entnommen ist, soll in den Organismus sowohl der Fachgenossenschaften als der Handwerkskammern ein Stück Klassenorganisation eingeschoben werden, indem die Handwerksgehilfen in beiden Körperschaften Vertretung finden sollen. Das bedeutet der Gehilfenausschuss (in Oesterreich Gesellenversammlung), gewählt von allen 21 Jahre alten Gehilfen, welche bei Mitgliedern der Fachgenossenschaft beschäftigt sind. Die Gehilfenausschüsse aber hätten aus ihrer Mitte zur Handwerkerkammer des Bezirkes Vertreter zu wählen, welche in letzterer über dieselben Gegenstände und mit derselben Wirkung abstimmen würden, wie die Gehilfenausschüsse in der Fachgenossenschaft. In den letzteren kommt den Gesellen der alsbald zu erwähnende Wirkungskreis zu.

Die Bestimmungen der §§ 97—104 der G.O., welche seit der Novelle vom 18. Juli 1881 bis 1887 entstanden sind und die Bildung fakultativer Innungen durch Ausstattung mit korporativen Befugnissen begünstigt haben, sollen nicht aufgehoben werden, obwohl die Fachgenossenschaften fast denselben Wirkungskreis zugewiesen erhalten, welchen die fraglichen Innungsnovellen des vorigen Jahrzehntes abgegrenzt haben. Offenbar will man den fakultativen Innungen das Aufgehen in den Fachgenossenschaften, welche durch ihre allgemeine Besteuerungsbefugnis ein Uebergewicht erlangen können, oder die Selbstauflösung überlassen. Vorläufig würde nur bestimmt werden, dass die diesen Innungen eingeräumten Befugnisse über Nichtinnungsmitglieder (§ 100e, 100f u. ff. der G.O.) aufgehoben seien und die von Innungen erlassenen Vorschriften mit den gesetzlichen Bestimmungen und Statuten für die Fachgenossenschaften nicht in Widerspruch treten dürfen. Die Verstärkung der bestehenden Innungsbefugnisse durch weitere Begünstigungen, namentlich aber durch Zuschüsse vom Staat und den Gemeinden her ist anscheinend nicht beabsichtigt. Wenigstens vorläufig ist die Basierung lokaler Gesamtgewerberäte und der Handwerkskammern auf weiter begünstigte

fakultative Fachgenossenschaften nicht vorgeschlagen. Wir kommen
auf diesen wichtigen Gegenstand zurück [1]).

Der W i r k u n g s k r e i s der zweierlei Handwerkskörper-
schaften ist in den *v. Berlepsch*'schen Grundzügen folgendermassen
gedacht.

Die »F a c h g e n o s s e n s c h a f t e n«, welche zugleich als
»Organe der Handwerkskammern« zu fungieren hätten, würden
unter Aufsicht und teilweise unter Genehmigung dieser Kammern
teils »obligatorische«, teils »fakultative« Aufgaben zu vollziehen
haben. — Die o b l i g a t o r i s c h e n Aufgaben der Fachgenossenschaft wären: »1) Die Pflege des Gemeingeistes, sowie die Aufrechterhaltung und Stärkung der Standesehre unter den Genossen.
2) Die Förderung eines gedeihlichen Verhältnisses zwischen Meistern
und Gesellen, sowie die Fürsorge für das Herbergswesen der
Gesellen und für die Nachweisung der Gesellenarbeit. 3) Die
nähere Regelung des Lehrlingswesens und die Fürsorge für die
technische, gewerbliche und sittliche Ausbildung der Lehrlinge,
der Erlass von Vorschriften über das Verhalten der Lehrlinge,
die Art und den Gang ihrer Ausbildung, die Form und den Inhalt der Lehrverträge, sowie über die Verwendung der Lehrlinge
ausserhalb des Gewerbes. 4) Die Entscheidung über die zwischen
den Mitgliedern der Fachgenossenschaft und ihren Lehrlingen
entstehenden Streitigkeiten, welche sich auf den Antritt, die Fortsetzung oder Aufhebung des Lehrverhältnisses, auf die gegenseitigen Leistungen aus demselben, auf die Erteilung oder den
Inhalt der Arbeitsbücher oder Zeugnisse beziehen. 5) Die Bildung
von Prüfungsausschüssen für einzelne Gewerbe oder Gewerbe-

---

1) Hier seien nur, um die Bedeutung der Sache sogleich hervorzuheben, einige
Daten über den jetzigen Stand des fakultativen Innungswesens gegeben: Die Innungen,
welche sich nach dem Gesetze vom 18. Juli 1881 und den Zusatznovellen von 1884,
1886 und 1887 gebildet haben, umfassen zwar (1888) nicht 20 Proz. des deutschen
Handwerkes und haben in Süddeutschland den Gewerbevereinen gegenüber keinen
Boden zu fassen vermocht, sie sind aber namentlich in Sachsen und Preussen immerhin zu einer ansehnlichen Entwickelung und z. T. zu segensreicher Thätigkeit gelangt;
ihre völlige Verdrängung durch Fachgenossenschaften nach dem Vorbild der gleichen
österreichischen Fachgenossenschaften, welche weithin als eine erfahrungsmässig nicht
geglückte Schopfung gelten, würde daher nicht ohne weiteres als ein Fortschritt anzusehen sein. Näher läge daher der schon angedeutete Gedanke, die fakultativen
Innungen als solche zu stärken und sie als Elemente von inkorporierten Lokalgewerbe-
vereinen (Lokalgewerberäten) zu verwerten. Für gemeinsame Zwecke der Fachbil-
dung könnten dann lokal alle, auch die grössten Betriebe zusammengefasst werden.

gruppen zu dem Zwecke, Lehrlinge und Gesellen auf ihren Antrag einer Prüfung zu unterziehen und über den Erfolg derselben
ein Zeugnis aufzustellen.« — Die fakultativen Aufgaben
wären: 1) Veranstaltungen zur Förderung der gewerblichen, technischen und sittlichen Ausbildung der Gesellen, Gehilfen und Lehrlinge zu treffen und Fachschulen zu errichten und zu leiten.
2) Ueber den Besuch der von ihnen errichteten Fortbildungs-
und Fachschulen Verfügungen zu erlassen, soweit dieser Besuch
nicht durch Statut oder Gesetz geregelt ist.

Die Handwerkskammern hätten ebenfalls wie die
Fachgenossenschaften teils einen obligatorischen, teils einen fakultativen Wirkungskreis. — Obligatorisch wären: 1) die Aufsicht über die Fachgenossenschaften und Innungen ihres Bezirks
zu führen, 2) die Durchführung der für das Lehrlingswesen geltenden Vorschriften in den Betrieben der zu den Fachgenossenschaften geh. Gewerbtreibenden zu beaufsichtigen, 3) die durch
das Gesetz auf dem Gebiet des Lehrlingswesens ihnen sonst übertragenen Obliegenheiten und Befugnisse wahrzunehmen, 4) bei
der Ueberwachung der auf den Arbeiterschutz bezüglichen Bestimmungen der Gewerbordnung mitzuwirken, 5) für Arbeitsnachweis und Herbergswesen zu sorgen, 6) auf Ansuchen der
Behörden Berichte und Gutachten über gewerbliche Fragen zu
erstatten. — Fakultative Befugnisse der Handwerkskammern wären: 1) die zur Förderung des Kleingewerbes geeigneten Einrichtungen und Massnahmen zu beraten und bei den
Behörden anzuregen, 2) Veranstaltungen zur Förderung der gewerblichen, technischen und sittlichen Ausbildung der Gesellen, Gehilfen und Lehrlinge zu treffen und Fachschulen zu errichten. — Die
Handwerkskammern sind befugt, Vorschriften zu erlassen: 1) über
den Besuch der von ihnen errichteten Fach- und Fortbildungs-
schulen, soweit dieser Besuch nicht durch Statut oder Gesetz
geregelt ist, 2) über die Anmeldung und Abmeldung der Gesellen,
Gehilfen, Lehrlinge und Arbeiter bei den Fachgenossenschaften.

Noch ist der der Gehilfenvertretung zugedachte
Wirkungskreis zu erwähnen. Die Grundzüge bestimmen denselben für die Fachgenossenschaften also; »Der Gehilfenausschuss ist berechtigt, zur Mitwirkung bei Regelung der
Lehrlingsverhältnisse, der Abnahme der Gesellenprüfung, der
Entscheidung von Streitigkeiten zwischen Mitgliedern der Fachgenossenschaft und ihren Lehrlingen, sowie bei der Begründung

und Verwaltung aller Einrichtungen, welche die Interessen der
Gehilfenschaft berühren. Seine Mitglieder nehmen an der Beratung und Beschlussfassung der Fachgenossenschaft über die vorstehend bezeichneten Angelegenheiten mit vollem Stimmrecht
teil. Kommt ein Beschluss gegen die Stimmen seiner sämtlichen
Mitglieder zu Stande, so kann der Gehilfenausschuss mit aufschiebender Wirkung die Entscheidung der Handwerkskammer beantragen. Bei der Abnahme der Gesellenprüfungen, bei der Entscheidung von Streitigkeiten zwischen Angehörigen der Fachgenossenschaft und ihren Lehrlingen und bei der Verwaltung von
Einrichtungen, für welche die Gehilfen Aufwendungen zu machen
haben, sind die Mitglieder des Gehilfenausschusses, abgesehen
von der Person des Vorsitzenden, in dem gleichen Masse zu beteiligen, wie die Mitglieder der Fachgenossenschaft. Der Gehilfenausschuss ist ferner berechtigt, Anträge bezüglich aller seiner Zugehörigkeit angehörenden Gegenstände bei der Fachgenossenschaft und der Handwerkskammer zu stellen, welche über dieselben zu beschliessen haben.« — Ueber den Wirkungskreis der
Gehilfenvertretung in der H a n d w e r k s k a m m e r wird vorgeschlagen: »Bei der Beratung und Beschlussfassung der Handwerkskammer über diejenigen Gegenstände, auf welche sich die Zuständigkeit der Gehilfenausschüsse erstreckt, nehmen Vertreter
der Gehilfenschaft mit vollem Stimmrecht teil. Diese Vertreter
werden von den im Bezirk der Handwerkskammer bestehenden Ge-
hilfenausschüssen aus ihrer Mitte nach Massgabe des Statuts der
Handwerkskammer gewählt. Kommt ein Beschluss der Handwerkskammer gegen die Stimmen sämtlicher Vertreter der Gehilfenschaft zu stande, so können die letzteren mit aufschiebender
Wirkung die Entscheidung der höheren Verwaltungsbehörde beantragen.«

Hienach hätte im Wirkungskreis der geplanten Handwerks-
organe die R e g e l u n g d e s L e h r l i n g s - u n d P r ü f u n g s -
w e s e n s weitaus den grössten Raum einzunehmen. Allerdings
ohne dass die Befugnis zum Betrieb eines Handwerks von dem
Erbringen eines Befähigungsnachweises abhängig gemacht würde.
Die den Grundzügen beigegebene Erläuterung bemerkt auch. ausdrücklich, dass man nur den Zweck verfolge, 1) dem Handwerk
eine korporative Organisation zu geben, 2) auf eine bessere Regelung des Lehrlingswesens hinzuwirken. Den Grundzügen der
Organisation finden sich denn auch » V o r s c h l ä g e « f ü r d i e

Regelung des Lehrlingswesens im Handwerk« angefügt. Die Befugnis zum Halten und Anleiten von Lehrlingen
wird hienach an die Bedingung bürgerlicher Unbescholtenheit,
die Befugnis zur »Anleitung« an die Bedingung des vollendeten
24. Lebensjahres und an die Voraussetzung geknüpft, dass der
Lehrherr selbst entweder im betreffenden Handwerk oder in einem
gleichartigen Fabrikbetrieb die ordnungsmässige Lehrzeit (3 bis 5
Jahre) zurückgelegt und im Anschluss hieran eine Gesellenprüfung
mit Erfolg bestanden oder wenigstens drei Jahre hindurch dieses
Handwerk selbständig betrieben habe. Nach näherer Bestimmung
der Landeszentralbehörde würde die Zurücklegung der ordnungs-
mässigen Lehrzeit durch den Besuch einer staatlich anerkannten
Lehrwerkstätte und die Ablegung der Gesellenprüfung durch das
Prüfungszeugnis dieser Lehrwerkstätte ersetzt werden können;
dem selbständigen Betrieb des Handwerkes würde die selbstän-
dige Leitung des Betriebs oder eines Betriebszweiges in einer
Fabrik gleichgeachtet. Die Befugnis zum Halten und Anleiten von
Lehrlingen soll auf Antrag der Fachgenossenschaft oder der Ortspolizeibehörde (nach Anhörung der Fachgenossenschaft) von der
Handwerkskammer wegen Pflichtversäumnis in der oder wegen
Unfähigkeit zu der Lehrpflicht — verfügt werden können. — Die
Gesellenprüfung wird näher geregelt. Auch eine Meister-
prüfung zur fakultativen Erwerbung des Titels »Meister«
ist als Zugmittel (von zweifelhafter Stärke) für eifrige Fachaus-
bildung vorgesehen.

In der schon erwähnten Handwerksdebatte des Reichstags vom
6. Dez. 1892 war vom Bundesratstisch ein energisches Losgehen
gegen die »Lehrlingszüchterei« in Aussicht genommen.
Die »Grundzüge« wirken in Hinsicht auf diesen wichtigen Punkt
enttäuschend. Sie besagen nur: »Durch den Bundesrat sollen
für bestimmte Handwerke Vorschriften über die zulässige Zahl
von Lehrlingen im Verhältnis zu den in einem Betriebe beschäftigten Gesellen erlassen werden können. So lange solche
Vorschriften nicht erlassen sind, sind die Handwerkskammern zu
deren Erlass mit Genehmigung der höheren Verwaltungsbehörde
befugt.« Die Schwierigkeiten sind auch sehr gross und fordern
weit mehr als die Mitwirkung bloss der Fachgenossenschaften
und Handwerkskammern. Wir kommen hierauf zurück.

Ueber die Kostenbestreitung enthalten die Grundzüge einen bestimmten Vorschlag nicht. Es wird vielmehr an

die Kritik die Frage gerichtet, ob für die Bemessung der Beiträge die Höhe der Gewerbesteuer oder die Zahl der Arbeiter
oder der Umfang der maschinellen Hilfskräfte den Massstab abgeben solle.

Dies im Grundriss die geplante Organisation des Handwerkes
und seines Lehrlingswesens. Blickt man auf Ziff. 4 und 6 der
angegebenen obligaten Aufgaben der Handwerkskammern, so
sollen diese — endgültig oder bloss vorläufig? — auch das geringe politische Gewicht, welches die Handelskammern jetzt
schon besitzen, nicht ganz zugelegt erhalten. Ob daran gedacht
ist, die totgeborenen Schöpfungen der »Gewerbekammern« von
1884 und den Volkswirtschaftsrat als Zentralorgan aller wirtschaftlichen Berufsorgane sämtlicher Landwirtschafts-, Handwerks- und
Handelskammern lebenskräftig auf- und umzubauen, ist weder
aus der Erläuterung zum *v. Berlepsch*'schen E., noch aus der Begründung des Ges.E. über Landwirtschaftskammern zu ersehen.

2) Die körperschaftliche Organisation der Landwirtschaft.

Ueber diesen Gegenstand liegt eine ausgearbeitete Vorlage
unter dem Titel »Entwurf eines Gesetzes über die L a n d w i r t-
s c h a f t s k a m m e r n« samt Begründung bereits vor. Am 6. Februar 1894 und den folgenden Tagen hat im preussischen Abgeordnetenhaus bereits die erste Lesung dieses Entwurfes stattge-
habt, freilich ohne irgendwelche neue Gedanken zu Tage zu fördern. Der Entwurf ist einer Kommission überwiesen.

Am 16. November 1892 hatte sich das k. pr. Landesökonomie-
Kollegium mit 18 gegen 8 Stimmen für die Errichtung von Landwirtschaftskammern ausgesprochen und am 3. und 4. Juli 1893
war derselbe Gegenstand im Abgeordnetenhause verhandelt
worden. Letzteres beschloss auf den Antrag *Loë* und Genossen:
»die k. Staatsregierung zu ersuchen, die korporative Organisation
des Berufsstandes der Landwirte unter B e s c h a f f u n g   e i n e s
b e s o n d e r e n ,   d e r   N a t u r   d i e s e s   S t a n d e s   e n t s p r e-
c h e n d e n und die ihm eigentümlichen Verhältnisse berücksichtigenden A g r a r r e c h t s vorzubereiten und den Häusern des
Landtags möglichst bald dahin zielende Vorlagen zu machen.«
Der im Januar 1894 eingebrachte Entwurf trägt diesen Beschlüssen
Rechnung.

Namentlich ist es die ins Auge gefasste Reform des Agrarrechtes, was die k. pr. Regierung veranlasst hat, die Landwirt-

schaftskammer als allgemeine obligatorische Einrichtung einzuführen. Die Begründung giebt hierüber den besten Aufschluss. Es heisst im allgemeinen Teil derselben: In dem Verlangen nach Landwirtschaftskammern begegnen sich nach dem vorstehend Mitgeteilten zwei Richtungen. Auf der einen Seite will man eine bessere V e r t r e t u n g der I n t e r e s s e n der Landwirtschaft bei allen Massnahmen der Gesetzgebung und Verwaltung erreichen, auf der anderen Seite wünscht man grössere Mittel zur Förderung des t e c h n i s c h e n Fortschritts der Landwirtschaft zu gewinnen, in beiden Fällen sollen auf die Landwirtschaftskammern die Aufgaben übergehen, welche bis jetzt den landwirtschaftlichen V e r - e i n e n obgelegen haben. Denn diese seien zu einer genügenden Interessenvertretung nicht befähigt, da sie nur etwa ¹/₃ des hier in Betracht kommenden Teils der ländlichen Bevölkerung umfassten, also um so weniger den Anspruch erheben könnten, die ganze Landwirtschaft zu vertreten, als die verschiedenen Besitzklassen in jenem Drittel nur sehr ungleichmässig verteilt seien. Die landwirtschaftlichen Vereine seien auch nicht, wie die Erfahrung gezeigt habe, in der Lage, sich die zu einem erfolgreichen Eingreifen in die Verbesserung des landwirtschaftlichen Betriebes erforderlichen Geldmittel aus eigener Kraft durch freiwillige Beiträge zu verschaffen und ihre gemeinnützige Wirksamkeit sei in hohem Grade abhängig von staatlichen Zuwendungen. Es sei ein auf die Dauer unhaltbares Verhältnis, dass die Minderheit der Landwirte Zeit, Geld und Arbeitskraft in gemeinnützigen Bestrebungen opfere, welche dem ganzen Stande der Landwirte zu Gute kommen, und es sei mindestens zu verlangen, dass die zahlreichen, jetzt dem Vereinsleben fernstehenden Landwirte, wenn man sie auch zur Mitarbeit nicht zwingen könne, wenigstens mit zu den Kosten jener gemeinnützigen Bestrebungen beitrugen.

Wenngleich diesen Ausführungen, sagt die Begründung, ein hohes Mass von Berechtigung nicht abzusprechen ist, so würde darin doch nur die Veranlassung zu einer f a k u l t a t i v e n Umwandlung der landwirtschaftlichen Vereine in Landwirtschaftskammern mit beschränkteren Aufgaben erblickt werden können. »Die in dem vorliegenden Gesetzentwurf vorgeschlagene allgemeine o b l i g a t o r i s c h e Einführung von Landwirtschaftskammern als einer korporativen Organisation des ganzen landwirtschaftlichen Berufsstandes bedarf einer weitergehenden Begründung. Eine solche findet die Staatsregierung in der g e s a m t e n

Lage der Landwirtschaft und der Notwendigkeit
der Ergreifung umfassender Massregeln zur Gesundung derselben.
Die gegenwärtige Lage der Landwirtschaft verlangt eine wirk-
samere Zusammenfassung der landwirtschaftlichen Kräfte, um der
Landwirtschaft die Vorteile zugänglich zu machen, welche die
gemeinsame Organisation für wirtschaftliche Zwecke aller Art
allein zu gewähren im Stande ist. Das Interesse des Staats
an gesunden landwirtschaftlichen Verhältnissen ist ein doppeltes.
Eine möglichst hohe landwirtschaftliche Produktion auf dem
vaterländischen Boden fördert nicht nur den Nationalreichtum
direkt, sondern gewährt auch der übrigen Gütererzeugung eine
sichere Grundlage und macht in dem Masse, wie sie zur Ernährung der eigenen Bevölkerung ausreicht, von der Versorgung aus
dem Auslande unabhängig. Wichtiger aber noch als die Höhe
der landwirtschaftlichen Produktion an sich ist für den Staat die
Lage der landwirtschaftlichen Bevölkerung. Denn gerade der
moderne Staat mit der Neigung zur Steigerung der städtischen
und industriellen Entwickelung kann immer weniger, nicht nur
im Interesse der Landesverteidigung, sondern auch zur Erhaltung
der ganzen Volkskraft der grossen Quellen physischer und mo-
ralischer Kraft entbehren, welche die ländliche Bevölkerung dar-
bietet, wenn sie in gedeilichen Verhältnissen sich befindet. Hierzu
gehört vor allem eine richtige Besitzverteilung und
ein Befreitbleiben von erdrückenden Lasten und
Verpflichtungen. Die preussische Agrargesetzgebung hat
diese Ziele nie aus den Augen verloren, nur über die besten
Mittel und Wege zum Ziele haben verschiedene Auffassungen
Platz gegriffen. Darüber hat kein Zweifel bestanden, dass die
Aufgaben der Landwirtschaft und der Landwirte sowohl in Beziehung auf die landwirtschaftliche Produktion, wie in Bezug auf
alle sozialen und politischen Funktionen vollkommen zufrieden-
stellend nur von in jeder Beziehung unabhängigen freien Besitzern
auf eigener Scholle erfüllt werden könnten. Allein während man
dementsprechend alle Feudallasten nicht nur zwangsweise ablöste,
sondern auch ihrer freiwilligen Widererstehung
gesetzliche Hemmnisse und Beschränkungen
der Vertragsfreiheit entgegenstellte, glaubte
man eine richtige Besitzverteilung und Schul-
denfreiheit am besten dadurch zu sichern, dass man eine
möglichst freie Verfügungsbefugnis in Bezug auf Verteilung und

Verschuldung einführte. Gewiss verkannte man nicht die Gefahren einer zu weit gehenden Verschuldung, aber a u s d e n e i g e n e n W o r t e n d e s L a n d e s k u l t u r e d i k t e s vom 14. September 1811 g e h t e s d e u t l i c h h e r v o r, dass man zu der wirtschaftlichen Einsicht der Landwirte das Vertrauen hatte, sie würden die Verkaufsfreiheit stets benutzen, um durch Abverkauf einzelner Besitzteile den Rest schuldenfrei zu gestalten. Die jetzt nahezu hundertjährige Erfahrung hat gezeigt, dass d i e s e E r w a r t u n g e n n i c h t i n E r f ü l l u n g g e g a n g e n s i n d, und dass als Ergebnis der wirtschaftlichen Entwickelung unter der bestehenden Gesetzgebung eine immer weiter gehende Verschuldung eingetreten ist, welche bei sinkenden Erträgen den Charakter einer nationalen Kalamität anzunehmen droht.« Nach den neuerlichen Erhebungen des preuss. statistischen Bureaus über die Hypothekenbewegung in Preussen [1]) sei anzunehmen, dass der gesamte ländliche Grundbesitz mit einem Grundsteuerreinertrage von rund 409 Millionen Mark mit etwa 10^{1}/$_{2}$ bis 11^{1}/$_{2}$ Milliarden Mark Hypotheken beschwert ist, und zwar hat die Verschuldung seit 1886 um 900 Millionen, seit 1882 um etwa 1^{1}/$_{2}$ Milliarden Mark, also um das 3^{1}/$_{2}$fache des gesamten Grundsteuerreinertrages zugenommen. Auf den bäuerlichen Besitz mit einem Grundsteuerreinertrage von rund 260 Millionen Mark werden von jener Schuldenlast etwa 6 Milliarden Mark entfallen. Die Belastung wird bei dem mittel- und kleinbäuerlichen Besitz auf das annähernd 22fache, bei dem allodialen grösseren Grundbesitz auf das 32fache des Grundsteuerreinertrages geschätzt. Nimmt man an, dass im grossen Durchschnitt etwa der 60fache Grundsteuerreinertrag dem Verkehrswerte entsprach und dass eine Verschuldung zur Hälfte, also zum 30fachen Ertrage, schon bedenklich ist, so ergiebt sich aus Vorstehendem, dass das erste und beste Wertsdrittel des bäuerlichen Grundbesitzes bereits verschuldet ist, der grössere Grundbesitz aber die Verschuldungsgrenze überschritten hat, innerhalb deren der Grundbesitzer noch den Rückschlägen, wie sie das Schwanken der landwirtschaftlichen Produktionsbedingungen mit sich bringt, gegenüber Stand zu halten vermag. »Als Gründe der überhandnehmenden Verschuldung fallen die Kreditierung von Restkaufgeldern und die Eintragung von Erbanteilen ent-

---

1) Vgl. »Die Hypothekenbewegung im preussischen Staat während des Rechnungsjahres 1891/92« in der Zeitschrift des Königlich preussischen statistischen Bureaus, Jahrgang 1892. I.

scheidend in das Gewicht, während auf Meliorationsgelder oder
auf zu hohe Lebenshaltung der Besitzer nur ein geringerer Bruchteil der vorhandenen Verschuldung zu rechnen ist. Die Ver-
kaufspreise und die Uebernahmswerte im Erbfalle stellen sich
deshalb so hoch und namentlich in letzterem Falle meistens zu
hoch, w e i l d e n A b m a c h u n g e n d e r V e r k e h r s w e r t
u n d n i c h t e i n a u c h u n t e r u n g ü n s t i g e n V e r h ä l t -
n i s s e n n o c h z u t r e f f e n d e r E r t r a g s w e r t z u G r u n d e
g e l e g t w i r d. Der Verschuldung durch Erbgang leistet das
zur Geltung gekommene römische Recht Vorschub, welches den
Grundbesitz nicht anders behandelt, wie jede bewegliche Sache
und den gleichberechtigten Miterben die Bewertung auch des
Grundbesitzes durch Verkauf teilungshalber gestattet. In weiten
Landesteilen hat sich zwar die in der Natur des ländlichen Grundbesitzes begründete Sitte bisher dieser Rechtsordnung gegenüber
ablehnend verhalten, sie wird aber immer mehr dem Eigennutze
weichen müssen, wenn nicht die Gesetzgebung wieder mit ihr in
Uebereinstimmung gebracht wird. Der Druck dieser Verschuldung wird um so härter empfunden, als dieselbe zu dem bei
weitem grössten Teile in der Form der kündbaren Hypothek
auftritt, während der ländliche Grundbesitz seiner Natur nach nur
R e n t e n q u e l l e ist und deshalb nur mit unkündbaren Amorti-
sationsrenten belastet werden sollte. Diesen schwerwiegenden
Uebelständen gegenüber kann die Staatsregierung nicht eine zu-
wartende Stellung einnehmen, sie hat vielmehr die Verpflichtung,
Massregeln der Gesetzgebung und Verwaltung vorzubereiten und
durchzuführen, welche auf die Verbesserung des Kreditwesens
und die Beseitigung der Uebelstände gerichtet sind, die auf der
übermässigen Verschuldung des Grundbesitzes und den ungeeig-
neten Formen derselben beruhen. Auch wird in Betracht zu
ziehen sein, durch ein den ländlichen Verhältnissen anzupassendes
Erbrecht eine der Hauptursachen der Verschuldung zu verhüten.
Die grossen Schwierigkeiten dieser Aufgaben können nur unter
der Mitarbeit selbständiger, auf öffentlich-rechtlicher Grundlage
ruhender Organe der Berufsgenossen überwunden werden. Denn
auf die vorhandenen Organe allein gestützt, würde es der Staatsregierung schwer fallen, den bestehenden Zustand überall mit der
erforderlichen Sicherheit f e s t z u s t e l l e n.«

Offenbar hat die K. preussische Regierung in Beziehung auf
irgendwelche Inkorporation des Hypothekarkredites und über

den Standpunkt des Ediktes von 1811 eine ganz andere Meinung als Herr *L. Brentano* in seiner auch gegen den Verfasser dieses Aufsatzes gerichteten Streitschrift sie äussert. Welchen Inhalt auch die preussische Gesetzgebung ausser der Organisation der Rentenschuld in den geplanten Rahmen körperschaftlicher Organisation der Landwirtschaft schliesslich hineinlegen wird, und was auch die Art werden mag, wie dabei der Hypothekarkredit inkorporiert werden will — ich denke nicht daran, dass die von mir vorgeschlagene Art der Inkorporation j e t z t s c h o n zur Geltung kommen wird — darüber ist kein Zweifel, dass auch die k. preussische Regierung der Ansicht des reinen Geschehenlassens nicht huldigt, sondern durch körperschaftliche Standesorganisation ebenfalls ein auf rein liberaler Grundlage weiter- nicht rückgebildetes Agrarrecht schon ins Auge gefasst hat, welches im Besitzwechsel der Grundstücke den Ertragswert zur Geltung bringen soll. Der Grundgedanke der »Inkorporation als Hypothekarkredites« überhaupt ist hier zur Anerkennung gelangt [1]).

---

1) Der Königlich Bayerische Herr Geheimrat, Professor Dr. *Lu(dwig) Jo(seph) Brentano* hat sich bemüssigt gesehen, mich in einem vor einer Münchener Juristengesellschaft gehaltenen, dann gedruckten Vortrag, welcher mir durch die Schrift des Herrn Dr. *G. Ruhland* (»agrarpolitische Leistungen des H. Dr. *L. Brentano*«) zugänglich geworden ist, p e r s ö n l i c h a u f u n w ü r d i g e W e i s e z u v e r d ä c h - t i g e n. Nach der von *Ruhland* angeführten Stelle, deren Echtheit zu bezweifeln ich keinen Grund habe, macht Herr *B.* den Vertretern der »Inkorporation des Hypothekarkredits«, unter welchen er obenan mich nennt, den Vorwurf, dass sie durch »Schelten auf die Liberalen von dem r e a k t i o n ä r e n P f e r d e f u s s eines Vorschlages, welcher über die Gedanken der Inkorporation weit hinausgeht, d i e A u f m e r k - s a m k e i t a b z u l e n k e n« suchen. Das ist der Vorwurf wissenschaftlichen Schmuggelbetriebes, also ein schwerer Angriff auf die wissenschaftliche Ehre, wie er mir von einem akademischen Fachgenossen nie zugefügt worden ist. Bis mir H. *L. Brentano* den Nachweis liefert, dass ich jemals den Mut offener Vertretung von Ueberzeugungen nicht gehabt habe, muss ich meinerseits der p e r s ö n l i c h e n Charakterantastung den oben ausgesprochenen Namen geben. — S a c h l i c h ist der Angriff, welcher bedeuten soll, dass ich die grossen Errungenschaften des liberalen Agrarrechtes, die F r e i t e i l b a r k e i t d e r G r u n d s t ü c k e und d i e F r e i h e i t d e s G r u n d - b e s i t z w e c h s e l s zwischen Lebenden und von Todeswegen versteckt antasten wolle, meiner »Inkorporation des Hypothekarkredites« gegenüber vollständig unbegründet. Hätte Herr *Lujo Brentano* meine Schriften gelesen oder zu verstehen gesucht, — das eine oder das andere ist sicherlich nicht der Fall gewesen ·, so musste er wissen, dass ich die grossen Grundsätze des liberalen Agrarrechtes »reaktionären« Angriffen gegenüber v o l l i n h a l t l i c h z u w a h r e n g e s u c h t h a b e, indem ich Vorschläge machte, wie die Folgen des liberalen Agrarrechtes in Hinsicht auf Ueberschuldung ohne die Aufhebung, ja ohne geringste Antastung der Freiteilbarkeit zu beseitigen wären. Nicht einmal für das obligatorische Anerbenrecht habe ich mich

Die Landwirtschaftskammern des Entwurfes sind als p r o -
v i n z i a l e Korporationen gedacht; es wird erwartet, dass die
landwirtschaftlichen Zentralvereine in Landwirtschaftskammern
sich verwandeln. Die Kreis-, Bezirks- und Lokalvereine bleiben
unberührt, obwohl die Frage aufzuwerfen sein wird, ob dieselben
nicht als fakultative Körperschaften zur Grundlage der Landwirtschaftskammern umgestaltet werden könnten und sollten. Die
Forstwirtschaft soll ungeteilt mit der Landwirtschaft zur Vertretung
kommen. Eine innere Gliederung, welche der Gärtnerei, dem
Handelspflanzenbau in den Kammerbezirken Vertretung sichern
würde, ist nicht erwähnt. Der Grossgrundbesitz und der spann-
fähige Bauernstand sind vor allem ins Auge gefasst. Doch ist
die Anpassung der Kammerstatute an die Verhältnisse mit viel
kleinbäuerlicher Wirtschaft vorbehalten. Irgendwelche Vertretung
der landwirtschaftlichen Arbeiter, ähnlich wie diejenige der Ge-
werbegehilfen in den *v. Berlepsch*'schen Grundzügen ist nicht geplant; das ist mehrfach getadelt worden, doch bis jetzt ohne
positive Aeusserung darüber, w i e grundbesitzende und grund-
besitzlose »freie« Arbeiter oder wie kontraktlich gebundene Arbeiter (Instleute u. s. w.) herangezogen werden könnten. Wirkungs-

---

erwärmt und der Fideikommisaufsaugung des bäuerlichen Grundbesitzes habe ich ent-
schiedendste Hemmung entgegengestellt. H. *L. Brentano* hat also gegen Windmühlen
gefochten und offene Thüren eingestossen, indem er sich m i r gegenüber zum Ritter
der Freiteilbarkeit aufgeworfen hat. Diese Verirrung kann ich ihm nicht zum Vorwurf machen; das Naturell lässt sich auch nicht korrigieren (vgl. *Lewes*, Göthe's
Leben, Abschn. Bettina und Napoleon, 6. Buch). — Ich hätte, ohne die meinerseits
völlig unprovocierte Antastung meiner wissenschaftlichen Ehre, den Herrn G.Rat reden
lassen, ohne zu reagieren. Nachdem er mich einmal angegriffen hat, werde ich berechtigt sein, seinem unbezähmbaren Drang zur Bekämpfung der Unteilbarkeit ein
ganz praktisches Ziel zu bezeichnen. Noch 118 Jahre nach Erscheinen des
Wealth of Nations findet sich auf deutschen Universitäten der Missstand der
Unteilbarkeit der Examinationsbefugnis, d. h. die Fälschung der akademischen
Konkurrenz unter nationalökonomischen Kollegen durch Kollegen, welche
ein Bannrecht utiliter acceptieren. Hic Rhodus, hic salta! Zur Vermeidung
eines Missverständnisses bemerke ich, dass wirkliche Konkurrenz nur vorhanden ist,
wenn s ä m t l i c h e an der Hochschule befindlichen angestellten Dozenten zu den Prüfungen berufen werden, nicht bloss zwei, die sich wie Kastor und Pollux zur »Unteilbarkeit« verschmolzen haben. Eine Petition der mit Bannrecht ausgestatteten Professoren
an die betreffenden Ministerien, von Herrn *L. Brentano* betrieben mit dem Eifer, welcher
ihn für die agrarische Freiteilbarkeit zu verzehren scheint, würde wahrscheinlich genügen, diesen schweren Uebelstand aus der Welt zu schaffen. Gar ein zweiter Vortrag, und zwar wieder bei den J u r i s t e n könnte die Wirkung gar nicht verfehlen.

S c h ä f f l e.

kreis und Organisation der Landwirtschaftskammern stellen sich von diesen Grundlagen aus näher wie folgt.

Was den W i r k u n g s k r e i s betrifft, so hätten (§ 2 des Entw.) Landwirtschaftskammern die Bestimmung, die Gesamtinteressen der Land- und Forstwirtschaft ihres Bezirks wahrzunehmen, zu diesem Behufe alle auf die Hebung der Lage des ländlichen Grundbesitzes abzielenden Einrichtungen zu fördern und die Verwaltungsbehörden bei den die Land- und Forstwirtschaft betreffenden Fragen durch thatsächliche Mitteilungen, Anträge und Erstattung von Gutachten zu unterstützen. Insbesondere hätten die Landwirtschaftskammern auf Erfordern nicht nur über solche Massregeln der Gesetzgebung und Verwaltung sich zu äussern, welche die allgemeinen Interessen der Landwirtschaft oder die besonderen landwirtschaftlichen Interessen der beteiligten Bezirke berühren, sondern auch bei allen Massnahmen m i t z u - w i r k e n, welche die O r g a n i s a t i o n d e s l ä n d l i c h e n K r e d i t s u n d s o n s t i g e g e m e i n s a m e A u f g a b e n betreffen. Die Landwirtschaftskammern hätten ausserdem den t e c h - n i s c h e n F o r t s c h r i t t der Landwirtschaft durch zweckentsprechende Einrichtungen zu fördern. Zu diesem Zweck können sie die Anstalten, sowie die Verpflichtungen und das gesamte Vermögen der bestehenden landwirtschaftlichen Vereine zur bestimmungsmässigen Verwendung und Verwaltung übernehmen, oder solche Vereine in der Ausführung ihrer Aufgaben unterstützen. Den Landwirtschaftskammern ist auch eine Mitwirkung bei der Verwaltung der Produktenbörsen und bei den Preisnotierungen an diesen, sowie bei Märkten zugedacht. Nach § 24 hätten sie alljährlich einmal und zwar bis zum 1. Mai dem Minister über die Lage der Landwirtschaft ihres Bezirks zu b e - r i c h t e n. Von funf zu fünf Jahren haben sie einen umfassenden Bericht über die gesamten landwirtschaftlichen Zustände ihres Bezirks an den Minister zu erstatten.

Die Landwirtschaftskammern sollen von den Land- und Forstwirten g e w ä h l t werden.

Der Entwurf regelt das a k t i v e Wahlrecht wie folgt: wahlberechtigt sind (nach § 6) nach zurückgelegtem 25. Lebensjahr: 1) in selbständigen Gutsbezirken die selbständigen Gutseigentümer, 2) in Stadt- und Landgemeinden die Eigentümer und Pächter land- oder forstwirtschaftlich genutzter Grundstücke, deren Grundbesitz oder deren Pachtung in der betreffenden Gemeinde wenig-

stens den Umfang einer die Haltung von Zugvieh zur Bewirtschaftung erfordernden Ackernahrung hat, oder, für den Fall rein
forstwirtschaftlicher Benutzung, zu einem jährlichen Grundsteuer-
reinertrag von mindestens Einhundert und fünfzig Mark veranlagt
ist. Das Wahlrecht juristischer Personen, Genossenschaften, Aktiengesellschaften oder unter Vormundschaft oder Pflegschaft stehender
Personen wird durch deren gesetzliche Vertreter oder durch die
von diesen zu bestellenden Bevollmächtigten ausgeübt. Bei dem
Staate, öffentlichen Korporationen oder Stiftungen zugehörigem
Grundbesitz, dessen Nutzniessung bestimmten Personen kraft eines
von ihnen bekleideten öffentlichen Amts zusteht, tritt an Stelle
des Eigentümers für die Dauer der betreffenden Nutzniessung
der Nutzniesser. Durch das Statut k a n n die Berechtigung zum
Wählen auch an die Eigentümer, Nutzniesser oder Pächter von
k l e i n e r e m a l s d e m z u Z i f f e r 2 a n g e g e b e n e n G r u n d -
b e s i t z v e r l i e h e n w e r d e n. — Nach § 7 sind wählbar 1) die
Wahlberechtigten und deren Bevollmächtigte, 2) die Pächter solcher
Güter, welche einen selbständigen Gutsbezirk bilden, 3) im Bezirk
der Landwirtschaftskammer wohnende Personen, welche in dem
Bezirk nach § 6 wahlberechtigt oder nach Ziffer 2 wählbar gewesen sind, 4) im Bezirk der Landwirtschaftskammer wohnende
Personen derjenigen Berufe, welchen durch das Statut die Wählbarkeit ausdrücklich beigelegt ist.

W a h l b e z i r k e sind die Landkreise. Stadtkreise können
behufs Teilnahme an den Wahlen mit benachbarten Landkreisen
zu einem Wahlbezirk vereinigt werden. In jedem Wahlbezirk
sind m i n d e s t e n s zwei Mitglieder zu wählen. Von den in
jedem Wahlbezirk zu wählenden Mitgliedern muss mindestens
eines nach den Bestimmungen der für den betreffenden Kreis
gültigen Kreisordnung dem Wahlverband der grösseren ländlichen
Gutsbesitzer, in der Provinz Posen dem Stande der Ritterguts-
besitzer, ein anderes dem Kreise der übrigen wählbaren Personen
angehören.

Die Wahl der Mitglieder erfolgt durch W a h l m a n n e r,
von denen je einer auf jeden selbständigen Gutsbezirk und auf
jede Gemeinde des Wahlbezirks entfällt. Wahlmann für den Gutsbezirk ist der Gutsbesitzer und, falls er das Recht nicht selbst
wahrnimmt, der Gutsvorsteher. Für jede Gemeinde wird von
den Wahlberechtigten für die Dauer der Wahlperiode aus den
wählbaren Personen ein Wahlmann gewählt. Fallen die Voraus-

setzungen der Wählbarkeit fort, so erlischt damit die Eigenschaft als Wahlmann. Jedem Wähler kommt bei der W a h l m ä n n e r w a h l ein Stimmrecht zu, welches dem G r u n d s t e u e r - R e i n e r t r a g e d e s v o n i h m v e r t r e t e n e n, in der betreffenden Gemeinde belegenen Besitzes entspricht, jedoch ein Drittel aller Stimmen der Gemeinde nicht übersteigen darf. Bei verpachteten Grundstücken k a n n (!) das Wahlrecht von dem Eigentümer oder Nutzniesser ganz oder teilweise durch schriftliche, dem betreffenden Gemeindevorstande einzureichende Erklärung auf den Pächter übertragen werden. Sofern dies nicht geschehen, hat der P ä c h t e r n u r e i n d e m M i n d e s t m a s s d e s S t i m m r e c h t s i n d e m L a n d w i r t s c h a f t s k a m m e r b e z i r k e e n t s p r e c h e n d e s S t i m m r e c h t.

Die Mitglieder der Landwirtschaftskammer werden auf s e c h s Jahre gewählt, nur bei der ersten Wahl bestimmt sich die Dauer der Mitgliedschaft durch die nachfolgende festgesetzte Reihenfolge des Ausscheidens. Am Schlusse j e d e s Jahres scheiden die Vertreter eines S e c h s t e l s d e r W a h l b e z i r k e nach einer durch das Statut festzusetzenden Reihenfolge aus. Ist die Zahl der Wahlbezirke nicht durch sechs ohne Rest teilbar, so bestimmt das Statut darüber, wie die überschiessenden Wahlbezirke zu verteilen sind. Die ausscheidenden Mitglieder sind wieder wählbar und bleiben solange in ihrer Stellung, bis eine Neuwahl stattgefunden hat.

Alle drei Jahre wählt die Landwirtschaftskammer aus ihrer Mitte einen V o r s t a n d, welcher aus mindestens fünf Mitgliedern und fünf Stellvertretern bestehen muss. Dieser Vorstand wählt aus seiner Mitte einen ersten und einen zweiten Vorsitzenden, welche gleichzeitig Vorsitzender bezw. stellvertretender Vorsitzender der Landwirtschaftskammer sind.

Die Landwirtschaftskammer ist berechtigt, einzelne A u s s c h u s s e aus ihrer Mitte zu bilden und mit besonderen, regelmässigen oder vorübergehenden Aufgaben zu betrauen. Diese Ausschüsse haben ihrerseits das Recht, sich bis zu einer von der Landwirtschaftskammer festzusetzenden Zahl durch N i c h t m i t g l i e d e r der Kammer zu e r g ä n z e n. Sie fassen ihre Beschlüsse selbständig, dieselben sind aber, s o w e i t d i e Landwirtschaftskammer den Ausschüssen n i c h t b e s t i m m t e s e l b s t ä n d i g e A u f g a b e n zugewiesen hat, der Landwirtschaftskammer oder dem Vorstand zur Bestätigung vorzulegen.

Die Mitglieder und Stellvertreter versehen ihr Amt unentgeltlich. Doch kann ihnen eine den **b a r e n A u s l a g e n** fur
die Teilnahme an den Sitzungen und die Ausführung besonderer
Aufträge entsprechende **E n t s c h ä d i g u n g** durch Beschluss der
Landwirtschaftskammer gewährt werden.

Die Sitzungen der Landwirtschaftskammer sind **ö f f e n t l i c h.**

Die der Landwirtschaftskammer für ihren gesamten Geschäftsumfang entstehenden **K o s t e n** werden von ihr, soweit sie nicht
durch anderweite Einnahmen gedeckt werden, auf die wahlberechtigten Eigentumer bezw. Nutzniesser ihres Bezirks nach dem
Massstabe des **G r u n d s t e u e r - R e i n e r t r a g e s** der betreffenden Besitzungen, verteilt, von den Gemeinden und Gutsbezirken
auf Anweisung des Regierungspräsidenten erhoben und durch
Vermittelung der Kreis- (Steuer-) Kassen an die Landwirtschaftskammern abgeführt. Die Beitragspflicht fur die Landwirtschaftskammer ist den gemeinen öffentlichen Lasten gleichzuachten.
Rückstandige Beiträge werden in derselben Weise wie Gemeindeabgaben eingezogen.

Sofern die Umlagen ein **P r o z e n t des G r u n d s t e u e r -
r e i n e r t r a g s** nicht überschreiten, sind die Landwirtschaftskammern berechtigt, die Festsetzung der zu zahlenden Beiträge
selbständig vorzunehmen; darüber hinaus bedürfen sie der Genehmigung des Ministers. Ihr Kassen- und Rechnungswesen ordnen
die Landwirtschaftskammern selbständig.

Dies die Grundzüge der Organisation der Landwirtschaftskammern.

Die Bestimmungen über das aktive Wahlrecht bedürfen der
Erläuterung aus der Spezialbegründung kaum. Zu den drei Bestimmungen des **p a s s i v e n W a h l r e c h t e s** führen wir jedoch
die näher ausgesprochenen Gedanken an. Es wird zu § 7 bemerkt: »während das aktive Wahlrecht ausschliesslich den noch
im Gewerbe stehenden Landwirten vorbehalten bleiben soll, würde
es bedenklich sein, das passive Wahlrecht ebenso zu beschränken.
Man würde die Landwirtschaftskammern vieler besonders geeigneter
Momente berauben, wenn man das passive Wahlrecht nicht auch auf
die Pächter der Gutsbezirke und auf **f r ü h e r e** Landwirte und Pächter
ausdehnen wollte; es steht ferner nichts im Wege, den Landwirtschaftskammern die Berechtigung zu geben, sich durch entsprechende Statutbestimmungen die Möglichkeit zu sichern, Angehörige solcher Berufe, welche sich zur Wahrnehmung landwirt-

schaftlicher Interessen oder zur Teilnahme an der Förderung landwirtschaftlich-technischer Fortschritte besonders qualifizieren, z. B. Lehrer der Landwirtschaft, Tierärzte, Landschaftsbeamte etc. aus besonderem persönlichen Vertrauen in die Landwirtschaftskammer zu berufen. Ueberall aber wird es angezeigt sein, die Beschränkung eintreten zu lassen, dass die betreffenden Mitglieder der Kammer im Bezirke derselben Besitz oder Wohnsitz haben müssen, damit in der Kammer nur solche Mitglieder vorhanden sind, welche den Verhältnissen des betreffenden Bezirks dauernd nahestehen.

Ueber die eigentümliche Regelung des W a h l r e c h t e s der P ä c h t e r bemerkt die Begründung: man habe weder die Verpächter noch die Pächter unbeteiligt lassen können und daher zumal mit Rücksicht auf die Erledigung der Beitragspflicht die Beteiligung der p r i v a t e n A b m a c h u n g zwischen Pächter und Verpächter zu überlassen und nur, wo eine solche Einigung nicht stattfinde, dem Pächter »das Mindestmass« des Stimmrechtes zu erteilen, welches ihm Gelegenheit giebt, an den Wahlen teilzunehmen, ohne eine unzulässig starke Doppelvertretung des betreffenden Grundbesitzes herbeizuführen.

Die K a m m e r f i n a n z der Landwirtschaft betreffend ist nicht beabsichtigt, die bisherigen B e i t r ä g e d e s S t a a t e s an die landwirtschaftlichen Zentralvereine einzustellen. Die »Begründung« besagt über die Kostendeckung: »Das Analogon der Gewerbesteuer, nach welcher die Kosten der Handelskammern verteilt werden, kann bei der Landwirtschaftskammer nur die Grundsteuer bezw. der dieser zu Grunde liegende Grundsteuer-Reinertrag sein. Alle Versuche, einen anderen Verteilungsmassstab, z. B. die Fläche des Besitzes, den Viehbestand, die Gesamtsteuer der einzelnen Besitzer etc. zu finden, haben kein genügendes Resultat gegeben, man hat sich schliesslich davon überzeugen müssen, dass der Grundsteuer-Reinertrag immer noch der gerechteste Massstab ist, zumal die Verschiedenheiten der Einschätzung in ein und demselben Landwirtschaftskammer-Bezirke nie so gross sein werden, als sie zwischen einzelnen Provinzen in der That bestehen. Die Einziehung der Beträge ist ähnlich wie bei den Handelskammern zu regeln. Zu den anderweitigen Einnahmen würden auch etwaige Staatszuschüsse gehören. Es liegt nicht in der Absicht, den Landwirtschaftskammern mit Rücksicht auf das ihnen verliehene Besteuerungsrecht solche Zuschüsse, wie sie bisher die landwirt-

schaftlichen Vereine erhalten haben, zu verweigern. Die Handelskammern sind innerhalb eines 10prozentigen Zuschlages zur Gewerbesteuer in ihrer Beitragserhebung und Etatsgebarung selbständig. Will man die Landwirtschaftskammern möglichst unabhängig machen, so muss man ihnen auch das Recht zugestehen,
einen entsprechenden Steuerbetrag selbständig einziehen zu können.
Gegen einen Missbrauch dieses Rechts können sich die Beteiligten
genügend selbst schützen. Wie hoch sich die Beiträge für die
Landwirtschaftskammern stellen werden, wird demnach ganz von
den Beschlüssen der Beteiligten abhängen.«

In § 26 sieht der Entwurf selbständige Unterverbände mit eigenen korporativen Verwaltungs- und Steuerbe-
fugnissen vor, um grossen selbständigen Aufgaben zu dienen. In
dem Masse, heisst es, wie der Geschäftsumfang der Landwirtschaftskammer zunimmt, wird sich das Bedürfnis herausstellen,
Unterverbände derselben mit der gleichen rechtlichen
Stellung einer Korporation, wie sie den Landwirtschaftskammern zusteht, zu errichten. Solche Unterverbände mit
eigenen Beiträgen (bis zu $^1/_2$ Proz. des Grundsteuer-Rein-
ertrages) würden einzelnen, besonders strebsamen und leistungs-
fähigen Teilen des ganzen Landwirtschaftskammer-Bezirks die
Möglichkeit bieten, eigene Einrichtungen zur Befriedigung lokaler
Bedürfnisse zu schaffen und zu unterhalten, ohne an die Zustimmung einer höheren Instanz gebunden zu sein, oder ohne die
Mittel in Anspruch zu nehmen, welche in dem ganzen Bezirk
der Landwirtschaftskammer aufgebracht werden. Solche Unterverbände würden eventuell die Geschäfte der jetzigen landwirtschaftlichen Kreisvereine zweckmässig übernehmen können.«

Bei der 1. Lesung des Entwurfes betr. die Landwirtschaftskammern ist demselben die allgemeine »Steuer- und Wahlmüdigkeit«
der Bevölkerung entgegengehalten und der Wert des landwirtschaftlichen Vereinswesens nachdrücklich betont worden. Liesse
sich nicht der Organisation eine Gestalt, dem Wirkungskreis ein
Inhalt, den Lokalvereinen eine Stellung geben, welche der Steuer-
und Wahlmüdigkeit empfindliche weitere Zumutungen nicht machen,
den Vereinen aber erhöhte Leistungsfähigkeit verschaffen? Hierüber wird im weiteren Artikel die erforderliche Erörterung zu
pflegen sein.

DIE SELBSTÄNDIGE ENTSTEHUNG DES DEUTSCHEN KONSULATES.

VON

Dr LUDWIG WIRRER (†).

I. Eine weit verbreitete Meinung völkerrechtlicher Schriftsteller geht dahin, das Konsulat sei durch die Kreuzzüge veranlasst und erst im XIV. Jahrhundert vom Oriente nach den westeuropäischen Staaten verpflanzt worden [1]). Dem gegenüber muss man sich fragen: Lagen denn nicht schon früher, in Deutschland besonders und in seinen Nachbarreichen, Verhältnisse vor, welche geeignet gewesen wären, ein Rechtsinstitut zu schaffen, das unserem gegenwärtigen Konsulate gleicht? Sollte der bereits zur Karolinger-Zeit bestehende Handelsverkehr, welcher zur Ueberwachung der Handeltreibenden, die Aufstellung eigener Aemter an bestimmten grösseren, vom Verkehre mehr belebten Orten nahe den Reichsgrenzen nötig machte, und zumal in späterer Zeit der bereits im XI. und XII. Jahrhundert zu einer hohen Blüte gelangte Handel Flanderns, der Rheinlande um das altehrwurdige Köln, der sächsischen Städte und Regensburgs oder der rege Verkehr, welchen das rasch aufgeblühte Lübeck und die ganze Reihe der deutschen Städte an der Nord- und Ostsee mit England, Dänemark, Schweden, Norwegen und Russland am Beginne des XIII. Jahrhunderts unterhielten, nicht schon lange vor dem XIV. Jahrhunderte Anlass geboten haben, eine Einrichtung in das Leben zu rufen, welche der in die Fremde fahrende Kaufmann zu seinem Schutze und zur Förderung seiner Interessen so sehr bedurfte? Schon die Frage, wie sich die landesfürstliche Gewalt bei Rechtsstreitigkeiten

---

1) *Martens*, Völkerrecht II, S. 67 ff., *Heffter-Geffken*, Eur. Völkerrecht. 1888. S. 476 Anm. 3., *Bulmerincq* in Holtzendorff's Handb. d. Völkr. III, S. 687 f.

von Fremden unter einander verhielt, musste bei dem bekannten
Grundsatze aller auf germanischer Basis beruhenden Rechte, Urteil
nur von den Genossen, seien sie nun Stammes- oder Standes-
genossen, annehmen zu mussen, und bei der nicht minder bekannten Thatsache, dass dieser Grundsatz in übertragener Weise
insoferne auch auf Fremde Anwendung fand, als man die Schlichtung der unter ihnen obwaltenden Rechtshändel durch ihre eigenen
Richter, bezw. die hiezu Erwählten zuliess [1]), darauf hinführen, die
Unrichtigkeit obiger Ansicht zu erhellen. Eine eingehende Untersuchung der zu Gebote stehenden deutschrechtlichen Quellen
wird jenen Irrtum völlig erweisen.

II. Im heute französischen Flandern hatte sich noch aus der
Römerzeit her eine bedeutende Tuch-Industrie erhalten. Arras
war der Mittelpunkt derselben und von hier aus fand fruhzeitig
ein lebhafter Handelsverkehr nach England statt, von woher man
Wolle bezog. Die flandrischen Grafen begriffen bald die Bestimmung ihres Landes und begünstigten Handel und Gewerbe in
ihrem Fürstentum. Im XII. Jahrhundert war Flandern das Haupt-
land für den Handel des nordwestlichen Europas. Dahin ging
der Handelszug des mittleren und westlichen Deutschlands, von
hier strömte er bis in die fernen Donaulande [2]). Der Norden
Deutschlands handelte nach Flandern lange vor dem Ursprunge
der Hanse. Mit Italien und Spanien, mit dem mittleren Frankreich und mit England stand der gesegnete Landstrich am Ausgange des Aermelkanales bereits im XII. Jahrhundert in Handelsverbindung [3]). Ein solch reger, in ferne Länder führender Verkehr
mochte wohl schon sehr frühe die flandrischen Kaufleute zu einem

---

1) Schon die Westgoten gewährten den über die See herkommenden fremden
Kaufleuten eine exempte Stellung bei Streitigkeiten unter ihnen selbst: L. Wisigoth.
XII, 3, 2 (*Walter* Corp. iur. Germ. ant.) für geringfügige Streitigkeiten gestattet eine
Befreiung vom allgemeinen Gerichtsstande Ludovici Const. pro Hispanis Cp. 2. (*Bo-
rettus*, Capitularia reg Franc. I, S. 262). Vgl. noch den Friedensvertrag K. Friedrich II. mit dem Sultan v. J. 1229 art. 5 (Mon Germ Leg. II, S. 260), ferner die
für Kreuzzugspilger geltende Satzung der Stadt Riga bei *Napiersky*, Quellen des rigi-
schen Stadtrechts, 1876 und schliesslich den Art. 29 des Soester Rechtes von 1120
(*Seibertz*, U B. z. Land- u. Rechtsgesch. Westfalens, 1839 f. B. I. Nr. 42) und den
art. 114 desselben Stadtrechtes vom Jahre 1350 (a. a. O. II, Nr. 719).

2) *Rössler*, Deutsche Rechtsdenkmäler aus Bohmen und Mähren. B. I, S. XIV,
A. 2; B. II, S. VIII f.

3) *Warnkonig*, flandr. St. u. R.Geschichte bis 1305. B. I, S. 318. 325.

strammen Zusammenhalten in der Fremde bestimmt und den Anlass zu jener Gesellschaft gegeben haben, die als flandrische
Hanse bis in das XV. Jahrhundert hinein bestand. Ueber den
Ursprung derselben sind wir nicht unterrichtet. Sie besteht bereits im XII. Jahrhundert und war eine Vereinigung von Gross-
händlern, an deren Spitze ein von den Kaufleuten zu Brügge
gewählter comes hanse stand [1]). Dieser letztere war kein Beamter,
sondern Vorstand einer Handelsgesellschaft. Wie jeder Gildemeister übte er eine gewisse Gerichtsbarkeit aus. Seine Jurisdiktion war, was ihre Verwirklichung im Auslande betrifft, naturgemäss in doppelter Weise eingeschränkt: teils durch die Kompetenz, die sich der auswärtige Staat für seine Gerichte vorbehielt.
teils durch die Zuständigkeit der heimischen Gerichte in den für
diese vorbehaltenen Rechtsfällen. Ein urkundlicher Beleg für das
thatsächliche Rechtsverhältnis zwischen der flandrischen Hanse
und den auswärtigen Staatsgewalten fehlt uns.

Besser sind wir unterrichtet bezüglich derjenigen Rechtsverhältnisse, welche zwischen der ausländischen Kaufmannschaft und
der flandrischen Staatsgewalt obschwebten. Der Verkehr auf
den grossen Tuchmärkten bot sicher sehr frühe den Grafen Flanderns Gelegenheit, Schutz und Sicherheit den zuströmenden Fremden zu verbürgen und jene Prinzipien festzustellen, nach welchen
bei Rechtsstreiten von Ausländern vorgegangen werden sollte.
Solange nun die flandrische Hanse neben dem mächtigen Export-
handel mit den Erzeugnissen der heimischen Industrie noch den
grössten Teil der Einfuhr besorgte, blieben die fremden Kauffahrer
im Hintergrunde, umsomehr, als sie wohl selten in grösserer
Menge aus einer Stadt herkamen und so nicht durch das Band
bürgerlicher Vereinigung an einander geknüpft waren. Als jedoch

---

[1]) a. a O. I, S. 331. Von diesen Vorständen der Handelsgesellschaften oder
kaufmännischen Genossenschaften müssen in Flandern jene Beamte unterschieden
werden, welche auch comites hanse, späterhin preudhommes genannt und von den
Schöffen der vorzüglichsten flandrischen Handelsorte gewählt wurden. Ihre Aufgabe
war, für Schutz, Bequartierung und Beaufsichtigung der fremden Marktbesucher zu
sorgen. *(Warnkönig* II, 2. Nr 247, art. 11 d. Privilegs der Gräfin Johanna v. j.
1235 und a. a. O. I, Nr. 38, Verordnung für die flandrischen Messen v. j. 1290).
Auch die in den Statuten der holländischen Bruderschaft der Kaufleute vom j. 1271
(Hanseatisches Urkundenbuch, herausg. v. Höhlbaum I, Nr. 694) erwähnten formatores,
neben welchen es einen comes hanse gab, wurden per scabinos et juratos gewählt
und scheinen eine ähnliche Aufgabe wie die oben erwähnten flandrischen Beamten besessen zu haben.

die ausländischen Kaufleute begannen zahlreicher auf den flandrischen Märkten zu erscheinen, selbst ihre Einkäufe hier zu besorgen und die Erzeugnisse ihrer Länder ohne Zuhilfenahme eines
Zwischenhandels hierher zu bringen; insbesondere aber seitdem
nach der Mitte des XIII. Jahrhunderts die deutsche Hanse an
Zahl der Glieder und an handelspolitischer Bedeutung gewachsen
war, sahen sich die Grafen von Flandern gezwungen, den Forderungen auswärtiger Kaufleute nachzugeben und ihnen das Recht
der freien Vereinigung unter einem, mit bestimmten Befugnissen
ausgestatteten Vorstande zuzugestehen. So gab man im Jahre
1280 a tous marchans d'Espaigne et de Alemaigne et a tous autres
marchans d'autres terres, ki a ces marchans deseure dis acom-
paignie se verront, welche Ardenburg besuchen wollten, das
Recht, quatre procureurs zu wählen, die in Gemeinschaft mit vier
Schöffen von Ardenburg alle Klagen zu entscheiden hatten [1]).
Diese Einrichtung, welche wir ähnlicher Weise auch in England
als jury de medietate linguae treffen, scheint von nicht langer
Dauer gewesen zu sein, wahrscheinlich wegen der Vereinigung
verschieden sprachlicher Elemente und wegen des Strebens der
deutschen Hanse nach einer Sonderstellung, wie sie dieselbe in
England und Nowgorod einnahm. Denn schon im Jahre 1307
wird den Romani imperii mercatores allein und hiedurch vornehmlich der Hanse ein Privilegium erteilt, zufolge dessen die
deutschen Kaufleute überall in Flandern unter einander Verbindungen eingehen durften und die unter ihnen entstandenen Rechtshändel, mit Ausnahme der zu Haut und Haar gehenden, selbst
schlichten konnten [2]). Doch enthielt diese letztere Berechtigung
nicht das Zugeständnis der Exekution des Schiedspruches. Der
rebellis seu contumax durfte nur von der flandrischen Obrigkeit
zur Erfüllung gezwungen werden.

III. In L o t h r i n g e n treffen wir das Institut des Konsulates
bereits im Jahre 1315 durch das für die mercatores Almanie . . . .
nec non cuiuscunque alterius regni seu terre zur Hebung Ant-
werpens erlassene Patent [3]) ausdrücklich anerkannt und hier finden
wir zum ersten Male die Bezeichnung consul seu capitaneus für

---

1) Hans. U.B. I, Nr. 862.

2) a. a. O. II, Nr. 121. § 6; vgl. dazu Lübisches U.B. II, 1. Nr. 105, art 40. 41.

3) Hans. U.B. II, Nr. 266.

die gewählten Obmänner der Vereinigung ausländischer Kaufleute [1]).
Es wird den fremdländischen Kaufleuten darin unter anderem
das Recht zugestanden quod . . . . cum sociis suis vel aliis eorum
societatem sequi et intrare volentibus capitaneum seu consulem
sibi . . . eligant und ihnen gestattet, streitige Angelegenheiten
aller Art — ausgenommen die zu Haut und Haar gehenden —
unter sich zu ordnen und zu entscheiden, sowie auch die Vergehen der aufgenommenen Träger und Arbeiter zu richten, welche
sich diese gegenüber ihren Dienstherren zu Schulden kommen
liessen [2]). Dagegen blieben Rechtshändel der fremden Kaufleute
mit den lothringischen Bürgern einem gemischten Gerichte, bestehend aus den fremden Kaufleuten, dem lothringischen scultetus
und Schöffen, vorbehalten und dasselbe zusammengesetzte Gericht
war zuständig, wenn einer der ausländischen Kaufleute oder ihre
Diener Händel hatten mit einem de ipsosum societate vel terra
non existente [3]). Somit treffen wir auch hier wieder eine Art
jury de medietate linguae.

Dass schon vor dem Jahre 1315 ähnliche Bestimmungen, insbesondere zu Gunsten der westphälischen Städte, bestanden, lässt
sich aus den regen Handelsbeziehungen derselben mit den lothringischen und brabantischen Ländern mit einiger Berechtigung
folgern.

Der Konsul des lothringischen Patentes vom Jahre 1315 ist
ein von den in lothringischen Stadten weilenden ausländischen
Kaufleuten gewählter landsmännischer Richter und Vorstand der
jeweiligen an dem betreffenden Orte eben bestehenden Vereinigung
derselben, welcher innerhalb der ihm zugestandenen und vorhin
angeführten Gerichtsbarkeit auch das Recht besass, seine Urteile
zwangsweise durchzusetzen [4]). Es ist nun klar, dass, solange sich
die in das Ausland ziehenden deutschen Kaufleute von der heimischen Obrigkeit in ihrem Thun und Treiben frei zu halten
wussten, insbesondere aber so lange die Zahl der aus e i n e r
Stadt oder aus e i n e m Lande z. B. nach Antwerpen kommenden Handelsleute gering war, das freie Konsul-Wahlrecht der
an dem betreffenden Handelsorte Versammelten erhalten blieb
und dass dasselbe erst damals durch ein Bestätigungsrecht der

1) Art. 14 a. a. O.
2) Art. 15.
3) Art. 6.
4) Art. 14.

heimischen Obrigkeit beeinträchtigt, beziehungsweise durch deren
Ernennungsrecht verdrängt wurde, als die letztere auch auf diesem
Wirkungsgebiete ihre Thätigkeit zu entfalten begann. Dies geschah aber in einer Zeit, welche jenseits der unserer Untersuchung
gesteckten Grenze liegt.

IV. Zahlreicher sind die Quellen, welche uns die Geschichte
des deutschen Konsulates in E n g l a n d veranschaulichen. Hier
bestand, wie bereits erwähnt wurde, eine Niederlassung der flandrischen Hanse schon sehr frühzeitig [1]). Ueber ihre Rechtsverhältnisse und die Zeit ihrer Entstehung ist uns nichts genaueres
bekannt. Ebensowenig kennen wir den Zeitpunkt, zu welchem
die Kölner ihre Gildehalle in London errichteten. Dass dies
schon in weit zurückliegender Zeit geschah, beweist eine Urkunde
K. Richards vom Jahre 1194, in welcher den Bürgern Kölns eine
Abgabe von ihrer Londoner Gildehalle erlassen wurde [2]). Das
Recht, eine Hanse [3]) zu errichten, erhielten weiters die Lübecker
im Jahre 1267 [4]) und im Jahre vorher die Hamburger [5]). Durch
diese Verleihungen war das Vorrecht der Kölner, welche bis
dahin den englischen Markt beherrschten, gebrochen. Wie schon
vorher in Nowgorod, einigten sich die deutschen Kaufleute auch
in England, die einzelnen Hansen verschmolzen zu einer einzigen
und es scheint diese Verschmelzung zwischen 1267 und 1271 vor
sich gegangen zu sein [6]).

Ueber das Rechtsverhältnis dieser einzelnen Handelsniederlassungen wissen wir für die Zeit bis zur Mitte des XIII. Jahr-

---

1) *Warnkönig* I, S. 331.

2) *Lacomblet*, Urkundenbuch f. d. G. d. Niederrheins, 1840 I, Nr. 542.

3) Ueber die Bedeutung des Wortes Hanse siehe *Grimm*, Wörterb.

4) *Sudendorf*, Welfenurkunden d. Towers U. Nr. 67.

5) a. a. O. Nr. 65.

6) Es ergiebt sich dies daraus, dass bereits im Jahre 1271 ein aldermannus Romani imperii apud Lennam urkundlich vorkommt (Lüb. U B. l, Nr. 329). Dabei ist
es jedoch nicht ausgeschlossen, dass schon eine Zeit lang vorher eine gemeinsame,
nicht unter Kölnischer Vorherrschaft stehende Gildehalle zu London bestand, und
dass wegen Streitigkeiten unter den deutschen Städten jene Secession eintrat, die uns
durch die in Anm. 4 und 5 angeführten Urkunden bezeugt wird. Auf eine solche
gemeinsame Hanse deutet hin das im Jahre 1260 von K. Heinrich III. den merca-
toribus regni Allemanie, illis videlicet qui habent domum in civitate nostra London,
que gildehall Teutonicorum vulgariter nuncupatur, gegebene Privileg (Hans. U.B. I,
Nr. 552) und ferner der Arnaldus Thedmar, welcher c. 1251 als aldermannus Theutonicorum (a. a. O. I, Nr. 405) vorkommt.

hunderts nicht mehr, als dass eine bestimmte Abgabenpflicht gegenüber dem englischen Könige bestand. Erst nach der Mitte dieses Jahrhunderts wird das Bild klarer. Da steht nun fest, dass im Jahre 1282 gelegentlich eines schon längere Zeit während Streites zwischen den vereinigten deutschen Kaufleuten und der Stadt London, welcher sich um die Verpflichtung zum Mauergelde und zum Unterhalte des Bischopgate-Thores drehte [1]), den hansischen Kaufleuten der Aeltermann, wie in früheren Zeiten zugestanden wurde, allein unter der Beschränkung, dass derselbe ein Londoner Bürger sei, dem Major und dem Rate von London präsentiert werde und vor diesen beiden einen Eid leiste, Recht zu sprechen und sich in seinem Amte zu verhalten, wie es Recht und Herkommen der Stadt sei [2]). Aus der Fassung dieses Uebereinkommens lässt sich entnehmen [3]), dass bis dahin der Aeltermann der hansischen Kaufleute nicht aus der Londoner Bürgerschaft, sondern unter ersteren selbst erwählt wurde. Den Grund dieser Aenderung erblicken wir in folgendem: Bis zur Vereinigung der deutschen Sonderhansen in die eine grosse Handelsgesellschaft bezw. in den hanseatischen Städtebund wählte jede der ersteren ihren Vorstand aus den Landsleuten und bis dahin mochte derselbe bei Streitigkeiten seiner zur betreffenden Hanse gehörigen Landsleute mit Bewilligung der englischen Könige die gleichen oder ähnliche richterliche Befugnisse ausgeübt haben, wie wir sie in Flandern schon getroffen haben und in Dänemark, in einer allerdings grösseren Machtvollkommenheit noch treffen werden. Als jedoch jene Vereinigung stattgefunden und nun unter e i n e m Obmanne Angehörige verschiedener Städte und Unterthanen mehrerer Landesherren standen, die sich vorhin bei Rechtshändeln vor den englischen Gerichten belangten [4]), da suchte man die Möglichkeit, dass nur solche Streitigkeiten zwischen Bürgern der verschiedensten Orte den englischen Gerichten entzogen werden, einigermassen dadurch zu verhindern, dass man die Wahl eines Londoner Bürgers zum Aeltermanne der vereinigten Hanse verlangte. Und wahrscheinlich hatte damals, zur Zeit der Feststellung dieser Bestimmung, die Eifersucht zwischen

---

1) Hans. U.B. I, Nr. 832 und 902.

2) a. a. O. I, Nr. 902.

3) . . . prout retroactis temporibus habuerunt, ita tamen . . .

4) Eine ausschliessliche Unterstellung der Hansegenossen unter die Jurisdiktion ihres Aeltermannes ist nicht beurkundet.

den deutschen Städten [1]), besonders zwischen Köln, das bis vor
kurzem die Vorherrschaft führte, und dem aufstrebenden Hamburg und Lübeck, es dahin gebracht, dass jener Einschränkung
des Wahlrechtes seitens der deutschen Kaufleute zugestimmt
wurde. Jedenfalls war man in späterer Zeit mit dieser nur für
den Londoner Platz gultigen Bestimmung [2]) nicht zufrieden. Denn
im Jahre 1321 kam es zu einer Untersuchung vor dem königlichen
Gerichtshofe, in welcher das Recht zur Wahl eines Aeltermannes
aus der Hanse und dessen Befugnis zur Entscheidung von solchen
Rechtsstreiten, die unter Hansegenossen vorfielen, betont wurde [3]).
Diese Beschwerde über den Vertrag von 1282, den man vielleicht
als einen aufgedrungenen ausgab, hatte aber nicht den Erfolg
einer endgültigen, den deutschen Ansprüchen günstigen Entscheidung; denn im Jahre 1427 wurde ein neues Uebereinkommen
zwischen der Stadt und den Kaufleuten der deutschen Gildehalle
in London geschlossen, durch welches jener Vertrag von 1282 in
allen seinen Punkten bestätigt wurde [4]).

Die Tendenz, welche dem Vorgehen des Londoner Rates
zu Grunde lag, war dieselbe, wie sie in anderen Staaten ange-
troffen wird, nämlich die, der territorialen Gerichtsgewalt die
Herrschaft über alle im Gebiete derselben entstandenen bezw.
zur Entscheidung gelangenden Rechtsangelegenheiten zu sichern.
Ihr entspricht auch das in folgendem erörterte Patent K. Eduards I.
vom Jahre 1303, und um ihre Wirksamkeit zu vereiteln, diente
die Bestimmung des Londoner Statutes der deutschen Hansa,
nach welcher das Begehren eines Hansegliedes um Rechtshilfe
gegen einen Genossen nicht ohne Bewilligung des hanseatischen,

---

1) Diese Rivalität spricht noch deutlich aus der Wahlordnung des Statutes der
Londoner Hansa vom Jahre 1437 (*Lappenberg Stahlhof*, S. 103 f.).

2) Für die übrigen Orte, an welchen Hanseniederlassungen bestanden, ist eine
gleiche Anordnung nicht bloss nicht erwiesen, sondern die Bestätigung der Hansa-
rechte durch die Stadt Lynn vom Jahre 1310 (Hans. U.B. II, Nr. 170 art. 9) zeigt,
dass hier nur die Grundsätze des Patentes vom Jahre 1303 Anwendung fanden. Jener
Simon von Stavere, *burgensis Lennensis ac aldermannus Romani imperii*, welcher in
einer Urkunde vom Jahre 1271 vorkommt (Lüb. U.B. I, Nr. 329) berechtigt noch
nicht zur Annahme, dass in Lynn gleiches galt wie in London. Simon von Stavere
konnte ganz wohl Bürger von Lynn und dabei zugleich Aeltermann und zwar frei
gewählter Aeltermann der Hanse sein. Vgl. den Hanserecess vom Jahre 1447 (*Lappenberg*, S. 107, IV).

3) Hans. U.B. II, Nr. 375.

4) *Lappenberg*, U Nr. 72.

deutschen Aeltermannes bei dem englischen Gerichte gestellt werden sollte, bezw. mit Strafe bedroht und nur höchst ausnahms- weise erlaubt war [1]), eine Bestimmung, die wir in ähnlicher Weise schon im Lübischen Schiffs- und Seerechte bezüglich der Fahrt nach Flandern (vom Jahre 1299) festgesetzt finden [2]).

Die erste uns bekannte Urkunde, welche als ein allgemeines Handelspatent für ausländische Kaufleute zugleich Fragen über den Gerichtsstand regelt, ist die von K. Eduard I. im Jahre 1303 erlassene Verordnung [3]). Dieselbe enthält zwei für uns interes- sante Bestimmungen, jene über die sogenannte jury de medietate linguae und weiters jene über den justiciarius. Durch die erstere wird angeordnet, dass bei allen Gerichtsverhandlungen, mit Aus- nahme jener über todeswürdige Verbrechen, stets die Hälfte der Urteiler, oder wenn am Platze nur wenige fremde Kaufleute an- wesend sind, mindestens einige Taugliche aus diesen ausländischen Kaufleuten, die übrigen aus den urteilsberechtigten (legalibus hominibus) Leuten des Ortes genommen werden sollten, so oft ein fremdländischer Kaufmann Kläger oder Beklagter ist. Die schiedsrichterliche Befugnis eines Vorstandes der Hanse oder einer anderen Handelsverbindung ist durch diese Einrichtung, die wir ähnlicher Weise schon in Flandern, Holland und Lothringen getroffen haben, weder aufgehoben noch verboten worden. Aber indirekt, wenn auch nicht gerade aus, ist hiedurch den Aelter- männern der Hanse das Recht zur Zwangsvollstreckung ihrer Spruche gegen Mitglieder der Genossenschaft, das möglicher Weise vor Zeiten ihnen in England so zustand wie in Dänemark und Russland, entzogen worden. Denn jener, welcher sich dem Urteile seiner Hansebrüder nicht unterwerfen wollte, konnte die Sache vor eine solche jury de medietate linguae bringen, indem er bei ihr gegen die gewaltsame Ausführung des gegen ihn gerichteten Spruches Hilfe suchte, was ihm so lange unmöglich war, als die Hanse von den englischen Königen die Berechtigung besass, die Exekution gegen ihre Glieder ohne Einmischung der englischen Gerichte vornehmen zu dürfen, bezw. der Grundsatz galt, dass Streitigkeiten der Fremden unter einander die heimische Gerichts- gewalt nicht berühren. Diese sogenannte jury de medietate linguae ist unter dem *engelschen rechte* gemeint, vor welches nach

---

1) Ebd. S. 108, VII, § 3; S. 115, XXXIII; S. 116, XXXIV.
2) Lüb. U.B. II, 1. Nr. 105, art. 40, 41.
3) Lüb. U.B. II, 1. Nr. 164. Bestätigt 1332 (ebd. Nr. 510) und 1330 (ebd. Nr. 634).

den erwähnten Statuten der Londoner Hanse Rechtssachen der
Hansebruder nur ausnahmsweise gebracht werden sollen. Jene
Bestimmung des erwähnten Patentes hatte ferner sicher noch den
Erfolg, dass Streitigkeiten zwischen Angehörigen verschiedener
auswärtiger Handelsgesellschaften deren Schlichtung vordem vielleicht diesen selbst uberlassen war, von nun ab gleichfalls vor
das gemischte Gericht kommen mussten, wenn sie nicht auf schieds-
richterlichem Wege beglichen wurden.

Die über den justiciarius handelnde Stelle des Patents verfügt, dass den ausländischen Kaufleuten ein in London sesshafter
englischer Unterthan bezeichnet wird, vor welchem bei Verhinderung des vicecomes und der majores rasch und besonders in
Streitigkeiten unter Kaufleuten secundum legem mercatoriam Rechtshilfe gesucht werden könne [1]).

Wir haben demnach in England bezüglich der Ausländer zu
unterscheiden:

1) Die Gerichte über todeswürdige Verbrechen. Bezüglich
solcher geniessen die fremden Kaufleute keines besonderen Ge-
richtsstandes.

2) Die sogenannte jury de medietate linguae. Es ist dies
ein überall [2]) zusammentretendes und zur Hälfte oder doch zum
Teile aus ausländischen Kaufleuten, zum anderen Teile aus den
Schöffen des Ortes bestehendes Gericht für Rechtsangelegenheiten
der fremden Kaufleute, ob diese nun Kläger oder Beklagte sind.

3) Den justiciarius. Dieser war eine zu London wohnhafte
Persönlichkeit und englischer Staatsangehöriger, wurde vom König
ernannt [3]) und hatte die Bestimmung, allen ausländischen Kaufleuten am Londoner Platze bei Verhinderung der sonst zuständigen Gerichte rasch Recht zu sprechen. Es gab also nur e i n e n
justiciarius in ganz England und zwar bloss in London. Sein
Amt erstreckte sich nicht weiter als auf Rechtsprechung, besonders in Handelssachen, und wurde nur wirksam, wenn die eigentlich kompetente Behörde verhindert war, schnelle Rechtshilfe zu
verschaffen [4]).

---

1) a. a. O.

2) Für Lynn ist dies ausdrücklich beglaubigt durch die Urkunde vom Jahre 1310
(Hans. U.B. II, Nr. 170, § 9).

3) . . . assignetur . . .

4) In den uns vorliegenden Urkunden findet sich kein Name eines justiciarius
und auch kein Beweis über die Thätigkeit desselben überliefert. Dies ist aber er-

4) Den englischen Aeltermann der deutschen Hanse zu London. Einen englischen Aeltermann gab es nur bei der Londoner Hanseniederlassung und nicht bei jenen zu Lynn, Boston, Hüll, Yarmouth, Norwich und Ipswich [1]), aber auch dort erst seit 1282 und nicht ohne dass seine Amtsberechtigung angefochten worden wäre [2]). Seine Funktion bestand in der Rechtsprechung bei Angelegenheiten von Hansegenossen unter einander und schloss die Thätigkeit der jury de medietate linguae und des justiciarius nicht aus. Allerdings dürften aber die Hansebrüder eher vor ihm als den·anderen Gerichten Recht gesucht haben, weil er von ihnen gewählt wurde und ausschliesslich Hansegenossen unter ihm Urteil schöpften. Gewählt wurde er von Mitgliedern der Hanse aus den Londoner Bürgern. Ob alle Mitglieder oder nur der Ausschuss der Hanse ihn wählte, ist ebenso unbekannt, wie der Gang des Wahlaktes und die Funktionsdauer dieses Aeltermannes. Er musste dem Major und Rate Londons vorgestellt werden und vor diesen den Eid ablegen. Von der deutschen Londoner Hanse erhielt er jährlich eine Bestallung, nämlich ein Paar Handschuhe und fünfzehn *golden mabelen* (Goldmünzen) *darinne* [3]). Die Namen einiger solcher englischen Aelterleute sind uns urkundlich überliefert. Es sind dies:

John Hamond 1346 [4]),
Sir William Waleworth 1383 [5]),

klärlich, da er ja bloss subsidiarisch und meist wohl nur in Handelssachen, die einer raschen Erledigung bedurften, Recht sprach. Der in einer Urkunde vom Jahre 1383 (*Lappenberg* Nr. 41) als Zeuge angeführte William Waleworth, ritter, des ghemeinen copmans ouerste alderman van al Engellant ist unseres Erachtens kein justiciarius, sondern ein englischer Aeltermann der Londoner Hanseniederlassung gewesen, weil unter der ghemeinen copman die Hanse verstanden wird und der justiciarius über allen fremden Kaufleuten, nicht bloss den hanseatischen stand. Zudem steht der englische Aeltermann der bezogenen Urkunde näher als der justiciarius, und der prunkvolle Titel entsprang wahrscheinlich bloss einem Akte der Courtoisie der versammelten und mitunterzeichneten deutschen Aelterleute zu London, Boston, Yarmouth und Hüll gegenüber dem englischen Londoner Hanse-Aeltermann.

1) vgl. Anm. 2 auf S. 490.
2) Die Vermutung *Lappenberg*'s (S. 18), dieser englische Aeltermann scheine den Hansen vorzüglich dazu gedient zu haben, um sich einen einflussreichen Bürger in London für ihre dortigen Interessen zu gewinnen, geht insoferne von einer irrigen Anschauung aus, als sie die Annahme in sich birgt, die Hansen hätten die Aufstellung desselben gewünscht. Er wurde ihnen vielmehr, wie erwähnt worden, aufgedrungen.
3) *Lappenberg* Nr 45.
4) Ebd. S. 156.
5) Ebd Nr. 41.

William Crowmere 1426 [1]),
Henry Frowick 1442 [2]).

5) Die Aeltermänner der einzelnen Niederlassungen der deutschen Hanse in England. Solcher Niederlassungen gab es zu London, Lynn, Yarmouth, Boston, Hull, Norwich und Ipswich [3]). Die wichtigste, grösste und ihrem Bestande nach am längsten während war jene zu London und auf diese haben auch alle naheren Ausführungen Bezug, da uns von den übrigen nichts näheres ausser der Thatsache ihres vormaligen Daseins bekannt ist. Doch werden bezüglich ihrer im wesentlichen gleiche oder ähnliche Bestimmungen gegolten haben wie jene, die für die Londoner Hanse festgesetzt wurden.

Ueberall war den deutschen Hanseaten auch nach dem Vertrage von 1282 und dem Patente von 1303 das Recht zur Wahl eines Aeltermannes aus ihrer Mitte gewahrt worden. Dieser war das eigentliche Haupt des betreffenden Comptoirs für die Erhaltung der Gerechtsame der Deutschen, für die Verwaltung und Rücksprache mit den Hansestädten [4]). Als Aeltermann konnte jedes Hanseglied gewählt werden, doch scheint es vorgekommen zu sein, dass auch solche, die nicht Hansebrüder oder in keiner Hansestadt angesessen waren, gewählt wurden, und deshalb bestimmte der Hanserezess vom Jahre 1447, wohl nicht zum ersten Male, dass nur in einer Hansestadt Angesessene zu Aeltermännern gewählt werden dürfen [5]). Der Londoner Hof war ausser von einem Aeltermann noch von zwei Beisitzern und neun weiteren Ausschussmitgliedern geleitet und die Wahl dieses Vorstandes wurde in einer durch das Statut vom Jahre 1437 genau geregelten Weise vorgenommen [6]). Die Hansegenossen waren in drei Dritteile gesondert. Das erste bildeten die Kaufleute aus Köln, Dinant, Geldern und den linksrheinischen Städten; das zweite jene aus Westfalen, Sachsen, Berg, den wendischen und rechtsrheinischen

---

1) *Lappenberg* S. 156.

2) a. a. O. und S. 109. Die von *Lappenberg* als englische Aeltermänner angeführten Arnaldus Thedmar (Hans U.B. I, Nr. 405 und 540), jener unbekannten Namens zu Lynn (ebd. Nr 1036), Gerard Merbode (ebd. Nr. 902) und Crispin (ebd. II, Nr. 40) sind unserer Meinung nach ebenso wie der bereits genannte Simon von Stavere (vgl. Anm. 2 auf S. 490) deutsche Aeltermänner gewesen. Vgl. unten Anm.

3) *Lappenberg* S. 18. 162 ff.

4) Ebd. S. 18.

5), Ebd. S. 107, IV.

6) Ebd. S. 103 ff.

Städten; das dritte jene aus Preussen, Livland und Gothland. Das erste Drittel wählte vier Mann aus dem zweiten, ebensoviele das zweite aus dem dritten und das dritte aus dem ersten. Der Aeltermann wurde von der Gesamtheit der Hanseglieder aus dem vorher gebildeten Zwölfer-Ausschuss gewählt. Ein abtretender Aeltermann konnte erst nach zwei Jahren wiedergewählt werden [1]. Vor den versammelten Hansebrüdern hatten die zwölf Gewählten und darauf noch besonders der neue Oldermann und die beiden Beisitzer einen Eid zu schwören, die Freiheiten und Rechte, welche der Hanse in England verliehen worden, und die »ordinancien, de by em und den steden van der Hense synd gesettet und geordenert«, zu wahren und zu halten und jeden, er sei arm oder reich, in allen Sachen gerecht zu richten [2].

Die Obliegenheiten des Ausschusses der Zwölfe im allgemeinen und jene des Aeltermannes im besonderen waren folgende:

a) Einmal wöchentlich haben sie sich in der Gildehalle zu versammeln und dabei alle den koepman angehenden Sachen zu beraten [3]. In handelspolitischen Angelegenheiten, welche zwischen der Hanse und England obschwebten, wurde die erstere zweifellos vom Aeltermann vertreten und sicher dürften die Hansestädte auch andere politische Agenden ihm übertragen haben; doch lag die Befugnis, als diplomatischer Vertreter zu handeln, nicht von vorneherein in dem Wirkungskreise des Aeltermannes.

b) An jenen Sitzungstagen wurde zugleich Gericht gehalten über Streitigkeiten von Hansebrüdern unter einander [4]. Die Parteien sollten verpflichtet sein, dem Schiedspruche zu gehorchen [5]. Auf Rechtsuchen vor dem englischen Gerichte oder vor dem englischen Aeltermann war Strafe gesetzt, ausser es hatte der Hanseältermann oder dessen Stellvertreter Erlaubnis hiezu erteilt oder dringende Umstände rasche Hilfe nötig gemacht [6]. Es war das aber bloss eine schiedsrichterliche Thätigkeit; denn eine Zwangsvollstreckung der Urteile war den Aeltermännern, wenigstens seit dem Londoner Uebereinkommen von 1282 und wahrscheinlich auch schon geraume Zeit vorher, nicht zugestanden. Exekution

---

1) a. a. O. § 10.
2) §§ 1 und 7.
3) § 1.
4) a. a. O.
5) a. a. O.
6) Ebd. S. 115, XXXII ff.

konnte nur mit Hilfe des englischen Gerichtes durchgesetzt werden [1]).
— Vor den Hanseältermann gehörten unter anderem auch Streitigkeiten um den Bergelohn bei Schiffbruch [2]).

c) Ankommende Landsleute sollten von dem Aeltermann zum
Beitritte zur Hanse aufgefordert [3]), in dieselbe eintretende von
ihm nach Erforschung ihrer persönlichen Verhältnisse, aufgenommenen [4]), abziehende können von ihm zurückgehalten werden [5]).

d) Von Schiffleuten aufgefischtes Gut soll ihm ausgeantwortet
werden [6]).

e) Der Aeltermann verwahrte die Schlüssel zur Hansebüchse [7])
und nahm die Hansebeiträge und Strafgelder in Empfang [8]).

f) Von den Strafgeldern, wie auch von jenen Beiträgen
kamen ihm und den Mitgliedern des Ausschusses bestimmte
Anteile zu [9]).

g) Der Aeltermann übte im Hansehofe die polizeiliche Hausgewalt aus [10]).

h) Ihm stand die freiwillige Gerichtsbarkeit zu, doch ist uns
uber den Umfang dieses Rechtes nichts näheres überliefert [11]).

Die Namen einiger deutscher Aeltermänner der Hanse sind
uns in Urkunden erhalten.

V. Während in England fur die Zeit vor der Vereinigung
der einzelnen deutschen Handelsniederlassungen zur grossen Hanse
die Urkunden über die Rechtsverhältnisse jener ersteren nur in
geringer Anzahl vorhanden sind, und solche, aus welchen wir
für unseren Stoff verwertbare Angaben schöpfen könnten, fast
ganz fehlen, sind wir über die einschlägigen Verhältnisse in D ä n e-
m a r k sehr gut unterrichtet.

Schon zu Beginn des XIII. Jahrhunderts, kurze Zeit nach der

---

1) Vgl. oben.
2) *Hach*, Lüb. Recht IV. art. 20.
3) *Lappenberg* S. 107, Stat. V.
4) Ebd. S. 107 f. Stat. VI und VII.
5) Ebd. S. 108, VII; S. 107, III, § 4.
6) *Hach*, Lüb. R. III, art. 40.
7) *Lappenberg* S. 105, § 7.
8) Vgl. Lüb. U.B. II, 1, Nr. 105, Art. 1.
9) a. a. O. art. 1 ff.
10) *Lappenberg* S. 25.
11) Die Kompetenz zur Beurkundung des Personenstandes zeigt Hans. U.B. II,
Nr. 352. Die Möglichkeit einer Intervention bei einer Testierung giebt das Lübische
Recht *(Hach* IV, art. 87).

im Jahre 1163 erfolgten Wiederherstellung des Friedens mit den Gothländern [1]) treffen wir eine Aufzeichnung jener Rechte, welche König Waldemar II. von Dänemark dem rasch aufgeblühten Lübeck für die Märkte zu Skanor und Falsterbo in Schonen erteilte [2]). Darin ist festgestellt, dass die Lübecker nicht erst seit jüngster, sondern seit unvordenklicher Zeit [3]) auf den grossen Messen zu Skanor und Falsterbo [4]), welche während der Fischzüge und des Fischfanges gehalten wurden [5]), sich irgend jemanden nach ihrem freien Ermessen zum Vogte wählen und dass der so Gewählte alle Rechtssachen der lübischen Leute oder jener, die sich unter den Schutz der damals schon mächtigen Handelsstadt an der Travemündung begeben hatten, entscheiden und richten dürfe, mit Ausnahme der Vergehen, welche zu Hand und Hals gehen, oder Blau und Blut hervorriefen [6]). Ihre nähere Begrenzung findet diese Gerichtsbarkeit in späteren Privilegien. Sie erstreckte sich darnach über alle bürgerlich-rechtlichen und geringeren strafrechtlichen Streitigkeiten [7]), beschränkte sich aber auf solche Rechtssachen, welche zwischen Lübeckern oder deren Schutzverwandten vorfielen [8]). War der Kläger ein Däne, so musste vor dem zustandigen dänischen Ortsgerichte Recht gestanden werden [9]) und gleiches durfte gegolten haben, wenn ein Lübecker von einem anderen Ausländer, der nicht lübischer Schutzgenosse war, beklagt wurde. Die Ausdehnung auf alle, auch die zu Hals und Hand gehenden Delikte, wie sie K. Christof II. in einer Urkunde vom Jahre 1328 aussprach [10]), griff in Wirklichkeit nicht Platz, da im angeführten Jahre Christof II. bereits entsetzt und deshalb nicht in der Lage war, die an Lübeck und gleicher Weise noch an andere Ostseestädte gegebenen Bevorrechtungen zu verwirklichen.

---

1) Lüb. U.A. I, Nr. 3.

2) Ebd. Nr. 13, vgl. Nr. 11 und 12.

3) a. a. O.

4) D. i. vom 25. Juli bis 11. November (Hans. U.B. II, Nr. 294 und 656).

5) Ebd. Nr. 357, § 2, Nr. 618, § 2.

6) Lüb. U.B. I, Nr. 13.

7) Ebd. Nr. 306 II, 1., Nr. 340. Vgl. Nr. 369.

8) Ebd. I. Nr. 306.

9) Dies dürfte man aus der Stelle des Entwurfes (a. a. O. II, 1, Nr. 369): qui inpetitur de aliquo excessu possit ponere fideiussorem nisi exciderit in collum vel manum folgern können. Vgl. Hans. U.B. II, Nr. 397. 449. 618.

10) Lüb. U.B. II, 1. Nr. 499.

Innerhalb dieses, dem lübischen Vogte zugestandenen Kreises
der Gerichtsbarkeit, welcher von den dänischen Richtern so
strenge gewahrt wurden, dass in einer Aufzeichnung der Punkte,
die nach dem Verlangen Lübecks in das vom K. Erich zu er-
teilende Privileg Aufnahme finden sollten, der Wunsch ausgesprochen wurde, im Falle eines zu späten Erscheinens des Vogtes
solle den Lübeckern Recht nicht verweigert werden [1]), besass
der Vogt nicht bloss die schiedsrichterliche Befugnis des deutschen Aeltermannes in London, sondern auch das Recht, sein
Urteil auszuführen, ohne die Hilfe des dänischen Gerichtes anrufen zu müssen; er hatte innerhalb der Grenzen seiner Gerichtsbarkeit die Exekutionsgewalt [2]). Zu diesem Zwecke war ihm ein
Büttel beigegeben [3]). Es braucht nicht weiters betont zu werden,
dass bloss lübisches Recht vor dem Forum des Vogtes Anwendung fand [4]).

Dass der Vogt, welcher von den Privilegien in der Regel
als advocatus, seltener als judex bezeichnet wird [5]), nicht von
der lübischen Kaufmannsgilde, sondern von dem Rate und sehr
wahrscheinlich aus dessen eigenen Mitgliedern gewählt wurde,
ergiebt sich daraus, dass alle von den dänischen Königen erteilten
Privilegien nicht der Kaufmannsgilde, sondern dem Rate und der
Gemeinde Lübeck gegeben wurden, und dass die Bestallung des
Vogtes und des Buttels aus dem Stadtsäckel floss [6]). Seine Wahl
fand dem gemäss nicht an Ort und Stelle, wie jene des hanseatischen
Oldermannes in London, sondern in Lübeck statt [7]). Nach Ab-
lauf seiner Amtszeit konnte er von dem Rate wegen allfälliger
Ueberschreitung seiner Befugnisse belangt werden [8]).

Dieser und noch anderer den Lübeckern seitens dänischer
Könige zugestandenen Bevorrechtungen scheinen sich andere
Städte schon erfreut zu haben, bevor noch Lübeck sich den dänischen Markt erobert hatte. Insbesondere Köln und Soest dürften
mit vielfachen, uns aber unbekannten Befugnissen bereits frühe
ausgestattet gewesen sein, wie aus einer allgemein gehaltenen

---

1) Ebd. Nr. 369.

2) Ebd. Nr. 638 vgl. I, Nr. 306.

3) Ebd. II, Nr. 996.

4) Vgl. Anm. 12.

5) Vgl. Anm. 10.

6) Lüb. U.B. II, Nr. 996.

7) Vgl. Anm. 11.

8) Hans. U.B. II, Nr. 584.

Bestätigung von vormals an Soest erteilten Privilegien durch K. Erich IV. im Jahre 1232 hervorgeht [1]). Doch traten diese Städte und ihre Privilegien in den Hintergrund, da sie bald von dem günstiger gelegenen Lübeck überflügelt wurden. Eine Zeit lang behauptete dasselbe den entschiedenen Vorrang und ersten Platz in der Reihe der nach Schonen Handel treibenden deutschen Orte. Harderwijk und Rostock, die allerdings auch schon frühe mit Bevorrechtungen in Dänemark begnadet wurden [2]), scheinen neben der mächtig aufgeblühten Travestadt nur eine zweite Stelle eingenommen zu haben [3]). Aber schon in dem letzten Drittel des XIII. Jahrhunderts erwuchs Lübeck eine starke Nebenbuhlerschaft in den gleich Pilzen aufschiessenden Hafenstädten an der Nord- und Ostsee. Viele [4]) derselben erhielten wie Lübeck das Recht, sich einen Vogt für die Dauer des Fischfanges an der Küste von Schonen und der Märkte zu Skanor und Falsterbo, später auch zu Kopenhagen und anderorts [5]) zu wählen, der eine gewisse, nicht immer gleich weit abgegrenzte Gerichtsbarkeit ausübte. Im allgemeinen deckte sich seine Berechtigung mit jener des lübischen Vogtes [6]). Nur Greifswald erhielt im Jahre 1280 ein späterhin 1326 und 1338 bestätigtes Privileg [7]), auch die hohe Gerichtsbarkeit unter Einschluss der mit Todesstrafe bedrohten Delikte auszuüben [8]), und weiters wurde im Jahre 1323 an Wismar die Bevorrechtigung erteilt, dass seine Bürger in allen Rechtssachen ausser zu Hals und Hand gehenden Verbrechen vor dem eigenen oder dem lubischen oder einem Vogte der übrigen Wendenstädte zu Recht stehen sollen, sei nun der Beklagte oder

---

1) *Seibertz*, U.B. I, Nr. 201.

2) Hans. U.B. II, Nr. 449, vgl. I, Nr. 774.

3) Vgl. ebd. I, Nr 774 und II, Nr. 357.

4) Stralsund 1276 (a. a. O. I, Nr. 774), Hamburg und Kiel 1283 (ebd. Nr. 922 und 923), Greifswald 1280 (ebd. Nr. 856), Wismar 1323 (ebd. II, Nr. 397), Anklam 1338 (ebd. Nr. 613), Kampen, bestätigt 1342 (ebd. Nr 701).

5) a. a. O. II, Nr. 701.

6) a. a. O. I, Nr. 774, 922, 923; II, Nr. 357, 449, 613, 701. Das Privileg für Rostock vom Jahre 1328 (a. a. O. II, Nr. 474) wurde von dem bereits entsetzten K. Christof II. verliehen und entbehrte deshalb einer thatsächlichen Verwirklichung.

7) a. a. O. I, Nr. 856, II, Nr. 446, 618.

8) In der Zwischenzeit, im Jahre 1320, wurde jedoch an Greifswald bloss das lübische Vorrecht verliehen (a. a. O. II, Nr. 357). Auch Stralsund bekam 1326 ein weiter reichendes Recht der Gerichtsbarkeit (ebd. II, Nr. 454), das aber 1340 wieder eingeschränkt wurde (ebd. Nr. 656).

der Kläger ein Wismarer, ein Deutscher oder ein Däne [1]). Ob dies
letztere, seinem Inhalte nach mit allen übrigen nicht harmonie-
rende Privileg auf die Dauer Bestand hatte, ist uns nicht bekannt.

Ausser der richterlichen Gewalt besass der Vogt jeder der
aufgezählten Städte zufolge der verliehenen Bevorrechtung noch
das polizeiliche Aufsichtsrecht [2]) innerhalb jenes Raumes, auf
dem sich die Hütten seiner Landsleute befanden [3]). Er erteilte
weiters mit Einwilligung seiner Mitbürger den Angehörigen anderer, auf den dänischen Messen Handel treibenden und nicht
mit eigenen Begnadungen ausgestatteten Städte die Befugnis, auf
dem ihm und seinen Mitbürgern vorbehaltenen Platze Buden errichten zu dürfen [4]), und er übernahm den Nachlass seiner ver-
storbenen Mitbürger, um denselben in der Heimat ihren Erben
zu übergeben [5]).

Die Vögte der einzelnen Städte waren von einander unabhängig. In gewissen Fällen scheinen sie sich zu einem gemeinsamen Gerichte vereinigt zu haben [6]). Doch wirkten sie da nicht
als erste Berufungsinstanz, sondern bloss als freiwillig zusammentretendes Schiedsgericht.

VI. Bezüglich S c h w e d e n s und N o r w e g e n s fliessen
die Quellen sehr spärlich. Dass mit Gothland sehr frühe schon
ein lebhafter Handelsverkehr bestand, und es hier eine dem Konsulate der Gegenwart ähnliche Einrichtung gab, beweist nicht
bloss ein bereits in dem Friedensvertrag von 1163, den Herzog
Heinrich der Löwe mit den Gothländern schloss, genannter Vogt,
welcher vom Landesfürsten ernannt wurde und über die im Auslande mit ihm weilenden Deutschen zu richten hatte [7]), sondern

---

1) a. a. O. II, Nr. 397, § 11.

2) Es ergiebt sich dies aus der Befugnis zur Gerichtsbarkeit bei geringeren Vergehen. Vgl. die bereits weiter oben angeführte Urkunde, welche zugleich zeigt, dass
Kompetenzstreitigkeiten unter den Vögten, wie sie leicht zwischen den vielerlei Gewalten ausbrechen konnten, nicht vor dem dänischen Könige oder Richter, sondern
in der Heimat ausgetragen wurden.

3) a. a. O. § 12.

4) Lüb. U.B. I, Nr. 13, dagegen Greifswald 1280 (Hans. U.B. I, Nr. 856).

5) Lüb. U.B. I, Nr. 13: II, 1, Nr. 469.

6) Hans. U.B. Nr. 467.

7) Lüb. U.B. I, Nr. 3: Odelrice, sub obtentu gracie mee precipio tibi, ut leges
quales Guthonibus in omni regno meo tradidi, tales super Theutunicos, quos tibi
regendos commisi, omni diligentia observes, scilicet qui capitali sentencia rei fuerint,
illam recipient, qui de truncatione manuum eciam sustineant, reliquos vero illorum

es lässt sich dies auch aus der Thatsache erschliessen, dass zu
Wisby, diesem alten Völkermarkte [1]), advocati et consules tam
Gotensium quam Theutonicorum [2]) und ein aldermannus civitatis
Lubicensis [3]) vorhanden waren. In Bergen bestand eine Hanseniederlassung, ebenso zu Malmo. Für beide dürften wohl ähnliche Bestimmungen gegolten haben, wie wir sie in England fur
den Londoner Hof getroffen haben; bezüglich der letzteren besitzen wir einen Statuten-Entwurf, aus welchem deutlich das Bestreben spricht, Streitigkeiten der Genossen ohne Rechtshilfe der
auswärtigen Staatsgewalt zur Entscheidung zu bringen [4]). Weitere
Nachrichten fehlen uns.

VII. Vom Fürsten Wiceslav I. von Rügen erhielten die Lübecker
im Jahre 1224 ein nachmalig (1266) bestätigtes [5]) Privileg [6]) zufolge dessen bei Rechtshändeln ein gemeinsames Gericht, bestehend aus einem von den Lubeckern aus ihren Landsleuten
gewählten und aus dem zuständigen fürstlichen Richter, die
Sache entscheiden sollte, und zwar nach lübischem Rechte. Die
Gerichtsgelder wurden zwischen beiden Richtern geteilt, bloss
für den Fall eines Diebstahles galt eine Ausnahmebestimmung.
Darnach war hier das Prinzip der Persönlichkeit des Rechtes durchgeführt, da immer nach lübischem Rechte geurteilt werden sollte,
ob ein Lübecker — nun Kläger oder Beklagter war — eine Durchfuhrung jenes Prinzipes, die freilich die Lübecker sehr begünstigte.
Jener Richter war aber keine ständige Person mit einer fest bestimmten Amtsdauer, sondern wurde von Fall zu Fall von seinen
anwesenden Mitbürgern gewählt. Dass Streitigkeiten unter Lü-

excessus secundum leges superius prenotatas dijudice. Olricus momen est nuncii theutonicorum, quem constituit dominus dux advocatum et judicem eorum.

1) Schon im Jahre 1225 gestattet der Bischof von Linköping den Besuchern
Wisbys für die von den Deutschen gestiftete und erbaute Marienkirche zu Wisby
einen Priester zu wählen; hospitibus vero venientibus et recedentibus concedimus locum
sepulture. (Hans. U.B. I, Nr. 191.)

2) Lüb. U.B. II, 1, Nr. 68; vgl. I, Nr. 582 und Hans. U.B. I, Nr. 1024.

3) Vogt, Rat und Gemeinde von Lübeck schreiben im jahre 1263 dem domino
Aldermanno civitatis Lubicensis constituto in Gotlandia et ceteris civibus suis ibidem
existentibus aut venientibus: ... quod ... ad petitionem der Bürger von Salzwedel in
sedilia et consortia nostra in civitate Wisbury recipimus ipsos, ipsis eam libertatem,
ustitiam et leges frui concedentes, que no strates ibidem habent. (Lüb. U.B. I, Nr. 27 3.)

4) a. a. O. II, 1, Nr. 506; vgl. Hans. U. B. II, Nr. 398.

5) Lüb. U.B. I, Nr. 289.

6) Ebd. Nr. 27.

beckern selbst womöglich ohne Beiziehung des rügischen Richters
geschlichtet wurden, dürfte ebenso gewiss sein wie, dass die
Zwangsvollstreckung eines Urteiles des landsmännischen Schiedsgerichtes nicht ohne Intervention des fürstlichen Richters möglich war.

VIII. Einer nicht minder weit gehenden Bevorrechtung scheinen
sich die Lubecker eine Zeit lang am Danziger Platze erfreut zu
haben. Für diesen verlieh ihnen Wladislaus von P o l e n im Jahre
1298 ein Privileg, kraft dessen sie dortselbst eine Halle errichten
durften, in welcher die Waren-Niederlage statthaben und Gericht
gehalten werden sollte in allen ihren Streitigkeiten, bürgerlichen
wie strafrechtlichen ohne irgend welche Beschränkung [1]). Die
Lübecker scheinen nach diesem Privileg in Danzig bezüglich der
unter ihnen selbst vorfallenden Rechtssachen mit Einschluss aller,
selbst der todeswürdigen Verbrechen von der territorialen Gerichtsobrigkeit völlig exempt gewesen zu sein, und wenn auch
jene Urkunde nichts von der Persönlichkeit eines lübischen
Richters oder Vogtes erwähnt, so dürfte doch aus der Fassung
jener Bevorrechtung hervorgehen, dass die Wahl eines solchen
eigenen Richters den Lübeckern zugestanden war. Ob letztere
auch dann in der Kaufhalle vor ihrem Vogt und nicht vor dem
Danziger Richter Recht geben durften, wenn der Kläger ein anderer Ausländer oder ein Danziger war, lässt sich aus jenem
Privileg allein nicht erschliessen.

IX. Vom Bischofe Albert zu R i g a wurde den gothländischen
Kaufleuten am Beginne des XIII. Jahrhunderts (c, 1211) ein Privilegium erteilt, welches unter anderen den Gerichtsstand derselben
regelt. Es spricht zwar nur von Ausschreitungen, doch dürfte
die Annahme nicht irrig sein, dass in anderen Rechtssachen Gleiches
galt. Solche Ausschreitungen der Bürger einzelner Städte sollten
unter ihnen selbst geschlichtet werden; was jedoch einmal dem
bischöflichen Richter angezeigt worden, hätte vor dessen Forum
zu bleiben, und vor dieses gehörten die Streitigkeiten zwischen
Bürgern verschiedener Städte und solche zwischen Leuten, die
keiner Stadt angehören [2]). Später erliessen im Jahre 1277 der

---

1) Lüb. U.B. I, Nr. 684; vgl. *Warnkönig* I, Nr. 11 und *Rössler* I, S. XV,
Anmerkung 1

2) Hans. U.B. I, Nr. 88.

Erzbischof von Riga, der Bischof von Oesel und der Deutsch-
ordensmeister in Livland [1]), im Jahre 1299 aber der Landmeister,
die Komthure und Brüder des deutschen Hauses in Livland ein
Patent [2]) — ersteres giltig für alle die Ostsee und Livland be-
suchenden Kaufleute, letzteres besonders für die Lübecker erlassen und mit jenem vorerwähnten in der uns interessierenden
Stelle fast gleichlautend — in welchem den fremden Kaufleuten
die Wahl eines eigenen Aeltermannes zugestanden wird. Bei
Streitigkeiten, die unter ihnen selbst vorfielen, durften diese aus
ihrer Mitte gewählten Richter nach gothländischem Kaufmanns-
rechte, beziehungsweise nach lübischem Rechte urteilen. Bei
Ausschreitungen gegen Unterthanen des Landes sollte jener Aeltermann für die Entrichtung der Busse nach den landesüblichen
Strafsätzen sorgen. Nur wenn der Beklagte ein Livländer war,
musste vor der territorialen Gerichtsobrigkeit Recht gesucht werden.

In diesen Privilegien ist — allerdings nur bezüglich der in
das strafrechtliche Gebiet fallenden Ausschreitungen — ein eigener
Gerichtsstand der Fremden unter bestimmten Bedingungen anerkannt und insbesondere durch die livländischen Patente dem
Aeltermanne der betreffenden Kaufleute eine gewisse Gerichtsbarkeit selbst in dem Falle eingeräumt, dass der Kläger ein Livländer war. Denn wenn der Aeltermann verpflichtet ist, für die
wegen Verletzung eines Livländers zu entrichtende Busse zu sorgen,
so ist damit auch das Recht ihm zugesprochen, über den Be-
schädiger zu richten, das Mass seiner Schuld festzustellen [3]).

X. Dass in den benachbarten r u s s i s c h e n Fürstentümern die
Einrichtung des Konsulates frühzeitig bekannt war, lehren schon
die Grundsätze, welche hier bezüglich der Gerichtsbarkeit über
Ausländer Geltung hatten. Sie sind uns in einigen Urkunden
des XIII. und XIV. Jahrhunderts überliefert. Schon Anfangs des
XIII. Jahrhunderts schloss der Fürst von Smolensk, Polosk und
Witebsk mit den Kaufleuten in Riga, auf Gothland und mit allen
deutschen Kaufleuten einen gegen die Mitte desselben Jahrhunderts erneuerten Vertrag, in welchem ausgesprochen wird, dass
Streitigkeiten der Deutschen in Smolensk unter einander weder
den Fürsten noch sonst einen Russen berühren, sondern dass

---

1) Lüb. U. B. I, Nr. 379.

2) a. a. O. Nr. 688.

3) Vgl. den Landfrieden von 1338 im Hans. U.B. II, Nr. 628.

sich vielmehr die Deutschen in Smolensk und ebenso die Russen
in Riga nach eigenem Rechte mit ihren Landsleuten ausgleichen
sollen [1]. Ja in der erwähnten Erneuerung jenes Vertrages findet
sich selbst der Satz, dass Rechtssachen, welche zwischen Deutschen
und anderen Fremden entstehen, mit diesen ohne Herbeiziehung
des russischen Richters ausgetragen werden können [2]. Von den
Russen durften deutsche Kaufleute nicht vor das allgemeine Gericht gezogen werden; sie hatten bloss vor dem Fürsten Recht
zu stehen [3], und immer waren hier unter den Urteilern Deutsche,
selbst dann, wenn der Beklagte ein Russe und der Kläger ein
Hanseate war [4]. Wir finden demnach auch hier eine sogenannte
jury de medietate linguae (tribunaux mixtes). Nach dem älteren
Smolensker Vertrage sollte ein offenkundiger deutscher Schuldner   .
nicht eher von dem russischen Büttel wegen Einzahlung der Schuld
angegangen werden, als nachdem er deshalb vor dem Aeltermanne
belangt worden. Die Exekution war sonach erst dann gestattet,
wenn der Aeltermann den Schuldner nicht zur Zahlung bestimmen
konnte, bezw. wenn für letzteren nicht Zahlung geleistet wurde [6].

In Nowgorod treffen wir wie in London einen Hansehof,
dessen Gründungszeit uns nicht bekannt ist. Wahrscheinlich ist
er aus einer Niederlassung gothländischer Kaufleute erwachsen, der
sich später die aus den Rheinländern kommenden und zuletzt die
Kaufleute der deutschen Nord- und Ostseestädte anschlossen [6].
Wie von dem Londoner Hansehof sind uns auch von dem zu
Nowgorod Statuten erhalten, eine ältere Sammlung (Skra) aus
der Mitte [7], eine jüngere aus der zweiten Hälfte des XIII. Jahr-

---

1) a. a. O. I, Nr. 232, § 10 und Nr. 398, § 10. Dagegen fehlt eine derartige
Bestimmung in der Urkunde von c. 1199 (ebd. Nr. 50).

2) a. a. O. I, Nr. 398 § 20.

3) Ebd. Nr. 232 § 21 und Nr. 397 § 21.

4) Vgl. die Forderungen der deutschen und gothländischen Kaufleute für den Verkehr nach und in Nowgorod, von c. 1268 (a. a. O. I, Nr. 663), den Vertrag von
c. 1269 (ebd. Nr. 665), das Urteil über einen Glockenstreit vom J. 1284 (ebd. Nr. 933.)
und die Beschwerden aus dem J. 1335 (Lüb. U.B. II, Nr. 620).

5) Hans. U.B. I, Nr. 232, § 22.

6) Die Gothländer waren ob der geringeren Entfernung und des weit zurückreichenden
Handels wohl die ersten, die sich in Nowgorod niedergelassen. Die frühen Handels-
beziehungen der rheinischen Städte mit Russland erweist die Bestimmung der alten
Skra, wonach je ein Schlüssel zur Peterskiste von den Aelterleuten der Gothländer,
Lübecker, Soester und Dortmunder verwahrt werden sollte.

7) a. a. O. I, Anh. C.

hunderts [1]). Die Rechte und Pflichten des Aeltermannes [2]), welcher die von den russischen Fürsten zugestandene Gerichtsbarkeit über die Hofgenossen ausübte, sind uns darin ausführlich überliefert. Der Aeltermann [3]) wurde an Ort und Stelle, in Nowgorod, gewählt, und zwar wählten die Sommerfahrer für die Zeit ihres Bleibens und ebenso die Winterfahrer für die Dauer ihres Aufenthaltes je einen Aeltermann, dessen Amtsdauer somit nicht länger als ein halbes Jahr währte. Der Gewählte konnte nach seinem Belieben vier Männer zu seiner Aushilfe als Ratmänner bestimmen. Er richtet über jeden twist an slege of an slechtinge und über jeden Streit zwischen Schiffsherren und Schiffsleuten, wenn letzterer nicht schon während der Fahrt schiedsrichterlich geschlichtet worden ist. Seine Gerichtsbarkeit über die Hofgenossen war eine vollkommene; er war zuständig bei allen Straf- und bürgerlich-rechtlichen Klagen. Von Amtswegen durfte er Verfolgung nur bei offenbaren Wunden und Wehgeschrei einleiten. Nach erhobener Klage war ein Ausgleich gegen seinen und der Ratmänner Willen nicht gestattet. Gegen Verurteilte oder nach dreimaliger Ladung nicht Erschienene stand ihm die Zwangsvollstreckung zu. Gegen sein Urteil konnte ursprünglich nach Riga, späterhin nach Lübeck Berufung eingelegt werden [4]). Von allen einlaufenden Bussen erhielten er und die Ratmannen einen Anteil und zwar meist zusammen ein Dritteil.

Ausser diesen Befugnissen [5]) hatte der Aeltermann und mit ihm die Ratmannen die Verpflichtung alle ankommenden Waren zu besehen und zum Verkaufe Ungeeignetes zurückzuweisen [6]).

XI. In B ö h m e n treffen wir und zwar in Prag schon im XII. Jahrhundert eine deutsche Kolonie mit einem frei gewählten Richter an der Spitze [7]). Aber diese Kolonie war wenigstens in der Zeit, aus welcher uns die bezügliche Urkunde überliefert ist, keine Verbindung fremder Staatsunterthanen, sondern eine Nieder-

---

1) Ebd. Anh. D.

2) Olderman. Es kommt abei auch der Titel capitaneus vor (a. a. O. I, Nr. 616).

3) Für das folgend angeführte vgl. die beiden Skraen a. a. O.

4) Lüb. U.B. Nr. 616.

5) Die Hausgewalt im Hansehofe wie auch die Eintreibung der Hansesteuer oblag ihm wohl ebenso wie dem Londoner Aeltermann.

6) Vgl. die neuere Skra und Lüb. U.B. I, Nr. 750.

7) *Rossler*, Rechtsdenkmäler I, S. XV und 188; II, S. IX.

lassung eingewanderter Deutscher, welche der Landeshoheit unterworfen waren [1]). Dies letztere gilt auch von den Flandrern in
Wien, welche im Jahre 1208 von der Gerichtsbarkeit des Stadt-
richters eximiert und unter jene des Kämmerers der Münze gestellt wurden [2]). Immerhin dürfte aber hier in Wien ebenso wie
in Prag diese Exemption herzugewanderter Landesunterthanen
aus einer Exemption der vormaligen Ausländer sich entwickelt
haben, und insbesondere der Prager judex Theutonicorum mag
wohl vor der Zeit des Privilegiums Wratislaw's II. ein Aeltermann
der zeitweilig anwesenden deutschen Kaufleute gewesen sein [3]).

XII. Das Strombett der Donau war schon zur Zeit der Karo-
linger die natürliche Strasse für den damaligen Handel nach den
ungarischen und südrussischen Ländern und nach Byzanz. Zu
Regensburg und Lorch waren fränkische Beamte aufgestellt,
welche die Ausfuhr von Waffen zu hindern hatten [4]), und bereits
im Jahre 906 treffen wir in einer Zollordnung, welche auf Begehren der sich beschwerenden Baiern von K. Ludwig d. K. erlassen wurde, Beweise eines lebhaften Verkehres, der seinen Weg
über das gegenwärtige Ober- und Niederösterreich nach Böhmen,
Mähren und Russland nahm [5]). Der Durchzug des Handels nach
letzterem Lande ist weiters verbürgt durch eine Urkunde aus dem
Jahre 1191, in welcher den Regensburgern, Kölnern, Aachenern,
Ulmern, Mastrichtern und den aus dem Auslande d. h. nicht aus
dem deutschen Reiche herkommenden Kaufleuten, vom letzten
Traungauer, dem Herzog Ottokar von Steier einige Gerechtsame
bestätigt werden, welche ihnen vor Zeiten sein Vater verliehen
hatte [6]) und ferner noch durch die im Jahre 1192 erlassene Satzung
Herzogs Leopold V. für die Regensburger [7]). Kaufleute aus
Schwaben, Regensburg, Aachen, Metz und Mastricht führt auch die
Ordnung der Bürgmaut in Wien aus dem Anfange des XIII. Jahr-
hunderts an [8]).

---

1) Darauf deuten hin § 11—14 im Privileg Wratislaw II (a. a. O. I, S. 188).
2) *Tomaschek*, Rechte und Freiheiten Wiens. I, S. 4.
3) *Rössler* II, S. VIII und CXIII.
4) Cap. in Theodonis villa 805, cp. 7 u. Ed. Pistense 864, cp. 25 M. 9 L. I . . .
5) Leges Porterici M. 9, L. III, S 480.
6) Archiv f. Kunde österr. Geschichtsquellen X, S. 92.
7) *Tomaschek* a. a. O. I, Nr. 1.
8) a. a. O. Nr. 3, vgl. die Zollordnung für Stein bei *Rauch*, Rerum austriac.
scriptores II, S. 109.

Hier in Oesterreich behauptete nun das nahe gelegene Regensburg eine Zeit lang den Vorrang unter den Handel treibenden Städten Deutschlands. Der starke Besuch der österreichischen Märkte durch die Regensburger machte wohl schon frühe das Amt des Hansgrafen nötig, welches wir urkundlich zuerst im Jahre 1191 erwähnt finden [1]). Das Privileg K. Philipp's vom Jahre 1207 [2]) und jenes K. Friedrichs II. vom Jahre 1230 [3]) beweist, dass der Regensburger Hansgraf oder comes Ratisponensis, wie er auch genannt wird [4]), ein öffentlicher Beamter war und von der heimischen Bürgerschaft frei gewählt wurde [5]). Sein Amt bestand in der Wahrung der Rechte und Gepflogenheiten seiner Mitbürger auf den von ihnen besuchten Märkten. In Regensburg selbst ruhten seine Befugnisse. Welche Berechtigungen innerhalb seines Amtskreises lagen, ist in jenen beiden Privilegien nicht im einzelnen angegeben. Doch wissen wir, dass er bei der Warenverzollung auf den österreichischen Märkten intervenierte und mit Bestimmtheit kann bei ihm eine Thätigkeit als Schiedsrichter bei Rechtshändeln unter seinen Landsleuten angenommen werden. Dass er — wenigstens seit 1192 — keinerlei Gerichtsbarkeit in Strafsachen ausübte und ihm die Zwangsvollziehung seiner Schiedsprüche von den österreichischen Herzogen nicht zugestanden war, zeigt das Privileg, welches im eben genannten Jahre Herzog Leopold V. den Regensburgern erteilte. Denn nach diesem Privileg spricht der herzogliche Richter über alle dort einzeln aufgezählten Vergehen und ebenso über Schuld- und Handelssachen, ohne dass seine Gerichtsbarkeit etwa durch eine Bedachtnahme auf die Landesangehörigkeit des Klägers oder des Beklagten eingeschränkt wäre. Eine einmal vor den herzoglichen Richter gebrachte Streitsache seiner Mitbürger konnte der Regensburger Hansgraf demnach nicht mehr vor sein Forum

---

1) Archiv f. K. öst. G. X, S. 92.

2) *Arnold,* Verfassungsgesch. d. deutschen Freistädte I, S. 375.

3) *Gengler,* deutsche Stadtrechte d. Mittelalt. S. 374, art. 12.

4) Vgl. die in Anm. 1—4 angeführten Stellen.

5) *Arnold* a. a. O. erblickt im Hansgrafen den Gildemeister der Regensburger Kaufleute. Die obigen zwei Privilegien sind aber nicht der Kaufmannsgilde, sondern der Bürgerschaft von Regensburg gegeben und ausdrücklich wird den Bürgern im allgemeinen, nicht den Kaufleuten, das Recht der Bestellung eines Hansgrafen erteilt. Jene Meinung *Arnold's* ist demnach mit dem Wortlaute der urkundlichen Belege nicht vereinbar.

ziehen; nur wenn er von den Parteien freiwillig um seinen Spruch angegangen wurde, trat er als Schiedsrichter in Thätigkeit.

Der Hansgraf, welchen wir später in österreichischen Rechtsquellen treffen, ist kein Konsul, sondern ein ursprünglich vom Wiener Rate, seit der Mitte des XV. Jahrhunderts vom Landesfursten ernannter Beamter. Er ist der Vorläufer des Handelsministers, hatte über die genaue Ausführung aller, in Oesterreich bezüglich des Handels und Verkehrs erlassenen Vorschriften zu wachen und besonders darauf zu achten, dass die fremden Kaufleute auf den rechten Landstrassen fahren, die Niederlagen und Stappelorte, einhalten, kein Gold und Silber im Lande ankaufen; in Wien nicht mit einander Handelsgeschäfte schliessen u. s. w. [1]).

XIII. Die Ergebnisse unserer Untersuchung lassen sich kurz in folgenden Sätzen zusammenfassen: Ueberall, wo deutsche Kaufleute im Auslande Handel treiben, und an einem Orte eine grössere Anzahl derselben durch langere oder kürzere Zeit versammelt bleiben, treffen wir urkundlich schon seit dem XII. Jahrhundert eine dem Konsulate der Gegenwart ähnliche oder gleiche Einrichtung [2]), welche darin besteht, dass entweder durch Wahl seitens der am Handelsorte anwesenden deutschen Kaufleute oder der heimischen Kaufmannsgilde beziehungsweise innerhalb derselben, oder durch Bestellung seitens der Bürgerschaft jener Stadt, aus welcher die Kaufleute stammten, oder sogar auch schon durch Ernennung seitens des Landesfursten, eine Persönlichkeit an die Spitze der im Auslande weilenden Handelsleute gestellt wurde, die als Hansgraf, comes hanse, olderman, capitaneus, consul, advocatus oder iudex bezeichnet wurde und eine Reihe von Befugnissen besass, wie wir sie gegenwärtig unseren Konsulen zuschreiben. Das Mass ihrer Berechtigungen, welche auf handelspolitischem und auf prozessualem Gebiete lagen, waren örtlich sehr verschieden und insbesondere in letzterer Beziehung sehr beeinflusst von den Grundsätzen, nach welchen man im

---

1) *Luschin v. Ebengreut*, Geschichte des älteren Gerichtswesens in Oesterreich o. u. u. Enns, S. 234 ff. *Tomaschek* a. a. O. II, Nr. 150. *Kurz*, Oesterreichs Handel in älteren Zeiten. 1822. U. Nr. 48. Vgl. *Wilda*, Gilden, S. 241 ff.

2) Der Umstand, dass z. B. der lübische Vogt nur zur Zeit der Märkte in Falsterbö und Skanör weilte, ändert an der rechtlichen Beschaffenheit seines Amtes nichts, und er muss trotzdem ebenso gewiss als Konsul bezeichnet werden, wie ein derartiger Funktionär der Gegenwart Konsul bliebe, wenn auch sein Amt bloss während einer beschränkten Zeit jährlich aktiviert würde.

betreffenden auswärtigen Fürstentume den Gerichtsstand der Fremden regelte. Das deutsche Konsulat ist demnach keine erst vom Oriente im XIV. Jahrhundert nach Deutschland verpflanzte Einrichtung, sondern war hier nachweisbar seit dem Ende des XII. Jahrhunderts, sehr wahrscheinlich aber schon früher bekannt und benützt [1]).

---

1) Der Entwicklungsgang des deutschen Konsulates war folgender: Bei der Unsicherheit, durch welche sich noch das spätere Mittelalter auszeichnete, waren die Kaufleute genötigt, zu gegenseitigem Schutze vereint in grösserer Anzahl die fremden Märkte aufzusuchen. Lagen diese nicht allzufern von ihrer Vaterstadt, so behielt dieselbe ihre Bürger leicht innerhalb ihrer Gewalt, und Privilegien, welche von den ausländischen Fürsten auf Andrängen der deutschen Kaufleute gegeben wurden, konnten von ihr da sehr frühe als Bevorrechtungen der Stadt und nicht ihrer zufällig im Auslande weilenden Bürger in Beschlag gelegt werden. So treffen wir in Lübeck und den anderen Ostseestädten die Ernennung oder Wahl des Vogtes auf den nahen dänischen Märkten und ebenso jene des Regensburger Hansgrafen nicht in der Hand der auf den Messen zeitweilig anwesenden Kaufleute, sondern in jener der ganzen Bürgerschaft dieser Städte. Ja selbst von einem durch den Landesfürsten für die im Auslande weilenden Unterthanen ernannten Vogt haben wir weiter oben schon für das XII. Jahrh. den Beleg erbringen können. Dort aber, wo der fremdländische Handelsplatz weit entfernt lag, konnten sich die Kaufleute, wie bereits betont wurde, von dem Einflusse der heimischen Gewalten leichter frei halten; ihre Vereinigung am Handelsorte trat als selbständige Korporation auf, die entweder als solche völlig unabhängig war von den Obrigkeiten in der Heimat ihrer Glieder, oder — wie nachmalig die Hansehöfe — mit diesen in einem hier nicht zu erörternden Verbande stand. Hätte die kaiserliche Gewalt den Bedürfnissen des deutschen Handels ihre Fürsorge zugewendet, die Entwicklung desselben nicht bloss der Selbsthilfe beteiligter Kreise überlassen und wäre sie machtvoller zu jener Zeit gewesen, in welcher der Handel deutscher Städte einen Aufschwung nahm, der unsere Bewunderung verdient, so wäre aus dem olderman der Hanse oder advocatus der Lübecker sicher schon im XIII. Jahrhundert ein kaiserlicher Konsul und damit die Verstaatlichung dieses Amtes durchgeführt geworden.

NOCHMALS ZU MARX' WERTTHEORIE.

VON

v. SCHUBERT-SOLDERN
A. O. PROFESSOR IN LEIPZIG.

In höchst scharfsinniger und klarer Weise hat *Marx* im
»Kapital« seine Werttheorie entwickelt. Schon *F. A. Lange* hat
jedoch auf einen bedenklichen Punkt in ihr hingewiesen: es fehlt
die Brücke vom Gebrauchswert zum Wert. Dieser »Wert« hängt
bei *Marx* in der Luft. Allerdings gesteht er zu, dass sein Wertbegriff den Gebrauchswert voraussetzt, isoliert jedoch beide vollständig von einander. Das Austauschverhältnis, in das zwei oder
mehrere Waren zu einander treten, hängt wesentlich nicht vom
Gebrauchswert ab, dennoch sind zwei Waren in dem Quantum,
in dem sie gegeneinander ausgetauscht werden, einander gleich
an Wert. Da dieser Wert nicht ihr Gebrauchswert ist, so müssen
sie, um gleichgesetzt werden zu können, eine andere gemeinsame
Qualität besitzen, durch die sie verglichen werden, weil nur quali-
tativ Gleiches quantitativ gleichgesetzt werden kann: fünf Aepfel
können niemals fünf Nüssen gleichgesetzt werden, sondern immer
wieder nur fünf Aepfeln. Ausser dem Gebrauchswert haben aber
Waren nur noch eine gemeinsame Eigenschaft — jene Arbeitsprodukte zu sein. Also gegen einander ausgetauschte Waren
sind gleich als Arbeitsprodukte, sie sind gleich, weil sie ein gleiches
Quantum gesellschaftlich notwendiger Arbeit darstellen und da
Arbeit nur durch ihre Dauer gemessen werden kann, so sind
Waren einander gleichwertig, wenn sie gleich grosse gesellschaftlich notwendige Arbeitszeiten zu ihrer Herstellung erfordert haben.
Die Arbeit stellt aber nicht selbst einen Wert dar, sie verleiht
nur Wert und ist zugleich Massstab dieses Wertes. Wäre sie
selbst, an sich schon etwas wert, dann müsste auch eine unnütze

Arbeit, z. B. Kieselsteine ins Meer zu werfen, einen Wert haben. Das ist ungefähr der Gedankengang von *Marx* in seinem »Kapital«, den ich nun einer kritischen Erörterung unterziehen will.

Der Grundfehler der *Marx*'schen Werttheorie scheint mir zu sein, dass er weder das Verhältnis des Gebrauchswerts zum »Wert«, noch diesen selbst irgendwie bestimmt hat. Allerdings kann nichts Wert haben, was nicht nützlich ist, trotzdem hat aber der »Wert« mit dem Gebrauchswert nichts zu thun, er ist gänzlich ohne Einfluss auf ihn. Soll nun wirklich eine Bedingung *sine qua non* des »Wertes« keinen Einfluss auf ihn haben? Schon das ist bedenklich, wenn auch an sich möglich. Aber noch mehr, der »Wert« selbst ist ja von *Marx* ganz unbestimmt gelassen; die Arbeit misst wohl den »Wert«, aber sie ist nicht der »Wert« selbst, sonst hätte die Zerstörung des von andern Geschaffenen auch »Wert«. Da nun der vom Arbeitsquantum gemessene Wert auch nicht der Gebrauchswert ist, so frage ich, wo ist denn der Wert, der durch die Arbeit gemessen wird? D e r M a s s s t a b i s t d a , a b e r d e r W e r t f e h l t [1]). Es wird etwas gemessen, das entweder gar nicht vorhanden ist oder das nicht namhaft gemacht wurde. Oder ist der »Wert«, der durch die Arbeit gemessen wird, an sich ebenso gleichgiltig wie der Gebrauchswert? Ist das allein Wichtige der Massstab des Werts? Ist es nicht sehr sonderbar, dass *Marx* immer nur vom Massstab des Werts spricht, nie vom Wert selbst, ausser wo er, und das thut er sehr oft, den Massstab als Wert selbst behandelt. Aber es ist auch sehr befremdend, wenn man vom materialistischen Standpunkt aus von einem Wert spricht, der nicht Wert für jemanden ist, denn der letzte kann nur Gebrauchswert sein. Worin soll sich der Wert einer Ware an sich offenbaren? Die in ihr enthaltene gesellschaftlich notwendige Arbeit ist nur ein Massstab des Werts, ihr Gebrauchswert ist nicht ihr Wert, wo steckt also ihr Wert an sich. Dieser Wert ist bei *Marx* nirgends zu finden, sondern nur sein Massstab, die Arbeit. Hat es überhaupt einen Sinn, von einem Wert zu sprechen, der nicht Gebrauchswert, nicht Wert

---

[1]) Dass die Arbeit Massstab des Wertes ist, giebt *Marx* selbst zu: Das Kapital, IV. Aufl. p. 6. Wenn er auch die Arbeit als »wertbildende Substanz« betrachtet, so giebt er doch (p. 7) zu, dass die Arbeit nur Wert hat, insofern sie nützlich ist, d. h. offenbar Gebrauchswert schafft. Die Arbeit hat also weder an sich Wert, noch misst sie den Gebrauchswert der Waren, sie ist also nur Massstab des »Werts« -- aber welchen Werts? Vgl. *Kautsky*, Karl Marx' ökonomische Lehren, p. 23.

für irgend jemanden ist? Man spricht allerdings von unbedingtem, absolutem Wert, aber man kann damit doch nur einen Wert für jedermann, nicht einen Wert abgesehen von jedermann und seinen Bedürfnissen meinen. Die Werttheorie von *Marx* hat daher eine Lücke, wenn man die Sache möglichst milde benennen will. Wie kann diese Lücke ergänzt werden und wie kommt es, dass *Marx* trotzdem so hervorragendes in der Nationalökonomie leisten konnte? Beides soll hier erörtert werden.

Die Arbeit kann nur dazu da sein, um Gebrauchswerte zu schaffen. Trotzdem ist aber die Arbeit nicht Massstab des Gebrauchswerts, denn der Gebrauchswert einer Sache ist individuell so verschieden, dass er keinen festen Massstab zulässt. Jedes Individuum hat einen andern Massstab und zu jeder Zeit einen verschiedenen Massstab des Gebrauchswerts einer und derselben Sache. Der Gebrauchswert hat daher keinen allgemeinen Massstab. Trotzdem ist das, was die Arbeit erzeugt, Gebrauchswert und dieser verleiht ihr in letzter Linie allen Wert. Suchen wir daher den Massstab des Wertes, den die Arbeit abgiebt, nicht in dem, was sie erzeugt (Gebrauchswert), sondern in dem, was sie nimmt. Hier ist gewiss, dass jede Arbeit, mindestens im Anfang, sowohl eine Quelle von Unlust als von Entbehrung ist, deshalb arbeitet anfangs kein Kind gern. Nur Ehrgeiz, Hoffnung auf Belohnung, Freude am Erfolg u. s. w. machen Arbeit zur Lust; das sind aber Gefühle, welche die Arbeit in der Vorstellung begleiten, sie sind nicht die Arbeit selbst. Arbeit ist Unlust und nötigt oft auf Lust zu verzichten, sie ist also Quelle positiver und negativer Unlust. Für die Unlust aber, die ich durch meine Arbeit auf mich nehme, verlange ich eine Entschädigung in einer Lust, d. h. in einem Gut, das für mich mittelbar oder unmittelbar Gebrauchswert hat. Auch dieser Gebrauchswert besteht aus positiver oder negativer Lust, d. h. wirklicher Lust oder blosser Abwehr von Unlust. Dieser Gebrauchswert bestand vor der Warenerzeugung in Gegenständen, die einer Gruppe von Personen, die ein wirtschaftliches Ganzes bildeten, gemeinsam gehörten; sie verzehrten die Früchte ihrer gemeinsamen Arbeit in ziemlicher Gleichberechtigung. Im Anfang der Warenerzeugung wurde das Arbeitsprodukt einer kommunistischen Gruppe oder eines einzelnen gegen fremde Arbeitsprodukte umgetauscht, die unmittelbaren Gebrauchswert für sie hatten. Hier wurde also die Unlust, welche die Erzeugung eines Gegenstandes

erforderte, unmittelbar abgeschätzt und mit der Lust, welche der
einzutauschende Gegenstand gewährte, ebenso unmittelbar verglichen. Hier war der Gebrauchswert (die positive Seite des
Wertes) ebenso massgebend wie der Arbeitswert (die negative
Seite des Wertes). Das musste anders werden, sobald eine Vermittlung eintrat: entweder dadurch, dass eine andere Ware oder
dass Geld sich zwischen mein Arbeitsprodukt und den dafür einzutauschenden Gegenstand, der Gebrauchswert für mich hatte,
einschob; besonders wenn noch dazu kam, dass auch für den andern
mein Arbeitsprodukt nicht unmittelbaren Gebrauchswert hatte.
Dann war es notwendig, sich beim Tausch auf einen andern
Standpunkt zu stellen, weil jetzt für diesen nur die auf Erzeugung
eines Gegenstandes verwandte Arbeit, das gesellschaftlich notwendige Arbeitsquantum massgebend sein konnte. Denn da ich
nun nicht mehr unmittelbar den Gebrauchsgegenstand für mein
Arbeitsprodukt eintausche, sondern nur ein Mittel, ihn künftig
zu erwerben und meistens nicht einmal weiss, welchen Gebrauchsgegenstand ich für das Mittel künftig eintauschen werde, so kann
ich den Gebrauchswert dieses Gegenstandes für mich nicht mehr
unmittelbar abschätzen. Ich kenne aber immer noch die Mühe,
die mich der von mir selbst erzeugte Gegenstand gekostet hat,
den ich gegen anderes eintauschen will; ebenso kann der andere
seine Unlust abschätzen, welche ihn die Erzeugung seiner Ware
gekostet hat und vielleicht kenne ich diese sogar selbst. Da
also die einzutauschenden Waren weder für mich noch für den
andern unmittelbaren Gebrauchswert haben, so tritt auch der
positive Wert der Waren gegen ihren negativen vollständig zurück. Aber auch damit ist noch kein brauchbarer Massstab gewonnen. Dasselbe Quantum Arbeit hat vielleicht dem A mehr
Unlust bereitet als dem B. Aber diese subjektive Anstrengung,
diese Unlust ist nicht messbar. A kennt sein Quantum Unlust
und B das seinige, aber sie können sie nicht gegenseitig an einander messen. Jeder weiss aber, wie lange er an seinem Gegenstand arbeitet — er kennt die für ihn zur Erzeugung eines Gegenstandes notwendige Arbeitszeit. Auch diese Arbeitszeit ist
verschieden bei verschiedenen Individuen. Hier gilt aber die
Thatsache, dass sich bei der Kooperation diese Verschiedenheit
schon bei wenigen Arbeitern ausgleicht; fünf Arbeiter sollen schon
zusammen meistens das Durchschnittsquantum an Arbeit liefern,
aus welchen Individuen man diese Zahl auch zusammensetzen

mag [1]). So gelangt man zur gesellschaftlich notwendigen Arbeitszeit als Massstab des Wertes, aber man gelangt zu ihm nur auf
Kosten der Vernachlässigung aller individuellen Verschiedenheiten,
Anlagen, Bedurfnisse, ja nur mit vollständiger Hintansetzung des
positiven Wertes (des Gebrauchswertes); der negative Wert (Unlust der Arbeit) wird alleiniger Wertmassstab, nachdem man ihm
alle Individualität abgestreift hat.

Aber eben dieser gänzliche Mangel an Individualität des gesellschaftlichen Arbeitswertes oder richtiger Wertmassstabs macht
seine wirtschaftliche Anwendbarkeit aus und dass *Marx* das klar
erkannt hat, darin liegt sein Verdienst und die Ursache der Erfolge seiner Kritik und Darstellung unseres Wirtschaftslebens;
aber ebenso bildet es auch überall die Schattenseite seiner Darstellung, wo er nicht umhin kann, über den rein wirtschaftlichen
Standpunkt (welchen er für den einzig wissenschaftlichen hält)
hinauszugehen. In Handel und Verkehr ist es unmöglich, den
Wert eines Gegenstandes nach individuellen Bedürfnissen und
Beschaffenheiten zu messen; an seine Stelle tritt eine Art gesellschaftlichen Wertes imaginärer Art, hauptsächlich bestimmt durch
die zur Erzeugung eines Gegenstandes gesellschaftlich notwendige Arbeitszeit. Dass *Marx* seinen Wertbegriff nicht als einen
imaginären erfasst hat, dass er so gern vom »Wert« kurzweg
wie von einem absoluten Wert spricht, darin liegt meiner Ansicht nach ein grosser Fehler. Das treibende Motiv im Leben
und daher auch im wirtschaftlichen Leben ist nicht jener Arbeitswert, sondern der unmessbare subjektive Wert (der Gebrauchswert) mit seiner ganzen schillernden Individualität. Die individuellen Einwirkungen finden eine gesellschaftliche Resultante in
der Nachfrage dem Angebot gegenüber. Angebot und Nachfrage drücken bald den Preis bestimmter Warenarten unter ihren
Arbeitswert, bald steigern sie ihn darüber hinaus; sie müssen um
so schwankender sein, je freier die individuelle Entwicklung der
Gesellschaft ist. Auch in der sozialdemokratischen Gesellschaft
musste sich zwar die gesellschaftliche Produktion im allgemeinen
nach der individuellen Nachfrage richten; die sozialdemokratische Organisation der Gesellschaft würde aber die Ausbildung
individueller Bedürfnisse hemmen und auf ein Minimum herabdrücken. Die Arbeit ist also die Quelle aller volkswirtschaft-

---

[1]) Vgl. *Marx*, Das Kapital, 286.

lichen Werte [1]), sie ist aber weder der Massstab alles Wertes überhaupt, noch Wert an sich.

Was daher für das rein Volkswirtschaftliche Geltung hat, das braucht deswegen nicht Geltung für alle Verhältnisse des menschlichen Lebens zu haben und daher auch keine unbedingte Geltung für die Lösung der sozialen Frage. Der eigentliche Wert ist stets der Gebrauchswert, der Arbeitswert ist nur ein sehr unvollkommenes Hilfsmittel seiner volkswirtschaftlichen Berechnung und kann daher für das menschliche Glück, das stets ein individuelles ist, niemals allein massgebend sein. Im Gebrauchswert, den die verschiedenen Warenarten für einen bestimmten Menschen haben, darin ist der ganze Charakter dieses Menschen ausgesprochen: seine Anlagen, seine Erziehung und Bildung, seine Stellung, alle seine Erfahrungen haben die individuellen Eigentümlichkeiten in diesem Gebrauchswert geschaffen; die allen Menschen gemeinsame Wertschätzung liegt nur in ihrer gemeinsamen psychischen und physischen Organisation. Diesen Gebrauchswert bei Seite setzen, heisst daher alles d a s bei Seite setzen, was dem Menschen individuellen Wert verleiht und für ihn individuellen Wert hat. Der blosse Arbeitswert ist ein trauriges aber notwendiges Hilfsmittel für den wirtschaftlichen Verkehr, vernichtet aber als alleiniger Wertmassstab alle Individualität. *Marx* ist ja allerdings materialistischer Geschichtsphilosoph, er geht von dem Gedanken aus, dass wirtschaftliche Verhältnisse die sittlichen und überhaupt alle kulturellen Verhältnisse hervorbringen. In der Theorie hat er in gewisser Hinsicht recht. Sowie die Wahrnehmungswelt die Ursache der Vorstellungswelt ist, so ist die materielle Kultur die Ursache der geistigen Kultur. Aber die Wahrnehmungswelt erzeugt die Vorstellungswelt, Empfindungen und Begehrungen und sie wird die Geister, die sie gerufen, nicht mehr los. Die Wahrnehmungswelt wird jetzt selbst beeinflusst von den Vorstellungen, vom Gefühl und vom Willen des Menschen; so wirkt auch die geistige Kultur, Sittlichkeit, Kunst und Wissenschaft auf die materielle Kultur ein. Allerdings für den Materialisten sind auch die Vorstellungen nur materielle Vorgänge im Gehirn; ich halte diese Ansicht für grundfalsch, jedenfalls nicht für erwiesen, aber sie ist auch praktisch gleichgiltig: wenn die geistige Kultur eine Art materielle ist, nun dann steht diese

---

1) Vielleicht ist sie es für alle Werte überhaupt (diese Frage kann ich offen lassen), aber auch dann ist sie nicht Massstab alles Wertes.

»materielle Kultur« in Wechselwirkung mit der eigentlich materiellen, dass die geistige Kultur, mag sie nun ihrem Wesen nach
was immer sein, von der materiellen verschieden ist und mit ihr
in Wechselwirkung steht, kann nicht abgeleugnet werden.

Marx hätte vielleicht eingewendet, auch er halte den Arbeitswert (den er »Wert« nennt), nur für einen Massstab im Waren-
verkehr der heutigen Gesellschaft [1]; in der künftigen sozialdemokratischen Gesellschaft würde der Gebrauchswert an seine Stelle
treten. Wenn das wirklich der Fall wäre, warum schalten die
Sozialdemokraten bei Beurteilung der sozialen Frage den Gebrauchswert fast vollständig aus? warum sprechen sie immer nur
vom Arbeitswert und übersehen völlig gewisse Konsequenzen
des Gebrauchswertes für die soziale Frage? Diese Konsequenzen
will ich jetzt etwas zu beleuchten suchen.

Der augenblickliche Gebrauchswert kann oder eigentlich
sollte keine grosse Rolle im menschlichen Leben spielen, wenn
er sie auch thatsächlich spielt. Man könnte sonst den Grundsatz
aufstellen, den Arbeiter so lange hungern zu lassen, bis das Brot
für ihn den höchsten Gebrauchswert erlangt hat. Wäre das nicht
nach der Ansicht gewisser Kreise der Bevölkerung eine herrliche
Lösung der sozialen Frage? Je mehr der Arbeiter hungert, desto
grössern Gebrauchswert hat das Brot für ihn, desto mehr muss
ihn sein Genuss für die Unlust der Arbeit entschädigen. So allerdings darf man die Bedeutung des Gebrauchswertes nicht auffassen: nicht um den augenblicklichen Gebrauchswert handelt es
sich, sondern um den Gebrauchswert des ganzen Lebens. Der
Arbeiter muss für die Arbeit, die Unlust, die Entbehrungen seines
Lebens Güter verlangen, die ihn auch für sein ganzes Leben entschädigen. Der Arbeitslohn muss eine Entschädigung des Arbeiters fürs Leben bilden und ihn nicht bloss für Augenblicke sein
Elend vergessen lassen, er muss daher nicht nur genügend, er
muss auch ständig sein. Ein Arbeiter, der lange gehungert, wird
gewiss gern für ein Spottgeld Arbeit leisten, grosse Arbeit leisten;
sein kleiner Lohn wird ihm vielleicht sogar anfangs eine augenblickliche Befriedigung gewähren. Wird er aber dieselbe Befriedigung fühlen, wenn er tagaus, tagein, jahraus, jahrein für dieselbe schwere Arbeit denselben Spottlohn erhält? Allerdings, ist
der Arbeiter auf einen gewissen Punkt des Elends herabgesunken,
dann muss er so stumpfsinnig gegen Schmerz und Lust werden,

---

[1] Vgl. *Kautsky*, l. c. p. 25.

als ein Mensch überhaupt werden kann. Es ist dann vielleicht grausam, ihn aus seiner Stumpfsinnigkeit aufzurütteln, wenn man glaubt, ihm keine bessere Lage gewähren zu können, es ist aber jedenfalls ein Zeichen der gemeinsten Gesinnung, wenn man ihm helfen kann, ihn in dieser Stumpfsinnigkeit zu belassen. Heute ist der Arbeiter jedoch schon der Bewusstlosigkeit des Elends entrissen und was noch wichtiger ist, mit der Vergrösserung der Produktion und der Produktivität der Arbeit hat auch die Grösse und die Mannigfaltigkeit seiner Bedürfnisse zugenommen. Die obern Stände haben ihren Teil an der grössern Produktivität der Arbeit, soll nur der Arbeiter sparen? Durch den grössern Luxus der obern Stände ist auch die Vorstellungswelt der Arbeiter zu neuen und grössern Bedürfnissen angeregt worden; ein absolut gleicher Lohn wie früher kann ihnen daher nicht mehr die alte Befriedigung gewähren, weil ihre Bedürfnisse grössere und mannig-fachere geworden sind, weil ihr *standard of life* ein anderer ge-worden ist. Das ist nicht zu hindern (auch wenn man wollte), über die Gedanken hat keine Gewalt Macht und der Luxus der Reichen kann nicht im Verborgenen bleiben, man muss daher damit rechnen.

So wenig der augenblickliche Gebrauchswert eines Gutes in irgendwelcher Beziehung Ausschlag gebend sein soll, so wichtig ist doch der dauernde Gebrauchswert der Güter, das durch sie erzeugte Mass der Lebensbefriedigung und ihr Verhältnis zur Un-lust der Arbeit. Hier ist nun mancherlei zu erwägen. Dieselbe Arbeit enthält für verschiedene Individuen, zu verschiedenen Zeiten und für dasselbe Individuum, zu verschiedenen Zeiten ein sehr verschiedenes Quantum Unlust. Ebenso wichtig ist die Qualität der Arbeit. Verschiedene Arbeiten haben für verschiedene In-dividuen ein sehr verschiedenes Mass der Unlust. Die Arbeit ist kein Wertmass für das Leben, sondern nur ein Aushilfsmass für das wirtschaftliche Leben, weil sie allein als Arbeitszeit ein genauer bestimmbares Mass abgiebt. Deswegen fühlt sich der eine für dieselbe Arbeit durch Güter von geringerem Arbeitswert entschädigt als der andere. Um diese Befriedigung handelt es sich, nicht darum, dass jeder für seine Arbeit auch Güter von möglichst gleichem Arbeitswert erhält, sondern dass er für seine Arbeit Güter von einem ihn befriedigenden Gebrauchswert er-hält. Auch diese Befriedigung kann nie eine absolute sein; es würde genügen, wenn jeder Mensch eine solche Befriedigung

in seinem gegenwärtigen Zustande fühlte, dass der Gedanke
an eine gewaltsame Aenderung desselben ihm vollständig fern
läge [1]). Eine Unzufriedenheit, die ihn antreibt, seine Lage
gesetzmässig zu verbessern, muss jeder haben, soll nicht eine
allgemeine Rückentwickelung eintreten. Ein solcher Zustand
kann aber bestehen bei sehr verschiedener Lebenshaltung
der einzelnen Glieder der Gesellschaft, weil nicht nur dieselbe
Arbeit (der Quantität und Qualität nach) für jeden einen verschiedenen negativen Wert besitzt, sondern weil auch dasselbe Gut
für verschiedene Menschen einen sehr verschiedenen Gebrauchswert hat. Dasselbe Gut hat sehr verschiedenen Gebrauchswert
je nach der Anlage, Gewohnheit, Bildung dessen, der es besitzt,
und konsumiert. Daher muss der Arbeiter vollkommen entschädigt erscheinen, wenn er so viele und derartige Güter für seine
Arbeit erhält, dass er in seiner Befriedigung (nicht in seinem
Besitz) an die höhern Stände heranreicht. Wird bei den Arbeitern der Gebrauchswert ihrer Güter unterschätzt, so wird er
bei den höhern Ständen überschätzt. Dem grössern Arbeitswert
der Güter des Reichen entspricht nicht eine gleiche Steigerung
ihres Gebrauchswertes für den Reichen. Die Lebensbefriedigung
k a n n daher beim Reichen und beim Armen nahezu gleich sein
bei sehr verschiedenem Arbeitswert der Güter, die sie konsumieren.
Dadurch erscheint aber keineswegs gerechtfertigt, dass jemand
ohne Arbeit viel besitzt und geniesst. Allerdings, wo keine Arbeit,
nur Genuss vorhanden ist, ist die Befriedigung geringer, der Genuss wird durch mässige Entbehrungen geschärft. Aber wenn
das der Fall ist, dann erscheint es ja auch gerechtfertigt, darauf
hinzuwirken, dass der Reiche arbeitet oder mehr arbeitet, damit
er grössere Befriedigung in seinem Genuss fühlt. Wenn der Mil-
lionär gegen alle Lebensgenüsse abgestumpft wird (schon dadurch,
dass er sie mühelos haben kann noch vor allem Genuss), so thut
man ihm eine Wohlthat, wenn man ihn zur Arbeit zwingt, falls
er es aus Mangel an Energie nicht freiwillig thut. Fordert Arbeit
Genuss, so fordert Genuss auch Arbeit, man erweist also beiden
eine Wohlthat, wenn man dem Arbeiter mehr Genuss und dem
Reichen mehr Arbeit verschafft.

    Auch das muss man zugestehen: kann es eine Gesellschaft

---

    1) Natürlich seiner Befriedigung wegen, nicht weil etwa die »gewaltsame Aen-
derung« keine Aussicht auf Erfolg hat.

geben, in der alle für ein möglichst gleiches Arbeitsquantum
eine möglichst gleiche Befriedigung in Gütern von möglichst
gleichem Arbeitswert finden, so ist diese gewiss ebenso zulässig,
wie jede andere; sie kann und wird aber nur angestrebt werden,
wenn sie ihren einzelnen Gliedern mehr Vorteile (in materieller
und geistiger Beziehung) bietet, wie jede andere, oder wenn durch
sie allein allen die möglichst grösste Lebensbefriedigung geboten
werden kann. Das wäre aber noch zu beweisen. Es ist die
Frage, ob nicht Ungleichheit sowohl in der Grösse und Art der
Arbeitsleistung als auch im Arbeitswert der durch sie erlangten
Güter ein Erfordernis kultureller Entwicklung ist? ob nicht bei
der grossen Masse der Antrieb der Mittellosigkeit (nicht des Elends)
zur Arbeit notwendig ist? ob die bloss psychischen und mora-
lischen Triebfedern des gesellschaftlichen Ehrgeizes, des einsich-
tigen Egoismus einerseits und einer vernünftigen Menschenliebe
andrerseits den physischen Zwang der Mittellosigkeit ersetzen
können? ob nicht weiter die durch die Verschiedenheit der Stände
und der Lebenslage bewirkte Ungleichheit des Charakters, der
Lebensanschauung und der Lebensgewohnheiten ebenfalls ein
Erfordernis des kulturellen Fortschritts ist? ob nicht durch diese
Verschiedenheit allein eine lebendige Bewegung in der Gesellschaft erzeugt werden kann, eine stete Ausgleichung und Wieder-
erstehung von Gegensätzen? und ob nicht trotz alledem eine möglichst gleiche Lebensbefriedigung bei allen vorhanden sein kann?
Aber auch wenn das letzte der Fall wäre, darf man sich der Einsicht
nicht verschliessen, dass heute diese Lebensbefriedigung bei dem
grössten Teil der Bevölkerung nicht vorhanden ist und dass sie
nur bewirkt werden kann durch materielle und geistige Hebung
der untern Klassen. Auf die Dauer ist ein gesellschaftlicher Zustand unhaltbar, in dem der grösste Teil der Gesellschaft zum
Bewusstsein seiner unbefriedigenden Lage gekommen ist. In
Herbeiführung einer materiellen und in demselben Masse auch
geistigen Hebung der arbeitenden Klassen ist also jedenfalls die
Lösung der sozialen Frage zu suchen. Ob diese nur dadurch
gefunden werden kann, dass die obern Klassen in ihrer Lebenshaltung herunterrücken müssen, damit die unteren Klassen
hinaufrücken können und ob eine völlige Ausgleichung der Lebenshaltung aller Bevölkerungsklassen von heute notwendig ist,
erscheint damit noch nicht entschieden, wenn auch das letzte
meine Meinung entschieden nicht ist.

Jedenfalls ist die soziale Frage so alt wie die höhere Kultur, nur auf ganz niedern Stufen der kulturellen Entwicklung ist sie nicht vorhanden; sie ist daher auch nicht in Jahrzehnten, sie ist niemals vollständig lösbar. Wir werden niemals den Himmel auf die Erde herabziehen und unsere Annäherung an ihn kann sich nach unserer ganzen vergangenen Kulturentwicklung nur sehr langsam gestalten, unter fortwährenden Rückschlägen, so dass wir wohl immer uns werden damit begnügen müssen, ihn auf Erden zu erhoffen.

II. MISZELLEN.

—e. *Die Bewegung für politische und handelspolitische Föderation des britischen Weltreichs.* Die Eventualität einer solchen Föderation ist als eine internationale Frage ersten Ranges anzusehen. Die Bewegung für den Zusammenschluss Grossbritanniens mit allen seinen Kolonien in politischer und namentlich in handelspolitischer Hinsicht ist binnen weniger als eines Jahrzehnts vom Mutterland und von den Kolonien aus mächtig angewachsen und ist auch unter dem Ministerium Gladstone, in welchem übrigens als auswärtiger Minister einer der bedeutendsten Anhänger der »Imperial Federation«, Lord *Rosebery* sitzt, nicht wesentlich abgeschwächt worden. Käme der Zusammenschluss zum »Greater Britain« auch nur handelspolitisch zu stande, so würde dies für die übrigen Staaten, deren Gebiet den Umfang eines Weltreichs nicht besitzt, also namentlich für die mitteleuropäischen Staaten eine Differentialbeschwerung in der Konkurrenz mit England und seinen Kolonien für einen grossen und an Bevölkerung anwachsenden Teil der Welt um so mehr bedeuten, je inniger nach innen und je ausschliessender nach aussen die »*Imperial Federation*« des britischen Weltreiches ausfallen würde. Es wäre denn, dass es Mitteleuropa gelänge, zu dem britischen Handelsweltreich selbst in eine engere Verbindung einzutreten, was wenigstens für Deutschland ein voraus wegzuwerfender Gedanke nicht sein würde. Bis jetzt besass, soweit dem Referenten bekannt, die deutsche Litteratur keine vollständige Darstellung und Würdigung des Ganges und der Ziele der Bewegung, keine eindringende Untersuchung der Formen, in welchen der fragliche Reichszusammenschluss denkbar und vorgeschlagen ist. Diese Lücke ist nun und zwar in vorzüglicher Weise ausgefüllt durch das unter Litteratur unten angezeigte Buch von *Fuchs* über die britische Handelspolitik der letzten dreissig Jahre. *Fuchs* giebt auch die Uebersicht der ganzen Litteratur [1] der grossen Frage. Seiner Darstellung entnehmen wir das Folgende,

---

1) Die Litteratur über diese Fragen, besonders in Broschüren und Zeitschriften, ist eine sehr grosse und stets wachsende. Die hier gegebene Darstellung beruht ausser auf mündlicher Information hauptsächlich auf folgenden Quellen: *Dilke*, Problems of Greater Britain, Teil VII. *Webster*, Trade of the World, Kap. XII.

namentlich die Schlussabwägung der Aussichten, Triebkräfte, Ausführungsformen und Aussichten der Bewegung.

Der Agitationsverein für *Imperial Federation*, die »*Imperial Federation League*« war am 10. November 1884 begründet worden. Die Bewegung war damals zunächst mehr auf festeren Zusammenschluss der V e r t e i d i g u n g bezw. auf Ausdehnung und Gemeinschaft der Verteidigungsmittel, einen sog. »Kriegsverein« gerichtet, d. h. auf erhöhte beiderseitige Sicherheit mit Kostenbeteiligung der Kolonien. Dafür war schon 1867 bei der Begründung der *Dominion of Canada* ein Vorgang mit der Bestimmung geschaffen worden, dass England allmählich seine Truppen aus Canada zurückziehen und dasselbe sich selbst eine Territorialarmee zur Verteidigung des Landes schaffen sollte. Ein Gleiches geschah dann auch bei der Verleihung von *Self Government* an die Kapkolonie 1870. Im jahre 1879 war ferner eine Kgl. Kommission zur Beratung der Frage unter dem Vorsitz des Earl von Carnavon eingesetzt worden, und als Resultat derselben hatten die australischen Kolonien wenigstens die Verteidigung ihrer Häfen zu Lande durch von ihnen aufgebrachte und erhaltene Truppen übernommen. So halten die australischen Kolonien und Neu-Seeland heute im ganzen 40 000 Mann, aber nach den einzelnen Kolonien in territoriale Truppen getrennt und jede auf ihr eigenes Land beschränkt, während Canada ca. 36 000 Mann unter einheitlicher Organisation und eine ausgezeichnete Offizierschule hat. Die Uebernahme der Unterhaltung dieser Landkräfte durch die selbständigen Kolonien selbst brachte dem britischen Steuerzahler schon eine sehr erhebliche Erleichterung [1]. Noch blieb aber die grosse und stets wachsende Ausgabe für die britische Flotte und die zahlreichen Kohlenstationen, die zunächst von dem britischen Steuerzahler allein aufgebracht wurde.

J. A. Froude, Oceana or England and her Colonies. London 1886. *Marquis of Lorne*, Imperial Federation. London 1885. Sir Geo. Ferguson *Bowen*, Thirty Years of Colonial Government. Edited by Stanley Lane-Poole, 2 B. London 1889. Mit einem Anhang uber »Imperial Federation«. *J. Castell Hopkins*, Canada and the Empire. Toronto 1890. Arch. Mc *Goun*, A Federal Parliament for the British People. Toronto 1890. *Howard Vincent*, Inter-british trade and its influence on the unity of the Empire 1891. *Duaraven* Earl of, Commercial Union within the Empire (The Nineteenth Century März 1891). *Hervey*, The Latest Phase of Imperial Federation 1891. Derselbe, The Trade Policy of Imperial Federation. London 1892. Vor allem aber die Jahrgänge 1890, 1891 und 1892 der Zeitschrift »*Imperial Federation*«. *G. R. Parkin*, Imperial Federation, the problem of national unity. London 1892, und »*Britannic Confederation*«, a series of Papers by Sir J. Colomb, E. A. Freeman etc. London 1892.

1) 1854 wurden für militärische Zwecke in den australischen Kolonien 250 000 £ vom Mutterlande ausgegeben, 1884 dagegen gar nichts; in Canada 1854 uber 400 000 £, 1884 nur noch ca. 100 000 für die Reichsfestung in Halifax (Fifty years Progress. p. VIII. Imp. Federation June 1886, p. 168).

Dagegen wurde die andere, jener gewöhnlich gegenübergestellte
Form — ein »Z o l l v e r e i n« oder »Zollverband« sämtlicher Teile
des britischen Reiches, wie er anfangs der achtziger Jahre sowohl von
seiten der neuen *Fair-Trade*-Partei auf Basis einer Differentialbegün-
stigung der Gliedstaaten, wie von einzelnen Freihändlern auf der Basis
eines interbritischen Freihandels gefordert worden war, zunächst wenigstens von der Zentralleitung im Vereinigten Königreich abgewiesen.
Das Programm hiess also: zuerst politische Föderation ohne kommerzielle,
welch' letztere sich erst spater aus der ersteren ergeben möge, zunächst aber nicht als wesentlich angesehen wurde.

In diesem Sinne begann die neue Gesellschaft alsbald durch ihre
in London erscheinende Zeitschrift »*Imperial Federation*« und durch
Gründung von Zweigevereinen in den selbständigen Kolonien zu wirken.
Sie vermied dabei zunächst prinzipiell die offizielle Aufstellung von bestimmten Projekten für die als notwendig erkannte politische Föderation. Um so zahlreicher waren die Privatprojekte, welche von den
verschiedensten Seiten auftauchten. Ausserdem erliess auch die Londoner Handelskammer, welche sich hauptsächlich in der Person ihres
Sekretärs *K. B. Murray* sogleich mit grosser Entschiedenheit auf die
Seite der neuen Bewegung gestellt und im April 1885 eine Adresse an
den Staatssekretär für die Kolonien gerichtet hatte, in der sie lebhaft
die Wichtigkeit einer Reichsföderation a u c h i n h a n d e l s p o l i t i-
s c h e r B e z i e h u n g betonte und von der Regierung eine Sondierung
der Kolonien über die Frage verlangte, Anfang des Jahres 1886 ein
Preisausschreiben für die beste Bearbeitung eines praktisch wirksamen
Planes für *Imperial Federation.* Die Preisrichter waren *J. A. Froude*,
der Verfasser der »*Oceana*«, Prof. *J. R. Seeley*, der Verfasser von »*Expansion of England*« und der Statistiker Sir *Rawson*. Von den 106
eingegangenen Arbeiten erhielt eine den Preis und fünf andere wurden
zur Veröffentlichung durch die Handelskammer empfohlen. Alle streifen
die handelspolitische Seite der Frage nur flüchtig.

Im Sommer desselben jahres veranstaltete die Londoner Handelskammer zum ersten Male einen K o n g r e s s d e r H a n d e l s k a m-
m e r n des ganzen britischen Reiches im Ausstellungsgebäude der damals in London abgehaltenen *Colonial and Indian Exhibition.* Der
Kongress war sehr gut beschickt und trug ebenso wie die Ausstellung
selbst sehr viel dazu bei, Mutterland und Kolonien einander näher zu
bringen und das Interesse fur die letzteren im ersteren bedeutend zu
verstärken, namentlich auch in kommerzieller Beziehung. — Noch in
demselben jahre nahm dann auch die Thronrede der Königin von dem
wachsenden Interesse fur die Kolonien in England und dem allgemeinen Wunsche nach einer engern Verknüpfung derselben mit dem
Mutterlande Notiz und beauftragte die Regierung, mit den Kolonial-
regierungen einen Meinungsaustausch daruber zu veranlassen. Die neue

konservative Regierung, von Haus aus kolonialfreundlicher als die Glad-
stones, beeilte sich, dieser Anregung zu entsprechen, und so erging
schon im November 1886 ein Rundschreiben des damaligen Staats-
sekretärs der Kolonien *Stanhope* an die Gouverneure der selbständigen
und der Kronkolonien mit der Aufforderung, Delegierte zu einer Konferenz nach London zu schicken zur Besprechung derjenigen Fragen,
welche augenblicklich die brennendsten zu sein schienen.

Die Anregung zur Einberufung dieser K o l o n i a l - K o n f e r e n z
wurde zwar von der *Imperial Federation League* fur sich in Anspruch
genommen, der Erfolg für sie war aber ein sehr zweifelhafter, denn in
dem einladenden Rundschreiben *Stanhope's* sind Erörterungen über
Reichs-Föderation ausdrücklich vom Programm der Konferenz ausgeschlossen, und Neu-Süd-Wales machte dies auch zur Bedingung seiner
Teilnahme an der Konferenz. Dagegen bezeichnet *Stanhope* als ersten
und wichtigsten Gegenstand der Beratung die Verteidigung des britischen
Reiches und des britischen Handels im Kriegsfall; sodann als zweiten
die Förderung der kommerziellen und sozialen Beziehungen zwischen
dem Mutterlande und den Kolonien durch Entwickelung des P o s t -
u n d T e l e g r a p h e n v e r k e h r s innerhalb des britischen Reiches
nach einheitlichen Gesichtspunkten, woran es bisher ebenfalls empfindlich gefehlt hatte. Die Einladung fand überall die beste Aufnahme und
alle selbständigen sowie die wichtigsten Kronkolonien sandten ihre
namhaftesten Staatsmänner, Minister oder Exminister als Delegierte.
Die Konferenz trat am 4. April 1887 in London zusammen und tagte
bis zum 9. Mai. — Den grössten Raum in ihren Beratungen und Beschlüssen, welche jedoch nur einen gutachtlichen, keinen bindenden
Charakter trugen, nahm die Frage der Reichsverteidigung ein. In
dieser Beziehung wurden empfohlen vermehrte Zuschüsse von den Kronkolonien zur Unterhaltung gewisser Kohlenstationen, sowie entsprechend
dem Wunsche der australischen Kolonien eine Vermehrung des in den
australischen Gewässern stationierten Geschwaders auf Kosten dieser
Kolonien durch eine Anzahl von Schiffen, welche dafür nur hier verwendet werden sollten. Ein diesbezüglicher Antrag sollte ohne Verzug
den australischen Parlamenten vorgelegt werden. Er wurde dann auch
angenommen und durchgeführt. — Weiter kam zur Erörterung die Frage
der Post- und Telegraphenverbindung, sowie verschiedene Fragen auf
dem Gebiete internationaler Beziehungen, interkolonialen Handels-,
See- und Prozessrechts, des Verkehrs mit Wertpapieren, der Handelsmarken und des Patentrechts, sowie endlich auch die Frage der Zucker-
prämien, über welche Sachverständige aus London, Liverpool und von
den westindischen Inseln vernommen wurden, auch Mr. Nevile Lubbock
und Mr. Ernest Tinne.

Die Frage der Reichsföderation wurde dagegen von dem Präsidenten dem späteren Staatssekretar für die Kolonien Sir H. T. Holland

angstlich aus der Diskussion fern gehalten. Dagegen konnte er es
nicht hindern, dass gegen Ende der Verhandlungen die Frage einer
h a n d e l s p o l i t i s c h e n U n i o n d e s b r i t i s c h e n R e i c h e s
zu ausführlicher Erorterung kam, da sie zu den Instruktionen verschiedener Delegierten, namentlich derjenigen aus dem Kapstaat gehörte,
und zwar kam sie zur Sprache teils im Zusammenhange mit der Frage
der Reichsverteidigung als deren finanzielle Kehrseite, teils ohne solchen
Zusammenhang aus rein handelspolitischen Motiven. Zunächst trat
nämlich Sir *Samuel Griffith*, Premierminister von Queensland, in der
Sitzung vom 3. Mai, in der Erkenntnis, dass die Zeit für einen Reichs-
zollverein (ohne alle inneren Zollschranken) noch nicht gekommen sei,
unter heftigen Ausfällen gegen die englische Freihandelsdoktrin, für
eine engere handelspolitische Verbindung des britischen Reiches, einen
Zollverband ein, in der Gestalt, dass in allen Teilen des britischen
Reiches entweder Waren britischen Ursprungs einen niedrigeren Zoll
zahlen sollten, als den bisherigen, der nur für die fremden bestehen
bleiben sollte, oder letztere einen höheren als den bisherigen, der nur
für britische Waren Anwendung finden sollte — also ganz allgemein
unter Beibehaltung der bisherigen Zollsysteme prinzipielle Begünstigung
der einzelnen Teile des britischen Reiches vor den fremden Ländern
durch D i f f e r e n t i a l z ö l l e. Ihm folgte sodann der bekannte Führer der
Afrikanderpartei im Kapstaat, *Jan Hendrik Hofmeyr* mit einem konkre-
teren Plane in derselben Richtung, der zugleich an die Frage der Reichsverteidigung anknüpfte und eine prinzipielle Lösung derselben bot,
also gleichzeitig die beiden Ziele verfolgte, Einigung des Reiches und
Schaffung einer Einnahmequelle für die allgemeine Reichsverteidigung.
Er schlug die Einführung eines allgemeinen einheitlichen R e i c h s -
z o l l e s von z. B. 2 Proz. vom Werte vor, der in allen Teilen des
britischen Reiches, gleichviel wie ihr Zollsystem sonst beschaffen sein
mag, von allen aus fremden Ländern kommenden Waren erhoben und
dessen Ertrag für den Unterhalt der britischen Flotte verwendet werden
solle. Er berechnet zu diesem Zwecke für 1885 die Gesamteinfuhr aus
fremden Ländern im Vereinigten Königreich auf 286 Millionen £, in
den Kolonien auf 66 Millionen, also im ganzen auf 352 Millionen, was
einen Zollertrag von nicht weniger als 700 000 £ ergeben würde, vorausgesetzt, dass die Ziffern des Handels sich nicht infolge des Zolles ändern. Dieser Plan eines R e i c h s z u s c h l a g s z o l l e s fand bei der
Mehrzahl der anderen Deputierten eine sehr sympathische Aufnahme,
und zwar ebensowohl bei Freihändlern wie Schutzzöllnern. Indessen
wurde von einer Seite betont, dass ein Zoll von 2 Proz. für beide Zwecke,
die damit erreicht werden sollten, zu niedrig und mindestens ein solcher
von 5 Proz. notwendig sein würde. Auch waren sich die meisten Redner
vollkommen darüber klar, dass an die Verwirklichung des Planes, den
sie alle (mit Ausnahme des *Agent General* von Tasmania) freudigst be-

grössten, nicht zu denken sei, ehe nicht in England selbst eine völlige Umwandlung in den noch immer herrschenden handelspolitischen Anschauungen eingetreten sein würde. Die Delegierten von Neu-Süd-Wales aber lehnten, ihren Instruktionen gemäss ab, überhaupt sich an der Debatte zu beteiligen wegen des engen Zusammenhanges, in welchem der Vorschlag mit der Frage der Reichsföderation stand.

Die *Colonial Conference* von 1887 bildet ohne Zweifel einen wichtigen Wendepunkt in der Geschichte der englischen Kolonialpolitik, den Beginn einer neuen Entwickelnng. Die hervorragendsten Staatsmänner der englischen Kolonien hatten sich hier zu einem regen Gedankenaustausch uber wichtige gemeinsame Interessen vereinigt; das treue Festhalten am Mutterlande bildete die als ganz selbstverständlich acceptierte Grundlage der Beratungen, und alle Teilnehmer waren einig in dem Wunsche, die bestehenden Beziehungen nicht nur erhalten, sondern auch nach verschiedenen Richtungen hin enger zu gestalten, und obwohl das Thema der Reichsföderation theoretisch von der Beratung ausgeschlossen war, so war doch der ganze Verlauf der Konferenz eine grossartige Demonstration zu Gunsten derselben. Waren auch die hier zusammengetretenen Delegierten ohne Vollmacht und wurden auch keine die Kolonien bindenden Beschlusse gefasst, so war doch die Thatsache des erzielten Einvernehmens uber wichtige Punkte von grosser Bedeutung, und die Anregungen, welche von den Beratungen ausgingen, zahlreich und mannigfaltig.

Indessen stiess der *Hofmeyr*'sche Gedanke auf starken Widerspruch, teilweise in den Kolonien selbst, hauptsächlich aber im Königreich bei den überzeugten Freihändlern. Der Cobden-Klub wurde gegen diese Projekte mobil gemacht und die *I. F. League* stärkte ihre Stellung nicht, indem sie den Angriffen gegenüber noch Jahre lang mit bestimmten positiven Vorschlägen sehr zurückhaltend war. Erst die Verlegenheiten in den Kolonien gaben wieder neuen Antrieb. So die Händel zwischen Neufundland und Kanada und die kanadische Bewegung aus Anlass des M. Kinley-Tarifes. Aber diese Methode verfehlte allmählich ihre Wirkung, das anfänglich erwachte Interesse erlosch vielfach wieder, da es keine genugende Nahrung erhielt. Der Worte waren genug gewechselt, man wollte endlich auch Thaten sehen. Statt dessen begnügte man sich in der Liga damit, in einer Versammlung am 15. November 1889, unter ausdrücklicher Zurückweisung der Zollvereins- resp. Zollverbandsbestrebungen als »unpraktisch für die Konsolidierung des Reiches«, die regelmässige Wiederholung von Konferenzen wie die des Jahres 1887 zu fordern, bei welchen nur die Frage der Reichsföderation nicht wieder wie das letztemal ausgeschlossen sein sollte, und der Präsident Lord *Rosebery* hob hervor, dass man bereits eine Form von *Imperial Federation* besitze, inauguriert durch die Konferenz von 1887. Man war also mittlerweile sehr bescheiden geworden. Auch in den Kolonien waren die Fortschritte der Bewegung für die politische Föderation in dieser Zeit nicht sehr erheblich. In den meisten derselben hatten sich zwar die hervorragendsten Staatsmänner und Politiker entschieden dafür ausgesprochen, aber es zeigte sich vielfach, dass sie in diesem Punkte mit der öffentlichen Meinung ihrer Kolonien sich nicht in Einklang befanden; so namentlich in den australischen Kolonien. Hier stand zunächst die Bewegung für eine partielle Föderation, nämlich die der sämtlichen australischen Kolonien, im Vordergrund, und es war nicht abzusehen, ob die Erreichung dieses Ziels einer allgemeinen Reichsföderation förderlich oder hinderlich sein werde. Hingegen machte die Liga in Kanada bedeutende Fortschritte, aber die Bewegung war hier, im Gegensatze zum Mutterlande, überwiegend handelspolitisch und schutzzöllnerisch gefärbt, und die meisten verlangten von einer Reichsföderation zum mindesten die Durchführung des *Hofmeyr*'schen Projektes, das hier grossen Anklang gefunden hatte.

Kanada war durch den 1890 erlassenen M. Kinley-Tarif der Ver. Staaten schwer bedroht und derjenige Teil der liberalen Partei, welcher überhaupt nach den Vereinigten Staaten hin gravitierte und die Zukunft Kanadas in der Vereinigung mit diesen erblickte, trat nun zunächst für den Abschluss eines Handelsvertrages mit den Vereinigten Staaten auf dem Boden völliger Reciprocität, d. h. gegenseitigen Freihandels ein, also mit anderen Worten für einen Z o l l v e r e i n z w i s c h e n K a n a d a u n d d e n V e r e i n i g t e n S t a a t e n. Dass ein solches Zollbündnis für Kanada in wirtschaftlicher Beziehung grosse Vorteile bieten würde, ist nicht zu leugnen, da es für seine landwirtschaftlichen Produkte ein grosses Absatzgebiet in den Ver. Staaten finden würde. Dagegen würden allerdings die unter der Schutzzollpolitik der konservativen Regierung geschaffenen Anfänge eigener Industrie völlig geopfert werden mussen. Der Führer der Konservativen, der Premierminister *Mac Donald*, erkannte aber sehr wohl, dass ein solches Zollbündnis mit den Ver. Staaten mit Notwendigkeit zu einem auch politischen Anschluss an diese, d. h. Trennung vom Mutterlande führen würde. *Mac Donald*, ein scharfer Gegner der Annexion Kanadas durch die Vereinigten Staaten und eifriger Anhänger der Bewegung für *Imperial Federation*, leistete diesen auf einen Zollverein mit den Vereinigten Staaten hinzielenden Bestrebungen lebhaften Widerstand. Am 2. Februar 1891 wurde das Bundesunterhaus *(Dominion House of Commons)* aufgelöst und es begann ein überaus lebhafter Wahlfeldzug, bei dem nichts geringeres als die politische Zukunft Kanadas — seine fernere Zugehörigkeit zum britischen Reiche oder sein dereinstiger Anschluss an die Vereinigten Staaten — zur Entscheidung stand. Im Verlaufe desselben wurden hervorragende Politiker, Anhänger der liberalen Partei, durch politische Intriguen, in welchen sie die Annexion

Kanadas betrieben hatten, schwer kompromittiert. Nach *Mac Donald's*
Behauptung sollten sogar die Kanada besonders bedrohenden Bestimmungen des M. Kinley-Tarifes, zum Teil dem verräterischen Rat solcher
kanadischer Politiker zu danken sein, die damit die Durchfuhrung der
Vereinigung Kanadas mit der Union zu erzwingen hofften. Der er-
bitterte Kampf, den man in England mit der grössten Spannung verfolgte — stand doch nicht weniger als die Zukunft des britischen
Reiches auf dem Spiel — endete mit einem zwar nicht glänzenden aber
doch entschiedenen Siege der konservativen Partei unter *Mac Donald's*
Führung. Dieser musste jedoch den Sieg mit seinem Leben bezahlen,
da die Strapazen des Wahlfeldzuges seine Gesundheit untergraben hatten.
Die Befürchtungen, welche man an seinen Tod für den Bestand der
von ihm vertretenen Sache knüpfte, erfüllten sich jedoch nicht. Die
Handelsvertragsverhandlungen mit den Ver. Staaten wurden formell
vertagt, und die Krisis kann für längere Zeit als überwunden betrachtet
werden. Allerdings die Mehrheit des kanadischen Volkes hat diese
Entscheidung zu Gunsten des Mutterlandes in der bestimmten Erwartung getroffen, dafür in ein neues handelspolitisches Verhaltnis zu
diesem zu treten und von ihm Begünstigungen seines Handels erhalten
zu können.

Zu diesen wichtigen Vorgängen in Neu-Fundland und Kanada kam
endlich in demselben Jahre 1891 noch ein dritter: das Zusammentreten
eines K o n g r e s s e s (*Federal Convention*) von bevollmächtigten Vertretern der s ä m t l i c h e n a u s t r a l i s c h e n K o l o n i e n in S i d n e y
zur Beratung einer Bundesverfassung für Australasien. Schon 1885 war
durch ein Gesetz (48 und 49 Vict. c. 60) die Organisation eines
»B u n d e s r a t s« (*Federal Council*) f ü r d i e a u s t r a l i s c h e n K o -
l o n i e n mit gewissen gemeinschaftlichen Kompetenzen geschaffen, damals aber nur von Viktoria, Queensland, Tasmanien, West-Australien
und Fiji angenommen worden. 1890 hatte dann zu Melbourne eine
Konferenz von Delegierten von Australien (im eigentlichen Sinne) und
Neu-Seeland zur Beratung einer Bundesverfassung getagt und beschlossen, dass im nachsten Jahre zu diesem Zwecke eine Konvention
von bevollmächtigten Delegierten zur endgiltigen Vereinbarung der
Verfassung stattfinden sollte. Diese wurde nun am 2. März 1891 zu
Sydney eröffnet und am 9. April geschlossen, nachdem sie den Verfas-
sungsentwurf mit geringen Aenderungen angenommen hatte. Darnach
sollte im allgemeinen, soweit nicht durch die Bundesregierung beschränkt, die Verfassung der einzelnen Kolonien, welche »Staaten« genannt werden, unverändert erhalten bleiben. Die Bundesverfassung ist
also nach dem Muster der Vereinigten Staaten gebildet im Gegensatz
zu der mehr zentralisierten des *Dominion of Canada*. In handelspolitischer Beziehung einigte man sich zu innerem Freihandel zwischen
den Gliedstaaten und zu Schutzzöllen nach aussen. Es schien alle

Aussicht vorhanden, dass eine wenigstens Australien umfassende Bundesverfassung wirklich zu stande kommen würde. Dabei erhob sich nun
wiederum die Frage, ob innerhalb des britischen Reiches oder ausserhalb desselben. Die von der Konvention angenommene Bundesverfassung besagte zwar ersteres und ein Teil der Delegierten hatte sich
mit Entschiedenheit für eine allgemeine Reichsföderation ausgesprochen,
aber diese von der Konvention vereinbarte Verfassung musste noch
von den Parlamenten der einzelnen Kolonien angenommen werden,
und im Mutterlande wenigstens waren die Ansichten sehr geteilt, ob
das Zustandekommen der Australischen Föderation das Band zwischen
den betreffenden Kolonien und dem Mutterlande festigen oder lockern
werde.

Diese in merkwürdiger Weise im Zeitraum eines Jahres zusammen-
treffenden Ereignisse rückten nun die Frage der politischen wie der
kommerziellen Föderation des britischen Reiches in den Vordergrund
des Interesses und der Diskussion und sie verliehen den in dieser Richtung begonnenen Bewegungen einen neuen lebhaften Impuls. Die Bewegung richtete sich u. a. auf die Beseitigung der absoluten, den Reichszusammenschluss ausschliessenden Meistbegünstigungsklausel in den Handelsverträgen mit B e l g i e n von 1862 und mit D e u t s c h l a n d von
1865. Die Frage kam wiederholt durch Anträge ins Parlament, wenn
auch zunächst ohne positiven Erfolg. Allein die Rücksicht auf die
Kolonien, namentlich auf Kanada, hielt das Eisen warm. In Kanada
hatte der Gedanke eines Zollverbandes mit dem Mutterlande die stärksten Wurzeln geschlagen, die Bewegung für *Imperial Federation* hatte,
wie schon hervorgehoben, dort hauptsächlich diesen Sinn. Dies war
auch das Ziel Sir *Mac Donald*'s gewesen, und nach dem geschilderten
Ausfall der Wahlen trat diese Frage besonders stark in den Vordergrund. Man wollte doch nicht ganz umsonst dem Mutterlande das
Opfer gebracht haben, auf die Vorteile des Handelsvertrages oder
Zollvereins mit den Vereinigten Staaten zu verzichten; man erwartete
dagegen von jenem Einräumung eines bevorzugten Absatzmarktes für
die Stapelartikel der kanadischen Ausfuhr d. h. Einführung von Zöllen
auf diese Waren gegenüber dem Auslande, und zunächst an erster
Stelle wenigstens Beseitigung der Meistbegünstigungsklauseln, welche
dem im Wege standen. So legte die kanadische Regierung dem Bundes-
parlament eine Adresse an die Königin vor, welche um Kündigung der
mehrerwähnten Klauseln in den Handelsverträgen Englands von 1862
und 1865 bat, da diese Kanada hinderten, mit dem Mutterlande oder
mit fremden Staaten, also insbesondere mit den Vereinigten Staaten
Zollvergünstigungen zu vereinbaren, und im Widerspruch stehen
mit der Verfassung des Dominion von 1867, und der demselben hier
eingeräumten selbständigen Bestimmung seiner Handelspolitik. Die
Adresse fand in beiden Häusern des Bundesparlaments einstimmige

Annahme, da die handelspolitische Freiheit, welche sie fur Kanada verlangte, auch für die von der liberalen Partei in Kanada vertretene
Handelspolitik Voraussetzung ist Indes war es, wie die Debatte zeigte,
nicht dieser Zweck, zu welchem die jetzige Regierung die Adresse ein-
brachte, sondern vielmehr der Wunsch nach Z o l l b e g ü n s t i g u n g e n
s e i t e n s d e s M u t t e r l a n d e s, wie sie die Mehrheit der kanadischen Bevölkerung zum Lohn für den Verzicht auf den Reciprocitäts-
vertrag mit den Vereinigten Staaten nunmehr verlangte. England war
durch dieses Vorgehen Kanadas in eine unangenehme Lage versetzt:
schlug es Kanada diesen Wunsch ab, so waren die politischen Folgen
unberechenbar, erfüllte es sie, so gab es dem Dominion — abgesehen
von den Schwierigkeiten, die ihm selbst daraus erwachsen mussten —
ein zweischneidiges Schwert in die Hand, das auch einmal gegen das
Mutterland gekehrt werden konnte.

Inzwischen aber hat unzweifelhaft die Idee eines Z o l l v e r b a n -
d e s d e s b r i t i s c h e n R e i c h e s m i t P r ä f e r e n z i a l z ö l l e n
auch im Vereinigten Königreich sehr an Boden gewonnen, um so mehr,
je allgemeiner und vager sie angeregt wurde. Aber auch die Zahl
derer, die sich ernstlicher damit befasst haben und auch vor den Konsequenzen einer solchen Handelspolitik nicht zurückschrecken, ist ohne
Zweifel stetig im Wachsen. Sehr viel hat hierzu die zunehmende Ver-
sperrung des englischen Absatzmarktes in fremden Staaten durch deren
Schutzzollpolitik, namentlich die allmählich sich fühlbar machenden
Wirkungen des M. Kinley-Tarifes beigetragen. Dadurch wurde der
Wunsch rege und verstärkt, dafür Ersatz zu erhalten durch einen bevorzugten Absatzmarkt in den Kolonien. Die Agitation in dieser Richtung betrieb im Vereinigten Königreich mehr als die neugegründete
Gesellschaft die alte *Fair Trade League* (jetzt *Fair Trade Club*), welche
sich rühmen konnte, dieses Ziel schon 1881 auf ihr Programm gesetzt
zu haben, und die nun gestützt auf die Ereignisse des Jahres 1891 aufs
neue eine lebhafte Wirksamkeit entfaltete. — Auch die Londoner
Handelskammer hat sich trotz ihrer überwiegend freihändlerischen Zusammensetzung für dieses Projekt einer Zollhandelsunion mit den Kolonien ausgesprochen. Ihr überaus rühriger Sekretär Mr. *K. B. Murray*
ist, obwohl Freihäudler, durchaus von der Notwendigkeit dieser Entwickelung für das Vereinigte Königreich überzeugt. Als Endziel schwebt
ihm allerdings ein Zollverein des ganzen britischen Reiches mit Freihandel im Innern vor, dem a u c h f r e m d e S t a a t e n g e g e n G e -
w ä h r ų n g g l e i c h e n F r e i h a n d e l s b e i t r e t e n k ö n n e n. Da
dies aber in der nächsten Zeit ihm undurchführbar erscheint, erklärt
er als Uebergangsstadium auch einen Zollverband mit Präferenzial-
zöllen für annehmbar und notwendig. Die Londoner Handelskammer
erliess nun hauptsächlich auf sein Betreiben hin für den Sommer des
jahres 1892 Einladungen zu einem zweiten Kongress der Handels-

kammern des britischen Reiches in London ergehen, welche allseitig
Annahme fanden, und setzte als ersten Punkt auf das Programm
die Besprechung der handelspolitischen Union des britischen Reiches.
Auf der Jahresversammlung der Handelskammern von Grossbritannien und Irland in Dublin am 1. und 2. September aber stellte
die Londoner Handelskammer und ebenso die von Sud-Schottland
einen diesbezüglichen Antrag: »Massregeln zu treffen, welche zu einer
engeren handelspolitischen Verbindung zwischen dem Mutterlande und
den Kolonien führen«, und dieser Antrag wurde nach einer höchst
interessanten Debatte einstimmig angenommen. — In den letzten Tagen
des November endlich sprach sich die jährliche Versammlung des Verbandes der konservativen Vereine (*National Union of Conservative and
Constitutional Associations*), derselbe Körper, welcher 1887 in Oxford
eine Resolution zu Gunsten von *Fair Trade* angenommen hatte — mit
allen gegen fünf Stimmen für die von der *United Empire Trade League*
vorgeschlagene Handelspolitik aus, obwohl *Salisbury* erst den Tag zuvor
in einer Rede mit ungewöhnlichem Nachdruck auf die grossen Segnungen des Freihandels für England hingewiesen hatte. Es zeigte sich
hier also ein bemerkenswerter Konflikt zwischen der konservativen
Partei und ihrem Führer.

Auch das Jahr 1892 hat wichtige neue Ereignisse gebracht, die
zu einer bemerkenswerten Weiterentwickelung dieser Fragen geführt
haben. Besonders wichtig sind verschiedene neue in Kanada gemachte
Vorstösse, welche zeigen, wie brennend die Frage der Zollunion des
britischen Reiches ist. Am 28. April wurde eine Resolution angenommen, in welcher sich Kanada bereit erklärte, wenn das englische Parlament kanadischen Produkten im Vereinigten Königreich Zollvergunstigungen gegenuber denselben Produkten aus fremden Ländern gewähren
würde, eine wesentliche Herabsetzung seiner Zölle auf britische Manufakturwaren eintreten zu lassen. Damit wurde von Kanada die früher
oft wiederholte Behauptung widerlegt, dass die Kolonien für die Zollvergünstigungen, die sie verlangten, nicht einmal bereit wären, Gegenleistungen zu gewähren. Diese wichtige Resolution des kanadischen
Parlaments wurde von der »Times« in einem viel bemerkten Artikel
im ganzen sehr sympathisch begrusst, jedoch allerdings verlangt, dass
auch die anderen selbständigen Kolonien sich diesem Anerbieten Kanadas anschlössen: »there would be a strong body of public opinion in
favour of meeting the offer, if possible, even at the cost of some departure from the rigorous doctrines of Free Trade.« Im englischen
Oberhaus lenkte am 27. Mai der *Earl of Dunraven* die Aufmerksamkeit auf diesen Beschluss des kanadischen Parlaments und empfahl in
einer sehr geschickten Rede angelegentlichst die von Kanada angeregte Handelspolitik und zwar mit allen Konsequenzen für England
d. h. also insbesondere auch der Einführung eines mässigen Zolles auf

fremdes Getreide. Der Vertreter der Regierung, Lord *Balfour* lehnte aber auch hier das Eingehen auf derartige Vorschläge mit Entschiedenheit ab. — Doch sprach am 18. Mai der Premierminister *Salisbury* in einer Rede in Hastings in bisher noch nicht angewandter Schärfe gegen den orthodoxen Freihandel und seine »Rabbis« und trat für Retorsionszölle ein, allerdings nicht auf Getreide und Rohstoffe — was er nach wie vor für unmöglich erklärte — wohl aber auf die übrigen Artikel der Einfuhr aus fremden schutzzöllnerischen Ländern, um so England bei der derzeitigen Neugestaltung der europäischen Handelsverträge wieder eine Waffe in die Hand zu geben.

Am Ende des folgenden Monats trat dann endlich der in allen an diesen Fragen interessierten Kreisen mit Spannung erwartete K o n - g r e s s d e r H a n d e l s k a m m e r n des britischen Reiches in London zusammen. Der erste Punkt der Tagesordnung war die handelspolitische Einigung des britischen Reiches. Die Debatte über diese Frage nahm drei Tage in Anspruch und war überaus interessant; es war der alte Kampf zwischen Freihandel und Schutzzoll und nochmals siegte der Freihandel. Wie das ganze Zusammentreten des Kongresses, so fanden auch seine Beschlüsse eben wegen der alles beherrschenden Wahlagitation nicht die Aufmerksamkeit in der öffentlichen Meinung in England, die sie unter anderen Umständen zweifellos gefunden hätten.

Diese Neuwahlen haben zu einem Sieg der Liberalen und Radikalen unter Gladstone geführt. Durch diesen Regierungswechsel sind die Aussichten auf Verwirklichung der von der alten *United Empire Trade League* und von Kanada angestrebten Form einer handelspolitischen Einigung des britischen Reiches zunächst etwas tiefer gesunken. Auf der anderen Seite aber ist es wohl der beste Beweis für die tiefgreifende und dauernde Umwandlung in der Beurteilung der kolonialen Frage überhaupt, die in nicht viel mehr als zehn Jahren eingetreten ist, dass auch nicht vorübergehend die Befürchtung auftauchte, dieser Regierungswechsel könne auf kolonialem Gebiet eine Rückkehr zu der früheren manchesterlichen Kolonialpolitik bedeuten. Im Gegenteil — in dem neuen Kabinett sitzt als St.Sekr. d. Aeuss. (jetzt als Min.Präs.) *Rosebery*, der bisherige Präsident der *Imperial Federation*-Liga und die Aussichten der letzteren auf Verwirklichung ihres Programms sind dadurch nicht unerheblich gestiegen. Die alte Liga ist auch 1892 zu ganz konkreten Vorschlägen gelangt. Es wird die Schaffung eines Reichs- oder Bundesrats (*Imperial Council*) vorgeschlagen, gebildet aus Vertretern des Mutterlandes, der selbständigen Kolonien und der Kronkolonien (für letztere die englischen Minister der Kolonien und Indiens), der bei allen Fragen der auswärtigen Politik, welche das ganze Reich betreffen, eine verfassungsrechtliche Mitwirkung haben soll, dafür andrerseits die Frage der Reichsverteidigung und des Schutzes des Handels des Reiches und die Anteilnahme der Kolonien an den Lasten der-

selben regeln soll. Ausserdem soll speziell zur Erörterung dieser letzteren Frage baldigst eine neue Kolonialkonferenz einberufen werden.
Diese Vorschläge haben in der englischen Presse der verschiedensten Schattierungen eine überraschend einstimmige günstige Aufnahme
gefunden.

Um nun ein richtiges Urteil über die Aussichten dieser geschilderten politischen und handelspolitischen Einheitsbestrebungen zu gewinnen, ist es nötig, dieselben auf ihre Ausführbarkeit zu untersuchen,
diejenigen Momente zu betrachten, welche fur und gegen dieselben
ins Gewicht fallen. Was zunächst die Bewegung fur p o l i t i s c h e
Föderation anlangt, so wird hier in Zukunft der neue von der Spezial-
Kommission der *Imperial Federation League* ausgearbeitete Plan im
Vordergrund stehen. Trotz der günstigen Aufnahme nun, welche derselbe zunächst in England gefunden hat, kann doch wohl mit Sicherheit gesagt werden, dass er in seiner weiteren Verfolgung und Ausgestaltung viele von ihren platonischen Anhängern rauben wird. Ein
Reichsbundesrat wird schwer zu vereinbaren sein. Weit grösser ist die
Schwierigkeit, dass die grösseren selbständigen Kolonien ihrer Mehrzahl nach eine solche r e i n politische Föderation, welche ihnen neue
grosse Lasten auferlegen und dafür sehr problematische politische Rechte
verleihen würde, überhaupt nicht wollen, dass sie vielmehr mit der
gegenwärtigen Lage der Dinge in politischer Beziehung durchaus zufrieden sind. Dies ist ganz natürlich! Geniessen sie doch nur Vorteile bei ganz verschwindenden Lasten. Sie besitzen in der Frage der
inneren Politik so gut wie völlige Freiheit und Selbständigkeit, geniessen fast umsonst den militärischen Schutz des Mutterlandes und
das Prestige der Zugehörigkeit zum Britischen Reiche. Sie erhalten
von dem Mutterlande Geld zu so billigem Preise, so niedrigem Zinsfuss, wie sie es unter anderen Umständen nie erhalten würden. Alle
entstehenden Schwierigkeiten aber wälzen sie auf das Mutterland ab.
Sie handeln, wie eine Londoner Zeitung bei Gelegenheit der Neufund-
länder Frage mit Recht bemerkte, nach dem bequemen Prinzip, »dass
man sie in Ruhe lassen solle, wenn es ihnen gut geht und ihnen helfen,
wenn es ihnen schlecht geht.« Und wenn sie einmal durch die auswärtige Politik des Mutterlandes, auf die sie keinen Einfluss haben, in
einen Krieg sollten verwickelt werden, haben sie immer die Möglichkeit, die Gelegenheit zu benutzen und sich unabhängig zu erklären.
Und so ist es höchst unwahrscheinlich, dass jene von der *Imperial
Federation League* angestrebte rein politische Föderation ohne gleichzeitige h a n d e l s politische je zu stande kommen wird. Wohl aber ist
letztere ohne erstere möglich, wenn sie auch wahrscheinlich schliesslich zur ersteren führen würde. Und da hat man zu unterscheiden:
die handelspolitische Stellung, welche gegenwärtig nebeneinander ein-

nehmen das Vereinigte Königreich, die selbständigen Kolonien, die Kronkolonien und Indien.

Das V e r e i n i g t e K ö n i g r e i c h hat Einfuhrzölle (reine Finanzzölle) auf elf Artikel, von welchen nur vier zur Zeit in beträchtlicher Menge Produkte anderer Teile des britischen Reiches sind, nämlich Thee in Indien und Ceylon, Kaffee in Ceylon, Westindien etc., Wein seit längerer Zeit im Kapland, seit kurzer Zeit in rascher Entwickelung in Australien, und Tabak in Indien, Westindien, Natal und in geringem Umfange in Australien. Der Handel des Vereinigten Königreiches mit den übrigen Teilen des Reiches betragt in Ein- und Ausfuhr rund 25 Proz. des Gesamthandels des ersteren (1890: 25,8 Proz.). Die s e l b s t ä n d i g e n K o l o n i e n sind in ihrer autonomen Tarifpolitik vollständig unbeschränkt. Dieselben haben — bis April 1892 mit alleiniger Ausnahme von Neu-Südwales — seit Ende der siebziger jahre hohe Schutzzölle auf die meisten Manufakturwaren des Mutterlandes und bringen dadurch den grössten Teil ihrer Staatseinnahmen auf. Es sind die drei Gruppen Kanada, Australien, Südafrika, deren Handel mit dem Vereinigten Königreich resp. 3, 7 und 2 Proz. des Gesamthandels des letzteren beträgt. — Die K r o n k o l o n i e n bestimmen ihre Tarife nominell auch selbst; das Mutterland hat aber durch den Gouverneur eine Kontrolle darüber. Diese haben meist Finanzzölle, zum Teil auch von beträchtlicher Höhe, und bringen ebenfalls einen grossen Teil ihrer Einnahmen durch Besteuerung der Einfuhr aus dem Mutterlande auf. Ihr Handel mit dem Mutterlande beträgt $2^1/_2$ Proz. von dessen Gesamthandel. — I n d i e n endlich wird von dem Parlament des Mutterlandes regiert. Sein Tarif umfasst sieben Nummern, welche die Manufakturwaren des Mutterlandes wenig betreffen. Sein Handel mit dem Mutterlande beträgt $10^1/_2$ Proz. (einschliesslich *Straits Settlements*). Das Problem einer handelspolitischen Union besteht also, was die rechtliche Möglichkeit seiner Durchführung betrifft, hauptsächlich für das Mutterland und die selbständigen Kolonien, bei welchen ersteres keinen Einfluss auf die Tarifpolitik mehr hat. Für die Lösung dieses Problems ist nun ein dreifacher Weg vorgeschlagen worden:

E r s t e n s d i e F o r m d e s Z o l l v e r e i n s, d. h. die völlige Zollfreiheit innerhalb des britischen Reiches und gemeinsamer Tarif nach aussen. Dabei entsteht dann weiter die Frage, ob dieser gemeinsame Reichstarif f r e i h a n d l e r i s c h im Sinne des Mutterlandes, d. h. auf einige grosse Finanzzölle beschränkt, oder s c h u t z z ö l l n e r i s c h im Interesse der Kolonien sein soll. Die erstere Form, Freihandel im ganzen Reiche mit freihändlerischem Tarif nach aussen — also ein sogenannter »*Free Trade*-Zollverein« — würde im Vereinigten Königreich natürlich mit Freuden acceptiert werden, da sie für dasselbe keine Nachteile als eine Verminderung der Finanzzölle, da-

gegen aber grossen Aufschwung der Ausfuhr nach den Kolonien mit
sich brächte. Die zweite Form dagegen würde bereits einen sehr lebhaften Widerstand im Vereinigten Königreich zu überwinden haben:
alle jene Momente nämlich, welche einer Aenderung der englischen
Zollpolitik, einem Bruch mit seinem jetzigen Freihandelssystem im Wege
stehen. Diese beiden Formen eines Zollvereins mit Zollfreiheit im
Innern — auch die zweite — sind wenigstens zur Zeit ganz unausfuhr-
bar, weil die selbständigen Kolonien nie darauf eingehen würden und
zwar aus finanziellen wie aus handelspolitischen Gründen. Die in den
meisten von diesen erhobenen Zölle sind ja, wie gezeigt ist, einmal
Schutzzölle, welche gerade den Zweck haben, die neu entstandene
eigene Industrie der Kolonien gegen die Konkurrenz des Mutterlandes
und Indiens zu schützen, und sie sind gleichzeitig ebenso sehr auch
Finanzzölle, d. h. die Staatseinnahmen dieser Kolonien beruhen hauptsächlich auf ihren Einfuhrzöllen, der grösste Teil dieser Einfuhr aber
kommt aus dem Vereinigten Königreich. Abschaffung dieser Zölle
würde also zugleich Preisgabe verschiedener kolonialer
Industrien und vollständige Umwälzung ihres Finanzwesens bedeuten. Nun besteht aber nach allgemeinem Urteil in
den Kolonien eine tiefwurzelnde Abneigung gegen direkte Besteuerung,
welche diese indirekten Steuern würde ersetzen müssen. Von Bildung
eines Zollvereins kann also zunächst wenigstens keine Rede sein.

Die zweite Form einer handelspolitischen Einigung ist nun die
auf der Konferenz 1887 von *Hofmeyr* vorgeschlagene und unter seinem
Namen bekannt gewordene. Hier soll auch ein gemeinsamer Reichstarif und Reichszoll geschaffen werden, aber nur ein Zuschlags-
zoll von so- und soviel Prozent zu den bereits bestehenden Zöllen
gegenüber dem Auslande (oder eine entsprechende Herabsetzung der
bestehenden Zölle gegenüber den aus dem britischen Reiche stammen-
den Waren). Dieser Plan hat den Vorzug grösserer Einfachheit und der Nichteinmischung in die bestehenden
Zoll- und Tarifsysteme, welche nur insoweit verändert werden,
als eine differentielle Behandlung des Auslandes und des brit. Reiches
eintritt. Das Vereinigte Königreich würde also ruhig seine Finanzzölle,
die Kolonien ihre Schutzzölle beibehalten und dieselben nur gegenüber
dem Auslande erhöhen oder gegenüber dem Inlande, d. h. dem Reiche
herabsetzen. Zunächst würde der erstere Modus, die Erhöhung der
schon jetzt sehr hohen englischen Finanzzölle auf die Luxusverbrauchs-
artikel der grossen Massen viel Widerspruch erregen und daher in England viel leichter die zweite Form Anklang finden, während umgekehrt
die Herabsetzung in den Kolonien schwerer Beifall finden würde, als
die Erhöhung. Da es sich nur um Erleichterung handelt, ist aber auch
gar nicht ausgeschlossen, dass in England die zweite, in den schutzzöllnerischen Kolonien die erste Form gewählt und so

diese Schwierigkeit umgangen wird. Nun stehen allerdings Differentialzölle (auch bei Finanzzöllen) überhaupt im Widerspruch zur Freihandels-
lehre. Indessen ist dieses theoretische Bedenken, mit welchem das
System im Vereinigten Königreich zu kämpfen haben würde, bei der
jetzigen Stellung der öffentlichen Meinung zum radikalen Freihandel,
nicht zu hoch anzuschlagen und jedenfalls unbedeutend gegenüber einer
anderen Schwäche desselben. Seine Wirkungen wurden infolge der
sehr verschiedenen Tarifsysteme der einzelnen Teile des Reiches sehr
ungleich sein. Das Vereinigte Königreich würde in den schutzzöllnerischen Kolonien dadurch für ungefähr ¹/₈ seines Gesamtausfuhr-
handels einen ziemlich bedeutenden Vorteil geniesen, diesen dafur aber
sehr wenig zu bieten vermögen, namlich nur Zollvergünstigungen auf
Wein, Spirituosen, Tabak, Thee, Kaffee und getrocknete Früchte. Die
Weinproduktion Australiens und der Kapkolonie würde dadurch allerdings einen Anreiz erhalten, der chinesische Thee würde durch den
Indiens und Ceylons, die getrockneten Früchte aus den Ländern des
Mittelmeers durch solche aus den sudafrikanischen und südaustralischen
Kolonien verdrängt werden können, wenn die Differenz hoch genug
ist, um den Unterschied damit aufzuwiegen.

Aber diese Vorteile für die australischen und afrikanischen Kolonien wären doch verhältnismässig sehr gering, da sie nirgends die
Stapelartikel der Ausfuhr betreffen, und Kanada, diejenige Provinz, für
deren Erhaltung vor allen Dingen etwas geschehen muss, würde bei
einem solchen Arrangement für die Zollvergünstigungen, die es dem
Mutterlande zu gewähren hatte, keinerlei Aequivalent erhalten. Es erscheint daher ganz ausgeschlossen, dass es darauf eingehen würde und
auch für die übrigen Kolonien wäre es ein durchaus ungleicher Handel.
Dies hat auch *Hofmeyr* selbst sehr wohl erkannt und daher — was
gewöhnlich nicht beachtet wird — bereits auf der Konferenz ausgesprochen, dass es notwendig sein würde, d e n K o l o n i e n i n B e z u g
a u f i h r e w i c h t i g s t e n A u s f u h r a r t i k e l Z o l l v e r g ü n s t i -
g u n g e n i m M u t t e r l a n d e zu gewähren.

Damit kommt man zu der d r i t t e n und w i c h t i g s t e n F o r m
e i n e s Z o l l v e r b a n d e s . Nun sind aber die wichtigsten Ausfuhr-
artikel der Kolonien: Getreide, Fleisch und Holz bei Kanada, Getreide,
Fleisch und Wolle bei Australien und Wolle bei der Kapkolonie, d. h.
Artikel, deren Besteuerung England seit Einführung des Freihandels
aufgegeben hat. Um hier den Kolonien Zollvergünstigungen zu gewähren, musste England also darauf wieder Zölle im Betrage der
Differenz gegenüber dem Auslande einführen, wozu dann auch hier,
ebenso wie in dem zweiten System Differentialzölle bei den bestehenden
Finanzzöllen, soweit sie Produkte der Kolonien betreffen, treten können.
Dafür würden die Kolonien differentielle Behandlung bei ihren wichtigsten Industriezöllen auf die britischen Waren gewähren müssen, ent-

weder Erniedrigung gegenüber diesen oder Erhöhung gegenüber dem
Auslande. Dieser Plan ist wohl der einzige, der von den grossen selbständigen Kolonien angenommen werden würde, und er erfreut sich
hier vielfach schon einer grossen Beliebtheit, so namentlich in der
Kapkolonie und in Kanada, wo man in einem solchen Arrangement
Ersatz für eine Handelsunion mit den Vereinigten Staaten zu bekommen
wünscht und, wie die wirtschaftlichen Verhältnisse des Landes liegen,
wünschen muss. — Am günstigsten allerdings wäre dieser Plan, der
wie jede Form der handelspolitischen Union des britischen Reiches
natürlich auch auf I n d i e n und die Kronkolonien ausgedehnt werden
müsste, für ersteres, für Indien, welches an der Begünstigung des kolonialen Weizens und den Differentialzöllen für Industrieerzeugnisse,
namentlich Baumwollenwaren, teilnehmen würde, ohne etwas dafür gewähren zu müssen, da sein eigener Tarif ja auch sehr gering ist.

Die g r o s s e S c h w i e r i g k e i t bei diesem Plan aber liegt
natürlich im V e r e i n i g t e n K ö n i g r e i c h. Denn zunächst ist derselbe unzweifelhaft schutzzöllnerisch, nicht vom Standpunkte Englands,
aber von dem des Reiches aus und verlangt vom Mutterlande eine
Revolution seiner Handelspolitik, die Rückkehr zum Schutzzoll, zu
einer nationalen Handelspolitik im Reichssinne. Nun erscheint zwar
an und für sich prinzipiell diese Umkehr nach der Entwickelung der
letzten zehn Jahre nicht mehr so unmöglich, die theoretischen Bedenken dagegen haben ihre frühere Bedeutung zum grössten Teil eingebüsst, der Glaube an den allein selig machenden Freihandel ist in
den weitesten Kreisen erschüttert. Uebrigens wurde auch bei diesem
Plan ein Zollverein des Reiches mit ganz freiem Handel im Innern
das Ziel der Entwickelung bilden müssen und bilden können. Es
würde sich also um eine Uebergangsperiode handeln. Aber das Wichtigste an dem Projekte ist nicht sein schutzzöllnerischer Charakter an
sich, sondern dass es einen wichtigen Rohstoff des Vereinigten Königreichs, die W o l l e, und das Hauptnahrungsmittel der englischen Bevölkerung, den W e i z e n, mit Verteuerung bedroht. An diesem Punkte
erhebt sich nun zwischen Anhängern und Gegnern dieses Planes der
alte Kampf um die Wirkung der Zölle auf den Preis, der von den
meisten in derselben alten und einseitigen Weise entschieden wird, von
dem einen dahin, dass eine solche Verteuerung eintreten müsse, von
dem anderen, dass sie nicht eintreten könne. Nur die Wenigsten erkennen an, dass sich dies vorher überhaupt nicht bestimmt sagen lässt,
dass es von den jeweiligen Konjunkturverhältnissen des betreffenden
Artikels auf dem Weltmarkt abhangt, ob eine solche Verteuerung eintritt und wie hoch dieselbe ist, ob der Zoll also ganz oder teilweise
und wie weit vom Inlande oder Auslande getragen wird. In dieser
Beziehung besteht nun ein Unterschied zwischen Wolle und Weizen,
zunächst schon dadurch, dass erstere — soweit sie im Vereinigten

Königreiche verbraucht wird — heute schon zu rund ⁴/₅ von anderen
Teilen des Reiches und nur zu ¹/₅ vom Ausland geliefert wird, während
bei Weizen das Verhältnis gerade umgekehrt ist. Ferner ist hier in
der letzten Zeit ein Umschwung in der Konjunktur auf dem Weltmarkte
eingetreten, der für diese Frage von sehr grosser Bedeutung wird. Während es also bei Wolle fraglich erscheint, ob die Durchführung jenes
Planes eine Steigerung des Preises mit sich bringen würde, ausserdem
auch von einem solchen Zoll auf Wolle vielleicht abgesehen wird, das
System ohne einen solchen durchgeführt werden könnte — wie in dem
Programm der *Fair Trade*-Partei — muss bei Getreide jedenfalls mit
einer Steigerung gerechnet werden — wenigstens zunächst, bis die Getreideproduktion innerhalb des Reiches so ausgedehnt ist, dass sie
allein den Bedarf zu decken vermag. Denn das ist ja das Ziel der
Anhänger dieser Politik; d i e w i r t s c h a f t l i c h e U n a b h ä n g i g -
k e i t d e s b r i t i s c h e n R e i c h e s v o n d e r ü b r i g e n W e l t,
ihr Ausgangspunkt ist die Behauptung, dass innerhalb des britischen
Reiches alle Güter, die Gegenstand des Bedarfs sind, in genügender
Menge und Güte erzeugt werden, oder bei einer solchen Reichs-
handels-Politik erzeugt werden könnten, und das britische Reich
also die Vorbedingungen eines geschlossenen Handelsstaates mehr als
irgend ein anderes Land oder Reich erfülle. Die Richtigkeit dieser
Behauptung im einzelnen zu prüfen ist hier nicht möglich, im allgemeinen kann sie aber zugegeben werden, auch für Getreide. Denn
wie hier auch die Anschauungen von der physikalischen Möglichkeit
der Ausdehnung der Produktion in Kanada und Indien nach den neueren
Untersuchungen eingeschränkt werden mussen, so ist doch andererseits
zu berücksichtigen, dass unter einem solchen Differentialzoll die Getreideproduktion in dem Vereinigten Königreich selbst wieder einen
gewaltigen Aufschwung nehmen könnte.

Immerhin aber würde die Durchführung dieser volkswirtschaftlichen
Neugestaltung Jahre erfordern und so lange muss mit einer Steigerung
des Getreidepreises gerechnet werden. Dies geschieht denn auch von
einem Teil der Verteidiger dieses Planes und es wird von diesen dagegen darauf hingewiesen, dass die gleichzeitige Herabsetzung der
hohen Zölle auf Thee, Tabak und Kaffee, die eigentlich ebenso notwendige Lebensmittel der grossen Masse in England geworden sind,
eine Steigerung der Brotpreise mehr als ausgleichen würde. Dies ist
allerdings wahrscheinlich, aber es ist sehr fraglich, ob dies Argument
bei den Massen verfängt. Dazu käme, wenn z. B. nach dem Vorschlag
Dunraven's die zweite und die dritte Organisationsform vereinigt würden,
und ein Teil der Differentialzölle zu allgemeinen Verteidigungszwecken
verwendet würde, auch auf diesem Wege eine Erleichterung der britischen Steuerzahler.

Minder ins Gewicht fällt der Einwand, dass durch diese handels-

politische Organisation Englands Zwischenhandel geschädigt würde.
Dieser ist nämlich einerseits überhaupt in unaufhaltsamem Rückgang
begriffen infolge einer allgemeinen Entwickelung des Welthandels; andererseits wird er heute ganz ebenso in den mit Finanzzöllen belasteten Artikeln betrieben, als Kaffee, Thee, Tabak wie in anderen.
Der Durchfuhrhandel (*Transshipment*) und das Frachtgewerbe aber
würden davon gar nicht betroffen werden. Allerdings sind die Vorteile,
welche die Kolonien dafür der englischen Industrie bieten wurden,
nicht erheblich, so lange sie nur relative, nicht absolute sind. Dieser
ist wenig damit gedient, wenn die schon bestehenden hohen Schutzzölle gegen das Ausland noch um 5 oder 10 Proz. erhoht werden und
selbst wenn sie um ebensoviel für das Mutterland erniedrigt werden,
ist dies natürlich nur ein Vorteil, so lange sie nicht auch in dieser
Höhe noch prohibitiv wirken. So weit müssten die Kolonien also
jedenfalls und würden sie wohl auch in ihren Konzessionen gehen, dass
die englischen Produkte wirklich einen Vorteil in der Einfuhr gegenüber fremden erlangen.

Die grösseren unmittelbaren w i r t s c h a f t l i c h e n Vorteile hatten
jedoch bei dieser Organisation zweifellos die Kolonien; das Mutterland
würde sogar gewisse Opfer dafur bringen müssen. Nun sind aber die
wirtschaftlichen und politischen Momente in dieser Frage — wie wir
sahen — uberhaupt nicht zu trennen, und es kann sich daher sehr
wohl für das Vereinigte Königreich die Notwendigkeit ergeben, die
p o l i t i s c h e n V o r t e i l e e i n e r E i n i g u n g m i t d e n K o l o -
n i e n d u r c h w i r t s c h a f t l i c h e O p f e r z u e r k a u f e n. U n d
d i e s i s t a u c h d i e A u f f a s s u n g d e r F r a g e, w e l c h e s i c h
b e i d e n f o r t g e s c h r i t t e n s t e n G e i s t e r n d e r e n g l i s c h e n
N a t i o n f i n d e t. Aus politischen Gründen bedarf England heute
mehr als je Erhaltung seines grossen Kolonialreiches. Diese ist aber
bei den zahlreichen heute wirksamen zentrifugalen Kraften nur sicherzustellen durch eine festere Einigung desselben und diese muss England daher um jeden Preis zu erreichen suchen. Uebrigens sind diese
politischen Momente zum Teil wenigstens und indirekt auch wieder
von wirtschaftlicher Bedeutung. Eine genauere Prüfung der Handelsstatistik
zeigt, in welchem Masse England nicht nur für seine Industrie, sondern auch einfach fur die Ernährung seiner Bevölkerung von dem
auswärtigen Handel — also auch von dessen ungestortem Fortgang im
Falle eines Krieges abhängig ist. Diese Sicherstellung des enormen
englischen Handels und namentlich der Getreidezufuhren wäre zunächst
überhaupt unmöglich ohne den Besitz aller der in den verschiedenen
Kolonien gelegenen Flottenstationen und Kriegshäfen. Und dazu kommt
nun auch noch die Sicherung des noch starker gewachsenen übrigen
Handels der Kolonien, welche heute auch noch ausschliesslich dem
Mutterland obliegt, abgesehen von einem kleinen seit kurzem geleisteten

Zuschuss Australiens zur Bildung eines australischen Geschwaders. Dieser Schutz des ganzen enormen Handels des britischen Reiches ist aber, darin stimmen alle Sachverständigen überein, heute noch lange nicht genügend durchgeführt; es sind dazu noch enorme Mehraufwendungen notwendig, die, wenn die gegenwärtige Verfassung des Reiches bestehen bleibt, wieder das Mutterland allein tragen muss, obwohl auch die Kolonien in erheblichem Masse daran interessiert sind. Welcher Vorteil es aber gleichzeitig wäre, wenn jene Getreidezufuhren ganz oder doch überwiegend aus den anderen Teilen des Reiches kämen, und England für die Ernährung seiner Bevölkerung nahezu unabhängig von fremden Ländern würde, das liegt auf der Hand, wenn man bedenkt, dass heute der grösste Teil der englischen Getreidezufuhren aus Russland und den Vereinigten Staaten kommt, d. h denjenigen Ländern, mit welchen England die meisten politischen Reibungen hat. Und wie ein Krieg die Zufuhren aus einem fremden Land plötzlich ganz abschneiden kann, das hat das Aufhören der Baumwollenausfuhr aus den amerikanischen Südstaaten während des Sezessionskrieges deutlich bewiesen; und das war kein Krieg, an dem England selbst beteiligt war. So würde unzweifelhaft jeder neue kontinentale Krieg, in den Russland verwickelt wird, für die englische Volkswirtschaft die einschneidendsten Wirkungen haben. Aber dies sind Erwägungen, mit denen bei der grossen Menge wenig zu machen ist, die Abneigung gegen die Getreidezölle und die mögliche Verteuerung des Brotes durch solche ist im englischen Volke so eingewurzelt und lebhaft, dass keine der politischen Parteien und keiner der englischen Staatsmänner es wagt, mit dieser Eventualität vor die Menge zu treten. Nur der *Fair Trade Club* hat den Mut gehabt, bei den letzten Parlamentswahlen eigene Kandidaten auf dieses wirtschaftliche Programm hin aufzustellen. Aber soviel ist sicher, dass der Ausfall dieser Wahlen für die Verwirklichung dieser Pläne sehr ungünstig ist; denn der Minister an der Spitze der Regierung *Rosebery* ist zwar ein eifriger Anhänger von *Imperial Federation*, aber ein ebenso entschiedener Gegner von *Commercial Union*, und der alte *Gladstone* ist wohl dem einen so abgeneigt wie dem andern. Aber es ist zweifelhaft, ob sein Regiment diesmal von langer Dauer sein wird und jedenfalls ist es sehr bemerkenswert, dass ungeachtet dieses Regierungswechsels die öffentliche Diskussion sich mit diesen Fragen und zwar gerade mit der der handelspolitischen Union in stets steigendem Masse beschäftigt.

Es wird sich zeigen müssen, ob die Zukunft England einen Staatsmann bringen wird, der Scharfblick, Mut, Energie und Takt genug besitzt, um diese Frage einer glücklichen Lösung entgegen zu führen, die von so grosser Wichtigkeit für die Zukunft Englands, seiner Weltmachtstellung wie seines Handels ist. Es muss aber bald sein, sonst ist es dafür für immer zu spät.

III. LITTERATUR.

Buchenberger, A., *Agrarwesen und Agrarpolitik* (dritte Hauptabtl., II. Teil des Lehr- und Handbuches der politischen Oekonomie, herausgegeben von *Ad. Wagner* in Verbindung mit *A. Buchenberger*, *K. Bücher* und *H. Dietzel*, Leipzig, C. F. Winter), 2 Bde. 1892, 1893.

Nicht selten wird die grosse Mehrzahl der Leser ein Buch mit dem Gefühl so vollständiger Befriedigung aus der Hand legen, wie die zwei Bände *Buchenberger's* über Agrarwesen und Agrarpolitik und dem Herrn Verfasser wird man weithin dafür dankbar sein, dass derselbe, auch nachdem er von seinem Landesherrn an die Spitze der Landes-Finanzverwaltung mitten aus der Arbeit für den 2. Band heraus berufen war, sein schones Werk dem Abschlusse ununterbrochen zugeführt hat. Das »Agrarwesen und die Agrarpolitik« *Buchenberger's* ist im besten Sinne des Wortes zugleich Lehrbuch für Studierende und Handbuch für gebildete Praktiker, für Politiker, Parlamentarier, namentlich aber für Verwaltungsmänner. Weder die einen, noch die anderen lässt es irgendwo im Stich, während es nirgends unnötigen Ballast mit sich führt. Der besondere Reiz dieser grossen Leistung beruht in der seltenen Verknüpfung von praktischem Erlebtsein und wissenschaftlich-litterarischer Gründlichkeit, von gesundem Menschenverstand und ernster Ueberzeugung, von nüchternem Realismus und von offenstem Sinn für verwirklichbare Ideen. Es ist eines der Bücher, wie *Hock* sie geschrieben hat, aber über die Werke des grossen österreichischen Praktikers ragt es ziemlich weit hinaus, schon dadurch, dass *Buchenberger* mit den Eigenschaften, welche *Hock* doch mehr in monographischer Darstellung bewährt hat, ein ganzes Lehr- und Handbuch befruchtet hat. — *Buchenberger* stand bis vor kurzem an der Spitze der Grossh. Badischen Landwirtschaftsverwaltung und lernte in dieser amtlichen Stellung, von welcher aus er mit der landwirtschaftlichen Verwaltung aller deutschen Länder, namentlich innerhalb des deutschen Landwirtschaftsrates immerfort in persönliche, aktenmässige und litterarische Berührung kam, als Vertreter und als Referent das ganze Agrarwesen und alle Fragen der Agrarpolitik auf das gründlichste kennen. Nicht leicht wird aber ein Praktiker zugleich in die Theorie und die Wissenschaft so tief und so gründlich, so gleichmässig und so vollständig eindringen, wie das bei *Buchenberger* wahrzunehmen ist; dem Referenten ist eigentlich kein zweiter Praktiker solcher Leistung und Leistungsfähigkeit bekannt. Darum wird das Buch gleichsehr für Lehre und Leben auch von gewaltiger Wirkung sein, namentlich in Beziehung auf die Reform des Agrarrechtes, welche in der jüngsten preussischen Thronrede so nachdrücklich auf die Tagesordnung der praktischen Politik gesetzt worden ist. — *Buchenberger* ist wärmster Freund der Landwirtschaft und Vertreter positivster Landwirtschaftspflege, also aktivster Agrarpolitiker, aber er ist nicht im geringsten Agrarier im Sinne der einseitigen, heissspornmässigen Standes- und Interessenpolitik. Er geht überall einen Weg, auf welchem Ausgleichung aller Interessen möglich ist und überall erstrebt er nicht Abstumpfung, sondern Erweckung der Selbsthilfe und der Selbstfürsorge. Das Buch ist daher ganz geeignet, versöhnend zu wirken, was bei der heutigen Schroffheit, in welcher *moneyed* und *landed interest* in Deutschland einander gegenüberstehen, als ein weiterer besonderer Vorzug anzusehen ist. — *Buchenberger's* Bände füllen ferner eine tief klaffende Lücke, indem der II. Verfasser seine Aufgabe der Abfassung eines Lehr- und Handbuches tiefernst nehmend jenes überaus reiche, aber zerstreute Material, was in den letzten Jahrzehnten die Arbeit der Theoretiker und Praktiker in Spezialuntersuchungen und monographischen Bearbeitungen auf dem Gebiete des Agrarwesens stückweise angehäuft hat, gesammelt, einheitlich und ebenmässig durchgearbeitet und zu einem ubersichtlichen Gesamtbild dessen, was den Inhalt des Agrarwesens bildet, in vorzüglicher Zusammenfassung vereinigt hat. — Das Buch stellt diesen I n h a l t in elf Abschnitten dar, wovon die fünf ersten dem ersten Bande angehoren. Jeder dieser Abschnitte ist in seiner Art eine Fundgrube theoretischer und politischer Belehrung; es wäre schwer, eines der elf Kapitel an Wert hinter den anderen zurückzusetzen. Schon »die Einleitung in die Agrarpolitik«, welche der Kapiteldarstellung vorangeht, um einerseits in »das Wesen und den Entwicklungsgang der Landwirtschaft«, anderseits in »Wesen und Inhalt der Agrarpolitik« einzuführen, ist gerade in ihrer Knappheit (etliche achtzig Seiten) eine Musterleistung zu nennen, eine Musterleistung, welche den Autor, indem dieser jeder »Methode« ihren besonderen Schatz entlockt, in allen Methoden sattelfest erweist. — Was die e i n z e l n e n e l f K a p i t e l der beiden Bände betrifft, so muss sich Referent auf die einfache Inhaltsangabe beschränken. Kapitel I: Bäuerliche Unfreiheit und Ablösungsgesetzgebung I. Bd. S. 83—155. — Kapitel II: Die Rechtsformen der Landwirtschaft und des Besitzes S. 156—268 (mit tiefem kritischen Eingehen im 2. Abschnitt auf das Kollektiveigentum an Grund und Boden, auf die sogen. Landreformbewegung und auf den Agrarkommunismus überhaupt). — Kapitel III: Die Politik der Landeskultur S. 269—373 (Besiedelung und Flurrecht der älteren Zeit, die Gemeinheiten und Almenden, die Flurbereinigungen, Bewässerungs- und Entwässerungsanlagen, Wasserschutz). — Kapitel IV: S. 373—546 Besitzverteilung, Teilbarkeitsbeschränkungen, Erbrecht, namentlich Anerbenrecht, Landpolitik und innere Kolonisation. — Kapitel V: Die Arbeit im landwirtschaftlichen Betrieb S. 547—610 (die ländliche Arbeiterfrage sonst und jetzt, staatliche Massnahmen zur Lösung der ländlichen Arbeiterfrage, die Stellung der Arbeitgeber zur ländlichen Arbeiterfrage. — Kapitel VI: (Bd. 2, S. 1—291) Der landwirtschaftliche Kredit und die Verschuldung, (Wesen des l. Kr.; der landwirtschaftliche Hypothekarkredit und der landw. Besitzkredit insbesondere); die rechtlichen Unterlagen des Hypothekarkredits; Grundfragen im Gebiet des Hypothekarkredites und dessen Organisation: Lehre von *Rodbertus*, Rentenhypothek, Unkündbarkeit, Zwangsamortisation, Beleihungsgrenze, sämtliche O r g a n i s a t i o n s f o r m e n u. s. w. Der landwirtschaftliche Betriebskredit und seine Organisation; Wucherpolitik; Heimstättenrecht; Inkorporation des H.K., Milderungen im Zwangsvollstreckungsrecht. — Kapitel VII: Die landwirtschaftliche Versicherung S. 292—362. — Kapitel VIII: Die landwirtschaftliche Polizi S. 363—424. — Kapitel IX: Die Landwirtschaftspflege im e. S. und die Hebung der landw. Produktionstechnik S. 425—485. — Kapitel X: Die Association in der Landwirtschaft S. 486—525 (Vereinswesen, Genossenschaftswesen, Landwirtschaftskammern; korpo-

rative Verfassung des Grundbesitzes). — Kapitel XI: S. 526—635 Die Landwirtschaft und die allgemeine Wirtschaftspolitik; Agrarkrisen und Schutzzölle insbesondere (höchst bemerkenswerte Rechtfertigung eines begrenzten, nicht in Agrarhochschutz-
ausartenden Landwirtschaftsschutzes). — Dies zur Uebersicht des Inhaltes beider
Bände! Dass dieser Inhalt im Raum von 2 Bänden ein gewaltig reicher ist, wird
dem Verfasser kein Leser abstreiten können. Der Autor wird aber vom Standpunkt
radikalen Geschehenlassens einerseits und vom extremen Agrarismus andererseits abgesehen, in weitesten Kreisen eine uneingeschränkte Zustimmung im Ganzen und eine
nur wenig eingeschränkte Zustimmung in den Einzelnheiten finden. Referent ist besonders erfreut, seinen Gedanken korporativer Selbstverwaltung der L.W. wiederholt
und nachdrücklichst anerkannt zu finden. Wenn *Buchenberger* trotz des Urteils (S. 269)
bezüglich der »Inkorporation des Hypothekarkredites« bis auf weiteres sich in mehreren Punkten noch ablehnend verhält, wenn er zunächst vom Anerbenrecht, der
Unkündbarkeit und dem Amortisationszwang, von dem landw. Genossenschaftswesen,
namentlich von den Raiffeisen'schen Genossenschaften vorläufig eine hinreichende Wirkung erwartet, so ist doch in der Sache selbst und bezüglich der endgültig korporativen Ausgestaltung der landwirtschaftlichen Selbstverwaltung unsere Differenz keine
fundamentale. Ich stimme (vgl. meine »Kern- und Zeitfragen«) *Buchenberger* darin
sogar vollständig bei, dass die Raiffeisen'schen Genossenschaften als »Bildungsstätten
des Bauernstandes«, als vorzügliche Vorschulen umfassend korporativer Ausgestaltung
der landw. Selbstverwaltung dienen werden und dienen können. Jede Ueberhastung
liegt mir und lag mir stets fern. Allein die Meinung kann ich nicht aufgeben, dass
(vgl. meine »Kern- und Zeitfragen«) gerade mit Hilfe der genannten Genossenschaften
eine nicht schematische Formulierung der Kreditbeschränkung für Besitzschulden mit
der Zeit sich durchführen lassen wird und die Hoffnung, welche *Buchenberger* vorläufig festhält, dass bei der grossen Zahl kleinbäuerlicher Wirte dem Grundübel der
Besitzüberschuldung auch ohne Beschränkung der letzteren durch eine direkte körperschaftliche Besitzkredit-Sperre, sich abhelfen lassen werde, möchte ich zwar gerne
teilen, vermag sie aber nicht zu teilen. Anerbenrecht ist allda praktisch nicht anwendbar und die bloss mittelbare Zurückdrängung des Verkehrswertes auf den Ertragswert bei Erb-, Kauf- und Pachterwerb wird, wie ich fürchte, sich nicht einstellen.
Eine weitere Verbesserung meiner ersten Formulierung ins Nichtschematische habe
ich jüngst versucht und alles Detail halte ich auch weiter für diskutierbar. Den Gedanken selbst halte ich fest. Dankbar bin ich dem H. Verfasser für die wiederholte
Anerkennung meiner Inkorporation (S. 269 und an anderen O.) und Herr *L. Brentano*
möchte ich (vgl. oben S. 475 f.) darauf verweisen, dass ein so zuständiger Beurteiler
wie *Buchenberger* (S. 269) in meiner Schrift »F r e i e B e w e g u n g d e s G r u n d-
e i g e n t u m s und Grundbesitzsicherung in ein bewundernswertes Gleichgewicht gebracht« findet. *Buchenberger*, ein von Seichtigkeit und Oberflächlichkeit vollständig
freier Sachkenner, der bedeutendste Agrarpolitiker, welchen wir besitzen, tröstet mich
hiedurch über das mir durch H. *L. Br.* zuteil gewordene bittere Los. — Was die
M e t h o d e betrifft, so tritt die sog. »idealistische«, ich würde immer lieber sagen
»politische« Methode sachgemäss in den Vordergrund. Das ist notwendig; denn
Buchenberger hat ein Hauptstück der »praktischen Nationalökonomie« zur Ausarbeitung übernommen. Der Verfasser zeigt sich aber auch, wo er die praktische Agrarpolitik von heute an Theoreme, statistische Thatsachen und historische Grundlagen
anzuschliessen hat, der übrigen Wege zur Wahrheit stets vollkommen mächtig. Der
historischen Richtung ist er in keiner Weise abgeneigt, er verweist mit voller Aner-

kennung auf *Roscher*'s »klassische« Nationalökonomik des Ackerbaues, welche ihn der Aufgabe, den Agrarhistoriker herauszukehren, entheben würde, wenn auch solche Aufgabe in der praktischen Nationalökonomik der Hauptsache nach nicht ausgeschlossen wäre. Wie sehr aber *Buchenberger* das Agrarwesen auch historisch beherrscht, das zeigt er in grossen historischen Retro-Perspektiven, mit welchen er gelegentlich operiert. Zum Schonsten, was diesfalls irgendwo zu finden sein wird, gehort seine Ausführung im Kapitel VI über K r e d i t n o t und S c h u l d n o t. Er sagt, und mit der Mitteilung dieser Leseprobe soll mein Referat schliessen — Bd. II, S. 8 ff. — wörtlich das folgende: »Man thut wohl daran, bei der Erörterung der landwirtschaftlichen Kreditverhältnisse zwischen K r e d i t n o t und S c h u l d n o t zu unterscheiden ; erstere tritt in der Schwierigkeit, legitime Kreditbedürfnisse in angemessener Weise zu befriedigen, zu Tage und hat ihre Ursache entweder in der Mangelhaftigkeit der der Kreditvermittelung dienenden Organisationen oder auch in der geltenden, die persönliche und wirtschaftliche Freiheit der Bewegung unterbindenden oder beschränkenden Rechtsordnung oder in dem Zustande einer gewissen Rechtsunsicherheit ; letztere — die Schuldnot — äussert sich in dem Uebermass von Kreditverpflichtungen im Verhältnis zur Moglichkeit der Schuldabtragung und ist, wenn auch nicht immer, so doch häufig die Begleiterscheinung einerseits einer entwickelteren Kreditorganisation die für die jederzeitige Inanspruchnahme des Kredits zu den verschiedensten Zwecken den Kreditbedürftigen sich bereitwillig zur Verfügung stellt, anderseits einer freieren Gestaltung der Rechts- und Wirtschaftsordnung und einer strafferen Rechtspflege. Wenn daher in unentwickelteren volkswirtschaftlichen Verhältnissen von seiten der Grundbesitzer mehr über Mangel an Kredit oder über Kreditgewährung zu ungünstigen Bedingungen zu klagen ist, so besteht das in entwickelteren Verhältnissen zu losende Problem neben der Herbeiführung einer gut funktionierenden Kreditorganisation gerade auch in der Fernhaltung zielloser Verschuldung, also darin, dass von der in dem erforderlichen Masse dargebotenen Kreditmoglichkeit jederzeit der richtige, verständige Gebrauch gemacht und eine missbräuchliche Ausnutzung dieser Möglichkeit ferngehalten werde. — Im allgemeinen spielt in den A n f ä n g e n d e r E n t w i c k l u n g des landwirtschaftlichen Gewerbes der Kredit eine namhafte Rolle in dem Berufsleben der bodenbesitzenden und bodenbestellenden Klassen nicht. Die Grundbesitzverfassung zeichnet sich in dieser Periode durch starke Gebundenheit, die Betriebsorganisation durch die Extensität der Wirtschaftsweise aus; bei der relativen Seltenheit von Besitzwechseln in landwirtschaftlichen Anwesen, und bei der unerheblichen Arbeits- und Kapitalverwendung für Zwecke des Betriebs ist zur Inanspruchnahme des Besitz-, des Meliorations- oder des Betriebskredits kein oder nur wenig Anlass gegeben ; und zwar um so weniger, je mehr noch unbesiedeltes Land in Fülle für die nachwachsende Generation zur Verfugung steht und aus diesem Grund selbst Erbesauseinandersetzungen selten geldliche Verpflichtungen für den Anerben zur Folge haben werden, in welcher Richtung übrigens schon die patriarchalische Einfachheit des Familienlebens und die daraus entspringende Zurückhaltung in der Geltendmachung von Erbansprüchen der nachgeborenen Geschwister wirkt. Auch die naturalwirtschaftliche Form, in welcher der Güteraustausch auf diesen Stufen der Volkswirtschaft sich vorwiegend vollzieht, zumal auch im Gebiet der Steuer- und Abgabenentrichtung, wirkt günstig im Sinne der Fernhaltung von geldlichen Verpflichtungen. Der Hauptanlass zu Kreditverpflichtungen in dieser Periode bleibt daher auf jene zwei Fälle beschränkt, in denen durch unvorhergesehene, unabwendbare Ereignisse schädlicher Art (Missernten, Viehsterben, Krieg, Plünderung etc.) empfindliche Einnahmeausfälle oder Vermögensverluste sich ergeben; doch bleibt selbst hier zu beachten, dass im Zustand der f e u d a l e n G r u n d b e s i t z v e r f a s s u n g der in diese eingegliederte b ä u e r l i c h e Wirt an dem Grundherrn nach Hofrecht oder Herkommen einen gewissen wirtschaftlichen Rückhalt hatte, der ihn in manchen Fällen der Notwendigkeit, die Hilfe Dritter im Wege des Kredits in Anspruch zu nehmen, entheben mochte, wogegen freilich der in dem späteren Mittelalter wachsende Druck der feudalen Abgaben und Lasten, insbesondere die auf den Todesfall des Grundholden zu entrichtenden Vermögensabgaben (Mortuarien etc.) häufigen Anlass zum Eingehen lästiger Kreditverpflichtungen gegeben haben werden. Endlich pflegt in der älteren Zeit auch die weitergehende Wirtschaftsgewalt der Gemeinde gegenüber den ökonomischen Angelegenheiten ihrer Angehörigen den durch Lässigkeit oder Unverstand veranlassten Notständen einen festen Riegel vorzuschieben und der noch stark ausgebildete Sinn für nachbarliche Hilfeleistung der Gemeindeinsassen untereinander hilft über manche störende Un- und Zwischenfälle des Erwerbslebens glatter als in späterer Zeit hinweg. In solchen Zeiten ist daher für besondere landwirtschaftliche Kreditorganisationen, weil die Anlässe zum Eingehen von Kreditverpflichtungen mehr sporadisch aufzutreten pflegen, im allgemeinen ein dringender Anlass nicht gegeben und das Kreditbedürfnis, wo es sich einstellt, ist auf die Dienste des privaten Kapitals angewiesen, dem dann freilich zumal in rechtsunsicherer Zeit und in Ermangelung eines genügend ausgebildeten Pfandbriefsystems, der Einzelne in etwa vorhandenen augenblicklichen Notlagen ziemlich schutzlos gegenübersteht. — D i e f o r t s c h r e i t e n d e E n t w i c k l u n g von der Gebundenheit zur Mobilisierung, von der Natural- zur Geldwirtschaft, von extensiven zu intensiveren Betriebsweisen, die mit der wachsenden Bevölkerungszahl steigende Nachfrage nach Land und der sich einstellende häufigere, auch spekulative Besitzwechsel, ferner die Fortbildung des Rechts im Sinne der gleichmässigeren Behandlung der Kinder im Erbfall, schliesslich auch der Verfall der grundherrlichen und der älteren Gemeindeverfassung und die daraus sich ergebende Lockerung der wirtschaftlichen Beziehungen der bodenbesitzenden Bevölkerung unter einander und zum Grundherrn und der Gemeinde — haben im Laufe der Zeit, ähnlich wie bei den in diese Entwicklung schon früher einbezogenen städtischen Gewerben, auch das landwirtschaftliche Gewerbe mehr und mehr auf die Wege des Kreditverkehrs gedrängt und zwar den Grossbesitz nicht weniger wie den Kleinbesitz. Daher da wo schon frühzeitig die Bedingungen für eine blühendere Bodenkultur gegeben waren, der Boden häufigem Besitzwechsel unterlag, städtische Gewohnheiten Einfluss auch auf dem flachen Land gewannen und die alte Grundbesitzverfassung freieren Rechtsformen wich (z. B. am Rhein und den einmündenden Seitenthälern, in Belgien etc.), auch die landwirtschaftliche Kredit- und Schuldfrage alsbald Bedeutung erlangt hat und man nicht erstaunen darf, dass schon in jener Zeit (Ausgang des Mittelalters) gegendenweise über starke Ver- und Ueberschuldung geklagt wird. Von nicht zu unterschätzendem Einfluss in dieser Hinsicht erwies sich auch die Reception des römischen Rechts, insbesondere für die Auseinandersetzung der Miterben und zwar wegen der Ausgestaltung des Pflichtteilrechtes und der Basierung der Nachlasstaxation auf der Grundlage des auf dem freien Grundmarkt erzielten Verkehrswerts. Der seit dem 14. Jahrhundert wahrzunehmende wachsende Druck der gutsherrlichen Abgaben und Dienste, die durch zahllose Kriege und Brandschatzungen bedingten Vermögensverluste in den folgenden Jahrhunderten und das völlige Fehlen einer irgendwie dem landwirtschaftlichen Erwerbsleben angepassten Kreditorganisation auf dem flachen Lande, so dass wesentlich städtisches Kapital in diese Lücke eintreten musste und seine privilegierte Stellung begreiflicherweise oftmals wucherartig ausbeutete, hatten zur Folge, dass weithin auch in dieser zurückliegenden Zeit gegenwense Adel und Bauernstand mit schweren Schuldverbindlichkeiten zu kämpfen hatten, eine Thatsache, die freilich in seltenem Gegensatz zu der in unseren Tagen oft gehörten Meinung steht, dass erst dieses Jahrhundert mit seiner freieren Wirtschaftsverfassung und als Folge dieser den Grund und Boden in eine »unerträgliche Zinsknechtschaft« verstrickt habe, deren Last der älteren (»guten«) Zeit völlig unbekannt gewesen sei.«

Die bezeichnenden Unterschiede des landwirtschaftlichen Kreditwesens in diesem Jahrhundert und namentlich in der zweiten Hälfte desselben gegenüber der rückwärts liegenden Zeit »treten namentlich in folgenden Beziehungen zu Tage: a) In der älteren Zeit überwiegen neben den durch die Grundherrlichkeitsverfassung verursachten Schuldaufnahmen (insbesondere zur Bestreitung der Laudemien) die Not- und Notstandsdarlehen (Darlehen des K o n s u m t i v -), in der unserigen dagegen die Darlehen des P r o d u k t i v k r e d i t s (für Zwecke des Besitzerwerbs, der Melioration, des Betriebs), wobei in den Gegenden des Anerbenrechts die E r b a b f i n d u n g s - k r e d i t e einen besonders breiten Raum einnehmen. Auch in Ermangelung schuldstatistischer Ziffern ist man daher zu der Schlussfolgerung berechtigt, dass die absolute Höhe der Verschuldung des Grundbesitzes und seiner Inhaber in der älteren Zeit eine geringere gewesen sein muss als heutzutage, auf welches Ergebnis übrigens länderweise auch Schuldaufnahmeverbote und der Mangel besonderer Kreditinstitute eingewirkt haben, während in der Gegenwart durch die grundsätzliche Beseitigung der der Kreditfreiheit gezogenen Schranken und durch die Vervielfältigung der Kreditinstitute die Wege für eine erleichterte Kreditinanspruchnahme ausserordentlich geebnet worden sind. Hat also ehedem der Zustand einer gewissen K r e d i t n o t den Grundbesitz und seine Vertreter in wirtschaftliche Notstände versetzt, so darf heute eher von einem Kreditüberfluss und einer durch übermässigen Kreditgebrauch verursachten S c h u l d - n o t gesprochen werden. b) In der älteren, rückwärts liegenden Zeit waren der Verschuldung, auch abgesehen von obigen Gründen, über eine gewisse absolute Höhe hinaus durch den verhältnismässig niedrigen Stand des Werts des Grund und Bodens als Unterlage der Kreditgewährung bestimmte, unüberschreitbare S c h r a n k e n gesetzt: mit der fortschreitenden Mobilisierung des Grund und Bodens, der wachsenden Einbeziehung des flachen Landes in den Geldverkehr und der Aufschliessung desselben durch die neuzeitlichen Verkehrsmittel, im Zusammenhang mit der steigenden Nachfrage nach Grund und Boden als Folge der sich mehrenden Bevölkerung und unter dem Einfluss der zunehmenden Entfesselung der produktiven Kräfte des Bodens, sind in zahllosen Fällen ehemals latente Bodenwerte frei geworden und es hat deshalb dieses Wachsen des Bodenwertes über das ehemalige Wertniveau dem Kredit nicht nur eine breitere, sondern auch eine sehr viel mehr realisierbare Unterlage verschafft. Die a b s o l u t e Z u n a h m e d e r V e r s c h u l d u n g ist daraus wiederum erklärlich, ohne dass deshalb diese überall als ein im Vergleich mit früheren Zeiten beunruhigendes Symptom ohne weiteres angesehen zu werden braucht, weil eben das Deckungskapital vielfach in noch höherem Grade als die Verschuldungsziffer gewachsen ist, was vielfach nicht genügend gewürdigt wird. — c) Die Darlehen der älteren Zeit trugen durchweg den Charakter privater Transaktionen, da es gemeinhin an öffentlich rechtlichen, nach bestimmten, durch Gesetz oder Normativvorschriften festgelegten Grundsätzen bei der Darlehensgewährung verfahrenden Kreditanstalten gebrach; der Zinsfuss war deshalb ein auf geringe Entfernungen und innerhalb kurzer Zeiträume schwankender und die Darlehensbedingungen überall da, wo die Schuld nicht etwa

in der Form des Rentenkaufs eingegangen war (Ziffer d), den spezifischen Bedürfnissen des landwirtschaftlichen Gewerbes wenig angepasst, namentlich das Annuitäten-
system unbekannt. Die relative Höhe der ausbedungenen Zinsen und die Schwierigkeit, im Fall plotzlicher Kapitalkündigung anderwärts das Kreditbedurfnis zu decken,
sind daher die bezeichnenden Merkmale der Kreditwirtschaft der älteren, die verhältnismässige Niedrigkeit des Zinsfusses und die Ausgeglichenheit des Zinsfusses auf
weite Entfernungen, die Angepasstheit der Darlehensbedingungen an die Bedürfnisse
des Betriebs als Folge der ausgebildeten Organisation eines weitverzweigten Kreditwesens auf offentlich-rechtlicher Grundlage oder zahlreicher privater, in ihren Darlehensbedingungen vielfach denen öffentlicher Anstalten folgender Kreditinstitute das
Merkmal der Kreditwirtschaft der neueren Zeit. In ähnlich günstiger Weise auf die
Hebung des landwirtschaftlichen Kreditwesens hat in diesem Jahrhundert die R e -
f o r m d e s ä l t e r e n H y p o t h e k e n r e c h t s , insbesondere die Beseitigung der
mit der Reception des römischen Rechts im späteren Mittelalter adoptierten gesetzlichen, stillschweigenden und Generalhypotheken und die Durchführung der Grundsätze des Eintragungszwangs, der Spezialität der Pfandbestellung in Verbindung mit
einer klaren Ordnung des Ranges der konkurrierenden Pfandrechte gewirkt. Alle
diese Fortschritte zum Besseren, Vollkommeneren werden gleichfalls in der neuzeitlichen Erörterung der Kredit- und Schuldfrage im Bereich der agrarischen Litteratur
nicht immer genügend gewürdigt und namentlich nicht selten die durch diesen Fortschritt geschaffene, vergleichsweise günstigere Lage der kreditbedürftigen Grundbesitzer der heutigen Zeit gegenüber ihren Berufsgenossen der fruheren Jahrhunderte
oftmals verkannt. — d) In einer sehr bemeikenswerten Hinsicht war allerdings das
mittelalterliche Kreditwesen vor demjenigen der späteren Jahrhunderte und der Neuzeit
ausgezeichnet, indem es das System der Verschuldung gegen R e n t e ausbildete,
was mit den Zinsverboten des kanonischen Rechts bei Gelddarlehen, von welchen
Einschränkungen freilich der Geldverkehr mit den Juden eximiert war, zusammenhängt. Als einzig erlaubte Art des zinsbaren Darlehens im Mittelalter galt ursprünglich die S a t z u n g , d. h. Uebergabe eines Grundstückes durch den Schuldner an
den Gläubiger zu Nutzungsrecht, später der R e n t e n k a u f , d. h. die Belastung
eines Grundstückes, welches im Besitz des Schuldners verblieb, mit einem dinglichen
Zins (»Ewiggeld«) zu Gunsten des Gläubigers, wobei nur der Schuldner, nicht auch
der Gläubiger kündigen durfte und der Schuldner oder dessen Erben durch Rück-
zahlung der Schuld die auf dem Grundstück haftende Rentenverpflichtung jederzeit
wieder ablösen konnten. In der Unkündbarkeit der Rentenschuld von seiten des
Gläubigers lag ein weitreichender Schutz gegenüber frivoler Ausbeutung augenblick-
licher Notlage; und die Möglichkeit, durch Uebernahme der Zahlung einer dinglichen Rente in den Besitz von Grundstücken zu gelangen, verschaffte auch kapital-
schwächeren Elementen die Gelegenheit des Liegenschaftserwerbs, ohne die Notwendigkeit, das vorhandene Betriebskapital durch Hingabe des ganzen oder eines Teils
des Kaufschillings schwächen zu mussen. Es zählt, wie bereits früher betont wurde,
zu den bemerkenswertesten Vorgängen der neuzeitlichen Agrarpolitik, durch Einführung
des Rentenguts, d. h. durch rechtliche Zulassung des Kaufs gegen dauernd auf dem
Gut dinglich lastende Rente an das ältere deutsche Recht wieder angeknüpft, mithin
die Rentenverschuldungsform neben und an Stelle der kapitalistischen rechtlich wieder
zugelassen zu haben, nachdem das Rechtsverhältnis des Rentenkaufs, von wenigen
Staatswesen abgesehen (Hamburg, Lübeck, Holland), seit Jahrhunderten aus dem
lebendigen Rechtsverkehr verschwunden war.« Auf die grundsätzliche Würdigung der

Schuldverpflichtung in Form der Rente wird von *B.* noch näher eingetreten, doch wird
schon im Eingang bemerkt, dass doch auch im System des Rentenkaufs eine Ueber-
lastung des Grundstückes mit Renten zu Gunsten des Gläubigers sehr wohl möglich
war und bei der relativen Höhe des Zinses in älterer Zeit vielfach zu Tage getreten
sein mag. »Diejenige vorteilhafte Seite des Instituts des Rentenkaufs, die in der U n -
k ü n d b a r k e i t der Schuld von seiten des Gläubigers zu Tage tritt, ist durch die
neuzeitliche Organisation des landwirtschaftlichen Kreditwesens dem Grundbesitz und
zwar nicht bloss im Bereich der öffentlichen, sondern auch zahlreicher privater, grosserer
Kreditinstitute, langsam wieder zugänglich gemacht und ist ihm gleichzeitig durch die
Einführung der Amortisationsdarlehen, d. h. durch die Eröffnung der Möglichkeit der
Abtragung der unkündbar eingegangenen Schuld in langsam sich tilgenden Jahres-
renten (Annuitäten), eine sowohl denkbar bequeme, wie, wegen der Einrechnung von
Zinseszinsen, finanziell vorteilhafte Tilgungsweise dargeboten worden, deren er in
älterer Zeit durchaus entbehren musste.« — e) Endlich zeigte, wenigstens länderweise,
»das landwirtschaftliche Kreditwesen der älteren Zeit auch darin ein abweichendes Gepräge gegenüber der Gegenwart, dass diejenigen S c h r a n k e n, die früher die freie
Bewegung des Werts im Gebiet des Kredits einengten (polizeiliche Beschränkungen
der Verschuldungsfreiheit) im Laufe des Jahrhunderts, neben und mit der bäuerlichen
Ablösungsgesetzgebung und im Gefolge der Anbahnung einer freien wirtschaftlichen
Bewegung im Erwerbsleben überhaupt, ziemlich ausnahmlos gefallen und nur sehr
vereinzelt nachträglich wieder aufgerichtet worden sind. Die Erlassung von polizeilichen Verschuldungsverboten über eine gewisse Wertgrenze des landwirtschaftlichen
Besitzes hinaus steht mit der alten Grundherrlichkeitsverfassung in engstem Zusammenhang und erklärt sich aus dem Interesse, das die auf Abgaben und Dienste der Grundholden angewiesene Grundherrschaft an der Erhaltung ihrer Prästationsfähigkeit hatte,
wie ähnlichen Erwägungen ja auch die Teilungsverbote der älteren Zeit vornemlich
entsprungen sind; daher denn bei der Sprengung der Grundherrlichkeitsverfassung in
gleicher Weise wie mit der Gebundenheit der alten Zeit auch mit seinen Verschuldungsverboten aufgeräumt wurde, zumal sie in das im Anfang dieses Jahrhunderts
adoptierte freiere Wirtschaftssystem ohnehin nicht mehr passen wollten. Dass jene
Schuldverbote freilich häufig durchaus wirkungslos waren und insbesondere der geheimen Bewucherung der Grundbesitzer gegenüber sich machtlos erwiesen, darf nach
mannigfachen vorliegenden einwandfreien Bekundungen wohl als sicher angenommen
werden. Daher die Frage, ob in dieser Hinsicht eine Rückkehr zu den älteren Rechtsnormen als ein Bedürfnis und als aussichtsvoll und angemessen sich erweist, nicht
ohne weiteres mit »Ja« beantwortet werden sollte. Die Lösung des landwirtschaftlichen Kreditproblems der Gegenwart ist jedenfalls nur denkbar, wenn es gelingen
sollte, zweierlei Arten von Interessen: das p r i v a t e Interesse an einer thunlichen
Erleichterung des Kredits für wirtschaftlich und rechtlich gebotene Zwecke und das
ö f f e n t l i c h e Interesse an der Fernhaltung übermässiger Kreditverpflichtungen
durch E r s c h w e r u n g des Kredits für nicht unbedingt gebotene Bedürfnisse in
Einklang zu bringen. Eine theoretische Lösung des Problems: einerseits dem Grundbesitz die Kreditquellen, deren er vermöge der Art seiner Berufsaufgabe und im Hinblick auf bestimmte private und soziale Verpflichtungen, insbesondere auch solche
erbrechtlicher Natur, nicht entraten kann, in der durch die Verhältnisse gebotenen
Stärke zu erschliessen, anderseits ein Uebermass einzugehender Kreditverpflichtungen
unter allen Umständen von dem Grundbesitz fernzuhalten, ist schon vielfach unternommen worden, die durchgreifende p r a k t i s c h e Lösung dieses Problems harrt

noch immer der Verwirklichung.« Keinenfalls könne zugegeben werden, dass etwa die vergangenen Jahrhunderte, als die Grundbesitzverfassung und der Zustand des wirtschaftlichen Lebens in allen Beziehungen das Merkmal stärkster Gebundenheit aufwies, das Kredit- und Verschuldungsproblem in ausreichender Weise zu lösen verstanden hätten; und hingesehen auf die Lage des Bauernstandes in den verflossenen Jahrhunderten liege daher zu einer preisenden Verherrlichung älterer kreditrechtlicher Organisationen und Institutionen auf Kosten der neueren Zeit, wie sie mit wenig Kritik und viel Behagen dann und wann zu Tage tritt, ein Grund in Wirklichkeit nicht vor.« Es ist vielmehr daran festzuhalten, dass die absolut geringere Verschuldung des Grundbesitzes in älterer Zeit auf die allgemeinen volkswirtschaftlichen Verhältnisse zurückzuführen ist, unter denen das Dasein des Grundbesitzes damals sich abspielte; dass, wenn man von den Zeiten primitiver wirtschaftlicher und rechtlicher Entwicklung absieht, das Ideal eines durchweg unverschuldeten oder auch nur durchweg ganz mässig verschuldeten Grundbesitzes bis jetzt nirgendwo auffindbar gewesen ist; und dass man von einer wie immer gestalteten Ordnung des Agrarrechts doch höchstens eine Abschwächung der die Verschuldung beeinflussenden Faktoren, niemals aber eine völlige Ausserkraftsetzung ihrer Wirkungen erwarten darf. Unleugbar hat die Gedankenrichtung, von der die Wirtschaftspolitik der ersten Hälfte dieses Jahrhunderts erfüllt war, in zu ausschliesslicher Weise die Vorteile betont, die aus einer Entfesselung des Erwerbslebens durch dessen thunlich unbehinderte Speisung mit den befruchtenden Strömen des Kredits sich ergeben können, und hat mit dem jener Gedankenrichtung anhaftenden Optimismus die Kehrseite: die Möglichkeit unwirtschaftlicher Ver- und Ueberschuldung, zu wenig beachtet: aber nur ein von noch einseitigeren Auffassungen beherrschter Gedankengang kann jener Strömung gegenüber den Vorwurf erheben, dass ihre Vertreter damit nichts anderes bezweckt hätten, als den Grundbesitz »unter das Joch der kapitalistischen Herrschaft zu bringen«. Wenn die Träger klangvollster Namen im Gebiet der Landwirtschaft, wie *A. Thaer*, für eine freiere Bewegung, wie im übrigen Bereich des landwirtschaftlichen Berufslebens, so auch in demjenigen des Kredits eine Lanze brachen, so sollte dies doch davor bewahren, bei der kritischen Prüfung des damals Erstrebten und Erreichten mehr zu sehen, als eine in jener Zeit entschuldbare Ueberschätzung der Vorteile schrankenloser Kreditfreiheit und Unterschätzung der Gefahren, die bei dem durchschnittlichen Mass wirtschaftlicher Einsicht der grossen Masse des Grundbesitzerstandes solcher Kreditfreiheit entspringen konnen. So liegt zwar aller Anlass vor, den Strom des Kredits in ein Bett einzudämmen, in dem er für die ihn Benutzenden in thunlich gefahrloser Weise abzufliessen vermag; aber sicher kein Anlass, die schützenden Dämme so hoch zu türmen, dass die Zugänglichkeit des Stroms auch für nützliche und angemessene Zwecke so über Not erschwert würde, dass deren Befriedigung selber Not litte. Mit anderen Worten: es handelt sich darum, zu prüfen, in welchen Beziehungen etwa die bessernde Hand der Gesetzgebung im Gebiet des landw. Kredit- und Schuldwesens anzulegen ist, um auch diesen Teil des Agrarrechts einer Um- und Fortbildung in sozialökonomischem Sinne entgegenzuführen.« S c h ä f f l e.

Leyen, Dr., Alfred von der, Geh. Oberregierungs- und vortragender Rat im Ministerium der öffentlichen Arbeiten: *Die Finanz- und Verkehrspolitik der nordamerikanischen Eisenbahnen.* Ein Beitrag zur Beurteilung der neuesten Eisenbahnkrisis. Berlin, Verlag von Jul. Springer. 1894.

Die vorliegende Arbeit, welche bereits in Heft 1, Jahrg. 1894 des »Archiv für Eisenbahnwesen« veröffentlicht wurde, bildet in gewissem Sinne eine Ergänzung anderer interessanter Abhandlungen, die Verfasser, ein vorzüglicher Kenner der bezüglichen Verhältnisse, über die Eisenbahnen Nordamerikas bisher gebracht hat. Vornemlich auf das reiche Material gestützt, das die amerikanische oberste Eisenbahn-Aufsichtsbehörde seit 6 Jahren gesammelt hat, wird eine Darstellung der Entwicklung der Finanz- und Verkehrspolitik der Eisenbahnen gegeben, der nach europäischen Begriffen geradezu betrügerische Vorgang bei der Finanzierung geschildert und gezeigt, wie es für den Nichtamerikaner nahezu unmöglich ist, sich über den thatsächlichen Wert der zahlreichen Klassen und Arten von Obligationen und Aktien ein zuverlässiges Bild zu machen. In Kap. V—VIII wird der Leser darüber belehrt, wie das Tarifwesen und die innerlich verfehlte und faule Wirtschaft der nordamerikanischen Eisenbahnen, auf deren Erträgnis notwendigerweise reduzierend wirken muss. Die Arbeit bildet gewissermassen einen Warnruf insbesondere an deutsche Kapitalisten, welche viele Millionen in amerikanischen Eisenbahneffekten angelegt haben, die letzteren nicht nach ihrem Börsenkurse zu beurteilen, sondern den inneren Wert jener Papiere genauer zu prüfen. Mit Recht kann man gespannt sein, zu welchem Abschlusse diese grosse Krise der amerikanischen Eisenbahnen — man kann sie auch als einen Genesungsprozess bezeichnen — führen wird.

Freiherr von Weichs.

Ulrich, Franz, Geh. Oberregierungs- und vortragender Rat im Ministerium der öffentlichen Arbeiten: *Staffeltarife und Wasserstrassen.* Berlin, Verlag von Jul. Springer. 1894.

Die Frage der Staffeltarife auf den Eisenbahnen beschäftigt bereits seit längerer Zeit und in verschiedenen Staaten die öffentliche Meinung. Gegenwärtig ist diese Frage, wenigstens für Deutschland, in ein aktuelles Stadium getreten, da wie bekannt landwirtschaftliche Interessentenkreise West- und Süddeutschlands gegen die im Jahre 1891 eingeführten Staffeltarife für Getreide und Mehl auf den preussischen Staatsbahnen anstürmen, und die bayerische Kammer einstimmig den Antrag angenommen hat, die Regierung möge (wozu derselben jedoch kaum ein Recht zusteht), mit allen Mitteln auf die Beseitigung jener Staffeltarife hinwirken. Im Hinblicke auf diese, mit dem Abschlusse des deutsch-russischen Handelsvertrages in Zusammenhang stehenden Ereignisse, gewinnt die vorliegende Arbeit besondere Bedeutung, die dadurch noch erhöht wird, als bei der Stellung des Verfassers, trotz oder infolge dessen Verwahrung im Vorworte angenommen werden kann, dass die zeitgemässe Veröffentlichung über höhere Initiative erfolgte. Die west- und süddeutschen Getreidebauer und Müller werden wohl genau wissen, d a s s und w o sie der Schuh drückt; aber w a s es ist, das sie drückt, darüber sind sie sich offenbar nicht im Klaren, sonst hätten sie in den, eine vollkommene Sachunkenntnis verratenden Krieg gegen die Staffeltarife nicht eintreten können. Als ob die deutsche Agrarkrise erst von 1891 datierte, und ihre einzige Ursache die niederen Getreidepreise wären!

Ulrich unternimmt es, gegen diese unklare Auffassung, gegen diese falschen Schlagworte und landläufig gewordenen, oberflächlichen Begriffe zu Felde zu ziehen, und den thatsächlichen Sachverhalt klarzulegen. Wenn ruhiges sachliches Urteil allein entscheiden würde, so wäre der Erfolg des Buches u. zw. nicht nur der augenblickliche, sondern ein dauernder Erfolg wohl zweifellos.

Im 1. Abschnitte wird der Begriff der Staffeltarife erörtert, im 2. Abschnitte deren allgemeine Begründung vom Standpunkte der Eisenbahnen gegeben. Der 3. und 4. Abschnitt enthalten die Anwendung der Staffeltarife und die dabei gewonnenen Erfahrungen in ausserdeutschen Ländern und in Deutschland. Im 5. Abschnitte werden die wirtschaftlichen Gründe für und gegen die Staffeltarife gebracht. Was die wissenschaftliche Begründung der Staffeltarife anbelangt, so ist dieselbe leider etwas dürftig, und es wäre ein tieferes Eingehen hier wohl im Interesse der Sache gelegen gewesen. Es genügt nicht an zahlreichen Beispielen den Nachweis zu erbringen, d a s s die Staffeltarife von Vorteil für Bevölkerung und Eisenbahnen seien; denn damit ist noch nicht bewiesen, w a r u m die Staffeltarife vorteilhaft s i n d und sein m ü s s e n. Auch der an die Spitze des 2. Abschnittes gestellte Satz: »Die Tarifbildung nach fallender Staffel ist begründet in den Selbstkosten des Eisenbahntransportes, welche für Transporte auf lange Entfernungen verhältnismässig geringer sind, als für Transporte auf kurze Entfernungen« giebt diese wissenschaftliche Begründung nicht, sondern zeigt nur die Richtung an, in welcher diese zu finden wäre.

Nach einer umfassenden Darlegung aller für die Staffeltarife sprechenden Gründe werden die Gegengründe einzeln und zutreffend widerlegt, und wird an der Hand der amtlichen Statistik nachgewiesen, dass seit Einführung der Staffeltarife die preussischen Staatsbahnen mehr Getreide aus Süddeutschland empfingen, als sie dorthin versandt haben! Im 6. Abschnitte wird die Entwicklung der deutschen Binnenschiffahrt in den letzten 20 Jahren im Vergleiche mit den Eisenbahnen erörtert und festgestellt, dass sich der Verkehr der deutschen Wasserstrassen im genannten Zeitraume in staunenswerter Weise entfaltet hat, weit mehr als der Verkehr auf den Eisenbahnen, und dass diese Entwicklung im wesentlichen auf den billigen Frachtsätzen für grosse Entfernungen beruht, durch welche die Eisenbahntarife erheblich unterboten werden.

Ulrich weist nun weiters nach, wie die Binnenwasserstrassen erfolgreich in den Wettbewerb gegen die Eisenbahnen eingetreten sind, wie sie in nicht geringem und stets steigendem Umfang auch an der Beförderung der höherwertigen Güter beteiligt sind, und wie die Verkehrssteigerung auf den Wasserstrassen zum grossen Teile auf Kosten der Eisenbahnen zu erklären ist, und vorwiegend Güter mit längeren Beförderungsstrecken betrifft.

Die Eisenbahnen und speziell die preussischen Staatsbahnen sind demnach in dreifacher Hinsicht zu den Staffeltarifen gedrängt worden: Im Hinblick auf das finanzielle Erträgnis, mit Rücksicht auf die bestehenden Staffeltarife der Nachbarstaaten und durch die Konkurrenz gegen die Wasserstrassen. Die Begründung dafür, dass die Binnenwasserstrassen Deutschlands den Wettbewerb gegen die Eisenbahnen mit so grossem Erfolge aufgenommen haben, bezw. aufnehmen konnten, erkennt *Ulrich* in der ungleichmässigen Behandlung der Staatseisenbahnen und der Staatswasserstrassen. Die Staatsbahnen Preussens werden im allgemeinen nach privatwirtschaftlichen Grundsätzen verwaltet; die Verwaltung der Wasserstrassen dagegen erfolgt nach dem Grundsatze der reinen Staatsausgabe. Auf der einen Seite werden die Tarife relativ hoch gehalten, auf der andern Seite stellt man mit ungeheuerem Aufwande auf Staatskosten Wasserstrassen her, welche die Frachten der Staatsbahnen unterbieten. Durch dieses verkehrte Prinzip, meint *Ulrich*, wird künstlich das unvollkommenere Verkehrsmittel für die Verkehrsinteressenten wertvoller gemacht, als das bessere, vollkommenere Verkehrsmittel, und damit eine ungeheuere wirtschaftliche und finanzielle Gefahr geschaffen.

D i e s e E r k e n n t n i s s e m ü s s e n a l s h o c h b e d e u t s a m u n d v o n b l e i b e n d e m g e n e r e l l e m W e r t e b e z e i c h n e t w e r d e n. Verf. hat sich damit zweifellos ein grosses Verdienst erworben.

Es bildet in der That eine in jeder Hinsicht zu rechtfertigende Forderung, dass die Wasserstrassen auf gleiche Basis mit den Eisenbahnen gestellt werden, und eben so wie diese für die Kosten ihres Unterhaltes, wie für die Tilgung und Verzinsung des Anlagekapitales aufzukommen haben. Weil diese Forderung aber heute nicht aufgestellt und daher auch nicht erfüllt wurde, sind die Wasserstrassen in der Lage, durch wahre Schleuderpreise jedem Wettbewerbe seitens der Eisenbahnen vorzubeugen.

Auf dem R h e i n gelangte an ausländischem Getreide zu Berg:

1891: 1 219 642 Tonnen; 1892: 1 066 488 Tonnen.

Dagegen war der Versand der preussischen Staatsbahnen nach Bayern an Getreide:

1. 10. 1891—30. 9. 1892: 13 479 Tonnen; 1. 10. 1892—30. 9. 1893: 25 443 Tonnen.

und an Mühlenfabrikaten:

1. 10. 1891—30. 9. 1892: 23 237 Tonnen; 1. 10. 1892—30. 9. 1893: 37 427 Tonnen.

Wenn man diese Ziffern mit einander vergleicht, muss das Verhalten der Länder in Mittel-, West- und Süddeutschland thatsächlich unbegreiflich scheinen. Begreiflich dagegen ist es, wenn, wie *Ulrich* mitteilt, die Getreidehändler in den grossen Handelsplätzen an den Wasserstrassen in geschickter Weise die Agitation gegen die unschuldigen Staffeltarife aufgenommen haben, um so die Aufmerksamkeit von der wahren Ursache des Preisdruckes und der Ueberspekulation in Getreide, von der übermächtigen Einfuhr ausländischen Getreides auf den Wasserstrassen abzulenken.

I n n s b r u c k.   Freiherr v o n W e i c h s.

Schanz, Dr., Georg, Professor der Nationalökonomie in Würzburg: *Die Kettenschleppschiffahrt auf dem Main*«. Bamberg. C. C. Büchner's Verlag. 1893. gr. 8⁰. (101 Seiten.)

Die vorliegende hochinteressante Arbeit ist mit »Studien über die Bayerischen Wasserstrassen« überschrieben, was die Annahme berechtigt scheinen lässt, dass weitere Abhandlungen über diesen Gegenstand erwartet werden dürfen. Verf. weist überdies am Schlusse selbst darauf hin, dass bei der Frage der Kettenschiffahrt auf dem Main auch noch andere Gesichtspunkte in Betracht kommen, so insbesondere die Rücksicht auf eine, ganz Bayern durchziehende Wasserstrasse und auf eine wirkliche Verbindung des Rheins mit der Donau, welche Projekte an anderem Platze erörtert werden sollen.

Die Kettenschleppschiffahrt, deren Anfänge bis 1732 zurückreichen, fand 1854 auf der Seine die erste praktische und lebensfähige Verwendung. Die heute zumeist bestehende Einrichtung ist folgende: In der ganzen befahrenen Länge eines Flusses wird eine Kette versenkt, an der sich die Kettenschiffe dadurch stromaufwärts winden, dass die Kette über einen beweglichen Ausleger von vorne auf das Schiff geführt, daselbst um zwei hintereinanderliegende starke Trommeln gewunden und am rückwärtigen Schiffsende über einen Ausleger wieder in das Wasser ablaufen gelassen wird. Die Drehung der Trommeln wird durch eine Dampfmaschine veranlasst und dergestalt das Schiff vorwärts bewegt. Es ergiebt sich daraus von selbst, dass die Kettenschiffahrt gezwungen ist, ein gewisses Mass an Tiefe nicht zu überschreiten, und ihr Wert gegenüber Schrauben- und Raddampfern gerade bei geringen Tiefen (bis zu 0,4 m) und bei grösseren Gefällen (über 0,3 °/oo) hervortritt. Diesen Vorteilen, denen auch die hohe Ausnützung der Maschinenkraft (80—85 Proz.) beizuzählen ist, stehen nun allerdings auch Nachteile gegenüber: hohe Kosten und rasche Abnützung der Ketten und geringe Ausnützung der Kettenschiffe bei der Thalfahrt. Den beschränkten Bedingungen für ein Gedeihen der Kettenschiffahrt entspricht auch die beschränkte Verwendung der Kette auf den Flüssen Deutschlands. Im II. Abschnitte werden nun die Kettenschleppschiffahrt und deren bisherige Resultate auf der Elbe, der Saale, dem untern Main und dem Neckar besprochen. Der gesamte Wasserverkehr von Hamburg elbeaufwärts hat sich von 1872—1892 verdreifacht; auf die Kette entfällt ¹/₃ dieses Verkehrs. Das Anwachsen desselben dürfte sich übrigens nicht allein durch die niederen Tarife an sich, welche aus der Konkurrenz zwischen Kette und Dampfschiff entstanden, erklären lassen, sondern zum grössten Teile wohl auch durch die grosse Disparität gegenüber den Eisenbahntarifen. — 1872 ergab die Kettenschiffahrt der Oberelbe noch 7 Proz. Dividenden, 1892 nurmehr 1 Proz. — Auch am untern Main sind die Ergebnisse bisher wenig befriedigende, hier z. T. auch wegen der kurzen Strecke des Kettenbetriebes. Besser stehen dagegen die Verhältnisse dort, wo eine Korrektur der Flusstiefen noch nicht stattgefunden hat, wo also eine Dampferkonkurrenz nicht besteht, wie auf der Saale und insbesondere auf dem Neckar, wo das in der Kette investierte Kapital nie eine geringere Verzinsung als 5 Proz. erzielte.

Der III. Abschnitt ist dem Hauptgegenstande der Abhandlung, der Frage der Kettenschleppschiffahrt auf der 199,2 km langen Strecke A s c h a f f e n b u r g-K i t z i n g e n gewidmet. In technischer Beziehung ist der nicht korrigierte Main von Aschaffenburg aufwärts sowohl hinsichtlich des Gefälles, als hinsichtlich der Tiefenverhältnisse für die Kette wohl geeignet und würde die letztere Vorteile gegenüber der nur teilweise möglichen Raddampfschiffahrt in sich schliessen. Die bayerische Regierung berechnet in ihrem Entwurfe die Anlagekosten mit 2 777 000 Mk. und hat hiefür eine 3¹/₂ prozentige Verzinsung ins Auge gefasst. Um eine solche nach Deckung der Amortisationsquoten und der Betriebskosten zu erzielen, ist eine Einnahme von rund 440 000 Mark erforderlich. Diese bescheidene Rentabilität wird sich jedoch gleichwohl nur unter der Voraussetzung einer bedeutenden Hebung des gegenwärtigen Verkehrs ergeben. Ob eine solche Hebung möglich ist, hängt von der Konkurrenzfähigkeit der Kettenschiffahrt gegen die Bahn ab. Verf. glaubt diese Frage bejahen zu können unter der Voraussetzung, dass es einerseits gelingt, die fränkische Industrie mit der Schiffskohle zu befreunden, und andrerseits die Staatsbahnen mindestens 100 000 ton Dienstkohle per Schiff beziehen. Sehr richtig bemerkt *Schanz*, dass die Gewinnung von Kohlentransporten als der springende Punkt in der Rentabilitätsfrage anzusehen ist.

Was die Ausdehnung der Kettenschiffahrt von K i t z i n g e n bis B a m b e r g anbelangt, so würde die Durchführung dieses Projektes einen bedeutenden Korrektionsaufwand erfordern und aus diesem Grunde wie auch im Hinblicke auf den voraussichtlich geringfügigen Verkehr, wenig Chancen für eine Rentabilität bieten.

Im Schlussabschnitte wird nun die Frage erörtert, ob angesichts der Möglichkeit, dass der Main kanalisiert wird, es sich noch verlohne, die Kettenschiffahrt einzuführen und teure Korrektionsarbeiten vorzunehmen. Verf. weist nach, dass weder die Korrektion, noch die Rücksicht auf die nächste und eine weitere Kanalisierung des Mains Gründe bilden können, um die rasche Einführung der wirtschaftlich vorteilhaften Kettenschiffahrt in jetzigem Augenblicke hintanzuhalten. Endlich könnte man die Besorgnis hegen, dass die einmal eingeführte Kettenschiffahrt ein natürliches Hemmnis bilden werde für das grössere, eine weitere Verwohlfeilung des Verkehrs verheissende Projekt der Kanalisierung. Sehr richtig wird nun diesbezüglich darauf hingewiesen, — wie denn das Hervorkehren der finanziellen Seite der Frage überhaupt als ein besonderer Vorzug der Arbeit bezeichnet werden muss —, dass ja die grössere Wohlfeilheit des Verkehrs auf kanalisierten Flüssen nur dadurch ermöglicht wird, dass die Kanalisierung auf

Staatskosten durchgeführt zu werden pflegt und ungerechtfertigter Weise für die Tilgung und Verzinsung dieser Anlagen der Betrieb nicht aufzukommen hat.

Innsbruck.   Freiherr von Weichs.

———

—e. **G. v. Mayr**, *Allgemeines Statistisches Archiv,* dritter Jahrgang, I. Halbband. Tübingen. 1894. Verlag der H. Laupp'schen Buchhandlung.

Wieder ein überaus gehaltvoller Band. Eine Bereicherung, welcher wir eine steigende Geltung im Archiv wünschen, stellen die erstmals gegebenen »internationalen statistischen Uebersichten« dar. Der II. Verfasser begründet diese Erweiterung wie folgt: »Der Abschnitt »Internationale Statistische Uebersichten« ist dem vorliegenden Halbband zum erstenmal dem Allg. Statist. Archiv einverleibt. Zu dieser Erweiterung des Programms gab mir die Erwägung Anlass, dass die »Geordnete Bücherschau« allein nicht ausreichend ist, um die Eigenschaft dieser der Statistik gewidmeten Zeitschrift als eines »Archivs« im vollen Sinne des Wortes hervortreten zu lassen. Daran freilich kann nie gedacht werden, die ganze Fülle des wissenschaftlich und praktisch Bedeutsamen, was die ununterbrochene statistische Massenbeobachtung der Gegenwart zu Tage fördert, in zahlenmässigen Ergebnissen ins Archiv aufzunehmen. Für die reichhaltige geographische und sachliche Gliederung der Nachweise, welche insbesondere die amtliche Statistik für die Erkenntnis der Gesetzmässigkeit im Gesellschaftsleben liefert, wird man unter allen Umständen sich mit dem Hinweis auf den Fundort begnügen müssen, welcher in der Geordneten Bücherschau versucht ist. Diese Bücherschau wird deshalb auch fernerhin beibehalten werden. Aus der grossen Masse des Stoffs, welcher jahraus jahrein erwächst, lässt sich aber unter Abstandnahme von der Berücksichtigung der vollen räumlichen und sachlichen Gliederung für die Hauptkapitel der exakten Gesellschaftskunde eine Zusammenstellung bedeutungsvoller Nachweise machen, welche an sich, und namentlich bei internationaler Zusammenstellung (ich vermeide ausdrücklich den Ausdruck internationale »Vergleichung«) von wissenschaftlichem und praktischem Interesse sind. — Dabei ist freilich nicht zu vergessen, dass solche Nachweise, welche sich in der Hauptsache als summarische Auszüge darstellen, für die strenge wissenschaftliche Forschung keineswegs zu genügen vermögen, dass diese vielmehr auf das weitere geographische und sachliche Detail in keiner Weise verzichten kann. Das schliesst aber nicht aus, dass die erste fruchtbare Anregung zur weiteren exakten gesellschaftswissenschaftlichen Forschung von der Betrachtung der Hauptzahlen ausgeht. In diesem Sinne hoffe ich der wissenschaftlichen Forschung durch die »Internationalen Statistischen Uebersichten« zu nützen. Dabei soll daran festgehalten werden, die sachlichen Gliederungen und einigermassen auch das geographische Detail so weit zu berücksichtigen, als es irgend mit den durch den verfügbaren Raum gebotenen Beschränkungen vereinbar ist. Die Uebersichten werden deshalb unbeschadet des summarischen Charakters der Zahlen, welche sie bieten, eine Reichhaltigkeit der Gliederung bei den einzelnen Kapiteln der Statistik enthalten, welche ihnen — wie ich hoffe — ein eigenartiges dem Mann der Wissenschaft wie der Praxis willkommenes Gepräge verleihen. [1] Durch die Reichhaltigkeit dieser Gliederung werden sich dieselben von den programmgemäss nur höchstsummarischen Notizen abheben, wie solche in Juraschek's Geographisch-Statistischen Tabellen, im Statesman's Year Book, im Year Book of Commerce, im Gothaischen Kalender u. s w. geboten sind. — Das Schwergericht der Darlegungen wird auf der aneinander sich reihenden Sonderbehandlung der einzelnen Länder liegen. Dabei wird davon ausgegangen, dass nicht bloss solche Nachweise berücksichtigt werden, welche allgemein in der Statistik der verschiedenen Länder sich finden, sondern auch solche, welche eine Besonderheit der Statistik eines gegebenen Landes darstellen. Wollte man alles ausschliessen, was nicht allgemein vorkommt, so gingen wissenschaftlich und praktisch hochinteressante Nachweise verloren. Ich denke mir, dass gerade die Aufnahme von »selteneren« Beobachtungen, falls sie hervorragendes wissenschaftliches und praktisches Interesse bieten, dazu dienen sollte, zur allgemeineren Nachahmung gleicher Erforschung zu reizen. Immerhin aber wird — bei den verschiedenen Kapiteln der Statistik allerdings in verschiedener Weise — ein Grundstock von Nachweisungen bleiben, welcher allgemein oder doch in gewisser grösserer Ausdehnung geboten ist Dieser Grundstock ist geeignet, in besonderen tabellarischen Zusammenstellungen international zusammengefasst zu werden; solche werden daher thunlichst der Einzelvorführung der statistischen Nachweise für die einzelnen Länder angefügt werden. — Auf eine erschöpfende Darstellung für möglichst alle Länder, welche die in Frage stehenden Nachweise bieten, wird hingearbeitet werden. Doch sind gewisse Beschränkungen nicht nur durch die Rücksichten auf den Raum des Archivs, sondern auch darauf geboten, dass im allgemeinen nur neuere Erhebungen, insbesondere soweit es sich um grosse intermittierende Massenbeobachtungen handelt, berücksichtigt werden sollen. Die wissenschaftlich bedeutsame Durchgliederung der Nachweise steht mir höher als die territoriale Vollständigkeit derselben. — Zur Mitarbeit an den »Internationalen Statistischen Uebersichten« habe ich die bewährte Kraft des Herrn Professor Dr. *E. Mischler* in Graz gewonnen.« Die Mayr-Mischler'schen Uebersichten sind in diesem Halbband für die zwei Kapitel 1) Kriminalität von Dr. *E. Mischler* und 2) Bevölkerungsstand von Dr. *v. Mayr* geboten. Die weiterhin folgenden Fortsetzungen sollen d e n g e s a m t e n K r e i s d e r e x a k t e n G e s e l l s c h a f t s b e o b a c h t u n g umfassen, so dass die Leser des Archivs fortlaufend über die hauptsächlichen Ergebnisse dieser Beobachtung auf dem Laufenden erhalten werden.

Dr. Ernst Mischler, *Handbuch der Verwaltungs-Statistik*. Erster Band. Allgemeine Grundlagen der Verwaltungs-Statistik. Stuttgart 1892. J. G. Cotta'sche Buchhandlung. — Das Mischler'sche Buch, so urteilt ein zuständiger Kritiker, *G. v. Mayr* (vgl. das vorerwähnte stat. Jahrbuch), ist die bedeutendste neuzeitliche Erscheinung auf dem Gebiete der allgemeinen statistischen Litteratur. Das Bedürfnis einer gründlichen systematischen Darlegung des Wesens, der Ziele und der Methoden der Verwaltungsstatistik ist mit dem fortschreitenden Ausbau der letzteren in ständiger Zunahme. Dass die Auseinandersetzung zwischen theoretischer und praktischer Statistik einerseits, zwischen allgemeiner Verwaltungsthätigkeit und statistischer Verwaltungsthätigkeit andererseits gewissermassen in der Luft lag, durfte aus *v. Mayr's* Artikel im ersten Halbband seines Archivs über »Statistik und Verwaltung« ersichtlich sein. Im vorliegenden Buche tritt nunmehr *Mischler* zielbewusst an die Aufgabe heran, in erschöpfender Weise und in wohlgeordneter systematischer Darstellung Wesen und Aufgaben der Verwaltungsstatistik in allen ihren Erscheinungsformen klarzulegen.

— e. Ratzel, Fr., *Politische Geographie der Vereinigten Staaten von Amerika*. mit besonderer Berücksichtigung der natürlichen Bedingungen und wirtschaftlichen Verhältnisse. München. R. Oldenburg. 1893

Auch diese Schrift, eine zweite gänzlich umgearbeitete Auflage lässt die bekannten Vorzüge der Werke des berühmten Anthropogeographen: weiteste Horizonte, eine

Fülle grosser Gesichtspunkte und feine Zeichnungen, angenehme und doch vollständige Vorführung des Wesentlichen aus einem fast erdrückenden Material glänzend
hervortreten. — Die Anthropogeographie deckt sich dem Objekte nach fast ganz mit
dem Gesamtumfang der Sozialwissenschaft. Ihre besondere Leistung wird aber immer
darin zu suchen sein, dass die Natur- und Raumbedingtheit, das »Medium« des Völker-
lebens und die ethnologische Grundbestimmtheit nach ihrer elementaren Bedeutung
weit mehr als in den Sozialwissenschaften werden zur Geltung kommen mussen. Dieses
Besondere leistet nun *Ratzel* auch hier wieder wie in den »Naturvölkern« auf die
hervorragendste Weise. Die Beschäftigung mit der allgemeinen politischen Geographie
hat den H. Verfasser, wie er in der Vorrede selbst sagt, gelehrt, »den Konstanten der politischen Geographie: Lage, Peripherie und Raum
einen grösseren Wert beizulegen, sie sind daher viel ausführlicher dargestellt worden.
Die praktischen Lehren, die die V. St. von Amerika erteilen, liegen in der freieren,
mit grösseren Mitteln bewirkten Entfaltung unserer eigenen politischen und Kultur-
gedanken.« Kein Problem ihrer Geographie übertreffe daher das des Raumes an
praktischer Bedeutung für unser politisches und wirtschaftliches Leben. »Dem Staatsgebiet als Raum ist daher nicht bloss ein besonderes Kapitel gewidmet, es kehrt
auch der Raum in jedem Kapitel in seinen Wirkungen auf das körperliche Dasein,
den Geist der Bevölkerung, ihre wirtschaftliche Thätigkeit und politische Bethätigung
wieder.« Die politische Geographie ist jedoch auch angewandte Ethnographie.
»Sie sucht neben der Beschreibung des Landes die des Volkes in womöglich gleicher
Ausführlichkeit und Genauigkeit zu geben. Die Tiefe, Mannigfaltigkeit und Beweglichkeit der Erscheinungen fordert aber dafür eine besondere Art von Darstellung,
die sich von der der beschreibenden Naturwissenschaften in der Richtung auf die
schildernde Beschreibung entfernt. Einige hierher gehörige Probleme der Rassen-
politik lassen sich geographisch fundieren und gewinnen dann sofort an Deutlichkeit und Begreiflichkeit. Ich habe mir besondere Mühe gegeben, das Negerproblem
klar hinzustellen, um so mehr, als die Thatsache, dass *Bryce* in seinem grossen, nütz-
lichen Buche »The American Commonwealth« es einfach bei Seite gelassen hat, mir
immer den Eindruck nicht bloss einer Bresche, sondern des Mangels einer ganzen
Wand in seinem Baue macht. Die Aufgabe der politischen Geographie kann es
nicht sein, die Bevölkerungsstatistik eines Landes zu reproduzieren, sondern vermittelst
der statistischen Zahlen das Volk als einen lebendigen Körper zu verstehen und dessen
Bewegungen auf seinem Boden zu erkennen. Durch die statistischen Zahlen
hindurch, die in einem solchen Werke aus praktischen Gründen in grösserem Masse geboten werden müssen, als eigentlich die Geographie bedarf, sollen die geographischen
Bedingungen und Beziehungen gleichsam durchscheinen.« — Die so gestellte Aufgabe
hat *Ratzel* in vollkommener Weise gelöst und hiedurch der gesamten Gesellschafts-
wissenschaft, nicht bloss der Nationalökonomie einen grossen Dienst erwiesen.

Die Grösse des Horizontes und der Geistesreichtum — ich möchte fast sagen
der anthropogeographischen Intuition treten schon im Eingang bei der anthropogeographischen Natur-Gegenüberstellung Nordamerika's
und Europa's glänzend ins Licht. Referent kann sich nicht versagen, einige
Stellen wörtlich anzuführen. »Beim Vergleich mit anderen Teilen der Erde ist es
immer Europa, dem sich Nordamerika gegenüberstellt. Das Suchen nach Aehnlichkeiten ist gerade in diesem Erdteil, der vor allen anderen Neueuropa zu
heissen verdiente, begreiflich. Der Gelehrte von heute steht in dieser Sache
unter demselben Einfluss wie der Kolonist des 17. Jahrhunderts, dem die — für ihn

unerwartete — Aehnlichkeit des Bodens und Himmels das Einleben im fremden Lande leichter machte. Es ist ja auch kein vergebenes Bemühen; d i e A n a l o - g i e n sind nicht bloss im grossen vorhanden, sie bestehen auch in kleineren Er- scheinungen und e r h e b e n s i c h z u H o m o l o g i e n, in denen nicht bloss die Erscheinung, sondern auch die E n t w i c k e l u n g übereinstimmt. Für uns werden sie von dem Augenblicke an bedeutungsvoll, dass sie ä h n l i c h e G r u n d l a g e n d e r w i r t s c h a f t l i c h e n und p o l i t i s c h e n E n t w i c k e l u n g s c h a f f e n. Den wirtschaftlichen und politischen Homologien, die dadurch entstehen, wohnt die K r a f t t i e f e r N a t u r b e d i n g t h e i t inne, die besonders in der Dauer sich äussert. Für eine an der Oberfläche haftende Betrachtung bedeuten sie W e t t b e - w e r b u n g v i e l l e i c h t b i s z u r A u f r e i b u n g. Man muss aber tiefer gehen und in diesen Aehnlichkeiten eine V e r s t ä r k u n g d e r W i r k u n g e n s e h e n, w e l c h e d i e W e l t g e s c h i c h t e b i s h e r n u r a l s e u r o p ä i s c h e b e - z e i c h n e t e. Denn wenn Europa und Nordamerika ähnlich einander gegenüber- stehen, so verhalten sie sich zu den a n d e r e n T e i l e n d e r E r d e a l s e i n U e b e r e i n s t i m m e n d e s In diesem Sinne ist der Vergleich mit Europa reich an Erkenntnissen für den g e s c h i c h t l i c h e n B e r u f N o r d a m e r i k a 's. An die Spitze dieser Vergleiche wird immer die Zugehörigkeit beider Erdteile zur natürlichen Gruppe der N o r d e r d t e i l e zu stellen sein. Damit ist die gemeinsame Lage auf der landreichen nördlichen Halbkugel und die entsprechende Zonenlage mit ihren klima- tischen Folgen bezeichnet. Das Mittelmeer und das Antillenmeer sind Meere ähn- licher Lage zu Europa und Nordamerika, sie sind auch ähnlichen Ursprungs und infolgedessen ähnlich in den Umriss- und Tiefenverhältnissen. Durch das eine führen die afrikanischen Beziehungen Europas, und durch das andere die südamerikanischen Nordamerikas. So wird einst auch dem Suezkanal der interozeanische Kanal ent- sprechen, der bestimmt ist, das amerikanische Mittelmeer mit dem äquatorialen Ab- schnitt des Stillen Ozeans zu verbinden. Die Identität der Geschicke Nordeuropas und des nördlichen Nordamerikas in der Diluvialzeit bedingt gleiche Bodenformen und selbst übereinstimmendes Material. Die Vertreter der Nord- und Ostsee sind in dem »nördlichen Mittelmeer« der grossen Seen zu suchen. Die Fjorde, Fjordflüsse, Seenketten, Flussschlingen, Blockwälle, Sanddünen sind gleich diesseit und jenseit des Atlantischen Ozeans. Durch jene grossen klimatischen Veränderungen ist endlich selbst die L e b e w e l t aufs tiefste beeinflusst worden und ebenfalls in übereinstim- mender Richtung.« — Bei aller Aehnlichkeit der Naturbedingtheit der europäischen alten und der nordamerikanischen jungen Kultur ist doch der M a s s s t a b d e r E n t - w i c k e l u n g durch die weit überragende R a u m g r ö s s e und durch den Einsatz der potenzierten Kraft alter Kultur auf einem viel weiteren Naturschauplatz der Ent- wickelung von Anfang ein viel gewaltigerer. *Ratzel* giebt hierüber eine Reihe der geistvollsten und anregendsten Ausführungen. Einige der letzteren sollen hier noch eine Stelle finden: »Es ist verständlich, dass Europäer angesichts des kontinentalen Staatsgebietes immer zuerst der Gedanke an den Z e r f a l l kommt. Selbst die sogen. Grossstaaten Mittel- und Westeuropas sind in der Beschränkung gross geworden und haben von Versuchen der Ausbreitung nur die Gefahren kennen gelernt. D i e R a u m g r ö s s e d a g e g e n i n d e n V. S t. h a t d e m Z e r f a l l e n t g e g e n - g e w i r k t, denn eben in dem b e s t a n d i g e n W e r d e n, das die räumliche Ausbreitung nie sich vollenden liess, sondern mit jedem neuen Landzuwachs verjüngte und kräftigte, lag der Zusammenhang. An der wunderbaren Festigkeit der politischen Verfassung der V. St., die seit 100 Jahren weniger Veränderungen erfahren hat als irgend eine europaische, hat die ableitende und zerteilende Wirkung des weiten Raumes ihren Teil. Indem viele einzelne so empfanden, wie der Squatter in Coopers Prairie (1832), wurde die Nation im ganzen vorwärts getrieben. Für den Geschichtschreiber wird es einst eine der anziehendsten Aufgaben sein, die Entwickelung grossräumiger Auffassungen aus den bescheidenen und oft zaghaften Anfängen, denen schon das Nordwest-Territorium von gefährlicher Grösse und eine Gefahr für die — 20 Jahre alte! — »balance of power« schien, zu verfolgen. Dass sie schon im zweiten englischen Kriege weit genug gediehen war, um aus der Eroberung Kanadas — wenige Jahre nach dem Ankauf Louisianas! — ein populäres Schlagwort zu machen, ist sehr bezeichnend ... Als Träger der Expansion sind die Menschen von entsprechender Beweglichkeit, *»essentiellement expansive, comme un liquide, que rien ne retient«,* wie es in einer Geschichte des durch grossartige Beispiele heroischer Raumbewältigung ausgezeichneten Bürgerkrieges von 1861—1864 heisst. Die Verbindung von wirtschaftlicher und politischer Expansion hat die zwei grössten Thatsachen der Geschichte des europäisierten Amerikas, den kontinentalen Staat der Union und dessen wirtschaftliche Weltstellung erzeugt. Das sind die amerikanischen Erscheinungen, mit denen Europa zu rechnen hat. Dass aber die wirtschaftliche Weltstellung der V. St. gleichsam als vorausgeworfener Schatten der ganzen Grösse jener Grossmacht der westlichen Welt uns zuerst erreicht, befremdet niemand, der mit den Gesetzen der geschichtlichen Entwickelung vertraut ist. Die längst vorhandene und noch immer wachsende wirtschaftliche Ueberlegenheit der Nordamerikaner über alle ihre Nachbarn und der darauf begründete Einfluss werden sich immer mehr ausbreiten. Schon jetzt findet das Kapital in den Eisenbahnbauten des eigenen Landes keine genügende Anlage mehr, und die zu erwartende Aera des Eisenbahnbaues mit Mitteln der V. St. in Mittel- und Südamerika wird grosse politische Erfolge haben. Schon überflügeln die nordamerikanischen Linien in Mexiko die englischen: Mexiko erhält ein von den V. St. aus geschaffenes und geleitetes Eisenbahnnetz. Die Panama-Eisenbahn, die transandinischen Bahnen in Peru und vor allem der interozeanische Kanal durch eine der Landengen Mittelamerikas bilden starke Faden eines grossen Verkehrsnetzes, längs dessen Linien nach unabänderlichen Gesetzen der politische Einfluss nach allen Teilen Mittel- und Südamerikas seine Wege finden wird. Auch künftig werden Gebietsvergrösserungen der V. St. der Gefahr und Arbeit der Einwanderung und Ansiedler nachfolgen. In Streitfällen werden, wie einst in Texas und Oregon, diese privaten Besitzergreifungen die schönsten Verträge durchlochern.«

Ob freilich nicht dem G e i s t e eines V o l k e s, das auf so weitem Gebiete in zusammenhängendem Staate sich entwickelt, bei aller Grossartigkeit eine gewisse E i n f ö r m i g k e i t sich aufprägen wird? »Man hat die Frage bereits bestimmt in dem Sinne bejahen wollen, dass aus den V. St. ein zweites China von starrer Einerleiheit werden müsse. Es ist noch lange bis dahin. Man hat eine vorübergehende Erscheinung für den Keim einer bleibenden Entwickelung genommen. Wenn eine gewisse Einförmigkeit in der heutigen Bevölkerung der V. St. wahrzunehmen ist, so beruht dies darauf, dass das weite Land immer dieselbe Kulturaufgabe stellte, und jene n o c h n i c h t Z e i t g e h a b t h a t, in ihren verschiedenen Wohngebieten sich heimisch zu machen und die S o n d e r m e r k m a l e a n z u n e h m e n, d i e i h n e n e n t s p r e c h e n. Die Naturgebiete der V. St. zeigen keine grössere Einförmigkeit, als die entsprechenden Abschnitte der meisten anderen Teile der Erde. Freilich muss man nicht mit europäischem Massstabe an diese gross angelegte Gliederung herantreten. Es giebt nur ein Europa und die Einzigkeit eben ist sein Vorzug.

Nordamerika hat keine Räume wie Grossbritannien, Spanien oder Italien. Insofern ist es nicht von Natur zum Schauplatz so zahlreicher historischer Sonderentwickelungen vorherbestimmt. Dass aber andere wirtschaftliche und soziale und damit auch geschichtliche Entwickelungen in der Bevölkerung der Seeregion als in der des Golfgebietes,. andere in der der Mississippi-Niederungen als in der des Hochlandes im Westen sich vollziehen werden, ist sicher. Die Mannigfaltigkeit braucht Zeit und Ruhe. Aber in den V. St. hat die Einförmigkeit ihren höchsten Punkt wohl überschritten. In der ersten Zeit seines Auftretens auf fremdem Boden ist ein Volk immer reiner, zeigt in schärferen Zügen seine eigenste Natur, die mit den Jahren und Jahrhunderten sich auseinanderlegen und abstufen. D e r N o r d a m e r i k a n e r h a t m i t f o r t s c h r e i t e n d e m W a c h s t u m i m m e r m e h r d e n N e u e n g - l ä n d e r , d e n Y a n k e e i m e i g e n t l i c h e n S i n n e a b g e s t r e i f t , und Boston ist nicht mehr die einzige geistige Leuchte des Landes wie vor 40 Jahren. Neues bildet vorzüglich im Westen sich langsam heran, und der weite Raum wird Sonderentwickelungen günstiger werden, je mehr das Land sich auffüllt.«

—e. **Hampke, Thilo,** *Handwerker- oder Gewerbekammern?* Ein Beitrag zur Lösung der gewerblichen Organisationsfrage. Jena. G. Fischer. 1893.

Der H. Verfasser, zweiter Sekretär des Konigl. Kommerz-Kollegiums zu Altona, kommt in einer aller Beachtung würdigen Ausführung zu folgendem Obersatz, von welchem aus er sich für die Verbindung der kleinen Industrie mit dem Handwerk in obligatorischen, über das ganze Reich sich erstreckenden Gewerbekammern (nicht blossen Handwerkerkammern) ausspricht: »Unseres Dafürhaltens liegen die Interessen der Grossindustrie im wesentlichen auf einem anderen Gebiete als die des Kleingewerbes. Beim Handwerk handelt es sich hauptsächlich um die Lehrlingsausbildung und ähnliche Fragen, die für die Grossindustrie, welche nur noch in geringem Masse Lehrlinge kennt, sondern jugendliche Arbeiter an Stelle solcher beschäftigt, nicht unmittelbar von Bedeutung sind. Indirekt hat die Grossindustrie an einer tüchtigen handwerksmässigen Lehrlingsausbildung ein grosses Interesse, da sich die Werkmeister und ein grosser Teil der Arbeiter aus gelernten Handwerkern rekrutieren. Wir halten eine Vereinigung von Grossindustrie und Kleingewerbe in einer Korporation nicht für richtig, sondern glauben vielmehr, dass die Grossindustrie mit dem Handel vereinigt bleiben sollte, während die kleinere Industrie, deren Interessen mehr nach dem Handwerk hinneigen, mit diesem in Gewerbekammern vereinigt werden müsste. Auf diese Weise würde die verbindende Mittelstellung der Industrie zwischen Handel und Handwerk gewahrt und verhindert, dass sich einseitige Klassenvertretungen bilden. Die Gewerbekammertage sind zu ihrem Vorschlag, die Grossindustrie mit dem Handwerk zu vereinigen, nur gekommen, weil sie die Schaffung von Handwerkerkammern für unrichtig hielten. Intelligentere, weitsichtigere Elemente sollten der Gewerbekammer erhalten bleiben. Auch wir halten es für unbedingt erforderlich, dass hohere gewerbliche Schichten mit in die Gewerbekammer einbezogen werden müssen, nur braucht dies nicht die ganze Industrie zu sein, sondern es reichen die Schichten derselben aus, welche dem Handwerk am nächsten stehen und mit demselben solidarische Interessen haben. Auf diese Weise wird allerdings eine Scheidung zwischen den Industriellen, welche der Handels-, und denen, welche der Gewerbekammer zugehören sollen, nötig.«

36 *

—e. *v.* **Gans-Ludassy**, *Die wirtschaftliche Energie.* Erster Teil. System der ökonomistischen Methodologie. Jena. G. Fischer. 1893.
Dieser erste methodologische Teil, welchem zwei weitere Bände folgen sollen, umfasst mehr als tausend Seiten. Unser Urteil auch über diesen Teil soll ausgesetzt bleiben, bis das ganze Werk vollendet ist. Dass Referent aus diesem ersten Teil bereits viel gewonnen hätte, vermag er allerdings nicht zu behaupten. Dem Umfange des Buches entspricht der wissenschaftliche Gewinn aus dem voluminösen Methodologie-Werk wenigstens für den Referenten nicht. Vielleicht bringen die zwei weiteren Bände mehr Befriedigung.

———

—e. **Sattler, C.** (Mitglied des pr. Abgeordn.H.), *Das Schuldenwesen des preussischen Staates und des deutschen Reiches.* Stuttgart. J. G. Cotta's Nachf. 1893.
Dem eigentlichen Inhalte nach eine ins Einzelne eindringende, aber doch übersichtliche Darstellung der Geschichte des preussischen Staats- und des deutschen Reichsschuldwesens seit 1870. Die gegebenen Zusammenstellungen und Schilderungen machen den Gegenstand, Schuldbestand und Schuldverwaltung dem praktischen Politiker leicht zugänglich. Schliesslich läuft die Darstellung des Thatsächlichen in einen finanzpolitischen Ratschlag aus, welcher zwar nicht neu, aber auf Grund einer so umfassenden Untersuchung gegeben, besonders beherzigenswert ist. Der H Verfasser empfiehlt angelegentlich die Tilgung der Reichsschuld von jetzt mehr als 2 Milliarden und sagt (S. 406 ff.) Frankreich hat rund 32 Milliarden Schulden, England 17 870 Millionen, Russland 18 420 Millionen, Oesterreich 14 585 Millionen, Italien 12 920 Millionen, Spanien 7 Milliarden. Das Bild wird für Deutschland noch günstiger, wenn man bedenkt, dass den Schulden des Deutschen Reiches auch eine nicht unerhebliche Reihe von Vermögensobjekten gegenübersteht. Der Reichsinvalidenfonds (480 Millionen), der Reichskriegsschatz mit 120 Millionen, die Betriebsfonds der verschiedenen Reichsverwaltungen im Gesamtbetrage von 43 283 299 M., die Reichseisenbahnen, deren Herstellungskosten 414 826 261 M. 47 Pf. einschliesslich der Aufwendungen für die Wilhelm-Luxemburg-Eisenbahn betragen haben, die Bauten und Anlagen der Reichspost- und Tel.-Verwaltung, des Reichsheeres und der übrigen Reichsverwaltungen kommen in Betracht. — Auch die Vergleichung der Aktiv- und Passivrenten nach dem Etat für 1891/92 giebt kein gerade ungünstiges Bild. Den Aufwendungen für die Reichsschuld im Betrage von 53 861 500 M. stehen Aktivrenten in Höhe von 48 213 022 M. gegenüber. Die letzteren setzen sich zusammen aus den Ueberschüssen der ordentlichen Einnahmen über die ordentlichen Ausgaben bei der Post- und Telegraphenverwaltung mit 23 787 622 M., bei den Eisenbahnen mit 20 198 500 M., und bei der Reichsdruckerei mit 1 185 300 M., ferner aus dem Anteil am Gewinn der Reichsbank mit 2 600 000 M. und den Zinsen aus belegten Reichsgeldern in Höhe von 441 600 M. Die Ausgaben für die Reichsschuld überragen die Aktivrenten mithin nur um 5 648 478 M., d. h. auf den Kopf der Bevölkerung fallen an Ausgaben für die Reichsschuld nach Abzug der Aktivrenten durchschnittlich nicht ganz 11 1/2 Pfennig (1894 schon erheblich mehr). — Es ist daher natürlich, dass das Deutsche Reich bei Unterbringung seiner Anleihen keinen hohen Zinsfuss zu zahlen braucht, obgleich in den letzten 1 1/2 Jahren, zum Teil gewiss auch infolge der massenhaften Ausgabe von Reichsschuldverschreibungen, in dieser Beziehung ein gewisser Rückschlag eingetreten ist. Als im Jahre 1877 zuerst eine 4prozentige Reichsanleihe ausgegeben wurde, stand sie etwa auf 96 Prozent.

Ihr Kurs stieg dann bis zum Jahre 1889 auf fast 109, sank dann aber bis Ende 1891 auf beinahe 105 herab. Die zuerst 1886 ausgegebene 3½prozentige Reichsanleihe stand am 1. Oktober auf 103,75 Proz., sank bald darauf etwas unter pari, stieg dann aber gleichfalls bis zum Jahre 1889 auf 104, um von da bis Ende 1889 b i s u n t e r 98 herunterzugleiten. Von der 3prozentigen Anleihe wurde die erste noch zu einem Kurse von über 86 Proz. untergebracht, bei der zweiten erhielt man nur 84,40 Proz. und selbst dieser Stand wurde nicht behauptet. Immerhin beträgt der Zinsfuss, den das Reich für seine Anleihen bezahlen muss, noch jetzt wenig mehr als 3½ Proz., während es im Jahre 1877 noch über 4 Proz. zu zahlen genötigt war. . . . Neben dem ausserordentlich raschen Steigen der Reichsschuld an sich bilden die Thatsache, dass die letztere wesentlich zu unproduktiven Zwecken verwandt ist und dass auch die durch dieselben erworbenen Anlagen und Vermögensstücke des Reichs nur zum Teile Ertrag abwerfen, die Hauptbedenken gegen die rasche Zunahme derselben. Das rasche Steigen wird durch die einfache Feststellung klargelegt, dass in etwa 15 Jahren fast 1500 Millionen Schulden gemacht sind, im Durchschnitt also jährlich 100 Millionen, dass aber dieser Durchschnitt in den letzten fünf Jahren meist um ein mehrfaches überstiegen ist.

Die u n p r o d u k t i v e V e r w e n d u n g d e r A n l e i h e n erhellt an der Hand der Denkschrift über die Ausführung der Anleihegesetze vom 13. Nov. 1891 aus folgender Zusammenstellung. Die für die alle Bundesstaaten umfassende Finanzgemeinschaft durch Anleihen aufgebrachten Geldmittel sind bis zum 1. April 1891 verwandt 1) zu Heeresverstärkungen, Steigerung der Operations- und Schlagfertigkeit des Heeres, Truppendislokationen, Kompletierung des Waffenmaterials, Aenderungen der Wehrpflicht etc. im Betrage von 530 483 153 M. 11 Pf.; 2) zu Thorerweiterungsbauten 1 517 688 M. 33 Pf.; 3) zu Garnisoneinrichtungen in Elsass-Lothringen 30 048 664 M. 42 Pf.; 4) zu Festungsanlagen abzüglich der nur vorschussweise aus der Anleihe bestrittenen Summen 120 605 262 M. 23 Pf.; 5) zur Vervollständigung des Eisenbahnnetzes im Interesse der Landesverteidigung 88 418 379 M. 99 Pf.; 6) zu eisernen Vorschüssen für die Verwaltung des Reichsheeres 4 073 299 M.; 7) für die Marineverwaltung 214 677 921 M. 3 Pf.; 8) für die Eisenbahnverwaltung 49 294 219 M. 87 Pf.; 8) zur Erwerbung von 2 Grundstücken in Berlin 7 564 380 M.; 10) zur Durchführung der Münzreform 46 392 947 M. 37 Pf.; 11) für die Reichsdruckerei 4 872 476 M. 31 Pf.; 12) zur Beschaffung eines Betriebsfonds für dieselbe 400 000 M.; 13) für den Anschluss Hamburgs an den Zollverein 32 000 000 M.; 14) desgleichen Bremens 12 000 000 M.; 15) für den Nordostseekanal 26 975 866 M. 60 Pf. Von den auf die Finanzgemeinschaft der Bundesstaaten mit Ausnahme Bayerns entfallenden Summen sind verwandt 1) zu Kasernenbauten 94 831 303 M. 92 Pf.; 2) zur Vermehrung des Schanzzeuges der Infanterie 1 075 662 M. 25 Pf.; 3) zur Erweiterung und Erwerbung von Artillerieschiessplätzen 11 883 017 M. 11 Pf. Die für die Finanzgemeinschaft der Bundesstaaten mit Ausnahme Bayerns und Württembergs angeliehenen Summen für die Zwecke der Post- und Telegraphenverwaltung sind verwandt: 1) für einmalige Ausgaben zur Erweiterung der Anlagen, Erwerbung von Telegraphenlinien etc. in Höhe von 60 617 538 M. 53 Pf. und 2) zur Verstärkung der Betriebsmittel mit 8 750 000 M.

Von dem Gesamtbetrage der (bis 1891) aus Anleihemitteln bestrittenen Ausgaben in Höhe von 1 344 139 185 M. 7 Pf. sind werbend angelegt in folgenden Posten. 1) für die Eisenbahnverwaltung 49 294 219 M. 87 Pf.; 2) für die Reichsdruckerei 4 872 476 M. 31 Pf.; 3) für einmalige Ausgaben der Post- und Telegraphenverwaltung 60 617 538 M. 53 Pf. Das macht zusammen 114 784 234 M. 71 Pf., d. h noch nicht ein Zehntel der Gesamtsumme.

Bedenkt man ferner, dass an Tilgungen im Deutschen Reiche überhaupt nicht gedacht wird, so ist es natürlich, wenn das rasche Anwachsen der Reichsschuld bei vorsichtigen Finanzpolitikern trotz des im Vergleiche zu anderen Staaten ausnehmend günstigen Vermögensstandes Deutschlands mehr und mehr Bedenken erregt. »Man hat darauf hingedrängt, grössere Teile der durch Anleihe gedeckten Ausgaben aus den laufenden Einnahmen resp. den Matrikularbeitragen zu bestreiten, um so das Anwachsen der Reichsschuld zu verlangsamen. Dieses Bestreben ist auch nicht ohne Erfolg geblieben, namentlich bei der Marineverwaltung. Auch bei der Heeresverwaltung sind in den letzten Jahren verschiedene Posten, welche früher aus Anleihemitteln gedeckt waren, aus den laufenden Einnahmen resp. den Matrikularbeiträgen bestritten, bei den Kasernenbauten z. B. ist aber der alte Grundsatz noch nicht verlassen, Ersatzbauten für bereits vorhandene Kasernen aus laufenden Mitteln, Neubauten aber aus der Anleihe auszuführen. Anders steht es mit der M a r i n e v e r w a l t u n g. Während hier längere Jahre hindurch zur Deckung der ausserordentlichen Ausgaben nur 2—3 Millionen aus laufenden Einnahmen genommen wurden, ist jetzt der Grundsatz zur Geltung gelangt, zu den Ausgaben für Schiffsbauten eine Summe von 5 Proz. des Wertes der vorhandenen Flotte aus den ordentlichen Einnahmen des Reichs zu entnehmen und $^2/_3$ der Aufwendungen zur artilleristischen und Torpedoarmierung der Schiffe gleichfalls aus dieser Quelle zu bestreiten. Durch den Etat 1892/93 wird ein weiterer Schritt in der Richtung auf Verringerung des Anleihebedarfs gemacht, indem der Gewinn aus der Ausprägung von Münzen nicht mehr wie bisher zur Bestreitung laufender Ausgaben benutzt werden, sondern zur Verrechnung auf offene Anleihekredite gelangen soll. Dieser Vorschlag ist um so berechtigter, weil das Reich behufs Durchführung der Münzreform eine Anleihe von mehr als 46 Millionen aufgenommen hat, deren allmähliche Tilgung aus dem Münzgewinn durchaus angemessen ist. — Alle diese Schritte genügen den Ansprüchen einer wirklich soliden Finanzwirtschaft indessen n o c h l a n g e n i c h t, welche stets darauf hindrängen müssen, gerade bei dem unproduktiven Charakter der Reichsschuld und bei der nicht zu verkennenden Thatsache, dass die aus ihr beschafften Vermögensgegenstände alljährlich beträchtliche Aufwendungen zur Erhaltung und Erneuerung benötigen, jährlich einen bestimmten nicht zu niedrig bemessenen Betrag derselben aus den laufenden Einnahmen zu tilgen oder zur V e r r e c h n u n g a u f o f f e n e K r e d i t e zu bringen. Gegen die letztere Art lässt sich der Vorwurf auch nicht erheben, es sei finanziell unvorteilhaft, auf der einen Seite Schulden zu tilgen, während man auf der anderen solche wieder machen müsse. Nur die Furcht vor einer infolgedessen erforderlich werdenden Erhöhung der Matrikularbeiträge hat bisher die Ausführung dieser Massregel verhindert. Bei dieser Sachlage verdient es unseres Erachtens wohl der Erwägung, ob man denn nicht wenigstens die Ueberschüsse der Reichsverwaltung auf Anleihekredite verrechnen sollte, anstatt sie, wie bisher in den Etat des zweiten nachfolgenden Jahres zur Bestreitung der laufenden Ausgaben einzustellen. Trotz aller Mängel hat das sogen. Eisenbahngarantiegesetz in Preussen dahin geführt, dass die Ueberschüsse zur Schuldentilgung oder Verrechnung auf Anleihen benutzt werden, während sie sonst leicht zu noch stärkerer Steigerung der Ausgaben verführen könnten. Dadurch ist im Laufe der Jahre eine sehr erhebliche Verminderung des Anleihebedarfs erzielt. Das Deutsche Reich hat aber grosses Interesse daran, auch seinen Anleihebedarf zu verringern, da sein werbendes Vermögen verhältnismässig gering ist, die Passivrenten die Aktivrenten schon jetzt übersteigen und der Kursrückgang seiner Anleihen während der letzten Jahre zeigt, dass die Aufnahmefähigkeit des deutschen Marktes für dieselben nicht unbegrenzt ist. Ein Schritt in dieser Richtung würde wenigstens durch Verwendung der Ueberschüsse zur Tilgung resp. Verrechnung auf offene Anleihen gemacht werden.«

—e. **Rabbeno, Ugo**, *Protezionismo Americano. Saggi Storici di Politica Commerciale.* Milano. Dumolard. 1893.

Eine höchst dankenswerte Darstellung und sehr anziehende Erklärung der Handelspolitik der Ver. Staaten vor und namentlich nach der Befreiung von der englischen Herrschaft. Namentlich die lichtvolle Darstellung des jüngsten dreissigjährigen Rückganges zum entschiedenen Schutzsystem besitzt ein aktuelles Interesse. Die Theoretiker des Protektionismus *(Al. Hamilton, Fr. List, Henry C. Carey* und andere) werden zum Schluss in feiner Zeichnung eingehender vorgeführt.

Funk-Brentano, Th. (professeur à l'école libre des sciences politiques): *La Politique, Principes, Critiques, Réformes.* Paris. Arthur Rousseau. 1892.

Nachdem wir das Buch in den ersten zwei Dritteln zwar ohne Belehrung, aber nicht ohne die schuldige Anerkennung für frische und geistig regsame Auffassung gelesen hatten, waren wir sehr enttäuscht, aus dem scheinbar wissenschaftlichen Unterbau immer mehr einen zügellosen Hass gegen Deutschland, den angeblichen oder wirklichen »Schwob« der Elsässer und die »Pruesse« der Lothringer hervorbrechen zu sehen. Der Deutschenhass lässt den H. Verfasser immer mehr von einer Bêtise in die andere fallen und für uns Deutsche geht aus dem ganzen 430 Seiten umfassenden Werke schliesslich keine andere Belehrung hervor, als dass auch wissenschaftliche Franzosen mit nicht französischem Namen auf eine für uns Deutsche unbegreifliche, jedenfalls ganz unwissenschaftliche Weise revanchevoll zu werden Gefahr laufen. Glücklicherweise laufen solchen Erscheinungen in grosser Anzahl wirklich wissenschaftliche, leidenschaftslose Produktionen von Franzosen in Politik und Nationalökonomie zur Seite und wird die wissenschaftliche Wechselwirkung beider Nationen allem Anscheine nach sonst eine immer erfreulichere.

S c h ä f f l e.

—e. **Schneider, K.**, *Das Wohnungsmietrecht und seine soziale Reform.* Leipzig. Duncker u. Humblot. 1893.

Diese neue Schrift des H. Verfassers, welcher als ein hervorragender Vertreter einer von der Zivilrechtsreform aus zu pflegenden Sozialreform sich rasch verdiente Anerkennung errungen hat, zeichnen die Vorzüge seiner früheren Arbeiten aus scharfes Durchdringen des Zivilrechtes in tiefer sozialpolitischer Erwägung, Wärme der Vertretung der im Zivilrecht bisher zurückgesetzten Volksschichten, Vereinigung allgemeiner, volkswirthschaftlicher Bildung mit juristischer Sachkenntnis und Schärfe. In dieser Schrift nimmt *Schneider* das V e r m i e t e n von W o h n u n g e n, w e l c h e d e r G e s u n d h e i t und S i t t l i c h k e i t s c h ä d l i c h s i n d, scharf aufs Korn; den Vermieter, dessen Wohnung nach p o l i z e i l i c h e m Urteil der Gesundheit und Sittlichkeit schädlich ist, sollen zivilrechtliche Folgen recht empfindlicher Art treffen. Seine Vorschläge, welche schon wegen der an die Polizei einzuräumenden Gewalt mancher Anfechtung nicht entgehen werden, fasst *Schneider* in Form des folgenden Gesetzesentwurfes zusammen ·

Art. 1. Wohnungsmietverträge über Räume, welche die Ortspolizeibehörde durch Bescheid noch nicht für geeignet oder für ungeeignet zum Bewohnen erklärt hat, sind zu Gunsten des Mieters nach Massgabe folgender Vorschriften ungültig. Falls der Polizeibescheid nur eine teilweise Unzulässigkeit ausspricht, oder zum Teil geeignete, zum Teil noch nicht zur Benutzung zugelassene Räume vermietet waren, tritt dieselbe Rechtsfolge nur dann ein, wenn eine polizeiliche Räumung wegen zu starker Belegung erfolgt. — Art. 2. Der Mieter darf beim Mangel eines Zulässigkeitsbescheides oder nach Erlass eines Unzulässigkeitsbescheides jederzeit ohne Kündigung abziehen, auch wenn polizeilicherseits nicht die sofortige Räumung verlangt wäre, jedoch unbeschadet der Vorschrift des Art. 1, Abs. 2. Den laufenden oder rückständigen Mietzins kann der Vermieter vom Mieter oder seinen Bürgen nicht einfordern, auch nicht durch Wechsel oder eine ähnliche Rechtsform, kann ihn auch nicht gegen den Mieter oder dessen Bürgen aufrechnen. Das Gleiche gilt wegen seiner sonstigen Forderungen aus dem Mietvertrage einschliesslich verabredeter Vertragsstrafen. Der Vermieter hat dem Mieter, abgesehen von seiner sonst begründeten Schadensersatzpflicht, die Kosten des Abzuges zu ersetzen. Hierzu gehört auch der Ueberschuss einer etwa höheren Miete in dessen neuer Wohnung, vorausgesetzt, dass diese nach richterlichem Ermessen den bisherigen Verhältnissen des Mieters entspricht. Dieser Ueberschuss kann nur bis dahin gefordert werden, wo der Vermieter die Räumung seiner Wohnung kraft Kündigung hätte verlangen können. — Art. 3. Alles bereits aus dem Mietvertrage innerhalb der letzten zwei Jahre von dem Mieter oder für ihn aus dem Mietvertrage Geleistete verfällt der Rückforderung zum fünffachen Betrage an eine durch örtliche Verordnung zu bestimmende Hülfskasse, jedoch beim Unzulässigkeitsbescheid nicht über die Zeit, rückwärts gerechnet, hinaus, für die der Vermieter nachweisen kann, dass der polizeilich beanstandete Zustand noch nicht vorhanden war. Die früheren Vermieter (vor Beginn des polizeilichen Verfahrens) haften für das von ihnen Empfangene nicht. Neben dem Vermieter haftet dagegen der Vermittler des Vertragsabschlusses als Gesamtschuldner auf denselben Betrag; ebenso haften als Gesamtschuldner die Erben des Vermieters oder des Vermittlers. Zahlung des einen Haftenden befreit die übrigen. — Art. 4. Ergiebt sich aus dem Polizeibescheide, dass der Vermieter trotz grösster Sorgfalt den Eintritt der Unbrauchbarkeit nicht abwenden konnte, so hat der Mieter nur das Recht sofortigen Abzuges und der Einbehaltung des Mietzinses von dem Zeitpunkte der Eröffnung des Bescheides an bis zur Räumung. — Art. 5. Erfolgt eine polizeiliche Räumung wegen zu starker Belegung der vermieteten Räume, abgesehen von dem Falle des Art. 1, Abs. 2, so treten die besonderen Rechtsfolgen der Art. 2 und 3 nicht ein. — Art. 6. Was vom Wohnungsmietvertrage bestimmt ist, gilt auch für jede anderweitige Ueberlassung von Räumen zum Wohnen gegen Entgelt. Auf die in den §§ 2 und 3 angeordneten Rechtsfolgen kann der Mieter weder ausdrücklich noch stillschweigend verzichten. — Art. 7. Die Rechte des Mieters aus Art. 2 kann, solange der Ehemann im Prozesse zu Protokoll des Gerichts nicht widerspricht, auch die Ehefrau für sich und ihre Kinder geltend machen. — Art. 8. Wenn in einem Prozesse behauptet wird, dass die vermieteten Räume, bezüglich deren ein Anspruch erhoben wird, den polizeilichen Vorschriften über Zulässigkeit des Bewohnens nicht entsprechen, so kann das Gericht je nach Lage der Sache das Verfahren einstweilen aussetzen und unter

Uebersendung der Akten an die zuständige Polizeibehörde dieser die Feststellung der Unzulässigkeit anheimgeben. Nach Beendigung ihres Verfahrens hat letztere die Akten unter Mitteilung des Ergebnisses zurückzuschicken. Die Parteien sind hiervon, zur Stellung etwaiger Anträge auf Fortsetzung des Prozesses, zu benachrichtigen. Die Ablehnung der Unzulässigkeitserklärung bindet das Gericht bei Entscheidung über die sonstigen Rechte des Mieters, die für ihn neben den ihm aus Art. 2 erwachsenden bestehen, nicht.

—e. *E. Herrmann*, *Wirtschaftliche Fragen und Probleme der Gegenwart.* Studien zu einem Systeme der reinen und technischen Oekonomik. S. 486. Leipzig. C. F. Winter'sche Verlagshandlung. 1893.

Der H. Verfasser erweist sich auch in diesem neuen Werke als derselbe durchaus selbständige, seine eigene Wege gehende Denker, wie in allen bisherigen Schriften. Seine Aufstellungen können durch ein kurzes Referat nicht einleuchtend gemacht, geschweige kritisch erledigt werden. Man kann nur durch Vorführung einer Probe eine Vorstellung von Geist und Inhalt geben. — Das neue Buch bezeichnet seine Stellung im Kreise der anderen Schriften des H. Verf. also: »Das vorliegende Werk sollte als Gegenstück zu meinen »Technischen Fragen und Problemen der modernen Volkswirtschaft« bald nach deren Erscheinen publiziert werden. Ein langwieriges Augenleiden verzögerte jedoch die Arbeit um volle zwei Jahre. Inzwischen wuchs der Stoff der zu behandelnden Fragen so gewaltig an, dass eine Teilung desselben vorgesehen wurde. Die allgemeinen Fragen der drei sozialistischen Richtungen der Gegenwart (S t a a t s -, U n t e r n e h m e r - und A r b e i t e r - S o z i a - l i s m u s), der Stellung der Technik in der modernen Volkswirtschaft, der Tendenzen und Ziele der gegenwärtigen Wirtschaftsordnung, der Formen und Stufen der Wirtschaft mit besonderer Berücksichtigung der Wechselseitigkeit, des Individualismus, der innersten Oekonomie des Menschen, seiner innern und äussern Wirtschaftsbetriebe, der Entwicklung der Arbeit und des Kapitals und ihrer organischen Verbindung, endlich der künftigen Gestaltung des Gesamtorganismus der Wirtschaft wurden in dem vorliegenden Werke eingehend erforscht und erörtert, wogegen die r e i n e O e k o n o m i k als Grundlegung aller wirtschaftlichen Grundsätze und Entwicklungsformen, darunter insbesondere die Gesetze der wirtschaftlichen Ordnung, Anordnung und Organisation einem besonderen, in nächster Zeit erscheinenden Werke vorbehalten blieben.« — Was der H. Verfasser unter » U n t e r n e h m e r - S o z i a - l i s m u s « versteht, erhellt aus den Bemerkungen S. 80 ff. : »Die Koalitionsbewegung der Industriellen, der permanente Strike der Kartelle gegenüber den Konsumenten und Lieferanten (die Lieferanten der Arbeitskraft, die Arbeiter, inbegriffen) nimmt n i c h t m i n d e r e i n e s o z i a l i s t i s c h e R i c h t u n g an. Allerdings ist d i e s e r Sozialismus bar jeder Begeisterung, jedes Schlagwortes zu Gunsten der Humanität, ja sogar bar jeder menschlichen Gemütsregung. Er stellt den Egoismus im grossen, ja ins Ungeheure gesteigert dar. Würden die Koalitionen der Industriellen die Verbesserung der Technik, die vollkommnere Ausgestaltung der Etablissements, die bessere spezielle Verteilung der Produktionsprozesse nach den eigentümlichen Verhältnissen der einzelnen Fabriken, Bahnen u. s. w., die Veredlung der Produkte u. s. w. bezwecken, dann müsste man sie als grossen Kulturfortschritt mit Freuden begrüssen. Doch streben sie das gerade Gegenteil davon an. Die Grossen und Mächtigen unter den Unternehmern eines Zweiges verbinden sich zu einem Vernichtungskriege gegen die Kleinen. Auch dagegen könnte man nicht sein,

wenn der Zweck darin bestünde, die vielen kleinen Spekulanten mit ihren unbe-
deutenden nur Verlagsgeschäfte darstellenden Etablissements, welche vorwiegend
von der Aussaugung der Hausindustrie, der Ausbeutung der Arbeiter und der Be-
schwindeluug der Lieferer und Abnehmer ihre zweifelhafte Existenz fristen, beseitigt
würden und an die Stelle dieser vielen, die Preise um die Spesen und Profite des
Zwischenhandels steigernden Parasiten, einzelne wenige nur produzierende, nicht
spekulierende Anstalten treten würden. Doch der Fall zeigt sich in der Regel gerade umgekehrt. Die mächtigen S p e k u l a n t e n , welchen die technische Vervollkommnung ihres Produktionszweiges und die Verbesserung der Artikel desselben
ganzlich Nebensache ist, trachten gerade die kleineren, noch solid gebliebenen und
technisch mit aller wünschenswerten Sorgsamkeit arbeitenden Unternehmer und Gesellschaften zu beseitigen, deren tüchtig geschultes und ehrlich arbeitendes tech-
nisches Personal, das der wilden Spekulation hemmend im Wege steht, zu vertreiben,
und willenlose Werkzeuge ihrer Sorte an deren Stelle zu setzen, soweit einzelne
Betriebe noch weiterhin in Gang erhalten werden. Die allgemeine Depravierung ist
ihr Hauptzweck, der Schwindel an Stelle ehrlicher Arbeit. — Die Vereinbarungen
wenden sich manchmal direkt g e g e n j e d e F o r t s e t z u n g s o l i d e r T e c h n i k .
So haben z. B. vor Kurzem die Rübenproduzenten in Oberschlesien eine Vereinbarung gegen das Kartell der Zuckerfabrikanten geschlossen, wornach kein Landwirt, welcher der Vereinigung angehört, eine bessere Düngung anwenden, auch nicht
Rodeländer, Wiesen oder Gartenboden in Anbau nehmen, endlich auch nicht das
Abblatteln der Rüben u. s. w. vorkehren darf. Es ist das Prinzip der Entfernung
alles Besseren, Vorzüglichen, der allgemeinen Gleichmacherei auf das Niveau des
Mittelmässigen, das in allen diesen Koalitionen zum Durchbruche kommt. Das
Schlechte und Gemeine siegt durch dieselben über das Tüchtige und den Fortschritt
für die Zukunft Vorbereitende. Diesem Treiben steht die Technik nahezu machtlos
gegenüber, insbesondese aber die Technik der Gesetzgebung, welche noch keine
Formel entdeckte, um dieser Art gefährlichsten, unmoralischsten Sozialismus wirksam
zu begegnen. — Nicht alle vor die Daseinsfrage gestellten Existenzen können mit
der Ruhe *Achard*'s die Versuchungen und Vergewaltigungen der Mächtigen abwehren
und zurückweisen, der als Schüler des Chemikers *Marggraf* und Miterfinder der
Rübenzuckererzeugung von englischen Kolonialzuckerproduzenten und Zuckerhändlern
zuerst (1799) 50 000 Thaler und später (1802) 200 000 Thaler als Belohnung dafür
angeboten erhielt, wenn er die praktische Ausführbarkeit der Rübenzuckerfabrikation im
grossen widerriefe.« — Aus dieser wenig schmeichelhaften Kritik des »Unternehmer-
Sozialismus« darf man jedoch nicht schliessen, dass *Herrmann* dem » A r b e i t e r -
S o z i a l i s m u s « etwa eine überschwängliche Prognose stelle. Ganz im Gegenteil.
S. 417 ff. bemerkt er· »Aus dem Dargestellten geht vor allem klar hervor, dass
die Arbeit eine Bewegung in der Einzel- und Gesamtthätigkeit der Menschen ist,
welche weit über das hinausgeht, was die Arbeiterführer und die Arbeiterklassen
als ihr eigentliches Gebiet, als die Arbeit der a r b e i t e n d e n K l a s s e n bezeichnen. ̦ Alle Klassen der Bevölkerung ohne Unterschied beteiligen sich an dem
grossen Werke der Menschheit und es besteht kein Zweifel darüber, dass die Berg-
werks-, Fabriks- und gewerblichen Arbeiter eine in ihrer Bedeutung n i e d e r -
g e h e n d e G r u p p e der Gesamtarbeit der Menschen darstellen. Dies widerspricht allerdings ganz und gar der landläufigen Anschauung von der wechselnden
Macht der Arbeiterklasse, welche noch durch die täppische Angst der im Angesichte von Strikes und andern Aus- und Aufständen der Arbeiter hilflos dastehenden

Beamtenschaft der Gemeinden und des Staates bestärkt wird. Doch kann auf Grund der eingehendsten Forschungen über die Gesetze der Entwicklung und der Fortschritte der Technik, besonders im letzten Jahrhundert und vor allem in den letzten fünfundzwanzig Jahren die beruhigende Versicherung gegeben werden, dass die Arbeiterklasse Tag für Tag an Macht und Einfluss einbüsst, weil Apparate und Maschinen im weitesten Umfange an die Stelle der Menschenorgane und Menschenkräfte treten, und weil viele neue mechanische und insbesondere chemische Verfahrensweisen die Mitwirkung des Menschen im technischen Prozesse gänzlich überflüssig machen oder auf die gemeinste Laborantenarbeit reduzieren. Eben weil die sogen. »arbeitenden Klassen« (die aber so gern in die nicht arbeitenden Stände hinaufsteigen möchten, weil sie an deren Nichtarbeit mit einer merkwürdigen Beharrlichkeit glauben, obschon die nicht »arbeitenden« Klassen die grösste Arbeit verrichten) immer klarer darüber werden, dass deren Regime zu Ende geht und dem Regime des automatischen Schaffens Platz machen muss, trachten sie die Welt darüber im Unklaren zu lassen, ja sogar glauben zu machen, dass der derzeitige Entwicklungszustand der Volks- und Weltwirtschaft für alle Folgezeiten in dem Sinne aufrecht erhalten werden müsse, dass die A r b e i t der allein herrschende Faktor werde. Nun ist aber gerade im Gegenteil die Arbeit ein Faktor, der nur die U n t e r s t u f e der gesamten technischen und wirtschaftlichen Leistungen des Menschengeschlechts darstellt und bedeutet, von welcher dieses so bald als möglich zur Oberstufe, dem automatischen Schaffen aufsteigen muss. Auf diesem Wege zur Oberstufe zeigen sich jedoch mancherlei Phasen, welche die Verurteilung von Seite der Weltverbesserer herausfordern, weil sie übersehen, dass die Menschheit nicht sprungweise vorgehen und das Ziel erreichen kann, dass vielmehr allmähliche Uebergänge mit allen ihren Halbheiten und Schattenseiten neben den Lichtstellen unvermeidlich sind.« Diese Uebergangsphasen werden des Näheren charakterisiert.

————

—e. *Hücklinghaus*, *K. A.*, *Die Verstaatlichung der Steinkohlenbergwerke.* Jena. Fischer. 1892. — Das Ergebnis der Untersuchung fasst die Schrift in dem Satze zusammen: Wenn die Notwendigkeit oder auch nur Nutzlichkeit der Ueberführung der Bergwerke in Staatsbesitz und Staatsbetrieb, dieses gegenüber den herrschenden Verhältnissen radikalsten Schrittes seitens des Staates, geleugnet werden muss, so kann anderseits ein Wachsen der Aufgaben des Staates auch dem Kohlenbergbau gegenüber nicht bestritten werden. So wenig für jene im Laufe unserer Untersuchung Anhaltspunkte gewonnen werden konnten, so sehr hat sich dieses in dem historischen Werden der Dinge begründet gezeigt.

—e. *Faulhaber*, *Herm.*, *Drei soziale Fragen, unser Landvolk betreffend: Landesversorgungsämter, Armenbeschäftigung, Krankenpflege auf dem Lande* — aus dem Leben beantwortet. Schwäbisch Hall. Verlag für Innere Mission. 1893. Der Verfasser, ein schw. Pfarrer, liefert hier wertvolle, aus dem Leben in eigener Erfahrung mit so kühlem Urteil als warmem Herzen geschöpfte Beiträge zur Sozialpolitik. Weitere Leserkreise wird namentlich die Darstellung der Beschäftigung armer Kinder in der Verfertigung von Draht-Geldbörsen (S. 18 f.) interessieren

—e. *v. Overbergh*, *Cyr.*, *Les inspecteurs du travail dans les fabriques et les ateliers, études d'économie sociale.* Louvain. Paris, 1893. p. 488. — Das schöne Buch ist die Frucht eindringender Studien, welche der H. Verfasser (Belgier) während zweijähriger Bereisung Englands, Frankreichs, Deutschlands, Oesterreichs und der Schweiz im Verkehr mit den bedeutendsten Männern des Fabrikinspektorats, mit Gelehrten, mit Vertretern der politischen Oekonomie und mit Parlamentariern gepflogen hat. Herr *Overbergh* hat ohne Rücksicht auf die Parteistandpunkte an allen Thüren angeklopft, hinter welchen er etwas Bedeutendes zu hören hoffen konnte und dankt in der Vorrede einem *Bebel* so höflich wie einem *Hitze*. Den Hauptbestandteil der Schrift machen die Darstellungen des Arbeiterschutzrechtes, der A.Sch.Organisation und der Entwicklungsgeschichte des Arbeiterschutzes für die genannten fünf vom H. Verfasser bereisten Länder aus. Diese Darstellungen sind klar und durchsichtig nach den Quellen gearbeitet. Den Schluss bilden die aus diesen Darstellungen gezogenen Verwertungen der ganzen gesammelten Erfahrung für die Theorie und Politik des Arbeiterschutzes sowohl nach der Seite der Organisation des Fabrikinspektorats als nach der Seite des materiellen Arbeiterschutzrechtes. Diese praktischen Konklusionen zeichnen sich ebenso durch Umsicht, wie durch Unbefangenheit aus. Wertvoll sind die eingeflochtenen Aeusserungen von Autoritäten wie *Schuler*, *Migerka* u. s. w. über noch streitige Fragen der Organisation, z. B. über die Frage der Anstellung von Frauen im Fabrikinspektorat.

—e. **Fuchs**, *C. J.*, *Die Handelspolitik Englands und seiner Kolonien während der letzten Jahrzehnte.* Leipzig. Duncker u. Humblot. 1893.

Eine Schrift von aktuellstem Interesse, gründlich, ruhig und umsichtig gedacht, klar und gut geschrieben. Wertvoll ist namentlich auch die Orientierung über »D i e B e w e g u n g e n   f ü r   p o l i t i s c h e   u n d   h a n d e l s p o l i t i s c h e   F ö d e r a - t i o n   d e s   b r i t i s c h e n   R e i c h s« im letzten Abschnitt, über welchen wir auf die Miszellen verweisen. Das abschliessende Urteil über die unentwegte Freihandelspolitik des letzten Jahrzehntes ist k e i n   u n b e d i n g t   b e i f ä l l i g e s. Der H. Verfasser bemerkt nämlich zum Schluss: »Will man nun diese Handelspolitik nach den heutigen Verhältnissen beurteilen, so möchte es auf den ersten Blick scheinen, als sei sie gerade durch die jüngste Entwickelung glänzend gerechtfertigt. England hat ohne Wanken an seinem Freihandel festgehalten, es hat gleichwohl kraft des ihm dafür überall gewährten Meistbegünstigungsverhältnisses Anteil erhalten an dem mitteleuropäischen Vertragswerk des letzten Jahres. England hat die wichtigsten seiner Kolonien sich selbst überlassen, sie sind trotzdem bis jetzt im britischen Reich geblieben und zeigen gerade gegenwärtig stärker als je die Tendenz, dies auch ferner zu thun — es möchte also bei oberflächlicher Betrachtung scheinen, als habe Englands manchesterliche Handels- und Kolonialpolitik sich in jeder Beziehung glänzend bewährt. Aber dagegen erhebt sich eine doppelte Frage: einmal, sind dies die notwendigen Resultate dieser Politik oder nicht vielmehr zufällige, die sich aus anderen Ursachen ergeben haben und die ihr daher nicht als Verdienst angerechnet werden dürfen? hätte es nicht auch ganz anders kommen können und kommen müssen, wenn nicht die *vis inertiae* ein so wichtiges Moment auch in diesen Dingen wäre? Und dann weiter: sind die heutigen Verhältnisse, wenn man sie wirklich als Resultat jener Handelspolitik in Anspruch nehmen darf — was mir nicht richtig zu sein scheint — wirklich so glänzend? Ich glaube, diese Frage wird schwerlich bejaht werden können. Es ist doch ein grosser Unterschied, ob eine Nation von der kommerziellen Bedeutung Englands nur eben zufällig, ohne eigene Einwirkung darauf, Anteil erhält an den Vergünstigungen, welche andere Staaten sich natürlich zunächst in ihrem eigenen Interesse gewähren, oder ob sie selbst anderen Ländern diejenigen Zollermässigungen diktiert, die ihren Interessen am besten entsprechen. Seine wichtigsten Kunden, Frankreich und die Vereinigten Staaten aber hat England nicht an ihrer ihm so schädlichen Hochschutzzollpolitik zu hindern vermocht. Und in welche Zwickmühle die englische Reichspolitik geraten ist, das haben wir ja in eingehender Betrachtung eben gesehen. Und doch hätte es England meines Erachtens sehr wohl in der Hand gehabt, durch eine andere Handelspolitik ganz andere Resultate zu erzielen, die ganze internationale Handelspolitik dieser Periode in ein anderes Bett zu lenken. Ein rechtzeitiger Uebergang Englands zu Retorsionszöllen, verbunden mit einer entsprechenden Differentialzollpolitik in den Kolonien gegen die betreffenden Länder hätte, ·wie ich glaube, nicht die oft hervorgehobene moralische Wirkung gehabt, die anderen Länder in ihrer extremen Schutzzollpolitik zu bestärken, sondern vielmehr die sehr reale, sie zur Aufgabe oder Mässigung derselben zu zwingen, die starke schutzzöllnerische Reaktion der letzten zwölf Jahre überhaupt nicht so weit kommen zu lassen. Wenn man dies nun aber heute auch in England vielfach einzusehen beginnt, und die schutzzöllnerischen und anderen gegen den Freihandel gerichteten Strömungen sich mehren, wird dies für die anderen Länder, insbesondere die kontinentalen Staaten ein Grund sein dürfen, an ihrer strengschutzzöllnerischen Handelspolitik festzuhalten? Wenn es sich um die theoretische Frage Freihandel oder Schutzzoll handelte, ja, wenn es sich aber darum handelt, welche Handelspolitik den konkreten Bedürfnissen des einzelnen Staates am besten entspricht, offenbar nicht. Denn dann beweisen jene Reaktionen in England, wie schon *Engels* mit Recht hervorgehoben hat, vielmehr, dass die Hochschutzpolitik der kontinentalen Länder ihr ursprüngliches Ziel, Englands industrielle Hegemonie zu stürzen, erreicht und sich somit selbst überflüssig gemacht hat. Wenn die englische Freihandelsschule heute, wie wir sahen, nichts mehr fürchtet als einen Uebergang der grossen industriellen Rivalen Englands zum Freihandel oder einer gemässigten Schutzzollpolitik, so kann es offenbar für diese keine nützlichere Handelspolitik geben. Sie werden allerdings nie den radikalen Freihandel Englands nachahmen dürfen, aber sie werden ihre hochschutzzöllnerische Politik auf das geringste Mass herabmindern und zu einem durch Tarifverträge gesicherten gemässigten Freihandel zurückkehren können, wie er in den Handelsverträgen der sechziger Jahre geschaffen worden war.« Ueber die englische Währungspolitik der letzten 30 Jahre würde das Urteil wohl ähnlich ausfallen müssen.

—c. **Gray**, *J. H.*, *Die Stellung der privaten Beleuchtungsgesellschaften zu Stadt und Staat.* Die Erfahrungen in Wien, Paris und Massachussetts. Ein Beitrag zur Beurteilung des wirtschaftlichen, politischen und administrativen Gemeindelebens. Jena. G. Fischer. 1893.

Die Schrift spricht sich für das Taxkommissions-System aus. »Der städtische Betrieb sei beständig in Gefahr, die bereits bestehenden Gegensätze zwischen den lokalen Finanznöten und dem wirklichen dauernden wirtschaftlichen Interesse der Gemeinden zu verlängern und zu verschärfen Dieser Uebelstand scheint mir in Amerika grösser zu sein als anderswo, wegen der strengen und engen Grenzen des Steuer- und Anleiherechtes, die den Städten von den Staaten auferlegt worden sind. Allein die Gasversorgung hat aufgehört, eine Sache von rein privatem Interesse zu sein; sie hat die grösste Bedeutung gewonnen für die Sicherheit, Gesundheit, Zufriedenheit und wirtschaftliche Wohlfahrt der Gemeinde als Ganzes. Da aber diese verschiedenen öffentlichen Interessen nicht durch das Privatrecht allein geschützt werden können, so muss in den Fällen, wo die Natur der Industrie und die Verhältnisse, unter denen sie betrieben wird, eine echte und wirksame Konkurrenz unmöglich machen, das Beleuchtungswesen direkt vom Staate geregelt und beaufsichtigt werden auf Grund seines öffentlichen und wesentlichen Charakters. Denn die Geschichte der Gasindustrie in allen Ländern lehrt, dass sie ein echtes Monopol sein muss, entweder in den Händen öffentlicher Behörden oder in den Händen privater Gesellschaften. Es bleiben nur zwei mögliche Lösungen, nämlich öffentlicher Selbstbetrieb oder Kontrolle mittels einer Kommission. Nun ist eine Stadt, welche in politischer, administrativer und technischer Beziehung fähig ist, öffentliche Gaswerke mit Erfolg zu betreiben, auch im stande, private Werke vermittelst der aufgeklärten öffentlichen Meinung mit Erfolg zu kontrollieren, dies bewirkend durch eine Kommission mit weiten, diskretionären Befugnissen. Es folgt aber durchaus nicht, dass auch das Umgekehrte davon gilt. Wir haben allen Grund zu glauben, dass z. B. in England, wo der städtische Betrieb gut funktioniert hat, auch die Kommissionskontrolle, soweit sie das Gas betrifft, ebenso gut sich bewährt und ausserdem der Unternehmungslust des Einzelnen freieres Spiel gewährt haben würde, von welcher sich die industrielle und wirtschaftliche Ueberlegenheit der angelsächsischen Rasse zum grossen Teile herschreibt. Es leuchtet auch ein, dass die Gaskommission in Massachusetts einen neuen und glücklichen Aufschwung im menschlichen Regiment bedeutet, und dass sie Aussicht bietet, die früher mit der Gaslieferung zusammenhängenden Uebelstände zum Verschwinden zu bringen und all den Vereinigten Staaten als Vorbild dient zur Gesundung des ganzen Problems der Korporationen. Deshalb sind die wichtigsten Schlüsse des Herrn Prof. *James*, dass keine Form der Kontrolle erfolgreich gewesen ist oder sein kann, widerlegt. Wenn der städtische Betrieb ratsam ist, liegt die Beweisführung denen ob, welche für diesen Wechsel eintreten. Aber der städtische Betrieb ist in Amerika mit ganz besonderen Gefahren verknüpft nicht nur wegen der politischen Korruption, sondern noch mehr wegen der Entstehung, Intensität, Grösse und ungeordneten Verhältnisse des städtischen Lebens daselbst und wegen der eigentümlichen Entwickelung der Demokratie und des Parteiregimentes in diesem Lande. Ich kann nicht finden, dass der städtische Betrieb sich thatsächlich als erfolgreich erwiesen hat und in der Theorie sollte man nach meiner Ansicht nur darauf zurückkommen, wenn andere Methoden, die mit unserer nationalen Industrie und unseren politischen Idealen mehr in Einklang stehen, versagen. Der überraschende Erfolg der Gaskommission in Massachusetts (sowie derjenige ähnlicher Kommissionen) hat bewiesen, dass die Notwendigkeit in Bezug auf diesen Betrieb nicht existiert, und dass ein gleich wirksamer, wenn nicht besserer Ausweg aus der Schwierigkeit bereits gefunden ist. Aber abgesehen von der Versorgung mit Licht zu angemessenen Preisen leistet das Kommissionssystem der Welt einen grossartigen wissenschaftlichen, statistischen und politischen Dienst. Denn sie zeigen die Fähigkeit des Volkes, sich selbst zu regieren, indem sie zeigen, dass das Volk, wenn richtig belehrt, selbst das nicht missbrauchen wird, was vor einigen Jahren für ein so gefährliches Recht galt, — nämlich einer privaten Gesellschaft durch eine Kommission die Preise zu bestimmen. Die von diesen Kommissionen gelieferten Resultate bilden die einzige genügende Grundlage, auf der die Gemeinden vielleicht in der Zukunft mit Erfolg eigene Gasanstalten betreiben werden. Und es ist durchaus nicht unmöglich, dass in einem späteren Entwickelungsstadium, wenn die Gesellschaft weiter fortgeschritten ist und das städtische Leben mehr auf wissenschaftliche Grundlage gebracht ist, das Beleuchtungswesen und ähnliche Betriebe mit Recht vielleicht in den Besitz und die Verwaltung der Gemeinden übergehen werden.«

—e. **Neefe, M.**, *Statistisches Jahrbuch Deutscher Städte.* In Verbindung mit seinen Kollegen: *Bleicher, Bockh, Büchel, Edelmann, Flinzer, Hasse, Hirschberg, Koch, Pabst, Probst, Tschierschky,* und *Zimmermann.* Dritter Jahrgang. Breslau, 1893. W. G. Korn. — Auch dieser Jahrgang zeichnet sich durch den Reichtum seines Inhaltes, die Sorgfalt der Bearbeitung und durch die Uebersichtlichkeit der Darstellung aus. U. a. interessieren die Tabellen über den Bevölkerungsaustausch und über den Güterverkehr zwischen den grösseren Städten.

—e. *Protokoll über die Verhandlungen der Kommission für Arbeiterstatistik* vom 30. Juni bis 3. Juli 1893 (Drucksachen der Kommission, Verhandlungen Nr. 3). — Die Drucksachen der Kommission für Arbeiterstatistik beginnen in Carl Heymann's Verlag zu erscheinen. Das uns vorliegende Heft (Preis M. 0,60) enthält als Nr. 3 der Verhandlungen das Protokoll über die Beratungen vom 30. Juni bis 3. Juli 1893. Man hat hienach an zuständiger Stelle dem von den verschiedensten Seiten ausgesprochenen Wunsche Rechnung getragen und giebt den Interessenten Gelegenheit, die Beratungen der Kommission an der Hand authentischer Berichte von äusserst niedrigem Preise zu verfolgen.

—e. *Revue sociale et politique, publiée par la Société d'Études sociales et politiques.* Bruxelles. — Diese Zeitschrift erscheint in sechs Heften per Jahr, je zu ca. 100 Seiten Die »*Société*«, welche das Werk der früheren »*Association internationale pour le progrès des sciences sociales*« wieder aufgenommen hat, sucht durch die Herausgabe der vorgenannten Zeitschrift, wie durch ihre Bibliothek, f r e i v o n P a r t e i - u n d S c h u l t e n d e n z das Studium der Sozialwissenschaft zu fördern. Die Hefte der Zeitschrift, welche bereits vorliegen, haben einen reichen Inhalt. Wir empfehlen die neue Kollegin unserem Leserkreis um so angelegentlicher, als es ein erklärtes Hauptbestreben des Redaktionsausschusses ist, »die soziale Bewegung in den L ä n d e r n d e u t s c h e r u n d e n g l i s c h e r S p r a c h e i n s L i c h t z u s e t z e n.«

—e. *Revue Internationale de Sociologie.* 2. Jahrgang, 1. u. 2. Monatsheft. 1894. — Diese Zeitschrift erscheint seit dem Jahr 1893. Herausgeber derselben ist H. *René Worms*, der Generalsekretär des jüngst begründeten »*L'Institut international de Sociologie*«. Die mit grosser Sorgfalt redigierte »*Revue I. d. S.*« soll der Mittelpunkt des litterarischen, das »*Institut*« soll der Mittelpunkt des persönlichen Gedankenaustausches aller derjenigen werden, welche die einheitlich zusammenfassende Bearbeitung aller Zweige sozialer Forschung, d. h. die Begründung und den Ausbau der »Soziologie« erstreben. Die Vertreter der Sozialwissenschaft als eines einheitlichen Ganzen halten eben, so wenig sie dem arbeitsteiligen Anbau der Spezialdisziplinen die Berechtigung absprechen, die wissenschaftliche Erforschung des Ganzen für mindestens so wesentlich, als diejenige der Teile. Alle drei Hauptgattungen sozialer Erscheinungen, diejenigen der Organisation, diejenigen der Funktionen und diejenigen der Entwickelungsvorgänge sollen den Gegenstand der Verhandlung und Behandlung unter einheitlich soziologischem Gesichtspunkt für die »*Revue*« und für das »*Institut*« bilden. Die Einheit und Generalisation soll jedoch so streng wissenschaftlich, wie irgend eine Spezialdisziplin, also nur vom Boden der Erfahrung aus gewonnen werden; die spekulative Konstruktion ist ausgeschlossen. Die »*Revue*« und das »*Institut*« sind wirklich international; Beiträge zur ersteren werden von der Redaktion in jeder Sprache (zur Uebersetzung) übernommen und die jahreskongresse des *Institut international* sollen abwechselnd in den verschiedenen Ländern tagen. Die Liste der Mitarbeiter der »*Revue*« erweist den umfassend internationalen Charakter der soziologischen Zeitschrift und nicht minder bezeugt dies die Organisation des »*Institut*«. Letztere Vereinigung beschränkt sich auf im ganzen 100 ordentliche und 200 ausserordentliche Mitglieder. Präsident ist ein Engländer *(Lubbock)*, Vizepräsidenten sind ein Deutscher, ein Engländer, ein Franzose, ein Italiener und ein Russe *(Novicow)*. Keine Schul- und Parteirichtung ist ausgeschlossen. Der zusammenhaltende Gedanke ist einzig die Pflege des Ganzen der sozialen Forschung neben der Detailforschung. — Die »*Revue*« und das »*Institut*« haben keine leichte Aufgabe zu lösen. Die Berechtigung einer Soziologie ist ja noch weithin in Zweifel gestellt; bald legt die »Geisteswissenschaft«, bald der Alexandrinismus Protest gegen die Soziologie ein und schon aus Göthe's Faust ist ja bekannt, wie viel leichter es ist, ein Gesamtgebiet zusammengehöriger Erscheinungen zu zerstücken, als das einheitliche geistige Band um alle zu schlingen und festzuhalten. Die Soziologie hat allerdings diese Proteste ebenso wenig herausgefordert, wie sie dieselben zu fürchten braucht. Nicht herausgefordert; denn sie hat ihrerseits die Berechtigung der Arbeitsteilung nie geleugnet. Sie hat aber die Leugnung ihrer Daseinsberechtigung auch nicht zu fürchten; das Ganze neben den Teilen erkennen zu dürfen, hann man den Soziologen so wenig bestreiten, wie man dem Natur- und »Geistes«-Forscher die einheitliche Erfassung aller Erscheinungen der Organisation und des Lebens der organischen Individuen absprechen darf. Wenn nun gar ein Professor der Jurisprudenz geistreich zu sein glaubt, wenn er in seiner Rektoratsrede sagt, ebenso gut wie von »Bau und Leben des sozialen Körpers« könne man von »Bau und Leben des römischen Rechtes« sprechen, so hat er eben nur bewiesen, dass er redet wie der Blinde von der Farbe, dass er den Soziologen eine Dummheit imputiert, die nicht in der letzteren Köpfe gewachsen ist. Solche Thebaner hat die Soziologie nicht einmal zu beachten, sie darf ruhig sagen: vergieb ihnen! Leicht wird aber die Aufgabe international geeinter Arbeit der Soziologie nicht sein und der Erfolg kann nur langsam sich einstellen; die Aufgabe einheitlicher Zusammenfassung ist eben ungleich schwieriger als die der alexandrinischen Mikrologie. — Von den Monatsheften der *Revue internationale*« wird diese Zeitschrift regelmässig Notiz nehmen, jedoch ohne die einzelnen Beiträge zu analysieren und zu kritisieren. Die »*Revue*« bringt in jedem Hefte: Abhandlungen, zeitgenössische Fragen *(mouvement social)*, sowie Bücher- und Zeitschriftenschau. Den ersten Jahrgang mit reichem Inhalt hat sie schon hinter sich. Die zwei ersten Monatshefte des Jahrganges 1894 enthalten ausser der Bücher- und Zeitschriftenschau: I. Heft: *R. Worms*, La seconde année de la Revue; *C. Dobrogeano-Gherea*, Les causes sociales du pessimisme; *G. Tarde,*. La série historique des états logiques; Chili, par *M. E. Ballestreros*. Heft II: *Maxime Kovalewsky*, Les origines du devoir; *Julien Pioger*, Theorie organique de la vie sociale; *Théodore Reinach*, L'invention de la monnaie; *André Réville*, Les populations agricoles de la France; Autriche, par *Louis Gumplowicz*.

I. ABHANDLUNGEN.

DEUTSCHLANDS HOLZBEDARF.

VON

Dr. RICHARD ZIMMERMANN.

Der Waldbestand beträgt in Grossbritannien und Irland nur 5 Proz., in Frankreich 16,5, in Dänemark 5,5, in der Schweiz 15, in Holland 7,1, in Belgien 18,5, in Spanien 5,5, in Portugal 4,4 und in Italien 13 Proz. von dem Gesamtareal. In Oesterreich-Ungarn sind indessen noch 29, in Russland 31 Proz. von der Landfläche mit Wald bestanden.

Deutschland mit 25,7 Proz. steht somit den andern Ländern gegenüber nicht ungünstig da, und es liegt die Vermutung nahe, dass Deutschland deshalb einen Ueberfluss an Holz aufweisen müsse, durch dessen Abgabe an fremde Länder es im internationalen Handel reichen Gewinn ernten würde.

Dem ist jedoch nicht so. Holzausfuhrländer sind vor allem Russland, Oesterreich-Ungarn und Schweden. Deutschland aber zählt zu den Holzeinfuhrländern. Allerdings ist der Holzbedarf, den es durch Einfuhr vom Auslande zu decken hat, nicht derartig gross, wie der, den Grossbritannien, Frankreich, die Niederlande, Belgien, Dänemark vom Ausland zu importieren gezwungen sind. Immerhin ist die Holzeinfuhr Deutschlands bedeutend genug, um eine Untersuchung darüber zu rechtfertigen, welches der Bedarf nach Mengen und Werten ist und ob es nicht möglich wäre, dass sich Deutschland von dem Holzimport aus fremden Staaten unabhängig machte.

Der Verbrauch an Holz im deutschen Zollgebiet setzt sich zusammen aus der Eigenproduktion *plus* der Einfuhr und *minus* der Ausfuhr.

In Deutschland sind 14 Millionen ha Waldfläche vorhanden, die eine jährliche Nutzholzausbeute von 82,8 Mill. 100 kg ergeben, wenn man den von *Dankelmann* [1]) ermittelten Näherungswert von 0,99 Fm pro ha (= 26,3 Proz.) Nutzholzausbeute in den Staatsforsten des deutschen Reichs der gesamten Holzproduktion zu Grunde legt.

Unsere Einfuhr an Bau- und Nutzholz hat betragen in den Jahren:

	1889	1890	1891
		100 kg	
an Bau- und Nutzholz überhaupt:	32 468 731	32 805 857	28 413 566
darunter:			
Bau- und Nutzholz, roh	19 026 047	19 233 176	15 145 628
dto. in der Längsachse beschlagen	3 959 498	4 810 096	4 970 508
dto. gesägt, Planken, Bretter etc.	7 842 862	7 176 181	6 657 806

Dieser bedeutenden Einfuhr steht nur eine mässige Ausfuhr gegenüber, und zwar beträgt diese:

	1889	1890	1891
		100 kg	
an Bau- und Nutzholz zusammen	2 967 658	2 988 858	3 420 741
darunter:			
Bau- und Nutzholz, roh	1 807 158	1 959 668	2 180 149
dto. in der Längsachse beschlagen	87 468	68 887	88 513
dto. gesägt, Planken, Bretter etc.	976 944	858 400	1 066 255

An Holzborke ist dann noch zur Einfuhr und Ausfuhr gelangt:

	Einfuhr	Ausfuhr
	100 kg	
1889	994 502	30 006
1890	1 054 410	31 807
1891	955 779	24 212

Auf den Verbrauch von Brennholz einzugehen ist nicht erforderlich; derselbe könnte erstlich zumeist durch den Verbrauch von Surrogaten — Torf und Kohle — ersetzt werden; dann aber wird der Bedarf auch gänzlich vom Inlande gedeckt. Den eingeführten Mengen entsprechen fast gleiche Ausfuhrmengen.

1891 nämlich betrug der Handel an Brennholz:

in Einfuhr		in Ausfuhr	
Menge	Wert	Menge	Wert
100 kg	1000 M.	100 kg	1000 M.
1 428 907	3286	1 444 090	3321

Unser jährlicher Verbrauch an Bau- und Nutzholz beträgt demnach:

Jährliche Produktion	82,8 Mill.	Dp.-Ztr.
durchschnittliche Einfuhr an Bau- und Nutzholz jährlich	31,2 »	»
zusammen	114,0 Mill.	Dp.-Ztr.
Davon ab: durchschnittliche jährliche Ausfuhr mit . .	3,1 Mill.	»
Folglich jährlicher Verbrauch	110,9 Mill.	Dp.-Ztr.

[1]) *Dankelmann:* Die deutschen Nutzholzzölle. Berlin, 1883. Julius Springer.

Es ist somit erforderlich, dass wir durch Einfuhr einen Bedarf an Bau- und Nutzholz von 31,2—3,1 = 28,1 Mill. Doppelzentner befriedigen müssen; gleichfalls haben wir eine Einfuhr an Holzborke und Gerberlohe von fast einer Million 100 kg nötig.

Es geht aus diesen Zahlen allerdings hervor, dass der inländische Holzhandel in Deutschland immer noch bedeutend gegenüber dem Auslandshandel ist. Was vom Ausland bezogen wird, beträgt etwa ⅓ von der inländischen Produktion. Die Bedeutung aber des ausländischen Holzhandels ersehen wir aus den Werten, die er in Einfuhr und Ausfuhr repräsentiert. Es betrugen an Wert in 1000 Mark

		1889	1890	1891
Bau- und Nutzholz	Einfuhr	145 374	144 262	134 119
	Ausfuhr	16 699	15 846	18 382
Holzborke u. Gerberlohe	Einfuhr	11 457	12 653	10 514
	Ausfuhr	330	366	266

Wir zahlen demnach im Jahresdurchschnitt ans Ausland an Werten (Einfuhr — Ausfuhr) für Bau- und Nutzholz 125 Mill. M., Holzborke und Gerberlohe 11 Mill. M.

Diesen Zahlen gegenüber rechtfertigt sich die Frage: Ist denn überhaupt eine Einfuhr von Holz aus dem Ausland nötig, können wir in unseren Forsten das Holz, welches wir gebrauchen, nicht selbst produzieren? Die fremden Nutzhölzer, wie Buchsbaum, Zedern etc. hätten bei Anpflanzung in unseren Wäldern kein Gedeihen. Die Holzwarenindustrie kann sie aber nicht entbehren, und mit Bezug auf diese Hölzer würden wir dauernd vom Ausland abhängig bleiben müssen. Doch ist Menge und Wert der Einfuhr nicht übermässig; er beziffert sich für das Jahr 1891 auf 187 000 (100 kg), die einen Wert von 4600 (1000 Mark) hatten.

Hinsichtlich der übrigen Nutzhölzer, wie wir sie ja in unseren Wäldern haben, muss aber entschieden dahin gestrebt werden, uns vom Ausland unabhängig zu stellen.

Man hat hier vereinzelt den Vorwurf erhoben, dass unsere Nutzhölzer denen des Auslands nicht gleichwertig seien. Diesen Vorwurf indessen weist *Dankelmann* [1]) treffend zurück, indem er anfuhrt, dass Schwedische Nadelholz-Schnittwaren auf dem Hamburger Holzmarkte als nicht dauerhaft gelten, was sich auf das niedrige Alter der Hölzer und ihre geringen Dimensionen zurückführen liesse.

1) *Dankelmann:* Die deutschen Nutzholzzölle s. o.

37*

Weiter seien Ungarische Eichen und Dauben auf dem Berliner Holzmarkte wenig geschätzt, weil ihre Beschaffenheit eine ungemein grobe sei.

Dagegen, meint er, stünden das Kiefernholz aus der Mark, aus Ostpreussen und dem Bamberger Hauptmoor, die Tannen des Schwarzwaldes, die Fichten vom bayrischen und Thüringer Wald, sowie aus Oberbayern, die Eichen aus den Elbrevieren und aus Westfalen an Bearbeitungsfähigkeit, Stärke, Vollzolligkeit, Astreinheit, Dauer hinter ausländischen Hölzern nicht nur nicht zurück, sondern sie überträfen dieselben vielfach.

»Die deutsche Forstwirtschaft«, sagt *Heukeshoven* [1]) bereits im Jahre 1880, »steht auf der Höhe der Zeit und liefert die verschiedenen Arten von Bau- und Nutzholz in vorzüglichster Qualität.«

Ein Grund also mehr, dass wir uns hinsichtlich unseres Bedarfes an Holz vom Auslande freimachen. Kann die deutsche Forstwirtschaft aber unsern ganzen Bedarf an Holz aufbringen? »Die Verhältnisse — so fährt *Heukeshoven* fort — sind hiernach in Deutschland eigenartig, und zwar in der Weise gelagert, dass die deutsche Forstwirtschaft im stande wäre, im grossen und ganzen den einheimischen Bedarf an Bau- und Nutzholz zu decken, so dass nur eine mässige Zufuhr aus dem Auslande, namentlich im Falle eines gesteigerten Bedarfs, angemessen erschiene.«

Wir können dieser im Jahre 1880 ausgesprochenen Ansicht von *Heukeshoven* für jetzt nicht beipflichten; unsere Forstwirtschaft kann bei dem jetzigen Umfang unseres Waldareals dieser Aufgabe nicht genügen, sie würde es aber können, wenn sich die Waldfläche etwa verdoppelte. Und dies ist möglich; weite Flächen, zum Anbau von Holz vorzüglich geeignet, sind vorhanden, sie liegen öde und brach, unbenützt noch darnieder.

Dr. *August Pflug* giebt in seiner Schrift »Die wirtschaftliche Erschliessung öder und geringwertiger Liegenschaften durch künstliche Aufforstungen« [2]) hierüber wichtiges Material.

In der Provinz Schleswig-Holstein, in Oldenburg, sowie in den nördlichen Teilen der Provinz Hannover, nämlich in den Bezirken Stade, Osnabrück und Aurich sind genug Ländereien für eine umfassende Aufforstung vorhanden, da sich der magere Sandboden (Heide und Geestboden), sowie die so reichlich vertretenen Moorflächen für eine künstliche Aufforstung trefflich eignen.

---

1) *C. Heukeshoven:* Die deutsche Zolltarif-Reform vom Jahre 1879. Breslau, 1880.
2) Zeitschrift für die gesamte Staatswissenschaft. Tübingen, 1892. 1. Heft.

Doch auch noch anderswo, als im Küstengebiet der Nordsee sind für Holz anbaufähige Liegenschaften vorhanden. Hierzu müssten die nach der Anbaustatistik innerhalb der preussischen Monarchie gelegenen Acker- und Wiesenflächen, die einen geringeren Grundsteuerertrag als 30 Pf. pro Morgen gewähren, herangezogen werden; es würde dadurch das Waldland um 2 433 000 ha vergrössert.

Nähme man dann noch die Oedländereien mit einem Areal von 106 364 ha hinzu, und kaufte der Staat nur einen Teil aller aufgezählten gering ertragsfähigen und öden Ländereien (Heideflächen etc.) an, so würde sich der Besitz der Staatswaldungen, der ungefähr 2 650 000 ha umfasst, mehr als verdoppeln können. In absehbarer Zeit müsste sich dann auch der Ertrag aus den Waldungen an Bau- und Nutzholz so bedeutend steigern, dass er dann mehr als genügend für unsern Verbrauch wäre. Der Staat allein würde dann über die Hälfte aller Waldländereien in Händen haben und besser noch wie jetzt anregend durch sein Beispiel in der Forstwirtschaft auf die Privaten wirken können. Bisher betrug der Waldbesitzstand [1]) an Kron- und Staatsforsten 33 Proz., an Gemeinde- und Anstaltswaldungen 19 Proz., an Privatwaldungen 48 Proz. der Gesamtwaldfläche.

Ein dankbares, allerdings schwierigeres Feld der Aufforstung bietet sich dem Staat noch in dem Anbau der Dünen an der Ostsee, ein Gebiet, das 32,5 Tausend ha umfasst, und der in Preussen vorhandenen Sandschellen, die einen Umfang von 37,5 Tausend ha aufweisen; dankbar besonders insofern, als ein dringendes Bedürfnis für die Aufforstung vorhanden ist, weil andernfalls den angrenzenden Gebieten durch Versandung Gefahr droht. Die Schwierigkeiten, die sich den künstlichen Aufforstungen entgegenstellen, sind allerdings grosse, aber nicht unüberwindliche, wie die Bestrebungen, Versuche und Erfolge einiger Vereine, zunächst des nach dem Vorbild der dänischen Heide-Gesellschaft gegründeten Heide-Kultur-Vereins für Schleswig-Holstein erkennen lassen.

Für Oldenburg wirkt der Nordwestdeutsche Forstverein segensreich, der sich die Aufforstung speziell von Wäldern zur Aufgabe gestellt hat.

Die Aufforstung der Meeresdünen und Flugsandschellen hat die preussische Forstverwaltung bereits in die Hand genommen; während die Aufforstung der öden Berghänge und Bergrücken

---

1) *Dankelmann* s. o.

von Oberschlesien, auf dem Eichsfelde, in Hessen, Westfalen, der
Rheinprovinz den Bezirken, Städten bezw. Privaten überlassen bleibt.

Als ein lehrreiches Beispiel, wie selbst die ödesten Kalkfelsen
anbaufähig sind, und wie lohnend eine solche Arbeit ist, erscheint
die Bepflanzung der Kalkfelsen des Hainberges vor den Thoren
von Göttingen, eine Aufgabe, die von 1871 bis 1882 glücklich
gelöst worden war.

Wir sahen bisher, dass bei dem Streben, vom Ausland bezüglich des Holzbedarfs unabhängig zu werden, die Möglichkeit
hierzu in doppelter Weise vorhanden war, nämlich erstlich, weil
das unseren Wäldern entnommene Holz völlig dem des Auslands
gleichwertig ist, und zweitens weil genügend Anbauflächen vorhanden sind, die wenig oder gar keine Erträge bisher liefern, durch .
deren Bepflanzung mit Holz wir unseren Holzbestand auf die Höhe
zu bringen vermögen, dass er unseren Bedarf deckt. Mehr aber
sprechen noch in eindringlicher Sprache für Herbeiführung dieser
Unabhängigkeit vom Ausland andere Gründe.

Mit Recht fragen wir nicht nur, wozu alljährlich dem Ausland
136 Mill. Mark für Bau- und Nutzholz, Holzborke und Gerberlohe
zahlen, wenn wir selbst Land genug haben, um unseren eigenen
Bedarf produzieren zu können, sondern auch, ist es zweckmässig,
sich hinsichtlich des Einfuhrbedarfs auf das Ausland zu verlassen,
wo grösstenteils die Waldverwüstung eingerissen zu sein scheint
und die Waldbestände schon so arg gelichtet sind?

Wir sind gegenwärtig mit Rücksicht auf unsern Holzbedarf
abhängig von Russland, Oesterreich, Ungarn und Schweden.

»Schweden« nimmt mit einer Waldfläche von 17,6 Mill. ha,
ausserordentlich durch seine maritime Lage und Verbindung mit
den grossen Absatzzentren des europäischen Holzmarktes begünstigt, auf dem Weltholzmarkte unzweifelhaft den ersten Rang
ein, wozu die Leistungsfähigkeit der schwedischen Sägemühlen«
Industrie in Verbindung mit den ungewöhnlich billigen Holzpreisen
und Arbeitslöhnen am meisten beiträgt« [1]).

Dankelmann giebt in seiner bereits erwähnten Schrift die Ex-
portmenge 1881 auf 3 Mill. cbm an, der Export war 1885 auf
4,7 Mill. cbm gestiegen und seine noch fortdauernde Steigerung
scheint *Dankelmann* nicht Recht zu geben, wenn er behauptet,
dass die durch die »Ausdehnung der Holzindustrie im Zusammen-

---

[1]) *Laris:* Die Handels-Usancen im Welt-Holzhandel und Verkehr. Berlin und
Giessen. 1889.

wirken mit der unbeschränkten Freiheit des Privateigentums herbeigeführte Verminderung der Waldbestockung die Fortdauer des
Holzhandels in dem bisherigen Umfange in Frage stelle«.

Die Schätzung des Holzreichtums der schwedischen Wälder
von *Adolf Zöppritz* [1]) erscheint verlässlicher, wenn er meint, dass
der bisherige Export sich noch 30—40 Jahre auf gleicher Höhe
halten könne, da die bisher noch nicht ausgebeuteten Wälder
Schwedens fast 60 Proz. der wirklich produktiven Landesfläche
ausmachen und in den nördlichen Teilen Schwedens nur 2 Proz.
landwirtschaftlich benutzt werden.

Die Nutzholz-Ausfuhr Schwedens besteht überwiegend aus
Brettern und Planken, nur mit 9 Proz. aus Balken und Sparren,
mit 7 Proz. aus Grubenhölzern etc. Unsere Einfuhr von Schweden
an gesägtem Bau- und Nutzholz (Bretter, Planken etc.) beträgt:

1889		1890		1891	
Menge in 100 kg	Wert in 1000 M.	Menge in 100 kg	Wert in 1000 M.	Menge in 100 kg	Wert in 1000 M.
2 956 522	16 261	2 557 045	12 785	2 897 863	14 924

Die zweite Stelle im Weltholzmarkte nimmt O e s t e r r e i c h-
U n g a r n ein; es verfügt über ein Waldareal von 18,9 Mill. ha,
und darin über einen Waldbestand, der wegen des Wertes des
exportierten Nutzholzes sehr geschätzt ist. Der Mangel guter
Absatzwege, besonders gegen Deutschland hin fehlen die billigen
Wasserstrassen, wird durch die Güte des Holzes ausgeglichen.

Oesterreich-Ungarns Ausfuhr-Holzhandel setzt sich zusammen
aus einem Export an Rundholz von 59 Proz., an Schnittholz von
35 Proz., an Fassdauben von 6 Proz. der Gesamtausfuhr.

40 Proz. seines ganzen Exports, der 1885: 63, 1886: 50,
1887: 54 Mill. Gulden österr. Währung betragen hat, nimmt Deutschland auf.

Nach der amtlichen Statistik beträgt Deutschlands Einfuhr
von Oesterreich-Ungarn:

	1889		1890		1891	
	Menge in 100 kg	Wert in 1000 M.	Menge in 100 kg	Wert in 1000 M.	Menge in 100 kg	Wert in 1000 M.
an Bau- u. Nutzholz: roh	6 903 361	20 365	7 094 837	20 930	6 765 075	20 295
dto. nach der Längsachse beschlagen	897 194	7 626	966 057	7 729	1 290 038	10 643
dto. gesägt etc. . . .	2 061 248	11 337	1 960 764	9 804	1 324 368	6 821
Fassdauben	409 720	4 412	359 263	3 830	373 147	4 051
Korbweiden u. Reifenstäbe ungeschält	10 437	99	10 858	103	9 262	88

---

1) *Zöppritz:* Waldungen und Holzgewinnung in Nordschweden. Davos. Richter.

Die Waldverwüstungen haben indessen in Oesterreich-Ungarn schon eine bedenkliche Höhe erreicht. Die Herkunftsländer des nach Deutschland gehenden Holzes sind Galizien, Böhmen, Ungarn. In Galizien ist der bäuerliche Kleinwaldbesitz überwiegend; die hierdurch begünstigte Bildung von Waldaktiengesellschaften räumt bei den äusserst niedrigen Nutzholzpreisen an Ort und Stelle ungeheuer mit dem Waldbestand auf. Ganze weite Rücken der Karpathen sind abgeholzt und gewähren in ihrer Nacktheit einen überaus unerfreulichen Anblick.

Der Waldbesitz in Böhmen ist Grossgrundbesitz; er ist deshalb gegen Ausbeutung mehr gesichert, zumal er planmässig bewirtschaftet wird.

Ungarn indessen ist das Land der Waldspekulation, die hier zum Schaden der Wälder im grossen betrieben wird.

Berechnen lässt sich nicht genau, wie lange Oesterreich-Ungarn sich noch auf der bisherigen Höhe des Holzexports wird halten können. Vermutlich wird sich der Waldreichtum aber bald in das Gegenteil verkehren, wenn mit der verschwenderischen schädlichen Abholzung des Waldes in der bisherigen Weise fortgefahren wird.

Das E u r o p ä i s c h e R u s s l a n d, Finnland und Polen eingerechnet, verfügt über die grösste Waldfläche mit 202 Mill. ha, wovon 113 Mill. Staatsforsten sind. Die Holzausfuhr, hauptsächlich Nadelhölzer (Kiefern und Fichten), die durch ein ausgedehntes Wassernetz mit Verbindung zur Ostsee und zum Eismeer einerseits, andererseits zum Schwarzen und Kaspischen Meer ausserordentlich begünstigt wird, beziffert sich auf jährlich 30 Millionen Rubel. Dieser Ueberschuss der jährlichen Holzgewinnung geht in der Hauptsache als Rundstämme, Balken, Planken, Bretter und Schwellen nach Deutschland und England.

Die weitaus grösste Einfuhr an Holz bezieht Deutschland aus Russland; sie betrug:

	1889		1890		1891	
	Menge in 100 kg	Wert in 1000 M.	Menge in 100 kg	Wert in 1000 M.	Menge in 100 kg	Wert in 1000 M.
Bau- u. Nutzholz: roh	11 736 576	34 623	11 656 685	34 387	7 949 661	23 849
dto. beschlagen etc.	2 604 171	22 136	3 446 003	27 568	3 275 057	27 019
dto. gesägt etc. ,	1 658 877	9 124	1 591 303	7 957	1 617 980	8 333

Die Waldverwüstung ist in Russland geradezu zur Mode geworden. Es gilt fast noch das Wort, das Fürst Schuwarow einst sprach: »Wer Geld brauchte, verkaufte seinen Wald auf Abhol-

zung, die Bauern fällten Mastenholz, um Särge daraus zu machen.
Die stärksten Dickichte sind niedergebrannt worden, nur um
zweimal bis dreimal dort zu säen und dann das Land ungenützt
liegen zu lassen. Gegenwärtig klagen alle über Mangel an Wald« [1]).

Ja sie klagen, da die bösen Folgen dieser Waldverwüstung
sich schon unangenehm bemerkbar gemacht haben durch Versandung der Flussbette, daher Behinderung der Schiffahrt und
Abnahme des Fischreichtums in den Flüssen, und in Missernten,
die durch die Witterungsextreme, anhaltende Dürre und plötzlich
eintretende Ueberschwemmungen veranlasst sind. Es ist kein
Wald vorhanden, der als Regulator hätte dienen können.

Zur Waldverwüstung hat auch die Aufhebung der Leibeigenschaft beigetragen. Die hierdurch in Not geratenen Gutsbesitzer
suchten ihrer Bedrängnis auf die bequemste Weise, durch den
massenhaften Verkauf der Waldungen abzuhelfen, und die Waldungen unterlagen so der schonungslosesten Ausbeutung durch
die Spekulanten.

Die im grossen betriebenen Waldverwüstungen, irrationelle
Bewirtschaftung, z. T. sogar der Staatsforsten, und der Mangel
an gesetzlichen Bestimmungen zum Schutz der Waldungen und
für Wiederaufforstung, sowie ein starker verschwenderischer Eigenverbrauch an Bau-, Nutz- und Brennholz werden dazu führen,
dass Russland in einer absehbaren Reihe von Jahren an der Grenze
seines bedeutenden Ausfuhrexports steht. Es hätte allerdings bei
der Ungunst des Klimas alle Veranlassung, so meint *Dankelmann* [2]), um diesen Zustand möglichst lange hinauszuschieben,
mit seinen für unerschöpflich gehaltenen Waldschätzen Haus
zu halten.

In neuerer Zeit hat Russland im waldarmen Suden und in
seinen Steppengegenden, allerdings nur in mässigem Umfange,
gleichsam a.'s Notstandsarbeit, einige Neuanforstungen angelegt.
Die Schweiz unterstützt durch Gewährung von Geldern Aufforstungen zu Schutzwäldern. Die preussische Forstverwaltung geht
mit der Erwerbung geeigneter Ländereien zu Aufforstungen in
raschem Tempo vor.

Von anderen Ländern hört man über Aufforstungen wenig
oder gar nichts. Preussens Vorgehen ist aber um so mehr zu

---

1) *Matthaei:* Die wirtschaftlichen Hilfsquellen Russlands etc. Dresden. 1883.

2) *Dankelmann* s. o. Vgl. auch Deutsches Handelsarchiv 1882, II: Der Handel
Russlands uber die europäische Grenze im Jahre 1881.

billigen, da es uns mit unserem Holzbedarf vom Auslande unabhängig machen soll. Es erfordert geraume Zeit, ehe Neu-Auf-
forstungen gelingen und entsprechende Erträge liefern, daher
möchten die Aufforstungen in möglichst ausgedehntem Masse zu
betreiben sein, auf dass es uns in absehbarer Zeit gelingt, zumal
unser Einfuhr-Bedarf stetig im Wachsen begriffen ist — von 1888
26,4 Mill. auf 1891 28,4 Mill., auf 1892 32,96 Mill. Doppelzentner,
während die Ausfuhr gleichmässig bleibt — aus der Reihe der
Holzimportländer zu scheiden.

In nicht allzu langer Zeit wird es uns unmöglich sein, unseren
Einfuhrbedarf in dem bisherigen Umfange aus Russland und Oesterreich-Ungarn zu beziehen. Auf Schwedens Waldreichtum können
wir indessen so lange das für uns erforderliche Holz beziehen,
bis wir ganz auf eigenen Füssen stehen, bis unsere Forsten genügend Holz zur Deckung unseres Bedarfs liefern können.

ÜBER DIE WEITERE ENTWICKLUNG DES GEMEINDE-STEUERWESENS

AUF GRUND DES PREUSS. KOMMUNALABGABEN-GESETZES VOM 14. JULI 1893.

VON

F. ADICKES.

———

II. ARTIKEL.

3. Ueber die Ausbildung besonderer kommunaler Realsteuern.

a. Die Verschiedenheit staatlicher und kommunaler Realsteuern.

Der durch das Gesetz wegen Aufhebung direkter Staatssteuern vom 14. Juli 1893 ausgesprochene Verzicht des Staates auf die Objektsteuern (Grund-, Gebäude-, Gewerbe- und Bergwerkssteuern) unter gleichzeitiger Verpflichtung der Gemeinden zur Erhebung von Grundbesitz- und Gewerbesteuern ist das Ergebnis langjähriger Gedankenarbeit. Die Geschichte der diesem gesetzgeberischen Akt zu Grunde liegenden Gedanken und Ideen habe ich in Umrissen in meinem Kommentar zum Kommunalabgabengesetz [1]) zu geben versucht (S. 1—109 vgl. 162—164); es mag daher hier nur kurz daran erinnert werden, wie der Gedanke, dass Grund- und Gebäudesteuer eigentlich der Gemeinde gehöre und der Staat zu Unrecht diese kommunale Steuerquelle in Anspruch nehme, zuerst von der in den »volkswirtschaftlichen Kongressen«

---

[1]) Dieser Kommentar wird im Folgenden einfach als K.A.G. unter Hinzufügung von Seitenzahlen zitiert.

sich zusammenfindenden F r e i h a n d e l s s c h u l e *(Faucher,
Michaelis, Wolff, Braun, Meyer* u. a. m.) in den s e c h z i g e r
Jahren vertreten und auch bereits in dem in dem betreffenden
Teile von *Michaelis* verfassten »Allg. Bericht über den Entwurf zum
Haushaltsplan für 1865« zum Ausdruck gelangt ist, wie dann zu A n -
f a n g d e r s i e b z i g e r J a h r e V e r s u c h e e i n e r U e b e r -
w e i s u n g d e r G r u n d - u n d G e b ä u d e s t e u e r a n d i e
k o m m u n a l e n V e r b ä n d e gemacht, aber teils an der ab-
lehnenden Haltung der Staatsregierung, teils auch an der Unaus-
gereiftheit dieser Gedanken gescheitert sind, wie ferner ziemlich
gleichzeitig der V e r e i n f ü r S o z i a l p o l i t i k die Fragen rationeller Gestaltung der Staats- und Kommunalsteuern, insbesondere auch der Ausbildung kommunaler Realsteuern in eingehender
und wesentlich klärender und vertiefender Weise behandelte und
andererseits von l a n d w i r t s c h a f t l i c h e n K r e i s e n die
Ungerechtigkeit der staatlichen Grund- und Gebäudesteuer als
einer Doppelbesteuerung behauptet und ihre Beseitigung verlangt
wurde, und wie endlich, nachdem auch die Reichszoll- und Steuer-
fragen ihre Einwirkung bethätigt hatten, unter Zustimmung fast
aller Partein — mit Ausnahme nur der freisinnigen — der Verzicht des Staates auf alle Objektsteuern und die Ueberweisung
der Realsteuerquellen an die Gemeinden gesetzlich festgestellt
worden ist.

Aehnlich wie dies in der Litteratur vorher geschehen war —
vgl. K.A.G. S. 2—4. 15—17. 34—40. und Zitate auf S. 167 —
wurde die B e g r ü n d u n g dieser Massnahmen in der dem Hause
der Abgeordneten am 2. Nov. 1892 überreichten D e n k s c h r i f t
von zwei Seiten aus gegeben, indem einerseits die U n h a l t b a r -
k e i t d e r s t a a t l i c h e n E r t r a g s s t e u e r n vom s t a a t -
l i c h e n G e s i c h t s p u n k t e aus und sodann die U n e n t b e h r -
l i c h k e i t rationell entwickelter G e m e i n d e - R e a l s t e u e r n
vom Standpunkt kommunaler Steuerpolitik aus dargethan wurde.

Die in der Denkschrift gegebene K r i t i k der staatlichen
Objektsteuern wird für die nachherigen Ausführungen nicht ohne
Bedeutung sein und ist daher zunächst auszugsweise wiederzugeben.

»Das Charakteristische der Ertragssteuern besteht bekanntlich
darin, dass sie den Ertrag der Güterquellen an ihrem Ursprunge
erfassen. Sie lassen die Person, welcher der Ertrag der Güterquellen als Einkommen zufliesst, mithin das Einkommen selbst,

wonach sich die gesamte Steuerkraft der Person bemisst, völlig ausser Betracht.

Es ist deshalb eine notwendige, aus dem inneren Wesen der Ertragssteuern sich ergebende Folge, dass die Schulden der Person, selbst wenn sie unmittelbar zur Erzielung des Ertrages der Güterquelle ·dienen, keine Berücksichtigung finden können.

Die Ertragssteuern sind reine Objektsteuern, welche die steuerliche Leistungsfähigkeit und insbesondere die persönlichen Verhältnisse des Steuerpflichtigen grundsätzlich unberücksichtigt lassen.

In dem Preussischen Ertragssteuersysteme prägt sich dieser Charakter am schärfsten bei der Grundsteuer aus. Sie belastet selbst die kleinsten Grundstücke und ist unveränderlich. Ihre Bemessung ist nach der durchschnittlichen, nach rein objektiven Rücksichten ermittelten Ertragsfähigkeit erfolgt. Steuernachlässe sind ausgeschlossen. Erst in neuester Zeit, durch Gesetz vom 15. April 1889 (Gesetzsamml. S. 99), sind für die Fälle von Ueberschwemmungen die Herabsetzung und der Erlass von Grundsteuern zugelassen worden. Ausserdem können nur in den Provinzen Rheinland und Westfalen aus den von den Grundsteuerpflichtigen selbst gebildeten Deckungsfonds Steuernachlässe und Unterstützungen in beschränktem Umfange gewährt werden.

In einem, gegenüber der Grundsteuer etwas gemilderten Masse zeigt sich der Charakter der Ertragssteuern bei der Gebäudesteuer. Diese ergreift zwar auch das kleinste Objekt und wird regelmässig nach einem objektiven Nutzungswerte, dem auf Grund durchschnittlicher Mietspreise eines rückwärts liegenden zehnjährigen Zeitraums berechneten, mittleren jährlichen Mietswerte, bemessen. Dagegen wird die Veranlagung einer in fünfzehnjährigen Zeitabschnitten zu wiederholenden Revision unterzogen, und die Steuerpflicht ist bei Neubauten und Zerstörungen von Gebäuden, sowie im Falle der Ertraglosigkeit oder erheblicher Ertragsminderung wesentlich beschränkt.

Die Gewerbesteuer des Gesetzes vom 24. Juni 1891 lässt den Charakter der Ertragssteuern stark zurücktreten. Gegenstand der Besteuerung ist die Gesamtheit der in einer Hand vereinigten Betriebe. Grundlage und Massstab der Steuerbemessung bildet an erster Stelle der Jahresertrag, an zweiter Stelle das Anlage- und Betriebskapital des Steuerpflichtigen. Betriebe mit einem Jahresertrage unter 1500 Mark und einem Anlage- und Betriebskapitale unter 3000 Mark werden nicht herangezogen. Steuererlasse und Ermässigungen sind in weiterem Umfange gestattet. In der Unzulässigkeit des Abzugs der Schuldenzinsen tritt die Natur der Ertragssteuer zu Tage.

Die Eigentümlichkeiten unseres Ertragssteuersystems lassen sich nur durch die geschichtliche Entstehung und Entwickelung aus den von früheren Jahrhunderten her überlieferten Grundsteuern erklären.

Erst die Fortschritte der volkswirtschaftlichen Lehre führten zu der Erkenntnis der Unvollständigkeit und Einseitigkeit eines wesentlich aus Grundsteuern bestehenden Systems der direkten Steuern; man ergänzte dasselbe durch eine von vornherein höchst bescheidene Gewerbesteuer, demnächst durch die Gebäudesteuer; der Abschluss des Systems durch Einfügung des fehlenden Gliedes einer Kapitalrentensteuer ist aber in Preussen, wie schon früher gezeigt, bisher eine unerfüllte Forderung geblieben.

Entstanden in den Zeiten primitiver Staatseinrichtungen, weiter entwickelt nach überwiegenden fiskalischen Rücksichten, wird das heutige Ertragssteuersystem mehr von der Macht der Gewohnheit, als von der Ueberzeugung innerer Berechtigung gehalten.

Wie berechtigt aber auch im allgemeinen auf steuerlichem Gebiete der Anschluss an das Bestehende, die ruhige Weiterentwickelung des geschichtlich Ueberlieferten sein mag, so dürfen doch solche Rücksichten nicht den alleinigen Ausschlag geben, wenn es sich um die durch die veränderten wirtschaftlichen und sozialen Verhältnisse herbeigeführte Notwendigkeit fundamentaler Neugestaltungen handelt. Hier tritt dann neben den durch die Finanzlage des Staates gebotenen Rücksichten vor allem die Forderung der Gerechtigkeit der Steuerverteilung in den Vordergrund.

Das bestehende Ertragssteuersystem entspricht dieser Forderung jedenfalls nicht mehr. In einem, aus Ertragssteuern und Einkommensteuer zusammengesetzten Systeme soll den ersteren die Aufgabe zufallen, das Besitzeinkommen (fundiertes Einkommen), seiner höheren Steuerkraft entsprechend, vorzugsweise zur Tragung der Staatslasten heranzuziehen. Sollen aber die Ertragssteuern diese Aufgabe erfüllen, so müssen sie mindestens die das Besitzeinkommen hervorbringenden Güterquellen — Grundkapital (Grund- und Hausbesitz), Gewerbebetrieb und Geldkapital — vollständig, einheitlich und mit verhältnismässiger Gleichheit, in einem der höheren steuerlichen Leistungsfähigkeit entsprechenden Masse treffen. Wird eine dieser Voraussetzungen unerfüllt gelassen, so ist eine ungleiche und unbillige Vorbelastung des betreffenden Besitzeinkommens die notwendige Folge.

Hiermit ist von vornherein der Gedanke abgeschnitten, etwa lediglich die Grund- und Gebäudesteuer aus dem staatlichen Ertragssteuersystem auszuscheiden und die Gewerbesteuer für sich allein fortbestehen zu lassen. Nicht minder würde der Gedanke zurückgewiesen werden müssen, unter Aufhebung der bestehenden Ertragssteuern eine Kapitalrentensteuer einzuführen, oder unter Einführung einer solchen Steuer die Gewerbesteuer ohne Grund- und Gebäudesteuer aufrecht zu erhalten. Alle derartigen Massnahmen würden der fundamentalen Forderung der Vollständigkeit des Ertragssteuersystems widersprechen. Von demselben Gesichtspunkte aus würde es nicht gerechtfertigt werden können, die bestehenden Ertragssteuern ohne Zufügung des fehlenden Gliedes der Kapitalrentensteuer aufrecht zu erhalten.

Unzulässig wäre es aber auch, die erheblichen Verschiedenheiten in der Höhe der Steuerbelastung — eine 4—5prozentige Grund- und eine 4prozentige Gebäudesteuer neben einer höchstens 1prozentigen Gewerbesteuer — bestehen zu lassen; eine Ausgleichung in der Höhe der Belastung wäre jedenfalls eine nicht abzuweisende Forderung.

Bis zu einem gewissen Grade würde dem Verlangen einer gerechten Steuerverteilung entsprochen werden, wenn die Grund- und Gebäudesteuer etwa auf die Hälfte der gegenwärtigen Belastung herabgesetzt, die Gewerbesteuer erhöht und eine Kapitalrentensteuer von gleicher Höhe eingeführt würde.

Die Gleichmässigkeit der Belastung durch die Gewerbe- und durch die Kapitalrentensteuer würde nicht nur aus Gründen der Gerechtigkeit, sondern auch wegen steuertechnischer Rücksichten gefordert werden müssen, um der, bei Bemessung beider Steuerarten in verschiedener Höhe eintretenden Gefahr zu begegnen, dass sich das Kapital durch die Art seiner Verwendung als Gewerbe- oder als reines Geldkapital der beabsichtigten höheren Besteuerung entzieht.

Ein Reformgedanke dieser Art würde indessen bei einer mehr oder weniger mechanischen Herabsetzung der Grund- und Gebäudesteuer und entsprechenden Erhöhung der Gewerbesteuer noch keineswegs einen annehmbaren Plan darstellen. Dazu bedürfte es

mindestens noch einer inneren Umgestaltung dieser Steuern und
einer entsprechenden Ausbildung der Kapitalrentensteuer.

Es liegt auf der Hand, dass die Disparität der Grundlagen
und Massstäbe der Steuerbemessung — die Besteuerung nach
der Ertragsfähigkeit und dem Katastralreinertrage bei der Grundsteuer, nach durchschnittlichen Mietswerten längerer Zeiträume
bei der Gebäudesteuer, nach dem Jahresertrage und dem Anlage-
und Betriebskapital bei der Gewerbesteuer — eine völlig verschiedene Belastung bewirken müsste, wenn auch der Steuerfuss
soweit dies überhaupt möglich, in gleicher Höhe bemessen sein würde.

Wollte man im übrigen auf den bestehenden Grundlagen eine
annähernd gleichmässige Belastung erzielen, so würde jedenfalls
die Grundsteuer, unter Beseitigung der Kontingentierung, in eine
nach dem Ertrage bemessene Quotitätssteuer umgewandelt werden
müssen. Zur Erreichung dieses Zieles würde nicht nur eine sofortige allgemeine Neuveranlagung der Grundsteuer, sondern auch
eine periodische Revision in Zeiträumen von etwa 10 Jahren erforderlich sein. Solche Massnahmen würden schon an der Kost-
spieligkeit scheitern, welche an der Thatsache bemessen werden
mag, dass die Ausführung der Grundsteuerveranlagung einen
Kostenaufwand von 33 297 175 M. in den alten, und von 26 263 056 M.
in den neuen Provinzen, insgesamt also von 59 560 232 M. verursacht hat. Wollte man aber von periodischen Revisionen Abstand nehmen, so würde die Grundsteuerveranlagung nach Verlauf von 10—20 Jahren sich annähernd wieder in dem gleichen
Zustande befinden, wie die gegenwärtig bestehende, nach allgemeinem Urteile längst veraltete Veranlagung.

Um die Gebäudesteuer in ausreichendem Masse bei der Gegenwart zu erhalten, müsste sowohl der Zeitraum für die Berechnung des mittleren Mietswertes — jetzt 10 Jahre —, als auch
die Revisionsperioden — gegenwärtig 15 Jahre —, erheblich ge-
kürzt werden. Die erstere Massnahme würde keinen Schwierigkeiten begegnen, dagegen würde durch die Einführung kürzerer,
etwa fünfjähriger, Revisionsperioden der Kostenaufwand, welcher
für jede Revision auf etwa 6 000 000 M. zu veranschlagen ist,
erheblich gesteigert werden.

Bei der Reform dürfte ferner die schwierige Frage, nach
welchem Massstabe die Gebäude auf dem platten Lande und in
ländlichen, für die Berechnung nach durchschnittlichen Mietspreisen
keinen Anhalt gewährenden Ortschaften zur Gebäudesteuer heran-

zuziehen sein würden, nicht zu umgehen sein. Die gegenwärtig hierfür geltenden Bestimmungen (§§ 7, 8 des Gebäudesteuergesetzes vom 21. Mai 1861) können als eine glückliche Lösung nicht bezeichnet werden.

Bei einer Erhöhung der Gewerbesteuer würde die Belastung der gewerblichen Gebäude mit der Gebäudesteuer (§ 5 a. a. O.) schwerlich aufrecht erhalten werden können. Vergleicht man endlich die weitgehenden Berücksichtigungen der Leistungsfähigkeit bei der Gewerbesteuer, insbesondere die Freistellung aller Betriebe mit einem Ertrage unter 1500 Mark und einem Anlage- und Betriebskapitale unter 3000 Mark, mit dem starren Objektsteuercharakter der Grund- und Gebäudesteuer, so wird man sich der Ueberzeugung nicht verschliessen können, dass eine Reform der Ertragssteuern die steuerliche Leistungsfähigkeit auch bei der Grund- und Gebäudesteuer nicht unberücksichtigt lassen dürfte.

Im Vorstehenden sind nur die Hauptrichtungen angedeutet worden, in denen sich bei einer Aufrechterhaltung des Ertragssteuersystems die notwendigen, aber, wie gezeigt, kaum möglichen Umgestaltungen zu vollziehen haben würden.

Aber selbst auf breitester Grundlage vorgenommene Reformen würden das Ziel, mittelst der Ertragssteuern eine wirklich gerechte und gleichmässig steuerliche Belastung des Besitzeinkommens zu bewirken, nur in sehr beschränktem Grade erreichen lassen.«

Zur Begründung wird sodann darauf hingewiesen, dass Ertragssteuern immer nur die verschiedene Steuerkraft der G ü t e r - q u e l l e n, n i c h t aber auch der P e r s o n e n berücksichtigen können; dass aber der Grundsatz der Besteuerung der Staatsangehörigen nach der L e i s t u n g s f ä h i g k e i t immer mehr zum massgebenden Prinzip der s t a a t l i c h e n B e s t e u e r u n g ausgebildet sei, und dass demnach behufs der erforderlichen Berücksichtigung der Verschiedenheiten der persönlichen Leistungsfähigkeit, welche infolge der allgemeinen Entwicklung immer grössere geworden seien und die Annahme von annähernd gleichen Durchschnittserträgen immer unhaltbarer gemacht hätten, an Stelle kombinierter Ertrags- und Einkommenssteuern nunmehr kombinierte Einkommens- und Vermögenssteuern treten müssten.

Auf der andern Seite wird die U n e n t b e h r l i c h k e i t k o m m u n a l e r R e a l s t e u e r n in folgender Weise in der Denkschrift (S. 920. 921) begründet:

»Die Belastung der Güterquellen mit staatlichen Ertragssteuern, insbesondere die Erhebung hoher Grund- und Gebäudesteuern, hat zur Folge gehabt, dass die Gemeinden in der überwiegenden Mehrzahl ihrerseits von der Besteuerung dieser Güterquellen in dem durch volkswirtschaftliche und kommunale Rücksichten gebotenen Umfange und Masse Abstand genommen haben und ihren Steuerbedarf ausschliesslich oder doch überwiegend durch Einkommensteuern (Zuschläge zur staatlichen Einkommensteuer oder besondere kommunale Einkommensteuern) aufbringen. Diese Art der kommunalen Besteuerung enthält eine ungerechte und unbillige Belastung des reinen Arbeitseinkommens, sowie des Einkommens aus Geldkapital und gefährdet ausserdem die Interessen der Gemeinden selbst, wie die des Staates.

Die Gemeinde ist wesentlich ein wirtschaftlicher Verband. Wenngleich die Gemeinden in vielen Beziehungen an der Erfüllung unmittelbarer Staatszwecke beteiligt sind, so haben sie doch an erster Stelle diejenigen Vorbedingungen zu erfüllen, auf denen das nachbarliche wirtschaftliche Zusammenleben und die Erwerbsthätigkeit ihrer Einwohner beruhen. Hierauf bezieht sich ein grosser, oft der grösste Teil der kommunalen Aufwendungen. Ein Teil der Ausgaben der Gemeinden gereicht gewiss allen Einwohnern mehr oder minder gleichmässig zum Vorteil; ein anderer Teil der Ausgaben kommt aber ganz oder überwiegend den mit der Gemeinde untrennbar verbundenen Objekten — Grund- und Hausbesitz und Gewerbebetrieb — zu Gute und erhöht deren Wert oder wird durch sie veranlasst. Eine feste Grenze zwischen diesen beiden Teilen der Ausgaben lässt sich gewiss allgemein nicht ziehen. So erscheinen z. B. die Kosten für Schul- und Armenwesen, für die öffentliche Sicherheit und ähnliche als Aufwendungen für allgemeine Zwecke, welche von allen Einwohnern getragen werden müssen. Gleichwohl befinden sich hierunter nicht selten, namentlich in Gemeinden mit stark entwickelter Grossindustrie, Aufwendungen, welche vorzugsweise durch gewerbliche Unternehmungen veranlasst werden oder diesen besonders zum Vorteile gereichen. Das Gleiche gilt von den Kosten aller derjenigen Veranstaltungen, welche auf Erhöhung und Verfeinerung des Lebensgenusses abzielen. Solche Veranstaltungen erhöhen die Annehmlichkeit des Aufenthaltes, vermehren den Zuzug und steigern hiermit den Wert des Grund- und Hausbesitzes, sowie den Ertrag der auf den lokalen Absatz angewiesenen Gewerbebetriebe. Auf der anderen Seite kommen die Aufwendungen für die Anlegung und Unterhaltung von Strassen, für den Bau von Wegen und Wasserstrassen u. s. w. an erster Stelle den Grund- und Hausbesitzern und den Gewerbetreibenden unmittelbar zu Gute und müssen daher auch vorzugsweise von diesen getragen werden.

Es ist dabei wohl zu beachten, dass während den nicht dauernd ansässigen oder an den Aufenthalt in der Gemeinde gebundenen Steuerpflichtigen häufig nur vorübergehende Vorteile aus der Gemeindeentwickelung zufallen, diese für die mit der Gemeinde unzertrennlich verbundenen Objekte dauernder Natur sind.

Hieraus ergiebt sich, dass die ausschliessliche oder überwiegende Aufbringung des kommunalen Steuerbedarfs durch Einkommensteuern ohne Rücksicht auf die Zwecke und die Wirkungen der Gemeindeausgaben der Anforderung einer gerechten Steuerverteilung widerspricht. Das Einkommen aus Arbeit und aus Geldkapital wird sonst unverhältnismässig für solche Zwecke besteuert, für welche die Inhaber der anderen Güterquellen in erster Linie aufzukommen haben, während auf der anderen Seite die grossen Wertsteigerungen namentlich des städtischen Grundbesitzes, welche lediglich durch die, die Steigerung der Ausgaben wiederum bedingende fortschreitende Entwickelung der Gemeinde hervorgerufen sind, in der Besteuerung fast unberücksichtigt bleiben und damit den Gemeinden eine bedeutende, gerade mit dem Wachsen der Ausgaben naturgemäss steigende Steuerkraft zum grossen Teile entzogen wird.

Wenn die Realsteuern, wie oben ausgeführt wurde, den Voraussetzungen einer gerechten Steuerverteilung im Staate nicht entsprechen, so stehen die gleichen Bedenken ihrer Verwendung als Kommunalsteuern nicht entgegen.

Die Mängel der Realsteuern im staatlichen Steuersystem fallen in der einzelnen Gemeinde im wesentlichen weg oder können dort leichter vermieden werden. Die ungleiche Veranlagung der Grundsteuer tritt innerhalb der Gemeinde nicht hervor. Als Staatssteuer sind die Grundsteuer und im wesentlichen auch die Gebäudesteuer nicht geeignet, den veränderten wirtschaftlichen Verhältnissen sich anzupassen. In der Gemeinde ist es leicht ausführbar, bei der Veranlagung der Realsteuern den Veränderungen in den Werts- und Ertragsverhältnissen zu folgen und so diese Steuern als lebendige Glieder des Gemeindeorganismus zu gestalten.

Innerhalb der Kommunalverbände kann die Leistungsfähigkeit

nicht den ausschliesslichen Massstab der Besteuerung bilden. Er
wird ergänzt werden müssen durch den Grundsatz der Leistung
und Gegenleistung [1]. Neben den, die Leistungsfähigkeit berücksichtigenden persönlichen Steuern wird daher regelmässig ein,
den Aufwendungen für die realen Güterquellen entsprechender
Teil des Steuerbedarfs durch Realsteuern aufzubringen sein. In
dem engbegrenzten Gemeindebezirke lassen sich sowohl die besonderen wirtschaftlichen Vorteile, welche den einzelnen Güterquellen aus den Veranstaltungen der Gemeinde erwachsen (921),
als auch die derselben im Interesse von Grund- und Hausbesitz
und Gewerbebetrieb verursachten besonderen Kosten mit hin-
reichender Sicherheit übersehen, um auf diesen Grundlagen das
Mass der realen Besteuerung im ganzen, wie für die einzelnen
Güterquellen bestimmen zu können.«

Die vorstehend wiedergegebenen Ausführungen der Denkschrift beleuchten zugleich den Gegensatz staatlicher
und kommunaler Realsteuern klar und bestimmt.

Allerdings wollen manche Schriftsteller den Gedanken einer
Besteuerung nach dem Interesse, nach Last und Vorteil auch für die
staatlichen Realsteuern nicht ganz abweisen, wie z. B. *G. Cohn,*
Fin.Wissensch. 1889, § 338, S. 457; und für kleinere Staatswesen
wird dieser Gedanke auch wohl ebenso als zutreffend anzuerkennen sein, als er in grösseren Staaten für Provinzial-, Bezirks-
und Kreisverbände als gerechtfertigt anerkannt wird. Was aber
den Preussischen Staat anlangt, so wird es wohl nicht zweifelhaft sein können, dass die Preussischen staatlichen Realsteuern
dem Gedanken einer Besteuerung nach dem Interesse kaum oder
doch nur in ganz verschwindend kleinem Umfange Rechnung
tragen und Rechnung tragen k ö n n e n.

Bezüglich der Begründung kommunaler Realsteuern auf den Grundsatz der Besteuerung nach.

---

[1] Vgl. auch Denkschr. S. 936. »Die Kommunalbesteuerung ist nicht lediglich
auf der Leistungsfähigkeit aufzubauen. Das Wesen der Gemeinden lässt zu und erfordert bei der Steuerverteilung die Berücksichtigung von Leistung und Gegenleistung,
von Last und Vorteil. Zur Durchführung dieses Grundsatzes soll neben anderen Massnahmen die Kommunalbesteuerung entsprechend den wirtschaftlichen Aufgaben der
Gemeinden und den Rückwirkungen der Aufwendungen derselben auf die Vermögens-
objekte in rationeller Weise wesentlich auch auf die vom Staate aufgegebenen Realsteuern begründet werden, welche den Gemeinden eine ergiebige, nach ihren besonderen Verhältnissen zu bewirtschaftende selbständige Steuerquelle eröffnen, die in ihren
Erträgen den Schwankungen der Personalsteuern nicht unterworfen ist.«

L a s t u n d V o r t e i l befindet sich die Denkschrift dagegen in vollem Einklang mit den wissenschaftlichen Erörterungen der letzten Jahrzehnte, wie sie von den oben genannten Vertretern der Freihandelsschule, weiterhin namentlich von *F. Bruch* und *Nasse* in den Schriften des Vereins für Sozialpolitik Bd. III, 1873 und Bd. XII, 1877 (vgl. K.A.G S. 34—47), und *Ad. Wagner* in seinem 1877 erstatteten Referat über »die Kommunalsteuerfrage« (vgl. K.A.G. S. 40. 41) und in seiner Fin.Wiss. I, §§ 50. 51, II, § 181 ff., § 285 gegeben sind und demnächst auch in Frhr. *v. Reitzenstein*'s Abhandlung über kommunales Finanzwesen in Schönberg's Handbuch III, 3. Aufl. 1891, S. 725. 726. 729, *Cohn*'s Fin.Wissensch. S. 125. 131. 457, *Roscher*'s Fin.Wiss. 3. Aufl. 1889, S. 738. 745 und *Eheberg*'s Aufsatz in Conrad's Handwörterbuch Bd. III, S. 777. 778 (über Gemeindefinanzen) Aufnahme gefunden haben.

Die Festhaltung dieser Gegensätzlichkeit in der Begründung staatlicher und kommunaler Realsteuern ist für die weitere Entwicklung von ausserordentlich grosser Bedeutung; z u n ä c h s t für die W i s s e n s c h a f t, welcher — wie ich bereits im ersten Aufsatz (S. 447) hervorhob — durch diesen staatlichen Verzicht auf die Realsteuern und die Ueberweisung derselben an die Gemeinden v ö l l i g n e u e A u f g a b e n gestellt sind.

Denn während bisher b i s l a n g d i e w i s s e n s c h a f t l i c h e n A u s f ü h r u n g e n über die R e a l s t e u e r n, in der Hauptsache stets von den Staatssteuern ausgingen und demnach regelmässig auch nur die weitere Entwicklung und n o t w e n d i g e R e f o r - m e n d e r R e a l s t e u e r n i n n e r h a l b d e s g e s a m t e n S t a a t s s t e u e r s y s t e m s in das Auge fassten, sind nunmehr diese Erörterungen für das Preussische Staatsgebiet erledigt, und an Stelle der alten Fragen ist ein n e u e s T h e m a : die Entwicklung k o m m u n a l e r R e a l s t e u e r n, getreten. Hiedurch aber sind nach den verschiedensten Seiten hin die Grundlagen der Erörterung verschoben.

Während in den b i s h e r i g e n s t a a t l i c h e n Realsteuern g e m e i n s a m e s R e c h t f ü r d e n g a n z e n S t a a t geschaffen werden musste und gerade aus den in stetem Flusse befindlichen Verschiedenheiten der einzelnen Landesteile — Industriegegenden, Ackerbau treibende Bezirke, Städte und Dörfer — eine Fülle der grössten Schwierigkeiten erwuchs, handelt es sich n u n m e h r darum, gerade den b e s o n d e r e n B e d ü r f n i s s e n der verschiedenen Gruppen von Gemeinden — stagnierende Ackerdörfer und -Städte, Ortschaften mit rascher Bevölkerungszunahme, Grossstädte u. a. m. — gerecht zu werden, und zu diesem Zweck Gedanken weiter zu entwickeln, welche bisher nur nebenbei, z. B. bei Erörterung der Vorzüge der Repartitionssteuern u. a. m. (vgl. *A. Wagner,* Fin.Wiss. II, §§ 285. 301 und in Schönberg's Handbuch III, 3. Aufl. S. 247) zum Ausdruck gelangt sind.

Noch bedeutsamer ist ein anderer Punkt. Bei allen bisherigen Erörterungen über Reformen der Staatssteuern trat stets als leitende Idee der G e d a n k e und das Bestreben hervor, die R e a l - s t e u e r n dem G r u n d s a t z d e r L e i s t u n g s f ä h i g k e i t thunlichst weit anzupassen [1]). *A. Wagner* nennt dies a. a. O. S. 247 die berechtigte Einführung von etwas Personalsteuerartigem in die starre Objektbesteuerung, und die Individualisierung der Realsteuern ist ihm ein erstrebenswertes Ziel (Fin.Wiss. a. a. O.). Freilich bleibt ihm doch unwahrscheinlich, ob man auf diesem Wege auch zu einer Berücksichtigung der Schulden gelangen könne, wie bekanntlich in Versammlungen und parlamentarischen Verhandlungen von den Interessenten vielfach und lebhaft verlangt wird.

Vom Standpunkte einer auf dem Grundsatze der B e s t e u e - r u n g n a c h d e m V o r t e i l aufgebauten k o m m u n a l e n R e a l s t e u e r gewinnen alle diese und ähnliche Fragen offenbar eine völlig veränderte Bedeutung. Eine thunlichst weit durchgeführte Individualisierung wird freilich auch hier das Ziel sein müssen, aber n i c h t im Hinblick auf die Leistungsfähigkeit oder Verschuldung des jeweiligen B e s i t z e r s, sondern in Bezug auf Last oder Vorteil, welche dem einzelnen S t e u e r o b j e k t erwachsen.

Diese Andeutungen werden genügen, um die veränderten Aufgaben zu erkennen, welche der Wissenschaft durch den staatlichen Verzicht auf die Realsteuern gestellt sind.

Noch grösser vielleicht und jedenfalls drängender sind die den G e m e i n d e b e h ö r d e n aus dieser Ueberweisung der Realsteuerquellen erwachsenden Aufgaben.

Die Denkschrift bemerkt (S. 933) in dieser Beziehung mit Recht: »Die Freigabe dieser Steuerquellen von seiten des Staates erhält erst dadurch ihre volle Bedeutung für die Gemeinden, dass dieselben an die bisherigen Steuerreformen nicht gebunden, sondern in der Lage sind, ihr Steuersystem nach den besonderen Verhältnissen der Gemeinde auszugestalten. Nach dieser Rich-

---

1) Vgl. hiezu *Schäffle,* Die Grundsätze der Steuerpolitik. 1880. S. 211 ff.

tung hin eröffnet sich ein neues und fruchtbares Feld für die Bethätigung der Selbstverwaltung«, und die Begründung zu den §§ 3
und 4 des Gesetzentwurfes wegen Aufhebung direkter Staatssteuern fügt insbesondere Folgendes hinzu (S. 442. 443):

(S. 492.) »So sehr auch die Einführung besonderer kommunaler
Realsteuern anzustreben ist, so lässt sich doch nicht verkennen, dass
die Entwickelung sich auf diesem Gebiete nur langsam vollziehen
wird. Die Ausgestaltung richtiger, gerecht und gleichmässig wir-
kender Realsteuerformen ist zwar in dem engbegrenzten Gemeindebezirke wesentlich leichter, als für das grosse Staatsgebiet mit
seinen fast unermesslichen Verschiedenheiten. Gleichwohl sind
die Schwierigkeiten, welche sich den Gemeinden bei der Auswahl
und Ausbildung passender Steuerreformen entgegenstellen, nicht
gering anzuschlagen. Zu diesem Behufe bedarf es eines tieferen
Eindringens in die Einzelheiten des Gemeindehaushaltes, in die
E i g e n t ü m l i c h k e i t e n d e r z u e r ö f f n e n d e n S t e u e r -
q u e l l e n und in die lokalen Verhältnisse des Grundbesitzes und
Gewerbebetriebes, wobei die steuerliche Leistungsfähigkeit nach
weiteren Gesichtspunkten — der wirtschaftlichen Lage des Grundbesitzes, der Konkurrenzfähigkeit der Gewerbebetriebe im Inlande
und im Verkehr mit dem Auslande u. s. w. — zu berücksichtigen bleibt. Es bedarf ferner einer objektiven und unparteiischen
Wahrnehmung und Ausgleichung der Interessen der Steuerpflichtigen, endlich, und nicht zum mindesten, einer sorgfältigen und
umsichtigen Handhabung der getroffenen Steuereinrichtungen im
Einzelnen.

Aus diesen Schwierigkeiten erklärt es sich, dass die Gemeinden, ungeachtet der ihnen schon nach den bestehenden Ge-
meindeverfassungen eröffneten Möglichkeit zur Einführung besonderer Realsteuern, hiervon nur in sehr beschränktem Umfange
Gebrauch gemacht haben.

(S. 443) Aus dem gleichen Grunde wird der Entwickelungsgang
auf diesem Gebiete auch in Zukunft nur ein langsamer sein. Die
staatlichen Aufsichtsbehörden können zwar vielfach anregend und
fördernd wirken, insbesondere durch Aufstellung und Veröffentlichung von Mustern zu Realsteuerordnungen. Aber auch hierbei
ist mit Vorsicht zu verfahren.

Im grossen und ganzen wird es v o r z u z i e h e n sein und
der A u t o n o m i e d e r G e m e i n d e n m e h r e n t s p r e c h e n,
w e n n d i e E n t w i c k e l u n g s i c h v o n u n t e n h e r a u f,

aus den Gemeinden selbst heraus, vollzieht. Ein Versuch, im Gesetze selbst neue kommunale Steuerformen zwangsweise vorzuschreiben, würde schon wegen der ausserordentlichen Verschiedenheiten der kommunalen Verhältnisse nicht mit Erfolg unternommen werden können. Die Anwendung derselben Realsteuerform setzt annähernd gleiche Verhältnisse voraus. Steuerformen, welche für g r o s s e S t ä d t e geeignet sind, passen nicht für k l e i n e S t a d t - und noch weniger für L a n d g e m e i n d e n. Industriebezirke bedürfen anderer Steuerformen, als Gemeinden mit vorherrschender Landwirtschaft. Die höhere oder geringere k o m m u n a l e E n t w i c k e l u n g, der durchschnittliche Bildungsgrad und die f e s t g e w u r z e l t e n A n s c h a u u n g e n der Gemeindeangehörigen, die G e w ö h n u n g an bestehende Zustände, das Ueberwiegen dieses oder jenes Erwerbs- oder Industriezweiges u. s. w. dürfen bei der Ordnung des kommunalen Steuerwesens nicht unberücksichtigt bleiben.

Allen Verschiedenheiten dieser Art würde bei gesetzlicher Festlegung bestimmter neuer Steuerformen nicht genügend Rechnung getragen werden können. Der e i n z e l n e n G e m e i n d e muss vielmehr i n n e r h a l b e i n e s w e i t e n, vom Gesetze zu ziehenden R a h m e n s f r e i e B e w e g u n g gestattet werden. Hierbei ist Missbräuchen und Fehlgriffen im Aufsichtswege zu begegnen. Zugleich ist im Verwaltungswege auf die thunlichste Einheitlichkeit in der Entwickelung des kommunalen Steuerwesens hinzuwirken. Zu diesem Behufe wird die Aufstellung von Mustern zu Realsteuerordnungen beabsichtigt.«

Die Schwierigkeiten dieser den Gemeindebehörden zugewiesenen Aufgaben sind von verschiedenen Seiten her lebhaft betont. Wie *R. Gneist* zu wiederholten Malen (vgl. besonders »Die Preussische Finanzreform durch Regulierung der Gemeindesteuern«. 1881. S. 104. 105) die Gefahren geschildert hat, welche aus den vom »unwiderstehlichen Zug der Interessen« geleiteten örtlichen Steuerparlamenten erwachsen, so ist auch in den Verhandlungen des Abgeordnetenhauses auf diesen Punkt hingewiesen und der Abg. *Eugen Richter* hat (Verh. v. 19. Nov. 1892, S. 73) ausserdem bestritten, dass das für selbständige Steuerreformen erforderliche Wissen in den einzelnen Kommunalbehörden vorhanden sei.

Nach beiden Richtungen hin sind jedenfalls ernste Zweifel an dem Erfolge der Arbeit der Gemeindebehörden auf dem Gebiete der Entwicklung besonderer Realsteuern vollauf berechtigt, und

im günstigsten Falle wird es voraussichtlich erst längerer gemeinsamer Arbeit der kommunalen und staatlichen Behörden gelingen,
die rechten Wege aufzufinden und gangbar zu machen.

Nachdem indessen durch das K.A.G. einmal die Aufgabe
gestellt ist, wird es zu einer einfachen Forderung gewissenhafter
Pflichterfüllung, dass jeder an seiner Stelle an der Lösung der
Aufgabe mitarbeitet: und in diesem bescheidenen Sinne werden
auch die nachfolgenden Ausführungen dargeboten, welche um so
weniger endgültige Auffassungen vertreten wollen, als sie vor
Erlass der in den Ministerien auf Grund umfassender Materialien
aufgestellten Normalsteuer-Ordnungen und Ausführungsanweisung
geschrieben sind.

Dass diese Erörterungen sich auf die Verhältnisse der dem
Verfasser aus amtlicher Thätigkeit näher bekannten g r ö s s e r e n
G e m e i n d e n m i t w a c h s e n d e r B e v ö l k e r u n g b e -
s c h r ä n k e n, wird nach dem Vorhergehenden besonderer Rechtfertigung nicht bedürfen, zumal in den Verhandlungen des Abgeordnetenhauses mehrfach von kundiger Seite, z. B. vom Abgeordneten *Frhr. v. Zedlitz und Neukirch* am 21. Nov. 1892 (Verh.
S. 90) darauf hingewiesen ist, dass »für die grosse Zahl der kleinen
und mittleren Städte mit stabilen Verhältnissen und für den allergrössten Teil der Landgemeinden die Staatsgrundsteuer wie die
Staatsgebäudesteuer einen durchaus zutreffenden Massssab für die
Verteilung der auf den Grundbesitz zu legenden Lasten« biete,
und nur für diejenigen »hochentwickelten, v o r w ä r t s s c h r e i -
t e n d e n G e m e i n d e n, i n d e n e n d e r G r u n d b e s i t z i n
d e r T h a t r a s c h i m W e r t s t e i g t«, die jetzige staatliche
Grundbesitzbesteuerung keine geeignete Unterlage für die kommunale Steuer gewähre.

Das P r o b l e m einer besonderen k o m m u n a l e n G r u n d -
b e s i t z b e s t e u e r u n g b e r ü h r t s i c h sonach für die eben
charakterisierten Gemeinden auf das Innigste mit dem P r o b l e m
e i n e r r a t i o n e l l e n B e s t e u e r u n g s t e i g e n d e r G r u n d -
w e r t e.

Offenbar bietet diese Frage durchaus verschiedene Schwierigkeiten, je nachdem es sich um b e b a u t e s oder aber um
u n b e b a u t e s G e l ä n d e handelt; denn während im e r s t e r e n
Fall regelmässig die W e r t e r h ö h u n g der Objekte m i t e i n e r
S t e i g e r u n g i h r e s E r t r a g e s v e r b u n d e n ist, ja meistens gerade durch die letztere hervorgerufen wird, vollzieht sich

bei u n b e b a u t e m G e l ä n d e diese Werterhöhung ebenso regelmässig o h n e eine irgendwie entsprechende S t e i g e r u n g
d e s E r t r a g e s. Wert und Ertragssteuer, welche bei bebautem
Gelände parallel laufen, müssen daher bei unbebautem Gelände
notwendiger Weise auseinandergehen, sobald die Wertsteigerung
eine dem einfachen landwirtschaftlichen oder sonstigen Ertrage
des Geländes in unbebautem Zustande nicht mehr entsprechende
Höhe erreicht.

Die Wertsteigerung bezieht sich übrigens sowohl bei bebautem als unbebautem Gelände regelmässig lediglich auf den
Grund und Boden, da der erhöhte Wert der verbauten Materialien im allgemeinen nicht von Bedeutung zu sein pflegt.

Es wird daher angemessen sein, die F r a g e d e r B e s t e u e-
r u n g u n b e b a u t e n G e l ä n d e s z u n ä c h s t zu erörtern [1]); und
zwar soll vorab der im Jahre 1873 in B r e m e n gemachte, aber
missglückte Versuch einer vom Ertrag ganz absehenden, lediglich
auf den Verkaufswert gegründeten direkten Grundbesitzbesteuerung
einer näheren Untersuchung unterzogen werden, weil naturgemäss
die hiebei begangenen Fehler die wertvollsten Fingerzeige für
eine erfolgreichere Behandlung ergeben.

b. D e r B r e m i s c h e V e r s u c h v o n 1 8 7 3 i n B e t r e f f
e i n e r d i r e k t e n S t e u e r v o m V e r k a u f s w e r t u n b e-
b a u t e r L i e g e n s c h a f t e n [2]).

Das Bedürfnis einer Erhöhung der Staatseinnahmen und die
in den Jahren hochgesteigerter Spekulation (1871—1873) sich viel-
fältig aufdrängende Beobachtung, dass die infolge der starken Bevölkerungszunahme rasche und ausgedehnte Verwandlung von
Acker- und Gartengelände in Bauland grosse und unverdiente
Gewinne gewährt und hohe Baustellenpreise das Bauen und
damit auch das Wohnen ausserordentlich verteuren, veranlassten
Senat und Bürgerschaft von Bremen zum Erlass eines Gesetzes —
vom 13. März 1873 — in Betreff der Schätzung der Grundstücke
in der Stadt Bremen und einem Teil der angrenzenden Feldmarken.

---

1) Auch in England haben hierüber Erörterungen stattgefunden. Vgl. *Aschrott*
in »Die Wohnungsnot der ärmeren Klassen. Schriften des Vereins für Sozialpolitik«.
1886. Bd. I, S. 117.

2) Das thatsächliche Material ist dem insbesondere von *Ad. Wagner* (Fin.Wiss.
II, 2. Aufl. S. 567) und *G. Cohn* (Fin.W. S. 467) erwähnten, der Kammer für Landwirtschaft in Bremen erstatteten Gutachten von *G. Hanssen* vom Dez. 1876 entnommen.

Dieses, demnächst durch Gesetz vom 13. Dezbr. 1874 in einigen Beziehungen abgeänderte Gesetz hatte den Zweck, für die in seinem Geltungsgebiet belegenen Ländereien eine andere Art der Ermittlung des für die bislang mit $1\frac{1}{2}$, von 1876 an mit 2 pro Mille zu entrichtende Grundsteuer massgebenden Kapitalwertes des Geländes herbeizuführen. Während auf Grund des bis dahin für das ganze Staatsgebiet geltenden Gesetzes von 1866 als Kapitalwert zwar auch der Verkaufswert angenommen, jedoch infolge verschiedener Bestimmungen der letztere im allgemeinen als mit dem Ertragswert identisch aufgefasst war, sollte für das städtische und der Stadt zunächst gelegene Gelände l e d i g l i c h der V e r - k a u f s w e r t m a s s g e b e n d sein.

Zwar opponierten die Vertreter der landwirtschaftlichen In- teressen dem Gesetze: man könne doch landwirtschaftlich be- nutzte Grundstücke nicht höher besteuern, als es dem Ertrage des Landes entspreche; indessen ohne Erfolg. Der Senats-Kom- missar äusserte sich dahin: »Seiner Ansicht nach habe der Gesetz- entwurf vollständig Recht, den Verkaufswert für alle Grundstücke bei der Schätzung entscheiden zu lassen. Bei allen rein land- wirtschaftlich benutzten Grundstücken sei der Verkaufswert zu- gleich der Ertragswert. Bei solchen Grundstücken, welche faktisch zur Landwirtschaft benutzt würden, d i e a b e r a l s B a u g r u n d v e r ä u s s e r t w e r d e n k ö n n t e n, sei der Verkaufswert grösser als der Ertragswert, und es sei nur billig, dass der Ver- kaufswert der Schätzung zu Grunde gelegt werde. Der V e r - k a u f s w e r t eines Grundstücks sei ein V o r t e i l, welcher dem Eigentümer n i c h t d u r c h e i g e n e A r b e i t, sondern durch die Arbeit und Mühe vieler andern zugeflossen sei. Es sei daher nur billig, dass die Gesamtheit dafür die Steuer fordere.«

Den geäusserten Befürchtungen gegenüber wurde in der Bürger- schaft bemerkt: »Die Beunruhigung, welche im Landgebiet zu herrschen scheine, beruhe auf einem Missverständnisse der Vorlage. — Es sei nicht die Absicht, alle landwirtschaftlichen Grundstücke nach dem Werte von Bauplätzen zu taxieren. — W a s B a u - g r u n d, w a s A c k e r g r u n d sei, werde d u r c h d i e T a x a - t o r e n z u e n t s c h e i d e n sein. — -- Setze der Verkaufswert sich nur aus der Ertragsfähigkeit des Bodens zusammen, so werde das Land als solches, nicht als Baugrund besteuert werden. — — Wo Ländereien in Frage ständen, die an sich nur der Landwirt- schaft dienen könnten und deren Realisierbarkeit zum Zwecke der

Bebauung nicht angenommen werden könne, wenigstens nicht deren augenblickliche Realisierbarkeit, da würden verständige Schätzer niemals ein Stück Land als Baugrund zur Abschätzung bringen.«

Die Schätzung des Verkaufswertes, welche zunächst im Jahre 1873 vorgenommen und dann in bestimmten Zeiträumen wiederholt werden sollte, wurde den »als Staatsbeamte angestellten Generalschätzern, bezw. deren Stellvertretern« und den ihnen beigegebenen Hilfsschätzern übertragen. Ueber ihre Auswahl bemerkte ein Senats-Kommissär: »Das ganze Gesetz sei zugeschnitten zunächst für die städtischen Verhältnisse und diejenigen Grundstücke, welche in der Umgegend der Stadt liegen. Als Schätzer würden hauptsächlich Leute anzustellen sein, welche befähigt wären, Gebäude und Baugrund abzuschätzen und man werde weniger danach gehen können, ob dieselben auch im Stande wären, landwirtschaftliche Grundstücke, welche keinen Bauwert hätten, abzuschätzen.«

»Jede Schätzung muss« — nach § 2 des Ges. von 1873 — »von zwei Schätzern gemeinschaftlich vorgenommen werden. Wenn dieselben sich über das Ergebnis nicht verständigen können, so ist der Durchschnitt der von ihnen angesetzten Summen massggebend.«

Gegen das Ergebnis dieser Schätzung war »mit Ausschluss aller andern Anfechtungsmittel nur eine bei dem Katasteramte schriftlich einzulegende Beschwerde an eine dafür einzusetzende Kommission des Senates« — aus 3 Mitgliedern bestehend — zugelassen. Diese Kommission war — nach § 6 des Gesetzes von 1873 — an die Anträge des Beschwerdeführers nicht gebunden und k o n n t e   d a s   E r g e b n i s   d e r   S c h ä t z u n g   a u c h   z u   s e i n e n   U n g u n s t e n   ä n d e r n.

Ueber die bei Schätzung des »Verkaufswertes« zu berücksichtigenden Gesichtspunkte enthält das Gesetz nichts; ein bei seiner Beratung in der Bürgerschaft gestellter Antrag, dass die Bürgerschaft sich die Genehmigung der zu erlassenden Instruktion vorbehält, wurde abgelehnt, nachdem dagegen eingewandt war, dass dies die Ausführung des Gesetzes verzögern könne und dass man noch keine geeigneten Beamten zur Hand habe, um bei der Entwerfung einer solchen Instruktion behülflich zu sein.

Für die e r s t e   S c h ä t z u n g in den Jahren 1873 und 1874 scheint k e i n e   a n d e r e   I n s t r u k t i o n gegeben zu sein, »als nach bestem Wissen und Gewissen zu verfahren«. Wenigstens datiert die erste der Bürgerschaft vorgelegte Instruktion aus dem Jahre 1875.

Die E r g e b n i s s e dieser Schätzung mit ihrem »unbegrenzten Spielraum für die rein subjektive Auffassung des Verkaufswertes« führten alsbald zu lebhaften Beschwerden, welche durch die Ein-wirkungen der schon 1873 beginnenden und in den folgenden Jahren immer tiefer und breiter eingreifenden Krisis eine ausser-ordentliche Verstärkung erfuhren.

Diese äusseren Umstände machen es erklärlich, dass die noch in die Zeit aufgeregter Spekulation fallenden Schätzungen (aus dem zweiten Halbjahr 1873) am höchsten ausfielen und am leich-testen zu Ueberschätzungen führten, welchen demnächst teilweise auch erhebliche Herabsetzungen durch die Rekursbehörde folgten, während die Generalschätzer bei den späteren Einschätzungen anderer Feldmarken niedrigere Sätze annahmen, so dass spätere Rekurse geringeren oder gar keinen Erfolg hatten.

Die Schätzungen des Jahres 1873 bezogen sich auf die Feld-marken von S c h w a c h h a u s e n und P a g e n t h o r n, in denen »Bauernwirtschaften mit eigentlich landwirtschaftlichem Betrieb noch trotz Villen, Arbeiterwohnungen, städtischen Häusern, pacht-oder eigentumsweise auf Parzellen betriebenen Gemüsebaues u. s. w. merklich sich erhalten haben.«

Folgende Beispiele werden die Ergebnisse der neuen Veran-lagung für 8 Landstellen in Pagenthorn und Schwachhausen klar-stellen :

		Nutzbare Fläche	Bisheriges Taxat	Neu-einschätzung	Rekurs-entscheidung
Pagen-thorn	1.	153¹/₂ Mrg.	220 000 M.	2 654 930 M.	1 818 000 M.
	2.	105 »	201 420 »	2 506 440 »	2 093 000 »
	3.	83¹/₂ »	132 100 »	2 096 308 »	— »
	4.	83¹/₂ »	202 520 »	1 983 360 »	1 775 960 »
Schwach-hausen	1.	138 »	143 043 »	1 547 003 »	1 056 000 »
	2.	130 »	96 064 »	1 008 028 »	580 000 »
	3.	111 »	140 947 »	1 238 231 »	818 000 »
	4.	87 »	86 030 »	541 502 »	343 000 »

Das Gebäudetaxat ist überall inbegriffen, weil die Unterlagen zu seiner Ausscheidung fehlten, und über den ganzen Landbesitz verteilt.

Infolge der Neuschätzung ist also der M o r g e n bei den vier Stellen in P a g e n t h o r n von 1400 M. bezw. 1900, 1474 und 2425 M. auf 17 300 M. bezw. 24 000, 25 000 und 23 700 M. erhöht; durch Rekursentscheid ist Ermässigung auf 12 000 bezw. 20 000 M.

pro Morgen herbeigeführt. Nähere Angaben liegen über eine
5. L a n d s t e l l e i n P a g e n t h o r n vor: In Grösse von 73 Mrg.
1866 zu 132 100 M. taxiert, ist sie in der Schätzung auf 2 096 308 M.
erhöht und durch Rekursentscheid auf 1 804 450 M. veranlagt. »Von
letzterer Summe fallen 56 000 M. auf die Gebäude (zwei Wohnhäuser und die Wirtschaftsgebäude), bleiben 1 748 450 M. für die
Area der Gebäude, den Hofraum und die Ländereien = circa
24 000 M. pro Morgen im Durchschnitte, aber mit grossen Unterschieden im einzelnen nach der Lage der Grundstücke. Auf
19$\frac{1}{2}$ Morgen, die an Strassen liegen und den Hof mit 3 Morgen
Hausgärten mit befassen, im übrigen aus Gemüseland und Weidén
bestehen, kommen von den 1 748 450 M. allein 1 350 000 M. Taxat,
also fast 70 000 M. auf den Morgen« [1]). Die S c h w a c h h a u s e r
Landstellen bestehen zum Teil (mit 8 bezw. 30,16 und 26 Morg.)
aus Ländereien, welche ausserhalb des Geltungsgebietes des Gesetzes von 1873 liegen, so dass sie insoweit unverändert nach dem
Ertragswert versteuert geblieben sind. Ein Durchschnittssatz pro
Morgen ist hier also nicht völlig zutreffend. Nur für die vierte
Stelle liegt Material zur Ausscheidung vor:»Von den 87 Morgen
verfielen 61 Morgen nebst den Gebäuden der Neuschätzung, welche
durch die Rekursbehörde auf 333 650 M. ermässigt ward. Hievon
ab das Taxat der Gebäude (wozu auch 4 kleine Mietwohnungen
im Dorfe) mit 28 150 M. bleiben für die 61 Morgen (einschliesslich
der area der Gebäude nebst Hofplatz und Hofgärten) 305 500 M.
= 5000 M. pro Morgen im ganzen Durchschnitte. Aufrecht erhalten wurde das Taxat der Generalschätzer von 75 000 M. für
die area der Hofgebäude, den Hofplatz und die zugehörigen Obst-
und Gemüsegärten, zusammen gegen 4 Morgen, also ca. 19 000 M.
pro Morgen (das Taxat von 1866 lautete für diese Partie nur auf
4500 Thlr. Gold). Ebenso verblieb es bei der Neuschätzung der
area der Mietwohnungen samt dem Gartenlande im Dorfe auf
14 000 M. (früher 900 Thlr. Gold). Desgleichen die Neueinschätzung einer Wiese von 1 Morgen 43 Q.-Ruten zu 1700 M. (früher
etwas über 120 Thlr. Gold). Dagegen wurden Ackerparzellen
z. B. von 34 300 M. auf 20 800 M., von 33 000 auf 15 200 M.,
sogar vón 98 900 auf 28 700 M., ein Wiesengrundstück von 37 400
auf 15 000 M. herabgesetzt. Die Differenz zwischen dem Steuer-
kapital der ganzen Stelle (genauer 343 100 M.) und der durch
die Rekursbehörde festgestellten Summe von 333 650 M = 9450 M.

---

1) Der Bremer Morgen ist = 25,72 ar, 1 Preuss. Morgen = 25,53 ar.

fällt auf die ausserhalb der Linie gelegenen 26 Morgen.« Im
ganzen stieg in Schwachhausen der geschätzte Kapitalwert des
Grundeigentums von 1811000 M. pro 1872 auf 10739000 M. pro
1873 und fiel dann infolge der Rekursentscheidung auf 7405000 M.
pro 1874. Anders liegen die Verhältnisse in U t h b r e m e n.
Hier sind »die alten Bauernhöfe schon mehr durch Verkauf oder
Verpachtung von Parzellen aufgelöst worden oder in rascher Auflösung begriffen, einmal weil die hier auf Gemüsebau u. s. w. gerichtete Gartenkultur (sog. Kohlhöckerei) ihren Hauptsitz aufge-
schlagen hat, begünstigt durch die Beschaffenheit des Bodens
und durch die Zuleitung städtischen Kloakendüngers, sodann weil
die vorstädtische Entwicklung nach dieser Seite hin erheblich viel
Terrain zu Bauplätzen und Strassenanlagen bereits absorbiert hat
und neuerdings noch, weil der Zusammenhang der Ländereien
durch die Expropriationen für die verschiedenen Eisenbahnlinien
und die eingeklemmte Lage zwischen denselben den Ackerbau
mit Spannhaltung erschwert und unbehaglich macht. Hier ist
u. a. ein Garten-Areal von 1 Morgen zu 40000 M. eingeschätzt
worden. . . . Wiesengründe von Uthbremen, die gar keinen Baugrund haben, oder einen so ungünstigen, dass nicht abzusehen
ist, wann die Bauspekulation sich derselben bemächtigen kann,
sind zwischen 6000 und 7000 M. pro Morgen eingeschätzt worden.«

Aus N e u l a n d, welches ebenfalls »schon seit längerer Zeit
vorstädtisch entwickelt (Buntenthorsteinweg) und jetzt von mehreren neuen Strassen durchzogen, deren Häuser freilich in nicht
geringer Zahl unvermietet geblieben sind«, liegt die Einschätzung
von 28 einzelnen, zu verschiedenen Landstellen gehörigen Grundstücken vor, welche von 3300—24000 M. pro Morgen im Geltungsgebiet schwankt. Bei einer Landstelle von 80 Morgen, wovon 50 Morgen auf dem übrigen Teil der Feldmark liegen, wurden
die ersteren 30 Morgen um 271350 M., d. h. 9000 M. pro
Morgen erhöht, während die Schätzung der letzteren 50 unverändert blieb.

Die nach der Steuereinschätzung zu zahlende Grundsteuer
von 2 °/oo hat hienach in der That zum Teil eine sehr erhebliche
Steigerung erfahren, denn sie betrug bei einer Schätzung von
12000 M. bereits 24 M. pro Mrg. und steigerte sich bei 40000 M.
auf 80 M. Nun wird aber die Höhe der gewöhnlichen Parzellen-
pacht für Gemüsebau auf 30—40 M. angegeben, wenn sie auch
in einzelnen Fällen bis 90 M. steigen mag; für gute Weiden wird

eine Pacht zwischen 20 und 30 M. pro Morgen bezahlt, für andere
Ländereien wird sie noch niedriger angegeben.

Der Betrag der neu aufgelegten G r u n d s t e u e r war demnach in zahlreichen Fällen allerdings h ö h e r o d e r n a h e z u
e b e n s o h o c h a l s d e r P a c h t e r t r a g, wobei überdies zu beachten, dass verschiedene andere Gemeindelasten auch nach dem
Kapitalwert veranlagt werden (Erleuchtungs- und Wassersteuer
mit zusammen $1^1/_2$ $^0/_{00}$ u. a. m.). Es sollen daher Fälle vorgekommen sein, »dass höchstbesteuerte Grundbesitzer hypothekarische Darlehen haben aufnehmen müssen, nur um die Grundsteuer und übrigen öffentlichen Abgaben zahlen zu können.«

G. Hanssen bemerkt dazu: »Ein Gesetz, welches mit seiner
Handhabung den landwirtschaftlichen Kapitalwert eines Hofes von .
100000 M. zu einem Verkaufswert von einer halben oder ganzen
Million Mark mittelst der Annahme eines so hohen »jederzeit
realisierbaren Verkaufswertes« aufbauscht und von dieser Summe
die Grundsteuer verlangt, müsste eigentlich dem Staate zugleich
die Verpflichtung auferlegen, die Höhe auf Verlangen der Grundbesitzer zu diesem »jederzeit realisierbaren Verkaufswert« — den
sie eben nicht realisieren können — einzulösen. Bei den Rekurs-
verhandlungen haben manche Reklamanten ihre Höfe zur Hälfte
der Taxsummen offeriert. Sie würden dabei immerhin noch ein
gutes Geschäft gemacht haben, die Staatskasse freilich ein um so
schlechteres.«

Die Beschwerden über die Ergebnisse der neuen Einschätzung
gelangten zunächst am 9. Dezember 1874 in der Bürgerschaft zur
Sprache, aber noch ohne Erfolg; jedoch wurde einem Teil der
Beschwerden bereits durch ein am 17. März 1875 vorgelegtes und
am 28. April 1875 erlassenes Gesetz abgeholfen, welches bestimmte,
dass die auf Grundlage der Grundsteuer zu erhebenden k o m m u-
n a l e n A b g a b e n nach Massgabe der alten Schätzung erhoben
werden sollten; bald gelangte auch ein Antrag auf Revision des
Gesetzes von 1873 in der Bürgerschaft zur Annahme, ohne freilich
die Zustimmung des Senates zu finden, welcher in seiner Mitteilung vom 19. Nov. 1875 eine genauere Instruktion der Generalschätzer für genügend erklärte.

Anträge, nach welchen die Erhöhung von $1^1/_2$ auf 2 $^0/_{00}$ nicht
auf das Geltungsgebiet ausgedehnt werden sollte, fanden 1876
und 1877 keine Annahme, anscheinend aus finanziellen Gründen.

Im Dezember 1876 lief dann das *Hanssen*'sche Gutachten ein,

welchem im Laufe des Jahres 1877 sich zahlreiche andere einge-
zogene gutachtliche Aeusserungen anschlossen[1]), und welche sämtlich eine Wiederaufhebung der Gesetze von 1873 und 1874 für
erforderlich erklärten.

Schon am 11. Oktober 1878 erging darauf ein n e u e s, die
Gesetze von 1873 und 1874 wieder aufhebendes G r u n d s t e u e r -
g e s e t z , welches die Grundsteuer in eine von den bebauten und
den diesen gleichgestellten Grundstücken (zu den Gebäuden gehörige Hofräume und Lustgärten, gewerblich benützte Arbeits-
und Lagerplätze) zu entrichtende G e b ä u d e s t e u e r und ein von
den übrigen Grundstücken zu erhebende G r u n d s t e u e r z e r -
l e g t e und bezüglich der Veranlagung bestimmte, dass die Gebäudesteuer vom Kapitalwert der ihr unterliegenden Liegenschaften,
die G r u n d s t e u e r n a c h M a s s g a b e d e s e r m i t t e l t e n R e i n -
e r t r a g s w e r t e s d e r i h r u n t e r l i e g e n d e n G r u n d s t ü c k e
erhoben werden solle. Der Bremer V e r s u c h , für gewisse Grund-
stücke an Stelle einer Ertragssteuer eine nach d e m V e r k a u f s -
w e r t v e r a n l a g t e G r u n d s t e u e r zu setzen, war damit w i e d e r
a u f g e g e b e n .

G. Hanssen hatte in seinem Gutachten erklärt, dass die G e -
r e c h t i g k e i t wie die E h r e B r e m e n s eine unbedingte und
vorbehaltlose Z u r ü c k n a h m e d e s G e s e t z e s von 1873 erfordern, und dass jedes Paktieren mit dem irreleitenden und in der
Steuergeschichte einzig dastehenden Prinzip des Gesetzes unzulässig sei. Um aus dem »Labyrinth der Phantasiewerte des Geltungsgebietes« sicher und dauernd herauszukommen, gebe es n u r
e i n M i t t e l : die völlige Beseitigung der steuergesetzlichen Bedeutung des Verkaufswertes für unbebaute Grundstücke und die
e i n f a c h e A n n a h m e d e s R e i n e r t r a g s - P r i n z i p s ,
wie es in allen andern deutschen Staaten, insbesondere auch in
Hamburg und Lübeck, sowie den angrenzenden Oldenburg'schen
und Preussischen Gebietsteilen in Geltung sei, und auch von der
Theorie gelehrt werde.

Eine Berücksichtigung der Kauf- und Pachtpreise erklärte
Hanssen — unter Hinweis auf die badische Grundsteuerveranlagung auf Grund des Ges. vom 7. Mai 1858 — nur insoweit für
zulässig, als sie zu dem Zwecke, den Ertragswert (genauer: Er-
tragskapitalwert) zu ermitteln, erfolge. Denn die Grundsteuer sei
lediglich bestimmt (vgl. *Rau*, Fin.Wiss. 5. Ausg. 1865, 2. Abtl.

---

1) Auch diese Gutachten sind auszugsweise gedruckt. 1877. 64 S.

§ 301) »einen Teil der Grundrente, d. i. des reinen Ertrages,
welchen das Grundeigentum gewähre, für die Staatskasse in Anspruch zu nehmen.«

Im übrigen erscheint es von Interesse, einige Punkte besonders hervorzuheben:

1) Die oben erwähnte Instruktion bezeichnet als Verkaufswert im Sinne des Gesetzes von 1873 den »bei einem
Verkaufe zur Zeit der Schätzung mutmasslich
zu erzielenden Preis« und giebt für dessen Ermittlung
insbesondere folgende nähere Vorschriften: § 4. Die Schätzer
haben den Verkaufswert zur Zeit der Schätzung zu ermitteln.
Nicht zu berücksichtigen ist demnach die etwa nach Ansicht der
Schätzer in näherer oder fernerer Zeit zu erwartende Ab- oder
Zunahme der Spekulation in Grundstücken und das folgeweise zu
erwartende Sinken oder Steigen der Preise, soweit nicht die Erwartung der künftigen Ab- oder Zunahme der Spekulation bereits
auf die gegenwärtigen Wertverhältnisse und zur Zeit der Schätzung
zu erzielenden Preise eingewirkt hat. Es ist ferner als möglich
zuzugeben, dass, falls einmal eine grössere Anzahl von Grundbesitzern im Geltungsgebiet ihr Grundeigentum plötzlich zu realisieren begönne, die Steigerung der Preise aufhören, resp. ein
plötzliches allgemeines Sinken derselben eintreten würde. Derartige Hypothesen können nach dem Gesetz vom 13. März 1873
nicht berücksichtigt werden, da der Verkaufswert der einzelnen
Grundstücke zur Zeit der Schätzung allein massgebend ist. —
§ 5. Die Ermittelung der Höhe des Verkaufswerts des der Schätzung
unterliegenden Grundstückes wird bedingt durch die genaue
Kenntnis, in welchem Masse nach Grundstücken dieser Art Nachfrage vorhanden ist. Von den Eigentümern der Grundstücke gestellte Forderungen bieten in der Regel keinen sichern Anhalt.
Die Schätzer werden in dieser Hinsicht namentlich auf die eigentümlichen Verhältnisse des Geltungsgebietes hingewiesen, wonach
in einem grossen Teil desselben der Grundbesitz in den Händen
weniger grosser Grundbesitzer sich befindet, welche nur bei sehr
hohen Geboten zu verkaufen sich veranlasst sehen werden. Für
das zu schätzende Grundstück, und ferner für ähnlich gelegene
Grundstücke gezahlte Kaufpreise sind vorzugsweise zu berücksichtigen, jedoch nur auf Grund von Kaufverträgen gezahlte, welche
zu einer Zeit gleicher Konjunktur und welche unter normalen Verhältnissen abgeschlossen sind, bei denen daher nicht etwa wegen

besonderer, nur für die betreffenden Kontrahenten ins Gewicht fallender Umstände ein besonders hoher, bezw. niedriger Preis bewilligt worden ist. Der bei zwangsweisen Versteigerungen erzielte Preis darf nur unter sorgfältiger Prüfung aller in Betracht kommenden Verhältnisse mit Vorsicht in Rechnung gezogen werden, da erfahrungsmässig, namentlich wegen der strengeren Zahlungsbedingungen, dieser nur in seltenen Fällen dem wahren Verkaufswert entspricht. Kaufgebote, von zahlungsfähigen Kaufliebhabern in rechtsverbindlicher Weise gestellt, bieten dagegen in der Regel einen Anhalt für die Ermittelung des Verkaufswertes. — — In Ermangelung einer Nachfrage hinsichtlich zu schätzender Grundstücke, massgebender Verkäufe der zu schätzenden oder ähnlich liegender Grundstücke, sowie etwaiger sonstiger Anhaltspunkte können in beschränkter Weise für die Ermittelung des Verkaufswertes ferner auch die in längeren Zeiträumen gezahlten, mit 4 Proz. zu kapitalisierenden Miet- und Pachtpreise zur Vergleichung herangezogen werden. — § 6. Eine besondere Berücksichtigung erfordern bei der Schätzung im Geltungsgebiet diejenigen, bisher zum Ackerbau etc. benutzten Grundstücke, bei denen die Nähe der Stadt und ihre sonstige örtliche Lage und Beschaffenheit eine Verwendung als Baugrund, zu Strassenanlagen und zum städtischen Gewerbebetrieb ermöglicht. In dieser Beziehung sind, abgesehen von den nach §§ 1—5 dieser Instruktion für die Ermittelung des Verkaufswertes massgebenden Umständen, noch besonders zu prüfen: A. Die technischen Gesichtspunkte: Höhenlage, Möglichkeit der Abwässerung resp. Kanalisierung, Beschaffenheit des Grundes, Möglichkeit einer guten Verbindung mit vorhandenen Strassen und öffentlichen Wegen. B. Die Baugesetze. Die Schätzer werden zunächst verwiesen auf die Bestimmungen der Bauordnungen, welche für die Zulässigkeit der Herrichtung von Wohngebäuden massgebend sind, ferner auf die gesetzlichen Bedingungen für die Gestattung von Strassenanlagen. Besondere Berücksichtigung erfordern die auf Grundstücke des Geltungsgebiets, abgesehen von der Stadt und den alten Vorstädten, durch den S t r a s s e n p l a n gelegten und in § 21 der Bauordnung für das Stadtgebiet und § 19 der Bauordnung für das Landgebiet näher bestimmten g e s e t z l i c h e n E i g e n t u m s b e s c h r ä n k u n g e n. Dieselben sind für den Verkaufswert der davon betroffenen Grundstücke in zwei Richtungen wichtig: 1) Es darf der Grund der in dem fraglichen Plane eingetragenen Strassen über-

39*

haupt nicht bebaut werden. Es erübrigt für den Eigentümer also
lediglich eine Verwendung zu Gärten, Hofplätzen, Lagerräumen etc.
oder als Strassengrund. 2) Die betreffenden Grundstücke dürfen
nicht nach Belieben des Eigentümers, Spekulanten etc. und in
möglichster Ausnutzung des vorhandenen Baugrundes bebaut
werden, sondern nur dem Strassenplane entsprechend. Ob und
wie weit hierdurch eine Verminderung des Verkaufswerts eintrete,
bedarf einer genauen Prüfung für jeden einzelnen Fall. Die Art,
wie das fragliche Grundstück von den Strassenlinien des Strassen-
plans durchschnitten wird, die Breite und Zahl der betreffenden
Strassen werden einen verschiedenartigen Einfluss auf die Verwendbarkeit zu Bauzwecken und Strassenanlagen und folgeweise
den Verkaufswert ausüben. Die Schätzer haben deshalb zunächst
diese Punkte genau festzustellen, eventuell sich an die Kataster-
kommission zu wenden, welche die nötigen Feststellungen veranlassen wird. Schliesslich haben die Schätzer bei derartigen Grundstücken in Berücksichtigung zu ziehen, ob die Durchführung der
betreffenden Planstrassen bereits gesichert ist oder, wenn überhaupt, nur in unbestimmter Zeit in Aussicht steht.

Hiemit ist der § 2 des Gesetzes vom 13. Dez. 1874 in Verbindung zu bringen, durch welchen das Geltungsgebiet des Gesetzes von 1873 in 10 Schätzungsbezirke geteilt wurde, welche
der Reihe nach jährlich einer allgemeinen Neueinschätzung unterzogen werden sollten, so dass jeder Bezirk alle 10 Jahre an die
Reihe kam. Ausserdem sollte eine Neuschätzung ausser der Reihe
angeordnet werden k ö n n e n, wenn »eine ungewöhnliche Veränderung des Grundwertes in einzelnen Gegenden stattfindet« und
in allen Fällen einer Veräusserung oder einer durch Bauten oder
andere Umstände herbeigeführten Veränderung des Grundes vorgenommen werden.

Diesen Bestimmungen gegenüber weist *Hanssen* nun darauf
hin, wie die Schätzung völlig der objektiv bestimmenden Unterlagen und Anhaltspunkte entbehre und ganz dem subjektiven Ermessen preisgegeben sei. Thatsächlich hätten auch die von der
Rekursbehörde als S a c h v e r s t ä n d i g e zugezogenen, der Preise
von Bauplätzen und Häusern kundigen Unterhändler die Einschätzungen der Generalschätzer für viel zu hoch erklärt und auf
etwa ⅓ reduziert wissen wollen. Die Rekursbehörde habe dann
ohne eigentlichen Anhalt zwischen beiden gestanden (S. 55).
Indem nun diese Schätzung nach dem zur Zeit der Schätzung

vorhandenen Verkaufswert 10 Jahre lang Geltung haben solle, ergeben sich daraus überdies grosse Ungleichheiten, da die in einer abwärts gehenden Konjunktion abgeschätzten Grundstücke weit günstiger als die in steigenden Wirtschaftsbewegungen geschätzten stehen würden. Ebenso würde eine infolge Veräusserung eintretende Neueinschätzung, je nachdem sie in auf- oder absteigender Konjunktur erfolge, den Eigentümer seinen Nachbarn gegenüber entweder günstiger oder ungünstiger stellen.

2) Wie oben S. 602 erwähnt, ist auch die a r e a v o n B a u e r n h ö f e n mit Rücksicht auf ihren Baustellenwert geschätzt. Hiegegen bemerkt *Hanssen* (S. 51. 52): »Soweit . . . dem Landwirte seine Haus- und Hofgärten unentbehrlich sind, ist doch die Annahme einer künftigen Kapitalverwertung derselben durch den Verkauf zu Bauplätzen von vornherein ausgeschlossen; die area, die schon mit den Wohn- und Betriebsgebäuden besetzt ist, kann doch noch weniger als ein beliebig veräusserlicher Bauplatz zu Bauten Anderer gedacht werden.«

3) Die G r e n z l i n i e des G e l t u n g s g e b i e t e s durchschneidet nach den oben S. 602 gegebenen Beispielen nicht nur die Feldmarken, sondern auch einheitlich bewirtschaftete Bauernhöfe, deren Bestandteile infolge dessen nach ganz verschiedenen Gesichtspunkten geschätzt sind. *Hanssen* weist (S. 54) darauf hin, wie anstössig und »dem gewöhnlichen Menschenverstand« unbegreiflich solche Steuerungleichheit insbesondere dann erscheinen müsse, »wenn es auf einer Feldmark sich so trifft, dass ein kleiner Grundbesitz innerhalb, ein grösserer ausserhalb der gezogenen Linie ganz oder grösstenteils liegt«. Die kleinen Leute werden alsdann stärker belastet erscheinen, als die grossen Bauern.

Mit dem *Hanssen*'schen Gutachten stimmten, soweit die Kritik des Bremischen Gesetzes und die Notwendigkeit seiner Wiederaufhebung in Frage kam, — wie bereits S. 602 erwähnt — auch die übrigen (27) Gutachten überein.

Sie weisen jedoch im übrigen wesentliche Unterschiede auf, und es wird zweckmässig sein, auf einige Punkte näher einzugehen.

Während zahlreiche Gutachten dem *Hanssen*'schen Gutachten entweder ohne weitere Zusätze oder mit einigen Bemerkungen [1]) zustimmen, gehen andere auf die F r a g e , o b u n d w i e d e r

---

1) Unter diesen finden sich am häufigsten die: dass die Grundsteuer nur eine Berechtigung als Ertragssteuer habe und dass jede Steuer, welche den Ertrag absorbiere oder gar darüber hinausgehe, verwerflich sei.

Kapitalzuwachs, welcher Eigentümern von Land aus der Ausdehnung der Bebauung erwächst, geeigneter Besteuerung zu unterwerfen sei, in längeren oder kürzeren Ausführungen ein. *G. Hanssen* hatte nur kurz bemerkt, dass das durch Verkauf von Land wirklich erzielte Vermögen ja durch Einkommen-, bezw. Vermögenssteuer getroffen werde; *Helferich* lehnt es zwar ab, den Erwartungswert der im Wert steigenden Grundstücke, der grossen Schwankungen unterliege, zum Massstab einer jährlichen Grundsteuer zu machen, er will ihn aber in dem Moment besteuert wissen, wo er sich verwirklicht und eine für die Steuer greifbare Form annimmt. Dies geschehe auch schon in Bremen, wo der Einkommensteuer auch »der Gewinn aus verkauften Grundstücken« unterliege und ausserdem eine Abgabe von Immobiliarverkäufen bestehe. Noch weiter geht die gemeinschaftliche Aeusserung von *Nasse* und *Held*, welche Besitzveränderungsabgaben, Erbschaftssteuern und Vermögenssteuern zur Besteuerung des Kapitalzuwachses geeignet erklären unter Ablehnung der Grundsteuer, welche gerade diejenigen, die durch Verkauf ihrer Grundstücke in günstiger Zeit einen ausserordentlichen Gewinn realisiert haben, nicht trifft.« *Knapp* und *Schmoller* (gemeinschaftlich) halten »das Prinzip des Gesetzes, so wie es die wechselnden, vielfach gar nicht wirklichen, sondern nur möglichen Spekulationswerte erfassen will, — für nicht ganz richtig, ohne jedoch eine andere Fassung desselben Prinzips (Besteuerung des Grundbesitzes nach den Kaufpreisen) für unter allen Umständen verwerflich zu erklären. Die Hauptmissgriffe scheinen — weniger im Prinzip als in der Ausführung des Gesetzes gelegen zu haben« [1]. Oberbürgermeister *Miquel* (Osnabrück) will die Bauplätze »zu Strassenanlagen, zur Beleuchtung, Kanalisierung u. s. w. so heranziehen, dass die Gesamtheit nicht auf ihre Kosten einzelne Grundstücke melioriert, alle Realwerte mag man zu kommunalen Zwecken stärker heranziehen, als das mobile Vermögen. Hiebei wird man immer in den Grenzen der Gerechtigkeit bleiben, wenn dabei der nachhaltige, durchschnittliche Ertrag, auf bestimmte Perioden ermittelt, zu Grunde

---

[1] Sie bemerken zugleich, dass sie über Zweck und Natur der Steuern im allgemeinen und über Stellung und Wert der Ertragsteuern im besonderen vielfach andere Grundanschauungen haben, als in dem theoretischen Teil des *Hanssen*'schen Gutachtens enthalten sind.

gelegt wird. Jede Besteuerung eines Verkaufswertes ist völlig willkürlich in der Veranlagung, ungleich in der Erhebung und wird in der Regel den Grundeigentümer übermässig belasten.«

Auf die F r a g e d e r A b g r e n z u n g d e s G e b i e t e s d e r B a u s t e l l e n b e s t e u e r u n g gehen *Bokelmann* (Direktor des landwirtsch. Generalvereins von Schleswig-Holstein) und *A. Wagner* näher ein. E r s t e r e r erklärt solche Abgrenzung für unausführbar, weil a l l e Grundstücke, auch die von der Stadt weiter entfernten, an der Wertsteigerung infolge der Ausdehnung der Bebauung Anteil hätten und die Uebergänge so allmähliche seien, dass sie sich nicht erkennen lassen. *Bokelmann* verwirft daher die Baustellensteuer in Form der Grundsteuer, will aber die Besitzer von Ländereien, welche nicht nur für die Landwirtschaft Bedeutung haben, wegen »des latenten Einkommens, welches in dem Zuwachs des Wertes liegt«, aus Gründen der Gerechtigkeit wie der Politik und Zweckmässigkeit im Rahmen der Einkommens- und Vermögenssteuer nach Massgabe des jeweiligen, schwankenden Verkaufswertes zur Besteuerung herangezogen wissen. Bei der Ausdehnung der Städte hätten die Grundbesitzer oft »ein Monopol in Händen, welches auf ganz erbarmungslose Weise ausgeübt« werde. »Die Nachfrage nach B a u p l ä t z e n von seiten der Städtebewohner (sei) in solchem Fall dem W u c h e r völlig preisgegeben. Eine kräftige Besteuerung (trage) etwas dazu bei, diesen Wucher zu mildern [1]), indem man sich eher entschliesst, ein Objekt, welches jährlich einige Kosten verursacht, zu verkaufen, als ein solches, welches ohne Kostenaufwand von Jahr zu Jahr höheren Gewinn in Aussicht stellt.«

Ad. Wagner hält dagegen das Gesetz von 1873 n u r »in seiner Anwendung auf w i r k l i c h n o c h r e g e l w ä s s i g l a n d w i r t- s c h a f t l i c h b e n u t z t e Grundstücke und Landgüter für u n- b r a u c h b a r«, dagegen als ersten praktischen Versuch in der Richtung, den »K o n j u n k t u r g e w i n n« im Sinn seines Lehrbuches der pol. Oekonomie, Bd. I, Grundlegung. 1876. S. 83—94. 661 ff. einer besonderen Besteuerung zu unterziehen, für sehr beachtenswert: »diejenigen bisher, bezw. ehemals ländlichen G r u n d- s t ü c k e , w e l c h e z u s t ä d t i s c h e n B a u p l ä t z e n v e r- w e n d e t w e r d e n s o l l e n , aber einstweilen von ihren Eigen-

---

1) Gegen die Hereinziehung dieses, auch in den Verhandlungen der Bürgerschaft zur Geltung gebrachten Gesichtspunktes wenden sich namentlich *Roscher*, *Knies* und *Geffcken*.

tümern noch nicht wirklich so verwendet werden, können recht wohl einer E x t r a s t e u e r unterworfen werden, sobald die regelmässige landwirtschaftliche Benutzung aufhört und somit nur auf die aufsteigende Baukonjunktur gewartet wird.« Daneben empfiehlt er für den bei Verkäufen von Grundstücken »mit Rücksicht auf ihre sofortige oder spätere Verwendbarkeit zu Bauplätzen erzielten, gegen den Wert ländlichen Bodens h ö h e r e n Preis... eine v e r h ä l t n i s m ä s s i g h o h e B e s i t z w e c h s e l a b g a b e«, ergänzt durch eine E r b s c h a f t s s t e u e r. Gegenüber der *Hanssen*'schen Empfehlung der neueren Ertragskataster giebt er zwar die grossen inneren Mängel der Kataster nach dem Verkaufswert zu, betont aber zugleich die »ebenfalls enormen Mängel der neueren Ertragskataster mit ihren künstlichen Reinertragsberechnungen«, bei denen man es doch eigentlich nur mit fiktiven Grössen zu thun habe.

Schon diese kurzen Auszüge aus den Gutachten zeigen, dass die im Grundsteuergesetz von 1878 für die unbebauten Ländereien vollzogene Rückkehr zur reinen Ertragsbesteuerung keine Lösung der im Gesetz von 1873 in Angriff genommenen Fragen, sondern nur einen Verzicht auf ihre Lösung enthielt. Und es ist in der That ein eigentümliches Zusammentreffen, dass ziemlich gleichzeitig mit den Verhandlungen wegen der Wiederaufhebung des Gesetzes von 1873 die F r a g e d e r B a u s t e l l e n - B e s t e u e - r u n g einerseits auf der in Gemeinschaft mit dem Volkswirtschaftlichen Kongress am 8. Oktober 1877 in Berlin abgehaltenen Versammlung des V e r e i n s f ü r S o z i a l p o l i t i k, und andererseits bei den p a r l a m e n t a r i s c h e n V e r h a n d l u n g e n über die Kommunalsteuerreform in Preussen in den Jahren 1877 und 1878 entschieden und lebhaft verhandelt und demnächst auch in der Wissenschaft weiter erörtert und dabei die Notwendigkeit einer solchen Steuer von verschiedenen Seiten anerkannt wurde.

Am eingehendsten ist die Frage von *Ad. Wagner* behandelt, welcher im Anschluss an seine oben genannten Ausführungen in der Grundlegung der pol. Oekonomie (1876) in seinem auf der Berliner Versammlung 1877 erstatteten und 1878 in weiterer Ausarbeitung erschienenen R e f e r a t ü b e r »d i e K o m m u n a l - s t e u e r f r a g e« eine angemessene Besteuerung der Baustellen, freilich nur der »wirklich unbenutzten oder nur zum Schein benutzten«, forderte und *A. Held* gegenüber — welcher die Besteuerung der Konjunkturgewinne aus Grundstücken mit dem Hinweis

auf die in solchem Fall auch erforderlich werdende, aber undurch-
führbare Besteuerung der Gewinne aus Mobiliar-Eigentum ablehnte
— auf die völlig verschiedene Funktion und die verschiedenen
Preisgesetze des Immobiliarvermögens und der beweglichen Produkte hinwies, und demnächst in seiner F i n a n z w i s s e n -
s c h a f t Tl. II, §§ 236—240 (2. Aufl. S. 576—588) für die Durchführung der Besteuerung der Konjunkturgewinne aus Grundstücken
folgende v i e r nebeneinander einzuschlagende W e g e bezeichnete: 1) regelmässige Erneuerungen der Ertragsermittlungen bei
Ertragssteuern und gut eingerichtete Einkommensteuern, 2) Verkehrsbesteuerung, 3) Erbschaftssteuern und 4) laufende Extra-
steuer beim Uebergang von Ackerland in Baugelände.

Auch *R. Friedberg* (Die Besteuerung der Gemeinden, 1877,
S. 90) sieht in der steuerlichen Behandlung der Baustellen als
Garten- oder Wiesenboden eine u n g e r e c h t f e r t i g t e L a s t e n -
b e f r e i u n g derselben, welche die rechtzeitige Bebauung, an
welcher die Gesamtheit ein grosses Interesse habe, verzögern,
und er fordert daher die Besteuerung nach Massgabe der landesüblichen Zinsen ihres Wertes.

In den gedachten parlamentarischen Verhandlungen, welche
in K.A.G. S. 55. 69. 71 skizziert sind, bezeichnet es namentlich
Dr. Alex. Meyer, auf dessen ältere Arbeiten bereits im ersten
Aufsatz S. 444 hingewiesen ist, als »eine der schwierigsten, aber
würdigsten A u f g a b e n der städtischen Finanzpolitik — den
w a c h s e n d e n B a u s t e l l e n w e r t in einer richtigen und angemessenen Steuer zu treffen.«

Aus der späteren Litteratur ist namentlich *G. Cohn* (Finanzwissenschaft 1889, §§ 243. 345, S. 303. 467) zu erwähnen, welcher
als Hauptbeispiel für die N o t w e n d i g k e i t d e r B e s t e u e -
r u n g a u c h e r t r a g l o s e r V e r m ö g e n s o b j e k t e »die
städtischen, zumal grossstädtischen Baustellen« anführt — »Ver-
mögensgrössen oft von bedeutendem Wert, welche in der harm-
losen Gestalt eines Kartoffelackers ein idyllisches Dasein heucheln.«
Indem er die Ausfüllung der in dieser Beziehung noch vorhandenen Lücke als eine Forderung der Gerechtigkeit bezeichnet,
findet er in dem Bremer Fall, in welchem man »den guten Willen
in ungeschickter Weise hat Gestalt gewinnen lassen«, nichts Be-
weisendes. »Es kommt darauf an, der Gerechtigkeit in geschick-
terer Weise zu dienen, als es in der Karrikatur der Gesetzgebung
in einem Staatswesen von einigen Quadratmeilen, wo Kaufleute

sich nach dem Zuge ihrer Interessen die Gesetze machen, zu erwarten ist; denn ein spannelanger Wagen, sagt Aristoteles, ist
gar kein Wagen.«

Es wird nunmehr zu prüfen sein, ob und inwieweit es der
Gesetzgebung des Preussischen Staates besser gelungen ist, den
Gemeinden für die Lösung der Frage einer gerechten und zweck-
mässigen Besteuerung der Baustellen geeignete Unterlagen und
Handhaben zu gewähren.

c. Die Bauplatzsteuer und das Preussische Kommunalabgabengesetz vom 14. Juli 1893.

Die Bauplatzsteuer bildet nur einen Teil der Bestimmungen
des K.A.G. über die direkten Realsteuern vom Grundbesitz; die
letzteren werden daher zunächst, soweit sie auch für die Bauplatzsteuer in Betracht kommen, darzustellen sein. Diese Erörterung wird zugleich auch die Stellungnahme klar machen, welche
das K.A.G. den in den *Hanssen*'schen Gutachten niedergelegten
und vielseitig geteilten allgemeinen Auffassungen und Anschauungen gegenüber einnimmt.

Nach § 25 des K.A.G. ist den Gemeinden »die Einführung
besonderer Steuern vom Grundbesitz gestattet; und zwar kann
»die Umlegung i n s b e s o n d e r e erfolgen nach dem Reinertrage
bezw. Nutzungswerte eines oder mehrerer Jahre, nach dem Pacht-
beziehungsweise Mietswerte oder dem gemeinen Werte der Grundstücke und Gebäude, nach den in der Gemeinde stattfindenden
Abstufungen des Grundbesitzes oder nach einer Verbindung
mehrerer dieser Massstäbe.«

Im Reg.Entw. hatte an Stelle der Worte »gemeinen Werte«
das Wort »Verkaufswerte« gestanden; die jetzige Fassung wurde
in der Kommission des Abg.Hauses beliebt, nachdem der Antragsteller darauf hingewiesen, dass dieser Ausdruck auch im § 9
des Ergänzungssteuergesetzes gebraucht sei und dazu bemerkt
hatte: der gemeine Wert »werde durch die Zwecke des Grundstückes bestimmt; bei einem Bauplatze, der nur durch Bebauung
oder Verkauf zu diesem Zweck entsprechenden Wert habe, sei
der »gemeine Wert« und der Verkaufswert identisch; diene das
Grundstück aber dazu, einen regelmässigen Ertrag zu liefern, so
decke sich der »gemeine« Wert mit dem Ertragswerte«; wogegen

der Finanzminister nach dem Kommissionsbericht [1]) (S. 2434) erwiderte : »der gemeine Wert habe hier nicht dieselbe Bedeutung, wie bei der Vermögenssteuer, da mit demselben Bauplätze nicht genügend getroffen würden.«

Es erscheint indessen von geringem Gewicht, im einzelnen zu ermitteln, inwieweit gemeiner Wert und Verkaufswert sich decken, da die in § 25 genannten Massstäbe ausweislich des oben unterstrichenen Wortes »insbesondere« nur Beispiele sind, und es den Gemeinden hienach unter Voraussetzung der erforderlichen staatlichen Genehmigung f r e i s t e h t, auch den V e r k a u f s - w e r t a l s M a s s s t a b z u w ä h l e n. Und es wird daher genügen, noch folgende Aeusserung des Finanzministers bei Beratung des Ergänzungssteuergesetzes (Verhandlungen des Abg.-Hauses 1892/1893, S. 1858) anzuführen : »Ich habe ausdrücklich gesagt, dass in sehr vielen Fällen der Wert des Grundbesitzes unter wesentlicher Zugrundelegung des Ertrages zu berechnen ist, dass aber auch andere Fälle sein können, z. B. bei städtischem Grundbesitz oder bei Grundstücken, die in der Nähe einer Stadt liegen oder in solchen industriellen Gegenden, wo die Bedeutung des Ertrages schon ganz zurücktritt, dass da wesentlich der Kaufwert zu Grunde gelegt werden müsste.«

Als andere, unter Umständen mit einander zu verbindende Massstäbe wurden im Abgeordnetenhause (Verh. S. 2022. 2024) namhaft gemacht und regierungsseitig als zulässig anerkannt: die Fläche (Areal) bezw. Verteilung zum Teil nach der Fläche, zum Teil nach dem Ertrag *(Christophesen,* Schleswig-Holstein), und der Normalmorgen in Westpreussen *(Gerlich).* Ausserdem wurde bei anderem, später zu erwähnenden Anlass von Dr. *Brüel* die Veranlagung nach Lageklassen für städtische Gemarkungen als zweckmässig empfohlen (S. 2029).

Die Verbindung mehrerer Massstäbe ist nach dem Gesetz nicht beschränkt: sie kann also sowohl in der eben erwähnten Weise, dass ein Teil des Bedarfes nach dem einen, andere Teile nach andern Massstäben aufgebracht werden, als auch in d e r Art erfolgen, dass für gewisse Teile des Grundbesitzes ein anderer Massstab als für andere Teile (z. B. bebaute — unbebaute) gewählt wird. Nur müssen für gleiche Verhältnisse gleiche Normen geschaffen werden.

---

[1]) Vgl. Anlagen zu den Stenographischen Berichten über die Verhandlungen des Abgeordnetenhauses. 1892/93. Bd. V, S. 2404 ff.

Und hiemit kommen wir zu § 27 und der in demselben zu-
gelassenen Liegenschaftssteuer.

Der § 27 lautet:

»Die Steuern vom Grundbesitz sind nach gleichen Normen
und Sätzen zu verteilen. Liegenschaften, welche durch die Festsetzung von Baufluchtlinien in ihrem Werte erhöht worden sind
(Bauplätze), können nach Massgabe dieses höheren Wertes zu
einer höheren Steuer als die übrigen Liegenschaften herangezogen
werden. Diese Besteuerung muss durch Steuerordnung geregelt
werden.«

Ehe jedoch in seine Auslegung eingetreten wird, sollen die
wesentlichsten Bestimmungen des K.A.G. über Grundbesitzbesteuerung und ihr Verhältnis zu den *Hanssen*'schen allgemeinen Ausführungen kurz hervorgehoben werden:

1) Indem das Gesetz hinsichtlich des Massstabes auch für unbebautes Gelände freie Hand lässt, erkennt es an, dass nicht
nur eine Besteuerung nach dem Ertrage, sondern
auch nach andern Momenten angebracht sein kann (vgl. oben
S. 605. 609).

2) Indem es ferner auch die Besteuerung ertraglosen Geländes nicht nur nicht ausschliesst, sondern in § 27
ausdrücklich zulässt, verwirft es zugleich den oben S. 609 von
vielen aufgestellten Satz, dass die Steuer nur aus dem Ertrage
gezahlt werden kann. Die innere Begründung hiefür ist sowohl
in der Anerkennung der Notwendigkeit einer ergänzenden Vermögenssteuer mit Rücksicht auf die schon durch den Besitz des
Vermögens unabhängig von seinem Ertrag gegebene erhöhte Leistungsfähigkeit (vgl. K.A.G. S. 142), als in dem besonderen Verhältnis des Grundbesitzes zur Gemeinde gegeben. Der Berichterstatter im Abgeordnetenhaus Dr. *Wuermeling* bemerkte in dieser
Beziehung im Anschluss an den Kommissionsbericht S. 2436 ausdrücklich (Verh. S. 2026), dass die Bauplatzsteuer »in möglich-
stem Umfange als Ausgleich für die (den Gemeinden) nicht zu Teil
gewordene Vermögenssteuer, welche die ertraglosen Grundstücke zu erfassen geeignet ist«, dienen soll. Dieselbe Bemerkung
trifft natürlich unter Umständen auch für die Grundbesitzsteuer
überhaupt zu, von welcher die Bauplatzsteuer ja nur eine Unter-
art ist; und diese Grundsteuer kann hienach in der Folge
nicht nur in der hergebrachten Form der Ertragsbesteuerung, sondern auch als Besitz- und Ver-

m ö g e n s s t e u e r aufgefasst und entwickelt werden; und eine scharfe Erfassung der hierin liegenden Gegensätze ist vor allem nötig, um die Unklarheiten zu vermeiden, welche in B r e m e n daraus erwachsen sind, dass, wie *G. Cohn* im Finanzarchiv I (1884), S. 100. 101 bei Besprechung der zu niedrigen Einschätzung der Grundstücke in Zürich und Umgegend zur Vermögenssteuer mit Recht hervorhebt, »die Grundeigentümer des bremischen sog. Geltungsgebietes das gute Recht ihrer landwirtschaftlichen Ertragssteuer betonen dürften, dass dadurch aber die eigentliche Grundfrage zurückgeschoben wurde, die Frage nämlich, wie weit denn überhaupt in diesem räumlichen Bereich eine landwirtschaftliche Ertragssteuer am Platze sei.«

3) Was endlich die Bemerkung (oben S. 611) anlangt, dass m i t   d e r   S t e u e r   k e i n e   N e b e n z w e c k e   v e r f o l g t   w e r d e n   d ü r f e n, und mit der Baustellensteuer insbesondere nicht der Zweck, den Besitzer zum Verkaufe williger zu machen, so erledigt sich dieselbe dadurch, dass eine solche Steuer vor allem in sich gerecht und nur ausserdem gleichzeitig zweckmässig ist. Die Begründung zum K.A.G. (zu § 22, jetzt 27) erkennt beides auch ausdrücklich und offen an: (Es) »rechtfertigt sich eine solche Besteuerung im allgemeinen durch die Erwägung, dass solche Grundstücke, regelmässig ohne Zuthun des Besitzers und infolge der Veranstaltungen der Gemeinden, eine beträchtliche Wertsteigerung erfahren. Der Grund der Wertsteigerung ist nicht selten, namentlich in Gemeinden mit rascher und starker baulicher Entwickelung, ein überaus erheblicher, bisweilen fast unermesslicher. Wo eine solche Entfaltung vorauszusehen ist, pflegt sich deshalb ein schwunghafter Handel in den zu Bauplätzen geeigneten Grundstücken zu entwickeln. Die Bauplätze werden zu Spekulationsobjekten, welche von einzelnen Privatpersonen oder von Bau-, Terrain- u. s. w. Gesellschaften aufgekauft, vorteilhaft weiter veräussert, oder in Erwartung höherer Wertsteigerung zurückbehalten werden. Infolge dessen findet häufig eine sich überstürzende, ungesunde Preissteigerung von Baugrundstücken statt, welcher durch eine angemessene höhere Besteuerung wenigstens einigermassen vorgebeugt werden kann. Eine besondere Besteuerung der Baugrundstücke wird der spekulativen Verteuerung derselben entgegenwirken, da in diesem Falle die Besitzer nicht bloss mit den Zinsen des Ankaufskapitals, sondern auch mit der Steuer zu rechnen haben, daher sich früher zum Wieder-

verkauf entschliessen werden. Jedenfalls wird aber hiermit den Gemeinden eine n e u e S t e u e r q u e l l e eröffnet, welche ohne empfindlichen Druck eine billige und gerechte Vorbelastung bewirkt und einen vorzugsweise kommunalen Charakter trägt.« (Begr. S. 565).

Auf diesen G r u n d l a g e n beruht sonach die B a u p l a t z - s t e u e r des § 27, dessen I n h a l t nunmehr zu erörtern ist.

Der Reg.Entwurf hatte eine andere allgemeine Fassung gehabt, und zwar dahin:

»Liegenschaften, welche an einer Baufluchtlinie belegen sind (Bauplätze), können mit einem höheren Steuersatz als die übrigen Liegenschaften herangezogen werden.«

Nach dem Kommissions-Bericht S. 2435 war man »mit dem Grundgedanken auf den verschiedensten Seiten einverstanden. Die Bestimmung werde der ungesunden Bauplatzspekulation vorbeugen, indem sie durch stärkere Besteuerung der Bauplätze gegen das zu lange Festhalten der Plätze und die damit verbundene Preissteigerung wirke. Auch gewähre sie den Gemeinden ein gewisses Entgelt für die ihnen verschlossene Vermögenssteuer, welche ja gerade den Vorzug habe, die ertraglosen Grundstücke ihrem Werte nach zur Steuer heranzuziehen.« (Vgl. S. 616.)

Indessen hielt man es auf der e i n e n Seite »für zu weit-gehend«, den höheren Steuersatz schon dann zuzulassen, wenn nur eine Baufluchtlinie festgestellt sei. Die Bebauungspläne würden vielfach für so grosse, in absehbarer Zeit noch gar nicht aufzuschliessende Gebiete festgesetzt, dass thatsächlich auf lange Zeit hinaus viele an Baufluchtlinien belegene Grundstücke noch gar nicht bebauungsfähig oder auch nur in ihrem Werte besonders gesteigert seien. Auch würden nicht selten die Baufluchtlinien nachträglich geändert. So könnten Interessenten Jahre lang wegen vermeintlicher Vorteile Lasten tragen und schliesslich gar keinen Vorteil haben.« Es wurde daher in der Kommission — und in etwas anderer Form auch im Plenum in zweiter Lesung (v. Erffa. Nr. 187 zu I) — der Antrag gestellt, dass n u r »L i e g e n - s c h a f t e n a n S t r a s s e n o d e r S t r a s s e n t e i l e n, welche gemäss den baupolizeilichen Vorschriften für den öffentlichen Verkehr und den Anbau f e r t i g g e s t e l l t sind«, mit einem höhern Steuersatze sollen herangezogen werden.«

Die Anträge wurden jedoch abgelehnt. Man erwiderte: »In den meisten Fällen träte nicht erst durch die Fertigstellung der

Strasse, sondern schon durch die Festsetzung der Baufluchtlinien oder wenigstens lange vor Eintritt der erstgedachten Voraussetzung ein wirklicher Wertzuwachs ein. Dieser w i r k l i c h e W e r t - z u w a c h s müsse zum M a s s s t a b der Besteuerung gemacht werden.«

Von der a n d e r n Seite wurde das Erfordernis der Belegenheit an einer Baufluchtlinie unter Hinweis auf die dadurch, nämlich durch Abtrennung des an der Strasse belegenen Streifens (Maske) gebotene Möglichkeit, sich der Steuer zu entziehen, bemängelt; auch wurde die Zulassung eines höheren Steuersatzes für ungenügend, und die Zulassung auch anderer Massstäbe der Besteuerung, namentlich des Verkaufswertes für notwendig erklärt.

Die von der Kommission angenommene Fassung trug zunächst diesen letzteren, sowie fernhin auch den wegen der formalen Behandlung (Steuerordnung) erhobenen Einwänden Rechnung und versuchte zugleich auch den von entgegengesetzter Seite geltend gemachten Bedenken dadurch gerecht zu werden, dass ein Z u s a m m e n h a n g sowohl z w i s c h e n d e r W e r t e r - h ö h u n g u n d d e r F l u c h t l i n i e n - F e s t s e t z u n g als z w i s c h e n d e r W e r t e r h ö h u n g u n d d e r h ö h e r e n S t e u e r als Erfordernis hingestellt wurde.

Die Worte »d i e s e s höheren Wertes sind erst im Plenum in zweiter Lesung auf Antrag des Abg. Dr. *Alex. Meyer* an Stelle der im Kommissionsbeschluss gewählten Worte: »i h r e s höheren Wertes eingefügt. Der Antragsteller (Verh. S. 2028. 2030) bemerkte dazu: »Ich will dadurch genau definieren, dass es auf denjenigen Wertzuwachs ankommt, der durch die Legung der Baufluchtlinien hervorgerufen ist, und durch nichts anderes.« Und weiter (S. 2028): »Ich hatte mir noch eine andere Fassung notiert, die vielleicht noch präziser ist: »den durch diese Massregel erhöhten Wert«. Ich glaube indessen, die Annahme des Wortes »dieses« würde genügen.«

Der Finanzminister erklärte (S. 2028), dass er gegen die Aenderung nichts zu erinnern hätte.

So viel über die Entstehungsgeschichte des § 27 !

Aus dem Bremer Fall wissen wir (S. 606 ff.), dass namentlich d r e i F r a g e n Schwierigkeit verursacht hatten : die Behandlung bebauter Grundstücke, die Abgrenzung des Bezirkes der höheren Bauplatzbesteuerung, die Bemessung von Wert und Steuer.

In Bezug auf die e r s t e Frage schweigt das Gesetz völlig;

es kann aber nicht zweifelhaft sein, dass der allgemeine Ausdruck
»Liegenschaften« sowohl unbebaute als bebaute umfasst. Das
Nähere ist also in der Steuerordnung zu regeln, ohne dass das
Gesetz dafür einen Anhalt giebt [1]).

Die zweite Frage, welche *Bokelmann* überhaupt (S. 611) für
unlösbar erklärt hatte, und welche *Ad. Wagner* (S. 611. 612) durch
die mindestens sehr schwierige Unterscheidung von landwirtschaftlich benutztem und unbenutztem oder nur zum Schein benutztem
Gelände hatte lösen wollen, ist — unter Beseitigung eines vom
Reg.Entwurf vorgeschlagenen, rein objektiven Unterscheidungs-
merkmales — dahin beantwortet, dass als O b j e k t d e r B a u -
p l a t z s t e u e r d i e d u r c h d i e F e s t s e t z u n g v o n B a u -
f l u c h t l i n i e n i n i h r e m W e r t e e r h ö h t e n L i e g e n -
s c h a f t e n anzusehen sind.

Nun ist in dem Kommissionsbericht mit Recht hervorgehoben,
dass keineswegs jede Festsetzung von Baufluchtlinien an sich mit
einer Werterhöhung der betroffenen Grundstücke verbunden ist;
andrerseits ist es ebenso unzweifelhaft, dass die W e r t e r h ö h u n g
vorstädtischer Grundstücke in zahlreichen Fällen durchaus u n a b -
h ä n g i g v o n j e d e r F e s t s e t z u n g v o n F l u c h t l i n i e n
vor sich geht. Und es bleibt nun völlig u n k l a r , w a r u m
d i e s e l e t z t e r e W e r t e r h ö h u n g n i c h t g e t r o f f e n w e r -
d e n s o l l. Die allmählich in die Städte hineingewachsenen,
etwa an alten Landstrassen belegenen Parks und Gärten, haben
ebenso wie andere Liegenschaften, welche aus irgend einem Grunde
zur Parzellierung kommen (etwa infolge Verlegung einer Gärtnerei,
einer Fabrik u. s. w.) ihren grossen Wertzuwachs infolge der B e -
v ö l k e r u n g s z u n a h m e und der A u s d e h n u n g d e r B e -
b a u u n g erhalten, auch wenn gar keine Fluchtlinien für sie festgestellt sind; und regelmässig wird diese Feststellung an und für
sich gar keinen Wertzuwachs bringen. Aber auch gewöhnliche
Ackergrundstücke sind in gleicher Lage, wenn Fluchtlinienpläne,
deren Aufstellung bekanntlich von zahlreichen, mehr oder weniger
zufälligen Umständen (Besitzverhältnissen, Wahrscheinlichkeit baulicher Erschliessung, Stand der Verkehrsverbindungen u. s. w.)
abhängt, gerade für den Gemarkungsteil, in welchem sie belegen

---

1) Nach der inzwischen ergangenen Ausführungsanweisung zum K.A.G. Art. 18
(S. 72) bezieht der Ausdruck »Liegenschaften« sich nur auf unbebaute Grundstücke
oder Grundstücksteile. Schuppen, Baracken und ähnliche Gebäude kommen aber
nicht in Betracht. Ebenda S. 148.

sind, nicht festgestellt sind. Es kann dann also kommen — wie es z. B. in Frankfurt a. M. thatsächlich der Fall sein würde —, dass das Gelände an der e i n e n Seite einer Landstrasse anders behandelt werden müsste, als das an der a n d e r n Seite gelegene, obwohl ihre Wertverhältnisse durchaus dieselben sind. Das erste Prinzip jeder Steuer, und namentlich jeder Vermögenssteuer, als welche die Bauplatzsteuer ja anzusehen ist (vgl. S. 616): die Gleichmässigkeit würde hiedurch aber so stark verletzt werden, dass in derartigen Gemeinden eine solche Steuer schon dadurch unmöglich würde.

Nach dem Regierungsentwurf trafen alle diese Einwände nicht zu, da es sich nach diesem nur um ein jeder Zeit herstellbares äusseres Kennzeichen — die Feststellung von Fluchtlinien — nicht aber um die Werterhöhung durch dieselbe handelte.

Nach dem Gesetz aber ist d i e s e W e r t e r h ö h u n g selbst die Vorbedingung der höheren Besteuerung; und es ist nicht abzusehen, wie es überhaupt möglich sein kann, auf dieser Grundlage räumlich abgegrenzte Bezirke der Bauplatzbesteuerung in sicherer und haltbarer Weise herzustellen, zumal jedem Einzelnen im Verwaltungsstreitverfahren frei steht, eine durch Fluchtlinienfestsetzung bewirkte Werterhöhung seines Grundstückes zu bestreiten. Dass es übrigens mit dem bereits angezogenen Prinzip der Gleichmässigkeit der Steuer durchaus unverträglich wäre, nur einzelne, auf diesem Wege im Wert erhöhte Grundstücke mit Bauplatzsteuer zu belegen, wird weiterer Ausführung nicht bedürfen.

Allein wenn es auch gelänge, die O b j e k t e d e r B a u - p l a t z s t e u e r im Sinne des § 27 zu begrenzen [1]), so entstände

---

1) Auf andere steuertechnische Schwierigkeiten soll hier nur andeutungsweise hingewiesen werden. Wenn man wie *Bokelmann* (oben S. 611) die Wertsteigerung von Grundstucken in der P e r s o n a l b e s t e u e r u n g (Einkommens- und Vermögenssteuern) fassen will, bedarf es allerdings nur einer ungefahren Schätzung des Gesamtbesitzes eines Steuerpflichtigen, und manche Unrichtigkeit mag dabei durch eine andere aufgehoben werden. Da es sich hier aber um eine G r u n d s t e u e r handelt, ist eine genaue Bezeichnung der einzelnen Grundsteuerobjekte unerlässlich. Ein Festhalten der in den Grundsteuer-Rollen aufgefuhrten einzelnen Grundstücke ist dabei im Interesse der Veranlagung und Fortschreibung jedenfalls so lange dringend erwünscht, als der ganze staatliche Apparat der Grundsteuerbehandlung aufrecht erhalten wird. Nun ist aber eine Feststellung einer Werterhohung durch Fluchtlinien für die Grundstücke in ihrer bisherigen Begrenzung dadurch sehr erschwert, dass gerade die Fluchtlinien-Festsetzung für einzelne Grundstücke vielleicht gar keine Werterhöhung bringt — etwa weil dieselben ganz oder grosstenteils in projektierte Strassen fallen —, während sie für benachbarte Grundstücke ganz anders wirkt. Welche

die weitere Frage nach der Bemessung dieser
S t e u e r , deren Beantwortung noch schwieriger erscheint.

Die höhere Besteuerung darf nach § 27 n u r n a c h M a s s -
g a b e d i e s e s , d. h. — nach der Erklärung des Antragstellers
Meyer, oben S. 619 — des d u r c h d i e F e s t s e t z u n g v o n
F l u c h t l i n i e n e r h ö h t e n W e r t e s erfolgen.

Aus den Verhandlungen ist in keiner Weise ersichtlich, warum die oben angeführten allgemeinen Ursachen des Wertzuwachses
(zunehmende Bevölkerung und Ausdehnung der Bebauung) ebenso
wie die zahlreichen übrigen besonderen Gründe von Werterhöhungen,
wie Eindeichungen, Brückenbauten, Anlage von Zufuhrwegen oder
Kleinbahnen, Bauten von Markthallen, Häfen u. s. w. sämtlich
unberücksichtigt bleiben sollen. Man ist also auf den Wortlaut
des Gesetzes selbst angewiesen, und hienach ist den Gemeinden
offenbar die Aufgabe gestellt, bei der Bauplatzbesteuerung die
verschiedenen vielfach gleichzeitig mit einander wirkenden und
sich gegenseitig durchkreuzenden U r s a c h e n d e r W e r t -
e r h ö h u n g a u s e i n a n d e r z u h a l t e n und das Mass zu ermitteln, nach welchem dieselbe einerseits der Fluchtlinienfestsetzung, andererseits den andern Ursachen zuzuschreiben ist. Dass
diese Aufgabe unlöslich ist, mag zu viel gesagt sein: sicher ist
sie aber nicht ohne die subjektivsten und willkürlichsten Annahmen
und Schätzungen zu erledigen, und es ist sehr zu fürchten, dass
Parteien und Gemeindebehörden und Verwaltungsgerichte dabei
in dieselben schwierigen Lagen wie in Bremen geraten [1]). Schon
die e i n e Frage, wie es mit der Feststellung von Werterhöhungen
zu halten ist, welche auf Grund von Fluchtlinienfestsetzungen eingetreten sind, die schon vor kürzerer oder längerer Zeit erfolgt
sind — würde zu den verschiedenartigsten Antworten führen
müssen. Und bei allen diesen Schwierigkeiten ist schliesslich noch
die Befürchtung nicht abzuweisen, dass d e r n a c h w e i s b a r
d u r c h F e s t s e t z u n g v o n F l u c h t l i n i e n b e w i r k t e
W e r t z u w a c h s d e r b e i w e i t e m u n b e d e u t e n d s t e
und die ganze Arbeit demnach im wesentlichen *pro nihilo* gewesen ist.

Grundstücke will man hier der Bauplatzsteuer unterwerfen? und in welcher Begrenzung? — Und wie, wenn demnächst etwa der Fluchtlinienplan wieder abgeändert wird?

1) Der Abg. *v. Buch* (Verh. S. 2027) warnte mit Recht dringend vor den in
solchen Fällen erforderlichen Abschätzungen, von welchen gar zu leicht gesagt werden
würde: Taxen sind Faxen.

Allerdings entspricht dies Ergebnis offenbar nicht der Absicht des Gesetzgebers, wie in den Verhandlungen besonders gerade von dem Antragsteller jenes Amendements (»dieses«), Dr. *Alex. Meyer* und dem Finanzminister in den nachfolgenden, hier wörtlich wiedergegebenen Ausführungen Ausdruck gegeben ist:

Abg. Dr. *Meyer* (S. 2028. 2029), »Wenn Sie den Antrag des Herrn *v. Buch* — *v. Erffa*, oben S. 618 — annehmen, so vereiteln Sie den ganzen Zweck der Bestimmung. In dem Augenblick, wo die Stadt die Strasse fertiggestellt hat, hat die Spekulation bereits . die Sahne vollständig abgeschöpft. G e r a d e d e n j e n i g e n V e r m ö g e n s z u w a c h s w o l l e n w i r t r e f f e n, d e r i n a l l e r S t i l l e g a n z u n b e m e r k t v o r s i c h g e h t, w ä h r e n d d a s G r u n d s t ü c k s i c h e n t w i c k e l t a u s e i n e r S c h o l l e, d i e w e i t d r a u s s e n v o r d e r S t a d t l i e g t, z u e i n e m s o l c h e n S t ü c k L a n d e s, a u f w e l c h e s d i e B a u s p e k u l a t i o n i h r A u g e n m e r k r i c h t e t.

Die Anlage eines gewissen Kapitals in derartigen Baustellen hat eine gewisse A e h n l i c h k e i t m i t S p a r k a s s e n e i n l a g e n, wovon man nicht jährlich Zinsen erhebt, sondern die Zinsen ruhig dem Kapital zuwachsen lässt und dann nach Jahren durch das Anwachsen überrascht worden ist. Die Neigung, in dieser Weise Spekulation zu treiben, ist in Deutschland mehr verbreitet, als in irgend einem anderen Lande.

Die Dinge liegen nun so, dass jemand, der weit entfernt in einer Gegend, an welche die Bauthätigkeit vielleicht nach 20 Jahren herantritt, ein Stück Land hat, in dieser ganzen Zeit für dieses Stück Land keine Auslagen hat; soviel, wie er etwa an Grundsteuer, an Gemeindeabgaben dafür zu zahlen hat, soviel wirft die landwirtschaftliche Benutzung ab. Man findet ohne Schwierigkeit jemanden, der sagt: ich will die Grundsteuer, will die Gemeindeabgaben bezahlen, wenn du mir erlaubst, diese Stelle zu benutzen. Während man keine Ausgaben hat, wächst aber das Vermögen im hohen Masse an.

Nun hat derjenige, welcher eine Baustelle besitzt, das Bestreben, sie erst dann zu veräussern, wenn die Spekulation ihre Schuldigkeit im vollen Masse gethan hat, wenn der Wertzuwachs, der überhaupt zu erwarten ist, im wesentlichen erfolgt ist; und daraus ergiebt sich eine gewisse Neigung, mit der Bebauung derartiger Stellen zurückzuhalten. Diese Neigung, mit der Bebauung solcher Stellen zurückzuhalten, ist eine der Ursachen der Woh-

nungsnot, — nicht die einzige, vielleicht nicht einmal die haupt-
sächlichste, aber jedenfalls eine stark mitwirkende Ursache, dass
die Wohnungen nicht in dem Masse vermehrt werden, wie es
notwendig wäre, um die Bevölkerung mit guten und wohlfeilen
Wohnungen zu versehen. Die sozialpolitische Bedeutung, die ich dieser höheren Besteuerung nach dem sogenannten
Baustellenwert beilege, der hier in Berlin wenigstens, und in anderen grossen Städten ebenso, mit nicht übermässigen Schwierigkeiten festzustellen ist, legt dem Besitzer einer solchen
Stelle wenigstens die Erwägung nahe, ob er die
Kosten, welche ihm die Steuer verursacht, sich
nicht einigermassen dadurch erleichtern will,
dass er baut, vorläufig kleinere Häuser, Häuser für Arbeiter,
für den kleineren Mann, so dass hier eine Entlastung der dicht-
bewohnten Stadtteile stattfindet.

Aus diesem Grunde habe ich in der Kommission auf die Annahme dieses Paragraphen einen grossen Wert gelegt; ich em-
pfehle ihn im wesentlichen in der Kommissionsfassung und bitte
Sie nur um die Annahme meines kleinen Redaktionsantrages«,
(vgl. S. 619) und weiter

Finanzminister Dr. *Miquel:* »Ich glaube, wenn Herr *v. Erffa*
die Entwickelung dieser Spekulationsobjekte so genau in der
Praxis beobachtet hätte, wie das in der Kommunalverwaltung
möglich ist, würde er doch keine besondere Neigung für seinen
Antrag haben. Herr Abgeordneter Dr. *Meyer* hat durchaus Recht,
dass gerade in Deutschland die Spekulation mit den sogenannten
Bauplätzen, mehr als in anderen Ländern, namentlich weit mehr
als in England, dahin geführt hat, die Bauplätze in der Nähe der
Städte unverhältnismässig zu verteuern. Man kann das ganz genau
nachweisen, dass in den grösseren englischen Städten namentlich
die kleineren Wohnungen verhältnismässig viel billiger sind als in
den grösseren deutschen Städten, und wenn man genau nachfragt,
woher diese Steigerung der Mietspreise kommt, wird man finden,
dass unter anderen Gründen — häufig ist es die Folge einer un-
zweckmässigen Gemeindeverwaltung — ich sage: unter anderen
Gründen es darin liegt, dass die sogenannten Bauplätze soviel
von der einen Hand in die andere wandern und sich dabei fortwährend verteuern. Derjenige, der einen solchen Bauplatz besitzt, riskiert jetzt die Zinsen des Kapitals, welches er für den
Bauplatz hergegeben hat. Dies verhindert ihn häufig nicht, längere

Zeit mit dem Verkauf zu warten, er schliesst den Bauplatz zu, die Spekulation ist ihm noch nicht weit genug gegangen. So bleiben solche in der Nähe der Städte unbedingt zur Bebauung notwendige Grundstücke unbebaut liegen, weil der Preis immer noch nicht hoch genug geworden ist, den der Inhaber dafür erwartet (2030). Wenn Sie nun einen solchen Bauplatzbesitzer neben dem Zinsverluste, den er hat, ausserdem noch anhalten, eine dem Werte des Bauplatzes angemessene Steuer zu bezahlen, wird er geneigt sein, den Bauplatz viel eher auf den Markt zu bringen, und es wird das Verschliessen der Bauplätze, das künstliche in die Höhe treiben der Preise nicht in dem Masse stattfinden können. Ich glaube, das wird Ihnen jeder Praktiker in diesen Dingen sagen, und darin liegt, wie Herr Dr. *Meyer* mit Recht gesagt hat, der grosse s o z i a l p o l i t i s c h e V o r t e i l der ganzen Frage, dass dadurch das übermüssige und künstliche Hinauftreiben der Preise für Bauplätze mehr oder weniger verhindert wird. Ich glaube, wir könnten mit diesen Gesichtspunkten doch schon allein diese Bestimmung rechtfertigen, die nach meiner Auffassung zu einem wirklichen Missbrauche und zu einer Beschwerde für die Grundstücksbesitzer nicht führen kann.«

Indessen scheint es dem Wortlaut und seiner Entstehungsgeschichte gegenüber schwierig, dieser Gesetzesabsicht Geltung zu verschaffen. Allerdings erläuterte der Abg. *Sattler* (S. 2027) den § 27 in folgender Weise : »Durch diese Worte (»dieses höheren Wertes«) wird ausgedrückt, dass lediglich die S t e i g e r u n g d e s W e r t e s, soweit sie in der That erfolgt ist, a u f G r u n d -l a g e d e r B e s c h l ü s s e der Gemeinden über die Feststellung der Baufluchtlinien als Massstab zur Heranziehung dienen soll«, und auch *Frhr. v. Zedlitz* (S. 2028) charakterisierte die oben (S. 619) erwähnten beiden Bestimmungen der Kommission dahin, »dass einmal da eine Steuer erhoben werden soll, wo eine Wertsteigerung eintritt und dass sie erhoben werden soll in Höhe dieser Wertsteigerung«. Hiemit würde auch die Bemerkung des Finanzministers stimmen (S. 2028), »dass auch die Regierungsvorlage nichts anderes beabsichtigt.« Allein, so sehr auch eine solche Auffassung der Absicht des Gesetzes entsprechen möchte: dem Wortlaute gegenüber, wie er vom Antragsteller erläutert ist, erscheint sie wohl kaum als haltbar, und jedenfalls wird es für die Gemeinden bedenklich sein, in solchem Sinne eine Steuerordnung über die Bauplatzsteuer zu erlassen, welche aus derartigen Gründen im Verwaltungsstreitverfahren vielleicht für ungültig erklärt würde.

Immerhin könnte es nur mit lebhafter Freude begrüsst werden, wenn die ministerielle Ausführungsanweisung den Gemeinden gangbare Wege eröffnete [1]).

Jedenfalls wird aber d e r Beweis wohl durch die bisherigen Ausführungen erbracht sein, dass der § 27 Abs. 2 zur Lösung

---

1) Die in der inzwischen erschienenen A n w e i s u n g z u r A u s f ü h r u n g des Kommunalabgabengesetzes enthaltenen Bemerkungen bringen kaum Neues. Es heisst darin insbesondere (S. 72): »1. Die Ausnahmebestimmung betrifft n u r L i e g e n - s c h a f t e n , d. h. u n b e b a u t e G r u n d s t ü c k e oder Grundstücksteile. — 2. Sie hat die Festsetzung von Baufluchtlinien, und zwar regelmässig nach Massgabe des Gesetzes vom 2. Juli 1875 (GS. S. 561) zur Voraussetzung. Dagegen erstreckt sie sich n i c h t auf die an älteren, sog. h i s t o r i s c h e n S t r a s s e n belegenen Grundstücke. — 3. Es ist nicht unbedingt erforderlich, dass die Strassen oder Strassenteile, für welche die Baufluchtlinien festgesetzt sind, gemäss den baupolizeilichen Bestimmungen des Orts für den öffentlichen Verkehr und den Anbau bereits fertig gestellt sind. Indessen wird die Erhebung einer Bauplatzsteuer nur dann in Betracht zu ziehen sein, wenn eine Abänderung der Baufluchtlinien voraussichtlich nicht weiter zu erwarten steht. — 4. Die Bauplatzbesteuerung beschränkt sich nicht auf solche Grundstücke, welche unmittelbar an eine Baufluchtlinie angrenzen; es genügt, dass durch die Festsetzung von Baufluchtlinien eine Werterhöhung stattgefunden hat. Hiernach wird durch sog. Masken und sonstige zwischenliegende Grundstücke die Zulässigkeit der Besteuerung nicht ausgeschlossen. S o f e r n d i e W e r t e r h ö h u n g n i c h t e i n e F o l g e d e r F e s t s e t z u n g von Baufluchtlinien, sondern ein Ergebnis anderer Ursachen ist, erscheint die B e s t e u e r u n g n i c h t s t a t t h a f t . So lange die durch die Festsetzung der Fluchtlinien bewirkte Wertsteigerung geringfügig oder überhaupt noch nicht mit Sicherheit zu bemessen ist, wird von der Bauplatzbesteuerung Abstand zu nehmen sein.« — Ebensowenig löst der E n t w u r f e i n e r B a u - p l a t z s t e u e r , wie er in dem, der Ausf Anw. beigefügten Muster einer Grundbesitzsteuer enthalten ist, die im Text geltend gemachten Zweifel. Die betreffenden Bestimmungen lauten: »§ 7. Von unbebauten Liegenschaften (Bauplätzen), welche — in dem und dem näher zu bezeichnenden Teil des Weichbildes der Gemeinde — belegen sind, wird ausser der Gemeindegrundsteuer (§§ 2—6) eine Bauplatzsteuer erhoben. Als unbebaut im Sinne des vorigen Absatzes gelten Liegenschaften auch dann, wenn nur Schuppen, Baracken und ähnliche der einstweiligen Benutzung oder anderen vorübergehenden Zwecken dienende Baulichkeiten darauf errichtet sind. Die innerhalb des im Abs. 1 bezeichneten Gebietes belegenen Hofräume und Hausgärten unterliegen der Bauplatzsteuer nur, insoweit sie nach Umfang und Lage als selbständige Bauplätze in Betracht kommen. — § 8. Der Besteuerung der Bauplätze (§ 7) wird der Betrag zu Grunde gelegt, um welchen ihr Wert durch die Festsetzung der Baufluchtlinien erhöht worden ist (Bauplatzwert). Der Bauplatzwert wird für jede im Zusammenhange stehende Bauplatzfläche desselben Eigentümers durch Abschätzung festgestellt. Als Anhalt hierbei dient der Unterschied zwischen den Kaufpreisen, welche im freien Verkehr für Liegenschaften von gleicher Beschaffenheit, Grösse und im übrigen gleicher Lage zur Zeit der Veranlagung erzielt werden, je nachdem die Liegenschaften an einer Baufluchtlinie belegen oder nicht belegen sind.«

der Frage der Bauplatzsteuer neue Gedanken von praktischer Bedeutung und geeignete Handhaben zur Gestaltung dieser Steuer nicht gebracht hat. In der That war die Sachlage vor Erlass des K.A.G. insofern eine günstigere, als die Städte auf Grund der Städte-Ordnungen auch bislang bereits, vorbehältlich der ministeriellen Zustimmung, zur Einführung von Bauplatzsteuern berechtigt waren, und zwar ohne durch die beschränkenden Bestimmungen des § 27 gehindert zu sein. Wenn sie es trotzdem nicht gethan haben, so lag dies wohl wesentlich an der inneren Schwierigkeit der Aufgabe und an dem Hindernis der konkurrirenden staatlichen Realsteuern, vielleicht auch daran, dass der Gedanke der Bauplatzsteuer selbst erst in engeren Kreisen als berechtigt anerkannt war, wie dies insbesondere aus den oben erwähnten zahlreichen gutachtlichen Aeusserungen in dem Bremer Falle erhellt. Und insofern ist dem K.A.G. unbestreitbar das g r o s s e V e r d i e n s t zuzuerkennen, dass d e r G e d a n k e d e r B a u p l a t z s t e u e r nunmehr v o n d e r G e s e t z g e b u n g a l s b e r e c h t i g t a n e r k a n n t ist.

Für alle Fälle wird es aber unter den geschilderten Umständen doch geraten sein, den V e r s u c h zu machen, o b n i c h t d i e Z w e c k e d e r d i r e k t e n B a u p l a t z s t e u e r in vielen F ä l l e n a u c h a u f e i n e m a n d e r n, e i n f a c h e r e n W e g e e r r e i c h t w e r d e n k ö n n e n. Und dieser Versuch soll nunmehr — wie ich hoffe, mit gutem Erfolge — unternommen werden.

d. U e b e r d i e z u r a t i o n e l l e r B e s t e u e r u n g u n b e - b a u t e n G e l ä n d e s m i t s t e i g e n d e m G r u n d w e r t e a u f G r u n d d e s K.A.G. m ö g l i c h e n u n d e r f o r d e r - l i c h e n M a s s n a h m e n.

1) Die Bauplatzsteuer des § 27 soll die rechtliche Möglichkeit geben, die Bauplätze zu e i n e r h ö h e r e n S t e u e r als die anderen Liegenschaften heranzuziehen, sei dies durch höhere Zuschläge zur allgemeinen Grundsteuer, sei dies durch besondere Steuerformen.

Eine der H a u p t s c h w i e r i g k e i t e n einer solchen Steuer bestand in Bremen und besteht auch bei dem K.A.G. nach dem unter c. Ausgeführten darin, die Objekte der Bauplatzsteuer von dem übrigen, der gewöhnlichen Grundsteuer unterworfenen Ge-

lande a b z u g r e n z e n, und der Gedanke liegt daher nahe, eine
a n g e m e s s e n e B e s t e u e r u n g d e r B a u p l ä t z e, soweit
solche durch eine direkte Steuer überhaupt zu erreichen ist, unter
Verzicht auf eine besondere höhere Besteuerung i m R a h m e n
d e r a l l g e m e i n e n G r u n d s t e u e r z u v e r s u c h e n.

Dass ein solcher Versuch von vornherein aussichtslos sein
musste, so lange man mit *Hanssen* und vielen andern die Grundsteuer lediglich als Ertragssteuer auffasste, bedarf keiner weiteren
Ausführung. Indem aber das K.A.G. mit dieser Auffassung gebrochen und ausdrücklich eine Besteuerung nach dem gemeinen
Wert zugelassen und eine Steuer nach dem Verkaufswert nicht
ausgeschlossen hat, ist die ganze Frage offenbar auf eine wesentlich veränderte Grundlage gestellt; und es ist ohne weiteres klar,
dass z. B. eine nach dem Verkaufswert auferlegte allgemeine
Grundsteuer zur Erreichung ihrer finanziellen und sonstigen Ziele.
der Heranziehung der Bauplätze mit höherem Zuschlägen oder
Prozenten nicht bedarf, da der gewollte höhere Steuerbetrag.
schon durch die Wertbestimmung der Grundstücke in genügender
Weise erreicht wird. Aber auch andere — vielleicht minder gefährliche — Wege lassen sich in dieser Beziehung denken, und
es ist von Interesse, darauf hinzuweisen, dass auch im Abgeordnetenhause der Gedanke der Bauplatzsteuer im Rahmen der allgemeinen Grundsteuer bereits ausgesprochen, allerdings von keiner
Seite weiter verfolgt ist. Der Abg. Dr. *Brüel* (S. 2029), welcher
»die Besteuerung des Grundbesitzes nach der Grundsteuer . . . für
grössere Städte von Anfang an meistens im weiten Umfange eine
ganz unzuträgliche« nannte und über die Kommissionsvorschläge
hinaus »Abweichungen von dieser Verteilung der Steuer (als) angemessen (bezeichnete), sobald überhaupt nur auch für eine fernere
Zukunft eine Bauspekulation eintritt«, legte dem Antrage *v. Erffa's*
— vgl. oben S. 618 — »insofern keine grosse Bedeutung« bei,
»als man doch immer nach § 21 (richtiger 20, jetzt 25) schon
etwas ähnliches würde erreichen können, als was der § 22 (jetzt
27) hier gestattet. Zum Beispiel eine Verteilung der B e s t e u e-
r u n g d e s G r u n d b e s i t z e s n a c h L a g e n k l a s s e n, wie
sie in verschiedenen Städten stattfindet, würde schon etwas ähnliches erreichen können. Indessen hat die Einführung einer derartigen Besteuerung, wenn man sie ganz generell machen will,
oft besondere Schwierigkeiten, und insofern ist es m. E. durchaus
angemessen, dass der § 22 eine höhere Besteuerung der Bau-

plätze speziell hervorhebt . . . Ich glaube aber, wenn das zweckmässig wirken soll, dann muss auch in dem grösstmöglichen Umfang diese Befugnis gestattet werden.«

Es ist oben (S. 614) bereits bemerkt worden, dass der Ausdruck »g e m e i n e r W e r t« sich mit dem in § 9 des Ergänzungssteuergesetzes gebrauchten deckt und sowohl den Ertragswert als den Verkaufswert bezeichnen kann. Eine Begründung
der allgemeinen Grundsteuer auf den gemeinen Wert würde demnach offenbar ohne weiteres einen genügend weiten Rahmen
bieten, landwirtschaftlich benutzte Grundstücke nach Massgabe
ihres kapitalisierten Ertrages und Bauplätze nach ihrem Verkaufswerte zu veranlagen. Allein ebenso klar ist es, dass die wirklichen Schwierigkeiten dadurch noch nicht gehoben sind, sondern
erst anfangen, da auch hiebei eben die Zuweisung der einzelnen
Grundstücke zu der einen oder andern Kategorie den Kern der
Frage bildet.

Behufs Lösung der Schwierigkeiten wird an die oben S. 597. 598
gemachte Bemerkung anzuknüpfen sein, dass bei der Grundsteuer
Ertrag und steigender Wert regelmässig auseinander, bei der Gebäudebesteuerung dagegen parallel gehen. Bei der E r m i t t -
l u n g d e s G e b ä u d e w e r t e s ist daher in dem Ertrag die
wertvollste und sicherste Grundlage gegeben, welche nur gedacht
werden kann, und es wird daher bei der Gebäudebesteuerung
ohne besondere Schwierigkeiten möglich sein, die i n d i v i d u e l l e n
V e r h ä l t n i s s e d e r b e b a u t e n L i e g e n s c h a f t u n d
i h r e w e c h s e l n d e n E r t r ä g n i s s e in weitem Umfange zu
berücksichtigen.

Ganz a n d e r s b e i j e d e r G r u n d s t e u e r, welche
n i c h t l e d i g l i c h auf den l a n d w i r t s c h a f t l i c h e n E r -
t r a g aufgebaut ist, sondern zugleich auch anderweite Momente
bei der Wertermittlung berücksichtigen soll: denn bei dem irgendwie ermittelten gemeinen oder Verkaufswert fehlt es durchaus an
denjenigen Kontrollen, welche der Ertrag der Gebäude gewährt,
und die Hauptaufgabe scheint hienach darin zu bestehen, dass
sonstige g e e i g n e t e K o n t r o l l - M a s s n a h m e n getroffen
werden, welche s u b j e k t i v e W i l l k ü r t h u n l i c h s t a u s -
s c h l i e s s e n und o b j e k t i v e G r u n d l a g e n g e w ä h r e n.
Gerade der Mangel derartiger Garantien hat offenbar in Bremen
das Meiste zum Misslingen beigetragen und so ausserordentlich
böses Blut gemacht. Indem aber diese Garantien naturgemäss

nicht in den für das einzelne Grundstück zu beschaffenden —
weil vielfach gar nicht vorhandenen — Unterlagen, sondern nur
in der Gesamtorganisation der Veranlagung gefunden werden
können, ergiebt sich zugleich, dass eine i n d i v i d u a l i s i e-
r e n d e B e h a n d l u n g b e i d e r G r u n d s t e u e r n u r i n
einem der Gebäudesteuer gegenüber erheblich e i n g e s c h r ä n k-
t e m U m f a n g e möglich sein kann.

Diese Erkenntnis hat nach zwei Seiten hin massgebende Bedeutung: insofern sie nämlich e i n m a l auf eine B e s c h r ä n-
k u n g d e r durch die Grundsteuer überhaupt zu lösenden f i n a n-
z i e l l e n A u f g a b e hinweist und a n d r e r s e i t s eben dadurch
zugleich eine wesentliche V e r e i n f a c h u n g der ganzen Veranlagung ermöglicht.

Wenn und so lange man Grundstücke — wie in Bremen —
zu ihrem jeweiligen Werte zur Zeit der Schätzung veranlagen
will, kann man aus der Willkür schwerlich herauskommen; sobald
man aber darauf verzichtet, die über ein gewisses mittleres Mass
hinausgehenden Werte in Rechnung zu ziehen, verliert man zwar
an Einnahmen in aufwärts gehenden Perioden, gewinnt aber unendlich mehr an der bei Grundsteuern kaum zu entbehrenden
Stetigkeit, Einfachheit und Objektivität.

Die Einzelnheiten, insbesondere die Garantien werden je
nach Lage der örtlichen Verhältnisse in verschiedener Weise zu
regeln sein.

Bei zersplittertem Grundbesitz — wie er in den westlichen
Städten vorherrscht — pflegen die Besitzwechsel sehr zahlreich
zu sein, und es wird daher kaum besondere Schwierigkeiten machen,
für eine Reihe von Jahren umfassende Materialien über die wirklich vorgekommenen Verkäufe zu sammeln, wie dies z. B. in Frankfurt a. M. bereits geschehen ist. Wenn dabei dann die unter
besonderer Verhältnissen vollzogenen Kaufverträge ausgeschieden
werden und ferner Bedacht darauf genommen wird, dass nicht
die für einzelne abverkaufte Parzellen (insbesondere Bauplätze)
erzielten Preise auf grössere Geländemassen übertragen werden,
so wird es in vielen Gemeinden gewiss angängig sein, für die
einzelnen Teile ihres Gebietes Durchschnittskaufpreise der letzten
3—5 Jahre zu ermitteln, welche eine durchaus geeignete Grund-
lage für die Auferlegung einer mässigen Grundsteuer (etwa $\frac{1}{2}$ $^0/_{00}$
wie bei der Ergänzungssteuer, für welche gerade jetzt ähnliche
Ermittlungen eingeleitet sind) gewähren.

Das eben geschilderte Verfahren — Einteilung in L a g e n - k l a s s e n , f ü r w e l c h e d e r V e r k a u f s w e r t n a c h M a s s - g a b e d e r n o r m a l e n V e r k ä u f e d e r l e t z t e n (3—5) J a h r e alljährlich neu festgestellt wird — mag sich besonders in solchen Gemeinden empfehlen, in deren ganzem Gebiete Land zu eigentlich landwirtschaftlichen Preisen nicht mehr käuflich ist und demnach jedes Grundstück bereits ausser seinem landwirt- schaftlichem Wert zugleich einen Spekulationswert besitzt.

In andern Gemeinden, in denen noch Gelände zu rein land- wirtschaftlichen Preisen verkauft und gekauft wird, ist jenes Ver- fahren an sich auch noch nicht unzulässig, da gewisse Lagen- klassen in denselben eben nur einen dem Ertragswert entsprechen- den Verkaufswert haben. Indessen kann es hier unter Umständen zweckmässig sein, e i n e K o m b i n a t i o n v e r s c h i e d e n e r M a s s s t ä b e vorzunehmen, um auch die verschiedene landwirt- schaftliche Ertragsfähigkeit als Korrektiv mit zu verwenden, und demnach — ähnlich wie in dem oben S. 615 vom Abg. *Christo- phersen* erwähnten Fälle — einen Teil der Grundsteuer nach Mass- gabe der bisherigen (event. zu revidierenden) Grundsteuer, und den andern Teil nach Massgabe der Kaufpreise — wie oben — zu veranlagen.

Auch die P a c h t p r e i s e werden vielfach gut verwertbar sein, vorausgesetzt, dass das vorhandene Material ausreicht, um festzustellen, zu welchem Zinsfuss sich das in landwirtschaft- lichen, durch Verpachtung ausgenutzten Grundbesitz im Gemeinde- gebiet hineingesteckte Kapital durchschnittlich zu verzinsen pflegt.

Das bisher erörterte Verfahren ermöglicht offenbar ohne weiteres eine Heranziehung der Grundstücke nach Massgabe ihres, sei es noch auf landwirtschaftlicher Basis beruhenden, sei es durch Hineintragung künftiger Bebauungsaussichten erhöhten Wertes. Indessen ist das Mass, nach welchem beide getroffen werden, dasselbe: die ohne Zuthun des Besitzers erfolgende Wert- zunahme als solche unterliegt keiner besondern höheren Steuer. Allein auch diese — innerlich gewiss — gerechtfertigte h ö h e r e B e s t e u e r u n g d e s W e r t z u w a c h s e s liesse sich im Rahmen der allgemeinen Grundsteuer unschwer erreichen, indem man e n t w e d e r an Stelle des für alle Grundstücke gleichen Steuer- satzes eine p r o g r e s s i v e S t e u e r s k a l a setzte, deren nied- rigste Sätze für die noch überwiegend landwirtschaftlich benutzten Gelände, und deren progressiv ansteigende Sätze für die Lagenklassen mit höherem Verkaufswert gelten würden, o d e r aber die bei der ersten Veranlagung — etwa am 1. April 1895 — ermittelten Werte mit einer einheitlichen Steuer belegte und die demnächstigen Wertsteigerungen mit einem Zuschlag heranzöge, welcher gleichfalls eventuell progressiv gestaltet werden könnte. Eine solche Progression in der einen oder andern Weise würde allerdings u. W. für die Grundsteuer neu sein; allein bei der völligen inneren Verschiedenheit der hier behandelten Grundsteuer — welche in Wirklichkeit ja eine der staatlichen personalen Vermögenssteuer entsprechende kommunale und r e a l e Vermögenssteuer (vgl. S. 616. 617) ist — von der bisher meist nur erörterten landwirtschaftlichen Ertrags-Grundsteuer, scheint eine solche Neuerung dem Grundgedanken d i e s e r Grundsteuer nur zu entsprechen und in noch weit höherem Grade als bei der Einkommensteuer gerechtfertigt, ja gefordert zu sein. Und die Aufgaben einer direkten Besteuerung steigender Grundwerte im Rahmen der Grundsteuer würde sich nicht mehr der bislang vermissten Lösung entziehen.

Immerhin würde es, um nicht den Anschein ungerechten Druckes entstehen zu lassen, ratsam sein, diese Progression in mässigen Grenzen zu halten, und die Gewinnung grösserer Erträge lieber der — unter 2 — zu erörternden Umsatzsteuer zu überlassen, welche den gesteigerten Wert gerade in dem Augenblick erfasst, wo er zu greifbarer Existenz gelangt. Allerdings erscheint der ganze Gedanke einer progressiv gestalteten Grundsteuer, so richtig er auch an sich _de lege ferenda_ sein mag, Angesichts der Fassung des § 27 des K.A.G. nicht völlig unbedenklich; denn nach dem ersten Absatz des § 27 sind »die Steuern vom Grundbesitz nach gleichen Normen und Sätzen zu verteilen«, während der zweite Absatz die oben besprochene Zulässigkeit einer höheren Steuer für Bauplätze hinzufügt. Der Entwurf hatte ausserdem eine gewisse Ermässigung des Steuersatzes für Waldungen vorgesehen, deren Zulassung das Abg.Haus jedoch strich.

Was heisst nun aber »g l e i c h e N o r m e n«? Grundsteuern und Gebäudesteuern werden doch wie bislang so auch fernerhin wohl verschiedenen Normen unterstellt werden dürfen, auch gestattet ja der § 25 eine beliebige Verbindung mehrerer Massstäbe. Dann heisst der Ausdruck anscheinend nur, dass gleiche Verhältnisse gleich behandelt werden müssen.

Und was heisst »g l e i c h e S ä t z e«? Bekanntlich werden zur Zeit Grundsteuer und Gebäudesteuer mit verschiedenen Sätzen sowohl vom Ertrag als vom Wert erhoben, und nach § 56 — vgl. unten unter 4 — ist eine Abweichung von diesen jetzigen ungleichen Sätzen der Regel nach sogar untersagt. Auch dieser Ausdruck scheint sonach nur zu sagen, dass bei gleichen Verhältnissen Liegenschaften auch mit den gleichen Sätzen getroffen werden sollen [1]).

Freileich scheint aus § 27 Abs. 2 ein *arg. e contrario* gegen die höhere Besteuerung des Wertzuwachses vermittelst progressiver Steuersätze entnommen werden zu können. Allein wenn ein *arg. e contrario* schon an sich bedenklich ist, so ist seine Verwendung in diesem Falle wohl völlig ausgeschlossen, da die ganze Entstehungsgeschichte des § 27 [2]) darauf hinweist, dass der Gesetzgeber, der das Problem einer progressiven Grundbesitzsteuer — soweit ersichtlich — gar nicht berührt hat, in § 27 Abs. 2 nichts anderes hat sagen wollen, als das u n m i t t e l b a r darin Ausgesprochene [3]).

Wäre aber in der That durch den § 27 ein progressiver Tarif verboten, so würde alsdann ein weiterer Fall gegeben sein, in welchem das K.A.G. die bisher vorhandene Freiheit der Gemeinden nicht erweitert, sondern einschränkt.

Um so wichtiger wäre unter diesen Umständen die Aufgabe der nunmehr zu erörternden B e s i t z w e c h s e l a b g a b e.

2. Die im Vorstehenden skizzierte d i r e k t e R e a l s t e u e r v o m u n b e b a u t e n G e l ä n d e ist zwar, wie gezeigt, durchaus geeignet, den wachsenden Grundwert nach niedrig gegriffenen Durchschnittssätzen verhältnismässig und nicht ohne einen gewissen finanziellen Erfolg zu treffen; dagegen vermag sie p l ö t z-

---

1) Die inzwischen erschienene A u s f ü h r u n g s - A n w e i s u n g (Carl Heymanns Verlag) geht gleichfalls davon aus, dass die Gebäudesteuer der zu gewerblichen Zwecken benutzten Gebäude mit einem a n d e r n S t e u e r s a t z e als die Gebäudesteuer der übrigen Gebäude veranlagt werden k a n n (S. 148, Anm. **). Ebenso unterstützt Art. 18 der Ausf.Anw. die Auffassung im Text, indem er den § 27 wie den § 20 des K.A.G. unter der Ueberschrift ›Gleichmässigkeit der Besteuerung‹ behandelt und S. 72 bemerkt, dass »u n t e r i m ü b r i g e n g l e i c h e n V o r a u s s e t z u n g e n.. von jedem Grundstücke derselbe Steuersatz zu erheben‹ ist.

2) Nach dem Kommissionsbericht des Abg Hauses S. 2435 ist § 27 Abs. 1 — § 22 des Entw. — ›ohne Erörterung angenommen‹.

3) In dem Muster einer Grundsteuer-Ordnung (Ausf.Anw. S. 144 ff.) ist auch die Grundsteuer lediglich als Ertragssteuer vorgesehen, zu welcher aber die Bauplatzsteuer hinzutritt (S. 148). Vgl. dazu oben S. 626, Anm. 1.

liche Konjunkturgewinne, und rasche Wertsteigerungen nicht zu erfassen und auch nicht den individuellen Verhältnissen des einzelnen Grundstückes gerecht zu werden.

In die hier bleibende und auch durch anderweite direkte Realbesteuerung nicht auszufüllende Lücke hat die indirekte Verkehrsbesteuerung, die Immobiliar-Besitzwechsel-Abgabe einzutreten, deren Erörterung im ersten Aufsatz begonnen aber mit Rücksicht auf die vorher zu erledigende Behandlung der direkten Realsteuer nicht beendet werden konnte (vgl. S. 449), und nunmehr wieder aufzunehmen ist.

Die Besitzwechsel-Abgabe von unbebautem Gelände unterscheidet sich in zwiefacher Hinsicht von der gleichen Abgabe von Gebäuden, einmal in Bezug auf ihre Aufgabe und zweitens in Bezug auf ihre Durchführbarkeit; und die richtige Erfassung dieser Unterschiede wird zur Lösung der zum Teil wegen mangelnder Spezialisierung noch so wenig geklärten Fragen auf diesem Gebiete wesentlich beitragen. Um Missverständnisse zu vermeiden, sei dabei indessen bemerkt, dass auch hiebei nur städtische Verhältnisse in dem oben S. 597 angegebenen Sinne berücksichtigt sind.

Die Verschiedenheit der Aufgabe besteht zunächst darin, dass die Besitzwechselabgabe bei unbebautem Gelände zugleich dasjenige nachzuholen hat, was an Grundsteuer — im Verhältnis zur Gebäudesteuer — zu wenig bezahlt wird. Denn wenn auch die Grundsteuer bei rein landwirtschaftlichem Gelände mit nominell etwa 9 Proz. vom Reinertrag und die Gebäudesteuer mit nur 4 Proz. vom Ertrag von Wohngebäuden erhoben wird, so verschiebt sich dies Verhältnis durchaus bei städtischem Grundbesitz, und wenn auch von letzterem eine Grundsteuer mit $1/2$ $^0/oo$ vom Verkaufswert (S. 630) auferlegt würde, wäre sie immer noch erheblich geringer, als die jetzige Gebäudesteuer, welche zwischen $1^1/2$ $^0/oo$ —2 $^0/oo$ des Wertes beträgt. Ein Zuschlag von $1^1/2$—2 $^0/o$ zur Umsatzsteuer für unbebautes Gelände würde daher nur einen Ausgleich für diese niedrigere Belastung mit direkten Realsteuern bieten.

Die verschiedene Durchführbarkeit liegt darin, dass die Umsatzsteuer bei unbebautem Gelände den an dem einzelnen Grundstück erzielten Gewinn insofern leichter und sicherer als bei bebauten Liegenschaften treffen kann, als es bei letzteren in zahlreichen Fällen erst schwieriger Ausscheidungen bedarf, um festzustellen, ob und inwieweit die Differenz zwischen dem letzten und vorletzten Kaufpreise auf einer einfachen Werterhöhung des Objektes oder aber darauf beruht, dass inzwischen weiteres B a u kapital hineingesteckt ist. Allerdings kann auch in unbebautes Gelände durch Meliorationen und dergl. Kapital hineingesteckt und hiedurch eine Werterhöhung erzielt werden; indessen spielen derartige Fälle in den hier behandelten Gemeinden eine so geringe Rolle, dass hievon füglich ganz abgesehen werden kann. Nur hinsichtlich der für Strassen-, Kanal-, und ähnliche Anlage etwa gezahlten Kapitalbeiträge könnte es in der That in Frage kommen, ob sie bei der Berechnung des Gewinnes zu berücksichtigen sind. Indessen liegen diese Ausgaben so klar zu Tage, dass aus ihrer Berücksichtigung praktische Schwierigkeiten kaum erwachsen werden. Andrerseits treten freilich bei unbekanntem Gelände wiederum manche besondere, noch zu erwähnende Schwierigkeiten infolge der vielfachen Ertraglosigkeit der Grundstücke und der häufigen Veränderung ihrer Grösse und Grenzen ein.

Was nun zunächst die prinzipielle Zulässigkeit und Angemessenheit einer kommunalen Besteuerung des beim Umsatz unbebauten Geländes erzielten Gewinnes anlangt, so wird dieselbe nach den, dem K.A.G. zu Grunde liegenden Gedanken (vgl. oben S. 595. 623. 624) weiterer Begründung an sich kaum bedürfen.

Neuerdings ist freilich — in dem oben S. 449 genannten Aufsatz — von *R. Eberstadt* der Gedanke geäussert, dass d e r d u r c h d i e U m w a n d l u n g v o n A c k e r l a n d i n s t ä d t i s c h e s B a u l a n d e n t s t e h e n d e M e h r w e r t mit einer s t a a t l i c h e n U m s a t z s t e u e r, welche die landwirtschaftlich benutzten Gelände unter 2500 M. Hektarwert frei lassen und das übrige Land mit einer progressiven Steuer, und zwar bei einem Hektarwert von 2501 bis 5000 M. mit $^1/_2$ Proz., von 5001 bis 7500 M. mit 1 Proz., von 7501 bis 10 000 M. mit 2 Proz., von 10 001 bis 20 000 M. mit 3 Proz. und über 20 000 M. mit 4 Proz. treffen sollte, belegt werden müsste; allein eine solche staatliche Steuer würde einem der wichtigsten Grundgedanken des K.A.G., nämlich dem Gedanken einer Freigebung des Grundbesitzes zu kommunaler Besteuerung durchaus widerstreiten, da eine wirklich rationelle Grundbesitzbesteuerung nur durch Kombination direkter und indirekter Besteuerung erreicht werden kann, und es wird daher auf diese Seite jenes Aufsatzes nicht näher einzugehen sein. Indem aber *Eberstadt* zugleich ausführt, dass eine solche Umsatzsteuer nur unter der Bedingung gleichzeitiger Reform des städtischen Bauwesens, insbesondere der Beseitigung des Mietskasernensystems zulässig sei, weil sonst die Steuer auf die Mieter abgewälzt werden würde (S. 471. 472), so erhebt er damit einen Einwand, der auch der hier erörterten kommunalen Umsatzsteuer entgegentreten würde. Allein dieser — dem Studium der Berliner Wohnungsverhältnisse [1]) entnommene — Einwand, welcher ja in einzelnen Fällen wirklich zutreffen k a n n, ist als ein allgemein gültiger keineswegs anzusehen, da die Frage, wer eine solche Umsatzsteuer schliesslich trägt, immer nur auf Grund der gesamten Verhältnisse einer Gemeinde zur Zeit der Einführung oder Erhöhung der Steuer beurteilt werden kann (vgl. oben S. 451). Insbesondere wird man gegenüber einer Umsatzsteuer von unbebautem Gelände nur in den seltensten Fällen, etwa im Fall einer Wohnungsnot und gleichzeitigen Mangels an Bauplätzen, die Befürchtung hegen können, dass dadurch eine Erhöhung der Mieten eintritt. Viel wahrscheinlicher ist, dass der Erwerber infolge der Einrechnung der Umsatzsteuer in seine Kalkulation diejenige Summe, welche er für den Bauplatz anlegen kann, entsprechend niedriger bemisst (vgl. auch oben S. 424).

Auch der Gedanke, die Umsatzsteuer a l l g e m e i n p r o g r e s s i v zu gestalten, welcher vielleicht für eine Staatssteuer mancherlei Empfehlenswertes hätte, scheint für eine Kommunalsteuer nicht geeignet, da die bei dieser mögliche Berücksichtigung der besonderen Verhältnisse der einzelnen Fälle grössere Vorzüge bietet. Nur i n s o w e i t infolge solcher individualisierenden Behandlung die B e s t e u e r u n g d e s i m e i n z e l n e n F a l l e r z i e l t e n G e w i n n e s in Frage kommt, würde die Anwendung eines progressiven Massstabes in der That wohl erwägenswert sein.

Was im übrigen die s p e z i e l l e r e G e s t a l t u n g dieser U m s a t z s t e u e r v o m V e r k a u f s g e w i n n anlangt, so genügt offenbar zur Feststellung erzielten Gewinnes eine einfache Gegenüberstellung des letzten und vorletzten Kaufpreises nicht,

---

1) Vgl. seine Aufsätze über »Berliner Kommunalreform« in den Preuss. Jahrb. Bd. 70, Heft 5 und »Grundsätze der städtischen Bodenpolitik« in Schmoller's Jahrbuch. 1893, Heft 4. — Die Aufsätze sind neuerdings zum Teil erweitert in Buchform erschienen: Städtische Bodenfragen. Vier Abhandlungen von *Rud. Eberstadt.* Berlin. C. Heymann's Verlag. 1894.

da zu dem letztgenannten unter Umständen erhebliche, durch Einnahmen aus dem Grundstücke nicht gedeckte Zinsverluste hinzutreten. Auch werden oftmals Schwierigkeiten in Bezug auf Ermittlung des Gewinnes beim Abverkauf einzelner Parzellen aus einem grösseren Gelände entstehen, insbesondere wenn letzteres zu verschiedenen Zeiten zusammengekauft ist, ferner auch dann, wenn das jetzt verkaufte Land im Erbgang erworben ist u. s. w.

Es wird demnach unter allen Umständen einer Anzahl besonderer Bestimmungen in der Steuerordnung zur Erledigung derartiger Fragen bedürfen.

Schwierigkeiten erwachsen auch in Bezug auf die r i c h t i g e F e s t s t e l l u n g d e r f r ü h e r e n K a u f - u n d E r w e r b s - p r e i s e.

Für die direkten Steuern hat der § 63 des K.A.G. allerdings die Gemeinden ermächtigt, durch Steuerordnung dem Gemeindevorstand das Recht zur Erforderung von Auskünften zu verleihen, und den Steuerpflichtigen die entsprechende Verpflichtung zur Beantwortung der über bestimmte Thatsachen gestellten Fragen auferlegt. Allein diese Bestimmung gilt leider nicht für indirekte Steuern und wenn auch nach § 79 des K.A.G. für a l l e Steuern die Bestimmung getroffen ist, dass »wer in der Absicht der Steuerhinterziehung an zuständiger Stelle auf die an ihn gerichteten Fragen oder bei der Begründung eines Einspruchs unrichtige oder unvollständige Angaben macht, mit dem vier- bis zehnfachen Betrage der stattgehabten oder beabsichtigten Verkürzung, mindestens aber mit einer Geldstrafe von einhundert Mark bestraft wird«, so fehlt es eben bei indirekten Steuern an einer Verpflichtung der Steuerpflichtigen zur Auskunfterteilung. Man ist daher auf die Einsichtnahme der gerichtlichen Akten angewiesen, welche nicht überall der Oeffentlichkeit zugänglich sind und überdies vielfach unrichtige Kaufpreisangaben enthalten.

Es wird daher im Interesse einer leichten Handhabung der Bestimmungen über die Umsatzsteuer erwägenswert sein, ob man bei dieser Besteuerung des Gewinnes nicht lieber auf die Erfassung des vollen Gewinnes der Regel nach verzichtet und statt derselben Durchschnittssätze für eine höhere Besteuerung derjenigen Umsätze einführt, welche Grundstücke betreffen, rücksichtlich welcher seit einem gewissen Zeitraum Veräusserungsgeschäfte nicht abgeschlossen sind. In Gemeinden mit zunehmender Bevölkerung und steigenden Grundwerten erscheint es in der That

wohl unbedenklich, eine a l l g e m e i n e Präsumtion für
s t e i g e n d e W e r t e und G e w i n n e r z i e l u n g bei Verkäufen
aufzustellen und demnach einen progressiven, nach der Länge
der zwischen der letzten und vorletzten Veräusserung liegenden
Zeiträume abgestuften Tarif einzuführen, und auf Grund desselben
die Umsatzsteuer festzustellen, wobei dann dem Steuerpflichtigen
frei zu lassen wäre, i m W e g e d e s E i n s p r u c h e s nachzuweisen, dass die Präsumtion der Gewinnerzielung *in concreto*
gar nicht oder nur in geringerem Masse zutreffe und deshalb
ein Zuschlag vom Gewinn nicht zu erheben sei. Da nach dem
angeführten § 79 die bei der Begründung des Einspruches etwa
gemachten unrichtigen Angaben strenger Bestrafung unterliegen,
wäre auf diesem Wege eine wirklich zutreffende Besteuerung
wohl am ehesten zu erreichen. Der dem Steuerpflichtigen auferlegte Gegenbeweis wird aber um so weniger bedenklich sein
können, als die Erbringung desselben keinerlei Schwierigkeiten
bereitet, und in andern Ländern — vgl. oben S. 441. 442 — vielfach
höhere Umsatzsteuern ohne Zulassung eines solchen Befreiungs-
grundes eingeführt sind.

Dabei mag dahin gestellt bleiben, ob es ratsam ist, den Gemeindebehörden in den Fällen, in welchen sie Kunde von dem
erzielten Gewinn haben, von vornherein die Bemessung des Zuschlages von letzterem — unter Absehen von der Präsumtivsteuer
— aufzuerlegen oder zu gestatten.

Unabhängig aber von dieser Umsatzsteuer vom Gewinn verdient noch ein anderer, in ähnlicher Richtung liegender Gesichtspunkt Beachtung. Da nämlich die Umsatzsteuer (vgl. S. 634)
insbesondere auch zur Ausfüllung der Lücken der direkten Grundbesitzbesteuerung berufen ist und da nach dem oben (S. 630)
Ausgeführten die letztere zur Berücksichtigung der besonderen
Verhältnisse der einzelnen Grundstücke nicht geeignet ist, und
insbesondere eine Veranlagung nach Lagenklassen immer nur
mässig gegriffene Durchschnittswerte treffen kann; so drängt sich
der Gedanke auf, dass diese direkte Steuer vor allem in d e r
Richtung einer Ergänzung bedarf, dass die D i f f e r e n z z w i -
s c h e n d e m d e r G r u n d s t e u e r z u G r u n d e g e l e g t e n
W e r t u n d d e m w i r k l i c h e r z i e l t e n K a u f p r e i s e einem
besondern, vielleicht auch progressiv abgestuften Z u s c h l a g
unterworfen wird. Dieser Zuschlag wäre gerecht, weil dieser Teil
des Wertes bislang unversteuert gewesen ist, leicht durchführbar,

weil er auf feststehenden, unschwer erkennbaren äusseren That-
umständen beruht, und zugleich wertvoll für die Veranlagung
der Grundsteuer, weil dadurch den Gemeindebehörden der Anreiz
zu übermässig hoher Feststellung der Werte und den Eigentümern
der Anreiz zur Bemängelung der Höhe dieser Werte genommen
würde.

3) Grundsteuer und Umsatzsteuer werden, wenn sie in der
vorstehend erörterten Weise sich gegenseitig ergänzen und ausserdem in Gemässheit der früheren Ausführungen (S. 451) durch
eine Ausdehnung der Umsatzsteuer auf Besitzwechsel infolge Erb-
ganges eine weitere, unbedingt erforderliche Ergänzung erhalten,
in der Hauptsache wohl geeignet sein, den steigenden Grundwert unbebauten Geländes angemessen zu treffen.

Diese Annahme beruht freilich auf der Voraussetzung, dass
die wirkliche Verwandlung von Ackerland in Bauland
sich durch Besitzwechsel zu vollziehen pflegt. Denn nur
in diesem Fall tritt die Umsatzsteuer ein, um die von der Grundsteuer gelassenen Lücken auszufüllen.

Jene Verwandlung kann sich indessen unter Umständen auch
ohne Besitzwechsel vollziehen, insbesondere wenn der Eigentümer selbst baut oder sein Land zur Bebauung nur verpachtet. Die
Gerechtigkeit würde für solche Fälle offenbar die Erhebung einer
der Umsatzsteuer nachgebildeten Abgabe erfordern; doch wird
man je nach Lage der Verhältnisse in der einzelnen Gemeinde
hievon wohl absehen dürfen, wenn das Vorkommen solcher Fälle
voraussichtlich nur vereinzelt bleibt. Vielleicht auch kann man
teilweise dadurch Abhilfe schaffen, dass die Umsatzsteuer beim
ersten Verkauf der bebauten Liegenschaft mit entsprechenden
Zuschlägen erhoben wird.

4) Die Verbindung von Grundsteuer und Umsatzsteuer in
dem erörterten Sinne wird endlich auch die Grundlagen schaffen,
auf welchen sich die Vorausbelastung einzelner Teile
des Stadterweiterungsgebietes für Aufwendungen,
welche gerade diesen besonders zu Gute kommen, in zweckmässiger Weise aufbauen kann. Brückenbauten, Eindeichungen, Anlage von Plätzen, Hafenbauten u. a. m. würden in dieser Richtung
mannigfachen Anlass geben. Wegen der infolge der Fassung des
K.A.G. — zum Teil — schwierigen Einzelheiten kann hier indessen nur auf meine Ausführungen im K.A.G. S. 261. 262. 294.
307 Bezug genommen werden.

e. Ueber die kommunale Besteuerung bebauter Liegenschaften.

Die Erörterungen des letzten Abschnittes haben in den wesentlichsten Punkten bereits die Unterlagen gegeben, welche für eine rationelle Besteuerung bebauter Liegenschaften massgebend sein müssen. Vor allem wird auch bei ihnen eine Verbindung direkter und indirekter Steuer unentbehrlich sein, wenngleich — wie S. 629 bemerkt — die Individualisierung bei der Gebäudesteuer weiter als bei der Grundsteuer gehen kann und die Umsatzsteuer insofern nur eine beschränktere Aufgabe der Ergänzung vorfindet.

1) Wenn in Hamburg, Bremen und anderen Staaten die Gebäudesteuer als Steuer vom Kapitalwert der Gebäude, in Preussen dagegen als Ertragssteuer veranlagt und erhoben wird, so ist dieser Unterschied nicht von erheblichem Belang, so lange das Leerstehen von Wohnungen unter gewissen Umständen eine Verringerung der Steuer herbeiführt. Der Parallelismus mit der Grundsteuer, wenn dieselbe nach den Vorschlägen unter d gestaltet würde, scheint allerdings dahin zu drängen, dass auch die Gebäudesteuer als Steuer vom Kapitalwert erhoben wird. In Wirklichkeit würde aber dieser Parallelismus ein rein äusserlicher sein, da die Veranlagung der Gebäudesteuer nach dem Ertrage derselben in der That einen wesentlich andern Charakter aufprägt, als die unter d geschilderte Grundsteuer aufweist, und entscheidende Gründe, diesen bisherigen Ertragssteuercharakter der Gebäudesteuer aufzugeben, bisher von keiner Seite vorgebracht sind.

Die in den Landtagsverhandlungen hervorgetretenen Abänderungswünsche haben sich der Hauptsache nach auf die Vornahme öfterer Veranlagungen an Stelle der bisher vom Staat nur alle 15 Jahre vorgenommenen beschränkt; von einzelnen Seiten ist darauf hingewiesen, dass die zu gewerblichen Zwecken dienenden Gebäude von den Gemeinden zweckmässiger Weise statt wie bisher mit nur 2 Proz. mit dem allgemeinen Satz von 4 Proz. vom Ertrag herangezogen würden.

Es soll hier indessen auf diese Fragen, insbesondere auf die Frage der zweckmässigsten Art der Veranlagung — ob nach dem wirklichen Ertrag des letzten Jahres, oder nach dem wirklichen Durchschnittsertrag mehrerer Jahre oder aber nach den verabredeten Mieten unter Zulassung bestimmter Abzüge mit Rücksicht auf Leerstehen u. a. m. — nicht weiter eingegangen werden, da in dieser Richtung bereits verschiedene Muster in Berlin, Altona, Kiel und anderen Orten vorliegen [1]). Vielmehr soll hier ein, in den Verhandlungen und auch sonst m. W. nicht berührter Punkt im Anschluss an die Bemerkungen unter d (S. 631) näher beleuchtet werden: die progressive Gestaltung des Tarifes zur stärkeren Erfassung steigender Werte.

Es ist oben (S. 594) bereits darauf hingewiesen, wie bei den Reformbestrebungen in Bezug auf die staatlichen Realsteuern das Bedürfnis nach erweiterter Individualisierung vielfach hervorgetreten ist und wie gerade die kommunalen Realsteuern für das von ihnen beherrschte übersehbare kleine Gebiet hiezu besonders geeignet sind; auch ist bereits gezeigt, wie unter den Grundbesitzsteuern gerade die Gebäudesteuer eine Berücksichtigung der Verschiedenheiten der einzelnen Gebäude und ihres steigenden, fallenden oder gleichbleibenden Wertes gestattet.

Allerdings ist eine solche Individualisierung, welche einerseits sowohl die der Veranlagung zu Grunde zu legenden Erträgnisse, als andererseits auch eine darauf gebaute, progressive Steuer für jedes bebaute Grundstück ermittelt und feststellt, in diesem Umfang und in dieser Verbindung etwas durchaus Neues; und sie scheint dem Bedürfnis des Verkehrs nach leicht übersehbaren Verhältnissen und festen, ihrer finanziellen Wirkung nach leicht zu berechnenden Bestimmungen schlecht zu entsprechen.

Es darf indessen wohl gehofft werden, dass — wenn nur erst die Erkenntnis von der Gerechtigkeit einer solchen, den individuellen Verhältnissen der Grundstücke angepassten progressiven Steuer in weitere Kreise gedrungen sein wird — auch für die praktische Handhabung die geeigneten Vorschriften sich werden finden lassen.

Die Gerechtigkeit aber der Progression nach Massgabe des steigenden Wertes drängt sich m. E. ohne weiteres auf, wenn man sich nur vergegenwärtigt, wie kolossal gerade bei bebauten Grundstücken vielfach die Wertsteigerung eintritt und wie gross zugleich die Verschiedenheiten sind, welche

---

1) Das in der Ausf.Anw. S. 144 ff. mitgeteilte Muster einer Grundsteuer-Ordnung legt den wirklichen Nutzungswert des (oder der) letzten der Veranlagung vorhergegangenen Jahres (oder Jahre) ähnlich wie bei der Berliner Haussteuer zu Grunde.

in dieser Beziehung zwischen verschiedenen Teilen derselben Stadt
obwalten. Ein gleicher Prozentsatz für s t a g n i e r e n d e W e r t e
und den ohne Zuthun der Besitzer eintretenden W e r t z u w a c h s
widerspricht in der That den Anforderungen der Gerechtigkeit
ebenso sehr, ja in noch höherem Grade, als der gleiche Prozentsatz für alle Stufen der Einkommensteuer. Denn bei der letzteren
werden von der Progression alle Einkommen, auch die Arbeitseinkommen getroffen, bei der Gebäudesteuer aber soll lediglich
der unverdiente Wertzuwachs stärker getroffen werden, der doch
sowohl vom Standpunkt der Besteuerung nach der Leistungsfähigkeit, als nach dem Grundsatz der Besteuerung nach dem
Vorteil als ein ganz besonders geeignetes Steuerobjekt anzusehen ist [1]).

Ueber die t h a t s ä c h l i c h e H ö h e d i e s e s u n v e r-
d i e n t e n W e r t z u w a c h s e s steht namentlich aus B e r l i n
mancherlei Material zu Gebote, welches neuerdings auch bereits
mehrfach herangezogen ist.

Eberstadt a. a. O. S. 467 stellt folgende Ziffern gegenüber:

Es betrugen im Jahre	die Feuerversicherungs- summen	die Mietsertrags- werte
1870	2 895 809 450 M.	1 456 498 584 M.
1890	2 820 923 900 »	4 826 931 000 »

Die Differenz der beiden Summen bezeichnet den Wert des
bebauten Grund und Bodens, welcher 1870 rund 550 Mill. und
1890 rund 2000 Mill. M. betrug und demnach in den 20 Jahren
auf 363 Proz. gestiegen ist, während die Steigerung der Gebäudewerte sich nur auf 315 Proz. belief.

Noch bezeichnender sind die Ziffern, welche im Heft II,
S. 38—39 der Verhandlungen der gemischten Deputation be-
treffend die Reform der städtischen Steuern (von 1880—1888) mit-
geteilt und auch schon von *H. Freese* in seinem Aufsatz über
»Wohnungsnot und Absatzkrisis« in Conrad's Jahrbüchern. 1893.
III. Folge, 6. Bd. S. 641—669 benützt sind.

Hienach ist der Nutzungswert folgender Häuser, in welchen
bauliche Veränderungen in dieser Zeit nicht vorgekommen sind,
von 1868—1877 nach Massgabe der Veranlagungsblätter zur Gebäudesteuer in nachstehendem Umfange gestiegen:

---

1) Vgl. hierüber insbesondere *Schäffle*'s Ausführungen in den »Grundzügen der
Steuerpolitik« 1880. S. 312—316 über die Ausbildung der Gebäudezinssteuer zu einer
P r i o r i t ä t s r e n t e n steuer.

Lau-fende Nr.	Strasse	Miete pro 1868 M.	Miete pro 1877 M.	Prozentsatz der Miets-steigerung
I.	**Berlin:**			
	Spandauerstrasse	334 365	470 794	40,80
	Königstrasse	375 438	564 061	50,24
	Hoher Steinweg	10 785	15 815	46,68
II.	**Alt-Cölln:**			
	Brüderstrasse	228 840	344 078	50,36
	Breitestrasse	161 703	234 714	45,15
	Scharrnstrasse	79 143	117 877	54,81
III.	**Friedrichswerder:**			
	Kurstrasse	141 909	196 571	38,51
	Hausvogteiplatz	113 325	169 267	49,36
	Adlerstrasse	19 443	36 796	89,25
IV.	**Dorotheenstadt:**			
	Unter den Linden	552 158	813 231	47,28
	Dorotheenstrasse	364 393	556 845	52,81
	Kanonierstrasse	72 258	129 877	68,10
V.	**Friedrichstadt:**			
	Mohrenstrasse	180 756	297 287	64,47
	Zimmerstrasse	282 687	455 652	61,19
VI.	**Friedrichs-Vorstadt:**			
	Köthenerstrasse	177 657	276 074	55,39
	Bellevuestrasse.	167 418	256 749	53,35
	Hafenplatz	54 708	74 678	36,52
VII.	**Schöneberger Vorstadt:**			
	Steglitzer Strasse	103 116	186 815	81,17
	Blumeshof	46 782	83 003	77,43
VIII.	**Tempelhofer Vorstadt:**			
	Belle-Alliancestrasse	157 827	298 747	89,29
	Nostizstrasse	58 482	120 894	106,74
	Teltower Strasse	104 265	185 826	78,22
IX.	**Luisenstadt;**			
	Alexandrinenstrasse	479 974	794 379	65,50
	Kommandantenstrasse	336 969	618 405	68,52
	Waldemarstrasse	131 280	234 994	79,00
X.	**Neu-Cölln:**			
	Spittelmarkt	43 116	66 283	53,71
	Wallstrasse	485 222	714 583	47,27
XI.	**Stralauer Viertel:**			
	Blumenstrasse	185 241	315 850	70,51
	Alexanderstrasse	86 025	131 194	50,92
	Kleine Markusstrasse	36 477	63 899	75,16
XII.	**Königs-Viertel:**			
	Landsberger Strasse	227 385	352 636	55,08
	Gollnowstrasse	51 381	83 898	62,88
	Georgenkirchstrasse	48 129	74 564	54,90

Lau-fende Nr.	Strasse	Miete pro 1868 M.	Miete pro 1877 M.	Prozentsatz der Miets-steigerung
XIII.	Spandauer Viertel:			
	Grenadierstrasse	114 402	167 997	46,85
	Hirtenstrasse	23 637	38 613	63,33
	Oranienburgerstrasse	204 192	305 410	49,57
XIV.	Rosenthaler Vorstadt:			
	Brunnenstrasse	72 475	115 216	58,98
XV.	Oranienburger Vorstadt:			
	Invalidenstrasse	227 595	371 948	63,43
	Ackerstrasse	88 929	156 170	75,61
XVI.	Friedrich-Wilhelmstadt:			
	Louisenstrasse	239 193	364 766	52,49
	Karlstrasse	146 001	233 551	59,97
	Schumannstrasse	60 120	93 029	54,74
XVII.	Moabit:			
	Turmstrasse	23 429	54 230	62,22
	Alt-Moabit	32 574	55 982	71,86
	Wedding:			
XVIII.	Müllerstrasse	70 496	155 653	78,24
	Pankstrasse	4 305	6 864	59,21

Von besonderem Interesse sind hiebei die **grossen Ver-schiedenheiten in der Wertsteigerung**, welche die einzelnen Grundstücke aufweisen und welche zwischen 36,52 Proz. und 100,74 Proz. schwanken.

Dieser letztgenannte Umstand wird durch Aufstellungen be-stätigt, welche in **Frankfurt a. M.** auf Grund der seit 1842 geführten Mietsteuerregister neuerdings angefertigt sind. Bei 110 Probehäusern, welche keine oder nur geringfügige bauliche Veränderungen erlitten haben, ergaben sich Verschiedenheiten in der Steigerung der angegebenen Mieten von ausserordentlichem Umfang. Die Steigerung von 1842—1894 erreichte nämlich in **einem** Falle einen Satz von 581,3 Proz. und in einem andern von 507,6 Proz., in 4 andern betrug sie zwischen 400—500 Proz., in 16 Fällen zwischen 300 und 400 Proz., in 18 Fällen zwischen 200—300 Proz., in 36 zwischen 100—200 Proz., in 22 zwischen 50—100 Proz. und in 12 unter 50 Proz.

Die Unterlagen dieser Ziffern — die Mieteangaben — sind freilich nicht ganz zuverlässig, allein doch nur in dem Sinne, dass sie vielfach zu niedrig sind, namentlich rücksichtlich der von den Eigentümern selbst benutzten Räume. Ueberdies lassen sich die grossen Verschiedenheiten in der Wertsteigerung auch an den Kaufpreisen, welche für jene Probehäuser in dem gedachten Zeitraum erzielt sind, verfolgen.

Besondere Gründe dieser Wertsteigerung lassen sich begreiflicher Weise nur in einzelnen Fällen spezieller nachweisen, wie etwa Umwandlung eines zum Alleinwohnen bestimmten Wohnhauses in ein Geschäftshaus, Errichtung von Läden oder Wirtschaften, Strassen-Erbreiterungen u. a. m. Die allgemeine hiebei zu Grunde liegende Ursache ist dabei immer die zunehmende Intensität des Verkehrs und der Menschen-Ansammlung, in deren Folge gewisse Wohnstrassen zu Geschäftsstrassen werden und die gesteigerte Nachfrage zur Erhöhung der Mieten treibt.

Die Umbauten sind hiebei von grosser Bedeutung, insofern oft ein sehr geringer baulicher Aufwand — Anlegung von Ladenfenstern u. dergl. — eine sehr erhebliche Steigerung des Ertrages ermöglicht.

Die mitgeteilten Ziffern werden genügen, um die grossen Verschiedenheiten der Wertsteigerung und zugleich die Notwendigkeit einer thunlichsten Individualisierung sowohl in Feststellung der Erträgnisse als der Steuerskala zu begründen.

Eine progressive Gestaltung der letzteren bietet überdies eine ganze Reihe besonderer Vorteile:

Während eine allgemeine Erhöhung der Gebäudesteuer nicht nur an sich schwierig ist und wegen der Gleichbehandlung verschuldeter und unverschuldeter Grundstücke als ungerecht und drückend empfunden zu werden pflegt und ausserdem immer die Gefahr einer Ueberwälzung auf die Mieter erzeugt, giebt eine solche individualisierende höhere Besteuerung nur der im Wert gesteigerten Gebäude zu derartigen Bedenken und Befürchtungen keinen Anlass. Insbesondere kann auch der verschuldete Besitzer einen berechtigten Einwand dagegen, dass die Gemeinde von der unverdienten Wertsteigerung ihren Anteil nimmt, nicht wohl erheben.

Nur muss diese höhere Besteuerung dem gesteigerten Ertrag so schnell als möglich nachfolgen, damit nicht der gesteigerte Wert inzwischen bereits wieder durch vermehrte hypothekarische Belastung in Anspruch genommen wird.

Unbedenklich würde es hiebei auch sein, zur Beseitigung gewisser oft erhobener Einwände, den Prozentsatz der Steuer zu

ermässigen, falls in einzelnen Stadtteilen einmal ein Rückgang
der Erträge und Werte einträte.

Auszugehen wäre natürlich von den beim Inkrafttreten
der neuen K.A.G. vorhandenen Werten, und es dürfte kaum
besondere Schwierigkeiten bieten. die Bewegung der Erträgnisse
— unter fortgesetzter Korrektur durch die stattfindenden Ver-
äusserungen und die diesen sich anschmiegende Umsatzsteuer —
von diesem Zeitpunkt (Normaljahr) aus für jedes Grundstück
genau zu verfolgen und demgemäss die Besteuerung ganz an
die jeweilige Wertsteigerung oder auch Wertverminderung anzuschliessen. Insbesondere wird auch die Feststellung der über
die Reparaturen hinausgehenden, zum Kapitalwert hinzuzuschla-
genden Umbaukosten unschwer zu ermöglichen sein, zumal, wenn
in Gemässheit des § 6 des K.A.G. Gebühren für Baubescheide,
welche nach der Höhe der Bausummen festgesetzt werden, eingeführt sind und infolge dessen die Bausummen in jedem Baufall
ermittelt werden müssen.

Besondere Bestimmungen würden wegen der Neubauten
erforderlich werden, im einzelnen aber von den Umständen abhängen, · unter denen eine neue Gebäudesteuer-Ordnung in Kraft
tritt. Bei stagnierender oder weichender Konjunktur würde zunächst auch auf sie der allgemeine, für die älteren Gebäude geltende Satz angewandt und das Jahr ihrer Errichtung als Normaljahr angesehen werden können, während für die Zukunft und bei
aufsteigender Konjunktur von vornherein wohl angeordnet werden
müsste, dass der anzuwendende Prozentsatz der Steuer nach
den in der Nähe gelegenen älteren Gebäuden gleicher oder ähnlicher Bestimmung festzusetzen ist.

Eine solche progressive Gebäudesteuer ist bereits bei den
Verhandlungen der Eisenacher Versammlung zur Besprechung der sozialen Frage am 7. Oktober 1872, und zwar gelegentlich der Debatte über die Wohnungsnot von *Ad. Wagner*
(Verhandl. S. 241) empfohlen: »weiter muss die Gebäudesteuer —
rasch dem Nutzungsertrage folgen und in erheblich höheren Prozenten den Mehrertrag aus solchen Mietsteigerungen treffen, die
aus Konjunkturen, nicht aus neuen Kapitalverwendungen hervorgehen.« Auch von anderen Seiten ist später derselbe Gedanke
geäussert, insbesondere von *Schäffle* (vgl. oben S. 642).

In der Begründung und in den Verhandlungen in
Betreff des neuen K.A.G. wird dieser Vorschlag jedoch nirgends

e r w ä h n t , und demnach weder für zulässig noch für unzulässig erklärt, und es müsste daher von vornherein seltsam erscheinen, wenn die Einführung solcher Progression trotzdem in Preussen aus den oben S. 633 erörterten Gründen mit Rücksicht auf den § 27 des K.A.G. für unzulässig erklärt werden müsste.

Nach dem Regierungsentwurf (vgl. oben S. 616 und S. 632) sollte durch den damaligen § 22 — jetzt 27 — wohl nur eine verschiedenartige Behandlung einzelner Gattungen von Liegenschaften verboten werden; die dem Entwurf wünschenswert scheinende niedrigere Besteuerung von Waldungen und höhere Besteuerung von Bauplätzen war daher als Ausnahme ausdrücklich zugelassen. Ein Verbot einer auf allgemeinen Gesichtspunkten beruhenden, gleichartig durchgeführten Progression konnte daher aus dem Reg.Entwurf schwerlich herausgelesen werden, zumal wenn man sich der wiederholten Hinweise der Begründung auf die Freiheit der Gemeinden erinnert (vgl. oben S. 595), welchen gegenüber doch nur bestimmte Gesetzesvorschriften, nicht aber zweifelhafte Argumente *e contrario* von Bedeutung sein dürften.

Für Gebäude kommt ausserdem hinzu, dass nach bestehendem Recht Wohngebäude mit 4 Proz. und gewerbliche Gebäude nur mit 2 Proz. versteuert werden, und dass sich nirgends eine Vorschrift oder Andeutung darüber findet, dass diese verschiedene Behandlung verschiedenartiger Gegenstände bei Einführung besonderer kommunaler Gebäudesteuern unter allen Umständen beseitigt und eine Heranziehung aller Gebäude zu dem gleichen Prozentsatz eingeführt werden m u s s [1]). Auch würde der oben S. 595 wiedergegebene Satz der Begründung mit dem Hinweis auf die Gewöhnungen und die besonderen industriellen und sonstigen Verhältnisse entschieden gegen die Notwendigkeit einer solchen Uniformierung sprechen.

Wenn aber nach dem Reg.Entwurf ein progressiver Steuertarif für Gebäude zulässig war, so ist es in der That eine schwer zuzulassende Annahme, dass nunmehr infolge der im Abgeordnetenhause aus völlig andern Gesichtspunkten und ohne irgend welche Berührung des Problems rationeller Besteuerung steigender Gebäudewerte vorgenommenen Fassungsänderung der progressive Tarif für die Gebäudebesteuerung ausgeschlossen sein sollte.

Es ist daher dringend zu wünschen, dass die entscheidenden Stellen auf dem einen oder andern Wege baldigst Gelegenheit

---

1) S. auch die Ausführungs-Anweisung vgl. oben S. 633.

erhalten, diese prinzipiell wie finanziell hochbedeutsame Frage zum Austrage zu bringen [1]).

2) Die Immobiliar-U m s a t z s t e u e r, welche wie oben S. 634 ausgeführt, infolge des für unbebaute Grundstücke erforderlichen Zuschlages niedriger zu halten ist, würde auch für Gebäude ihre ergänzende Wirksamkeit in ähnlicher Weise wie bei unbebautem Gelände zu entfalten haben, und zwar in um so weiterem Umfang, wenn ein progressiver Gebäudesteuer-Tarif gesetzlich unzulässig sein sollte.

Vor allem würde auch hier die D i f f e r e n z zwischen dem durch die Gebäudesteuer getroffenen und jeweilig nach dem Durchschnitt mehrerer Jahre festzustellenden E r t r a g s w e r t und den wirklich erzielten K a u f p r e i s e n mit einem merkbaren Z u s c h l a g zu belegen sein, welcher voraussichtlich zugleich zur Milderung des oft schmerzlich empfundenen Uebelstandes, dass zu niedrige Mietangaben, namentlich bei selbstbewohnten Häusern völlig ungeahndet bleiben und daher weit verbreitet sind, einigermassen beitragen würde.

Auch würde der Z u s c h l a g auf den erzielten G e w i n n bei Gebäuden nicht minder berechtigt als bei unbebauten Liegenschaften sein. Dabei würden sich die aus der Bewertung von Umbauten entstehenden Schwierigkeiten auf Grund der S. 646 gegebenen Ausführungen vielleicht lösen, wenn alsbald nach jedem Umbau die dadurch bewirkte Kapitalwerterhöhung festgestellt würde. Im übrigen aber trifft auch für Gebäude im wesentlichen dasjenige zu, was oben S. 637 über die Zweckmässigkeit der Einführung von Zuschlägen für die seit längerer Zeit in derselben Hand gebliebenen Liegenschaften unter Zulassung des Gegenbeweises, dass ein Gewinn aus An- und Verkauf im vorliegenden Einzelfall nicht erzielt sei, ausgeführt worden ist.

f. U e b e r   k o m m u n a l e   G e w e r b e s t e u e r n.

Während in Bezug auf die Notwendigkeit der Entwicklung besonderer Grundbesitzsteuern wenigstens für grössere Gemeinden in den Landtagsverhandlungen erheblichere Bedenken kaum hervortraten, erhoben sich hinsichtlich der Gewerbesteuer auf verschiedenen Seiten Zweifel, zumal im Hinblick auf die erst in jüngster Zeit (durch Gesetz vom 24. Juni 1891) erfolgte Umgestaltung der Gewerbesteuer. Wie früher schon *Fr. J. Neumann* in Holtzen-

---

1) S. auch die Ausführungs-Anweisung oben S. 633.

dorff-Brentano's Jahrbuch 1877. S. 602 im Gegensatz zu *Nasse's* Ausführungen in den 10 Gutachten (vgl. K.A.G. S. 36—39) vor dem »Glatteis besonderer Veranlagung kommunaler Gewerbesteuern« gewarnt und nur eine besondere Besteuerung der grossen Gewerbebetriebe nach Massgabe der beschäftigten Arbeiter bezw. gezahlten Löhne für durchführbar erklärt hatte, so wollte Dr. *Alex. Meyer* die erforderlichen Bestimmungen auch im Gesetze selbst getroffen wissen (Verh. S. 223—225.) Andere Abg. wie *Hobrecht* und *v. Tzschoppe* äusserten in der ersten Lesung ähnliche Zweifel. (Verh. S. 210. 217.)

Der Regierungs-Entwurf mit seiner Freigabe besonderer Gewerbesteuern drang indessen auch in dieser Beziehung durch. In der Begründung zum Gesetzentwurf wegen Aufhebung direkter Staatssteuern (S. 443) war darauf hingewiesen, dass man zunächst die Ausführung des neuen Gewerbesteuergesetzes abwarten müsse, »um ein Urteil darüber zu gewinnen, inwieweit etwa Abänderungen mit Rücksicht auf die Umwandlung der Gewerbesteuer in eine kommunale Abgabe in Aussicht zu nehmen sein werden«, während die Begründung zu § 24 des K.A.G. (S. 565) hervorhob, dass die bei der kommunalen Besteuerung der gewerblichen Betriebe massgebenden Erwägungen (Berücksichtigung der Vorteile, welche die Betriebe aus den Gemeinde-Einrichtungen ziehen und andererseits der Lasten, welche sie ihm aufbürden) für die Staatssteuer nicht bestimmend gewesen und daher besondere kommunale Gewerbesteuern im Anschluss an die besonderen örtlichen Verhältnisse unentbehrlich seien. Dieser Gedanke wurde auch in den Verhandlungen des Abg.H. von den Vertretern der Staatsregierung wiederholt (S. 2043. 2044) geltend gemacht. Ausserdem begründete der Finanzminister das Bedürfnis besonderer Gewerbesteuer in der Kommission des Abg.H. (Ber. S. 2441) noch durch folgende Ausführungen: »Es seien z. B. die bei der staatlichen Gewerbesteuer vorkommenden grossen Sprünge im Anlage- und Betriebskapital für manche Gemeinden ganz unzweckmässig, ebenso die Bestimmung des § 8 des Gewerbesteuergesetzes über die Steuerfreiheit der Betriebe, die zwei Jahre ertraglos gewesen, zumal da gerade in schlechten Zeiten die Gewerbe den Gemeinden grössere Lasten verursachten. Die Besteuerung der grossen gewerblichen Anlagen sei nach den bisherigen Bestimmungen nicht richtig zu erreichen; stabile Einnahmen seien den Gemeinden nötig, es sei zu hoffen, dass die Bestimmungen des § 24 — jetzt

§ 29 — allmählich zu solchen führen würden, und der Abgeordn.
vom Heede wies darauf hin (Verh. S. 2044. 2045), dass die staatliche Veranlagung in Steuergemeinschaften erfolge und innerhalb
dieser und im Verhältnis zu den anderen Besteuerten die Veranlagung vielleicht ganz zutreffend sei, ohne deshalb irgendwie für
die Gemeinde richtig zu sein.«

Die Gestaltung der besonderen Gewerbesteuern ist den Gemeinden — vorbehältlich der Genehmigung — ganz in die Hand
gegeben; die in § 29 angeführten Massstäbe sind nur beispielsweise (»namentlich«) genannt. Der Entwurf hatte ausser den im
Gesetz aufgeführten Massstäben noch die »Anzahl der im Betrieb
durchschnittlich verwendeten Personen und Motoren« erwähnt,
während die Kommission des Abg.H. diese Worte strich, weil es
nicht angemessen schien, diesen Massstab besonders hervorzuheben.

Eine andere Abänderung von grösserer Bedeutung betrifft
die in der Gewerbesteuerklasse der veranlagten Betriebe (mit einem
Ertrage von 1500—4000 M. oder einem Anlage- und Betriebskapital von 3000—30 000 M.), bezüglich welcher der Entwurf bestimmte, dass dieselben »von der Gewerbesteuer freigelassen oder
nach ermässigten Sätzen veranlagt werden (können). Diese Bestimmung findet auf besondere Gewerbesteuern sinngemässe Anwendung.« Diese Bestimmung wurde, nachdem ein Streichungs-
antrag in der Kommission abgelehnt war, im Plenum in 2. Lesung
beseitigt, und zwar nach der Bemerkung eines der Redner, weil
sie »eine ungerechtfertigte Bevorzugung der Gewerbetreibenden
gegenüber den kleinen Grundbesitzern, welche bis zum kleinsten
Büdner und Kossaten mit der Grundsteuer herangezogen werden
müssen«, enthielte (*v. Buch* S. 2047). Die kommunale Gewerbesteuer muss hienach alle nach § 28 überhaupt gewerbesteuer-
pflichtige Personen ergreifen. Indessen ist es nach den, am Schluss
einer längeren Debatte vom Berichterstatter als richtig anerkannten Ausführungen der Reg.Vertreter aus beiden Ministerien (Seite
2042—46) nicht erforderlich, dass auch die durch Steuerordnung zu regelnde besondere Gewerbesteuer immer
alle Pflichtigen ergreift, vielmehr ist es für durchaus zulässig erklärt, dass »einzelne Gewerbe in einer Gemeinde durch
Zuschläge getroffen werden . . und andere Gewerbe in derselben
Gemeinde durch besondere Gewerbesteuern« (S. 2042. 2043 vgl.
2045), dass insbesondere z. B. »die Gewerbesteuerpflichtigen, die
zur untersten und zur dritten Stufe gehören . ., mit Zuschlägen

belastet, und die grossen Gewerbetreibenden . . mit einer besonderen Gewerbesteuer belastet« werden. (Minist.Präsid. S. 2044 vgl. 2046.) —

Nur würde in solchen Fällen mit Rücksicht auf den Wortlaut des § 30 — falls man nicht etwa die Eingangsworte als gleichbedeutend mit: »I n s o w e i t« besondere Gewerbesteuern nicht eingeführt sind, auffassen will (vgl. § 26) in die Steuerordnung eine Bestimmung aufzunehmen sein, welche für die nicht besonders veranlagten Gewerbebetriebe die prozentualen Zuschläge zur staatlich veranlagten Steuer aufrecht erhält oder — wie man auch sagen kann — den nach § 29 zulässigen Massstab der Staatssteuer mit einem andern, gleichfalls nach § 29 zulässigen Massstab verbindet (vgl. Abg. *Sperlich* S. 2046).

Die in diesen Debatten behandelte besondere H e r a n z i e h u n g   d e r   g r ö s s e r e n, namentlich der mit dem Grund und Boden verknüpften B e t r i e b e hatte von Anfang der Kommunalsteuer-Erörterungen an im Vordergrunde gestanden, insbesondere hatten *Nasse* a. a. O. und *Gneist* (die Preussische Steuerreform 1881 S. 158—161) gerade diese Frage näher behandelt. Wie der Entwurf, dessen hierauf bezügliche Stelle, wie oben erwähnt, allerdings von der Kommission des Abg.H. gestrichen ist, und die Aeusserungen ihrer Vertreter beweisen, legte auch die Staatsregierung gerade auf die richtige, dem Grundsatz von Leistung und Gegenleistung entsprechende Besteuerung dieser grossen Betriebe besonderes Gewicht. (Verh. S. 2046.) Zu erwähnen ist besonders eine Ausführung des F i n a n z m i n i s t e r s (Verh. S. 2145), dass die besondere Besteuerung irgend eines Gewerbetreibenden (eines Schneiders, eines Agenten) in den meisten Fällen innerlich gar nicht berechtigt sei, dass »dagegen in den Fällen, w o   e s   s i c h u m   G e w e r b e t r i e b e   h a n d e l t,   d i e   m i t   G r u n d   u n d   B o - d e n   v e r b u n d e n   s i n d, die grosse Lasten durch Heranziehung von Arbeitermassen oder durch Verfahren der Wege oder durch solche ähnliche Umstände herbeiführen, (die besondere Besteuerung) durchaus notwendig (sei) und zwar entsprechend der Grösse des Betriebes.«

Ganz ähnlich hatte auch der Abg. Dr. *Meyer* (Verh. S. 225) schon in erster Lesung sich ausgesprochen, allerdings in der irrigen Annahme, dass das K.A.G. eine solche Besteuerung nicht gestatte: »Ich halte von der Besteuerung des kleinen Gewerbebetriebes sehr wenig, aber bei dem grossen Betrieb, der mit Moto-

ren arbeitet, der weit ausgedehnte Maschinengebäude und Speicher hat, der Hunderte von Arbeitern beschäftigt, soll man untersuchen: wie hängt der mit Grund und Boden zusammen? Das
wäre gerade diejenige Steuer, auf welche es nach meinem Dafür-
halten ankommt.«

Die Ausgestaltung dieser Gewerbesteuer von den Grossbetrieben bietet indessen wie die kommunale Gewerbesteuer überhaupt unleugbar erhebliche und grössere Schwierigkeiten als die
Grundbesitzbesteuerung, und es soll hier auf weitere Möglichkeiten der Gestaltung nicht eingegangen werden, sondern nur — zur
Vervollständigung der im Vorstehenden beschafften Materialien
und im Anschluss an die in F r a n k f u r t a./M. zur Zeit neben der
staatlichen Gewerbesteuer seit langem bestehende, mit 3 % vom
Mietwert der Gewerbelokale erhobene Mietssteuer (mit Laternen-
geld) mit einem Ertrage von etwa 50 % der Gewerbesteuer — darauf hingewiesen werden, dass der M i e t w e r t der Gewerbelokale
nach manchen Richtungen hin kein übler Massstab ist, um neben und
in Verbindung mit einem der andern in § 29 genannten Massstäbe gerade dem Gedanken der Besteuerung nach dem Vorteil
gerecht zu werden, wie u. a. auch der Abg. Frhr. v. *Zedlitz*
(Verh. S. 2010) anerkannte [1]), indem er auf die Läden der Leip-
zigerstrasse in Berlin hinwies, welche die grossen Mieten nur
tragen mit Rücksicht auf die Vorteile, welche die Berliner Einrichtungen ihnen bieten. Das Verbot der Neueinführung von
Wohn- und Mietsteuern zum Ersatz der Einkommensteuer würde
einer solchen Gestaltung der Gewerbesteuer natürlich nicht entgegenstehen. (Vgl. übrigens über i n d i r e k t e G e w e r b e s t e u e r n
oben S. 425. 426.)

4. U e b e r d i e A b h ä n g i g k e i t d e r b e s o n d e r e n k o m -
m u n a l e n R e a l s t e u e r n v o n d e n B e s t i m m u n g e n
ü b e r d i e Z u s c h l ä g e z u d e n s t a a t l i c h e n R e a l -
s t e u e r n.

Ueber die V e r t e i l u n g d e s S t e u e r b e d a r f e s a u f
d i e v e r s c h i e d e n e n S t e u e r a r t e n enthält das K.A.G. in
seinen §§ 54—58 nähere Bestimmungen, aus denen hier namentlich folgende herauszuheben sind:

---

1) Der Abg. Dr. *Meyer* (S. 2007) hatte im gleichen Sinne bereits auf Hotels,
Theater, Konzert- und Tanzsäle, Bierpaläste u. s. w. hingewiesen, deren Mietssteuer
zugleich eine b e r e c h t i g t e F r e m d e n s t e u e r biete.

1. »Die vom Staate veranlagten Realsteuern sind in der Regel mindestens zu dem gleichen und höchstens um die Hälfte höheren Prozentsatz zur Kommunalsteuer heranzuziehen, als Zuschläge zur Staatseinkommensteuer erhoben werden . . .

Mehr als 200 Prozent der Realsteuern dürfen in der Regel nicht erhoben werden« (§ 55).

Abweichungen bedürfen der ministeriellen Genehmigung und sind nur aus besonderen Gründen zu gestatten« (§ 54).

2. Zur Deckung des durch Realsteuern aufzubringenden Steuerbedarfs sind die veranlagten Grund-, Gebäude- und Gewerbesteuern in der Regel mit dem gleichen Prozentsatze heranzuziehen. Abweichungen können aus besonderen Gründen auch hier gestattet werden (§ 56).

3. Das Aufkommen besonderer Gemeindesteuern ist je nach ihrer Einrichtung und Beschaffenheit auf denjenigen Teil des Steuerbedarfs zu verrechnen, welcher durch Prozente der entsprechenden, vom Staate veranlagten Steuer aufzubringen ist (§ 57).

4. »Die Bestimmungen der §§ 54. 56 und 57 finden auf die Betriebssteuer und auf die Steuern von Bauplätzen (§ 27 Abs. 2) keine Anwendung« (§ 58).

Bei der Beratung dieser Bestimmungen in der zweiten Lesung des Abgeordnetenhauses sprach der Abg. *v. Strombeck* (Verh. (S. 2152. 2653) darüber, »wie das V e r h ä l t n i s d e r . . . b e s o n d e r e n S t e u e r o r d n u n g e n« zu den angeführten §§ sich gestalte, und fragte insbesondere, ob z. B. auch die Bestimmung, dass in der Regel nicht mehr als 200% Realsteuern erhoben werden dürfen, sich auch auf den Fall beziehe, in welchem zur Beseitigung der starren, mit den gegenwärtigen Reinerträgnissen sich nicht mehr deckenden Grundsteuerveranlagung eine besondere Grundsteuer eingeführt werde, welche nun mehr als 200 % der staatlichen Grundsteuer erbringe? Und er setzt hinzu: Nimmt man das an, »dann könnte die thatsächliche Folge sein, dass der g e g e n w ä r t i g e Reinertrag oder der gegenwärtige gemeine Wert des Grundbesitzes nicht vollständig, nicht in so gerechter Weise ausgenutzt werden kann, wie das nach den Regierungsmotiven beabsichtigt wird. Ich glaube, es wäre doch wünschenswert, wenn dieser Punkt aufgeklärt würde.«

Diese Anfrage ist das Einzige, was sich in den parlamentarischen Verhandlungen über diesen, wie wir sehen werden, sehr wichtigen Punkt findet, und nur einzelne gelegentliche Aeusserungen legen den Gedanken nahe, dass nicht alle Abgeordneten die Frage bejaht haben. In dieser Richtung ist namentlich die oben S. 628 angeführte Aeusserung des Abg. Dr. *Brüel* anzuführen, welche keinen rechten Sinn hätte, wenn die von ihm erwähnte Steuer nach Lagenklassen den Bestimmungen der §§ 54 und § 56 unterworfen sein sollte.

Der Regierungskommissar Geh. Oberfinanzrat *Fuisting* (Verh. S. 2153) beantwortete jene Frage indessen einfach bejahend: »die Vorschriften in dem § 45 (jetzt 54) folg. beziehen sich sowohl auf den Fall der Erhebung von Zuschlagssteuern als auch auf den Fall der Erhebung besonderer Realsteuern.«

Und in der That wird man angesichts des jetzigen, im Abgeordneten-Hause festgestellten, vorstehend wiedergegebenen Wortlautes des § 58 in Verbindung mit § 57 wohl anerkennen müssen, dass die Bestimmungen der §§ 54 flg. auf alle besonderen Realsteuern, mit Ausnahme nur der Betriebs- und Bauplatzsteuer Anwendung finden.

Die hiedurch gegebene Sachlage ist indessen eine sehr merkwürdige und der näheren Betrachtung dringend bedürftige.

Der Abg. *v. Strombeck* hat bereits mit vollem Recht darauf hingewiesen, dass nunmehr eine vollständige und gerechte Ausnutzung der Realsteuern unmöglich gemacht sei; denn eine Veranlagung nach dem gegenwärtigen Ertragswert wird in zahlreichen Fällen, eine Veranlagung nach dem gemeinen Wert aber in allen Fällen, in denen grössere Städte diesen Massstab wählen, über 200 % hinauskommen. Noch bedenklicher fast ist aber die weitere Bestimmung (§ 56), dass der Regel nach Grund-, Gebäude- und Gewerbesteuer mit dem gleichen Prozentsatz heranzuziehen sind; denn eine einträglichere Reform jeder dieser Steuern ist hienach davon abhängig, dass auch die andern beiden Steuern in gleichem Masse einträglicher gestaltet werden. Die wiederholt empfohlene jährliche Veranlagung der Gebäudesteuer mit ihren unzweifelhaft höheren Erträgen würde demnach der Gemeindekasse nur dann zu Gute kommen, wenn gleichzeitig auch die Gewerbesteuer entsprechend erhöht würde, und die allgemein als veraltet und für Städte ganz ungeeignete Grundsteuer würde nur dann nutzbarer gemacht werden können, wenn gleichzeitig auch die Gebäudesteuer in gleichem Massstab erhöht würde. Da dies aber — wie mehrfach betont (S. 144 ff. 645) — regelmässig nicht möglich ist und auch eine stärkere Belastung der Gewerbesteuer

vielfach nicht angängig sein wird, so wird insoweit alle Reform
nicht mehr eine Steigerung der Einnahmen aus Realsteuern und
damit die vor Allem angestrebte Erleichterung der Einkommensteuer, sondern nur eine verbesserte Verteilung der einzelnen
Realsteuern auf die Pflichtigen bringen. Und ebenso würde eine
Reform der Gewerbesteuern in dem von der Regierung selbst
empfohlenen Sinne (oben S. 649) durch stärkere Heranziehung der
Grossbetriebe nicht mehr der Stadtkasse, sondern nur den kleineren Gewerbetreibenden zu Gute kommen. Und es ist in der
That zu fürchten, dass die Neigung der Gemeinden zur Reform
und Weiterbildung der Realsteuern schnell erstickt wird, wenn
ihre Bethätigung so in spanische Stiefel eingeschnürt und der
günstigen Einwirkung auf die städtischen Finanzen beraubt wird.

General-Steuer-Direktor *Burghart* bezeichnete im Hause der Abg.
(Verh. S. 60) am 19. November 1892 als G r u n d l a g e des K.A.G.
»den G e d a n k e n , d a s s d e r G r u n d b e s i t z f r e i g e g e -
b e n w e r d e n s o l l z u e i n e r o r g a n i s c h e n G e m e i n d e -
b e s t e u e r u n g« und in den Motiven und Verhandlungen klingt
dieser Gedanke immer wieder durch. Wie aber ist eine solche
organische Gestaltung, und überhaupt irgend eine auf gesunder
Basis, z. B. der stärkeren Heranziehung unverdienten Wertzuwachses, beruhende Reform möglich, wenn sie gebunden sein soll
an die Erträgnisse staatlich veranlagter Steuern, welche von der
Regierung selbst — vgl. oben S. 585—89 — als entweder veraltet, oder für die Kommunalbesteuerung ungeeignet, jedenfalls
aber als auf ganz anderer Grundlage beruhend bezeichnet sind?
Im Staatssteuersystem ist der Steuersatz der drei Realsteuern
nach der Begründung — vgl. oben S. 586 — in ihrer dermaligen
Höhe nur aus historischen Gründen zu erklären und würde, wie
die Begründung weiter ausdrücklich sagt, im Fall der Erhaltung
der Realsteuern als Staatssteuern einer Ausgleichung unbedingt
bedurft haben. Im Rahmen des Kommunalabgabesystems sollen
diese Steuern nunmehr eine völlig neue Aufgabe erfüllen, indem
sie nicht mehr wie bisher in der Form von Ertragssteuern eine
entsprechend stärkere Belastung des fundierten Einkommens mit
Rücksicht auf seine grössere L e i s t u n g s f ä h i g k e i t bewirken,
sondern Grundbesitz und Gewerbe von dem Grundsatz der B e -
s t e u e r u n g n a c h d e m V o r t e i l aus stärker heranziehen sollen.
Wie kann man sie dann aber an ihre dermaligen Erträge binden?

Dass der Auferlegung von Prozenten der staatlich veranlagten Realsteuern bestimmte und ziemlich enge Schranken gezogen sind, ist leicht verständlich; denn eben die Mängel dieser Steuern lassen es bedenklich erscheinen, den dadurch hervorgerufenen und ungleichen Druck durch starke Zuschläge noch ungleicher und drückender zu machen. Auch war es selbstverständlich unumgänglich erforderlich, für die ganze Monarchie einheitliche Vorschriften über die fernere obligatorische und fakultative Heranziehung der vom Staate aufgegebenen Realsteuern zu erlassen.

Wie aber war es nur möglich, auch die besonderen Realsteuern, welche nur unter Zustimmung der Minister durch besondere Steuerordnungen auferlegt werden können, und gerade unter Berücksichtigung der besonderen örtlichen Verhältnisse gestaltet werden sollen, denselben allgemeinen Durchschnittsvorschriften, wie sie für die ganz anders gearteten Zuschläge gelten, zu unterwerfen [1]?

Hier ist nun z u n ä c h s t festzustellen, dass der R e g.-E n t w u r f eine solche Vorschrift nicht enthielt. Da der jetzige § 58 im Entwurf überhaupt fehlte, und die Bauplatzsteuer überdies nur die Heranziehung gewisser Liegenschaften zu einem höheren Steuersatz im Rahmen der Grundsteuer bedeutete, so kann es nicht wohl zweifelhaft sein, dass die im Entwurf allerdings auch, wie im jetzigen § 57 vorgesehene Verrechnung der besonderen Steuern auf die entsprechenden staatlich veranlagten Realsteuern nicht zugleich deren Unterwerfung unter die beschränkenden Bestimmungen der §§ 54 folg. bedeuten sollte. Denn wie hätte in diesem Fall die höhere Besteuerung der Bauplätze als Eröffnung einer neuen Steuerquelle bezeichnet werden können, wenn die gesamte Grundsteuer nicht 200 Proz. der staatlichen Grundsteuer überschreiten und in ihrem Ertrag überdies immer mit Gebäude- und Gewerbesteuer parallel gehen sollte? Wie wären ferner sonst die Bemerkungen der Vertreter der Staatsregierung über die von ihr angestrebte organische Reform und Weiterentwicklung der kommunalen Realsteuern überherhaupt nur verständlich?

Die Unterwerfung der besonderen Realsteuern unter das Recht der Zuschläge ist vielmehr erst das W e r k d e r K o m m i s s i o n des Abg.Hauses, welche sich anscheinend der Tragweite ihrer Beschlüsse und Formulierungen in dieser Beziehung gar nicht be-

---

[1] Die Unterschiede zwischen besonderen Realsteuern und Zuschlägen zu den Staatssteuern sind gelegentlich auch im Abg.Hause sowohl vom F i n a n z m i n i s t e r als vom Abg. Dr. *Meyer* zutreffend hervorgehoben. Verh. S. 2145. 2147 (29. April 1893).

wusst war, da der Bericht diesen wichtigen Punkt, der dann im Plenum, wie bemerkt, nur vom Abg. *v. Strombeck* berührt wurde, gar nicht erwähnt.

Glücklicher Weise darf aber die Gefahr, welche der Entwicklung besonderer Gemeindesteuern aus den Beschlüssen des Abg. Hauses zu erwachsen drohte, durch einen von der Kommission des Herrenhauses dem jetzigen § 56 hinzugefügten unscheinbaren Zusatz im wesentlichen wohl wieder als beseitigt angesehen werden. Während nämlich Abweichungen von den Vorschriften des § 54 — über die Verteilung des Steuerbedarfes zwischen Personal- und Realsteuern — »aus besonderen Gründen« schon im Reg. Entw. vorgesehen waren, fehlte die Ermächtigung zu Abweichungen von der Vorschrift der gleichen Verteilung der Realsteuern sowohl im Entwurf der Regierung als in den Beschlüssen des Abg.Hauses, und erst in der Kommission des Herrenhauses wurde auch zu § 56 der Zusatz hinzugefügt, dass auch hiebei aus besonderen Gründen Ausnahmen von den Ministern zugelassen werden können. Nach dem Kommissionsbericht wurde dieser Zusatz allerdings nur mit dem Hinweis auf die Verhältnisse der Grenzgebiete begründet, welche z. B. eine geringere Belastung der Gewerbesteuer ratsam erscheinen lassen könnten, wenn in dem benachbarten Bundesstaat Gewerbesteuern nicht beständen. Allein da die Fassung eine ganz allgemeine ist, ist auch die Ermächtigung der Minister eine allgemeine, und man wird sich wohl der Hoffnung hingeben dürfen, dass bei der Ausgestaltung besonderer Realsteuern für die besonderen Verhältnisse einer Gemeinde, wenn diese neugestalteten Steuern überhaupt auf verständigen und gerechten Grundlagen beruhen, sich immer so viele besondere Gründe für Abweichungen von den allgemeinen Durchschnittssätzen werden nachweisen lassen, als zur Gestaltung der Ausnahmen erforderlich sind. Insbesondere wird man dies auch wohl von der Ausbildung der Bauplatzbesteuerung im Rahmen der Grundsteuer erhoffen dürfen, zumal der Regierungs-Entwurf und die Urheberin des jetzigen § 58, die Kommission des Abg.Hauses darin übereinstimmen, dass die Erträge einer angemessenen Bauplatzsteuer nicht unter die beengenden Vorschriften für die Grundsteuerzuschläge fallen können und sollen.

An dieser Stelle mag unter Rückblick auf die Erörterungen unter 3 nur noch darauf hingewiesen werden, dass jede Ausbildung von Grundbesitzsteuern in dem angedeuteten Sinne, welche

zwar nicht unmittelbar für die nächsten Jahre, wohl aber für die
Zukunft erheblich steigende Beträge verspricht, grundsätzlich überhaupt mit der Entwicklung der Gewerbesteuer gar nicht parallel
gehen kann, da die letztere auf gleich bleibenden, erstere aber
auf steigenden Steuersätzen beruht, und ausserdem durch indirekte
Umsatzsteuern, welche für alle nicht mit dem Grund und Boden
zusammenhängenden Gewerbebetriebe gar nicht in Betracht kommt,
in sehr wirkungsvoller Weise ergänzt wird. Eine derartig eingerichtete Grundbesitzbesteuerung beruht in der That auf so völlig
anderen und besonderen Grundlagen ihrer finanziellen Entwicklung,
dass der Versuch, ihre Erträgnisse mit denen der Gewerbesteuer
in Parallele zu halten, von vornherein als innerlich unbegründet
und undurchführbar erscheinen muss.

Diese Erörterung schliesst daher mit dem Ausdruck der
Hoffnung, dass ein verständnisvolles Eingehen der Ministerial-In-
stanzen, in deren Hand alles liegt, auf die bei der Gestaltung besonderer Realsteuern zu berücksichtigenden besonderen Verhältnisse und Umstände eine gedeihliche, durch die §§ 54 ff. des
K.A.G. nicht gehemmte Entwicklung dieser besonderen Realsteuern ermöglichen wird. Und nur in diesem Falle werden auch
die Ausführungen der oben S. 594 genannten Denkschrift (S. 921. 925.
933), dass es sich bei der grossen Steuerreform n i c h t u m U e b e r-
w e i s u n g staatlicher S t e u e r e r t r ä g e, sondern um E r ö ff-
n u n g lebendiger und für die richtige Ausgestaltung des Gemeinde-
Steuerwesens unentbehrlicher S t e u e r q u e l l e n handelt, eine
wirkliche und die ganze weitere Entwicklung befruchtende Bedeutung erlangen.

ÜBER DAS NAHENDE ENDE DER AUSWÄRTIGEN GETREIDEKONKURRENZ.

ANTRITTSVORLESUNG AN DER STAATSWISSENSCHAFTL. FAKULTÄT DER UNIVERSITÄT ZÜRICH.

VON

DR. G. RUHLAND.

Wie wäre es möglich! Eine Ueberfülle von Getreide lässt seit fast 2 Dezennien den Preisrückgang auf dem Weltmarkte andauern. Im Norden wie im Süden von Amerika, in Russland wie in Indien und an der Donau, in Afrika wie in Australien, kurz, überall auf der Erde sind noch unübersehbare Flächen, die sich für den Getreidebau eignen und nur des Augenblickes harren, in dem sie von thatkräftiger, kundiger Hand dem Pfluge unterworfen werden. Wie sollte also heute schon von dem nahenden Ende der auswärtigen Konkurrenz die Rede sein können!

Nehmen wir zunächst an, dass diese herrschende Anschauung wirklich die richtige wäre, Eines wird trotzdem kein Unbefangener bestreiten wollen, nämlich, dass w e n n e i n m a l die Getreidepreise in wenigen Wochen auch nur um das Doppelte steigen, für die mitteleuropäischen Staaten daraus unabsehbare Gefahren fliessen. Das politisch erwachte Volk erträgt eine Hungersnot nicht mehr mit blossem Jammern und Klagen über das Schicksal und Beten und Kirchengehen. Heute hat man gelernt, für grosse volkswirtschaftliche Ereignisse gewisse hochgestellte Persönlichkeiten verantwortlich zu machen, denen die Lenkung der Geschicke des Volkes anvertraut ist. Und wie tief beklagenswert das auch sein mag, die Thatsache lässt sich nicht leugnen, dass in Zeiten allgemein verbreiteter Verzweiflung eine Handvoll radikaler Charaktere mit Hilfe der modernen Technik befähigt ist, eine tiefgehende Panik mit den schwerwiegendsten Folgen hervorzurufen.

Die Sache ist also doch wohl viel zu ernst, als dass man mit allgemeinen Redensarten daran vorbeiziehen sollte.

Da bietet sich indes gleich noch eine zweite, ebenso naheliegende wie allgemein bekannte Erwägung, welche in dieser Richtung noch Weiteres zu bedenken giebt. Das Ziel, dem wir entgegenstreben, ist ja die internationale Arbeitsteilung. W i r, d. h. in erster Linie England, dann Deutschland, Frankreich, die Schweiz, Oesterreich, kurz die mitteleuropäischen Industriestaaten, wir liefern den Agrikulturstaaten die Industrieprodukte und die Agrikulturstaaten liefern uns im Austausch dafür das Brotgetreide für das Volk. E n g l a n d ist auf diesem idealen Wege bereits soweit vorgeschritten, dass es heute schon $^3/_4$ seiner Bevölkerung mit fremdländischem Getreide ernährt. D e u t s c h l a n d steht demgegenüber noch zurück, soll aber auf dem besten Wege sein, nachzufolgen. Weiter voran als Deutschland ist auf diesem Punkte die S c h w e i z, weniger weit F r a n k r e i c h und O e s t e r r e i c h. Das klingt zunächst alles ganz schön. ·Aber –– wo werden denn in Zukunft die Ackerbaustaaten sein, die uns dauernd und in steigenden Massen das Brotgetreide liefern? R u s s l a n d und N o r d a m e r i k a emanzipieren sich bereits mit einer Energie, die an Rücksichtslosigkeit nichts zu wünschen übrig lässt, von der mitteleuropäischen Industrie. Und in A u s t r a l i e n sowohl wie in I n d i e n und S ü d a f r i k a, kurz überall, wo ein kräftigeres wirtschaftliches Leben pulsiert, besteht ausgeprägtermassen das gleiche Bestreben. Kein selbständiges Staatengebilde der Welt will länger als absolut notwendig auf der niedrigeren Entwicklungsstufe des Agrikulturstaates beharren. Daraus erwächst heute schon nur zu häufig die ernste Frage: was soll aus der industriellen Konkurrenz bei dieser scharfen Schutzzollpolitik der aufstrebenden Staaten noch alles werden? Daraus erwächst aber auch noch eine weit ernstere Frage!

England ist ja bereits so sehr Industriestaat geworden, dass es schon $^3/_4$ seiner Bevölkerung mit fremdländischem Getreide ernährt. Diese Ziffer wird fortwährend grösser. Noch einige Zeit und die Jahreşernte Englands reicht für die Brotversorgung des Volkes nur mehr auf e i n e n Monat. An dem gleichen Tage werden, wenn die Entwicklung so weiter schreitet, Deutschland, Frankreich, die Schweiz und Oesterreich vielleicht so weit gekommen sein, dass sie nur $^2/_3$ von dem ernten, was sie brauchen. Und wenn dann am gleichen Tage in Nordamerika, Russland, Australien, Südafrika und Indien die industrielle Entwicklung soweit vorangeschritten ist, dass durch die nicht getreidebauende Bevölkerung der Ueberschuss der Ackerbauern gerade aufgezehrt wird, woher wollen dann die mitteleuropäischen Industriestaaten ihren Brotgetreidebedarf decken?

Dieser Mangel an Brotgetreide macht sich natürlich lange vorher schon in entscheidendem Masse geltend. Und die Raschheit der Verschiebungen auf diesem Punkte sorgt dafür, dass wir auf das Eintreten ernster Ereignisse nicht allzu lange zu warten haben. England hat ja erst im Jahre 1846 jene Politik aufgegeben, welche dem Volke die Brotversorgung im Lande in der Hauptsache sichern wollte. Deutschland war ein Getreideexportland und hat noch im Jahre 1872 ca. 100 000 Tonnen Weizen mehr ausgeführt; heute beträgt seine Einfuhr an Weizen und Roggen zusammengenommen durchschnittlich 1 ½ Millionen Tonnen. Ungarn war Anfangs der 60er Jahre das gefürchtetste Getreideexportland der Welt. Heute liegen überzeugende Untersuchungen vor, wonach mit Ausgang dieses Jahrhunderts die österreichisch-ungarische Weizenausfuhr als beendet zu betrachten sein dürfte. Nordamerika drohte zu Ausgang der 70er und Anfang der 80er Jahre die ganze Welt mit Weizen zu überschwemmen. Und damals betrug seine Weizenernte pro Jahr und Kopf der Bevölkerung berechnet 9,16 bshls. Diese Ziffer ist inzwischen schon auf 6,3 zurückgegangen. Auf die gleiche Einheit reduziert beträgt der heimische Jahresbedarf an Brot und Saat ca. 5½ bshls. Wie nahe ist also für Nordamerika schon der Tag gerückt, an dem es den mitteleuropäischen Industriestaaten keinen Weizen mehr abzugeben hat. Und dann? — »Dann, so sagt man, wird Russland oder Indien, oder Südamerika, oder Kleinasien — ein zweites Nordamerika werden!« Vor solch' sanguinischen Erwartungen muss ich allerdings mit voller Entschiedenheit warnen.

Wer die nordamerikanischen Zustände mit offenem Auge an Ort und Stelle kennen gelernt hat, der kann sich darüber nicht im Unklaren sein, dass wir es hier mit ganz einzig dastehenden Entwicklungsverhältnissen zu thun haben. Die Verhältnisse von Russland, Indien, Südamerika u. s. w. sind davon so grundverschieden wie Tag und Nacht. Das unterliegt ja keinem Zweifel, dass solch wunderbare Bodenschätze nur in den Prärien Nordamerikas gehoben werden konnten, aber der Hebel, welcher dabei wirkte, das war die liberale nordamerikanische Gesetzgebung in

Verbindung mit der modernen Verkehrstechnik und mit dem spekulativen Geschäftscharakter des nordamerikanischen Volkes. Die Kraft jedoch, welche diesen Hebel in Bewegung setzen und führen konnte, das war das reiche in Boston, Philadelphia und New-York angesammelte Kapital. Man nehme auch nur e i n e n dieser drei Faktoren hinweg und Nordamerika ist unmöglich, und man gebe an irgend einer andern Stelle der Erde nur zwei derselben und ein zweites Nordamerika wird nicht sein. Schon deshalb ist es m. E. ausgeschlossen, dass ein Teil von Sibirien, oder von Südamerika oder von Kleinasien demnächst eine ähnliche Entwicklung beginnt.

Besonders scharf muss der p r i n z i p i e l l e U n t e r s c h i e d zwischen Nordamerika einerseits und Indien und Russland andererseits betont werden. In Nordamerika ist eine n e u e Welt geschaffen worden. In Indien und Russland hat man in die a l t e Welt Eisenbahnen hineingebaut und sie auf diese Weise mit dem Weltmarkt für Getreide verbunden. In Nordamerika hat sich die Weizenanbaufläche in dem Jahrzehnt 1870 bis 1880 von 19 Millionen auf 37 Millionen acres erweitert, während die Weizenausfuhr gleichzeitig von 71 Millionen auf 153 Millionen bushels angewachsen ist. Hier ist der Mann, welcher den Pflug führt, Träger der Entwicklung. In Indien hat sich die Weizenausfuhr von 1873 bis 1886 verdreizehnfacht, in Russland von 1860 bis 1888 verfünffacht, während gleichzeitig in beiden Ländern die Anbaufläche ziemlich dieselbe geblieben ist. Hier hat der Mann, welcher den Pflug führt, mit der Exportentwicklung herzlich wenig zu schaffen. Während die Kornkammer in Nordamerika mit der fortschreitenden Besiedlung vom Genesee-Thal bei New-York über Ohio und Illinois nach Jowa, Minnesota und Dakota westwärts gewandert ist, bleibt die kontinental gelegene Kornkammer in Indien und Russland natürlich auf ihrem alten Fleck. Und während der amerikanische Weizen frisch und rein ist, finden sich in der indischen und russischen Ware 4 bis 5 bis 6 Proz. Staub und 10 bis 15 bis 20 Proz. der Körner sind von Würmern angefressen. Dort ist es ein frisch geernteter Kern, hier handelt es sich vielfach um Vorräte, die ein und mehrere Jahre hindurch in Erdsilos als Notreserven eingelagert waren und jetzt durch den Bau der Eisenbahnen und durch die neue Ernte von ihrer Bestimmung frei gegeben werden. In gleichem Masse, als diese alten Notvorräte verschwinden, nähert sich die indische und russische Ware an Reinheit dem nordamerikanischen Weizen. In gleichem Masse verlieren aber auch Indien und Russland an Bedeutung für die allgemeine Preislage. Die Ausfuhrziffern verraten heute schon zum mindesten keine steigende Tendenz. Und in dieser allgemeinen Entwicklung wird in nächster Zeit deshalb keine Aenderung eintreten, weil die russischen wie indischen Finanzen keinen weiteren Ausbau des Eisenbahnnetzes zunächst gestatten. Die Vorräte auf dem Weltmarkt für Getreide werden damit kleiner.

Das ist für den Fachmann keine überraschende Behauptung. Die besten handelstechnischen Journale von Nordamerika und England haben wiederholt schon darauf hingewiesen, dass seit Mitte der 80er Jahre die »sichtbaren Vorräte« sich fortwährend mindern. *Beerbohm*'s Corn-Trade Evening List berechnete schon für 1888 das voraussichtliche Defizit auf dem Weltmarkte mit 9 Millionen Imperial Quarters. Und trotzdem der andauernde Rückgang der Getreidepreise? — Für diese scheinbar widersprechende Frage gibt es eine vollkommen zureichende Erklärung.

Zunächst müssen hier die Schutzzölle mit den Grenzsperren verantwortlich gemacht werden. Die dadurch verursachten Stauungen haben viel mehr, als man glaubt, zum Rückgang der Getreidepreise auf dem Weltmarkte beigetragen. Früher, d. h. vor Einführung der Schutzzölle in Deutschland und Frankreich, da war es den ausführenden Ländern doch möglich, mit der Ware in einem dieser Staaten unterzukommen, wenn England gerade kein günstiges Rendement bot. Heute aber ist die ganze regelmässige Ausfuhr auf England konzentriert. Und da bleibt denn nur zu häufig nichts anderes übrig, als die Ware durch ein Unterbieten im Preise abzusetzen. Die hervorragendsten Getreidefirmen von Russland sowohl wie von Nordamerika und Indien sind denn auch alle darüber einig, dass die Schutzzölle den Weltmarktpreis wahrscheinlich um mindestens den vollen Zollbetrag geworfen haben und die Preise ohne die Zölle entsprechend höher sein würden. Nicht weniger wirkungsvoll in dieser Hinsicht ist die wachsende Verschuldung des landwirtschaftlichen Grundbesitzes und zwar nicht bloss in Deutschland und Mitteleuropa, sondern auch in Nordamerika, Russland und Indien. Die wachsenden Zinsverpflichtungen zwingen den Bauern, seine Ernte nach dem Erdrusch möglichst rasch zu verkaufen. Ein Halten der Ware in erster Hand für bessere Preise ist mehr und mehr allgemein ausgeschlossen. In Indien und Russland ist die Sache noch schlimmer. Dort belehnt und kauft der Zwischenhandel die Ernten schon auf ein und zwei Jahre im voraus. Und wenn eine Zeit kommt, in der der Zwischenhandel von Russland oder Indien auf eine stärkere Nachfrage rechnet, dann muss der abhängige Bauer den letzten Kern Getreide hergeben, um den Umsatz des Handels zu steigern. Das ist die Ursache, dass sich die Exportfähigkeit dieser Länder für bestimmte Jahre so schwer schätzen lässt und dass in einzelnen Jahrgängen manchmal eine nicht unwesentliche Erhöhung der Ausfuhrziffer erfolgt, die aber im darauffolgenden Jahre immer wieder auf das ursprüngliche Niveau zurücksinkt. Als dritten und mindestens gleichbedeutenden Faktor nenne ich hier die heutige Technik des Handels und die Organisation der Warenbörsen. Seit Mitte der 8oer Jahre ging bekanntlich jeder grössere Versuch der Haussepartei, die Preise zu steigern, kläglich zu Grunde. In solchen Fällen nimmt die Börse dem Volke förmlich das Brot vom Munde weg, um am Ultimo den Corner niederzuwerfen. Dass heute überhaupt noch eine Haussepartei existiert, verdankt man lediglich der Gnade der Baissepartei, welche ihren im Spiel unentbehrlichen Partner nicht ganz vernichten wollte. Ich mache daraus der Börse keinen Vorwurf. Aber wir dürfen uns durch all das auch nicht über die tiefernste Thatsache hinwegtäuschen lassen, dass die sichtbaren Vorräte an Getreide immer weniger werden, während gleichzeitig der Getreidekonsum bedeutend wächst, dass hier Bedarf und Produktion heute schon sich ziemlich genau die Wage halten und dass uns vielleicht schon in den nächsten zehn Jahren mit Schrecken zum Bewusstsein gebracht wird: d i e   a u s w ä r - t i g e   K o n k u r r e n z   a u f   d e m   G e t r e i d e m a r k t   i s t   v o r b e i.

Die Einwendungen, welche man gegen diese meine Befürchtungen und Kombinationen erhoben hat, sind recht naheliegender Art. Man sagt, dass ich bei meiner Hungersnotprognose die fast noch unbegrenzte Ausdehnungsfähigkeit des Getreidebaues mehr oder minder vollständig ausser Acht gelassen hätte. In einzelnen Staaten von Nordamerika seien, ich weiss nicht wie viel Quadratmeilen vorzüglicher Weizenböden, die heute noch unbenützt seien. Ein Gleiches gelte für Russland und zwar namentlich für den südlicheren Teil von Sibirien, für Südamerika, Kleinasien, die Donauländer u. s. w. Ja sogar auf den australischen Kontinent hat man mich verwiesen, obwohl dazu eigentlich keine Veranlassung gewesen wäre. Mit andern Worten, man sagt sich:

heute haben wir thatsächlich noch Brotgetreide genug. Wenn aber auch in Zukunft der Bedarf noch fortwährend steigt, so haben wir auf Grund der vorliegenden Information keine Veranlassung zu befürchten, dass die Zunahme der Getreideproduktion demgegenüber zurückbleiben müsste. Und der Schlusssatz lautet dann: die mitteleuropäischen Industriestaaten brauchen sich also in ihrer industriellen Entwicklung nicht durch Erwägungen aufhalten zu lassen, welche auf eine Brotversorgung des Volkes im eignen Lande abzielen. Nun es wird mir nicht schwer fallen zu zeigen, dass all diese Einwendungen nicht zutreffen.

Was zunächst die E n t w i c k l u n g s m ö g l i c h k e i t d e s G e t r e i d e b a u e s anbelangt, so muss ich konstatieren, dass ich dieselbe so hoch einschätze, wie irgend jemand auf der Welt. Und zum Beweis für diese Behauptung will ich mich auf die Getreideproduktionsverhältnisse desjenigen Landes näher beziehen, das ich auch auf Grund meiner eigenen landwirtschaftlichen Praxis näher kennen gelernt habe, nämlich auf die Getreideproduktionsverhältnisse des deutschen Reiches.

Die durchschnittliche Weizenernte beträgt per Hektar nach der offiziellen Statistik ca. 1600 Kilo. Der Saatbedarf mag für die gleiche Fläche 150 Kilo sein. Der durchschnittliche Weizenertrag bringt also in Deutschland etwa das 8- bis 9fache Korn der Aussaat.

Nun ist natürlich diese durchschnittliche Produktionstechnik einer sehr wesentlichen Verbesserung fähig. Und dasjenige Gut, auf welchem diese Verbesserungen heute am weitesten gediehen sind, ist das Klostergut Hadmersleben in der Provinz Sachsen. Sein Besitzer H e i n e , der — nebenbei bemerkt — in unseren Tagen und in Deutschland mit dem Getreidebau ein reicher Mann geworden ist, hat nicht nur Tiefkultur mit einer rationellen Düngung eingeführt, sondern auch hinsichtlich der Pflege und der Saatgutauswahl das vollkommenste geleistet, was die landwirtschaftliche Praxis bisher kennen gelernt hat. Das Getreide wird auf Hadmersleben sehr breit gedrillt, dann mehrfach behackt und fast während der ganzen Vegetationsperiode sind Arbeiter damit beschäftigt, jedes und auch das kleinste Unkrautpflänzchen zu entfernen. Durch diesen fortgesetzten Kampf gegen das Unkraut hat der Boden einen solchen Grad von Reinheit erlangt, dass man tagelang in diesen Getreidefeldern umhergehen kann, ohne auch nur eine Unkrautpflanze zu entdecken. Und kommt dann die Ernte, so wählt Heine persönlich, unterstützt durch seine Familie und seine besten Beamten, auf jedem Getreidefeld die bestentwickelten Aehren aus und von diesen bestentwickelten Aehren nimmt er alsdann das schönstentwickelte Korn. Und mit diesen Körnern wird dann weiter gezüchtet. Auf diese Weise hat Heine bis heute schon auf Flächen nicht unter 5 Hektar Maximalerträgnisse von 4952 bis 5329 Kilo pro Hektar erzielt. Und da nur 100 Kilo zur Aussaat verwendet werden, liefert die Ernte auf Hadmersleben das 49fache und 53fache Korn gegen das 8- bis 9fache im Durchschnitt des Deutschen Reiches. Dabei dürfen diese Erträgnisse nach Heine's eigner Ansicht nicht einmal als die Grenze der Ertragsmöglichkeit betrachtet werden. Denn Erträge, die ihm vor wenigen Jahren noch unmöglich schienen, sind inzwischen schon überholt worden. Und noch ein wichtiges Moment muss hier noch besonders hervorgehoben werden! Während nämlich bei extensiverem Betriebe die Getreideernten bekanntlich mehr oder minder ausschlaggebend von der Witterung beherrscht werden, zeichnen sich die Erträge auf Hadmersleben durch eine überraschende Stabilität aus. Der intensivere Betrieb charakterisiert sich deshalb als eine fortschreitende Emanzipation von den Witterungsverhältnissen und wir haben in Heine einen der erfolgreichsten Vertreter des Grundsatzes: ein guter Landwirt hat keine schlechten Ernten!

Wenn ich nun mit diesen glänzenden Erfolgen auf Hadmersleben das übrige Deutschland vergleiche und wenn ich mir dabei vergegenwärtige, wieviel Land durch irrationelle Zerstückelung und irrationelle Weganlagen verloren geht, wenn ich mir vergegenwärtige, wie ausserordentlich mangelhaft nur zu vielfach die Bodenbearbeitung wie die Düngung gehandhabt wird, wenn ich der Massen von Unkraut gedenke, welche auf den übrigen deutschen Getreidefeldern den Weizen nicht bloss in seiner räumlichen Ausdehnung beengen, sondern als Träger eines ganzen Rattenkönigs von Pflanzenkrankheiten auch noch indirekt zur Minderung der Erträgnisse führen und wenn ich mir insbesondere vergegenwärtige, wie die grosse Zahl der deutschen Getreidebauern keine Ahnung von jener Sorgfalt in der Auswahl des Saatgutes hat, die Heine auf Hadmersleben anwendet — wenn ich mir das alles vergegenwärtige und das eine mit dem andern vergleiche, dann zögere ich keinen Augenblick zu behaupten, dass Deutschland leicht das drei- bis vierfache von dem bauen könnte, was es heute an Getreide erntet. Aber wenn man mich fragt, ob es w a h r s c h e i n l i c h ist, dass in diesem Lande demnächst ähnliche Erfolge erzielt werden, dann antworte ich mit voller Entschiedenheit: Nein! und hundertmal Nein! — Und so geht ein tiefer Unterschied zwischen der P r o d u k t i o n s m ö g l i c h k e i t a n s i c h und d e r W a h r s c h e i n l i c h k e i t i n d e r E n t w i c k l u n g durch die ganze Welt. Zur weiteren Erhärtung dieser Unterscheidung will ich noch zwei Beispiele aus jenem Gebiete der landwirtschaftlichen Produktiou hier anführen, das bekanntlich der raschesten Ausdehnung fähig ist — aus dem Gebiete der landwirtschaftlichen Viehhaltung.

Nordamerika hat bekanntlich nicht nur ausgedehnte und noch unbebaute Weizenländereien, Nordamerika hat noch ausgedehntere vorzügliche Weideflächen, die heute wieder unbenützt daliegen. Vor 5 bis 6 Jahren hatte man damit begonnen, dieselben mit Viehherden zu besetzen. Aber die Sache rentierte nicht. Die Forderungen der Grundeigentümer für die Pacht waren viel zu hoch. So geht denn die Fleischproduktion Nordamerikas im Verhältnis zur Bevölkerungszunahme fortwährend zurück. Und nordamerikanische Fachleute haben bereits wiederholt berechnet, dass in den ersten Jahren des nächsten Jahrhunderts die nordamerikanische Fleischausfuhr als beendet zu betrachten sein dürfte.

Deutschland hat eine jährliche Einfuhr an Mastschweinen von ca. 6—700 000 Stück. Sein Schweinebestand mag 14 Millionen betragen. Die durchschnittliche Vermehrungsfähigkeit darf auf mindestens das Zwölffache pro Jahr und Kopf veranschlagt werden. Man sollte also doch wohl denken, es wäre geradezu eine Kleinigkeit, diese 6—700 000 Stück Mastschweine pro Jahr in Deutschland m e h r zu produzieren und so deren Einfuhr überflüssig zu machen. Die Reichsregierung mag von ähnlichen Erwägungen ausgegangen sein, Thatsache ist es jedenfalls, dass im Jahre 1888 die Grenze gegen die Schweineeinfuhr gesperrt wurde. Die Preise für Schweinefleisch stiegen um 30, 40, 50 und 60 Prozent. Die Schweine kamen nicht! Und so musste denn gegen Ende des Jahres 1890 die Grenzsperre gegen Schweine wieder aufgehoben werden. Wir sehen also, auch in diesen beiden Fällen hat die thatsächliche Entwicklung einen ganz anderen Weg genommen, als ihn die Möglichkeit der Produktionsausdehnung zugelassen hätte.

Und wenn ich nun statt der Frage: wie weit k a n n, theo-

retisch gesprochen, die Getreideproduktion noch ausgedehnt werden? die andere Frage untersuche: wie w i r d sich die Getreideproduktion v o r a u s s i c h t l i c h in den wichtigsten Getreide-
exportländern demnächst entwickeln? Dann kann m. E. die
Antwort auf diese Frage nur eine Bestätigung meines Urteils
über das nahende Ende der auswärtigen Getreidekonkurrenz
abgeben.

Die Ausdehnungsmöglichkeit des Getreidebaues in Russland
und Indien, die ist ja allerdings ganz enorm. Aber — man braucht
nur einmal den russischen und indischen Bauer in seiner ganzen
Armut und in seiner ganzen intellektuellen Hilflosigkeit gesehen
zu haben, man braucht nur einmal gesehen zu haben, wie diese
Leute für eine verhältnismässig so einfache Verrichtung wie die
Anwendung von Mass und Gewicht für Getreide einen besonderen
Künstler und Zauberer herbeirufen müssen, um sofort zu begreifen,
warum die ganze bisherige Entwicklung so gut wie spurlos an
ihnen vorübergegangen ist und um ein für allemal davon überzeugt zu sein, dass auch die nächste Zukunft an ihnen keine
wesentliche Veränderung hervorrufen wird. Die Ausdehnungsmöglichkeit des Getreidebaues mag deshalb in Russland und Indien
noch so gross sein, die Wahrscheinlichkeit in der Entwicklung wird
die Ausfuhrziffern dieser Länder nicht steigen sehen.

In Nordamerika hat allerdings der Bauer das Zeug dazu,
um sofort eine wesentliche Erweiterung des Getreidebaues dann
eintreten zu lassen, wenn er durch den Absatz der Produkte
sich einen Gewinn zu erzielen weiss. Aber — die Zeiten der
billigen Landerwerbungen sind vorbei. Die Landhaifische — wie
die Nordamerikaner sagen — haben alles aufgefressen. Und die
Forderungen dieser Leute für Pacht und Kauf sind so hoch, dass
eine Entwicklung, wie wir sie in den 70er Jahren in Nordamerika
zu bewundern gelernt haben, vollkommen ausgeschlossen erscheint.
Den Rest aber besorgt die mit nordamerikanischer Geschwindigkeit fortschreitende Verschuldung des Grundbesitzes. Die Ausdehnungsmöglichkeit des Getreidebaues mag deshalb für Nordamerika noch so glänzend aus der Ferne herüber winken, die
Wahrscheinlichkeit der Entwicklung deutet nicht auf ein Steigen,
sondern auf ein Fallen der Ausfuhrziffer.

Dieses Urteil im einzelnen löst sich denn auch in dem grösseren Rahmen der E n t w i c k l u n g s g e s c h i c h t e d e r V ö l k e r
zu einem harmonischen Gesamtbilde auf.

Darnach lassen sich für Völker mit a l t e r Kultur hinsichtlich der Brotversorgung leicht d r e i Perioden unterscheiden. Die
erste Periode ist die der N a t u r a l w i r t s c h a ft. Die Bevölkerung
ist hauptsächlich zum Zwecke der Landbebauung angesiedelt und
nur soweit es die Interessen der Landwirte und der Gesamtheit
erheischen, existiert ein nicht getreidebauender Teil der Bevölkerung, der von den Ackerbauern mit Nahrungsmitteln versorgt
wird. Die Verkehrswege sind schlecht. Ein Massentransport
landwirtschaftlicher Bodenprodukte erscheint vollkommen ausgeschlossen. Jedes Thal fast ist deshalb in der Brotversorgung
hauptsächlich auf sich angewiesen. Da aber bei extensivem Betriebe die Erträgnisse mehr oder minder stark schwanken, werden
Notvorräte angesammelt, die nach der guten Regel aller Länder
mindestens den Umfang zweier Ernten haben sollen.

In diese Zustände und Verhältnisse wird in der z w e i t e n
Periode durch die Entwicklung der Verkehrswege Bresche gelegt.
Die Isoliertheit der einzelnen Thäler hinsichtlich der Brotversorgung hört auf. Die volkswirtschaftliche Organisation wird auch
auf diesem Punkte eine einheitliche und durchgreifende. Die
bisher angesammelten Notstandsvorräte und ebenso die jährlichen
Ueberschüsse der Ernte über den Jahresbedarf werden frei und
soweit Nachfrage vorhanden ist, für andere Länder disponibel.

Diese zweite Periode ist ihrer inneren Natur nach von kurzer
Dauer und zwar dies um so mehr, je höher entwickelt die Kultur
des Volkes ist. Denn: von dem Augenblicke an, mit dem die
Volkswirtschaft auch hinsichtlich der Brotversorgung einheitlich
organisiert ist, ist die wesentlichste Vorbedingung für die Freizügigkeit erfüllt und der Boden für die industrielle Entwicklung
vorbereitet. Rohstoffe und Nachfrage im Lande für industrielle
Erzeugnisse fehlen nirgends. Kapital und Intelligenz sind international. Und so beginnt jetzt die d r i t t e Periode der sogenannten industriellen Entwicklung, die sich durch eine mehr oder
minder rasche Zunahme der nichtgetreidebauenden Bevölkerung
charakterisiert.

Hat diese dritte Periode erst einmal begonnen, dann ist vom
Getreideüberschuss zum Getreidemangel nur mehr ein Schritt.
Und hat der Getreidemangel erst eingesetzt, dann wird das Defizit
in raschem Tempo immer grösser, wie die Erfahrungen von England und Deutschland genügend belegen.

Nicht unwesentlich verschieden hiervon ist die Entwicklung

in j u n g e n Ländern. Wie *Schäffle* für dieselben hinsichtlich des Verfassungslebens gezeigt hat, dass die Formen der verschiedenen Entwicklungsstufen gleichzeitig auftreten, so haben wir auch in Nordamerika z. B. die drei soeben bezeichneten Entwicklungs-stufen statt nacheinander nebeneinander. Die neu erschlossenen Prärien des Westens gehören sofort der einheitlich organisierten Weltwirtschaft an und die sog. industrielle Entwicklung folgt ihr unmittelbar auf der Ferse nach. Die Zeit der Getreideüberschüsse wird deshalb desto rascher beendet sein und ebenso sicher, wie in Ländern mit alter Kultur von der Periode des Getreidedefizites begleitet werden.

Im ganzen betrachtet erscheint deshalb die Zeit der sog. auswärtigen Getreidekonkurrenz als die Zeit der Eingliederung des landwirtschaftlichen Grundbesitzes in die weltwirtschaftliche Organisation. Diese Eingliederung ist heute bereits für alle wich-tigeren Staaten in der Hauptsache vollendet. Und nun beginnen die an den Getreideüberschüssen zehrenden Einwirkungen sich geltend zu machen. Dazu zähle ich das Anwachsen der nicht getreidebauenden Bevölkerung in den Städten und industriellen Zentren, den Uebergang der noch anbauwürdigen Ländereien aus dem öffentlichen in das private Eigentum, die allgemein zuneh-mende Verschuldung des landwirtschaftlichen Grundbesitzes und die naturgemäss langsame Einführung technischer Fortschritte in den landwirtschaftlichen Betrieb. Dass aber in der That die Ein-gliederung des landwirtschaftlichen Grundbesitzes in die weltwirt-schaftliche Organisation heute schon so ziemlich vollständig gewor-den ist, dafür haben wir einen ganz bestimmten und zuverlässigen Massstab in der Preisstatistik.

Ausgangspunkt der Bewegung war ja unzweifelhaft England. Hier finden wir auch den stärksten Rückgang der Weizenpreise: sie sind seit Ende der 60er Jahre um mehr als 50 Proz. gewichen. In Nordamerika hat die westwärts wandernde Kornkammer bis zum Jahre 1886 annähernd die gleichen Weizenpreise behalten. Erst seit dieser Zeit kommt der Preisrückgang auf dem Welt-markte auch hier zum Ausdruck. In der kontinental gelegenen Kornkammer Indiens sind bis zum Jahre 1887 die Preise sogar fortwährend gestiegen, dann einige Jahre stationär geblieben und erst in neuerer Zeit in fallender Bewegung. In der ebenfalls kon-tinental gelegenen Kornkammer Russlands haben die Weizenpreise bis zum Jahre 1890 die angenommene durchschnittliche Höhe bewahrt. Seit dieser Zeit ist die Kette der weltwirtschaftlichen Zusammenhänge bis nach diesen wichtigsten Getreideexportgebieten der Erde straff geschlossen. Jede weitere nachteilige Einwirkung, wie sie z. B. momentan von den La-Platastaaten unter dem Schutze eines ausserordentlich hohen Goldagios ausgeübt wird, macht sich heute auf der ganzen Linie bemerkbar. Ich sage deshalb: die herrschende Meinung von heute mag noch so geschlossen für die unabsehbare Fortdauer der Getreideüberschüsse eintreten, die Entwicklung der Thatsachen wird zeigen, dass die Zeit der auswärtigen Getreidekonkurrenz heute bereits mehr als zur Hälfte vorüber ist.

Und damit will ich meine Ausführungen vorläufig schliessen. Ich habe im Verlaufe derselben weit hinaus geführt über die Grenzen der mitteleuropäischen Industriestaaten im Dienste der Erforschung einer Frage, die zu den wichtigsten gehört, welche wir Menschen kennen: der Frage nach der Versorgung der Völker mit ihrem täglichen Brot. Die Resultate, zu denen ich dabei gekommen bin, sind wenig erfreulich. Der heute so weit verbreitete Glaube, dass wir wenigstens hinsichtlich der Brotversorgung des Volkes im Schlaraffenland irdischer Glückseligkeit angelangt seien, scheint mir eitel Trug und für die Völker Mitteleuropas von geradezu verhängnisvoller Art. Das wenigstens ist meine innerste Ueberzeugung! Trotzdem bin ich weit davon entfernt, zu glauben, dass ich damit diese hochwichtige Frage vollinhaltlich gelöst und erfasst hätte, und man sich deshalb unbedingt dieser meiner Anschauung anschliessen würde. Es genügt mir vielmehr vollkommen, wenn ich nur d i e Ueberzeugung erweckt habe, dass die Frage von dem nahenden Ende der auswärtigen Getreidekonkurrenz eines ernsteren und tieferen Nachdenkens in der That wert ist.

43*

DIE DIOKLETIANISCHE TAXORDNUNG VOM JAHRE 301.

VON

KARL BÜCHER.

SCHLUSS-ARTIKEL.

III.

Es ist nicht meine Absicht, die Taxen des Diokletianischen Tarifs zur Grundlage preisgeschichtlicher Untersuchungen zu machen. Eine derartige Arbeit lässt sich wissenschaftlich überhaupt nur für wenige Verkehrsgegenstände, wie Getreide und andere Rohprodukte mit einiger Zuverlässigkeit durchführen, und selbst bei diesen bereiten die Qualitätsunterschiede erhebliche Schwierigkeiten. In unserem Falle ist sie schon dadurch abgeschnitten, dass die Preisbestimmung für das Brotgetreide (Waizen) uns nicht erhalten ist. Bei der eigentümlichen Stellung der notwendigen Lebensmittel im Warenverkehre des römischen Reiches würde aber die betreffende Ziffer, auch wenn sie vorläge, nicht die Bedeutung in Anspruch nehmen dürfen, die ihr in einem Lande oder in einer Zeit zukäme, wo der ganze Ueberschuss, den die Landwirtschaft über den Eigenverbrauch erzielt, in den freien Verkehr gesetzt wird.

Man könnte freilich die für die historische Preisstatistik üblich gewordene Umrechnung der Geldwerte in Kornwerte in unserem Falle für überflüssig ansehen, indem uns die Tarifierung des Kupferdenars in Gold in den Stand setzt, sämtliche Taxen auf Gewichtsmengen feinen Goldes zurückzuführen. Allein auch damit wäre wenig gewonnen. Denn einerseits würde auf den gleichen Ausdruck gebrachtes historisches Vergleichsmaterial fehlen, anderseits steht zu vermuten, dass der für die Taxordnung angenommene Goldwert den damaligen Verkehrswert des Zirkulationsmittels erheblich überstieg. Das ganze künstliche System der Preisbemessung dürfte darum höchstens zur Gewinnung von einigen Tauschwertrelationen für wichtigere Warengattungen zu benützen sein. Der Hauptwert des Denkmals für die Wirtschaftsgeschichte liegt aber gewiss nicht auf dieser Seite. Ich finde denselben vielmehr in den Aufschlüssen, die uns das Edikt über die B e t r i e b s- w e i s e   d e s   r ö m i s c h e n   G e w e r b e s bietet.

Dieselben sind in denjenigen Teilen des Tarifs verborgen, welche von den Industrieprodukten handeln. Auf den ersten Blick scheinen die betreffenden Abschnitte auf ein ausserordentlich entwickeltes gewerbliches Leben hinzudeuten, und wenn man den Spuren der Erklärer folgen dürfte, so müsste man auf allen Gebieten der industriellen Produktion eine grosse Zahl von Handwerks- und selbst Fabrikbetrieben annehmen, welche fertige Waren auf den Markt brachten und sich zum Vertriebe dieser eines ausgebildeten Gross- und Kleinhandels bedienten. Sieht man jedoch näher zu, so schwindet die industrielle Warenproduktion auf ein ausserordentlich bescheidenes Gebiet zusammen. Wir bemerken, dass der Gewerbebetrieb sich zum grössten Teile in den älteren Formen des L o h n w e r k s und des H a u s f l e i s s e s bewegt [1]), welche beide auf die Arbeit von Sklaven und Freigelassenen sich gründen und dass da, wo fertige Produkte an den Markt kommen, dies in einer von der unseren durchaus abweichenden Weise geschieht.

Diese Beobachtungen liegen selbstverständlich nicht auf der Oberfläche. Sie müssen aus dem Wortlaut des Tarifs erst erschlossen werden unter Zuhilfenahme dessen, was wir sonst über den Gewerbe- und Handelsbetrieb dieser Zeit wissen. Dabei werden die einzelnen Zweige der gewerblichen Produktion gesondert zu betrachten sein. Nur eine allgemeine Bemerkung sei noch vorausgeschickt.

Wir beobachten fast überall, dass nicht bloss die Ware tarifiert ist, sondern auch die Arbeit, welche diese Ware erzeugt.

---

1) Für diese Kunstausdrücke kann ich auf meine Darstellung der gewerblichen Betriebssysteme im Handwörterbuch der Staatswissenschaften III, S. 934—949 um so mehr verweisen, als die dort vorgeschlagene Terminologie sich überraschend schnell in der Fachlitteratur eingebürgert hat. Bei der dort S. 926 und 929 f. gegebenen Schilderung der antiken Verhältnisse war das Diokletianische Edikt leider nicht benutzt worden. Um so willkommener ist mir jetzt die Bestätigung, die es für meine Auffassung bietet.

Nicht bloss die wollenen und leinenen Gewebe haben ihren festgesetzten Preis, sondern auch die Arbeit, welche sie ins Dasein
rief. Und zwar ist es nicht die Arbeit, welche der Unternehmer
kauft, um ihr in Waren verkörpertes Ergebnis an den Markt zu
bringen, sondern die Arbeit, welche der Konsument gegen Entgelt sich dienstbar macht, um Lücken der Eigenwirtschaft auszufüllen. Es handelt sich also nicht um das, was wir heute Lohnarbeit nennen, sondern um das, was man früher bei uns Lohn-
handwerk nannte, nur mit dem Unterschiede, dass diejenigen,
welche im römischen Reiche diese Arbeit leisteten, gewöhnlich
Sklaven oder Freigelassene und nur in seltenen Fällen freie Gewerbetreibende waren.

Allerdings ist den Alten der gewerbliche Grossbetrieb nicht
ganz fremd geblieben. Er findet sich im römischen Reich jedoch
gewöhnlich nur in Verbindung mit der Landwirtschaft und etwa
noch in den im vorigen Artikel geschilderten Staatsbetrieben,
wenn eine grössere auf eine bestimmte Technik eingeübte Sklaven-
schar von dem Herrn dazu verwendet wird, ein gewerbliches Produkt für den Markt zu erzeugen. Das bekannteste Beispiel dieser
Art bilden die Töpfereien und Ziegeleien, welche als landwirtschaftliche Nebenbetriebe auf grossen Gütern unterhalten wurden
und deren Bedeutung aus den zahlreichen auf uns gekommenen
Fabrikstempeln erhellt [1]). Diese Stempel führen in der Regel
den Namen des Gutsbesitzers oder der Besitzerin, auf deren Grund
und Boden die Ziegelei oder Töpferei lag; manchmal scheinen
die letzteren auch von eigenen Unternehmern betrieben worden
zu sein. In der Hauptsache aber wurden die gröberen Töpferwaren in
der römischen Kaiserzeit nicht anders erzeugt, wie heute etwa der
Branntwein auf den Gütern des nordöstlichen Deutschland, d. h.
nicht in eigenen Industrieunternehmungen und durch besondere
Arbeiter, sondern als Nebenprodukt der Gutswirtschaft, zu dessen
Herstellung die gewöhnlichen Ackersklaven verwendet wurden [2]).

Was wir sonst vom römischen Gewerbe wissen, weist so
entschieden auf den Kleinbetrieb hin, dass wir denselben als Regel
annehmen müssen. Dies schliesst aber, wie wir aus der Gewerbe-
geschichte des Mittelalters wissen, eine hochentwickelte Arbeitsteilung nicht aus. Und in der That bieten die Quellen der rö-

---

1) Vgl. *Marquardt,* Privatleben. S. 160. 665 ff.

2) Vgl. l. 25, § 1, D. 32,7 : *Quidam cum in fundo figlinas haberet, figulorum
opera maiore parte anni ad opus rusticum utebatur.*

mischen Wirtschaftsgeschichte Beispiele genug für das Vorhandensein sehr spezieller, berufsmässig ausgebildeter Arbeitsgeschicklichkeit. Wo aber Arbeitsteilung ist, da muss es auch Arbeitsvereinigung geben; es muss eine Kraft da sein, welche die
geteilte Arbeit zu gemeinsamem Wirken zusammenfasst.

Die moderne Volkswirtschaft hat diese Kraft in dem Geschäfts-
kapital, welches die Grundlage der Produktions-, Handels-, Ver-
sicherungs-, Bankunternehmungen u. s. w. bildet. Die Unternehmung ist eine selbständige, auf die Befriedigung fremden Bedarfs
gerichtete, vom Haushalt getrennte Wirtschaft mit Kapitalausstat-
tung. Ihrem Wesen nach ist sie blosse Produktionsgemeinschaft,
Arbeitsvereinigung zum Zwecke gesellschaftlicher Gütererzeugung.

Die zusammenfassende Kraft der antiken Volkswirtschaft ist
der Grundbesitz, welcher die Unterlage der autonomen Hauswirtschaft bildet. Der Oikos ist eine auf Befriedigung des eigenen
Bedarfs gerichtete Wirtschaft mit Grundbesitz. Seinem innersten
Wesen nach ist er Konsumtionsgemeinschaft; die Arbeitsvereinigung findet in ihm nur nach Massgabe des eigenen Bedarfes
statt. Arbeitsvereinigung ausserhalb der geschlossenen Hauswirtschaft ist in der antiken Welt ebenso selten, wie in der modernen
Arbeitsvereinigung ausserhalb der Unternehmung. Sie kommt
vor; aber sie ist nicht bestimmend für die gesamte wirtschaftliche
Organisation.

Das römische Altertum kannte zwei Arten der Arbeitsvereinigung innerhalb des geschlossenen Hauses: dauernde und temporäre. Die dauernde Arbeitsvereinigung konnte nur auf dem
Besitze verschieden ausgebildeter Sklaven beruhen; die temporäre
bediente sich der Lohnarbeit. Sklaven von spezieller Arbeitsgeschicklichkeit konnte auch der römische Hausvater, wenn er
wirtschaftlich handeln wollte, nur in dem Falle halten, wo er sie
dauernd für den eigenen Bedarf beschäftigen konnte. Aber bei
fortschreitender Entwicklung musste gerade an dieser Stelle die
Idee der geschlossenen Hauswirtschaft in Widerstreit geraten mit
den Forderungen der Wirtschaftlichkeit. So gross man sich auch
den aus Rücksichten der Repräsentation hervorgegangenen Sklaven-
luxus der reichen Römer vorstellen mag, zu rechnen verstanden
auch sie, und so finden wir schon früh die Vermietung von Sklaven,
welche für eine besondere Kunstübung abgerichtet waren; wir
finden Freigelassene, welche ihrem Manumissor zu speziellen Leistungen für dessen Haushalt verpflichtet geblieben waren. Ja

wir finden auch freie Handwerker, welche ihre Arbeitskraft jedem darboten, der sie bezahlen wollte.

So entsteht neben der dauernden Arbeitsvereinigung, welche auf Sklavenbesitz beruhte, die temporäre, welche aus der Dienstmiete hervorgeht. Für die wirtschaftliche Bedeutung der letzteren ist es gleichgiltig, ob der zeitweise zur Befriedigung des Hausbedarfs herangezogene Mietling unfrei, freigelassen oder frei war. Im ersten Falle zahlte man den Lohn an den Sklavenherrn, im letzten an den Arbeiter. Wesentlich aber ist der ganzen Einrichtung, dass sie keines gewerblichen Betriebskapitales benötigt und dass nicht ein Unternehmer den Produktionsprozess leitet, sondern der Konsument des zu erzeugenden Gutes. Er ist auch regelmässig der Eigentümer des Rohstoffes, welcher zur Produktion notwendig ist.

Die Rechtsform der Arbeitsvereinigung in der modernen Unternehmung ist der Arbeitsvertrag; die Rechtsform der dauernden Arbeitsvereinigung in der römischen Hauswirtschaft ist das Menscheneigentum, diejenige der vorübergehenden die Dienstmiete in den beiden Ausgestaltungen der Arbeitsmiete *(locatio conductio operarum)* und Werkverdingung *(locatio conductio operis)*. Bei der Arbeitsmiete pflegt der gewerbliche Arbeiter zeitweise in das Haus des Auftraggebers genommen zu werden und dort die Kost nebst Tagelohn zu empfangen; bei der Werkverdingung wird ihm vom Auftraggeber das zu bearbeitende Material hinausgegeben; er lebt auf eigene Kost und empfängt Accordlohn. Als gewerbliches Betriebssystem nennen wir die Arbeitsmiete S t ö r , die Werkverdingung H e i m w e r k. In beiden Fällen ist das Verhältnis des Arbeiters zum Arbeitsherrn ein loses, flüchtiges. Er dient heute diesem, morgen jenem Hause. Aber er dient immer dem Konsumenten seines Produkts, nie dem Unternehmer; er ist Lohnhandwerker, nicht Lohnarbeiter. Die wirtschaftliche und rechtliche Stellung der gewerblichen Arbeit ist somit in der Kaiserzeit nicht wesentlich verschieden von der Stellung der gemeinen Handarbeit und der persönlichen Dienstleistung, ganz wie im deutschen Mittelalter. Wir dürfen uns darum für berechtigt halten, weiterhin zur Erklärung einzelner uns heute fremd anmutender Erscheinungen Beispiele aus der älteren Geschichte des deutschen Gewerbes heranzuziehen.

Das Lohnwerk ist die vorherrschende Form des römischen Gewerbebetriebs; es bildet die Voraussetzung fast aller Stellen der Rechtsquellen, welche sich mit dem Gegenstande befassen.

Und so beginnt denn auch derjenige Teil der Diokletianischen Taxordnung, welcher von den Produkten des Acker-, Wein- und Gartenbaus, der Jagd und des Fischfangs zu den Erzeugnissen des Gewerbefleisses überleitet, mit einem umfangreichen Abschnitte *de mercedibus operariorum (Mommsen* Nr. 7). Derselbe enthält 76 verschiedene Taxen für Arbeitslöhne. Trotz der grossen Reichhaltigkeit der hier aufgeführten Arbeitsarten finden wir im Original neben der Hauptüberschrift nur noch einen Spezialtitel (περὶ χαλκωμάτων): Metallarbeit. Aber dieser passt keineswegs auf alles, was darunter begriffen wird, und auch durch die Anbringung dreier weiterer Ueberschriften in unserer Uebersetzung ist noch nicht der ganze Artenreichtum der hier berücksichtigten Mietarbeit erschöpft.

Gegenüber der sorgfältigen Gliederung der Tarifabschnitte, welche bestimmte Warengruppen behandeln, muss die geringe Ordnung in der Aufzählung der Arbeitsarten auffallen [1]). Heute könnte es niemanden einfallen, den Schmied, Bäcker, Schiffbauer, Ziegler und Kameltreiber neben einander zu setzen, oder den Schneider auf eine Linie mit dem Urkundenschreiber, den Lohn des Badewärters neben das Honorar des Advokaten zu stellen. Auch das Altertum schätzte offenbar die verschieden qualifizierte Arbeit dieser Leute, wie die verschiedene Höhe der Löhne zeigt, verschieden hoch; aber es muss sie mit dem gleichen sozialen Massstabe messen, weil sie alle lediglich von ihrer Arbeit lebten oder, wenn sie Sklaven waren, nur mit ihrem Arbeitsverdienste für ihre Herren in Betracht kamen.

An der Spitze stehen die L a n d a r b e i t e r *(operarii rustici, qui agrorum colendorum causa habentur* l. 203 D. 50, 16). Ihr Taglohn beträgt 25 d. nebst der Kost. Ihnen gleichgestellt sind die K a m e l -, E s e l - und M a u l t i e r t r e i b e r (Nr. 18. 20), die W a s s e r t r ä g e r und K l o a k e n r e i n i g e r (31 f.) — die beiden letzten freilich nur, wenn sie den ganzen Tag beschäftigt wurden. In allen diesen Fällen handelt es sich um gemeine Handarbeit, die in der Regel den Sklaven des eigenen Hausstandes zufiel. Nur wenn unter diesen geeignete Kräfte fehlten, mietete man zur Aushilfe die nötigen Leute tagweise von einem Sklavenvermieter, übernahm aber dann auch die Verpflichtung zu ihrer Beköstigung.

---

1) Man vergleiche übrigens das Verzeichnis der *Artifices,* welche von gewissen Abgaben befreit waren, im *Cod. Theod.* XIII, 4, 2.

Neben den Kamel-, Esel- und Maultiertreibern, deren persönliche Arbeitskraft vermietet wurde, gab es auch Besitzer solcher T i e r e , welche diese zu Transportleistungen vermieteten und dazu den Treiber stellten oder dieses Geschäft selbst besorgten. Sie wurden für die Tiere nach der Schwere der Last und der Länge des Weges bezahlt, wie Kap. 17 lehrt, während für die Treiber die in Kap. 7 erwähnten Taglöhne in Betracht kommen. Da an der ersterwähnten Stelle auch die Taxpreise für Viehfutter angegeben sind, so scheint es, als ob der Verfrachter, wie er die Kost des Treibers zu bestreiten hatte, auch für die Fütterung der Lasttiere aufzukommen hatte.

An die Treiberlöhne schliessen sich diejenigen für die Besorgung des Viehes an. Der H i r t e erhält Taglohn und die Kost; der S c h a f s c h e r e r *(tonsor pecorum)* wird aufs Stück bezahlt und ebenfalls verköstigt. Dagegen empfängt der T i e r - a r z t *(mulomedicus)* blossen Stücklohn, wahrscheinlich weil seine Dienste nur vorübergehend und unregelmässig in Anspruch genommen wurden. Der *mulomedicus* war ein sehr vielseitiger Mann: er schor Pferden und Maultieren Mähne und Schwanz, richtete ihre Hufe für Aufnahme der Eisen zu, liess den Tieren zu Ader und reinigte ihnen den Kopf. Seine Hauptaufgabe scheint aber doch in der Ausübung der Tierheilkunde bestanden zu haben. Wenigstens weist darauf die am Ende des IV. Jahrhunderts verfasste Schrift des P. V e g e t i u s *mulomedicina sive ars veterinaria*. Dennoch war sein Geschäft ein wenig geachtetes. Ein kaiserlicher Erlass von 337 nennt ihn unter den Handwerkern zwischen Maurer und Steinhauer [1]), ein anderer von 370 schreibt vor, dass die Maultiertreiber, Wagner und Mulomedici auf den Stationen der Reichspost von den Reisenden keine Bezahlung (Trinkgelder?) verlangen, sondern sich mit ihrem Natural-Deputat begnügen sollen [2]).

Zwischen Maultierarzt und Schafscherer steht in unserer Taxordnung der B a r b i e r *(tonsor)*. Wie der Lohn der ersteren nach der Zahl der Viehhäupter *(per singula capita)* bemessen wird, die sie behandeln, so wird der Lohn des letzteren auf den Mann berechnet *(per homines singulos)*. Der Wortlaut zwingt fast zu zu der Annahme [3]), dass es sich um das Scheren und Rasieren

---

1) *C. Theod.* XIII, 4, 2. 2) *C. Theod.* VIII, 5, 31.
3) Die schon *Mommsen*, Berichte S. 63 angedeutet hat. Der Kommentar von *Blümner* bedeutet an dieser Stelle einen Rückschritt.

von Sklaven handelt, das zu bestimmten Zeiten durch einen ins Haus kommenden Barbier reihum besorgt werden mochte, wenn man unter der *familia* keinen dafür geeigneten Mann hatte. Der Herr des Hauses hatte seinen gelernten Friseur, die Frau ihre *tonstrix* oder *ornatrix*, oder sie nahmen die Dienste des gewerbsmässigen Haarkünstlers in Anspruch, die viel zu mannigfaltig waren, um in dem fixen Satz von 2 Denaren per Person angemessen gewürdigt werden zu können [1]). Vielleicht waren sie an einer uns verloren gegangenen Stelle der Taxordnung besonders tarifiert.

Da wir hiemit bei den persönlichen Dienstleistungen angelangt sind, so seien hier gleich die beiden letzten Nummern des Abschnittes über die Arbeitslöhne erwähnt. Sie beziehen sich auf kleine Dienstleistungen in öffentlichen und privaten B ä d e r n, das Aufbewahren der Kleider und die notwendigen Handreichungen im Bade selbst; die Vergütung beträgt bei einmaliger Benutzung je 2 Denare. Das eigentliche Badegeld (Eintrittsgeld) scheint nicht einbegriffen zu sein.

Wir kommen zu den H a n d w e r k e n. In erster Linie stehen die B a u g e w e r b e, die in allen wichtigeren Zweigen vertreten sind. Wir erkennen leicht aus dem Tarife, dass das Bauwesen der römischen Kaiserzeit ähnlich organisiert war, wie es früher auch bei uns allgemein in den Städten war und noch jetzt vielfach auf dem Lande ist. Der Bauherr beschafft selbst das Bauholz und die sonstigen Materialien und nimmt die Bauhandwerker, soweit sie sich nicht unter seinen Sklaven vertreten finden [2]), auf Taglohn, so wie das Fortschreiten des Werkes es erheischt. Das Handwerkszeug besitzen die Werkleute.

Das deutsche Mittelalter kennt zwei Formen dieses Verhältnisses: entweder werden die Werkleute von dem Bauherrn beköstigt, oder sie arbeiten auf eigene Kost (*vorrechts*). Im letzten Falle ist der Werklohn natürlich höher als im ersten [3]). Bei den Römern scheint man nur die erste dieser Formen gekannt zu

---

1) Vgl. *Marquardt,* Priv.-Altert. S. 604 f.

2) Vgl. *Marquardt* a. a. O. S. 157, A. 1, 162, A. 7.

3) Vgl. die Speyerer Taxordnung von 1342 bei *Hilgard*, U.B. S. 442 ff., die Frankfurter von 1424 in meiner »Bevölkerung von Fr.« I, S. 95 und die pfälzischen Taxordnungen in der Festschrift der Techn. Hochschule zu Karlsruhe S. 51 ff. Den Kunstausdruck *vurrechts* oder *vorrechts*, der sich an allen drei Orten findet, weiss ich nicht zu erklären.

haben, und sie ist entwicklungsgeschichtlich gewiss auch die ältere. Alle einschlägigen Ansätze des Diokletianischen Edikts beruhen auf ihr.

Die Taglöhne der gewöhnlichen Bauhandwerker (Kalkbrenner, Maurer, Steinsetzer, Zimmerleute, Tischler) belaufen sich auf das Doppelte des für die gemeine Handarbeit angenommenen Satzes, nämlich 50 d., und steigen bei höherer Kunstfertigkeit bis auf das Dreifache (Marmorarbeiter und Mosaikarbeiter für feinere Arbeit 60 d., Wandmaler 75 d., Figurenmaler 150 d.). Es entsprach das den Unterschieden der Preise für gewöhnliche und für handwerksmässig ausgebildete Sklaven [1]).

Eigentümlich gestaltet sich das Arbeits- und Lohnverhältnis bei den Z i e g e l s t r e i c h e r n, d. h. den Arbeitern, welche das Ausformen der Rohziegel zum Brennen oder zum Trocknen an der Luft zu besorgen hatten. Sie erhalten, wie die Bauleute, die Kost, stehen aber nicht im Taglohn, sondern werden nach Zahl und Grösse der ausgeformten Ziegel bezahlt (Stücklohn). Die grösseren, zum Brennen bestimmten Ziegel hielten 2 Fuss (im Geviert) und dienten wohl zum Belegen von Fussböden; die kleineren wurden an der Luft getrocknet und dienten als Mauersteine [2]). Der Lohn beträgt bei ersteren von je 4, bei letzteren von je 8 zwei Denare. Um den Tagelohn eines Kalkbrenners oder Maurers zu erreichen, musste der Ziegelstreicher im ersten Falle täglich 100, im zweiten täglich 200 Ziegel fertigstellen. Das ist eine verhältnismässig geringe Leistung. Sie erklärt sich aber daraus, dass der Ziegler sich selbst das ganze Material zurichten (*praeparare*), d. h. den Lehm graben, das Stroh hacken, das Wasser herbeitragen musste [3]).

Während bei den bis jetzt genannten Gewerben das Lohnwerk sich stellenweise bis auf den heutigen Tag erhalten hat, befremdet es uns auf den ersten Blick, dass der Diokletianische Tarif auch für W a g n e r, S c h m i e d e, B ä c k e r und S c h i f f- b a u e r das gleiche Arbeitsverhältnis voraussetzt. Sie alle em-

---

1) l. 26, 8 Dig. 17, 1: *faber mandatu amici sui emit servum decem et fabricam docuit, deinde vendidit eum viginti.* Vgl. l. 3, 1 *C. Just.* 6, 43.

2) Näheres bei *Marquardt* a. a. O. S. 636 f.

3) Diese höchst einfache Erklärung passt sowohl auf den lateinischen als auf den griechischen Text. Dass der Arbeitgeber das Material l i e f e r n musste, versteht sich von selbst. Die entgegenstehenden Ansichten der Erklärer (vgl. *Blümner* z. d. St.) verdienen keine Widerlegung.

pfangen vom Auftraggeber für ihre Leistungen die Beköstigung
und den normalen Taglohn von 50 d. Nur die Seeschiffbauer
sind um 10 d. für den Tag besser gestellt als die übrigen, wahrscheinlich weil ihre Arbeit eine höhere Kunstfertigkeit verlangt
als diejenige der Flussschiffbauer.

Fast alle diese Gewerbetreibenden bedürfen feststehender
Produktionsmittel (Backöfen, Essen u. s. w.). Die Auftraggeber
müssen also nicht bloss den Rohstoff geliefert, sondern auch diese
Betriebseinrichtungen besessen haben. Es ist das nur zu verstehen, wenn wir uns gegenwärtig halten, dass das reiche Haus
für diese Aufgaben der Stoffumwandlung seine ständigen Hand-
werkssklaven hielt. Von den Bäckern und Schmieden ist dies
vielfach bezeugt [1]); die Wagner *(carpentarii)* kommen in den
Quellen sehr selten vor. Ihre Obliegenheiten besorgte in der
familia rustica der *faber,* der, ähnlich dem Rademacher in den
mecklenburgischen Gutswirtschaften, alle Holzarbeit verstand. Die
Schiffszimmerleute dienten einem zu speziellen Bedarf; sie kamen
nur an den Hafenplätzen in grösserer Zahl vor und mögen immer
Lohnwerker der Rheder gewesen sein [2]). Dagegen wurden Bäcker,
Schmiede und Wagner wohl nur auf Kost und Taglohn genommen, wenn man dafür keinen geeigneten Sklaven hatte oder dieser
krank war.

Die Versorgung der städtischen Bevölkerung mit Brot lag
bekanntlich öffentlichen Korporationen ob [3]); daneben scheinen
aber auch Bäcker als freie Gewerbetreibende, welche auf den
Verkauf produzierten, vorzukommen, wobei es freilich auffallen
muss, dass das Diokletianische Edikt Brotpreise nicht enthält.
Ebenso sind Werkstätten von Grobschmieden und Wagnern bezeugt [4]). Kapitel 15 des Edikts enthält sogar Preistaxen für verschiedene Arten von Wagen und Karren. In allen drei Gewerben
war man somit nicht unbedingt darauf angewiesen, die Handwerker auf Taglohn ins Haus zu nehmen, sondern man konnte
ihre Erzeugnisse auch fertig kaufen oder doch ihre Anfertigung

---

1) *Marquardt* a. a. O. S. 156 f. 146 A. 6.

2) Dasselbe Verhältnis im XVI. Jahrh. bei den Schiffbauern in Hamburg und
Lübeck: *Rüdiger,* Hamb. Zunftrollen, Nr. 47 § 7. *Wehrmann,* Lüb. Zunftr. S. 406 ff.

3) *Marquardt* a. a. O. S. 416 f. *G. Krakauer,* Das Verpflegungswesen der St.
Rom in d. spät. Kaiserzeit, S. 40 ff.

4) *Marquardt* a. a. O. S. 715. *Jul. Cap. Maxim. 5. Trebellius Pollio, XXX
tyranni* c. 8.

bei Meistern bestellen, welche eigene Werkstätten besassen und das Rohmaterial darzuthun pflegten.

Höchst sonderbar muten uns die Verhältnisse im Wagner-gewerbe an. In Kapitel 15 werden nämlich nicht bloss die Preise für verschiedene Arten von Wagen und Karren, sondern auch für einzelne Wagenteile (Achsen, Naben, Speichen etc.) ange-geben. Die Wagen werden »ohne Eisen« berechnet, d. h. die Preise verstanden sich nur für die Wagnerarbeit und der Käufer hatte das Gefährt dem Schmiede noch zum Beschlagen zu über-antworten. Bei bereits beschlagenen Wagen sollte das Eisen be-sonders berechnet werden; die Schmiedearbeit entbehrte also in diesem Falle der offiziellen Taxe.

Blümner nimmt an, es seien die einzelnen Wagenteile fertig bei den Wagnern käuflich gewesen, also im Vorrat gehalten worden. Dies wäre aber doch nur denkbar, wenn diese Teile für jeden Wagen passend gewesen wären, was offenbar der Voraussetzung eines völlig freien, nach dem individuellen Bedarf arbeitenden Gewerbes widerstreitet. Da nun die ganze Abteilung überschrieben ist περὶ ξύλων ἱς τὰ ὀχήματα und sich unmittelbar an die Ab-schnitte über verschiedene Arten von Nutz- und Brennholz an-schliesst, so liesse sich vermuten, es seien die verschiedenen Arten von Wagenholz, zum Gebrauche vorgerichtet, von den Holzproduzenten auf den Markt gebracht worden [1]). Damit würde jedoch nicht völlig in Einklang zu bringen sein, dass diese Wagen-teile bald in unbearbeitetem Zustande (ἀνέργαστος), bald bearbeitet oder abgedreht (εἰργασμένος, τορονευτός) tarifiert werden.

Leider ist der in Rede stehende Teil der Taxordnung nicht im lateinischen Texte erhalten. Die beiden vorliegenden griechi-schen Fassungen stimmen nicht völlig miteinander überein und bereiten der Erklärung grosse Schwierigkeiten. Aber es muss doch auffallen, dass die verschiedenen Wagenformen, welche mit den dafür üblichen lateinischen Ausdrücken *(sarracum, reda, dor-mitorium, carruca, carrus)* benannt werden, die gleichen sind, wie diejenigen, welche bei der römischen Staatspost gebraucht wur-

---

1) Ein Analogon dazu findet sich in einer Ordnung der Leipziger Rademacher und Stellmacher aus dem XV. Jahrh. Dort heisst es Art. 18: *Auch sint die meister eins geworden, das nymant sall uber den andern holtz koffen, nemlich das da gehort zu unserm hantwerck, es sint naben, velgen, spechen ader gescherre. Berlit,* Leipziger Innungsordnungen, S. 19.

den [1]) und dass eigentliche Luxuswagen nicht darunter vorkommen [2]). Dies führt uns darauf, unseren Tarifabschnitt mit
den Einrichtungen des *cursus publicus* in Verbindung zu bringen.
Ob die Fahrzeuge, welche bei der Beförderung der Beamten
und der Staatstransporte im *cursus publicus* verwendet wurden,
Staatseigentum waren oder ob sie von der spanndienstpflichtigen
Bevölkerung oder von den Reisenden gestellt werden mussten,
ist von den Bearbeitern des Gegenstandes nicht näher untersucht
worden, und auch ich habe keine entscheidende Stelle darüber
finden können. Dagegen stehen zwei Dinge ausser Zweifel, dass
es auf allen grössern Poststationen Wagner mit Beamteneigen-
schaft gab und dass für die Grösse der benutzten Wagen Normal-
masse vorgeschrieben waren.

Ueber den letzten Punkt besitzen wir freilich erst aus der
zweiten Hälfte des IV. Jahrhunderts nähere Nachrichten [3]); aber
es ist kaum zu bezweifeln, dass die auf denselben bezüglichen
Erlasse der Kaiser Valentinianus und Valens an ältere Einrichtungen anknüpften. Im Jahre 364 wird verordnet: *ut penitus
enormium vehiculorum usus intercidat, sanciendum esse, ut quisquis
opificum ultra hanc, quam praescripsimus, normam, vehiculum cre-
diderit esse faciendum, non ambigat sibi, si liber sit, exilii poenam,
si servus, metalli perpetua supplicia subeunda.* Es soll also der
Wagner, welcher einen das Normalmass überschreitenden Wagen
angefertigt hat, bestraft werden, und es wird vorausgesetzt, dass
sowohl freie als unfreie Handwerker dieser Art vorkommen. Dass
hierbei an die *carpentarii* der Stationen gedacht sei, ist kaum
anzunehmen: diese konnten als kaiserliche Beamte kein Interesse
daran haben, die Fahrzeuge zu gross zu machen. Auch waren
sie vermutlich alle unfreien Standes. Ihre Hauptthätigkeit wird
sich auf die Reparatur der durchpassierenden Wagen beschränkt
haben, und für diese konnten sie Ersatzteile in bestimmter Grösse
regelmässig bereit halten, wenn die Fahrzeuge alle die gleiche
Grösse hatten. Damit verliert der Tarifabschnitt über die Wagen-
teile im Edikt von 301 alles Befremdliche.

---

1) *Hudemann*, Oesch. des röm. Postwesens, S. 145 ff. *Hartmann*, Entwicklungsgeschichte der Posten, S. 48 ff.

2) Vgl. *Marquardt*, S. 727 ff.

3) *C. Theod.* 8, 5, 17 und 30. Das Normalgewicht für den Personenwagen
(*carpentum, rheda*) war 1000 Pfund; auf einen Güterwagen (*angaria*) sollten nicht
mehr als 1500 Pfund geladen werden. Im Edikt, Kap. 17, 3 werden als Maximal-
last für einen Frachtwagen 1200 Pfund angenommen.

Von den Metallarbeitern werden zunächst die Kupferschmiede *(aerarii)* genannt. Sie arbeiten in Kupfer, Messing
und Bronze und werden nach dem Gewicht des verarbeiteten
Metalls bezahlt, das der Auftraggeber selbst darthut. Da sie
keine Kost empfangen, so werden sie in ihren eigenen Werkstätten gearbeitet haben, also Heimwerker gewesen sein. Nur
die Thonformer, welche für den Bronzeguss die Formen zu
liefern hatten, empfangen die Kost und einen Taglohn, der demjenigen der Wandmaler gleichkommt (75 d.). In demselben
Verhältnis zu ihren Kunden stehen die Gipsformer; ihr Lohn
ist dem der gewöhnlichen Bauarbeiter gleich.

Wer mit modernen Vorstellungen den antiken Verhältnissen ge-
genübertritt, kann bei diesem Abschnitt leicht auf die Vermutung
kommen, dass er es mit einem Lohntarife für freie Arbeiter in
Kupferschmiedwerkstätten zu thun habe. Freie Lohnarbeiter auf
eigene Kost, die auf Stücklohn gesetzt sind, im Jahre des Heils 301
— in der That ist *Blümner* nicht vor dieser Ungeheuerlichkeit
zurückgeschreckt und hat damit den Typus des modernen Fabrik-
arbeiters bereits im Altertum entdeckt, ähnlich wie er an andern
Stellen (z. B. S. 149. 158. 169) seines Kommentars uns von Fabriken
unterhält. Widerlegen kann ich ihn aus antiken Quellen freilich
nicht. So bleibt mir nur übrig, zu zeigen, dass das von mir angenommene Verhältnis des Kupferschmieds und Bronzegiessers
zu seinen Kunden unseren Vorfahren als das naturgemässe erschien. »Die Kupferschmiede bekamen in Dresden 1572, wenn
das Kupfer ihnen dazu geliefert wurde, für das Schmieden von
Töpfen, Schüsseln und Kesseln auf das Pfund 13 1/2 Pfg.« [1]), und
die Kanngiesser wurden überall in Deutschland nach dem Gewicht des umgegossenen Zinnes bezahlt [2]).

Wir schliessen hier gleich die verschiedenen Arten von Gold-
arbeitern an, welche in Kap. 30 genannt werden. Auch sie
werden nach dem Gewichte des verarbeiteten Goldes bezahlt, das
ihnen der Auftraggeber liefert, scheinen aber in ihren eigenen
Werkstätten thätig gewesen zu sein, da sie keine Kost empfangen.

---

1) *J. Falke* in den Jahrb. f. Nat. u. Stat. XVI (1871) S. 57.

2) Vgl. u. a. *Stieda* in den Hans. Geschichtsbl. 1886, S. 122 ff. Vorpom-
merische Tax- und Viktualordnung von 1681, S. 27 f. Ueberhaupt hätte es den
Erklärern des Diokletianischen Edikts nichts geschadet, wenn sie sich einige der
vielen deutschen Taxordnungen aus den letzten drei Jahrhunderten oder des alten
Bergius »Neues Polizey- und Cameralmagazin« näher angesehen hätten.

Ganz so war es früher auch bei uns [1]), während im Orient noch heute der Goldschmied meist im Hause des Bestellers arbeitet, damit Unterschlagung verhütet werde.

Den Metallarbeitern folgen in Kap. 7 (No. 33—37) die S c h l e i - f e r, *samiatores,* welche eiserne Waffen mit samischer Erde polierten, aber auch Schneidzeug, wie Beile und Aexte schärften. In den deutschen Städten des Mittelalters entsprachen diesem Gewerbe die Harnischfeger, Schleifer oder Polierer, denen nicht selten der Rat wegen ihrer Bedeutung für den städtischen Waffendienst Schleif- oder Poliermühlen errichtete [2]). In der römischen Kaiserzeit gehörten sie zu den Militärhandwerkern, die den Legionen beigegeben waren. Ihr Lohn bemisst sich, wie im Mittelalter, nach der Gattung der zu schleifenden Geräte; bei einigen der letztern wird beigefügt *ex usu,* ohne dass eine besondere Taxe für das Schleifen neuer Fabrikate festgesetzt wäre — vielleicht weil das die Waffen- und Haubenschmiede mitbesorgten.

Nicht weniger als zweiundzwanzig verschiedene Lohnsätze (Kap. 7 No. 42—63) sind für die H e r r i c h t u n g d e r K l e i d u n g ausgeworfen. Unterschieden werden dabei drei verschiedene Gewerbe: das des *braccarius* oder Hosenschneiders, das des *sarcinator* oder Nähers und ein drittes, dessen Name verloren gegangen ist. Da unter dem letzten verschiedene Taxen für neue und gebrauchte Frauen-, Männer- und Kinderkleider, Mäntel und Teppiche ausgeworfen sind, so vermutet *Blümner,* dass es sich hier um eine Art Appretur, das Einreiben weisser Wollengewänder mit Thonerde oder Kreide, handelte.

Auf alle Fälle sind alle drei Gewerbe Lohnhandwerke; die sie betrieben, verarbeiteten den ihnen gelieferten Stoff nicht im Kundenhause sondern in ihren Werkstätten und erhielten den Lohn nach der Art der hergestellten Kleidungsstücke zugemessen. Wir müssen ersteres aus dem Umstande schliessen, dass von einer Beköstigung des Schneiders durch den Kunden nichts erwähnt wird.

Das Schneidergewerbe hatte also zur Zeit Diokletians in der Betriebsweise schon diejenige Stufe erreicht, die es bei uns in Dörfern und kleineren Städten noch heute behauptet: es war

---

1) Vgl. die von mir in der Karlsruher Festschrift veröffentlichten kurpfälzischen Taxordnungen S. 50. *Falke* a. a. O., S. 58. *Berlepsch,* Chronik der Gewerke III, S. 281.

2) *Schlichthörle,* Die Gewerbsbefugnisse in der Haupt- und Residenzstadt München II, S. 239 f. *Rehlen,* Gesch. der Handw. u. Gewerbe, S. 332. *Bücher,* Die Bevölkerung von Frankfurt a. M. I, S. 703.

Heimwerk. So finden wir es auch bei den römischen Juristen, bei denen *sarcinatori sarcienda vestimenta dare* als stehender Aus-druck vorkommt [1]). Daneben finden sich aber auch Schneider und Schneiderinnen nicht selten als technisch ausgebildete Haus-sklaven [2]). Das dazwischen liegende Betriebssystem, bei welchem der Schneider auf Kost und Taglohn von dem Kunden ins Haus genommen wird (Störbetrieb), ist, soweit ich sehen kann, in den Quellen nicht bezeugt, wird aber gewiss bei den Römern ebenso vorgekommen sein, wie es früher bei uns in den Städten ver-breitet war und noch jetzt auf dem Lande vorkommt [3]).

Dagegen wird man bezweifeln dürfen, ob das modernste Be-triebssystem des Schneidergewerbes, die Anfertigung von Kleidern auf den Verkauf in Magazinen (sog. Konfektionsgeschäft) bei den Römern bereits eine Stätte gefunden habe. Allerdings kommen *negotiatores vestiarii, paenularii, sagarii* vor; ja es ist sogar eine Anzahl bildlicher Darstellungen erhalten, die man als Kleiderläden gedeutet hat. Erinnern wir uns aber, dass bei den Römern die Kleiderstoffe in abgepassten Stücken verkauft wurden (vgl. oben S. 207) und dass der Schneider, so lange Hosen nicht allgemein getragen wurden [4]), bei der Eigenart der römischen Gewandung fast nur noch mit der Ausschmückung (Saum, Besatz, Stickerei) zu thun hatte, so sehen wir leicht ein, dass der »Konfektion« hier nur ein geringer Spielraum blieb. Der *Vestiarius* mochte für seine Kunden ein paar unfreie *sarcinatores* oder *sarcinatrices* halten; sein Handelsbetrieb wurde dadurch nicht zur Kleiderfabrik [5]).

Die nach unseren Vorstellungen ausserordentlich niedrigen

---

1) Z. B. *Gaius* III, 143. 162. 205 sq.

2) *Marquardt* a. a. O. S. 156, A. 6.

3) Vgl. die von mir veröffentlichte Basler Schneiderordnung: Karlsruher Fest-schrift S. 49 und die pfälzische Taxordnung von 1579, in der Stör und Heimwerk neben einander berücksichtigt sind, ebendaselbst S. 54. Die ältesten Beispiele des Heimwerks, welche mir aus Deutschland für Schneider bekannt sind, finden sich in einer Münchener Taxordnung von 1414 bei *Westenrieder*, Beiträge zur vaterl. Oesch. VI, S. 163 und *Wehrmann*, Lübeck. Zunftr. S. 424 f. — Das Stücklohnsystem an sich ist kein absolut sicheres Kennzeichen für das Heimwerk. Vgl. z. B. die vor-pommerische Tax- und Viktualordnung von 1681, S. 35, wo bestimmt wird, dass demjenigen Schneider, welcher auf dem Lande *arbeitet und dabey seine freye Kost hat,* ein Drittel des tarifierten Stücklohns abgezogen werden soll.

4) Auch unser *braccarius* ist nur zum kleinsten Teile »Hosenschneider«.

5) Vgl. *Marquardt*, a. a. O. S. 585 f. Die von ihm angeführte Stelle *Cato de re rust.* 135 beweist nichts für das Vorhandensein von Läden mit neuen fertigen Kleidungsstücken.

Löhne für die Verrichtungen des Schneiders und Nähers an den einzelnen Gewandstücken zeigen, wenn man sie mit den in Kap. 19 angegebenen Stoffpreisen zusammenhält, wie wenig ihre Arbeit zu bedeuten hatte. In auffallendem Gegensatze dazu stehen die Beträge, welche unter No. 52 und 53 für Decken angegeben werden. Man muss fast zweifeln, ob man es hier mit reinen Arbeits-löhnen zu thun hat. Nun bedeutet das für Decke gebrauchte Wort (*centunculus* = *cento*) ein aus Lappen zusammengenähtes Zeugstück, einen Lumpenrock, wie ihn die Sklaven trugen. Die Vermutung liegt nahe, dass es sich hier nicht um den Macherlohn sondern um den Preis des Fabrikats handelt, das die Näher aus den bei ihrem Gewerbe abfallenden Lappen herstellen mochten.

An die Schneiderarbeit schliesst sich naturgemäss die S t i c k e-r e i an, welche in Kap. 20 des Tarifs behandelt ist. Es werden zwei Arten von Stickern unterschieden, der *plumarius*, welcher Gewänder mit Seiden- oder Wollenfäden in der Plattstich-Manier verziert und der *barbaricarius*, welcher mit Gold- und Silberfäden oder Blättchen arbeitet[1]). Beide werden nach der Menge des verarbeiteten Rohstoffs bezahlt, und zwar muss dieser letztere vom Besteller geliefert worden sein. Es bedeuten also die für die Unze verarbeiteten Materials angegebenen Summen reine Ar-beitslöhne, wie schon aus der Vergleichung dieser Beträge mit den in Kap. 23 und 30 ausgeworfenen Materialpreisen hervorgeht.

Wie bei der Lohnberechnung verfahren wurde, ist nicht ganz deutlich. *Blümner* meint, dass die Sticker in ihrer eigenen Werk-stätte gearbeitet hätten, da sie nicht, wie die nachfolgenden Seiden-weber, die Beköstigung beim Auftraggeber empfiengen. Die Be-rechnung habe wahrscheinlich in der Weise stattgefunden, »dass das ihnen zur Verzierung übergebene Kleid vorher und dann wieder nach erfolgter Arbeit bei der Ablieferung gewogen und die Differenz als Gewicht des zur Stickerei verwandten Materials zur Grundlage der Berechnung gemacht wurde«. Jedenfalls musste aber auch dieses Material selbst dargewogen und sein Verbrauch kontrolliert werden, was am besten geschehen konnte, wenn der Sticker im Hause des Bestellers arbeitete. Ich möchte es darum dahingestellt sein lassen, ob die Sticker als Störarbeiter oder als Heimwerker anzusehen sind, und dies um so mehr, als die Kon-

---

1) So nach den sehr einleuchtenden Ausführungen von *Marquardt* a. a O., S. 538—541. Vgl. oben S. 215.

statierung kleiner Gewichtsdifferenzen eine Genauigkeit der Wagen voraussetzt, die der römischen Technik fremd war.

Den Stickern folgen die W e b e r (Kap. 20, 9—13 und 21). Es werden drei Arten derselben unterschieden: 1) Seidenweber *(sericarii)*, 2) Wollenweber *(lanarii)*, 3) Leinenweber *(linyfi)*. Daneben kommen noch Weberinnen *(gerdiae)* vor, ohne Unterscheidung des Stoffes, in welchem sie arbeiteten. Alle empfangen beim Auftraggeber die Kost; aber nur Seidenweber und Leinenweber werden im Taglohn bezahlt, während die Wollenweber Stücklohn empfangen, berechnet nach dem Gewicht des verarbeiteten Rohstoffs. Ueberall, sowohl bei den Stickern als bei den Webern, steigt der Lohn mit der Feinheit der Arbeit, die sich in der Regel nach der Güte des verarbeiteten Spinnstoffs bemisst. Bemerkenswert ist dabei, dass der Lohn der Weberin, auch wenn sie in Wolle arbeitet, Zeitlohn bleibt, obwohl der männliche Wollenweber auf Stücklohn gesetzt ist, dass sie weniger Lohnstufen hat und dass die Lohnunterschiede für feine und grobe Arbeit geringer sind als bei den männlichen Webern.

Es muss auffallen, dass für das Verspinnen von Wolle, Hanf und Flachs keine Löhne ausgesetzt sind. Aus dem Umstande, dass in dem ganzen Abschnitte das Wort »Weber« nicht gebraucht wird, sondern nur allgemeine Ausdrücke gewählt sind »für Arbeiter in Seide, Wolle, Leinen« *(sericarii, lanarii, linyfi)*, könnte man zu schliessen versucht sein, dass die Löhne sich auf die g a n z e Arbeit, Spinnen und Weben zugleich, beziehen. Dem aber widerspricht entschieden der Umstand, dass vorzugsweise m ä n n l i c h e Arbeiter genannt werden. Zwar hat uns der jüngere Plinius berichtet, dass das Spinnen von Leinengarn auch den Männern zieme; aber das Spinnen der Wolle ist bis in die späteste Zeit immer als weibliche Hausarbeit angesehen worden [1]. Möglicher Weise war es überhaupt nicht üblich, dafür fremde Hilfskräfte heranzuziehen. Dagegen finden sich Löhne für das Z w i r n e n [2] der Roh- und Purpurseide sowie für das S p i n n e n der feinen, mit Purpur gefärbten Wollsorten in Kap. 23, 2 und 24, 13—16 angegeben, und zwar scheint überall das männliche

---

1) Vgl. *Marquardt*, Privatleben, S. 517. *Friedländer*, Sittengeschichte I (6), S. 456.

2) Wir können uns hier, wie überall, nicht auf technische Erörterungen einlassen; es muss dafür auf die Kommentare verwiesen werden, namentlich auf diejenigen von *Blümner* und *Waddington*.

Geschlecht bei den Arbeitern vorausgesetzt zu werden. Die Bezahlung erfolgt nach dem Gewicht des versponnenen Materials; bei der Rohseide empfängt der Arbeiter auch die Kost. Bei der mit Purpur gefärbten Seide und Wolle ist keine Rede von Beköstigung. Leider ist der Lohn für das Auflösen oder Zwirnen der Purpurseide nicht sicher überliefert. Es ist darum auch nicht möglich zu ersehen, wie hoch der Wert der Beköstigung veranschlagt wurde.

Ueber den Betrieb der W a l k e r e i ist in Rechtsquellen und Inschriften vieles überliefert [1]). Sie ist früh zu einem besonderen Gewerbe geworden, nicht nur in den Städten sondern auch auf dem Lande, was damit zusammenhängt, dass der Walker eine feststehende Betriebsanlage und fliessendes Wasser braucht. Nur ganz reiche Leute unterhielten auf ihren Latifundien eine eigene mit Sklaven betriebene Walkerei für den Hausbedarf; in kleineren Gutsbetrieben schloss man mit einem benachbarten Walker einen Jahreskontrakt. Am häufigsten aber gab man die zu walkenden neuen oder gebrauchten Gewänder gegen Stücklohn in Arbeit, weshalb von den Juristen das Verhältnis des Kunden zum Walker so häufig als typisches Beispiel der Werkverdingung benutzt wird.

Die Walkerlöhne schwankten nach Art und Feinheit der Gewänder. Kapitel 22 des Diokletianischen Edikts unterscheidet nicht weniger als 26 verschiedene Lohnsätze, darunter 8 für ganz- und halbseidene Stoffe. Es ist kaum glaublich, dass auch diese letzteren gewalkt worden seien; es muss sich, wie *Blümner* hervorhebt, um eine dem Walken der Wollenstoffe entsprechende Appretur der Seide handeln. Auffallend bleibt, dass nur vom Walken n e u e r Kleider die Rede ist. Ich habe daran sowie an die auffällige Specialisierung der übrigen auf die Textilindustrie bezüglichen Verrichtungen oben S. 217 die Vermutung geknüpft, dass in diesen Abschnitten Rücksicht genommen sei auf den Geschäftsbetrieb der kaiserlichen Textil-Anstalten, womit aber nicht gesagt sein soll, dass die betreffenden Taxen nicht auch auf den Verkehr der Walker, Weber, Sticker etc. mit ihren Privatkunden Anwendung gefunden hätten.

Zum Lohnwerk gehört endlich noch das B u c h g e w e r b e und S c h r e i b w e s e n. Ueber dieses belehrt uns Kap. 7, 38—41. Unter den hierher gehörigen Arbeitern steht an der Spitze der P e r g a m e n t m a c h e r (*membranarius*). Sein Lohn beträgt für

---

1) Vgl. *Marquardt* a. a. O. S. 529 f.

die Lage Pergament (4 Doppelblätter) von einem Quadratfuss Grösse 40 d., ist also qualificierter Stücklohn. Das Rohmaterial liefert natürlich der Besteller. Dann folgen die Schreiberlöhne. Unterschieden wird dabei zwischen Bücherschrift und Urkundenschrift und bei ersterer wieder zwischen Kunstschrift und gewöhnlicher Schrift. Der Lohn wird nach dem Hundert Zeilen bemessen, wie der heutige Schriftsetzer nach dem Tausend Buchstaben gelohnt wird. Auch für diese Arbeiten pflegte das reiche Haus seine besondern Sklaven zu halten, und ebenso verfuhr der Verlagsbuchhandel, soweit von einem solchen die Rede sein kann [1]). Die Lohnschreiberei kam wohl bloss bei ausserordentlichem Bedarf in Frage, muss aber arbeitsteilig ziemlich entwickelt gewesen sein, da besondere Buchschreiber (*scriptores*) und Urkundenschreiber (*tabelliones*) im Tarife unterschieden werden.

Auch das U n t e r r i c h t s w e s e n fügte sich in dieses ausgebreitete System der Lohnarbeit ein (Kap. 7, 64—74). Es ist unerwartet reich entwickelt; denn es kommen nicht weniger als zehn verschiedene Arten von Lehrern vor: der Turnlehrer (*ceromatita*), der Kinderführer (*paedagogus*), der die Kleinen auf ihren Ausgängen überwacht, der Elementarlehrer (*magister institutor litterarum*), der Lesen und Schreiben lehrt, der Rechenlehrer (*calculator*), der Kurzschreiber (*notarius*) und der Bücher- oder Handschriftenschreiber (*librarius sive antiquarius*)[2]), ferner der Sprachlehrer (*grammaticus graecus sive latinus*), dem der Geometrielehrer (*geometra*) gleichgestellt ist, der Lehrer der Rhetorik und Stilistik (*orator sive sofista*), endlich der Lehrer der Baukunst (*architectus magister*). Der Unterricht ist so zu denken, dass der Lehrer als Privatunternehmer eine Schule hielt, in welche die Schüler gegen ein monatliches Honorar aufgenommen wurden, das auf den Kopf berechnet wurde und zwischen 50 und 250 d. schwankte. Ihre Einnahme stieg also mit der Frequenz der von ihnen abgehaltenen Lehrkurse, die insoweit öffentlich waren, als jedermann Zulassung finden konnte, der das Schulgeld zahlen wollte. Reiche Leute machten schwerlich von dieser Art des Unterrichts Gebrauch. Sie hielten sich für diesen Zweck eigene Sklaven, ebenso wie sie für die Besorgung des Schreibwerks ihre Privat-

---

1) Vgl. *Marquardt* a. u. O. 151. 825 ff.

2) Diese Leute vermieteten sich als Schreiber und unterrichteten zugleich Kinder in ihrer Kunst, ganz wie die mittelalterlichen *cathedrales* oder Stuhlschreiber. Vgl *Wattenbach*, Das Schriftwesen im Mittelalter (2) 407. 227.

sekretäre, Buchschreiber etc. hatten, oder liessen ihren Kindern Privatunterricht im Hause erteilen. Für letzteren galt der Tarif offenbar nicht.

Noch verdient beachtet zu werden, dass zwar der niedere Unterricht bereits eine abgeschlossene berufsmässige Ausbildung gefunden hatte, dass aber die meisten Zweige des höheren Bildungswesens nur als Nebengewerbe ausgeübt wurden. Der Turnlehrer, der Pädagog, der Elementarlehrer sind nichts als Lehrer; der Rechenlehrer aber ist seinem Hauptberufe nach Rechner und Rechnungsführer, der Notarius und Librarius sind Lohnschreiber, der Lehrer der Rhetorik ist Advokat und der Lehrer der Baukunst ist eine Art Bauführer, der im sozialen Rang nicht wesentlich über den Bauhandwerkern steht.

Daraus erklärt es sich auch, weshalb in der Taxordnung zwischen die Honorare der Lehrer die Sporteln der R e c h t s b e i - s t ä n d e (*advocati sive iuris periti*) eingeschoben sind (Nr. 72 f.). Denn die letzteren sind von den *oratores* in dieser Zeit nicht zu unterscheiden. Ihre Taxen knüpfen sich in fixen Sätzen an die einzelnen Stadien des Prozesses, stufen sich also nicht nach dem Werte des Streitgegenstandes ab [1]).

Wir haben hier keine Veranlassung, auf diese Berufsarten der persönlichen Dienste näher einzugehen; sie haben für uns überhaupt nur ein Interesse, weil die wirtschaftliche Grundlage ihres Geschäftsbetriebs die gleiche ist wie bei den bis jetzt erwähnten Gewerben: sie leisten Arbeit und empfangen Arbeitslohn von denjenigen, welchen ihre Dienste zu Gute kommen. Die Lohnformen sind dieselben wie in der Industrie. Wie weit in dieser letzteren, also auf dem Gebiete der Stoffumwandlung und Stoffveredelung, neben dem Lohnwerk bereits die Erzeugung von Waren für den Markt oder auf Bestellung, also eine dem modernen Handwerk entsprechende Betriebsweise, Platz gegriffen hatte: das ist die für das Verständnis der antiken Wirtschaftsorganisation wichtigste Frage, auf welche die Diokletianische Taxordnung uns Auskunft geben soll.

Dass es falsch wäre, überall da bereits einen unternehmungsweise für den Markt arbeitenden Betrieb anzunehmen, wo Preise für fertige Industrieprodukte angegeben sind, glaube ich bereits im ersten Artikel für das weite Gebiet der Gewebe nachgewiesen

---

1) Vgl. *Friedländer* a. a. O., S. 325 ff. und *Mommsen, Ephemeris epigraphica V,* S. 638 ff.

zu haben. Erzeugnisse des nationalen Hausfleisses der dem römischen Reich unterworfenen Völker, Ueberschüsse der Naturalsteuern und des kaiserlichen Fabrikbetriebs bilden die Grundlage
der umfangreichsten Abschnitte des Tarifs der Manufakte, nicht
Produkte privater Grossunternehmungen, wie *Mommsen* und *Blümner* zu glauben scheinen. Daneben aber finden wir Lohntaxen
für alle Arten der Textilarbeit: das Spinnen, Weben, Walken,
Sticken, Nähen. Wer den Rohstoff besass, konnte auch das
Fabrikat für den Eigenbedarf erzeugen, wenn er fremde Arbeiter zeitweise gegen Tag- oder Stucklohn annahm. Auch im
Wagnergewerbe fanden wir Warenpreisen und Lohntaxe neben
einander.

So bleiben uns nur sehr wenige Gebiete der Stoffumwandlung, in welchen bloss Fabrikatpreise angegeben sind: Lederarbeiten, Erzeugnisse aus Ziegen- und Kamelhaaren, kleine Holz-
und Hornwaren, wie Weberschiffchen, Spindeln, Kämme, Schabmesser, Siebe, ferner Nadeln, Schreibrohre und Tinte. Alles andere fällt in das Gebiet der Rohprodukte.

Von den genannten Fabrikaten sind nur die L e d e r a r b e i t e n
von grösserer volkswirtschaftlicher Bedeutung. Sie aber sind in
reicher Auswahl und allen Stadien der Fabrikation vertreten:
rohe Häute, Leder, Leisten, Stiefeln, Schuhe, Pantoffeln, Sandalen, Sättel, Riemenwerk, Schläuche und Futterale. Nirgends
ist von Lohnwerk die Rede, ausser an einer Stelle: der Schlauch-
macher empfängt, wenn er auf Taglohn genommen wird, für Anfertigung eines Schlauches 2 d., wobei der Auftraggeber natürlich
das Leder stellt und dem Arbeiter die Kost reicht[1]). Das muss
auffallen. Denn in Deutschland sind im Mittelalter Gerber, Schuhmacher und Sattler fast überall Lohnwerker, und die beiden letzten
werden in den Alpengegenden noch heute von den Bauern gegen
Kost und Taglohn ins Haus genommen.

An der Thatsache, dass die lederverarbeitenden Gewerbe zur
Zeit des Diokletian fast ausschliesslich für den Verkauf produzierten, ist nicht zu rütteln. Offenbar hängt das damit zusammen,
dass sie frühe zu einer berufsmässigen Ausbildung gelangt waren.
Werden doch die Schuhmacher schon unter den Kollegien des

---

1) Kap. **10**, 15: *In utrem mercedem diurnam.* *Blümner* erklärt: »Mietsgeld
für einen Schlauch«. Die richtige Deutung ergiebt sich aus der Vergleichung mit
Kap. **7**, 15 und 16.

Numa genannt. Auch später scheint dieses Gewerbe nicht von
Sklaven ausgeübt worden zu sein [1]). Von den Riemern, Sattlern,
Schlauchmachern u. dgl. wissen wir zu wenig. Immerhin sind
Namen für etwa ein Dutzend Spielarten der Lederverarbeitung
bekannt, darunter allein 9 für die verschiedenen Spezialitäten der
Schuhmacherei. Alle diese Gewerbe waren Handwerke, die für
Kunden auf Bestellung und wohl nur ausnahmsweise einmal auf
Vorrat arbeiteten; was die Neueren von einem Grossbetrieb der
Schuhmacherei, von Stiefelfabriken und Schuhbazaren geträumt
haben, zerfällt bei näherer Prüfung der Quellenbelege.

Und dennoch sind auch aus diesen verhältnismässig hoch
entwickelten Gewerben nicht alle Spuren des Lohnwerks verschwunden. Am deutlichsten sind sie in dem Abschnitte über
H ä u t e   u n d   L e d e r (Kap. 8), in welchem die Preise für die
rohe Haut regelmässig neben denjenigen für das entsprechende
Leder angegeben werden. Es ist daraus möglich, zwar nicht
den reinen Arbeitslohn des Gerbers, wohl aber die Kosten des
Gerbverfahrens zu berechnen, wie nachstehende Uebersicht zeigt.

Felle und Häute:	un-bearbeitet	bearbeitet	Kosten des Gerbverfahrens	Werterhöhung d. rohen Häute
	Den.	Den.	Den.	o/o
Rindshaut I. Qualität für Sohlen	500	750	250	50
» » » » Riemen	500	600	100	20
» II. »	300	400	100	33 1/3
Ziegenfell	400	500	100	25
Schaffell	20	30	10	50
Hutfell I. Qual.	100	200	100	100
Lammfell	10	16	6	60
Hyänenfell	40	60	20	50
Rehfell	10	15	5	50
Hirschfell	75	100	25	33 1/3
Fell vom wilden Schaf . . .	15	30	15	100
Wolfsfell	25	40	15	60
Marderfell	10	15	5	50
Biberfell	20	30	10	50
Bärenfell	100	150	50	50
Luchsfell	40	60	20	50
Robbenfell	1250	1500	250	20
Leopardenfell	1000	1250	250	25

Die durchschnittliche Werterhöhung des Rohmaterials beträgt
30 Prozent bei grossen Schwankungen in den einzelnen Leder-
arten. Das gleiche Verfahren hält der Tarif bei den Wagenteilen
(Kap. 15) ein, wo die Kosten der Bearbeitung durchschnittlich
43,7 Proz. des Holzwertes betragen. Vom fertigen Fabrikat machen

---

1) Vgl. *Marquardt* a. a. O. S. 596 f. 739.

die Fabrikationskosten beim Leder 23,2, bei den Wagenteilen 30,4 Proz. aus.

Aber auch noch an anderen Stellen leuchten Spuren älterer gewerblicher Betriebsformen durch. So wenn Stiefel ohne Nägel verkauft werden (Kap. 9, 5. 6), wobei vorausgesetzt zu sein scheint, dass der Konsument das Nageln selbst besorgt, wenn Wagen und Karren ohne Eisenwerk tarifiert sind (Kap. 15, 31 ff.), Kleider ohne Purpurbesatz und Stickerei (Kap. 19, 6. 25. 29) u. s. w. In allen diesen Fällen erkennt man, dass die marktfähige Ware nicht immer gebrauchsfertige Ware war und dass dem Käufer entweder die Fähigkeit zugetraut wurde, das Fertigmachen selbst zu besorgen, bezw. besorgen zu lassen oder doch so viel Einsicht in das Veredelungsverfahren, dass er die Kosten desselben beurteilen konnte.

Aus dem Dargelegten ergiebt sich als wichtigstes Resultat für die Industriegeschichte das V o r h e r r s c h e n   d e s   L o h n - w e r k s. Ausschliesslich herrschend fanden wir dasselbe im Bauwesen, in der Metallindustrie, der Edelmetallverarbeitung, dem Buchgewerbe, der Schneiderei und Stickerei und im grösseren Teile der Holzindustrie (Schreiner, Zimmerleute, Schiffbauer); neben der Produktion für den Verkauf in der Textilindustrie, der Bäckerei, der Wagnerei; fast verschwunden ist es dagegen in der Lederindustrie und in einigen kleineren Gewerben. Von letzteren gehörten möglicher Weise einige noch der Stufe des Hausfleisses an, wie die Verarbeitung von Ziegen- und Kamelhaaren, die Siebmacherei u. ä.

Mit welcher Vorliebe und Einsicht die Römer das System des gewerblichen Lohnwerks gepflegt hatten, lässt sich nirgends deutlicher erkennen, als an der feinen Durchbildung der verschiedenen L o h n f o r m e n , insbesondere den mancherlei im Tarif vorkommenden Modifikationen des Stücklohns. Man könnte fast sagen, dass der römische *pater familias* dem modernen Unternehmer auf diesem Gebiete wenig mehr zu erfinden übrig gelassen hat.

Die ursprüngliche Lohnform ist zweifellos der Z e i t l o h n   m i t   B e k ö s t i g u n g — also eine Kombination von Natural- und Geldlohn, wie sie auch bei uns an der Schwelle der industriellen Entwicklung steht. Die Bemessungsgrundlage bildet der Arbeitstag, genau wie bei den mittelalterlichen Störhandwerkern [1]). Die Lohnbeträge schwanken zwischen sehr weiten Abständen, halten sich aber in wenigen konventionellen Sätzen. Wir geben nachstehend eine Zusammenstellung der vorkommenden Fälle, der wir eine Umrechnung der römischen in deutsche Reichswährung (nach dem Satze 1 d. = 1,827 Pf.) anfügen.

Arbeitsarten:	Taglohn in Denaren:	Pfennigen:
I. Weberinnen für gerauhten Stoff	12	22
II. » für feinere Stoffe	16	29
III. Leinenweber für geringere Arbeit, Hirten	20	36
IV. Landarbeiter, Maultiertreiber, Wasserträger, Kloakenreiniger, Seidenweber für glatte Stoffe	25	46
V. Seidenweber für gemusterte Stoffe, Leinenweber für feinere Arbeit	40	73
VI. Kalkbrenner, Maurer, Mosaikarbeiter für gröbere Arbeit, Steinsetzer, Schreiner, Zimmerleute, Wagner, Flussschiffbauer, Gipsformer	50	91
VII. Marmorarbeiter, Mosaikarbeiter für feinere Arbeit, Seeschiffbauer	60	110
VIII. Wandmaler, Thonformer	75	137
IX. Figurenmaler	150	274

Diese Liste bietet manche Analogien mit modernen Verhältnissen. Die Frauenlöhne sind 20—40 Proz. niedriger als die geringsten Männerlöhne. Bei letzteren steigt im allgemeinen der Taglohnsatz mit der Qualifikation der Arbeit; aber, wie in der Gegenwart, macht die Textilarbeit eine bemerkenswerte Ausnahme von dieser Regel. Die Leinenweber sind für gewöhnliche Stoffe schlechter bezahlt als die ländlichen Taglöhner und Kloakenreiniger, der Taglohn der Seidenweber steht dem der Maultiertreiber und Wasserträger gleich, und selbst für kunstvolle Arbeiten erreichen beide nicht den Lohn der Bauhandwerker. Die letztern gehörten, wie heute, zu den bestbezahlten Lohnwerkern.

Die nächstfolgende Lohnform ist **S t ü c k l o h n   m i t   B e - k ö s t i g u n g**. Es ist eigentlich eine Kombination von Zeit- und Stücklohn, indem der naturale Teil des Lohnes, die Beköstigung, nach der Arbeitsdauer bemessen wird, der Geldlohn nach der

---

1) Dass nicht ein grösserer Zeitraum gewählt ist, etwa der Monat, ist der beste Beweis dafür, dass wir hier überall Lohn h a n d w e r k e r vor uns haben mit wechselnder Kundschaft, nicht Lohnarbeiter in festem Dienstverhältnis. Der mittelalterliche Handwerksknecht (Geselle) wurde zuerst auf Jahrlohn, dann auf Vierteljahrlohn (nach Quatembern), dann auf Wochenlohn beschäftigt, und der letztere bildet noch heute in einem grossen Teile der Gewerbe die Regel.

Arbeitsmenge. Dieses System findet nur in wenigen Fällen Anwendung: bei Ziegelstreichern, Schafscherern, Schlauchmachern,
Wollenwebern und Seidenauflösern. Die Bemessungsgrundlage
des Zeitlohns bildet bei den Schafscherern und Schlauchmachern
eine natürlich gegebene Arbeitseinheit, bei den Zieglern Grösse
und Zahl der fertiggestellten Ziegel, bei den Wollenwebern und
Seidenauflösern das Gewicht des verarbeiteten Rohstoffs, bei
ersteren daneben auch die Güte desselben.

Viel reicher entwickelt ist die dritte Lohnform: r e i n e r S t ü c k-
l o h n (ohne Beköstigung). Er findet sich in 27 verschiedenen
Arbeitszweigen, von denen mehrere sehr zahlreiche Abstufungen
des Lohnes aufweisen. Im ganzen kommen 92 verschiedene Stück-
lohnsätze vor. Die Bemessungsgrundlage ist nur in wenigen Fällen
eine natürlich gegebene Einheit. So bei Maultierärzten, Bart-
scherern, Bademeistern, Schleifern. In andern Fällen wird sie
künstlich gebildet, wie bei den Advokaten der einzelne Prozess-
akt, den Schreibern das Hundert Zeilen, den Frachtfuhrleuten
die Wagenlast von 1200 Pfund. Sehr häufig ist die Berechnung
des Lohnes nach dem Gewicht des verarbeiteten Rohstoffs. Grund-
gewicht ist bei Kupfer-, Messing- und Bronzearbeitern, bei Künstlern, die in Gold arbeiten, Goldschlägern, Goldtreibern, Gold-
drahtziehern das Pfund; bei Goldgiessern, Stickern, Purpurseiden-
auflösern und Purpurwollspinnern die Unze. Oefter finden wir
auch eine doppelte oder dreifache Bemessungsgrundlage: Stück-
zahl und Grösse des Pergaments bei den Pergamentmachern, Zahl
der beförderten Personen und Länge des Weges bei Fuhrleuten,
Zahl, Art und Qualität der Kleidungsstücke bei Schneidern, Nähern,
Appreteuren und Walkern.

Als vierte Lohnform könnte man die im Unterrichtswesen
vorkommende K o m b i n a t i o n d e s r e i n e n S t ü c k l o h n s
(Zahl der Schüler) m i t d e m Z e i t l o h n (monatweise) betrachten.

Das Bild, welches ich in diesen Aufsätzen von den Wirtschafts-
zuständen zu geben versucht habe, auf denen die Diokletianische
Taxordnung beruht, entspricht nicht der landläufigen Anschauung;
ich weiss es. Man hat bisher das Edikt von 301 immer als einen
Beweis für die grosse Entwicklung des Geldverkehrs und die bedeutende Ausdehnung der Warenproduktion und des Warenhan-
dels in der spätern Kaiserzeit betrachtet, und lieb gewordene
Irrtümer wurzeln fest, zumal wenn sie sich auf eine ausgebreitete
zitatenreiche Gelehrsamkeit stützen können. Es sei ferne von

mir, die Jahrhunderte lange mühevolle Arbeit der Altertumswissenschaft tadeln zu wollen. Ich bin von vornherein überzeugt, dass sie es heute zu dem höchstmöglichen Masse philologischer Akribie gebracht hat. Aber sie hat immer nur das Einzelne ins Auge gefasst; sie hat mit modernen Vorstellungen gearbeitet und mit grossem Eifer die Stellen aufgesucht, wo die äussern Formen des antiken Lebens an moderne Erscheinungen erinnern, um an ihnen zu zeigen, wie herrlich weit es die Alten schon gebracht hatten.

Ein solches Verfahren ist für die wissenschaftliche Erkenntnis nirgends so verderblich als auf wirtschaftlichem Gebiete. Die ökonomische Welt des Altertums will als Ganzes aus sich selbst begriffen sein, oder sie wird überhaupt nicht verstanden werden. Das hat bis jetzt für die römische Kaiserzeit nur Einer versucht: *Karl Rodbertus*, und ich habe mich im Vorstehenden bemüht, auf dem von ihm eingeschlagenen Wege ein Stück weiter vorwärts zu dringen. Gewiss ist das Bild des Diokletianischen Zeitalters, das wir hier gewonnen haben, nicht mehr das der reinen Oikenwirtschaft mit ausschliesslichem Sklavenbetrieb. Es weist zahlreiche Verkehrserscheinungen und Uebergangsbildungen auf; aber die meisten tragen noch die Eierschale der autonomen Hauswirtschaft auf dem Rücken. So der grosse naturalwirtschaftliche Staatshaushalt, das ganze reich entwickelte gewerbliche Lohnwerk und selbst der Handel, wo uns ausnahmsweise einmal in seine Betriebsart ein Einblick gestattet ist. Man lasse sich durch die Hunderte von Warensorten und Geldpreisen des Tarifs nicht beirren! Geldpreise bedeuten nicht allgemeinen Geldgebrauch, und in einer Zeit, in welcher das einzige Umlaufsmittel Kupfer ist, während Gold und Silber nur nach dem Gewichte genommen werden, sind dem »Welthandel« enge Grenzen gesteckt. Wissen wir doch, dass noch in der zweiten Hälfte des IV. Jahrhunderts in der Provinz Afrika die Gerichtsgebühren und Advokatensporteln in Getreide festgesetzt wurden [1]) und dass das Naturalsteuersystem wie die hergebrachte Art der Verproviantierung der Hauptstädte noch weit länger fortdauerten.

Ich bin mir wohl bewusst, dass der Gewinn, welchen eine gründliche nationalökonomische Durchforschung des Diokletianischen Edikts abwerfen kann, im Vorstehenden nicht erschöpft

---

1) Vgl. das *Edictum Thamugadense*, herausg. von *Mommsen* in der *Ephemeris epigraphica* V, p. 629. sqq.

ist und dass das hier gegebene Bild der Abrundung entbehrt.
Bei dem immer noch fragmentarischen Zustande der Ueberlieferung
empfahl es sich nicht weiter zu gehen. Möchten bald neue
Inschriftfunde die noch zahlreich vorhandenen Lücken und
Unklarheiten des Textes beseitigen und eine getreue Wiederher-
stellung des Ganzen ermöglichen!

ANHANG.

Uebersetzung der Diokletianischen Taxordnung.

I. Einleitung.

Das Glück unseres Staates, den man (abgesehen von den unsterblichen Göttern)
in Erinnerung an die von uns glücklich geführten Kriege beglückwunschen darf zu
dem geordneten und im Schosse tiefster Ruhe befindlichen Zustande des Erdkreises
sowie zu den Gütern des mit vielem Schweisse errungenen Friedens — dieses Glück
treu zu bewahren und geziemend zu fordern, ist eine Ehrenpflicht und eine Forderung der römischen Würde und Majestät, damit wir, die wir durch die Güte und
Gunst der Himmlischen die früher das Land überflutenden Räubereien barbarischer
Stämme siegreich unterdrückt haben, die so begründete Ruhe für immer mit der gebührenden Schutzwehr der Gerechtigkeit umgeben. Denn wenn noch irgend eine
Rücksicht der Mässigung die Elemente zu zügeln vermöchte, in denen eine grenzenlose
Habsucht wütet, welche ohne Achtung des menschlichen Geschlechtes nicht jährlich
oder monatlich oder täglich, sondern fast in jeder Stunde, ja in jeder Minute wächst
und sich vermehrt, oder wenn das Gemeinwohl diese zügellose Frechheit, durch die
es täglich in solcher Weise zerfleischt wird, mit Gleichmut ertragen könnte: so wäre
es vielleicht noch am Platze, die Dinge zu vertuschen und mit Schweigen zu übergehen. Würde doch die gemeinsame Geduld der Seelen die verabscheuungswürdige
Rohheit uns die elende Lage milder erscheinen lassen. Aber weil die rasende Gier
darin eins ist, der gemeinsamen Not gegenüber nicht wählerisch zu sein, und weil es
bei den Gottlosen und Unredlichen für eine Art Gewissenspflicht der schleichenden mit
reissender Wut daherschäumenden Habsucht gilt, von der Zerstörung des Wohlstandes
Aller nur der Not gehorchend, nicht dem eigenen Triebe, abzulassen und weil endlich diejenigen, welchen die schlimmsten Erfahrungen des Mangels die Empfindung
der elendesten Lage näher gebracht haben, nicht länger ruhig zusehen können: so
ziemt es unserer, der Väter des Volkes, Fürsorge, dass die Gerechtigkeit als Schieds-
richterin eingreife, damit, was wider langes Verhoffen, die Gesellschaft selbst nicht
leisten konnte, durch die Mittel unserer Fürsorge zur Mässigung aller beigetragen
werde. Fast zu spät kommt die Fürsorge; das bezeugt das allgemeine Volksbewusst-
sein, das bezeugen mit voller Gewissheit die Thatsachen. Indem wir Massregeln erwogen oder die gefundenen Heilmittel noch zurückhielten, erwarteten wir nach den
Satzungen der Natur, es werde die in den schwersten Vergehen ergriffene Menschheit
sich von selbst bessern. Nun halten wir es für weit besser, die Zeichen unerträg-
licher Ausraubung dem gemeinsamen Urteil der Frevler selbst mit Verstand und Ueberlegung zu entziehen, derjenigen, welche täglich schlimmer werden, welche mit einer
Art Geistesverblendung zur öffentlichen Sünde neigen und welche eine schwere Schuld

als Feinde der Einzelnen und der Gesamtheit unter der Anklage grausamster Unmensch-
lichkeit (uns) ausgeliefert hatte.

Wir greifen darum mit Entschiedenheit zu den schon längst notwendigen Massregeln, unbesorgt um etwaige Klagen, damit nicht der Eingriff unserer heilenden
Hand als zur Unzeit oder überflüssiger Weise erfolgt oder bei den Gottlosen als zu
leicht und zu gering empfunden werde, nachdem sie trotz unseres vieljährigen Schwei-
gens, das sie hätte Bescheidenheit lehren sollen, dennoch nicht haben gehorchen
wollen. Denn wer ist so verstockten Herzens und so alles menschlichen Gefühles
bar, dass er nicht wissen könnte, ja nicht fühlte, wie bei den verkäuflichen Dingen,
welche auf den Märkten umgesetzt oder im täglichen Verkehr der Städte vertrieben
werden, die Ungebundenheit der Preise so sehr um sich gegriffen hat, dass die zügellose Raubgier weder durch die Fülle der Waren, noch durch reiche Ernten gemildert
wird? Dass solche Menschen, die diese Geschäfte üben, zweifellos in ihrem Innern
immer darnach trachten, selbst gegen die Bewegung der Gestirne Luft und Wetter
sich dienstbar zu machen und in ihrer unbilligen Gesinnung nicht leiden können, dass
glückliche Fluren mit himmlischen Regengüssen getränkt werden und künftige Früchte
hoffen lassen? Dass manche ihren Schaden darin sehen, wenn durch die Gunst des
Himmels eine reiche Fülle dem Boden entspriesst? Bewohner unserer Provinzen!
Die Rücksicht der gemeinen Menschlichkeit fordert uns auf, der Habsucht derjenigen
ein Mass zu setzen, welche nur darnach trachten, selbst die göttlichen Wohlthaten
ihrem Gewinne dienstbar zu machen, den Zustrom des Volkswohlstandes aufzuhalten
und dagegen ihren Schacher zu treiben mit der Unfruchtbarkeit des Jahres beim Aus-
streuen des Samens und den Diensten der Händler, derjenigen, von denen jeder im
grössten Ueberfluss des Reichtums, der ganze Völker hätte sättigen können, nur seinen
Privatvorteil verfolgt und räuberischen Prozenten nachjagt.

So schwer es auch sein mag, durch einen besonderen Beweis oder eine besondere Thatsache dem ganzen Erdkreis das Wüten der Habsucht darzulegen, so müssen
wir doch jetzt die eigentlichen Ursachen, deren Zwang uns endlich die lang geübte
Geduld aufzugeben notigte, erklären, damit das Mittel der Abhilfe gerechter gewürdigt
werde, indem die masslosen Menschen genötigt werden, die ungebändigten Begierden
ihres Herzens an einer gewissen Kennzeichnung und Brandmarkung zu erkennen. Wer
kennt nicht die staatswohlfeindliche Frechheit, welche, wenn unsere Heere irgend-
wohin nach den Forderungen des Staatsinteresses verlegt werden, nicht nur von Dorf
zu Dorf, von Stadt zu Stadt, sondern auf dem ganzen Wege mit wahrem Wucher-
geiste ihnen begegnet, nicht vier- oder achtfache Preise erpresst, sondern solche, bei
welchen von einer Schätzung nicht mehr die Rede sein kann! Wer weiss nicht, dass
bisweilen der Soldat Ehrengeschenk und Sold durch den Ankauf eines einzigen Gegenstandes einbüsst? So kommt es, dass unsere Krieger die Frucht ihres Waffen-
dienstes und ihre Veteranenarbeit den allgemeinen Auswucherern überlassen, so dass
die Ausplünderer des Staates selbst so viel von Tag zu Tag rauben, als sie nur haben
wollen.

Durch alles Vorstehende bewogen haben wir, was schon die blosse Menschlichkeit uns nahe legte, geglaubt, nicht die Preise der Waren (denn das erschien
nicht gerecht, da manchmal viele Provinzen sich des Glücks der ersehnten Wohlfeilheit und einer Art Vorrechts der Fülle erfreuen), sondern ein Höchstmass festsetzen zu
sollen, damit, wenn etwa eine Teuerung einträte (was die Götter verhüten mögen!),
die Habsucht, welche wie weit zerstreute Felder nicht eingehegt werden konnte, durch
die Grenzen unserer Verordnung und die Schranken des zur Mässigung aufgerichteten

Gesetzes eingeengt werde. Wir bestimmen deshalb, dass die Preise, welche in dem beigefügten Verzeichnis angegeben sind, durch unser ganzes Reich hin dergestalt beobachtet werden, dass jeder begreife, es sei ihm die Möglichkeit abgeschnitten, darüber hinauszugehen. Natürlich soll an den Orten, wo Ueberfluss herrscht, das Glück billiger Preise nicht gestört werden, für das im Gegenteil im höchsten Masse vorgesorgt wird, während die vorbezeichnete Habsucht unterdrückt wird. Die Verkäufer aber und Käufer, welche die Häfen anzulaufen und fremde Provinzen zu bereisen pflegen, werden sich für ihr Verfahren allgemein die Beschränkung auferlegen müssen, dass sie (nachdem sie wissen, dass auch in Zeiten der Teuerung die festgesetzten Preise nicht überschritten werden können) für die Zeit des Verkaufes Ort und Weg und das ganze Geschäft so berechnen, dass daraus erhellt, sie hätten begriffen, nirgends infolge eines Transportes der Ware teurer verkaufen zu können.

Beim Erlass von Gesetzen haben unsere Vorfahren den Brauch beobachtet, durch Androhung von Strafen die Uebelthäter zu schrecken; denn nur zu selten wird eine wohlthätige menschliche Massregel von selbst begriffen und immer ist die Furcht als Lehrerin die wirksamste Lenkerin der Pflichten. Darum verordnen wir, dass jeder, welcher frech sich den Bestimmungen dieses Erlasses widersetzt, dies auf Gefahr seines Kopfes thun soll. Und meine niemand, dass das Gesetz zu hart sei, da doch jedem freisteht, die Gefahr zu vermeiden, indem er bescheiden Mass hält. Derselben Gefahr soll auch der unterliegen, der aus Gewinnsucht an dem habsüchtigen Treiben eines Aufkäufers in gesetzwidriger Weise Teil nimmt. Von der gleichen Schuld soll auch der nicht frei sein, der im Besitze von Lebensmitteln sie zu verheimlichen trachtet; ja für den, welcher einen Mangel künstlich herbeiführt, sollte die Strafe noch grösser sein, als für den, der sich den Verordnungen widersetzt. Wir ermahnen also alle zum Gehorsam; was im öffentlichen Interesse bestimmt ist, soll gutwillig und mit schuldiger Ehrfurcht beobachtet werden. Denn eine solche Satzung kommt nicht bloss einzelnen Gemeinden und Völkern und Provinzen zu Gute, sondern dem ganzen Reiche, zu dessen Verderben Ausschreitungen von Wenigen begangen worden sind, deren Habsucht weder die Länge der Zeit noch der erstrebte Reichtum hat mildern oder sättigen können.

2. Verzeichnis der Preise, welche niemand beim Verkaufe überschreiten darf

I. [Feldfrüchte und Sämereien.]

(Das Mass ist, wo nichts anderes bemerkt, der *Castrensis modius* = 17,51 Liter.)

1) 1.	Waizen, der Lagerscheffel		15.	Kichererbsen	100 d.
2.	Gerste	100 d.	16.	Erven	100 »
3.	Heidekorn	60 »	17.	Hafer	30 »
4.	Geschälte Hirse	100 »	18.	Bockshornkraut	100 »
5.	Ungeschälte Hirse	50 »	19.	Rohe Lupinen	60 »
6.	Sorghum	50 »	20.	Gekochte Lupinen (der *sex-*	
7.	Gereinigter Spelt	100 »		*tarius?*)	4 »
8.	*Scandulae* oder Spelt	30 »	21.	Getrocknete Schnittbohnen	100 »
9.	Geschrotene Bohnen	100 »	22.	Leinsamen	150 »
10.	Ungeschrotene »	60 »	23.	Reine	200 »
11.	Linsen	100 »	24.	Reine	100 »
12.	Wicken	80 »	25.	Reine	200 »
13.	Geschrotene Felderbsen	100 »	26.	Sesam	200 »
14.	Nicht geschrotene Felderbsen	60 »	27.	Heusamen	30 »

28. Kleesamen	150 d.	32. Reiner Kümmel	200 d.
29. Hanfsamen	80 »	33. Rettigsamen	150 »
30. Trockene Futterwicke	80 »	34. Senf	150 ʌ
31. Mohn	150 »	35. Zubereiteter Senf, d. Sextarius	8

II. Wein
(der *Italicus sextarius* = 0,547 Liter).

2) 1. Picener	30 d.	11. Bier, Camum	4 d.
2. Tiburtiner	30 »	12. Zythum (Dünnbier)	2 »
3. Sabiner	30 »	13. Mäonischer Kochwein	30 »
4. Aminneer	30 »	14. Attischer Goldwein	24 »
5. Setiner	30 »	15. Eingekochter Most	16 »
6. Surrentiner	30 »	16. Mostsaft	20 »
7. Falerner	30 »	17. Würzwein	24 »
8. Alter Wein, erste Qualität	24 »	18. Wermutwein	20 »
9. » » zweite »	16 »	19. Rosenwein	20 »
10. Landwein .	8 »		

III. Oel [Essig, Salz, Honig].
(Das Mass ist, wenn nicht anders angegeben, der *Sextarius*.)

3) 1. Oel, erste Sorte	40 d.	7. Fischsauce, zweite Qualität 12 d. (?)
2. » zweite Sorte	24 »	8. Salz, der Lagerscheffel	100 d.
3. Speiseol	12 »	9. Gewürztes Salz	8 »
4. Rüböl	8 »	10. Bester Honig	40 »
5. Essig	6 »	11. Honig zweiter Sorte	20 »
6. Fischsauce, erste Qualität	16 d. (?)	12. Dattelhonig	8 »

IV. Fleisch.
(Das Pfund = 12 Unzen oder 327,45 Gramm.)

4) 1. Schweinefleisch	12 d.	25. Eine Turteltaube bester Qual.	16 d.
2. Rindfleisch	8 »	26. Eine Turteltaube vom Felde	12 »
3. Ziegen- oder Schaffleisch	8 »	27. 10 Krammetsvögel	60 »
4. Sautasche	24 »	28. Ein Paar Wildtauben	20 »
5. Sau-Euter	20 »	29. Ein Paar Haustauben	24 »
6. Beste gemästete Leber	16 »	30. Ein Haselhuhn	20 »
7. Bestes Pöckelfleisch	16 »	31. Ein Paar Enten	40 »
8. Bester Schinken, Menapischer oder Cerritanischer	20 »	32. Ein Hase	150 »
		33. Ein Kaninchen	40 »
9. Marsischer	20 »	34. Zehn Distelfinken	40 »
10. Frisches Schmalz	12 »	35. Zehn Sperlinge	20 »
11. Wagenschmiere	12 »	36. Zehn Drosseln	40 »
12. Die vier Klauen und der Magen wird zu demselben Preise wie das Fleisch verkauft.		37. Zehn	16 »
		38. Zehn Haselmäuse	40 »
		39. Ein männlicher Pfau	300 »
13. Sülze aus Schweinefleisch, die Unze	2 »	40. Ein weiblicher Pfau	200 »
		41. Zehn Wachteln	20 »
14. Sülze aus Rindfleisch, d. Pfd.	10 »	42. Zehn Stare	20 »
15. Rauchwürste	16 »	43. Wildschweinfleisch, d. Pfd.	16 »
16. Rindswürste	10 »	44. Hirschfleisch	12 »
17. Ein gemästeter Fasan	250 »	45. Antilopen- oder Reh- oder Gemsenfleisch	12 »
18. Ein Fasan vom Felde	125 »		
19. Eine gemästete Fasanhenne	200 »	46. Spanferkel, für das Pfund	16 »
20. Eine nicht gemäst. »	100 »	47. Ein Lamm » » »	12 »
21. Eine gemästete Gans	200 »	48. Ein Zicklein » » »	12 »
22. Eine nicht gemästete Gans	100 »	49. Talg, das Pfund	6 »
23. Ein paar Hühnchen	60 »	50. Butter » »	16 »
24. Ein Rebhuhn	30 »		

V. Fische.

5) 1. Stacheliger Seefisch, d. Pfd. 24 d.
   2. Fisch geringerer Qual. d. Pf. 16 »
   3. Flussfisch bester Qual. „ » 12 »
   4. Flussfisch geringerer Qual.
      das Pfund 8 »
   5. Salzfisch das Pfund 6 »
   6. Austern, das Hundert 100 »

   7. Seeigel, das Hundert 50 d.
   8. Frische gereinigte Seeigel,
      der Sextarius 50 »
   9. Gesalzene Seeigel » 100 »
   10. Lazarusklappen, das Hundert 50 »
   11. Trockenkäse, das Pfund 12 »
   12. Sardellen od. Sardinen, d. Pfd. 16 »

VI. [Gartenfrüchte u. dgl.]

6) 1. Artischocken, grössere, 5 Stück 10 d.
   2. Artischockenköpfe, 10 Stück 6 »
   3. Endivien, beste, 10 Stück 10 »
   4. » geringere, 10 Stück 4 »
   5. Malven, grösste, 5 Stück 4 »
   6. » geringere, 10 Stuck 5 »
   7. Kopfsalat, bester, 5 Stück 4 »
   8. » geringerer, 10 Stück 4 »
   9. Kohl, bester, 5 Stück 4 »
   10. » geringerer, 10 Stück 4 »
   11. Kohlsprossen, beste, das Bündel 4 »
   12. Lauch, grösster, 10 Stück 4 »
   13. » geringerer, 20 Stück 4 »
   14. Mangold, grösster, 5 Stück 4 »
   15. » geringerer, 10 Stück 4 »
   16. Rettige, grösste, 10 Stück 4 »
   17. » geringere, 20 Stück 4 »
   18. Rüben, grösste, 10 Stück 4 »
   19. » geringere, 20 Stück 4 »
   20. Zwiebeln, trockene, der ital.
      Scheffel [1] 50 »
   21. Frische Zwiebeln, erste Qual.
      20 Stück 4 »
   22. » » geringere, 50 St. 4 »
   23. Knoblauch, der ital. Scheffel 60 »
   24 Brunnenkresse, das Bündel
      zu 20 Stück 10 »
   25. Kapern, der ital. Scheffel 100 »
   26. Kürbisse, erste Qual., 10 St. 4 »
   27. » geringere, 20 Stück 4 »
   28. Gurken, erste Qual., 10 Stück 4 »
   29. » geringere, 20 Stück 4 »
   30. Zuckermelonen, grössere,
      2 Stück 4 »
   31. » geringere, 4 Stück 4 »
   32. Wassermelonen, 4 Stück 4 »
   33. Wachsbohnen, das Bündel
      zu 25 Stück 4 »
   34. Gartenspargel, d. Bündel zu
      25 Stück 6 »
   35. Feldspargel, 50 Stück 4 »
   36. Mäusedorn, d. Bündel zu 60 St. 4 »
   37. Grüne Kichererbsen, die Bün-
      delchen zu 4 Stück 4 »
   38. Ausgekerne grüne Bohnen,
      der ital. Sextarius 4 »
   39. Ausgekernte frische Wachs-
      bohnen, der ital. Sextarius 4 »

   40. Palmtriebe, 4 Stück 4 d.
   41. Afrikanische oder Fabrianer
      Zwiebeln, grösste, 20 Stück 12 »
   42. Kleinere Zwiebeln, 40 Stück 12 »
   43. Eier, 4 Stück 4 »
   44. Möhren, grösste, das Bündel
      zu 25 Stück 6 »
   45. Geringere, d. Bündel z. 50 St. 6 »
   46. Schnecken, grösste, 20 Stück 4 »
   47. Geringere, 40 Stück 4 »
   48. Gemischtes Würzkraut,
      je 8 Bündel 4 »
   49. Kastanien, das Hundert 4 »
   50. Frische Wallnüsse
      bester Sorte, 50 Stück 4 »
   51. Trockene Wallnüsse,
      das Hundert 4 »
   52. Ausgekernte Mandeln, der
      ital. Sextarius 6 »
   53. Abellaner Nüsse, ausgekernt,
      der Sextarius 4 »
   54. Ausgehülste Pinienkerne,
      der Sextarius 12 »
   55. Pistazien, der ital. Sextarius 16 »
   56. Judendornbeeren, der Sext. 4 »
   57. Kirschen . . . . 4 »
   58. Aprikosen . . . . 4 »
   59. Pfirsiche, grösste . . . . 4 »
   60. Geringere . . . .
   61. Persische, grösste . . . .
   62. Geringere . . . .
   63. Birnen, grösste, 10 Stück . . . . .
   64. Geringere, 20 Stuck . . . .
   65. Aepfel, beste, Mattianer oder
      Salignianer, 10 Stuck 4 »
   66. Geringere, 20 Stück 4 »
   67. Aepfel, kleinere, 40 Stück 4 »
   68. Rosenäpfel, 100 Stück 8 »
   69. Wachspflaumen, grösste, 30 St. 4 »
   70. Geringere, 40 Stück 4 »
   71. Granatäpfel, grösste, 10 St. 8 »
   72. Geringere, 20 Stück 8 »
   73. Quitten, 10 Stück 4 »
   74. Geringere, 20 Stück 4 »
   75. Eine Zitrone grösster Sorte 24 »
   76. Eine kleinere 16 »
   77. Maulbeeren, ein Körbchen,
      das einen Sextarius fasst 4 »

---

1) Gleich der Hälfte des *castrensis modius* = 8,754 Liter.

45 *

78. Feigen, bester Sorte, 25 St.	4 d.		87. Geringere	4 d.
79. Geringere, 40 Stück	4 »		88. Getrockn. gespaltene Feigen	4 »
80. Tafeltrauben. 4 Pfund	4 d.		89. Oliven	4 »
81. Datteln, beste Nicolaische,			90. Eingemachte Oliven	4 »
8 Stück	4 »		91. Schwarze Oliven	4 »
82. Geringere, 16 Stuck	4 »		92. Rauchgetrockn. Weinbeeren ...	8 »
83. Gewöhnliche Datteln, 25 St.	4 »		93. Grosse Rosinen	4 »
84. Karische Feigen, 25 Stück	4 »		94 Terriberes	16 »
85. Gepresste karische, 1 Sextarius	4 »		95. Schafmilch, der ital. Sextarius	8 »
86. Getrocknete Damascener Pflau-			96. Frischer Käse, der ital. Sext.	8 »
men, 8 Stück	4 »			

VII. Arbeitslöhne.

7) 1a. Ein ländlicher Arbeiter mit der Kost täglich	25 d.		14. Für ein Flussschiff, wie oben, täglich	50 d.
2. Ein Maurer, wie oben, tägl.	50 »		15. Taglohn für Rohziegel zum	
3. Ein Schreiner, der im Innern des Hauses arbeitet, wie oben, täglich	50 »		Brennen: vier Ziegel von je zwei Fuss, wenn er selbst sich das Material vorbereitet, mit der Kost	
3a. Ein Zimmermann mit der Kost täglich	50 »		16. Taglohn für Luftziegel: acht Ziegel, wenn er selbst sich	
4. Ein Kalkbrenner, wie oben, täglich	50 »		das Material vorbereitet, mit der Kost	
5. Ein Marmorarbeiter, w. oben, täglich	60 »		17. Ein Kameltreiber oder Esel- treiber oder Mauleseltreiber	
6. Ein Mosaikarbeiter (für fei- nere Arbeit), w. o., täglich	60 »		mit der Kost täglich	25 »
7. Ein Steinsetzer (Mosaikarbei- ter für gröbere Arbeit), wie			18. Ein Hirte mit der Kost tägl.	20 »
oben, täglich	50 »		19. Ein Maultiertreiber mit der Kost täglich	25 »
8. Ein Wandmaler (Anstrei- cher?), wie oben, täglich	75 »		20. Dem Maultierarzt für Scheren und Herrichtung der Füsse	
9. Ein Figurenmaler (Kunst- maler?), wie oben, täglich	150 »		vom Stück Vieh	6 »
10. Ein Wagner, w. ob., tägl.	50 »		21. Für Aderlass und Säuberung des Kopfes von Stück	20 »
11. Ein Schmied, w. ob., tägl.	50 »		22. Dem Bartscherer (Haar-	
12. Ein Bäcker, w. ob., täglich	50 »		schneider) für jeden Mann	2 »
13. Ein Schiffbauer für ein See- schiff, wie oben, täglich	60 »		23. Dem Schafscherer für das Stück mit der Kost	

VIII. Metallarbeit [und anderes].

24a. Dem Kupferschmied Lohn für Arbeit in Messing, vom			Kost täglich	50 d.
Pfunde	8 d.		31. Ein Wasserträger, der den ganzen Tag arbeitet, mit	
25. Für Arbeit in Kupfer, vom Pfunde	6 »		Kost täglich	25 »
26. Für Anfertigung v. Gefässen			32. Ein Kloakenreiniger, der den ganzen Tag arbeitet, mit	
verschiedener Art, v. Pfunde	6 »		Kost täglich	25 »
27. Für Anfertigung von Figuren und Statuen, vom Pfunde	4 »		33. Ein Schleifer für einen ge- brauchten Säbel	25 »
28. Erzbeschläge vom Pfunde	6 »		34. Für einen gebrauchten Helm	25 »
29. Einem[1] Former für Statuen u. dgl. mit Kost Taglohn	75 »		35. Für ein Beil	6 »
30. Sonstigen Gipsformern mit			36. Für eine Doppelaxt	8 »
			37. Eine Säbelscheide	100 »

IX. [Schreibwesen].

38. Einem Pergamenter für einen Quaternio (?) Perga-			ment von einem Quadratfuss Grösse	40 d.

39. Einem Schreiber für 100 Zeilen bester Schrift   25 d.
40. Für 100 Zeilen gewöhnlicher Schrift   20 »
41. Einem Urkundenschreiber (*tabellio*) für das Schreiben eines Registers oder einer Schreibtafel (?) von hundert Zeilen   10 d

X. [Schneiderarbeit].

42. Einem Hosenschneider für Zuschneiden und Ausputzen für ein Oberkleid erster Güte   60 d.
43. Fur ein Oberkleid zweiter Güte   40 »
44. Für eine grössere Kapuze   25 »
45. Für elne kleinere   20 »
46. Für Hosen   20 »
47. Für Filzgamaschen   4 »
48. Einem Näher für das Säumen eines feinen Untergewandes   6 »
49. Demselben für Anfertigung und Besatz der Arm- und Kopflöcher an einem ganzseidenen Untergewand   50 »
50. Demselben für Anfertigung und Besatz der Arm- und Kopflöcher an einem halbseidenen Untergewand   30 »
51. Demselben für das Besetzen ein. gröberen Untergewandes   4 »

52. Eine Pferdedecke von Filz, weiss oder schwarz, drei Pfund schwer   100 d.
53. Eine Decke erster Qualität, mit Stickerei verziert, von gleichem Gewicht   250 »
54. Einem . . . . . fur ein gewöhnliches Frauen-Unterkleid, neu   16 »
55. Für ein gebrauchtes   10 »
56. Für ein Manns-Unterkleid vom Webstuhl weg   10 »
57. Für ein gebrauchtes   6 »
58. Für ein neues Kinder-Unterkleid   6 »
59. Für ein gebrauchtes   2 »
60. Ein Mantel oder Ueberwurf, neu   16 »
61. Gebraucht   6 »
62. Für einen neuen Teppich   24 »
63. Für einen gebrauchten   10 »

XI. [Unterricht].

64. Ein Turnlehrer für einen Schüler monatlich   50 d.
65. Ein Kinderführer für einen Knaben monatlich   50 »
66. Ein Elementarlehrer für einen Knaben monatlich   50 »
67. Ein Rechenlehrer für einen Knaben monatlich   75 »
68. Ein Kurzschreiber (Stenograph) für einen Knaben monatlich   75 »
69. Ein Bücher- od. Handschriftenschreiber für einen Schüler monatlich   50 »
70. Ein griechischer oder lateinischer Sprachlehrer und ein

Geometrielehrer für einen Schüler monatlich   200 d.
71. Ein Lehrer der Beredsamkeit oder Sophist für einen Schüler monatlich   250 »
72. Ein Advokat oder Rechtskundiger für eine Klagerhebung   250 »
73. Für einen Termin   1000 »
74. Ein Lehrer der Baukunst für einen Schuler monatlich   100 »
75. Ein Badewärter (Kleiderbewahrer in einem öffentlichen Bade), von jedem Badenden   2 »
76. Ein Bademeister in Privatbädern von jedem Badenden   2 »

XII. Felle und Häute.

8) 1a. Ein babylonisches Fell erster Qualität   500 d.
2. Zweite Qualität   400 »
3. Ein Fell von Tralles   200 »
4. Ein phönizisches (?) Fell   100 »
5. Ein rotgefärbtes (?) Fell   300 »
6a. Eine unbearbeitete Rindshaut erster Sorte   500 »
7. Eine ebensolche, bearbeitet für Schuhsohlen   750 »

8. Für Riemen etc.   600 »
9. Eine Haut zweiter Qualität, unbearbeitet   300 »
10. Dieselbe bearbeitet   400 »
11. Ein Ziegenfell erster Grösse, unbearbeitet   400 »
12. Dasselbe bearbeitet   500 »
13. Ein Schaffell erster Grösse, unbearbeitet   20 »
14. Dasselbe bearbeitet   30 »

15. Ein Hutfell (?) erster Güte 100 d.
16. Ein fertiger Hut   200 »
17. Ein Lammfell, unbearbeitet   10 »
18. Dasselbe bearbeitet   16 »
19. Ein Hyänenfell, unbearbeitet 40 »
20. Dasselbe bearbeitet   60 »
21. Ein Rehfell, unbearbeitet   10 »
22. Dasselbe bearbeitet   15 »
23. Ein Hirschfell erster Sorte,
    unbearbeitet   75 »
24. Dasselbe bearbeitet   100 »
25 Ein Fell vom wilden Schaf,
    unbearbeitet   15 »
26. Dasselbe bearbeitet   30 »
27. Ein Wolfsfell, unbearbeitet 25 »
28. Dasselbe bearbeitet   40 »
29. Ein Marderfell, unbearbeitet 10 »

30. Dasselbe bearbeitet   15 d.
31. Ein Biberfell, unbearbeitet 20 »
32. Dasselbe bearbeitet   30 »
33. Ein Bärenfell erster Grösse,
    unbearbeitet   100 »
34. Dasselbe bearbeitet   150 »
35. Ein Luchsfell, unbearbeitet 40 »
36. Dasselbe bearbeitet   60 »
37. Ein Robbenfell, unbearbeitet 1250 »
38. Dasselbe bearbeitet   1500 »
39. Ein Leopardenfell, unbearb. 1000 »
40. Dasselbe bearbeitet   1250 »
41. Ein Löwenfell, unbearbeitet 1000 »
42a. Eine Sänftendecke aus acht
     Ziegenfellen   600 »
43. Eine Staubdecke weichster
    und grösster Sorte   600 »

XIII. [Leisten und Schuhwerk].

a) Leisten.

9) 1a. Schuhleisten erster Grösse 100 d.
2. Leisten zweiter Grösse   80 »
3. Frauenleisten   60 »
4. Kinderleisten   30 »

b) Stiefel und Schuhe.

5a. Stiefel erster Güte für Maul-
    tiertreiber und Landleute,
    das Paar ohne Nägel   120 »
6. Ungenagelte Soldatenstiefel   100 »
7. Patricierschuhe   150 »
8. Senatorenschuhe   100 »
9. Ritterschuhe   70 »
10. Frauenstiefel, das Paar   60 »
11. Soldatenschuhe   75 »

c) Sandalen und Pantoffeln.

12a. Bauern-Sandalen f. Männer
     mit Doppelsohlen, das Paar   80 »
13. Männer-Sandalen mit ein-
    fachen Sohlen, das Paar   50 »

14. Laufschuhe, das Paar   60 d.
15. Rindslederne Frauenschuhe
    mit Doppelsohlen, d. Paar   50 »
16 Rindslederne Frauenschuhe
    mit einfachen Sohlen, d. Paar 30 »

d) Babylonische, purpurne, scharlachgefärbte und weisse Sandalen.

17a. Babylonische Sandalen,
     das Paar   120 d.
18. Mit Purpur oder Scharlach
    gefärbte Pantoffeln, das Paar 60 »
19. Weisse Pantoffeln, das Paar   . . . .
20. Männer-Pantoffeln, das Paar   60 »
21. Frauen-Pantoffeln, das Paar   50 »
22. Vergoldete   80 »
23. Babylonische Pantoffeln,
    purpurrot oder weiss   80 »
24. Rindslederne, vergoldet   75 »
25. Rindslederne, mit Wolle ge-
    füttert   50 »

XIV. [Andere Lederarbeiten].

a) Riemenwerk.

10) 1. Ein Reisesack bester Sorte
    auf einen Wagen   1500 d.
2. Ein Militärsattel   500 »
3. Ein Maultiersattel m. Peitsche 800 »
4. Ein Pferdehalfter mit Ringen
   und Leitriemen   75 »
5. Ein Pferdezaum mit Gebiss   100 »
6. Ein Maultierzaum m. Halfter   120 »
7. Ein Maultierhalfter   80 »

b) Soldatengürtel.

8. Ein Gürtel aus babyloni-
   schem Leder, . . . breit,   100 »
9. Derselbe, . . . breit,   200 »
10. Ein Achselband aus baby-
    lonischem Leder   100 »

11. Ein weisser Gürtel . . . .   60 d.
12. Desgleichen, vier Zoll breit 75 »

c) Schläuche.

13. Ein Schlauch erster Sorte   120 »
14. Ein Oelschlauch erster Sorte 100 »
15. Taglohn für einen Schlauch   2 »

d) Anderes Lederzeug.

16. Ein Ledergefäss für einen
    Sextarius (?)   20 »
17. Ein Futteral für fünf Schreib-
    rohre   40 »
18. Eine Maultierpeitsche mit
    Stiel   16 »
19. Ein Zügel für Wagenlenker   2 »

XV. Ziegen- und Kamelhaare [nebst Fabrikaten daraus].

a) Haare.

11) 1. Unbearbeitete Haare,
das Pfund   6 d.
2. Verwebte Haare zu Säcken,
das Pfund   10 »
3. Haare zum Strick verarbeitet,
das Pfund   10 »

b) Packsättel.

4. Ein Packsattel für Maulesel 350 »

5. Ein Packsattel für einen Esel 250 d.
6. Ein Packsattel für ein Kamel 350 »

c) Zwergsäcke.

7. Ein Paar Zwergsäcke,
dreissig Pfund schwer 400 »
8. Ein Sack von 3 Fuss Breite
und beliebiger Länge,
das Pfund   16 »

XVI. Bauholz.

(Das Mass ist die Elle = 443,6 mm oder 24 Zoll.)

12) 1. Tannenholz von 50 Ellen
Länge und 4 Ellen Dicke
im Geviert   50 000 d.
2. 45 Ellen lang und von
obiger Dicke   40 000 »
3. 40 Ellen lang und von
obiger Dicke   30 000 »
4. 35 Ellen lang, 80 Zoll
im Geviert   12 000 »
5. 28 Ellen lang, 4 Ellen
im Geviert dick,   10 000 »
6. 30 Ellen lang, 72 Zoll
im Geviert dick   8 000 »
7. 28 Ellen lang, 64 Zoll
im Geviert dick   6 000 »

8. 25 Ellen lang, 64 Zoll
im Geviert dick   5 000 d.
9. Dieselben Preise sind
auch für Pinienholz
festgesetzt.
10. Eichenholz, 14 Ellen
lang, 68 Zoll im Ge-
viert dick   250 »
11. Eschenholz, 14 Ellen
lang und 48 Zoll dick
im Geviert   250 »

(Hier folgt eine Anzahl unleserlich
gewordener Ansätze.)

XVII. Weberschiffchen [und Verwandtes].

13) 1. Ein Weberschiffchen von
Buchsbaum   14 d.
2) Zwei Weberschiffchen von
verschiedenen Holzarten   30 »
3. Ein Weberkamm aus Buchsbaum   12 »
4. Aus verschiedenem Holz,
zum Einschlag   14 »
5. Eine Spindel aus Buchsbaum

mit Wirtel   12 d.
6. Eine Spindel mit Wirtel aus
anderem Holze   15 »
7. Ein Frauenkamm aus Buchsbaum   14 »
8. Ein Schabmesser (?) für
Frauen   12 »
9. Ein Schabmesser für Fische   ....
10. Ein Schabmesser f. Schuster   ....

XVIII. Pfähle, Brennholz.

14) 1. Ein Paar Pfähle   40 d.
2. Grosses Schilfrohr, 2 Stück   50 »
3. Zwei grossere   100 »
4. Ein Lanzenschaft von Hart-
riegel
5. Ein Schaft für einen schweren Spiess   50 »
6. Eine grosse einfache Leiter
von 30 Sprossen   150 »
7. Ein Bündel Stecken, 100 St.

enthaltend   18 d.
8. Ein Wagen Holz, beladen
mit 1200 Pfund   150 »
9. Eine Kamellast Holz,
400 Pfund   50 »
10. Eine Maulesellast Holz
300 Pfund   30 »
11. Eine Esellast Holz, 200 Pfd.   ....
12. Reisig zu Backöfen in Wel-
len zu 15 Pfund   30 »

XIX. Wagenholz.

15) 1. Eine abgedrehte Achse   250 d.
2. Dieselbe unbearbeitet   200 »
3. Eine abgedrehte Nabe   240 »
4. Unbearbeitet   200 »

5. Eine abgedrehte Speiche   70 d.
6. Unbearbeitet   30 »
7. Sitze (?) bearbeitet   2 .. »
8. Unbearbeitet   200 »

9. Eine Gabel, abgedreht   275 d.
10. Unbearbeitet   175 »
11. Eine Deichsel, abgedreht   ... »
12. Unbearbeitet   100 »
13. Ein Richtscheit, bearbeitet   75 »
14. Unbearbeitet   35 »
15. Ein Klammerholz, bearbeitet 75 »
16. Unbearbeitet   45 »
17. Ein Treib- oder Geisselstecken,
   bearbeitet   5 »

18. Unbearbeitet   4 d.
19. Ein Paar Rippen (?), bearbeitet   ... »
20. Unbearbeitet   30 »
21. Eine Heugabel, bearbeitet   16 »
22. Unbearbeitet   ....

(Die folgenden 8 Zeilen sind verstümmelt.)

XX. Wagen.

31a. Ein Lastwagen bester Sorte
   mit gebogenem Radkranz
   ohne Eisenwerk   6000 d
32. Ein Lastwagen, die Räder
   mit Felgen versehen, ohne
   Eisenwerk   3500 »
33. Ein Reisewagen, die Räder
   mit Felgen versehen, ohne
   Eisen   3000 »
34. Ein Schlafwagen mit gebogenem Radkranz, ohne
   Eisen   7500 »

35. Ein Schlafwagen, die Räder mit Felgen versehen,
   ohne Eisen   4000 d.
36. Lastwagen mit gebogenem
   Radkranz und andere Wagen mit Reifen und Eisenwerk sollen unter Berechnung des Eisens verkauft
   werden.
37. Eine Kutsche mit gebo-
   genen Radkränzen, ohne
   Eisen   7000 »

XXI. Karren u. s. w.

38a. Ein vierräderiger Karren
   mit Joch, ohne Eisen   1500 d.
39. Ein mit Eisen beschlagener
   Karren soll so verkauft werden, dass zum Preise des
   Holzwerks auch noch das
   Eisen berechnet wird.
40. Ein zweirädriger Karren mit
   Joch ohne Eisen   800 »
41. Ein hölzerner Dreschschlit-
   ten   200 »
42. Ein Pflug mit Joch   100 »
43. (Ein unbekanntes Gerät)   100 »
44. Ein ...... oder Wurf-
   schaufel   12 »

45. Eine kleine Holzschaufel   4 »
46. Eine dreizinkige Holzgabel   8 »
47. Eine zweizinkige Holzgabel   4 »
48. Ein hölzernes Schaff von
   von fünf Scheffeln   150 »
49. Ein hölzerner Scheffel   50 »
50. Ein in Eisen gebundener
   Scheffel   75 »
51. Ein gedrehter Napf von
   einem halben Scheffel Inhalt   30 »
52. Eine Rossmühle in den
   Steinen   1500 »
53. Eine Eselsmühle   1250 »
54. Eine Wassermühle   2000 »
55. Eine Handmühle   250 »

XXI. Siebe.

56a. 1. Ein Getreide-Sieb von
   Leder   250 d.
57. Ein ledernes Mehlsieb   400 »
58. Ein grosses geflochtenes Sieb 200 »
59. Ein gewöhnliches geflochtenes Sieb   ... -

(Das Folgende unleserlich. Es schliesst
sich daran ein grösseres verstümmeltes
Stück, welches vermutlich von den Farb-
stoffen handelte.)

XXIII. Nadeln.

16) 8a. Eine Nähnadel feinster Sorte 4 d.
   9. Eine Nähnadel zweiter Qual. 2 d.

10. Eine Nadel zum Nähen von
   Sackstoff und Lederzeug   2 d.

XXIII. Fuhrlöhne.

17) 1. Fahrgeld für eine Person von
   der Meile   2 d.

2. Lohn für einen Wagen von
   der Meile   12 »

3. Fracht für einen bis zu 1200 Pfund beladenen Lastwagen, die Meile	20 d.	von 600 Pfund, jede Meile	8 d.
4. Fracht für eine Kamellast		5. Miete für einen beladenen Esel, jede Meile	4 »

XXV. Viehfutter.

6a. Wickenfutter, zwei Pfund	4 d.	8. Grünfutter (?), sechs Pfund	2 d.
7. Heu und Stroh, 4 Pfund	2 »		

XXVI. Federn.

18) 1. Gänsefedern, das Pfund	100 d.	6. Hundert Pfund Rohrbüschel	100 d.
2. Federn verschiedener Vögel, das Pfund	50 »	7. Stopfwolle oder Wollabfall, das Pfund	8 »
3. Kleine Federn von bunten Vögeln, das Pfund	2 »	8. Zweite Sorte, das Pfund	4 »
4. Weidenwolle, 100 Pfund	1000 »	9. Eine Pfauenfeder schönster Art	2 »
5. Hundert Pfund Lychniswolle (?)	1000 »	10. 25 Geierfedern	6 »

XXVII. Schreibrohre und Tinte.

11. Ein Pfund Tinte	12 d.	gliedrige	4 d.
12. Zehn Schreibrohre aus Paphos, alexandrinische, ein-		13. Zwanzig Schreibrohre zweiter Qualität	.

XXVIII. Wollene Kleiderstoffe.

19) 1. Ein Militärmantel von Steuertuch, schönste Sorte	4000 d.	13. Eine mutinensische Frauen-Dalmatica mit einem Streifen von heller Purpurwolle in der Länge von	
2. Ein Unterkleid von Steuertuch	2000 »		
3. Dasselbe ungezeichnet	1250 »	(Hier folgt eine Reihe stark verstümmelter Zeilen)	
4. Eine Zeltdecke, 16 Fuss lang und ebenso breit, gefärbt	2500 »	15. Ein einfaches mutinensisches Spangenkleid, mit Streifen aus Purpurwolle im Gewicht von einem Pfund	
5. Eine weisse Bettdecke bester Sorte, 12 Pfund schwer	1600 »	16. Ein laodikeisches Spangenkleid, einfach	
6. Eine arabische oder Damascener oder sonst eine Decke, gefärbt, soll so verkauft werden, dass das Gewicht der Wolle und die Stickerei besonders in Rechnung gezogen wird.		17. Ein Teppich (eine Decke) erster Qualität	.
		18. Ein Teppich zweiter Qualität	.
7. Eine gewöhnliche Decke von 10 Pfund	500 »	19. Ein kappadokischer oder pontischer Teppich	3000 »
8. Eine Frauen-Dalmatica aus gröberer Wolle, gezeichnet		20. Zweite Qualität	2000 »
		21. Ein ägyptischer Teppich	1750 »
9. Eine Männer-Dalmatica mit einem Streifen aus heller Purpurwolle in der Länge von		22. Eine Pferdedecke	400 »
		23. Ein Sophateppich, der allein ein Speisesopha bedeckt,	4500 »
10. Ein halbseidenes Unterkleid mit einem Streifen aus heller Purpurwolle in der Länge von 3		24. Ein afrikanischer Teppich	1500 »
		25. (Andere) Decken sollen mit Rücksicht auf das Gewicht der Wolle, auf die Färbearbeit und auf die Stickerei beim Verkaufe angesetzt werden.	
11. Ein ungezeichnetes Unterkleid			
12. Eine halbseidene Frauen-Dalmatica		26. Ein laodikeischer Kapuzenmantel	4500 »

27. Ein laodikeischer Kapuzenmantel nach Art eines nervischen   10 000 »
28. Eine laodikeische Dalmatica, ungezeichnet, dreifädig 2000 »
29. Eine laodikeische Paragau-
dis (ein mit Borten verziertes
Unterkleid) soll unter Hinzufügung des Wertes des
Purpurs nach den übrigen
Materialien berechnet werden.
30. Eine rauhhaarige Männer-
Dalmatica m. Purpurstreifen   . . . . .
31. Eine rauhhaarige Frauen-
Dalmatica mit Streifen von
Hysginpurpur im Gewicht
eines Pfundes   .
32. Ein nervischer Kapuzenmantel bester Qualität   . . . . . .

(Folgen zwei verstümmelte Zeilen.)

35. Ein Kapuzenmantel aus den
Uferprovinzen   8000 »
36. Ein britannischer Kapuzenmantel   6000 »
37. Ein   milesisch - magnesi-
scher (?) Kapuzenmantel   6000 »
38. Ein canusischer Kapuzenmantel bester Qualität, gezeichnet   4000 »
39. Ein numidischer Kapuzenmantel   3000 »
40. Ein argolischer Kapuzenmantel der besten und fein-
sten Sorte   6000 »
41. Ein achäischer oder phrygischer Kapuzenmantel fein-

ster Art   2000 d.
42. Ein afrikanischer Kapuzenmantel   1500 »
43. Eine doppelte norische
»Banata« oder . . . .   12 000 »
44. Ein norischer »Bedox« feinster Qualität od. Ueberwurf
(velum)   10 000 »
45. Eine gallische »Banata«   15 000 »
46. Ein gallischer »Bedox«   8000 »
47. Ein norischer »Singilio« 1500 »
48. Ein gallischer »Singilio« 1250 »
49. Ein numidischer »Singilio« 600 »
50. Ein phrygischer »Singilio«
oder »Bessus«   600»
51. Ein laodikeischer Wetter-
mantel *(paenula)* feinster
Sorte   5000 »
52. Ein venusischer Wetter-
mantel   4000 »
53. Ein rhätisches (?) Spangenkleid   12 500 »
54. Ein trierisches Spangenkleid 8000 »
55. Ein petuvionisches (?) Spangenkleid   5000 »
56. Ein afrikanisches Spangenkleid   2000 »
57. Ein doppelter dardanischer
Reitermantel feinster Sorte 10 250 »
58. Ein einfacher dardanischer
Reitermantel feinster Sorte   . . . . .
59. Ein Ueberwurf *(mantus)* 1000 »
60. Ein gallisches Sagum, d. h.
von den Ambianern oder
Biturigern   8000 »
61. Ein afrikanisches Sagum   500 »
62. Ein enges Unterkleid (?)
von Hasenhaaren   6000 »

(Lücke.)

XXIX. Sticker- und Seidenwirkerlöhne.

20) 1a. Einem Sticker für Stickerei
auf ein halbseidenes Unterkleid, von der Unze   200 d.
2. Auf ein ganzseidenes Unterkleid, von der Unze   300 »
3. Auf einen mutinensischen
Ueberwurf, von der Unze   25 »
4. Auf einen laodikeischen mutinensischen Ueberwurf, von
der Unze   25 »
5. Einem Goldsticker, wenn
er in Gold arbeitet, für feinste
Arbeit, von der Unze   1000 »
6. Für mittelfeine Arbeit   750 »
7. Einem Goldsticker für Arbeit auf Ganzseide von der

Unze   500 d.
8. Für mittelfeine Arbeit, von
der Unze   400 »
9. Einem Seidenweber, der
auf Halbseide arbeitet, ausser der Kost täglich   25 »
10. Auf ungezeichnete Ganzseide, ausser der Kost tägl. 25 »
11. Auf Ganzseide, gewürfelt   40 »
12. Einer Weberin, welche die
Kost empfängt, für gerauh-
ten Stoff, wie er zur Auslieferung gelangt, täglich   12 »
13. Bei mutinensischen oder andern Stoffen mit der Kost   16 »

XXX. Wollenweber.

21) 1. Einem Wollenweber, der mu-
tinensische oder Meerwolle
verarbeitet, ausser der Kost
vom Pfund   40 d.
2. Für Verarbeitung tarentini-
scher, laodikeischer oder
sonstiger fremder Wolle   30 »
3. Für Wolle zweiter Güte

vom Pfund   20 d.
4. Für Wolle dritter Güte
vom Pfund   15 »
5. Einem Leinenweber für feine
Arbeit neben der Kost tägl.   40 »
6. Für geringere Arbeit neben
der Kost   20 »

XXXI. Walker.

22) 1. Einem Walker für einen
neuen Ueberwurf zur Bei-
stellung (?)   50 d.
2 Für ein neues Unterkleid zur
Auslieferung   25 »
3. Für ein ungemustertes aus
gröberer Wolle   20 »
4. Für einen Ueberwurf oder
Mantel, neu   30 »
5. Für eine gröbere Frauen-
Dalmatica, neu   50 »
6. Für eine neue Frauen-Dalmatica, gerauht, rein   100 »
7. Für ein neues Unterkleid,
geraubt, rein   50 »
8. Für eine neue Männer-Dalmatica aus Halbseide   200 »
9. Für ein neues halbseidenes
Unterkleid   175 »
10. Für eine neue halbseidene
Dalmatica, ungezeichnet   125 »
11. Für eine neue halbseidene
Frauen-Dalmatica   300 »
12. Für eine neue ganzseidene
Männer-Dalmatica   400 »
13. Für eine neue ganzseidene
Frauen-Dalmatica   600 »

14. Für ein neues ganzseidenes
Untergewand   250 d.
15. Für ein ebensolches unge-
zeichnetes   200 »
16. Für einen neuen mutinensischen gedoppelten Ueberwurf   500 »
17. Für einen neuen mutinensischen einfachen Ueberwurf 250 »
18. Für ein neues mutinensisches
Spangenkleid   200 »
19. Für ein neues laodikeisches
Spangenkleid   200 »
20. Für einen neuen laodikeischen Ueberwurf   200 »
21. Für einen neuen nervischen
Kapuzenmantel   600 »
22. Für einen neuen laodikeischen Kapuzenmantel   175 »
23. Für einen neuen ripensischen
oder taurogastrischen Ka-
puzenmantel   300 »
25. Für einen neuen norischen
Kapuzenmantel   200 »
26. Für andere Kapuzenmäntel 100 »
27. Für afrikanische oder achäi-
sche Kapuzenmäntel   50 »

XXXII. Preis der Seide.

23) 1. Weisse Seide, das Pfund   12000 d.
2. Denen, welche die Seide

auflösen, neben der Beköstigung, von der Unze   64 d.

XXXIII. Purpur.

24) 1. Echt gefärbte Purperseide
das Pfund   150 000 d.
2. Echt gefärbte Purpur-
wolle, das Pfund   50 000 »
3. Blassgefärbte echte Purpurwolle, das Pfund   32 000 »
4. Hochrot gefärbte echte
Purpurwolle, das Pfund   16 000 »
5. Einfach gefärbte Purpurwolle, das Pfund   12 000 »
6. Echte doppelt gefärbte,
milesische Purpurwolle,
erste Qualität, das Pfund 12 000 »
7. Milesische Purpurwolle

zweiter Qualität, d. Pfd. 10 000 »
8. Nicäische Scharlachwolle
das Pfund   1 500 d.
9. Mit Algen gefärbte Hysginwolle I. Qual., d. Pfd.   600 »
10. Hysginwolle zweiter Qualität, das Pfund   500 »
11. Hysginwolle dritter Qualität, das Pfund   400 »
12. Hysginwolle vierter Qualität, das Pfund   300 »
13. Den Arbeitern für das
Auflösen von Purpurseide
von der Unze   80 d. (?)

14. Denen, welche die Purpurwolle für ganzseidene
Kleider spinnen,
  von der Unze   116 d.

15. Denen, welche Purpur-
wolle für Halbseide spin-
nen, von der Unze   60 »

16. Denen, welche Pur-
purwolle für geraubte
Wollkleider spinnen,
  von der Unze   24 d.

(Hier fehlt ein Stück.)

XXXIV. [Wolle.]

25) 1. Gewaschene tarentinische
Wolle, das Pfund   175 d.

2. Gewaschene laodikeische
Wolle, das Pfund   150 »

3. Gewaschene asturische Wolle,
  das Pfund   100 »

4. Gewaschene Wolle, schönste
Mittelsorte, das Pfund   50 »

5. Alle übrige gewasch. Wolle
  das Pfund   25 »

6. Meerwolle vom Rücken,
  das Pfund   . . . .

7. Hasenhaare, gemischt,
  das Pfund   100 »

8. Arische (?) Wolle »   »   150 »

9. Atrebatische Wolle »   »   200 »

XXXV. Leinen.

a) [Garne.]

26) 1. Sogenanntes Werg
erster Qualität, das Pfund   25 d.

2. zweiter Qualität, das Pfund   20 d.

3. dritter   »   »   »   16 »

Welche Art von Leinen(garn) zu welchem Preise beim Verkaufe die festgesetzte
Taxe nicht überschreiten wird, über . . . .

4. erste Qualität, das Pfund   1200 d.

5. zweite   »   »   »   960 »

6. dritte Qualität, das Pfund   840 d.

Ferner was nach der vorgenannten dritten Qualität kommt:

7. erste Qualität, das Pfund   720 d.

8. zweite   »   »   »   600 »

9. dritte Qualität, das Pfund   450 d.

Gröberes Leinen(garn) zum Gebrauch für gewöhnliche Leute und Sklaven:

10. erste Qualität, das Pfund   250 d.

11. zweite   »   »   »   125 »

12. dritte Qualität, das Pfund   72 d.

b) Ungezeichnete (Leinwand für) Unterkleider (Hemden).

13. Erste Qualität:
Skytopolitanische, d. Stück   7000 d.

14. Tarsische   »   »   6000 »

15. von Byblos   »   »   5000 »

16. Laodikeische   »   »   4500 »

17. Tarsisch-alexandrin.   »   4000 »

18. Zweite Qualität:
Skytopolitanische, d. Stück   6000 »

19. Tarsische   »   »   5000 »

20. von Byblos   »   »   4000 »

21. Laodikeische   »   »   3500 »

22. Tarsisch-alexandrin.   »   3000 d.

23. Dritte Qualität:
Skytopolitanische, d. Stück   5000 »

24. Tarsische   »   »   3500 »

25. von Byblos   »   »   3000 »

26. Laodikeische   »   »   2500 »

27. Tarsisch-alexandrin.   »   2000 »

28. Soldaten-Unterkleider:
erste Qualität   1500 »

29. zweite Qualität   1250 »

30. dritte Qualität   1000 »

Von grobem Leinen zum Gebrauch der gewöhnlichen Frauen oder Sklaven:

31. Erste Qualität, das Stück   . . . . .

32. Zweite Qualität, »   »   . . . . .

33. Dritte Qualität, das Stück   500 d.

c) Ungezeichnete (Leinwand für) Frauen-Dalmatiken:

34. Eiste Qualität:'	36. von Byblos d. Stück 9 000 d.
Skytopolitanische, d St. 11 000 d. (?)	37. Laodikeische » » 8 000 »
35. Tarsische » » 10 000 »	38. Tarsisch-alexandrin. » 7 000 »

Männer-Dalmatiken oder Untergewänder:'

39. Erste Qualität :	41. von Byblos, d. St. 8000 d.
Skytopolitanische, d. Stück 10 000 d.	42. Laodikeische » » 7500 »
40. Tarsische » » 9 000 »	43. Tarsisch-alexandrin. » » 6500 »

Frauen-Dalmatiken :

44. Zweite Qualität :	46. von Byblos, d. Stück 7000 d.
Skytopolitanische, d. Stück 9000 d.	47. Laodikeische » » 6000 »
45. Tarsische » » 8000 »	48. Tarsisch-alexandrin. » 4500 »

Männer-Dalmatiken oder Untergewänder :

49. Zweite Qualität :	51. von Byblos d. Stück 6000 d.
Skytopolitanische, d. Stück 7500 d.	52. Laodikeische » » 5000 »
50. Tarsische » » 6500 »	53. Tarsisch-alexandrin. » 4500 »

Frauen-Dalmatiken :

54. Dritte Qualität :	56. von Byblos d. Stück 5000 d.
Skytopolitanische, d Stück 7000 d.	57. Laodikeische » » 4000 »
55. Tarsische » » 6000 »	58. Tarsisch-alexandrin. » 3000 »

Männer-Dalmatiken oder Untergewänder :

59. Dritte Qualität :	61. von Byblos d. Stück 4000 d.
Skytopolitanische, d. Stück 6000 d.	62 Laodikeische » » 3000 »
60. Tarsische » » 5000 »	63 Tarsisch-alexandrin. » 2000 »

Was geringer ist als die vorgenannte dritte Qualität, in den meisten (Webereien?) jedoch erzeugt wird, darf folgende Taxen nicht überschreiten :

Frauen-Dalmatiken :

66. Erste Qualität, das Stück 2500 d.	68. Dritte Qualität, das Stück 1750 d.
67. Zweite » » » 2250 »	

Gröberes Leinen zum Gebrauch der gewöhnlichen Leute oder der Sklaven :

69. Erste Qualität, das Stück 1000 d.	71. Dritte Qualität, das Stück 600 d.
70 Zweite » » » 800 »	

Männer-Dalmatiken oder Untergewänder :

72. Erste Qualität, das Stück 2500 d.	74. Dritte Qualität, das Stück 1500 d.
73. Zweite » » » 2000 »	

Von grobem Leinen zum Gebrauche der gewöhnlichen Leute oder der Sklaven :

75. Erste Qualität, das Stück 800 d.	77. Dritte Qualität, das Stück 500 d.
76. Zweite » » » 600 »	

d) (Leinwand für) Ueberwürfe.

78. Erste Qualität :	80. von Byblos, das Stück 6000 d.
Skytopolitanische, d. Stück 7500 d.	81. Laodikeische » » 5500 »
79. Tarsische » » 7000 »	82. Tarsisch-alexandrin. » 4500 »

83. Zweite Qualität: 85. von Byblos,   d. Stück 5000 d.
    Skytopolitanische, d. Stück 6500 d.   86. Laodikeische   »   »   4000 »
84. Tarsische   »   »   5500 » 87. Tarsisch-alexandrin. »   »   3000 »

88. Dritte Qualität: 90. von Byblos,   d. Stück 3500 d.
    Skytopolitanische, d. Stück 5000 d.   91. Laodikeische   »   »   3000 »
89. Tarsische   »   »   4000 » 92. Tarsisch-alexandrin. »   2500 »

Was geringer ist als die dritte Qualität für Ueberwürfe:

93. Erste Qualität, das Stück   2250 d.   95. Dritte Qualität, das Stück   1250 d.
94. Zweite   »   »   »   1750 »

Von grobem Leinen zum Gebrauche der gewöhnlichen Leute und der Sklaven:

96. Erste Qualität, das Stück   800 d.   98. Dritte Qualität: das Stück   500 d.
97. Zweite   »   »   »   600 »

e) Ungezeichnete (Leinwand für) Schweisstücher:

	das ganze Stück		
	I. Qualität:	II. Qualität:	III. Qualität:
Skytopolitanische	3250 d.	2500 d.	2250 d.
Tarsische	3000 »	2250 »	2000 »
von Byblos	2500 »	2250 »	1750 »
Laodikeische	2250 »	2000 »	1500 »
Tarsisch-alexandrinische	1750 »	1500 »	1250 »

(99—113)

Schweisstücher, die geringer sind, als vorgenannte dritte Qualität:

114. Erste Sorte, im Stück   1000 d.   116. Dritte Sorte, im Stück   500 d.
115. Zweite   »   »   »   750 »

Von grobem Leinen für die gewöhnlichen Leute oder Sklaven:

117. Erste Qualität, im Stück   350 d.   119. Dritte Qualität, im Stück   200 d.
118. Zweite   »   »   »   225 »

f) (Leinwand für) Kopftücher:

	das ganze Stück		
	I. Qualität:	II. Qualität:	III. Qualität:
Skytopolitanische	3500 d.	3000 d.	2500 d.
Tarsische	3000 »	2500 »	2250 »
von Byblos	2500 »	2250 »	2000 »
Laodikeische	2250 »	2000 »	1750 »
Tarsisch-alexandrinische	1750 »	1500 »	1250 »

(120—134)

Was geringer ist als die vorgenannte dritte Qualität für Kopftücher:

135. Erste Sorte, im Stück   1000 d.   137. Dritte Sorte, im Stück   600 d.
136. Zweite   »   »   »   750 »

Von grobem Leinen zum Gebrauche der gewöhnlichen Frauen:

(Hier fehlt ein grösseres Stück nebst dem Anfang der folgenden Abteilung.)

g) [Lendentücher und Schürzen.]

27) 1. — — — — — — — 1250 d.

Was geringer ist als die vorgenannte Qualität für Lendentücher oder Schürzen:

2. Erste Sorte, im Stück   1000 d.   4. Dritte Sorte, im Stück   600 d.
3. Zweite   »   »   »   800 »

Lendentücher und Schürzen von grober Leinwand zum Gebrauche der gewöhnlichen Frauen oder der Sklaven:

5. Erste Qualität, das Stück   400 »   7. Dritte Qualität, das Stück   200 d.
6. Zweite » » »   300 »

h) M u n d t ü c h e r.

	das ganze Stück		
	I. Qualität	II. Qualität	III. Qualität
Skytopolitanische	1300 d.	. . . .	700 d.
Tarsische	1000 »	700 d.	600 »
8—22 von Byblos	800 »	600 »	500 »
Laodikeische	600 »	500 »	400 »
Tarsisch-alexandrinische	500 »	400 »	300 »

Geringer als die vorgenannte (III.) Qualität:

23. Erste Sorte, das Stück   250 d.   25. Dritte Sorte, das Stück   150 d.
24. Zweite » » »   200 »

Von grobem Leinen für den Gebrauch der gewöhnlichen Leute und der Sklaven:

26. Erste Qualität das Stück   120 d.   28. Dritte Qualität, das Stück   80 d.
27. Zweite » » »   100 »

i) . . . . . . f ü r F r a u e n.

28) 1. Erste Qualität: Tarsische, das Stück
   Skytopolitanische, d. Stück 1500 d.   von Byblos »   »   . . . .

Hier fehlt ein Stück. Von der folgenden Leinensorte ist nur die »geringere« Qualität im Preise von 1200, 1000 und 700 d. für die drei Sorten und die »grobe Leinwand für gewöhnliche Leute und Sklaven« im Preise von 600, 450 und 300 d. pro Stück angegeben. Dann folgen:

k) K o p f b i n d e n von s k y t o p o l i t a n i s c h e r, t a r s i s c h e r, b y b l i s c h e r, l a o d i k e i s c h e r o d e r t a r s i s c h - a l e x a n d r i s c h e r L e i n w a n d.

7. Erste Qualität, das Stück   1500 d.   9. Dritte Qualität, das Stück   800 »
8. Zweite » » »   1200 »

Was geringer ist, als die vorgenannte dritte Qualität:

10. Erste Sorte, das Stück   450 d.   12. Dritte Sorte, das Stück   300 d.
11. Zweite » » »   400 »

Von grobem Leinen zum Gebrauch der gewöhnlichen Leute oder der Sklavenfrauen:

13. Erste Qualität, das Stück   250 d.   15. Dritte Sorte, das Stück   150 d.
14. Zweite » » »   200 »

l) B e t t t ü c h e r.

Von den drei ersten Qualitäten ist nur der Preis für Laodikeische Leinwand III. Qual. erhalten: 5250 d. pro Stück. Dann folgen die

geringere als die III. Qualität: grobe für den Gebrauch der gewöhnl. Leute und Sklaven:

31. Erste Sorte, das Stück   3000 d.   34. Erste Sorte, das Stück   1750 d.
32. Zweite » » »   2500 »   35. Zweite » » »   1000 »
33. Dritte » » »   1750 »   36. Dritte   » »   800 »

m) B i n d e n.

37. Erste Qualit., von skytopolitanischer,	Leinwand	1700 d.
tarsischer, byblischer oder laodikei-	38. Zweite Qualität, die Binde	1500 »
scher oder sonst einer sehr sauberen	39. Dritte » » »	1400 »

Was geringer ist als vorgenannte dritte Qualität:

40. Erste Sorte, die Binde	750 d.	42. Dritte Sorte, die Binde	400 d.
41. Zweite » » »	500 »		

Von grobem Leinen zum Gebrauche der gewöhnlichen Leute oder der Sklaven:

43. Erste Qualität, die Binde	300 d.	45. Dritte Qualität, die Binde	150 d.
44. Zweite » » »	200 »		

n) [B e t t ü b e r z ü g e.].

46. Ein Pfühl mit einem Kopfkissen von	erste Qualität	1750 d.
Tralles oder Antinoupolis 2750 d.	zweite »	1250 »
47. Ein damascenisches oder	dritte	800 »
kyprisches und die übrigen:		

Geringere als die vorgenannte dritte Qualität:

50. Pfühl und Kopfkissen		zweiter Sorte	500 d.
erster Sorte	600 d.	dritter »	400 »

Von grobem Leinen zum Gebrauche der gewöhnlichen Leute oder Sklaven:

53. Erste Qualität	350 d.	I. Qual. d. Stück (Leinwand) 3500 d.	
54. Zweite »	300 »	58. II. » » » » 2500 »	
55. Dritte »	250 »	59. III. » » » » 820 »	
56. Ein Sitzkissen (*pulvinus*) zum		60. Eutalische (?) und ähnliche	
Gebrauch der gewöhnlichen		Leintücher,	
Leute	100 »	I. Qualität, vierfach (?) 1800 »	
57. Gallische Leintücher:		II. » » 1200 »	

(Das Folgende ist stark verstümmelt; nur so viel ist zu erkennen, dass zunächst weitere Arten von Leintüchern behandelt waren und dass daran sich die Taxen für L e i n - w a n d   m i t   e i n g e w e b t e n   P u r p u r s t r e i f e n für verschiedene Verwendungs- arten anschlossen. Von der letzteren Abteilung geben wir nachstehend, was sich einigermassen übersetzen und erklären lässt.)

29) 30. Leinwand für D a l m a t i - k e n , mit Streifen von Hys- ginpurpur im Gewicht von 1 Pfund, das Stück 4500 d.

31. Ebensolche mit Hysginpur- purstreifen im Gewicht von 6 Unzen, das Stück 4000 »

32. D a l m a t i k e n mit echt purpurnen Längsstreifen im Gewicht von 6 Unzen d. St 32 000 »

33. Dieselben mit blasspurpur- nen Streifen im Gewicht von 6 Unzen, das Stück 22000 »

34. Dieselben mit hochroten Purpurstreifen im Gewicht von 6 Unzen, das Stück 10000 d. (?)

35. Mit einfach gefärbten Strei- fen im Gew. von 6 Unzen, das Stück 10000 d.

36. Mit Hysginpurpurstreifen im Gewicht von 1 Pfd., d. St. 2500 d. (?)

37. Mit Hysginpurpurstreifen im Gewicht von 6 Unzen, das Stück 3500 d.

38. S c h w e i s s t ü c h e r mit echten Purpurstreifen im Gewicht von 6 Unzen, das Stück 30000 »

39. Dieselben mit Blasspurpur- streifen im Gewicht von 6 Unzen, das Stück 22000 »

40. Mit hochroten Purpurstrei- fen, 6 Unzen schwer, das Stück 12000 »

41. Mit einfach gefärbten Strei- fen, 6 Unzen schwer, d. St. 8500 »

42. Mit Hysginpurpurstreifen, 1 Pfund schwer, das Stück 3500 »

43. Mit Hysginpurpurstreifen,
6 Unzen schwer, das Stück 2500 d.
44. F r a u e n - M a v o r t i e n m.
echt purpurnen Längsstrei-
fen, 1 Pfund schwer,
       das Stück 55000 »
45. Dieselben mit Blasspurpur-
streifen, 1 Pfund schwer,
       das Stück 36000 d.
46. Mit hochroten Purpurstreifen, 1 Pfd. schwer, d. St. 20000 »
47. Mit einfach gefärbten Purpurstreifen, 1 Pfund schwer,
       das Stück 15000 »
48. Mit Hysginpurpurstreifen,
1 Pfd. schwer, das Stück 3500 »

Bei allen vorgenannten Arten muss jedoch auf sämtliche Masse geachtet werden, sowohl bei den Frauenkleidern als auch bei den Kinderkleidern und den übrigen Arten.
Für diejenigen, bei welchen nicht ein der Art entsprechendes Mass angegeben ist,
soll der Vertrieb so geschehen, dass zwischen dem Verkäufer und dem Käufer sowohl die Beschaffenheit des Purpurs und der Leinwand, als auch das Gewicht, die
Arbeit und das Mass in Rechnung gezogen wird.

XXXVI. G o l d.

30) 1. Feingold in Barren oder in
geprägten Stücken,
       das Pfund 50000 d.
2. Treibgold (?) » » 12000 »
3. Den Künstlern, welche in
Metall arbeiten, vom Pfund 5000 »
4. Den Goldschlägern,
       vom Pfund 3000 »
5. Den Goldtreibern in Blech
       vom Pfund . . . .
6. Dem Golddrahtzieher
       vom Pfund 2500 »
7. Dem Goldgiesser
       von der Unze 2400 »
8. Dem Goldgiesser für gedie-
genes Werk 2 . . .

(Es folgt der Abschnitt über Silber und Silberarbeiten, von dem aber nur uner-
klärbare Bruchstücke erhalten sind. Zum Schlusse giebt *Mommsen* noch eine Anzahl
von Fragmenten aus drei verschiedenen Fundstellen, welche sich mit den Spinnstoffen
(Spartum, Hanf, Flachs), mit Asphalt, Naphtha und verschiedenen Gewürzen beschäftigen. Die Bruchstücke sind für unseren Zweck nicht verwertbar. An welche Stelle
des Tarifs sie gehören, bleibt unsicher.)

II. LITTERATUR.

—e. **Lehr, Jul.**, *Grundbegriffe der Volkswirtschaftslehre* (1. Band des Hand- und Lehrbuches der Staatswissenschaften, in selbständigen Bänden bearbeitet, Verlag von *C. L.* Hirschfeld), Leipzig 1893.

Lehr's »Grundbegriffe der Volkswirtschaftslehre« bilden den ersten Band eines grossen Unternehmens, welches die Nationalökonomie und Staatslehre encyklopädisch in etwa dreissig selbständigen kleinen Lehr- und Handbüchern zu höchstens 25 Bogen zur Darstellung bringen will. »Trotz der Einheitlichkeit des Gesamtwerkes soll jeder Band einleitend sich selbst fundieren.« Die Bände, aus deren reicher Anzahl sich jedermann nach Bedarf sein System der politischen Oekonomie selbst soll zusammenstellen können, werden als Leitfaden für Vorlesungen sich eignen, aber zugleich eine Darstellung finden, welche dazu angethan ist, einem gebildeten Laienpublikum »die Lektüre und das Verständnis leicht zu machen« und zugleich als »Wegweisung zu den Quellen« zu dienen; zu dieser »Wegweisung« sollen die jedem Bande angehängten, aus den reichsten staatswissenschaftlichen Bibliotheken Deutschlands geschöpften, alphabetisch geordneten vollständigen Litterarübersichten beitragen. Von anderen neueren Encyklopädien der politischen Oekonomie hebt sich das Werk namentlich ab durch die Zerlegung in die fünf- bis zehnfache Zahl von Bänden allerdings mässigen Umfanges und durch das markante Hervortreten der Stoffe der praktischen Oekonomik nach Betrieb und Technik. Herausgeber ist Dr. *Kuno Frankenstein* (Berlin).

Diese neue eigenartige Encyklopädie der »Staatswissenschaften«, scheint in grösserem Umfang, als dies im Conrad'schen »Handbuch der Staatswissenschaft« geschieht, welches die eigentliche Staatswissenschaft hinter die politische Oekonomie bewusst zurücksetzt, auch Staatsrecht, Verwaltungsrecht und Staatslehre berücksichtigen zu wollen.

Den ersten Band des Werkes liefern *Lehr*'s »Grundbegriffe der Volkswirtschaftslehre«. Dem Referenten erscheint diese Ouverture der Encyklopädie im Sinne des Programmes sehr gelungen. Doch kann er an dieser Stelle nur kurz das Urteil wiederholen, welches er an anderer Stelle ausführlicher ausgeführt und begründet hat. *Lehr*'s schöner Band ist zwar nicht schon eine vollständige Nationalökonomie, sondern nur die Grundlegung einer solchen, welcher zwei Bände über »Produktion und Konsumtion« und über das »Einkommen und seine Verteilung« erst zu folgen haben. Allein Beschränkung auf eine knappe Grundlegung war unumgänglich geboten, und diese Grundlegung ist trefflich ausgefallen. Nicht als ob darum andere Bücher dieses Inhalts herabzusetzen wären. *Lehr*'s »Grundbegriffe« sind aber für den besonderen Zweck der Encyklopädie, deren Einleitung sie bilden, besonders gelungen. Für ein theoretisch wie praktisch lernbegieriges Publikum weitester Kreise hat *Lehr* mit besonderem Geschick geschrieben: formschön, schlicht, verständlich, klar, dennoch überall auf den Grund dringend, selbständig, überaus scharfsinnig, ohne jede gelehrte Pedanterie, in Beziehung auf Stoff, Quellen und Methoden völlig sicher, das Bedürfnis hervorhebend, das Unbedeutende, aber noch Beachtenswerte nach Verhältnis andeutend. Der nicht fachgenössische Leser empfindet nirgends die Schwierigkeiten, welche der Verfasser überwunden haben musste, bevor letzterer seine Grundlegung so zu schreiben vermochte. *Lehr* ist vollständig Meister der sog. »mathematischen Methode«. Doch wendet er sie nicht an, wo sie nichts zu leisten vermag, und wo er sie anwendet, vermag auch ein der Mathematik fremder oder gar abgeneigter Leser den Eindruck von der Sicherheit quantitativ genauer Beweisführung des Verfassers nicht von sich abzuwehren, und überall findet sich das Ergebnis der mathematischen Entscheidungen in Wortsätzen resumiert. Doktorfragen lässt *Lehr* auf sich beruhen, die unfruchtbare Gelehrsamkeit kennt er nicht. Ueberaus wohlthuend wirkt die Abwesenheit alles Schulmeisterlichen; denn den Ansichten anderer giebt *Lehr*, selbst wo er sie bekämpft, immer die günstigste Deutung, und auch in jenem unbeabsichtigten Missverständnis fremder Meinungen, wie es dem grossen Mangel an Uebereinstimmung in der Terminologie der nationalökonomischen Schriftsteller so leicht entquillt, ist der Verfasser wohl an keiner Stelle seines Buches unterlegen.

---

*Dr. **Wilhelm Vocke***, Kais. Geh. Oberrechnungsrat a. D., *Die Grundzüge der Finanzwissenschaft.* Zur Einführung in das Studium der Finanzwissenschaft. Leipzig. *C.* L. Hirschfeld. 1894. XII. und 446 S. gr. 8⁰.

Wir haben in Deutschland heutzutage keinen Ueberfluss an Männeu, welche in so hohem Masse wie *Vocke* langjährige praktische Arbeit auf dem Gebiete der Finanzverwaltung mit andauerndem und erfolgreichem theoretischem Bemühen auf finanzwissenschaftlichem Gebiete verbinden. Man hat deshalb allen Grund, dem Herausgeber und dem Verleger des Hand- und Lehrbuchs der Staatswissenschaften dafür dankbar zu sein, dass es ihnen gelang, den Verfasser zur Bearbeitung der vorliegenden »Grundzüge der Finanzwissenschaft« zu veranlassen. Denn »nicht dem eigenen Trieb gehorchend« hat *Vocke*, wie er im Vorwort berichtet, es übernommen, ein Buch, welches in der Hauptsache den nämlichen Gegenstand behandle, wie seine Arbeit über die »Abgaben, Auflagen und die Steuer« zu schreiben, sondern in Folge der Aufforderung von Herausgeber und Verleger, welche für den Verfasser massgebend wurde, nicht bloss bezüglich der Uebernahme der Arbeit an sich, sondern auch bezüglich des Abschlusses derselben, den der Verfasser anscheinend heber noch etwas hinausgeschoben hätte. So ganz und gar war es aber doch nicht die Wucht der äusseren Umstände, welche dem Verfasser die Feder in die Hand gaben; denn er berichtet uns sogleich wieder, dass er sich gesagt habe, wenn er ablehne, werde das Buch doch geschrieben werden und zwar vielleicht in einem anderen Sinne, als ihm erwünscht wäre, während er durch die Zusage Gelegenheit haben werde, seine Ansichten weiter zu vertreten, wohl auch zu berichtigen und Einwürfe zu widerlegen. So ist *Vocke* dazu gekommen — und die finanzwissenschaftlichen Kreise haben Grund, sich dessen von Herzen zu freuen — in dem vorliegenden Buche nochmals auf breiterer Grundlage seine Grundüberzeugung von der richtigen Ausgestaltung der finanziellen Beziehungen zwischen dem Staat und seinen Angehörigen zur Darlegung zu bringen. Es ist ein tiefsittlicher Zug, welcher diese ganze Auffassung beherrscht. *Vocke* will keine irgendwie geartete Verhüllung des Masses von Aufwand, den der einzelne Staatsangehörige für den Genuss der staatlichen Dienstleistungen aller Art zu machen hat. Er will, dass grundsätzlich die Rechnung seitens des Staates für den Einzelnen nach Massgabe der Leistungsfähigkeit desselben klar aufgemacht werde, und er verlangt folgerichtig weiter, dass der Einzelne diese Rechnung mit Ueberzeugung von der Notwendigkeit und Nützlichkeit der staatlichen Leistungen aus sittlichen Motiven, wenn auch nicht gerade mit Freude, so doch ohne Aufregung und Widerstreben begleichen werde, und dass er insbesondere in der Nötigung zur Bezahlung dieser Rechnung in keiner Weise die Ausübung eines Zwangs seitens des Staates erkenne. Was die Einzelheiten der Grundlagen betrifft, auf welchen jene Rechnung aufzustellen ist, so ist das Herz des Verfassers nach wie vor bei der nach den einzelnen Hauptgruppen des Ertrages abgestuften Leistungsfähigkeit, wenn auch daneben die zusammenfassende Ermittlung der Leistungsfähigkeit nach den Gesamteinkommensverhältnissen des Wirtschafters zugelassen wird. Aeusserlich wird die Zuneigung des Verfassers zu den Ertragsteuern schon dadurch erkenntlich, dass er ihnen im ganzen etwa das Zehnfache des Raumes einräumt, welcher der Erörterung der Einkommensteuer gewidmet ist.

In einem Augenblicke, in welchem die Ertragssteuern im grössten deutschen Staate im Begriffe sind, aus dem Rahmen der Staatseinnahmen ganz auszuscheiden und den Kommunalverbänden zu weiterer Nutzbarmachung und zwar mit Zulassung auch der Veränderung ihrer bisherigen Einrichtung überlassen zu bleiben — verdient das litterarische Monument, welches der Verfasser mit besonders liebevoller Hingebung dieser Steuergruppe setzt, besondere Beachtung. Ich war bisher der Meinung gewesen, die Eingangs erwähnte frühere Arbeit des Verfassers über die »Abgaben, Auflagen und die Steuer« habe schon die Bedeutung eines solchen Monumentes gehabt; nach der Zeitlage der grundlegenden Veränderungen im preussischen Steuerwesen erscheint nunmehr das vorliegende Werk im vollsten Sinne des Wortes als ein solches Monument.

Es zeigt eine starke Widerstandskraft gegen die finanzpolitische Strömung der Zeit, wenn *Vocke* heute noch die Ertragssteuer in die erste Linie der allein gerechtfertigten staatlichen Steuerarten stellt, und wenn er weiter neben einer nicht viel über wohlwollende Duldung hinausgehenden Zulassung der Einkommensteuer ausdrücklich den Versuch einer stärkeren Heranziehung des fundierten Einkommens missbilligt und damit grundsätzlich auch gegen den in der neuen preussischen Vermögenssteuer enthaltenen Lösungsversuch nach dieser Richtung sich erklärt.

Der Verfasser entwickelt aber nach anderer Seite eine noch stärkere Widerstandskraft gegen die Steuertheorie und gegen die Steuerpraxis aller heutigen staatlichen Gemeinwesen. Er hält nun einmal daran fest, dass ein richtiges Verhältnis zwischen dem Staat und seinen Angehörigen nur dann vorliegt, wenn ihm diese in Gestalt von Ertrags- und Einkommensteuern vorher ziffermässig für jeden Einzelnen möglichst gerecht festgesetzte Geldbeträge auf Grund der ihnen zugestellten Steuerzettel entrichten. Nur diese Einrichtung scheint ihm den Geboten der Sittlichkeit zu entsprechen, und darum will er überhaupt nur diese Leistungen als S t e u e r gelten lassen; was man allüberall i n d i r e k t e S t e u e r n nennt, das trägt nur missbräuchlicher Weise diesen Namen. Diesen Standpunkt hat der Verfasser schon früher eingenommen; was seine diesmaligen Ausführungen besonders interessant macht, das ist der Umstand, dass der Verfasser — wie er im Vorwort bemerkt — »sich nicht mehr darauf zu beschränken brauchte, darzuthun, dass die Verbrauchsauflagen und Verkehrsabgaben keine Steuern sind, sondern dass er ihnen ihre richtigen Plätze in der Reihe der Staatseinnahmen anweisen und ihre Natur positiv bestimmen konnte«. Sehen wir uns das Ergebnis dieser neueren Bemühungen des Verfassers näher an. Was man im allgemeinen unter den indirekten Steuern überhaupt zusammenfasst — der Inbegriff einerseits der Verbrauchssteuern, andererseits der Verkehrssteuern — ist, um es an seinen richtigen Platz zu bringen, auseinander gerissen. Die Verkehrsabgaben haben die Ehre zwischen der Gebühr und der Steuer unter den »Einnahmen aus der Staatsgewalt« zu erscheinen, während die Verbrauchsauflagen in den besonderen Abschnitt eingereiht sind, der zwischen die privatwirtschaftlichen Einnahmen und die Einnahmen aus der Staatsgewalt mit der Bezeichnung »Einnahmen gemischter Natur« eingereiht ist. Warum die Verkehrsabgaben ihre oben bezeichnete, »der Steuer« genäherte Stellung im System erhalten haben, ist nicht gut ersichtlich; denn in der materiellen Beurteilung des Verfassers haben sie vor den Verbrauchsauflagen nicht den geringsten Vorzug, im Gegenteil! Wir hören nämlich, dass die Verkehrsabgabe eine ebenso grosse Aehnlichkeit mit dem Aufschlag habe, als sie der Steuer wenig ähnlich sei (S. 100). Weiter bemerkt der Verfasser, die Verbrauchsauflage, wenn sie einigermassen vernünftig aufgelegt sei, knüpfe sich an den Genuss entbehrlicher Gegenstände und bestehe in kleinen, ja kleinsten Einzelbeträgen; bei der Verkehrsabgabe lasse der Staat die für das wirtschaftliche Leben unentbehrlichsten Vorgänge nur unter der Bedingung zu, dass dafür eine fast immer erhebliche, oft sehr bedeutende Zahlung geleistet werde; so stehe die Verkehrsabgabe im Widerspruch mit der Aufgabe des Staates, das wirtschaftliche Leben zu fordern, und sei genau genommen geradezu unsittlich!

Doch nun zu der noch wichtigeren Frage der Einreihung und Beurteilung der Verbrauchsauflagen, die auch auf den Ehrentitel Steuer keinen Anspruch haben sollen. Auch der wohlwollendste Beurteiler der einschlägigen Theorie des Verfassers, nach welcher die Verbrauchsauflage nichts anderes ist als ein verpachtetes Monopol, wird nicht umhin können, den dabei zu Grunde liegenden Gedankenaufbau als einen zum mindesten recht erkünstelten zu bezeichnen. *Vocke* meint nämlich, es sei nichts anderes als eine andere Art und Ausgestaltung des Handelsmonopols, wenn der Staat die dazu ausersehenen Gewerbe unter Aufsicht nimmt, dann aber den Verkauf der Erzeugnisse nicht selbst besorgt, sondern diesen den Herstellern überlässt, sich aber den Teil des Preises, welchen er für sich in Anspruch nimmt, von denselben vorweg bezahlen lässt, und ihnen anheimgiebt, diesen auf den natürlichen Preis zu schlagen und sich von den Käufern womöglich ersetzen zu lassen, während er sie gegen jeden inländischen und ausländischen Mitbewerb dadurch schützt, dass im Inland die betreffende Ware ohne Aufschlagszahlung nicht hergestellt und vom Ausland ohne gleichhohe Verzollung nicht eingeführt werden darf. Der Unterschied bestehe also nur darin, dass der Staat den Verkauf in dem einen Falle selbst besorge, im anderen nicht. Man ist aber doch — sollte ich meinen — darüber in den weitesten Kreisen einig, dass die Monopoleigenschaft, welche der Verfasser den Verbrauchssteuern zuschreiben möchte, gerade in den Ausschlussrechten gegenüber beliebigem privatproduktiven Eingreifen zu suchen ist, von denen bei den vom Verfasser dem Monopol gegenüber gestellten Verbrauchsauflagen nicht die Rede ist. Dass der Staat gewisse Gewerbe unter Aufsicht nimmt und damit die Erhebung von Verbrauchssteuern verbindet, begrundet ebenso wenig eine Art Monopolisierung, als wenn der Staat bei dem Ertrags- oder Einkommensteuersystem die Hilfsmittel der Produktion oder gegebenenfalls auch hier gewisse produktive Thätigkeit in ihrem konkreten wirtschaftlichen Erfolge oder die Einkommensgestaltung im ganzen unter Aufsicht nimmt und daraufhin seine Steueransprüche formuliert. Die Verbrauchsauflagen dürfen eben nach der Ansicht des Verfassers bei Leibe nicht als Steuern angesehen werden, heber lässt er sie als eine Art Monopol gelten. Freilich ist damit für die Verweisung der Verbrauchsauflagen aus dem Gebiete der Steuern heraus nichts gewonnen; denn auch die in Monopolform bewirkte Verbrauchsauflage ist und bleibt eine staatliche Besteuerung des Verbrauchs. In einer Anmerkung, welche der Verfasser zu dem oben angeführten Versuche des Nachweises der Monopoleigenschaft des Verbrauchs macht, ist etwas wie ein Gewissensbiss über das ablehnende Verhalten gegen die Steuereigenschaft dieser Auflagen zu bemerken. Der Verfasser sagt nämlich, es komme in der Sache selbst am Ende ausserordentlich wenig darauf an, ob man den aus diesem Verfahren des Staats gezogenen Gewinn als »indirekte Steuer« bezeichne oder nicht: denn an der Sache selbst könne das nichts ändern; das Schlimme an dieser Bezeichnung sei nur, dass sie dazu beitrage, der Verbrauchsauflage den gleichen Rang mit der direkten Steuer einzuräumen, ihr eine unbedingte Berechtigung zuzugestehen und sie verewigen zu wollen.«

In der That wird der Verfasser meines Erachtens durch seine steuerpolitische Gegnerschaft gegen die indirekten Steuern veranlasst, sie von der nach seiner Meinung grundsätzlich allein berechtigten, nämlich der direkten Steuer auch begrifflich möglichst weit abzurücken. Er geht dabei so weit, in der Leistung indirekter Steuern das Element unberechtigten Zwangs gegen den Einzelnen vorzufinden, in der Leistung der direkten Steuer aber von diesem Zwangselement nichts zu bemerken, während ein vorurteilsfreier Beurteiler der Sachlage wohl eher zum entgegengesetzten Ergebnisse kommen möchte.

Der Verfasser ist auch viel zu sehr realistisch veranlagt, als dass er für die Wirklichkeit des heutigen Finanzlebens auf die indirekten Steuern glaubte verzichten zu können. Aber gerade deshalb kommt er zu der Auffassung, die Belassung der indirekten Steuern sei nur eine Folge unseres gegenwärtigen übertriebenen Staatsbedarfs. Er meint, der Staatsaufwand eile dem allgemeinen Kulturzustand zu sehr voraus; die Folge davon sei, dass ein so grosser Teil des Staatsbedarfs nicht auf dem sittlich-vernünftigen Wege der Besteuerung, sondern durch Eingriff der Staatsgewalt in die Privatwirtschaft aufgebracht werden müsse. Am liebsten wäre es also dem Verfasser, wenn er den Staatsbedarf soweit zurückschrauben könnte, dass die direkten Steuern zur Deckung desselben ausreichen. Darin aber liegt gerade die Unhaltbarkeit seiner Gesamtauffassung begrundet. Die fortschreitende Entwicklung unseres sozialen Lebens bedingt eine fortschreitende Ausgestaltung der Staatsleistungen; der Zeitpunkt, den der Verfasser im Stillen erwartet, wird ohne vollständige Zerstörung unserer heutigen Kulturzustände überhaupt niemals eintreten. Die indirekten Steuern sind keine bloss vorübergehende Noteinrichtung unseres Finanzwesens; ohne dieselben sind die Staatszwecke unerreichbar; sie haben deshalb Anspruch auf gleich eingehende Erörterung in der Finanzwissenschaft wie die direkten Steuern. Immerhin aber ist es von Interesse zu sehen, mit welcher Sorgsamkeit der Erörterung der Verfasser dennoch unentwegt an seiner grundsätzlichen Auffassung festhält. Auch ist es für unsere neuzeitlichen finanzpolitischen Erwägungen, bei welchen die Frage der Verteilung der Mehrlasten auf direkte oder indirekte Steuern eine bedeutende Rolle spielt, bedeutungsvoll, einen derartig ausgesprochenen Gegner der indirekten Besteuerung zu hören.

Auf die Einzelheiten der *Vocke*'schen Ausführungen einzugehen, muss ich mir versagen. Ich möchte nur zunächst einige Punkte hervorheben, die mir Anlass zur Verzeichnung von Widerspruch und Bedenken geben. Als solche kommen namentlich folgende in Betracht. Der Verfasser ist grundsätzlicher Gegner des sozialpolitischen

Prinzips der Besteuerung — trotz der beachtenswerten Ansätze, welche gerade in dieser Hinsicht die neueste preussische Steuerreform zeigt. Er ist ferner Gegner einer irgend ausgiebigen Erbschaftsbesteuerung. Er macht nur sehr geringe Konzessionen an die Bedeutung des Unterschiedes von fundiertem und unfundiertem Einkommen für Besteuerungszwecke und ist folgerichtig auch mit einer ergänzenden Vermögenssteuer nicht einverstanden. Sogar die Lotteriesteuer findet keine Gnade vor den Augen des Verfassers. Von den theoretischen Auffassungen scheinen mir unter anderem bedenklich jene, welche sich auf die Fragen der Steuerüberwälzung beziehen (welche übrigens nach der Ansicht des Verfassers eigentlich gar nicht in die Finanzwissenschaft gehöre, ferner diejenigen, welche die Polemik des Verfassers gegen die Auffassung einer Steuer als »Objekt« oder »Real«steuer betreffen. (»Es giebt keine Realsteuer und kein Steuerobjekt!«)

Vortrefflich ist dagegen die Einzelausführung des Verfassers, soweit er sich mit den ihm zumeist am Herzen liegenden Ertragssteuern beschäftigt. Auch sonst wirkt im allgemeinen der tiefe sittliche Ernst der Forschung durchaus wohlthuend und ist wohl geeignet, auch da, wo man den Schlussfolgerungen des Verfassers nicht nachzugehen vermag, eine Reihe durchaus beachtenswerter Gesichtspunkte zu eröffnen. Die übrigen Teile des Werkes sind zwar nicht mit gleich eindringender Sorgfalt bearbeitet; sie enthalten aber nichtsdestoweniger sehr viel Beachtenswertes nicht bloss für den Mann der Wissenschaft, sondern namentlich auch für den Finanzpolitiker. In letzterer Hinsicht möchte ich namentlich die gerade bei einem so sittlich ernsten Forscher bedeutungsvolle Stelle (S. 189) hervorheben, welche sich gegen die angebliche Unerschwinglichkeit von Steuerbelastungen in Deutschland wendet. Der Verfasser sagt dort: »Spricht man doch jetzt schon von Unerschwinglichkeit, wenn von einer Erhöhung der selten über 3 Proz. steigenden Steuern und der sehr mässigen Verbrauchsauflagen die Rede sein soll. Indessen das ist entweder Unverstand oder Zeitungs- und Agitationslärm. In Frankreich und Italien würde man Steuern und Auflagen wie die unsrigen für Kinderspiel halten, und nicht minder in Oesterreich, wo die Häusersteuer und ebenso die Grundsteuer 26 Proz. des Reinertrags in Anspruch nimmt.« Das mögen sich unsere deutschen »Interessenten« vom Tabak, vom Bier u. s. w., die so stolz auf ihre antisozialen Erfolge sind, ins Stammbuch schreiben. Auch was der Verfasser über das wuchernde Wachstum der Staatsschulden sagt (S. 386) sind goldene Worte. Dies gilt namentlich von der entschiedenen Betonung der heute vorwaltenden engherzigen Selbstsucht, »welche es bequemer findet, die Lasten, welche die gegenwärtige Generation tragen sollte, der künftigen zuzuschieben, und anstatt erhöhte Steuern aus dem gegenwärtigen Einkommen zu übernehmen, einen Aufwand aus dem Volksvermögen zu bestreiten und dessen Wiederergänzung dem künftigen Geschlecht zu überlassen.« — Ich hätte nur gewünscht, dass der Verfasser daraus eine besondere Nutzanwendung für den Haushalt des Deutschen Reichs unter näherem Eingehen auf die Elemente dieses Haushalts gezogen hätte. Auch was der Verfasser gelegentlich über allenfalls sich ergebende Ueberschüsse und über deren Nichtverwerflichkeit vorbringt, ist — mit Erlaubnis Herrn *Eugen Richter's*! — ein beachtenswerter Gedanke. So wird der Leser des interessanten Buches manche einzelne Ausführungen finden, die von hohem aktuellem Interesse und bei der wissenschaftlich durchaus unabhängigen Stellung des Verfassers in hohem Grade beachtenswert sind. Ein theoretisch wie praktisch reich erfahrener Mann bietet in einem angenehm lesbaren Buch (ein nicht zu unterschätzender Vorzug) eine Fülle von Anregungen und Belehrungen. Sowohl der in diesen Fragen bereits Bewanderte, als derjenige, der erst in dieselbe einzudringen versucht, werden das Buch mit Nutzen zur Hand nehmen; vielleicht der erstere mit noch grösserem Nutzen als der zweite. In diesem Sinne scheint mir die auf dem Titel enthaltene Bezeichnung: »Zur Einführung in das Studium der Finanzwissenschaft« etwas zu eng gegriffen; denn es ist ein Buch weniger für Anfänger als für »Geübtere«. In die Hände der letzteren, mögen sie nun theoretisch oder praktisch mit den Finanzen zu thun haben, sollte das *Vocke*'sche Buch vor allem kommen; das verdient es nach der ganzen Fülle seines Inhalts trotz mancher grundsätzlicher Bedenken, zu welchen es nach den obigen — notgedrungen nur aphoristischen Bemerkungen — Anlass zu geben geeignet ist. Das Buch ist, kurz gesagt, keine Kompilation, sondern durchaus eigenes Erzeugnis emsiger Gedankenarbeit eines in der Litteratur und der Praxis des Finanzwesens wohl bewanderten Verfassers. Ein solches Buch ist dem Leser immer von Nutzen.

Dr. v. M a y r.

—e. *Schott, Arthur, Die französische Wehrsteuer nach dem Gesetz vom 15. Juli 1889.* Jena. G. Fischer. 1892. — Auch derjenige, welcher wie Referent für die Wehrsteuer steuerpolitisch nicht einzutreten vermag, wird der positiven Darstellung des Gegenstandes wegen *Schott*'s Schrift nicht unbefriedigt aus der Hand legen.

—e. *Cauwès, Paul, Cours d'Économie politique, 4 Tomes. T r o i s i è m e Édition.* Paris. L. Larose. 1893. — Dieses System der politischen Oekonomie ist nach seiner der neueren deutschen Nationalökonomik verwandten Behandlungsweise bezüglich der zwei ersten Bände bereits gewürdigt worden. Die zwei weiteren Bände rechtfertigen das gefällte günstige Urteil. Wir freuen uns des grossen Erfolges rascher Erreichung der dritten Auflage um so mehr, als dieser Erfolg nach dem Verdikt der Orthodoxie des »J. des Écon.« eigentlich nicht hätte statthaben sollen. Mit der verehrten Kollegin, der Revue d'Éc. pol. sagen wir: »Glücklicherweise befinden sich die Leute, welche man im J. des Éc. totmacht, sehr gut!«

—e. *Bryan, Enoch, A., The Mark in Europe and America.* Boston. Ginn u. Cpy. 1893. p. 160. Die interessante, gut geschriebene Arbeit ist nicht rein agrarhistorischer Art. Ihr Hauptbestreben ist nicht darauf gerichtet, die Thatsache und Notwendigkeit nachzuweisen, dass in den Anfängen der kolonialen Agrarentwicklung der Neuzeit, namentlich Nordamerikas, Erscheinungen hervorgetreten sind und hervortreten mussten, welche als spätes, unter den Einflüssen der Zivilisation eigentümlich gestaltetes Nachbild an die germanische Agrar-Vorverfassung erinnern. Die Schrift ist wesentlich auch von einer politischen Tendenz getragen und sucht gegenüber der auf die »germanische Theorie« gestützten praktischen Bestrebungen nach Beseitigung des Privateigentums an Grund und Boden einen Standpunkt ruhiger Beurteilung zu gewinnen.

—e. *Novicow, J., Les Luttes entre sociétés humaines et leurs Phases Successives.* Paris, Félix Alcan. 1893. p. 752. — Ein schätzenswerter Bestandteil der »Bibliothéque de philosophie extemporaine«, der Nachweisung des allgemeinen Entwicklungsgesetzes für die Entwicklung der menschlichen Gesellschaft und für die Entwicklung der Verhältnisse des sozialen Daseinskampfes selbst. Ist auch die Schrift weder neu in den wesentlichen Grundgedanken des soziologischen Darwinismus, noch gleichmässig und vollständig in der Darstellung der einzelnen Seiten und Erscheinungen der sozialen Evolution, so ist sie doch selbständig und frei in der Verwertung des reichen zur Verarbeitung gebrachten Stoffes, welcher dem Verfasser ganz überwiegend die französische Litteratur vermittelt. Man braucht nicht alle Urteile und Ansichten des H. Verfassers zu unterschreiben, ohne dass man verhindert wäre, sein klares, kräftiges, scharfes und sicheres Denken anzuerkennen. Die Darstellung ist gefällig.

—e. *v. Schicker* (Min.Rat und stellvertr. B.R.Bev.), *Das Krankenversicherungsgesetz und das Hilfskassengesetz* mit Erläuterungen, Musterstatuten und Vollzugsvorschriften. 2. Aufl. 1. Lieferung. Stuttgart. W. Kohlhammer. 1893. — Eine die eingreifende Krankenversicherungsnovelle vom 10. April 1892 verarbeitende neue Auflage aus der Hand eines bewährten Kommentators der Gewerbe- und Versicherungsgesetze.

—e. *Paulsen, Fr.*, *System der Ethik mit einem Umriss der Staats- und Gesellschaftslehre.* 3. verbesserte und vermehrte Auflage. 2 Bde. Berlin, W. Hertz. 1894. — Dieses vortreffliche Werk ist in seiner zweiten Auflage eingehend von uns gewürdigt worden. Zur vorliegenden 3. Auflage sei bemerkt, dass das 3. Kapitel des 2. Bandes (Sozialismus und soziale Reform) überarbeitet und nicht unerheblich erweitert worden ist.

—e. *Hegel, Georg Wilhelm Friedrich*, *Kritik der Verfassung Deutschlands.* Aus dem handschriftlichen Nachlasse des Verfassers herausgegeben von Dr. G e o r g M o l l a t. Nebst einer Beilage. Kassel. Th. G. Fisher u. Co. 1893.

Der H. Herausgeber bemerkt im Vorwort: Es bleibt ein Verdienst von *Rosenkranz* und *Haym*, bereits vor längerer Zeit *Hegel's* »Kritik der Verfassung Deutschlands« vom Jahre 1801 oder 1802 eingehend gewürdigt und verschiedene Bruchstücke aus der Handschrift als Proben der gründlichen Kunde und kernigen Darstellungsweise mitgeteilt zu haben. Die Veröffentlichung der u n g e k ü r z t e n A b h a n d l u n g in der vorliegenden Gestalt dürfte die unbefangene Prüfung und Beurteilung eines der frühesten publizistischen Versuche *Hegel's* in höherem Grade ermöglichen, als es die bisher bekannten Auszüge gestatten, ausserdem aber eine willkommene Ergänzung zu den »W e r k e n« des eminenten Denkers darbieten.

—e. *Horowitz, Ed. v.*, *Die Bezirks-Unterstützungsfonds in Bosnien und der Herzegowina.* Herausgegeben von derbosnisch-herzegowinischen Landesregierung. Wien. W. Frick. 1892. — Die Bezirksunterstützungsfonds in Bosnien und der Herzegowina sind Hilfskassen, welche den Zweck haben, der bäuerlichen Bevölkerung des Occupationsgebietes in derselben Weise zu dienen, wie die Darlehenskassen nach Raiffeisen und Schulze-Delitzsch den Landwirten Deutschlands. Die Bezirks-Unterstützungsfonds aber sind Schöpfungen der dortigen Landesregierung, für welche Schulze und Raiffeisen kaum einigermassen als Vorbilder gedient haben, während sie ihrerseits sehr wohl für Verhältnisse, die von den in Deutschland herrschenden abweichen, als Vorbilder dienen können. Die bosnisch-herzegowinische Landesregierung hat das eigenartige Problem nach *Horowitz* glücklich gelöst.

O. Köbner, *Die Methode der wissenschaftlichen Rückfallsstatistik als Grundlage einer Reform der Kriminalstatistik.* Berlin. Guttentag. 1893. S. 124.
Der wichtigste Teil der gesamten Kriminalstatistik ist nach der Ansicht des Ver-

fassers die Rückfallsstatistik. Denn diese bildet als die Frage von der richtigen Zahlung mehrfach Bestrafter, indem sie jede »Verbrecherkarriere« als eine Einheit behandelt, das zentrale Problem aller Kriminalstatistik, auch liegt in der Erforschung des Gewohnheitsverbrechertums immer mehr der Schwerpunkt des strafrechtlichen Interesses. Die jetzige Methode der Rückfallsstatistik beruht nun aber auf dem logischen Grundirrtum der Kombination inkommensurabler Jahreskontingente und giebt daher sowohl über den Stand als über die Bewegung, sowohl über die Extensität als die Intensität der Rückfälligkeit Angaben, welche nicht nur an sich unrichtig, sondern auch in ihrem Verhältnis zu einander irreführend sind. Die Neuorganisation der Rückfallsstatistik hat vielmehr auf der Grundlage des Strafregisters zu erfolgen, welches recht eigentlich für die Verfolgung der Verbrecherlaufbahn des Rückfälligen geschaffen ist und für die Organisation der Rückfallsstatistik eine vortreffliche Grundlage bildet, insofern es die Personalien des Delinquenten und die sämtlichen gegen denselben ergangenen Strafurteile einigermassen erheblichen Charakters mit Datum, Angabe der That und Strafe enthält. Die neue Rückfallsstatistik ist dann mit der allgemeinen Kriminalstatistik und weiter mit der Sozialstatistik zu verbinden; es ist hiernach eine wissenschaftliche Statistik der kriminellen Individuen anstatt der bisherigen Statistik der Kriminalfälle zu schaffen und die Rückfallstatistik nach der Seite der persönlichen, namentlich der wirtschaftlichen und sozialen Verhältnisse der Delinquenten auszugestalten. Das Berufsverbrechertum wird dann im Sinne *v. Liszt's* erkannt als sozialpathologische Erscheinung. Diese Neuorganisation begründet auch, wie der Verfasser näher zeigt, keine Vermehrung der Geschäftslast der Gerichte etc. Nach jeder Aburteilung wird vielmehr, wie bisher eine Zählkarte ausgefüllt. Nur gelangt diese fernerhin nicht direkt an das Kaiserliche statistische Amt zur Verarbeitung, sondern sie soll zunächst an das Strafregister gesandt werden, in welchem der betreffende Verbrecher geführt wird. Hier werden die sämtlichen auf den nämlichen Delinquenten bezüglichen Zählkarten für die Dauer des Rechnungsjahrs bezw. der sonstigen Periode gesammelt und am Schluss der Periode werden sie dann als Ganzes dem Zentralbureau zur Verarbeitung übergeben. — Schliesslich wird ausgeführt, dass zwar die internationale Einheitlichkeit der Methode zu erstreben sei, dass aber die materiellen Ergebnisse der Rückfallsstatistik doch nicht vergleichbar sein werden.

G.

Folgende Schriften sind mit Rücksicht auf ihren Inhalt und auf die Aufgaben der Zeitschrift für die ges. Staatswissenschaften nur kurz zu erwähnen.

Karl Binding, Deutsche Staatsgrundgesetze in diplomatisch genauem Abdruck II. Heft. Leipzig. W. Engelmann. 1893. — Enthält die Verfassung des Deutschen Reichs v. 28. März 1849 und die Entwürfe der sog. Erfurter Unionsverfassung.

J. Krech, Entscheidungen des Bundesamts für das Heimatwesen, in amtlichem Auftrag herausgegeben. Heft XXIV, enthaltend die vom 1. September 1891 bis zum 1. September 1892 ergangenen wichtigeren Entscheidungen und ein Register über sämtliche 24 Hefte. Berlin. Fr. Vahlen. 1892.

Reinick, Entscheidungen des K. preuss. Oberverwaltungsgerichts in Staatssteuersachen. Bd. I, Heft 1. Berlin. Heymanns Verlag. 1893. — Diese neue Sammlung ist veranlasst durch die Ausdehnung der Rechtsprechung des preuss. Oberverwaltungsgerichts auf Staatssteuersachen nach den beiden Gesetzen vom 24. Juni 1891 und will auch das praktische Bedürfnis der weiteren Kreise der »Interessenten« berücksichtigen.

Dr. Menzen, *Das Reichsgesetz, betr. den Verkehr mit Nahrungsmitteln etc. vom 14. Mai 1879*; die auf Grund desselben erlassenen Verordnungen, sowie die amtlichen Gutachten des kaiserlichen Gesundheitsamts über Verfälschung von Nahrungsmitteln und Gebrauchsgegenständen, nebst den Reichsgesetzen vom 25. Juni, 5. und 12. Juli 1887 und vom 20. April 1892, mit Erläuterungen auf Grund der Gesetzesmaterialien und der Rechtsprechung des Reichsgerichts. 2. Auflage. Paderborn. J. Schöningh. 1892.

Andresen, *Die Rentengütergesetze in Preussen* v. 27. Juni 1890 und 7. Juli 1891. Textausg. mit Anmerkungen. Berlin. Heymann. 1892.

L. Lass, *Das Urheberrecht an Gebrauchsmustern* nach dem Reichsges. v. 1. Juni 1891. Zum praktischen Gebrauch bearbeitet. Marburg. 1892. Elwert'scher Verlag. 66 S. — Verf. giebt eine zusammenhängende Darstellung des materiellen Rechts, des Verfahrens, der Entschädigung und der Strafe.

L. Lass, *Rechtsgrundsätze des Reichsgerichts und anderer hoher Gerichtshöfe Deutschlands auf dem Gebiete des Urheber-, Muster-, Marken- und Patentrechts.* Berlin. Internationale Verlagsanstalt.

Deutsche Zeit- und Streitfragen: **Hartmann**, *Der jugendliche Verbrecher im Strafhause.* Hamburg. 1892. Verlagsanstalt vormals C. F. Richter.

Mitteilungen der internationalen kriminalistischen Vereinigung. Vierter Band. Heft 1 und 2. Januar und Mai 1893. Berlin. Guttentag's Verlag.

Störk, *Der staatsbürgerliche Unterricht* Freiburg i. B. und Leipzig. 1893. 32 S. — Eine in Greifswald gehaltene Kaisersgeburtstagsrede, welche die Gedanken der Kaiserl. Kabinettsordre vom 1. Mai 1889 in den Formen einer Festrede zu entwickeln sich zur Aufgabe gesetzt hat.

Ph. Lotmar, *Vom Rechte, das mit uns geboren ward.* — Die Gerechtigkeit. Zwei Vorträge. Bern. Verlag von Schmid etc. 1893.

R. Falkmann, *Die preussische Steuergesetzgebung* (vom 24. Juni 1891) *und das Gesetz betr. die Besteuerung des Wanderlagerbetriebs.* Mit Kommentar. Berlin. 1892. Simmenroth u. Worms. 2. Aufl. 224 S.

Register der hauptsächlichsten Reichs- und preuss. Landesgesetze, Verordnungen und sonstigen Erlasse, zusammengestellt von *O. Schulze.* Berlin. 1893. Fr. Vahlen. 150 S. — Dieses Register ist kein Realrepertorium, sondern verweist nur auf die Gesetze und Verordnungen als Ganzes unter Angabe des Datums und der betreffenden Gesetzsammlung, ist also von höchst bedingtem Wert und insbesondere für die »Herren Referendare« bestimmt, welche durch das Nachschlagen in diesem Register erst von der Existenz der Gesetze etc. Kenntnis erlangen sollen.

S. Adler, *Eheliches Güterrecht und Abschichtungsrecht nach den ältesten bayerischen Rechtsquellen.* Leipzig. 1893. Duncker u. Humblot. — Behandelt das Abschichtungsrecht in der *lex Bajuv.* und unter den Agilolfingern bis zum Jahre 1000.

Festgabe, Rudolf von Ihering gewidmet von der Giessener Juristischen Fakultät. Leipzig. Verlag von Hirschfeld. 1892. 72 S. — Enthält eine Abhandlung von

G. Kretschmer über erbrechtliche Kompensationen und von *P. Jörs* Untersuchungen zur Gerichtsverfassung der römischen Kaiserzeit.

G. Frenzel, *Recht und Rechtssätze.* Eine Untersuchung über den Rechtsbegriff der positiven Rechtswissenschaft. Leipzig. Breitkopf u. Härtel. 1892. 110 S.

L. Freund, *Lug und Trug nach Moslemitischem Recht.* Ein Beitrag zur vergleichenden Rechts- und Staatswissenschaft. München. 1893. Mehrlich's Verlag. — Diese Schrift behandelt das angeführte Thema nicht nur vom Standpunkt des Rechts und der Sitte, insbesondere von der kriminellen Seite, sondern wirft auch interessante Streiflichter auf die nationalökonomischen Verhältnisse der moslemitischen Staaten in Verbindung mit Mitteilungen aus der Geschichte des Handels und der Gewerbe.

Sigmund Figdor, *Parlamentswissenschaft III: Die parlamentarische Technik.* Berlin. 1892. Puttkammer u. Mühlbrecht. — Ein nach Form und Inhalt absolut unverständliches Buch, dessen Entstehung schwer zu begreifen ist.   G.

INHALTS-ÜBERSICHT

DER

ZEITSCHRIFT

FÜR DIE GESAMTE

STAATSWISSENSCHAFT

ÜBER DIE

IN DEN BÄNDEN ODER JAHRGÄNGEN 1—50

ENTHALTENEN

ABHANDLUNGEN, MISZELLEN

UND

DIE IN DER LITTERATUR BESPROCHENEN WERKE UND SCHRIFTEN,
NEBST VERZEICHNIS DER ANGEFÜHRTEN GESETZGEBUNGSÜBERSICHT,
DER NEKROLOGE UND PREISAUFGABEN, SOWIE DER BÜCHERSCHAU.

———

BEIGABE ZUM 50. JUBELBAND DER ZEITSCHRIFT.

———

TÜBINGEN 1894
VERLAG DER H. LAUPP'SCHEN BUCHHANDLUNG

DRUCK VON H. LAUPP JR IN TÜBINGEN.

Abhandlungen

der

Zeitschrift für die gesamte Staatswissenschaft

in den Jahrgängen 1—50.

(Die arabischen Ziffern bedeuten Jahrgang und Seitenzahl, die römischen die Hefte.)

Inhaltsübersicht zu Bd. 1—50.

Hoffmann, Prof. Dr., Die Grundmängel in den bisherigen Anstalten für die Reinertragseinschatzung des Grundeigentums, behufs der Grundsteuer-Regulierung und die Mittel zu deren Beseitigung. 1844. II. 350.

— Das Bedürfnis einer angemessenen Arbeitsteilung in dem Elementarbehörden-Organismus der Finanzverwaltung und die Vorteile derselben, mit besonderer Rücksicht auf Einrichtungen in deutschen Staaten. 1844. IV. 651.

Ueber die Zulässigkeit einer Berücksichtigung der Passivkapitalien bei der speziellen Ertragsbesteuerung. 1845. II. 294.

— Das Bedürfnis eigentümlicher statistischer Grundlagen für die Wirksamkeit der inneren Verwaltung und die Mittel zu dessen Befriedigung. 1845. III. 576.

— Die Erfordernisse praktischer Dienstprüfungen für die innere Staatsverwaltung. Mit besonderer Beziehung auf Württemberg. 1845. IV. 673.

— Aufsicht des Staats über die Postanstalt bei Abtretung derselben in Lehen oder Pacht. 1846. I. 117.

— Die Oeffentlichkeit der Gemeindeverhandlungen. 1847. I. 89.

— Die wirtschaftlichen Mängel in den Zeitpachtverhältnissen der Staatsgüter und die Mittel zu deren Abhilfe, mit besonderer Beziehung auf das südwestliche Deutschland, namentlich Württemberg. 1848. IV. 719.

— Die verschiedenen Methoden der rationellen Gewerbebesteuerung. 1850. IV. 660.

— Die Mangelhaftigkeit der gegenwärtigen Staatsausgaben-Etats in Beziehung auf die Darstellung der Grösse des Staatsaufwands. 1851. IV. 599.

— Die angemessenste Besteuerung des Tabak-Genusses. Mit besonderer Rücksicht auf das südwestliche Deutschland. 1852. II./III. 503.

— Die Zulässigkeit einer landwirtschaftlichen Gewerbesteuer neben der Grundsteuer. 1854. II. 304.

Hölder, Dr. *E.*, Das Wesen des Staats, die Gliederung des Rechtssystems und das System des Staatsrechts. 1870. IV. 617.

Holdheim, *P.*, Der Arbeits-Vertrag in seiner systematischen Stellung. Eine Studie zur Fabrikgesetzgebung. 1874. II. 247.

Holzamer, *J.*, Beitrag zur Geschichte der Briefportoreform in den Kulturstaaten von ihrem ersten Beginne 1837 bis zum Abschluss des Berner Weltpostvertrags. 1. Artikel. 1878. I./II. 1. — 2. Artikel. 1878. III. 529.

Huber, Prof., Die gewerblichen und wirtschaftlichen Genossenschaften der arbeitenden Klassen in England, Frankreich und Deutschland. 1859. II./III. 277.

— Das Submissionswesen. 1885. I. 150. Schluss. 1885. III./IV. 580.

— Das neuere Submissionsverfahren. 1887. II/III. 474.

Ilwof, Dr. *Frz.*, Karl der Grosse als Volkswirt. 1891. III. 413.

Inama-Sternegg, Prof. Dr. *K. Th. von*, Der Accisenstreit deutscher Finanztheoretiker im 17. und 18. Jahrhundert. 1865. IV. 515.

-— Beiträge zur Lehre vom Staatsgebiete. 1869. III./IV. 446.

-— Die Rechtsverhältnisse des Staatsgebiets. 1870. II./III. 315.

— Die Gliederung des Staatsgebiets. 1872. IV. 520.

Jolly, Prof. Dr. *L.*, Die Ausbildung der Verwaltungsbeamten. 1875. II./III. 420.

— Die Verwaltungsgerichte. 1878. III. 575.

— Die Verteilung der öffentlichen Armenlast. 1884. I. 1.

Ruhland, Dr. *G.*, Gesellschaftliche Organisation des landwirtschaftlichen Personalkredits. 1883. I. 166.
— Gedanken und Vorschläge über die Regulierung der Grundschulden. 1883. II. 432.
— Agrarpolitische Vorschläge auf Grund unserer geschichtlichen Rechtsbildung. 1883. III./IV. 673.
— Preis und Wert der Grundstücke mit Rücksicht auf Taxation, Grundrente und Arbeitslohn. 1885. II. 253.
— Der Gedanke korporativer Bodenkreditorganisation und seine Kritiken. 1886. III. 464.
— Die Agitation zur Verstaatlichung von Grund und Boden in Deutschland. 1887. II./III. 292.
— Zur Verschuldungsstatistik des Grundbesitzes in Nordamerika. 1890. III. 473.
— Der achtstündige Arbeitstag in England, aus der Litteraturbewegung. 1891. I. 136.
— Der achtstündige Arbeitstag und die Arbeiterschutzgesetzgebung der australischen Kolonien. 1891. II. 279.
— Die Zukunft des Goldes und die Süss'sche Theorie. 1891. III. 505.
— Die australisch-nordamerikanische Landgesetzgebung. 1. Artikel. 1892. I. 41. — 2. Artikel. 1892. II. 280.
— Aus dem Verfassungs- und Verwaltungsrecht des Britisch-indischen Kaiserreichs. 1. Art. 1893. II. 223. — 2. Art. 1893. III. 408.
— Ueber das nahende Ende der auswärtigen Getreidekonkurrenz. 1894. IV. 659.
Rümelin, *Carl*, Die Monroe-Doktrin. 1882. II. 331.
Rümelin, *Emil*, Das Beaufsichtigungsrecht des deutschen Reichs und dessen organisatorische Gestaltung. 1883. I. 195.
— Die Scheidung der Funktionen im Staatsleben und der Bundesstaat. 1884. II. 394. Fortsetzung 1884. III./IV. 640 mit Nachtrag. 663.
— Der Etat in seiner öffentlich-rechtlichen Bedeutung. 1889. I./II. 299.
— Die Marx'sche Dialektik und ihr Einfluss auf die Taktik der Sozialdemokratie. 1894. I. 33.
Rümelin, Dr. *G.*, Zur Theorie der Statistik. 1863. III./IV. 653.
— Ueber den Begriff eines sozialen Gesetzes. 1868. I. 129.
— Ueber das Objekt des Schulzwanges. 1868. II. 311.
Sartorius, *A. von Waltershausen*, Die Chinesen in den Vereinigten Staaten von Amerika. 1883. II. 320.
Sarwey, Der Staatsdienst und der Stand der Staatsdiener in Kleinstaaten. 1850. VI. 605.
— Das Staatsschuldenwesen der Kleinstaaten. Zur Begründung einer Systemsänderung im Gegensatze gegen das herrschende Mäkler- und Börsensystem. 1852. I. 1.
Schacht, Dr. *F.*, Das System der Feldsysteme. 1886. I. 112.
Schäffle, Dr. *A.*, Die deutsche Münzkonvention vom 24. Januar 1857, volkswirtschaftlich und politisch betrachtet. 1. Artikel. 1857. I, 92.
— 2. Artikel. 1857. II./III. 264.
— Zur Lehre von den Handelskrisen. 1. Artikel. 1858. II./III. 402.
— Die Konkurrenz der Organe des Staatslebens; Beiträge zu einer Revision der Grundbegriffe der neueren Staatslehre. 1. Artikel. 1862. II./III. 520. — 2. Artikel. 1864. I. 139.
— Die westeuropäische Zollreform und die Lage der zollvereins-ländisch-österreichischen Industrie. 1. Artikel. 1864. II./III. 381. —

2. Artikel. I. 1864. IV. 661. — 2. Artikel. II. Eisenindustrie (Schluss).
1865. I./II. 18.

Schäffle, Dr. *A.*, Das französische Gesetz vom 23. Mai 1863 über Aktiengesellschaften ohne Staatsgenehmigung. 1865. I./II. 245.

— Die geheime Stimmgebung bei Wahlen in die Repräsentativkörper-
schaften, geschichtlich, theoretisch und nach dem Stande der neueren Gesetzgebung betrachtet. 1865. III. 379.

— Beiträge zu einer vergleichenden Darstellung der deutschen Ge-
meindeorganisation. 1866. I. 17.

— Der neueste Finanzbericht der Vereinigten Staaten. 1866. I. 137.

— Ein Stück verunglückter Organisation der Arbeit in Schwaben.
1866. IV. 539.

— Die ausschliessenden »Verhältnisse« mit besonderer Rücksicht auf
litterarisch-artistisches Autorrecht, Patent-, Muster- und Marken-
schutz. 1867. I. 143. — (Fortsetzung.) 1867. II./III. 291.

— Zur Frage der Prüfungsansprüche an die Kandidaten des höheren
Staatsdienstes. 1868. III./IV. 601.

— Die Anwendbarkeit der verschiedenen Unternehmungsformen. 1869.
II. 261.

— Die österreichischen Aktiengesellschaften in ihrer Verteilung über
die verschiedenen Unternehmungsgebiete. 1869. II. 341.

— Ueber den Gebrauchswert und die Wirtschaft nach den Begriffs-
bestimmungen Hermann's. 1870. I. 122.

— Die Stellung der politischen Verwaltung im Staats-Organismus aus
dem Gesichtspunkt technisch zweckmässiger Arbeitsteilung. 1871.
II. 181.

— Ueber die volkswirtschaftliche Natur der Güter der Darstellung
und der Mitteilung. 1873. I. 1.

— Neuere Litteratur über die reale Gleichartigkeit der Natur und
der menschlichen Gesellschaft, mit Folgerungen für die Methode
der Gesellschaftslehre. 1873. II./III. 233.

— Der »grosse Börsenkrach« des Jahres 1873. 1874. I. 1.

— Ueber den Begriff der Person nach Gesichtspunkten der Gesellschaftslehre. 1875. I. 183.

— Der kollektive Kampf ums Dasein. Zum Darwinismus vom Standpunkt der Gesellschaftslehre. 1. Artikel. 1876. I. 89. — 2. Artikel.
1876. II. 243. — 3. Artikel. 1879. II. 234.

— Zur Lehre von den sozialen Stützorganen und ihren Funktionen.
1878. I./II. 45.

— Zum gegenwärtigen Stand des Streites über die Forstreinertrags-
lehre. 1879. I. 1.

— Ergebnisse der deutschen Tabaksteuer-Enquete. 1. Artikel. 1879.
III. 546. — 2. Artikel. 1879. IV. 641. — 3. Artikel. 1880. I. 73.

— Kausalität und Teleologie in der Sozialwissenschaft. 1880. IV. 637.

— Zur Theorie der Deckung des Staatsbedarfes. 1. Artikel. 1883.
II. 273. — 2. Artikel. 1883. III./IV. 633. — 3. Artikel. 1884. I. 107.

— Die »amerikanische Konkurrenz« im Lichte des jüngsten Zensus
der Vereinigten Staaten. 1. Artikel. 1885. I. 1. — 2. Artikel.
1885. III./IV. 473. — 3. Artikel. 1886. I. 24.

— Kolonialpolitische Studien. I. Artikel. 1886. IV. 625. — 2. Artikel.
1887. I. 123. — 3. Artikel. 1887. II./III. 343. — 4. Artikel. 1888.
I. 59. — Schluss. 1888. II. 263.

— Der Mangel an Individualisierung in der Alters- und Invalidenver-
sicherung. 1888. III. 417.

2 *

Weiss, Prof. Br. *B.,* Zur Lehre vom Eigentum. 1877. I. 1.
— Zu Smith's »Wealth of Nations«. 1877. II. 271.
— Die Lehre vom Einkommen 1. Artikel. 1877. IV. 573. — 2. Artikel. 1878. IV. 684.
Werenberg, Dr. *W.,* Die Steuern und Zölle im Staatshaushalte des Königreichs Hannover. 1859. II./III. 503.
Werner, Erörterung der Frage: ob die württembergischen Eisenbahnen vom Staate oder von Privaten zu bauen seien? 1844. IV. 673.
Wicksell, K., Ueberproduktion oder Uebervölkerung? 1890. I. 1.
Winter, A., Das englische Volkserziehungswesen. 1894. II. 253.
Wirrer, Dr. *L.,* Die selbständige Entstehung des deutschen Konsulates. 1894. III. 483.
Wiskemann, Dr., Der Einfluss des Christentums auf den Zustand der Frauen. 1. Artikel. 1877. II. 229. — 2. Artikel. 1877. IV. 613.
Wolf, Dr. *J.,* Die Zuckersteuer, ihre Stellung im Steuersystem, ihre Erhebungsformen und finanziellen Ergebnisse. 1. Artikel. 1882. I. 138.
— 2. Artikel. 1882. II. 297. — 3. Artikel. 1882. III./IV. 644.
— Zur Lehre vom Wert. 1886. III. 415.
Wörishoffer, Dr. *Fr.* Die Aufgaben der Reichskommission für Arbeiterstatistik. 1892. III. 476.
— Zur Frage der Lohnstatistik. 1893. III. 383.
— Die Jahresberichte der deutschen Fabrikaufsichtsbeamten. 1894. I. 111.
Wortmann, Dr. *F.,* Geschichte des Koalitionsverbots und seiner Aufhebung in den Niederlanden. 1. Artikel. 1876. II. 320. — 2. Artikel. (Schluss). 1876. IV. 583.
Wurm, Prof., Denkwürdigkeiten des Völkerrechts im dänischen Kriege 1848—1850. 1851. II. 282.
— Das Plokaderecht im dänischen Kriege 1848—1850. 1852. II./III. 474.
— Ueber den Rang diplomatischer Agenten. 1854. III./IV. 552.
Yager, A., Die Finanzpolitik im nordamerikanischen Bürgerkriege. 1886. I. 1.
Zachariä, Prof. Dr., Ueber die Verpflichtung restaurierter Regierungen aus den Handlungen einer Zwischenherrschaft. Mit besonderer Rücksicht auf die an den Bestand des Königreichs Westphalen sich knüpfenden Rechtsfragen. 1853. I./II. 79.
— Ueber die Haftungsverbindlichkeit des Staats aus rechtswidrigen Handlungen und Unterlassungen seiner Beamten. 1863. III./IV. 582.
Zech, Prof. Dr., Die deutschen Rentenanstalten, mit besonderer Beziehung auf die Reorganisation der Rentenanstalt in Stuttgart. 1856. II. 260.
Zeller, J., Ueber die plötzlichen und zeitweisen Stockungen der volkswirtschaftlichen Bewegung. 1. Artikel. 1878. IV. 652. — 2. Artikel 1879. I. 22.
Zimmermann, Dr. *R.,* Deutschlands Holzbedarf. 1894. IV. 573.
Zorn, Prof. Dr. *Ph.,* Die deutschen Staatsverträge. 1. Artikel. Juristische Natur und Abschluss der Staatsverträge. 1880. I. 1.
— Streitfragen des deutschen Staatsrechtes. 1873. II. 292.
Zur Frage der Selbstkosten des Eisenbahntransportes. Nach einigen aus der Erfahrung geschöpften Kosten- u. Rentabilitätstabellen. 1873. I. 102.
Zur Lehre von der Waldrente. Antwort des Herrn Oberforstrat F. Judeich an Herrn Hofrat Dr. Helferich in München. 1873. I. 145.

Miszellen

der

Zeitschrift für die gesamte Staatswissenschaft

in den Jahrgängen 1—50.

(Die arabischen Ziffern bedeuten Jahrgang und Seitenzahl, die römischen die Hefte.)

Eisenindustrie, gewerkschaftliche. 1864. II./III. 532.

Eisenindustrie, die Siegener. 1864. II./III. 530.

Eisenmarkt, Schottischer. 1864. II./III. 514.

Elevatoren, Amerikanische. 1884. III./IV. 805.

Elfstundentag, die Wirkungen desselben für Arbeiterinnen in der Badischen Textilindustrie 1892. 1893. III. 500.

Emission der englischen Bank. 1866. II./III. 441.

Enquête. 1864. IV. 721.

Erbfolge in landwirtschaftlichen Gütern und das Erbgüterrecht in Oesterreich. Von Dr. L. F r a n k l. 1885. I. 197.

Erbschaftssteuer als Ergänzung der Einkommensteuer. 1891. III. 612.

Erbschafts- und Schenkungssteuer, französische. 1886. I. 215.

Erdölspekulation. 1865. IV. 585.

Fabrikinspektion, die deutsche. Von P. D e h n. 1882. I. 184.

Fabrikinspektion, die, in ihrer Stellung zu den allgemeinen Polizeibehörden nach W. ö r i s h o f f e r. 1893. II. 338.

Familienfideikommisse in Oesterreich. 1884. III./IV. 794.

Farmverhältnisse, Englische. 1865. III. 446.

Fideikommisse in Oesterreich und in Preussen. 1893. II. 365.

Finanzen: Einige Data zur Beurteilung der österreichischen Finanzen. Von H a n s s e n. 1857. II./III. 476.

Finanzgeschichte, zur neueren der Vereinigten Staaten. 1883. III./IV. 850.

Finanzlage Frankreichs nach dem Krieg. 1872. I. 165.

Finanzlage der französischen Republik. 1883. III./IV. 847.

Finanzlage der Rebellenstaaten. 1864. II./III 494.

Finanzminister, der neue amerikanische und der Agio. Von C a r e y. 1865. III. 435.

Finanzministerium, Organisation im französischen. 1866. II./III. 456.

Finanz- und sozialpolitisches Projekt aus dem 16. Jahrhundert. 1890. IV. 717.

Fleisch-Einfuhr aus den Ver. Staaten. 1880. II. 378.

Flussschiffahrts-Gesetz: Entwürfe zu einem deutschen Flussschiffahrts-Gesetz und zu einem Reichsgesetze über die Aufhebung der Flusszölle und die Ausgleichung für dieselbe, nebst Motiven. Aus den Akten des Reichshandelsministeriums der prov. Zentralgewalt. 1850. II./III. 256.

Föderation, politische und handelspolitische des britischen Weltreichs, Bewegung für dieselbe. 1894. III. 521.

Frauen als Beamte. 1865. III. 445.

Freizügigkeit, das Prinzip derselben und die gegenseitigen Unterstützungsgesellschaften. 1866. II./III. 451.

Freizügigkeit des Arbeiter- und Armenwesens in England. 1865. III. 445.

Garantieversicherung. 1866. I. 166.

» Garn-Metzen « in Sachsen. 1877. IV. 728.

Geburten, uneheliche, über die Anzahl derselben in Preussen. Von Dr. B e r g i u s. 1855. III./IV. 620.

Geldklemme, Cotton drain. 1864. II./III. 505.

Geld-, Kredit-, Handels- und Finanzverhältnisse der Ver. Staaten während des Krieges. 1864. II./III. 481.

Gemeindesteuern in Bayern, die direkten. 1886. I. 213.

Genossenschaftsforsten. 1891. III. 622.

Gesandte: In wie weit sind Gesandte und andere diplomatische Vertreter den eigentlichen Staatsdienern gleich zu achten? Von K e y s e r. 1855. II. 320.

Handels- und Schiffahrtsverhältnisse, Hauptbericht des preussischen General-Konsulates in London über dieselben. 1868. I. 160.

Handelsusancen, Einförmigkeit derselben. 1864. IV. 737.

Handelsvertrag, zu den Wirkungen des französischen. 1864. II./III 547.

Häuserbau, Extensivität der Oekonomie desselben in den Ver. Staaten. 1889. I./II. 339.

Heiratsziffer, die Spiegelung des Geschäftsganges der jüngsten Epoche in derselben in den verschiedenen Ländern Europa's (1873—1886). 1890. I. 135.

Herabsetzung des Abzugs von dem in der Hamburger Bank eingebrachten Silber. 1865. I./II. 271.

Hill, Rouland. 1864. II./III. 548.

Hirth's Aufsatz: Die Verteilung der Güter und das souveräne Gesetz der Preisbildung. Von G. Schnapper-Arndt. 1882. II. 414.

Hochseefischerei, englische, in der Nordsee. 1890. I. 145.

Hypothekenversicherungsgesellschaft, die sächsische. 1865. I./II. 256.

Jahresarbeitsverdienst, durchschnittlicher, erwachsener land- und forstwirtschaftlicher Arbeiter in Deutschland. 1894. I. 150.

Industrieministerium. 1864. II./III. 548.

Inlandpreise, die jahresdurchschnittlichen, bedeutender Verarbeitungsstoffe, Kolonialwaren u. s. w. 1891. III. 621.

Innungswesen, zum deutschen, älterer Zeit. Von H. Scheerer. 1875. IV. 643.

Institute, Imperial of the United Kingdom, the Colonies, and India in London. 1893. II. 364.

Italien. Gesetzentwurf, betr. Aenderung der gesetzlichen Bestimmungen über die Beitreibung der direkten Steuern. 1892. II. 385.

Italien's industrieller Aufschwung. 1884. III./IV. 799.

Jus Italicum. Von Dr. B. Heisterbergk. 1886. III. 615.

Justi, Johann Heinrich Gottlob von. Von G. Deutsch. 1889. III. 554.

Justi und Sonnenfels. Ein Beitrag zur Geschichte der Nationalökonomik in Oesterreich. Von G. Deutsch. 1888. I. 135.

Kaiser-Wilhelm-Spende, die, und die Gewerkvereins-Invalidenkassen. 1882. III./IV. 704.

Kanalgebühren in Belgien. 1865. III. 443.

Kapital und Rentenbewegung in Europa, 1864. II./III. 495.

Kapitalmarkt, Einfluss der wachsenden Bildung auf denselben. 1864. IV. 725.

Kartoffelmissernte: Belgische Regierungsmassregeln gegen Teuerung und Not aus Anlass der Kartoffelmissernte des Jahres 1845. Von Fallati. 1847. III. 587.

Kautschuk. 1864. IV. 728.

Kettenschiffahrt auf dem Rhein. 1865. IV. 587.

Kinderarbeit, Beschränkung derselben in England. 1864. IV. 732.

Kleingewerbe in Baden, Erhebungen über die Lage desselben. Von Dr. Schäffle. 1888. I. 128.

Kleinhandel, Wanderlager und Detailreisende. Ein Urteil über dieselben in Schönberg's Handbuch der politischen Oekonomie. 1883. I. 242.

Knappschaftsvereine, die preussischen, 1886. 1890. I. 124.

Kolonatsfrage. Von Dr. Heisterbergk. 1881. III. 581.

Kommunalbesteuerung, die Höhe derselben in England und Frankreich. 1871. IV. 728.

Konkurrenz der elsass-lothringischen Industrie mit derjenigen des früheren Zollvereins. 1872. I. 158.

Statistik, Stand der administrativen in Deutschland im Jahre 1848—49.
Von F a l l a t i. 1850. IV. 727.
Statistique de l'industrie à Paris. 1865. III. 456.
Statistische Mitteilungen aus Russland. 1868. III./IV. 626.
Statistischer Kongress in Brüssel. Von F a l l a t i. 1853. III./IV. 626.
Statistische Technik: Die elektrische Zählmaschine nach G. v. Mayr's
»Statistischem Archiv«. 1892. II. 376.
Stempel und Gebühren, die Gliederung des Ertrages derselben in Oester-
reich. Von Dr. S c h ä f f l e. 1881. I. 192.
Steuergesetze, neue. 1865. I./II. 271.
Steuergesetzgebung des Auslandes im J. 1880. Von Dr. S c h ä f f l e. 1881.
I. 179.
Steuern, die direkten und indirekten. Von T h. F ö r s t e m a n n. 1868.
III./IV. 626.
Steuern in Bosnien. 1880. II. 381.
Steuerreform, die neueste cisleithanisch-österreichische, nach ihren steuer-
wissenschaftlich bedeutenden Grundgedanken. 1892. IV. 708.
Stickerei-Industrie: Die Maschine und die Mode in der sächsischen
Stickerei-Industrie. 1865. IV. 582.
Suezkanaltransit, Beteiligung der Flaggen an demselben. 1891. I. 167.
Sueztransit. 1884. I. 159.
Tabak, zur Produktion und Konsumtion desselben in Deutschland seit
dem neuen Tabaksteuergesetz. 1891. II. 401.
Tabakmonopol, Aufhebung desselben auf den Philippinen. 1884. III./IV. 803.
Tabakmonopol in Oesterreich. 1879. I. 174.
Tabakmonopolertrag. 1864. II./III. 507.
Tabakregie, rumänische. 1888. I. 560.
Tabaksteuer-Frage. Von Dr. C. W a l c k e r. 1873. II./III. 533.
Tauschhandel in den Südstaaten, Rückkehr zu demselben. 1865. I./II. 255.
Technik und Accordlohnsteigerung, Fortschritt derselben. 1893. II. 356.
Telegraphen-Konferenz: Die Ergebnisse der Berliner Telegraphen-Kon-
ferenz von 1885. 1886. IV. 879.
Telegraphenvereinsgebühren, Verteilungsmassstab derselben. 1864. II./III.
543.
Testamentsfreiheit für Frankreich. 1865. III. 463.
Textilindustrie, die Löhne der englischen, nach amtlicher Erhebung.
1891. I. 170.
Theaterfreiheit. 1864. IV. 736.
Theeproduktion und Theehandel, ostasiatischer, eine bedeutsame Um-
wälzung in denselben. 1880. II. 372.
Teilbarkeit des Bodens, über die Ergebnisse derselben in den östlichen
Provinzen der preussischen Monarchie und in Westphalen von
1816—1859. 1865. III. 446.
Tonnengelder, Aufhebung derselben in Frankreich. 1867. II./III. 496.
Township: Geschichtliche Skizze eines amerikanischen Township. Von
C. R ü m e l i n. 1886. III. 585.
»*Trusts*« in England und in den Verein. Staaten, jene als zentralisierte
Rentner —, diese als zentralisierte Unternehmer-Verbände. 1890.
I. 114.
Trusts, weiteres über diese im Leben und in der Gesetzgebung. Das
nordamerikanische Trustverbot. 1891. I. 172.
Trusts, weiteres zu den amerikanischen. 1891. II. 391.
Trusts, die nordamerikanischen. — Zeitgeschichtliches über den Krach
der Kupfermetallgesellschaft Secrétans 1890. 1894. II. 337.

Waldweideservituten, Ueber die Anleitung zur Ablösung derselben. Von Dr. W. v. F u n k e. 1888. III. 527.

Warenbezeichnungsgesetz, indisches, vorteilhafte Einwirkung desselben auf den Handelsverkehr mit Oesterreich-Ungarn. 1890. I. 144.

Warenbörse, Internationale, in Leipzig. 1884. I. 184.

Waren-Mäkler-Gewerbe, Zulassung zu demselben in Frankreich. 1867. II./III. 497.

Warenterminhandel. 1893. I. 140.

Weberlöhne. 1865. I./II. 258.

Wechsel: Durchschnittsbetrag und durchschnittliche Eskompte-Dauer französischer, preussischer und österreichischer. 1877. I. 169.

Weinenquête, Ergebnisse nach französischer. 1881. IV. 825.

Wein- und Weinübergangssteuer. 1865. III. 464.

Weizenbau, abnehmende Rentabilität desselben in Kalifornien. 1893. II. 367.

Weltpostverein: Dr. v. Stephan über den durch die neuesten (Wiener) Verträge umgestalteten Weltpostverein. 1892. II. 365.

Wert des Bodens in England. 1891. I. 167.

Wesen des russischen Artels. 1891. I. 178.

Wettin, die Dynastie derselben. Von Dr. V. G ö h l e r t. 1882. II. 404.

Wiener Hofbibliothek: Aus den Manuskripten der Wiener Hofbibliothek. Von Dr. A. B r u d e r. 1880. I. 159.

Winterarbeit, die Abnahme derselben in der Landwirtschaft. 1890. I. 142.

Wirtschaft, Beschreibung derselben und Statistik der Wirtschaftsrechnungen der Familie eines Uhrschildmalers im bad. Schwarzwald. Von G. S c h n a p p e r. 1880. I. 133.

Wirtschafts- und Zolleinigung, die gesamtamerikanische. 1890. I. 106.

Wittelsbach, die Dynastie derselben. Von Dr. V. G ö h l e r t. 1882. III./IV. 720.

Wohlfahrtseinrichtungen: Wörishoffer über die Wohlfahrtseinrichtungen der Arbeitgeber für die Arbeitnehmer. 1893. III. 502.

Wohnungen nach dem Besitzverhältnis. 1892. IV. 726.

Wollindustrie, die Lage der Arbeiter der französischen. 1864. IV. 731.

Wucher und Trunksucht, neue österreichische Gesetze gegen dieselben.
1) Gesetz vom 19. Juli 1877, betr. Abhilfe wider unredliche Vorgänge bei Kreditgeschäften. 1880. I. 156.
2) Gesetz vom 19. Juli 1877, womit Bestimmungen zur Hintanhaltung der Trunkenheit getroffen werden. 1880. I. 158.

Wuchergesetzgebung, Abschaffung derselben zu Frankfurt a. M. 1864. II./III. 544.

Würdigung, zur staatswissenschaftlichen, der deutschen Monarchie im Mittelalter. Von Dr. J. v. H e l d. 1891. IV. 761.

Zettelbanken, Deutsche. 1865. IV. 579.

Zettelbanken, Genfer. 1864. II./III. 505.

Zinsen: Preussische Verordnung vom 12. Mai 1866 über die vertragsmässigen Zinsen. 1866. II./III. 441.

Zölle, völlige Abschaffung derselben. 1865. I./II. 271.

Zolltarif, die Einfachheit des englischen. 1891. I. 155.

Zollverein, ein skandinavischer. 1890. I. 127.

Zuckerbesteuerung, die gleichmässige internationale. 1865. III. 463.

Zuckerbesteuerung, internationaler Vertrag über diese, zwischen Belgien, England, Frankreich und den Niederlanden. 1865. I./II. 269.

Zuckerindustrie Indiens, Schlendrian in derselben. 1891. I. 190.

Litteratur

der

Zeitschrift für die gesamte Staatswissenschaft

in den Jahrgängen 1—50.

(Die arabischen Ziffern bedeuten Jahrgang und Seitenzahl, die römischen die Hefte.)

Adam, Dr. *A. E.*, Das Unteilbarkeitsgesetz im württembergischen Fürstenhause nach seiner geschichtlichen Entwicklung. 1884. II. 470.

Adler, Dr. *G.*, Rodbertus, der Begründer des wissenschaftlichen Sozialismus. 1885. II. 458.

— Die Grundlagen der Karl Marx'schen Kritik der bestehenden Volkswirtschaft. 1887. II./III. 583.

— Die Fleischteuerungspolitik der deutschen Städte beim Ausgange des Mittelalters. 1894. II. 362.

Adler, *S.*, Die Organisation der Zentralverwaltung unter Kaiser Maximilian I., auf urkundlicher Grundlage dargestellt. 1877. II /III. 622.

— Eheliches Güterrecht und Abschichtungsrecht nach den ältesten bayerischen Rechtsquellen. 1894. IV. 727.

Aegidi, *L. K.*, Aus der Vorzeit des Zollvereins. 1866. II./III. 460.

Ahrens, H., cours de droit naturel. 1869. II. 416.

Alexander, *J.*, Konkursgesetze aller Länder der Erde. 1894. II. 377.

Andree, *R.*, Allgemeiner Handatlas. 1887. I. 218.

Andresen, Die Rentengütergesetze in Preussen. 1894. IV. 727.

Anniversaire, Le 25e, de la Société de statistique de Paris 1860—1885. 1888. I. 199.

Appelius, *H.*, Die bedingte Verurteilung und die andern Ersatzmittel für kurzzeitige Freiheitsstrafen. 1891. II. 411.

Archiv des norddeutschen Bundes und des Zollvereins von A. Koller. 1869. II. 417.

Arendt, Dr. *O.*, Die internationale Zahlungsbilanz Deutschlands in den letzten Jahrzehnten der Silberwährung. 1878. III. 608.

— Der Währungstreit in Deutschland. 1887. II./III. 585.

Aschrott, *P. F.*, Das englische Armenwesen in seiner historischen Entwicklung und in seiner heutigen Gestalt. 1887. II./III. 625.

— Ersatz für kurzzeitige Freiheitsstrafen. 1891. II. 411.

— Aus dem Straf- und Gefängniswesen Nordamerika's. 1893. I. 192.

Ashley, *W. C.*, What is political science? 1890. I. 160.

Assekuranz-Jahrbuch, herausgegeben von A. Ehrenzweig. 14. Jahrgang. 1893. II. 381.

Atti della Commissione d'inchiesta per la revisione della tariffa doganale. 1888. II. 404.

Auswanderung, Arbeitslohn und Bodenwert nach Mecklenburgischen Thatsachen. 1866. II./III. 463.

Ausweise über den auswärtigen Handel der österreichisch-ungarischen Monarchie. 38. und 39. Jahrgang. 1880. II. 386.

Baader, *Fr.*, Grundzüge der Societätsphilosophie. 1865. IV. 603.

Baasch, *E.*, Forschungen zur hamburgischen Handelsgeschichte I. 1890. III. 609.

Bourdeau, J. B., Socialisme Allemand et le Nihilisme Russe. 1892. IV. 740.
Bräsicke, H., Die Reform der Eisenbahngütertarife. 1892. IV. 737.
Brecht, Th., Kirche und Sklaverei. 1890. III. 598.
Brentano, L., Der Arbeiterversicherungszwang, seine Voraussetzungen und seine Folge. 1881. III. 606.
Briefe von und an Hegel. Herausgegeben von *Carl Hegel*. In 2 Teilen. 1887. II./III. 640.
Brockhaus, Fr., Das Legitimitäts-Prinzip. 1869. I. 181.
— Das deutsche Heer und die Kontingente der Einzelstaaten. 1888. III. 588.
Broscher de la Fléchére, Les révolutions du droit, études historiques etc., tome I., introduction philosophique. 1879. III. 590.
Bruder, Dr. *A.*, Studien über die Finanzpolitik Herzog Rudolfs IV. von Oesterreich. 1887. II./III. 614.
Brunialti, A., Unioni e combinazioni fra gli Stati. 1892. II. 391.
Bryan, E. A., The Mark in Europe and America. 1894. IV. 724.
Buchenberger, A., Das Verwaltungsrecht der Landwirtschaft und die Pflege der Landwirtschaft im Grossh. Baden. 1888. I. 208.
— Das Verwaltungsrecht der Landwirtschaft und Fischerei des Grossherzogtums Baden. 1892. II. 564.
— Agrarische Schriften und Strömungen. 1) Agrargeschichte. Hausmann, L., Die Grundentlastung in Bayern. — Haun, Fr. J., Bauer und Gutsherr in Kursachsen. Schilderung der ländlichen Wirtschaft und Verfassung im 16, 17. und 18. Jahrhundert. 1893. I. 161.
— 2) Ländliche Arbeiterfrage und innere Kolonisation. Knapp, G. F., Die Landarbeiter in Knechtschaft und Freiheit. Vier Vorträge. — Verbände ländlicher Arbeitgeber. Referate von H. Suchsland und A. Säuberlich in der XVII. Generalversammlung der Vereinigung der Steuer- und Wirtschaftsreformer am 24. Februar 1892. — Zürn, E., Die angebliche soziale Not der landw. Arbeiter. — Die Verhältnisse der Landarbeiter in Deutschland, in Schriften des Vereins für Sozialpolitik, Bd. LIII., erster Band. — Mahraun, H., die Preussischen Rentengutsgesetze. 1893. I. 172.
— Zweiter Artikel. 3) Landwirtschaftliche Kreditfrage. — Hecht, F., Die staatlichen und provinziellen Bodenkreditinstitute in Deutschland. 2 Bände. — Christians, W., Die hypothekarischen Beleihungsgrundsätze der preussischen Landschaften und ähnlicher Institute, sowie der preussischen, deutschen und fremdländischen Hypothekenbanken. — Schiff, W., Zur Frage des landwirtschaftlichen Kredits in Deutschland und Oesterreich. — 4) Landwirtschaftliches Unterrichtswesen. Müller, E., Die preussischen Landwirtschaftsschulen der Bildungsanstalten für den mittleren Landwirt. — Derselbe, Die Bildung des Landwirts und der höhere landw. Unterricht in Preussen. — 5) Landpolitik und Bodenreform. Preuss, H., Die Bodenbesitzreform als soziales Heilmittel. — 6) Verschiedenes. Lippe-Weissenfels, Graf zur, Die drei werbenden Faktoren der Landwirtschaft: Natur, Arbeit und Kapital. — Die Forderungen der Deutschen Landwirtschaft in Konsequenz der jüngsten wirtschaftspolitischen Massnahmen. — Seelhorst, C. v., Die Belastung der Grundrente durch das Gebäudekapital in der Landwirtschaft. 1893. II. 290.
— Agrarwesen und Agrarpolitik. 1894. III. 541.
Bucher, L., Der Parlamentarismus, wie er ist. 1881. III. 597.
Bücher, Dr. *K.*, Das Ureigentum von de Laveleye, autorisierte deutsche Ausgabe. 1879. III. 581.
— Die Bevölkerung von Frankfurt a. M. im 14. und 15. Jahrhundert. Band I. 1888. I. 152.
— Die Wohnungsenquête in der Stadt Basel. 1892. I. 173.
— Entstehung der Volkswirtschaft. Von Adolf Wagner. 1894. II. 347.
Bulmerincq, A., Praxis, Theorie und Kodifikation des Völkerrechts. 1875. II./III. 478.
Burckhardt-Bischoff, A., Die lateinische Münzkonvention und der internationale Bimetallismus. 1887. II./III. 586.
Cairness, the slave power 1863. 1864. II./III. 596.
Carey, H. C., Grundlagen der Sozialwissenschaft. 1865. I./II. 291.
— Lehrbuch der Volkswirtschaft und Sozialwissenschaft. 1865. IV. 604.
— Sozialökonomie. 1866. II./III. 460.

tigung des gegenwärtigen Standes der Kultur und der Staatswissenschaften. 1869. II. 410.

Funk, F. X., Geschichte des kirchlichen Zinsverbotes. 1876. III. 573.

Funk-Brentano, La Politique, Principes, Critiques, Réformes. 1894. III. 563.

Füsslin, J., Die Grundbedingungen jeder Gefängnisreform im Sinne der Einzelnhaft. 1865. IV. 600.

Fustel de Coulanges, The origin of property in land. 1892. I. 178.

Gans-Ludassy, v., Die wirtschaftliche Energie. Erster Teil: System der ökonomistischen Methodologie. 1894. III. 560.

Garmo, Ch. de, Beitrag zur Lösung der Frage über die Beitragspflicht zur Unterhaltung der Elementarschulen. 1887. II/III. 624.

Gastfreundschaft und Hausrecht in der Schweiz. 1890. I. 187.

Gebhard, H., Die Invaliditäts- und Altersversicherung der Hausgewerbetreibenden der Tabakindustrie. 1893. II. 379.

Geffcken, F. H, Politische Federzeichnungen. 1888. III. 594.

Geigel, F., Holländisches, luxemburgisches und belgisches Staatskirchenrecht. I. 1892. II. 391.

George, H., Fortschritt und Armut. Deutsch von G ü t s c h o w. 1881. III. 619.

Gerber, v., Grundzüge eines Systems des deutschen Staatsrechts. 1865. III. 465.

Gerlach, O., Ueber die Bedingungen wirtschaftlicher Thätigkeit. 1892. I. 177.

Gerstfeld, Ph., Beiträge zur Reichssteuerfrage auf Grund einer Vergleichung der Ausgabe- und Einnahmeverhältnisse etc. Mit Tabellen, graphischen Darstellungen etc. 1880. III. 581.

Gerstner, Th., Das internationale Eisenbahnfrachtrecht. 1894. II. 373.

Gesetzgebung des Deutschen Reichs mit Erläuterungen. — Die Gewerbeordnung des Deutschen Reichs in der Fassung vom 1. Juli 1883 und 1. Juni 1891 nebst den Vollzugsvorschriften des Reiches. Erläutert von J. E n g e l m a n n. 2. Aufl. 1893. II. 382.

Gierke, O., Das deutsche Genossenschaftsrecht, Rechtsgeschichte der deutschen Genossenschaft. 1869. II. 414.

Glaser, J. C., Archiv des norddeutschen Bundes. 1867. II./III. 516.

Gleim, W., Das preuss. Gesetz über Kleinbahnen und Privatanschlussbahnen vom 28. Juli 1892. 1894. II. 374.

Gneist, Soll der Richter auch über die Frage zu befinden haben, ob ein Gesetz verfassungsmässig zu Stande gehommen? 1864. I. 219.

Goldtschmidt, Dr. L., Das dreijährige Studium der Rechts- und Staatswissenschaften. 1878. I./II. 411.

— Handbuch des Handelsrechts. I. Bd. 1. Abtl. 3. Aufl. 1892. II. 403.

Goltz, v. d., Prof. Dr. Th. Freih., Landwirtschaftliche Taxationslehre. Erster Teil: Allgem. Taxationslehre. 1881. 1. 206.

— Handbuch der landwirtschaftlichen Betriebslehre. 1887. II./III. 594.

— Handbuch der gesamten Landwirtschaftslehre. 1892. II. 389.

Gossen, H. H., Entwicklung der Gesetze des menschlichen Verkehrs. Neue Ausg. 1892. I. 176.

Gothein, E., Die Aufgaben der Kulturgeschichte. 1890. I. 160.

Gradowski, N., Die Handels- und andere Rechte der Juden in Russland im geschichtlichen Gange der gesetzgeberischen Massnahmen. Band I. 1887. II./III. 639.

Grätzer, Dr. J., Daniel Gohl und Christian Kundmann. Zur Geschichte der Medizinalstatistik. 1886. II. 410.

Gravenhoff, D., Russlands auswärtiger Handel und der neue Zolltarif. 1893. II. 372.

Gray, J. H., Die Stellung der privaten Beleuchtungsgesellschaften zu Stadt und Staat. 1894. III. 569.

Graziani, A., Storia Critica della Teoria del Valore in Italia. 1890. I. 160.

Gross, Dr. G., Die Staatssubventionen für Privatbahnen. 1884. I. 210.

— Wirtschaftsformen und Wirtschaftsprinzipien. 1888. III. 595.

Grotefend, Das deutsche Staatsrecht der Gegenwart. 1869. II. 456.

— System des öffentlichen Rechts der deutschen Staaten. 1864. II./III. 608.

Gruber, J., Die Haushaltung der arbeitenden Klassen. 1888. I. 569.

Grund-Schuld-Schein, der. 1890. III. 589.

Grünhut, Dr. C. S., Das Enteignungsrecht. 1874. III./IV. 712.

Jahresbericht der Handels- und Gewerbekammer in Stuttgart für 1886. 1888. I. 408.
Jahresbericht der österreich. Nationalbank vom 16. Jan. 1867. 1867. II./III. 517.
Junschul, J, Versuch einer Untersuchung der englischen indirekten Steuern ; ders.,
  Der englische Freihandel. Historischer Abriss. Erste Lieferung : Die Periode
  des Merkantilismus ; ders., Die Liverpooler Assoziation der Finanzreformen. 1880.
  III. 596.
— Der Freihandel in England. 2. Band. 1882. II. 421.
— Aufsätze und Abhandlungen ; ders., Die Fabrikindustrie der Provinz Moskau.
  1885. II. 454.
Jellinek, Dr. *G.*, System der subjektiven öffentlichen Rechte. 1894. II. 368.
Inama-Sternegg v. K. Th., Deutsche Wirtschaftsgeschichte. 2. Band. 1892. III. 560.
Ingram, Prof. Dr. *J. H.*, Geschichte der Volkswirtschaftslehre. Uebers. v. E
  R o s c h l a u. 1890. III. 579.
Johannis, A. J. de, Discussioni economiche. 1885. I. 241.
Journal des Economistes vom Oktober 1863—März 1864. 1864. II./III. 571.
Kah, Die Staatsverträge und Vereinbarungen des D. Reichs und des Gh. Baden.
  1890. III. 569.
Kaizl, J., Die Lehre von der Ueberwälzung der Steuern. 1882. III./IV. 744.
Kambli, K. W., Die sozialen Parteien und unsere Stellung zu denselben. 1888. I. 147.
Kanitz-Podangen, Graf, Die Kohlenverkaufs-Vereine. 1892. IV. 743.
Kärger, K., Tongoland und die Kolonisation Deutsch-Ostafrikas. 1892. IV. 742.
Karminski, Fr., Zur Kodifikation des österreichischen Staatsbürgerschaftsrechtes.
  1888. I. 210.
Katz, P. A., Erläuternde Anmerkungen zu den Vorschriften des Entwurfs eines bürgerl.
  Gesetzbuchs f. d. Deutsche Reich. 1890. I. 197.
Keil, Fr., Die Landgemeinde in den östlichen Provinzen Preussens. 1892. III. 564.
Keilwagen, Die Besteuerung des Branntweins. 1888. III. 576.
Keussler, Joh. v., Zur Geschichte und Kritik des bäuerlichen Gemeindebesitzes in
  Russland. Erster Teil. 1878. I./II. 611.
Keynes, J. N., The Scope and Method of political economy. 1893. II. 369.
Kiel, E. J., Anfangsgründe der Volkswirtschaft. 1870. IV. 701.
Király, Fr. von, Betrachtungen über Sozialismus und Kommunismus. 1869. II. 410.
Klein, Dr. *A*, Die Zucker-Strontian-Patente. 1888. I. 175.
Kleinwächter, Fr., Die Kartelle, ein Beitrag zur Frage der Organisation der Volks-
  wirtschaft. 1883. II. 493.
Klostermann, R., Das geistige Eigentum an Schriften, Kunstwerken und Erfindungen,
  nach preussischem und internationalem Rechte. 1868. III./IV. 632.
— Die Patentgesetzgebung aller Länder nebst den Gesetzen über Musterschutz und
  Warenbezeichnungen. 1869. II. 415.
Knapp, G. F., Die Sterblichkeit der Sachsen. 1870. IV. 696.
Knies, C., Geld und Kredit. 1874. II. 379.
Kober, K., Ein Vorkämpfer für christlichen Sozialismus. 1893. II. 371.
Kobner, O., Die Methode der letzten französischen Bodenbewertung. 1890. II. 373.
— Die Methode der wissenschaftlichen Rückfallsstatistik als Grundlage einer Reform
  der Kriminalstatistik. 1894. IV. 725.
Koch, R., Ueber die Zulässigkeit der Beschlagnahme von Arbeits- und Dienstlöhnen.
  1869. II. 416.
Kollmann, P., Die Anwendung des bevorzugten Erbrechtes am Grundeigentum im
  G.-H. Oldenburg zu Anfang des J. 1880. 1883. III./IV. 898.
Kolonisation, Zur inneren, in Deutschland. 1887. II./III. 568.
Komorzynsky, Joh. v., Der Wert in der isolierten Wirtschaft. 1890. III. 596.
Konig, Dr. *G.*, Un nouvel impôt sur le revenu. 2. éd. 1888. I. 171.
Konsular- und Inlandberichte, aus denen des Deutschen Handelsarchives. (1. Quartal
  1883). ¹1883. III./IV. 866.
Koppers. E., Zusammenstellung der in den ausländischen Staaten geltenden Bestim-
  mungen. 1892. II. 399.
Koròsi, Jos., Bulletin annual des finances des grandes villes, sixième année. 1888.
  III. 586.
Kral, Dr., *Frz.*, Geldwert und Preisbewegung im Deutschen Reiche. 1871—1884.
  1888. I. 167.
Kramár, Dr. *K.*, Das Papiergeld in Oesterreich seit 1848. 1887. II./III. 587.

Mumm, K., Die Gefängnisstrafe und die bedingte Verurteilung im modernen Strafrecht. 1893. I. 192.

Munsterberg, E., Die deutsche Armengesetzgebung und das Material zu Ihrer Reform. 1887. II./III. 624.

Nachdruckgesetzgebung. 1872. II /III. 437.

Nachrichten, Statistische, von den preussischen Eisenbahnen. Bd. XV. 1869. II. 419.

Nachrichten, Statistische, über das Grossherzogtum Oldenburg. Herausg. vom grossherzogl. statist. Bureau. 20. Heft. Das Finanzwesen der Kommunalverbände in den Jahren 1873 bis 1882. 1887. II./III. 619.

Nachweise, Monatliche, über den auswärtigen Handel des deutschen Zollgebiets. Januar 1892. 1892. III. 566.

Nagai. Dr. *Sh.,* Die Landwirtschaft Japans, ihre Gegenwart und ihre Zukunft. 1887. II./III. 605.

Nasse, R., Die Kohlenvorräte der europäischen Staaten, insbesondere Deutschlands, und deren Erschopfung. 1893. IV. 753.

Nationalitätenfrage. 1868. I. 211.

Naude, W., Deutsche Getreidehandelspolitik vom 15. bis 17. Jahrhundert. 1890. III. 610.

Naum-Reichesberg, Fr. A. Lange als Nationalökonom. 1893. II. 371.

Neefe, M, Statistisches Jahrbuch Deutscher Städte. Dritter Jahrgang. 1894. III. 571.

Neumann, F. J., Oesterreichs Handelspolitik. 1865. I./II. 307.

— Die Gestaltung der mittleren Lebensdauer in Preussen. 1866. II./III. 470.

— Beiträge zur Geschichte der Bevölkerung in Deutschland. Bd. IV. Vallentin, Westpreussen. 1894. II. 364.

Neumann, F. X., Volkswirtschaft und Heereswesen 1869. II. 413.

Neumann, Dr. *S.,* Die Fabel von der jüdischen Masseneinwanderung. Ein Kapitel aus der preussischen Statistik. 1880. IV. 777.

Neumann-Spallart, Uebersichten über Produktion, Verkehr und Handel in der Weltwirtschaft. Jahrg. 1878. 1879. II. 399.

— Uebersichten der Weltwirtschaft. Jahrg. 1883/84. 1888. I. 194.

Neurath, W., Grundzüge der Volkswirtschaftslehre etc. 1887. II./III. 572.

Nohle, C., Dr. phil., Die Staatslehre Platos in ihrer geschichtlichen Entwicklung. 1881. I. 201.

Nolte, L., Die Reform des deutschen Patentrechtes. 1891. I. 193.

Nost, B., Die Prozesskosten. 1891. II. 406.

Novicow, J., Les Luttes entre sociétés humaines et leurs Phases Successives. 1894. IV. 724.

Oberleitner, C., Frankreichs Finanzverhältnisse unter Ludwig XVI. von 1774—1792. 1867. II./III. 517.

Oberwinder, H., Sozialismus und Sozialpolitik. 1887. II./III. 576.

Ochenkowski, Englands wirtschaftliche Entwickelung im Ausgange des Mittelalters. 1880. III. 579.

Oczapowski, Dr. *Jos.,* Die Polizeigelehrten des vorigen Jahrhunderts und die moderne Verwaltungslehre. 1884. I. 201.

— Staatswissenschaftliche und nationalökonomische Untersuchungen und Essays. 1890. III. 606.

— Uebersicht der fremden staatswissenschaftlichen Litteratur. 1890—1892. I. Staatsrechtslehre. 1893. III. 559. — II. Staatsverwaltungs- und Völkerrecht. 1893. IV. 741. — III. Oeffentliches Internationalrecht. 1893. IV. 750.

Ofner, J., Die neue Gesellschaft und das Heimstättenrecht. 1887. II./III. 607.

Olmstedt Journeys and explorations in the cotton. 1864. II./III. 596.

Oelrichs, Die Domänenverwaltung des Preussischen Staates. 1884. I. 208.

Olshausen ; J., Grundriss zu rechtswissenschaftlichen Vorlesungen. Heft 1./2. 1891. II. 408.

— Kommentar zum Strafgesetzbuch für das deutsche Reich. 3. Auflage. 1891. II. 409. — 4. Aufl. 1894. II. 378.

Oncken, Prof. Dr. *A.,* Der ältere Mirabeau und die ökonomische Gesellschaft in Bern. 1888. I. 149.

— Die Maxime Laissez faire et laissez passer, ihr Ursprung, ihr Werden. 1888. I. 149.

Ortloff, H., Das Vorverfahren des deutschen Strafprozesses. Geschichtlich, praktisch und rechtspolitisch dargestellt. 1893. II. 381.

Ostrogorski, M., La femme au point de vue du droit public. 1893. I. 188.
Oettingen, Prof. Dr. *v.*, Die Moralstatistik und die christliche Sittenlehre. 1870. II/.III. 567.
Overbergh, C. v., Les inspecteurs du travail dans les fabriques et les ateliers, études d'économie soziale. 1894. III. 567.
Paasche, H., Zuckerindustrie und Zuckerhandel der Welt. 1892. III. 562.
Pantaleoni, M., Teoria della Traslazione dei tributl. 1884. I. 207.
Parey, K., Die Rechtsgrundsätze des K. preuss. Gerichtshofs zur Entscheidung der Kompetenzkonflikte. 1890. I. 197.
— Die Rechtsgrundsätze des K. preuss. Oberverwaltungsgerichts. 1888 I. 209. — Zweite Auflage. 1893. I. 191.
Pauli, C. W., Die Wieboldrenten oder die Rentkäufe des lübischen Rechtes. 1865. IV. 600.
Paulsen, Fr., System der Ethik. 2. Aufl. 1892. I. 180.
— System der Ethik mit einem Umriss der Staats- und Gesellschaftslehre. 1894. IV. 725.
Peetz, H., Die Kiemseeklöster. Eine Kiemgauer Wirtschaftscharakteristik aus Archiv und Leben. 1880. I. 186.
Peskow, Dr. *P.*, Die Fabrikzustände in der Provinz Wladimir. 1885. III./IV. 455.
Petersen, *J.* und *G. Kleinfelder*, Konkursordnung für das Deutsche Reich. 2. Aufl. 1891. II. 408. — 3. Aufl. 1894. II. 378.
Pfeiffer, Genossenschaftswesen. 1864. II./III. 596.
Pfizer, Recht und Willkür im deutschen Strafprozess. 1891. II. 411.
— Die Berufung in Strafsachen. 1893. I. 192.
Pflug, A., Volksschulzwang als Reform unseres höheren Schulwesens. 1893. II. 372.
Philippovich von Philippsberg, Dr. *E.*, Die Bank von England im Dienste der Finanzverwaltung des Staats. 1887. II./III. 590.
— Ueber Aufgabe und Wesen der politischen Oekonomie. 1888. I. 164.
— Allgemeine Volkswirtschaftslehre. 1893. III 544.
Pisko, Dr. *I.*, Die Aufnahme der Barzahlungen in Oesterreich-Ungarn und die internationale Regelung der Währungsfrage. 1888. III. 562.
Planck, O., Das Budgetrecht der belgischen Verfassung. 1890. III. 600.
Platter, Prof. Dr. *J.*, Kauf oder Pacht. 1888. I. 400.
Platzmann, Dr. *A.*, Die Steuern des Landwirtes. 1887. II./III. 602.
Plener, Dr. *E. v.*, Die englische Fabrikgesetzgebung. 1872. II./III. 436.
Pohl, Prof. *Joh.*, Landwirtschaftliche Betriebslehre; drei Teile. Erster Teil: Oekonomik der Landwirtschaft. 1886. II. 407.
— Der naturgemässe Arbeitslohn. 1888. II. 404.
Political Science Quarterly. Band V. Nummer 1 und 2. 1890. III. 608.
Politik, die innere, der preussischen Regierung von 1862—66. 1867. II./III. 516.
Pollak, R., Die Widerklage. 1892. I. 198.
Polloch, Sir *F.*, Das Recht des Grundbesitzes in England. 1889. III. 581.
Popper, M., Lehrbuch der Arbeiterkrankheiten und Gewerbehygiene. 1884. I. 205.
Post, A. H., Die Anfänge der Staats- und Rechtslehre, ein Beitrag zu einer allgemeinen vergleichenden Staats- und Rechtsgeschichte. 1878 I./II. 428.
— Ueber die Aufgaben der allgemeinen Rechtswissenschaft. 1892. II. 393.
Preser, K., Die Erhaltung des Bauernstandes und die Grundeigentumsfrage. 1885. I. 231
Pringsheim, O., Beiträge zur wirtschaftlichen Entwicklungsgeschichte. 1892. III. 561.
Proberelationen, die. Eine Mitteilung aus der (preussischen) Justizprüfungskommission. 1894. II. 380.
Protokoll über die Verhandlungen der Kommission für Arbeiterstatistik vom 30. Juni bis 3. Juli 1893. 1894. III. 571.
Publikationen, neuere, der offiziellen Statistik. 1868. I. 214.
Puchelt, E. S., Kommentar zum allg. deutschen Handelsgesetzbuch, vierte vermehrte Auflage. Band I. 1894. II. 376.
Pulszky, Prof. *A.*, The Theory of Law and civil society. 1889. III. 576.
Putlitz, Dr. *St. Gans zu,* J. P. Proudhon, sein Leben und seine positiven Ideen. 1881. III. 640.
Pütlingen, J. *v.*, Regesten zur diplomatischen Geschichte Oesterreichs. 1869. II. 418.
Putz, H., Radikale Mittel zur Beseitigung der gegenwärtigen Notlage der Landwirtschaft. 1890. I. 177.

Rabe, O., Die volkswirtschaftliche Bedeutung der Pacht. 1893. II. 377.

Rabbeno,, U., Protezionismo Americano. Saggi Storici di Politica Commerciale. 1894. III. 563.

Ratzel, Fr., Völkerkunde. Erster Band: Die Naturvölker Afrikas. 1887. I. 219.

— Anthropogeographie. 2. Teil. 1892. I. 186.

— Politische Geographie der Vereinigten Staaten von Amerika. 1894. III. 555.

Ratzinger, G., Geschichte der kirchlichen Armenpflege, gekrönte Preisschrift. 1870. IV. 695.

— Die Volkswirtschaft in ihren sittlichen Grundlagen. Ethisch-soziale Studien. 1882. III./IV. 741.

Rau, K. H., Lehrbuch der Finanzwissenschaft. 6. Ausgabe, vielfach verändert und teilweise neu bearbeitet von Prof. Dr. A. W a g n e r. 1. Ahtl. Einleitung. Ausgaben. Privaterwerb des Staats. 1872. II./III. 433.

Rauch, A., parlamentarisches Taschenbuch. 1867. II./III. 516.

Rauchberg, H., Der Clearing- und Giro-Verkehr. 1887. II./III. 592.

Rechenschaftsbericht, achter, des k. k. österr. Postsparkassenamtes für das Jahr 1891. 1892. IV. 740.

Rechtslexikon: Herausgegeben unter Mitwirkung vieler Rechtsgelehrten von Dr. Franz v. H o l t z e n d o r f f. 3. Auflage. 3 Bände. 1882. II. 433.

Reinick, Entscheidungen des K. preuss. Oberverwaltungsgerichts in Staatssteuersachen. Bd. I. Heft I. 1894. IV. 726.

Reitzenstein, Frhr. *v.*, Die ländliche Armenpflege und ihre Reform. 2 Teile. 1887. II./III. 626.

Revue du droit international et de legislation comparée. 1869. II. 419.

Revue Internationale de Sociologie. 2. Jahrg., 1. u 2. Monatsheft. 1894. III. 571.

Revue sociale et politique, publiée par la Société d'Études sociales et politiques 1894. III. 571.

Richter, Prof. *G.*, Der Stand der Holzzoll-Bewegung. 1885. I. 223.

Richter, K. Th., Einleitung in das Studium der Volkswirtschaft. 1872. I. 181.

Ring, V., Deutsche Kolonialgesellschaften. 1888. I. 205.

— Das Reichsgesetz, betr. die Kommanditgesellschaft auf Aktien und die Aktiengesellschaften vom 18. Juli 1884. 2. Aufl. 1894. II. 375.

Rintelen, V., Der Strafprozess. 1892. II. 399.

— Der Zivilprozess. 1892. II. 398.

Rivier, A., Lehrbuch des Völkerrechts. 1890. I. 184.

Rivista internationale delle Scienze Sociali e Discipline Ausiliarie. 1894. II. 364.

Roberty, E. de, La sociologie, essai de philosophie sociologique. 1882. I. 216.

Rodbertus-Jagetzow, Das Kapital. 1885. II. 459.

Roll, Dr. *V.*, Encyklopädie des gesamten Eisenbahnwesens. Vierter Band. 1892. IV. 737.

Rönne, Das Verfassungsrecht des deutschen Reiches. 1872. I. 171.

Roscher, W., Geschichte der Nationalökonomik in Deutschland. 1875. I. 194.

— Ansichten der Volkswirtschaft vom geschichtlichen Standpunkte. 3. Aufl. 1879. II. 390.

— Nationalökonomik des Handels und Gewerbefleisses. 3. Aufl. 1884. II. 467.

— Politik: Geschichtliche Naturlehre der Monarchie, Aristokratie und Demokratie. 1894. I. 155.

Rosin, Prof. Dr. *H.*, Das Polizeiverordnungsrecht in Preussen. 1882. II. 439.

— Das Recht der öffentlichen Genossenschaft. 1887. II./III. 631.

Ross, Denman, W., The Early History of Landholding among the Germans. 1885. I. 234.

Rottenburg, F. J., Vom Begriff des Staates. Erster Band. Einleitung und Geschichte der französischen Staatstheorien bis 1789. 1878. IV. 758.

Rümelin, Ch., A critical review of American politics. 1882. III./IV. 739.

Runze, G., Ethik. I. 1892. III. 560.

Ruprecht, Dr. *W.*, Die Wohnungen der arbeitenden Klassen in London. 1887. II./III. 613.

Rüttimann, Das nordamerikanische Bundesstaatsrecht. 1877. II. 370.

Salvioni, G. B., La scienza economica e la sua propedeutica. 1884. III./IV. 899.

— Il Comunismo nella Grecia antica. 1886. I. 240.

Sarwey, Staatsrat Dr *O. v.*, Das Staatsrecht des Königreichs Württemberg. I./II. Band.
  1884. III./IV. 888.
Saski, *Th.*, Die volkswirtschaftliche Bedeutung des Versicherungswesens. 1866.
  II./III. 467.
Sattler, *C.*, Das Schuldenwesen des preussischen Staates und des deutschen Reiches.
  1894. III. 560.
Savigny, *L. v.*, Die französischen Rechtsfakultäten im Rahmen der neueren Entwicke-
  lung des französischen Hochschulwesens. 1893. I 190.
Sax, Prof. Dr. *E.*, Die Wohnungszustände der arbeitenden Klassen und ihre Reform.
  1869. II. 413.
— Die Verkehrsmittel in Volks- und Staatswirtschaft. I. 1878. I./II. 415.
— Die Verkehrsmittel in Volks- und Staatswirtschaft, 2. Band: die Eisenbahnen.
  1879. III. 582.
— Grundlegung der theoretischen Staatswirtschaft. 1888. I. 157.
— Die neuesten Fortschritte der nationalökonomischen Theorie. 1889. I./II. 351
Schafer, Dr. *W.*, Der gewerbliche Kredit. 1884. I. 206.
Schaffrath, Gehört auch die Verfassungsmässigkeit von Gesetzen zum Bereich der
  richterlichen Entscheidung? 1864. I. 218.
Schanz, Zur Geschichte der deutschen Gesellenverbände im Mittelalter. 1877. I. 184.
— Die Kettenschleppschiffahrt auf dem Main. 1894. III. 552.
Schebeck, *Ed.*, Bohmens Glasindustrie und Glashandel. Quellen zu ihrer Geschichte.
  1879. IV. 764.
Scheel, *H. v.*, Unsere sozialpolitischen Parteien. 1878. III. 607.
Schenk, *G.*, Die bessere Einteilung der Felder und die Zusammenlegung der Grund-
  stücke. 1867. II./III. 515.
Schenkel, *K.*, Die deutsche Gewerbeordnung mit Vollzugsvorschriften. Erläutert. I. Bd.
  1893. II. 371.
Schicker, *v.*, Das Krankenversicherungsgesetz und das Hilfskassengesetz 1894. IV. 725.
Schlitte, *B.*, Die Zusammenlegung der Grundstücke in ihrer volkswirtschaftlichen Be-
  deutung und Durchführung. In drei Abteilungen. 1887. II./III. 597
Schmidt, Dr. *C.*, Die Durchschnittsprofitrate auf Grundlage des Marx'schen Wert-
  gesetzes. 1890. III. 590.
Schmitt, *K. J.*, Die Grundlagen der Verwaltungsrechtspflege im konstitutionell-mo-
  narchischen Staate. 1880. II. 385.
Schmoller, *G.*, Zur Litteraturgeschichte der Staats- und Sozialwissenschaften. 1890.
  I. 162.
Schneider, *A.*, Der deutsche Zolltarif und seine Anwendung. 2. Auflage. 1879.
  II. 402.
Schneider, *K*, Schätzung nach Höferecht. 1892. IV. 741.
— Das Wohnungsmietrecht und seine soziale Reform. 1894. III. 563.
Schoen, *M.*, Innere Kolonisation. Denkschrift. 1887. II./III. 608.
Schönberg, Prof. Dr. *G.*, Finanzverhältnisse der Stadt Basel im 14 und 15 Jahrh.
  1880. I. 175.
— Handbuch der politischen Oekonomie. 2 Bde. 1883. I. 258.
Schönberg, *R. v.*, Die Armengesetzgebung des Königr. Sachsen. 1864. II./III. 601.
Schöne, Dr. *M.*, Die moderne Entwickelung des Schuhmachergewerbes in historischer,
  statistischer und technischer Hinsicht. 1889. I./II. 355.
Schott, *O*, Die Versuche einer Verfassungsrevision in Württemberg. 1892. III. 565.
Schott, *A.*, Die französische Wehrsteuer nach dem Gesetz vom 15. Juli 1889. 1894.
  IV. 724.
Schöttle, *G.*, Der Telegraph in administrativer und finanzieller Hinsicht. 1884 II. 470.
Schriften des Deutschen Vereins für Armenpflege und Wohlthätigkeit. Heft 1/2.
  1887. II./III. 626.
Schriften des Vereins für Sozialpolitik. 38. Heft. 1890. I. 179. — 44. Heft. 1892.
  I. 171.
Schück, *R.*, Brandenburg-Preussens Kolonialpolitik unter dem Grossen Kurfürsten und
  seinen Nachfolgern. 1890. III. 602.
Schulhof, Dr. *Th.*, Bericht über den die Patentreform betreffenden Antrag des Dr.
  Adolf Löwe. 1884. I. 200.
Schultze, Dr. *W.*, Geschichte der preuss. Regieverwaltung von 1766 bis 1786. Erster
  Teil. 1889. I./II. 367.

Starke, W., Verbrechen und Verbrecher in Preussen 1854—1878. 1887. II./III. 635.
Statistik der Güterbewegung auf deutschen Eisenbahnen, nach Verkehrsbezirken geordnet. Februar 1883. 1885. I. 234.
Statistik des auswärtigen Handels der österreichisch-ungarischen Monarchie im Jahre 1883, 1884, 1885. 1888. II. 411.
Statistik, Preussische, 1865. 8. Heft. 1865. IV. 599.
Statistik, Preussische, X. 1868. I. 212.
Steglich, E., Beiträge zur Statistik des Grundeigentums. 1893. II. 377.
Stein, G., Das Reichsgesetz, betr. die Gewerbegerichte. 1892. II. 400.
Stein, L. v., Lehrbuch der Finanzwissenschaft. 2. Aufl. 1871. III. 542. — 3. Aufl. 1875. IV. 636.
— Das Gesundheitswesen. Erstes Hauptgebiet, zweiter Teil der »Innern Verwaltungslehre«. 2. Auflage. 1882. III./IV. 728.
— Das Bildungswesen. Erster Teil. 2. Aufl. 1884. I. 199.
Steinwenden, Dr. *O.,* Die ethischen Ideen und die politischen Parteien. 1885. I. 234.
Stengel, K. Frhr. *v.,* Wörterbuch des deutschen Verwaltungsrechtes. 1892. IV. 729.
Stenglein, Appelius und *Kleinfelder,* Die strafrechtlichen Nebengesetze des deutschen Reichs. 1894. II. 377.
Sterblichkeitstafeln, Deutsche, aus den Erfahrungen von 23 Lebensversicherungsgesellschaften. 1885. I. 233.
Stojanow, Prof. *A. N.,* Grundzüge der Geschichte und Dogmatik des Völkerrechts. Vorlesungen gehalten an der Universität Charkow, 1873/74. 1878. IV. 741.
Stolzel, Brandenburg-Preussens Rechtsverwaltung und Rechtsverfassung. 2 Bände. 1890. III. 567.
— Ueber das landesherrliche Ehescheidungsrecht. 1892. II. 397.
Störk, Prof. *F.,* Nouveau Recueil Général de Traités. 1888. I. 211.
— Franz von Holtzendorff. 1890. III. 599.
— Der staatsbürgerliche Unterricht. 1894. IV. 727.
Struve, E., Die Entwicklung des bayrischen Braugewerbes im neunzehnten Jahrhundert. 1893. III. 553.
Sturm, C., Wohlstand für Alle. 1892. IV. 742.
Suchsland, H., Die Hagelversicherungsfrage in Deutschland. 1892. I. 173.
Sybel, H. v., Die Lehren des heutigen Sozialismus und Kommunismus. 1872. II./III. 439.
Tait, W. C., Die Arbeiterschutzgesetzgebung in den Vereinigten Staaten. 1885. II. 463.
Tellkampf, Dr., Selbstverwaltung und Reform der Gemeinde- und Kreisordnungen in Preussen im Selfgovernment in England und Nordamerika. 1872. II./III. 440.
Tenth Census of the United States. Volume XII. 1886. 1888. I. 199.
Tesdorff, Dr. *W.,* Gewinnung, Verarbeitung und Handel des Bernsteins in Preussen von der Ordenszeit bis zur Gegenwart. 1888. III. 570.
The rationale of market fluctuations. 1877. III. 548.
Thomann, Dr. *H.,* Das böhmische Staatsrecht und die Entwickelung der österreichischen Reichsidee vom Jahre 1527—1848. 1872. II./III. 445.
Thorsch, O., Materialien zu einer Geschichte der österr. Staatsschulden vor dem 18. Jahrhundert. 1892. III. 557.
Thudichum, F., Bismarck's parlamentarische Kämpfe und Siege. 1888. I. 202.
Toll, K. A., Die Lage der Berg- und Hüttenarbeiter im Oberharze, unter Berücksichtigung der geschichtlichen Entwicklung der gesamten Bergarbeiterverhältnisse und des Knappschaftswesens in Deutschland. 1893. II. 378.
Toniolo, G., Dei remoti fattori della potenza economica di Firenze nel medio evo. 1884. III./IV. 901.
Tönnies, F., Gemeinschaft und Gesellschaft. 1892. III. 559.
Treub, M. W. P, Entwikkeling en Verband van de Rijks-, Provinciale- en Gemeentebelastingen in Nederland. 1888. III. 577.
Triepel, H., Das Interregnum. 1894. II. 370.
Troje, Die Rübenzuckersteuer des deutschen Reiches. 1887. II./III. 615.
Trüdinger, O., Die Arbeiterwohnungsfrage und die Bestrebungen zur Lösung derselben. 1889. I./II. 357.
Tschammer-Dramsdorf, Baron, Wie kann die deutsche Landwirtschaft erhalten werden? 1887. II./III. 599.
Uebersichten, Statistische, der Fabriken. 1865. IV. 598.

Uebersichten, Tabellarische, des Hamburgischen Handels im Jahr 1882, zusammengestellt von dem handelsstatistischen Bureau. 1885. I. 223.

Uhlhorn, Dr. *G.*, Katholizismus und Protestantismus gegenüber der sozialen Frage. 1888. I. 149.

Ulbrich, Prof. Dr. *J.*, Lehrbuch des österreichischen Staatsrechts. 1883. III./IV. 878.

Ulrich, F., Personentarifreform und Zonentarif. 1892. III. 552.

— Staffeltarife und Wasserstrassen. 1894. III. 550.

Vadalà-Papale, La Sociologia, la Filosofia della Storia, la filosofia del Diritto. 1884. I. 212.

Valentini, F. v., Das Verbrechertum im preussischen Staate. 1871. I. 112.

Valois, J., Freiherr *v.*, Systematische Zusammenstellung und Erläuterung der gesetzlichen und reglementären Bestimmungen über die Behandlung der unter zollamtlicher Aufsicht stehenden Niederlagen im deutschen Zollverein. 1868. I. 203.

— Verhandlung über ein österreichisch-deutsches Zollbündnis 1849—1864. 1864. II./III. 602.

Verhandlungen der im September 1886 in Frankfurt a. M. abgehaltenen Generalversammlung des Vereins für Sozialpolitik etc. 1887. II./III. 611.

Versicherung, landwirtschaftliche, in organischer Verbindung mit Sparanstalten, Bodenkredit und Schuldenablösung. 1890. III. 588.

Verwaltungsbericht des Magistrats der Königl. Haupt- und Residenzstadt Breslau. 1889. I./II. 361.

Verwaltungsbericht des Rates der Stadt Leipzig für das Jahr 1885. 1889. I. 361.

Vierteljahrsheft, das erste der Zeitschrift des Kgl. preussischen statistischen Bureaus. 1867. II./III. 513.

Vierzig Jahre Erinnerungen von F. v. L e s s e p s.. 2. Bd. 1889. III. 575.

Vigano, F., Banques populaires II. Tom. 1865. IV. 605.

Villiaumé, N., nouveau traité d'économie politique. II ed. 2 Tom. 1864. II./III. 581.

Vocke, Dr. *W.*, Die Abgaben, Auflagen und die Steuer vom Standpunkte der Geschichte und der Sittlichkeit. 1887. II./III. 555.

— Die Grundzüge der Finanzwissenschaft. 1894. IV. 719.

Volksdienst. Von einem Sozialaristokraten. 1893. III. 549.

Volkswirtschaftslexikon der Schweiz. Band I. 1887. II./III. 569.

Wagner, A., Die russische Papierwährung. 1869. II. 412.

— System der deutschen Zettelbankgesetzgebung. 1870. IV. 697.

— Neunte Auflage des K. H. Rau'schen Lehrbuches der politischen Oekonomie, Erster Teil, Grundlegung. 1878. I./II. 426.

— Die Währungsfrage in der neuesten Litteratur. I. Der Bimetallismus. 1880. IV. 750.

— Die Währungsfrage in der neuesten Litteratur. Schluss. I. Der Bimetallismus. Schluss. II. Die Gegner des Bimetallismus in der Litteratur und die Goldmonometallisten. 1881. I. 210.

— Grundlegung der politischen Oekonomie. Erster Teil. 1894. I. 159.

Wagner, Frhr. *v.*, Das Jagdwesen in Württemberg unter den Herzogen. Ein Beitrag zur deutschen Kultur- und Rechtsgeschichte. 1877. II. 372.

Walcker, C., Die Selbstverwaltung des Steuerwesens im allgemeinen und die russische Steuerreform. 1871. I. 114.

— Kritik der Gneistischen Staatslehre. 1872. IV. 717.

Walras, Théorie mathématique de la richesse sociale. 1877. III. 547.

— Eléments d'Economie politique pure. 2. Aufl. 1891. I. 197.

Wappäus, Prof. Dr. *J. E.*, Einleitung in das Studium der Statistik. Vorlesungen gehalten an der Universität Göttingen. Herausg. von Dr. O. G a n d i l. 1881. III. 625.

Wasserab, Dr. *K.*, Preise und Krisen. 1890. I. 167.

Weech, v., Geschichte der Bad. Verfassung. 1869. II. 461.

Weiss, Fr. A. M., Die Gesetze der Berechnung von Kapitalzins und Arbeitslohn. 1885. I. 225.

Welner, Dr. *M.*, Die Produktion des Volksvermögens. 1864. II./III. 601.

Wels, D. A., Recent economic changes. 1890. III. 582

Weyer. Dr. *O. W.*, Die englische Fabrikinspektion. 1889. I./II. 359.

Wichmann, Dr. *N.*, Der deutsche Handel und die beabsichtigte deutsche Kriegsflotte. 1867. II./III. 518.

Gesetzgebung, Nekrologe, Preisaufgaben und Bücherschau

der

Zeitschrift für die gesamte Staatswissenschaft

in den Jahrgängen 1—50.

(Die arabischen Ziffern bedeuten Jahrgang und Seitenzahl, die römischen die Hefte.)

Gesetzgebung.

Gesetz über die Cheques in Frankreich. 1865. III. 463.

Gesetz vom 27. März 1867 über die privatrechtliche Stellung der Erwerbs- und Wirtschafts-Genossenschaft in Preussen. 1867. IV. 662.

Englisches Gesetz vom 29. Juni 1871, betreffend die Gewerkvereine (Trades Unions). 1872. I. 159.

Gesetz über die Handelsmarine in Frankreich. 1867. II./III. 494.

Die englische Gesetzgebung des Jahrs 1864. 1865. I./II. 260.

Die französische Gesetzgebung April 1867 bis Ende Dezember 1868. 1870. I. 199.

Französische Gesetzgebung im Jahr 1863 und 1864, Inhaltsanzeiger über diese. 1865. I /II. 264.

Die Gesetzgebung des Königreichs Italien. 1865. IV. 591.

Einführung eines neuen Münzsystems und Prägung von Nationalmünzen in Rumänien. 1868. I. 159.

Gesetz zur Verhinderung des Betrugs beim Verkauf von Düngmitteln in Frankreich. 1868. I. 158.

Die englische Gesetzgebung des Jahres 1866. 1868. I. 151.

Französische Gesetzgebung Januar 1865 bis März 1867. 1868. I. 152.

Die neue Gesetzgebung Oesterreichs. 1869. I. 177.

Englische Gesetzgebung von 1867 und 1868. 1871. I. 162.

Frankreich. Gesetz betreffend den Zwangskurs der Noten der Bank von Frankreich. 1871. I. 176.

Französisches Gesetz, den Verfalltermin der Handelspapiere betreffend. 1871. I. 176.

Französisch-englisch-niederländisch-belgische Deklaration vom 27. Dezember 1869 zu der Uebereinkunft, betreffend die Besteuerung des Zuckers. 1871. I. 477.

Niederlande. Gesetz vom 20. Juli 1870, die Weinaccise betr. 1871. I. 176.

Zwei Gesetze des Norddeutschen Bundes über die Ausgabe von Banknoten und über Papiergeldausgabe. 1871. I. 174.

Norddeutscher Bund. Gesetz betreffend die Gründung öffentlicher Darlehenskassen. 1871. I. 172.

Oesterreichische Gesetzgebung. 1871. I. 124.

Zollverein. Gesetz, die Besteuerung des Zuckers betreffend. 1871. I. 175.

Wirtschaftliche und finanzielle Gesetzgebung für Elsass-Lothringen. 1872. I. 155.

Die Gesetzgebung des Jahres 1882. I. Internationale Verträge und Verkehrsvereinbarungen. 1883. III./IV. 751. — II. Inneres öffentliches Recht. 1883. III./IV. 754.

Die Gesetzgebung des Jahres 1883. 1884. III./IV. 811. — 1) Internationale Verträge und Verkehrsvereinbarungen. 1884. III /IV. 812. — 2) Inneres öffentliches Recht. 1884. III./IV. 817.

Die Gesetzgebung des Jahres 1884. 1885. III./IV. 692. — 1) Internationale Verträge

---

Nekrologe.

Preisaufgaben.

Preisfragen der fürstlich Jablonowski'schen Gesellschaft zu Leipzig. 1866. II./III. 473.
Preisaufgaben der Rubenow-Stiftung. 1867. II./III. 526.
Preisfragen der fürstl. Jablonowski'schen Gesellschaft zu Leipzig für die Jahre 1871.
   1872. 1873. 1871. I. 179.
— der fürstl. Jablonowski'schen Gesellschaft zu Leipzig. 1872. II./III. 483.
— der Rubenow-Stiftung. 1872. II./III. 484.
Preisaufgaben der fürstl. Jablonowski'sehen Gesellschaft zu Leipzig. 1873. II./III. 538.
— der fürstl. Jablonowski'schen Gesellschaft zu Leipzig. 1874. III./IV. 728. —
   1875. II./III. 498.
— der Lamey-Stiftung der Universität Strassburg. 1875. II./III. 500.
— der fürstlich Jablonowski'schen Gesellschaft. 1877. III. 571.
— der Rubenow-Stiftung. 1877. II. 391.
Preis-Aufgabe der Lamey-Stiftung der Kaiser-Wilhelms-Universität Strassburg. 1878.
   III. 612.
Preisaufgaben der fürstl. Jablonowski'schen Gesellschaft in Leipzig. 1880. II. 404.
— der Rubenow-Stiftung. 1882. II. 447.
Preisaufgabe gestellt von der Universität Breslau. 1883. III./IV. 900.

Bücherschau.

Staatswisssenschaftliche Bücherschau. 1844. IV. 800.
— — — 1845. I. 185. II. 413. III. 597. IV. 767.
— — — 1846. I. 225. II. 414. III. 611. IV. 753.
— — — 1847. I. 225. II. 447. III. 618. IV. 807.
— — — 1848. I. 236. II. 438. III. 617. IV. 737.
— — — 1852. I. 235. II./III. 543. IV. 731.
— — — 1853. I./II. 284 III./IV. 711.
— — — 1854. I. 175. II. 396. III./IV. 697.
— — — 1855. I. 148. II. 331. III./IV. 687.
— — — 1856. I. 163. II. 355. IV. 709.
— — — 1857. I. 165. II. 490. IV. 695.
— — — 1858. I. 165. II./III. 503. IV. 721.
— — — 1859. I. 189. IV. 708.
— — — 1860. I. 187. II. 397. III./IV. 717.
— — — des Jahres 1861. 1862. IV. 762.
— — — des Jahres 1862. 1863 III./IV. 697.
— — — des Jahres 1863. 1864. IV. 775.
— — — des Jahres 1864. 1865. IV. 607.
— — — des Jahres 1865. 1866. IV. 628.
— — — des Jahres 1866. 1867. IV. 674.
— — — des Jahres 1867. 1868. IV. 660.
— — — des Jahres 1868. 1869. IV. 630.
— — — des Jahres 1869. 1870. IV. 703.
Verzeichnis zugesendeter Schriften. 1876. I. 180. IV. 726.
— — — 1877. II. 388.
Verzeichnis zugesendeter Bücher. 1878. I./II. 429. III. 613. IV. 760.
— — — 1879. I. 186. II. 403. III. 591. IV. 765.
Eingesendete Schriften. 1880. I. 189. II. 389. III. 598. IV. 784.
— — — 1881. III. 648. IV. 852.
— — — 1882. Nachtrag zu Heft III./IV.
— — — 1884. I. 196. 210. 212. 213. II. 466. 475. III./IV. 884.
— — — 1885. I. 244. 245. II. 468. III./IV. 825.
— — — 1886. I. 222. IV. 889.
— — — 1888. I. 215. II. 412. III. 596. IV. 834.
— — — 1889. I./II. 377. IV. 801.
Eingesendete Litteratur. 1891. I. 199.
Eingesendete Schriften. 1892. II. 400. IV. 743.

CPSIA information can be obtained
at www.ICGtesting.com
Printed in the USA
BVHW091426191118
533513BV00019B/381/P